★ **British Museum** ④
Voir pages 126-9

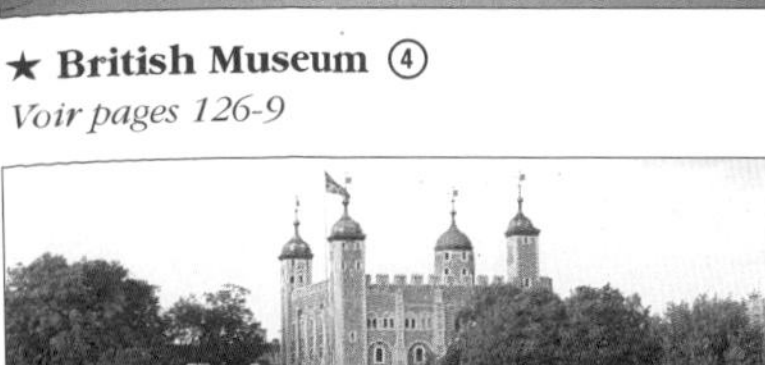

★ **La Tour** ⑫
Voir pages 154-7

★ **St-Paul** ⑩
Voir pages 148-51

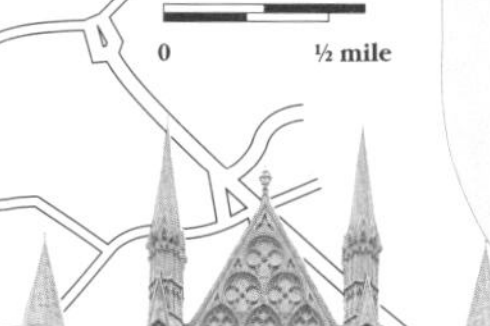

★ **Palais de Westminster** ⑧
Voir pages 72-3

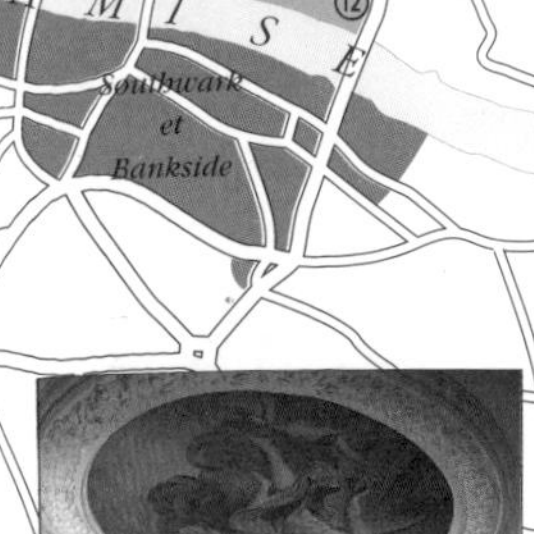

★ **Museum of London** ⑪
Voir pages 166-7

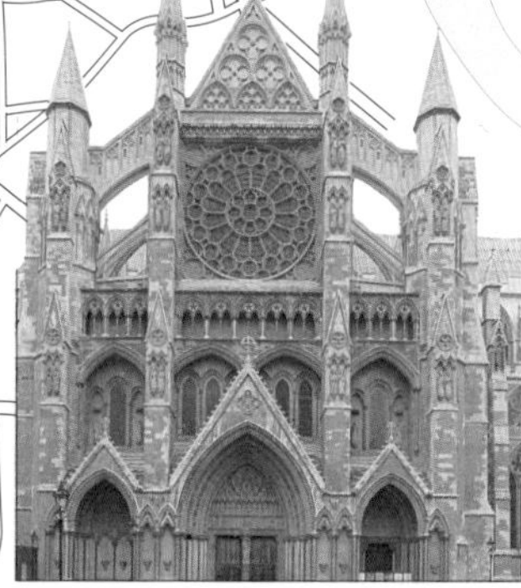

★ **Westminster (Abbaye de)** ⑦
Voir pages 76-9

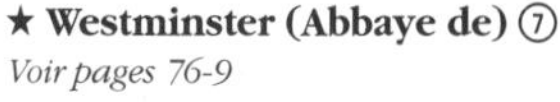

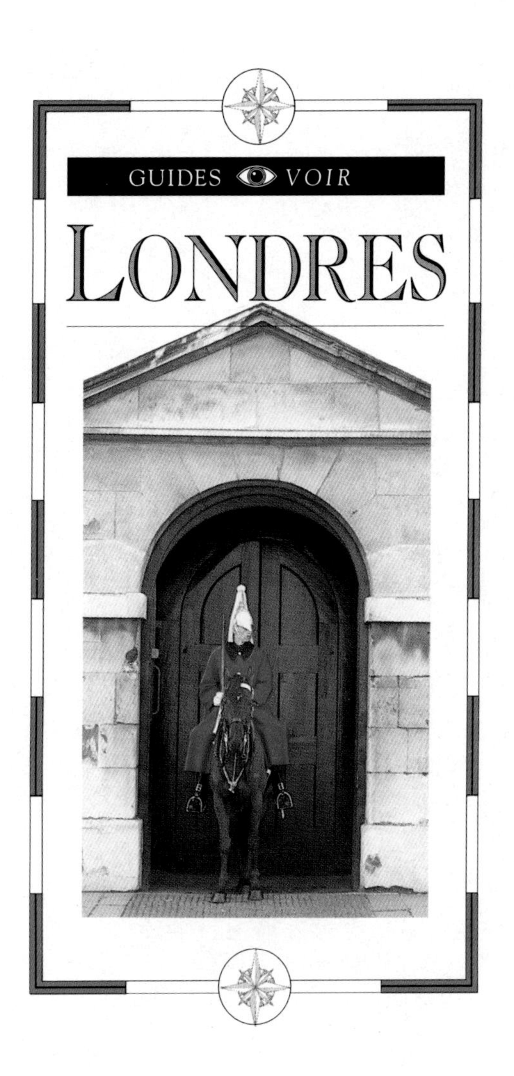
GUIDES VOIR
LONDRES

GUIDES VOIR

LONDRES

CE GUIDE VOIR A ÉTÉ ÉTABLI PAR :
Michael Leapman

GUIDE DE VOYAGE HACHETTE
43, quai de Grenelle 75015 Paris.

DIRECTION :
Isabelle Jeuge-Maynart

DIRECTION ÉDITORIALE :
Isabelle Jendron,
Catherine Marquet

ÉDITION :
Hélène Gédouin

TRADUIT ET ADAPTÉ DE L'ANGLAIS PAR :
Dominique Brotot,
Arnaud Dupin de Beyssat et Pierre Saint-Jean

AVEC LA COLLABORATION
d'Ivan Rubinstein

Publié pour la première fois en Grande-Bretagne en 1993,
sous le titre : *Eyewitness Travel Guide : London*

DÉPÔT LÉGAL : 8592 février 1997
Collection 18 – Édition 01
ISBN : 2-01-242649-2
ISSN : 1246 - 8134
N° DE CODIFICATION : 24-2649-2

Aussi soigneusement qu'il ait été établi, ce guide
n'est pas à l'abri des changements de dernière heure.
Faites-nous part de vos remarques, informez-nous
de vos découvertes personnelles : nous accordons
la plus grande attention au courrier de nos lecteurs.

SOMMAIRE

COMMENT UTILISER CE GUIDE *6*

Portrait de Walter Raleigh (1585)

PRÉSENTATION DE LONDRES

LONDRES DANS SON ENVIRONNEMENT *10*

HISTOIRE DE LONDRES *14*

LONDRES D'UN COUP D'ŒIL *34*

LONDRES AU JOUR LE JOUR *56*

LONDRES AU FIL DE L'EAU *60*

Une porte sur Bedford Square (1775)

Londres quartier par quartier

Whitehall et Westminster *68*

Piccadilly et St James 's *86*

Soho et Trafalgar Square *98*

Covent Garden et le Strand *110*

Détente à St James's Park

Bloomsbury et Fitzrovia *120*

Holborn et les collèges d'avocats *132*

La City *142*

Smithfield et Spitalfields *160*

Southwark et Bankside *172*

South Bank *180*

Chelsea *188*

South Kensington et Knightsbridge *194*

Kensington et Holland Park *210*

Les jardins de Hampton Court vers 1720

Un « beefeater » à la Tour de Londres

Regent's Park et Marylebone *216*

Hampstead *224*

Greenwich et Blackheath *232*

En dehors du centre *240*

Cinq promenades à pied *258*

L'église St-Paul à Covent Garden

Les bonnes adresses

Hébergement *272*

Restaurants et pubs *286*

Boutiques et marchés *310*

Se distraire à Londres *324*

Le Londres des enfants *338*

Le palais de Westminster

Renseignements pratiques

Londres mode d'emploi *344*

Aller à Londres *354*

Circuler à Londres *360*

Atlas et répertoire des noms de rues *368*

Index *406*

Remerciements *429*

COMMENT UTILISER CE GUIDE ?

Ce guide a pour but de vous aider à profiter au mieux de votre séjour à Londres. L'introduction, *Présentation de Londres*, situe la ville dans son contexte géographique et historique et explique comment la vie évolue au fil des saisons. *Londres d'un coup d'œil* donne un aperçu de ses richesses. *Londres quartier par quartier* est la partie la plus importante de ce livre. Elle présente en détail tous les principaux sites et monuments. Enfin, le chapitre *Cinq promenades à pied* vous guide dans les endroits que vous auriez pu manquer.

Les bonnes adresses vous fourniront des informations sur les hôtels, les restaurants, les pubs ou les boutiques et les *Renseignements pratiques* vous donneront des conseils utiles, que ce soit pour poster une lettre ou pour prendre le métro.

LONDRES QUARTIER PAR QUARTIER

Nous avons divisé la ville en 17 quartiers. Chaque chapitre débute par un portrait du quartier, de sa personnalité et de son histoire. Sur le *Plan du quartier*, des numéros situent clairement les sites et monuments à découvrir. Un plan « pas à pas » développe ensuite la zone la plus intéressante. Le système de numérotation des monuments, constant tout au long de cette section, permet de se repérer facilement de page en page. Il correspond à l'ordre dans lequel les sites sont décrits en détail.

1 Plan général du quartier

Un numéro signale les monuments du quartier. Ce plan indique aussi les stations de métro et de train, et les parcs de stationnement.

2 Plan du quartier pas à pas

Il offre une vue aérienne du cœur de chaque quartier. Pour vous aider à les identifier en vous promenant, les bâtiments les plus intéressants ont une couleur plus vive.

Des photos, d'ensemble ou de détail, permettent de reconnaître les monuments.

Une carte de situation indique où se trouve la quartier dans la ville. Le plan pas à pas apparaît en rouge.

Des repères colorés aident à trouver le quartier dans le guide.

Le quartier d'un coup d'œil classe par catégorie les centres d'intérêt du quartier : rues et bâtiments historiques, églises, musées, parcs et jardins.

La zone détaillée dans le *Plan pas à pas* est ombrée en rouge.

Des numéros situent les monuments sur le plan. L'église St-Margaret est en ❻.

Vous savez comment atteindre le quartier rapidement.

Un itinéraire de promenade emprunte les rues les plus intéressantes.

L'église St-Margaret figure également sur ce plan.

Des étoiles rouges indiquent les sites à ne pas manquer.

LONDRES D'UN COUP D'ŒIL
Chaque plan de cette partie du guide est consacré a un thème : *Hôtes célèbres, Musées et galeries, Eglises, Parcs et jardins, Cérémonies.* Les lieux les plus intéressants sont indiqués sur le plan ; d'autres sont décrits dans les deux pages suivantes.

Chaque quartier a sa couleur.

Le thème est développé dans les pages suivantes.

3 Des renseignements détaillés

Cette rubrique donne des informations détaillées et des renseignements pratiques sur tous les monuments intéressants. Leur numérotation est celle du Plan du quartier.

INFORMATION PRATIQUE
Chaque rubrique donne les informations nécessaires à l'organisation d'une visite. Une table des symboles se trouve sur le rabat de la dernière page.

Numéro de téléphone — **Adresse** — **Report au plan de l'atlas des rues**

St Margaret's Church 6 — **Numéro du site**

Parliament Sq SW1. **Plan** 13 B5.
071-222 5152. Westminster.
Ouvert *de 9 h 30 à 17 h 30 du lun. au sam. De 13 h à 17 h 30 le dim. 11 h le dim.* ***Concerts.***

Heures d'ouverture — **Horaire des messes** — **Station de métro la plus proche**

4 Les principaux monuments de Londres

Deux pleines pages, ou plus, leur sont réservées. La représentation des bâtiments historiques en dévoile l'intérieur. Les plans des musées, par étage, vous aident à y localiser les plus belles expositions.

Le **Mode d'emploi** vous aide à organiser votre visite.

Une photo de la façade de chaque monument important vous aide à le repérer.

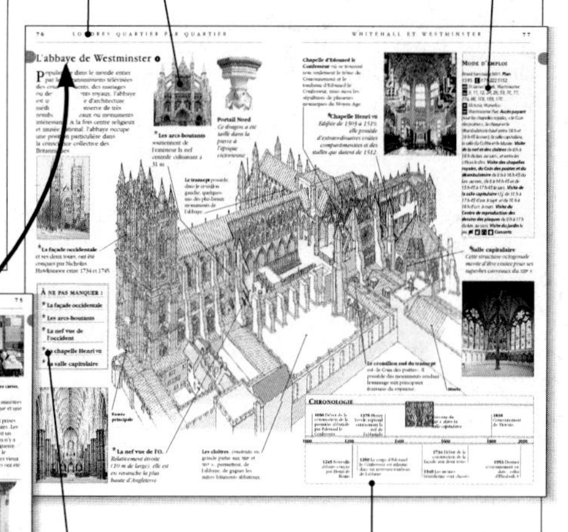

Les étoiles rouges signalent les détails architecturaux les plus intéressants et les œuvres d'art les plus remarquables.

Une chronologie résume l'histoire de l'édifice.

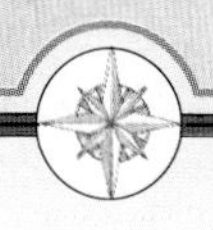

Présentation de Londres

Londres dans son environnement 10-13
Histoire de Londres 14-33
Londres d'un coup d'œil 34-55
Londres au jour le jour 56-59
Londres au fil de l'eau 60-65

Londres dans son environnement

Londres, capitale du Royaume-Uni, compte sept millions d'habitants et couvre 1 580 km² au S.-E. de l'Angleterre. Construite de part et d'autre de la Tamise, elle se situe au centre des réseaux routier et ferroviaire du Royaume-Uni. De Londres, les visiteurs peuvent facilement accéder aux autres villes du pays.

L'E. de la ville, vu de Southwark

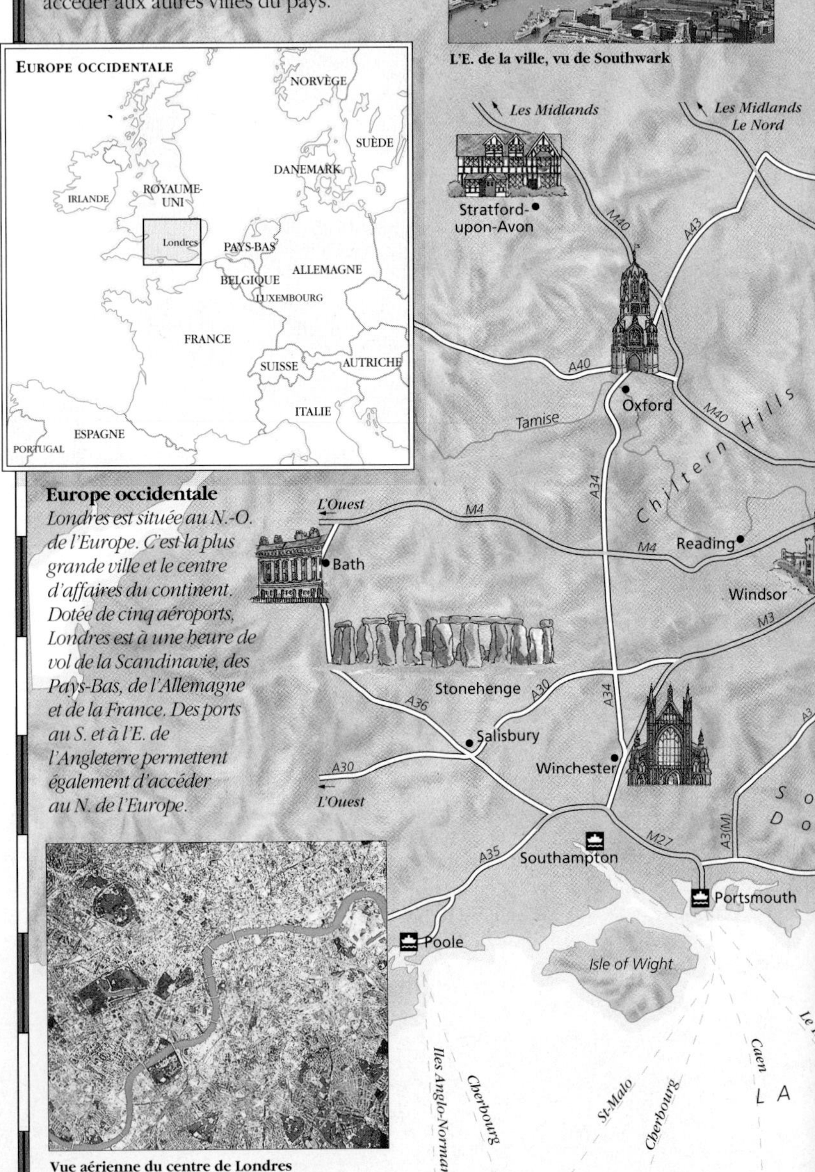

Europe occidentale
Londres est située au N.-O. de l'Europe. C'est la plus grande ville et le centre d'affaires du continent. Dotée de cinq aéroports, Londres est à une heure de vol de la Scandinavie, des Pays-Bas, de l'Allemagne et de la France. Des ports au S. et à l'E. de l'Angleterre permettent également d'accéder au N. de l'Europe.

Vue aérienne du centre de Londres

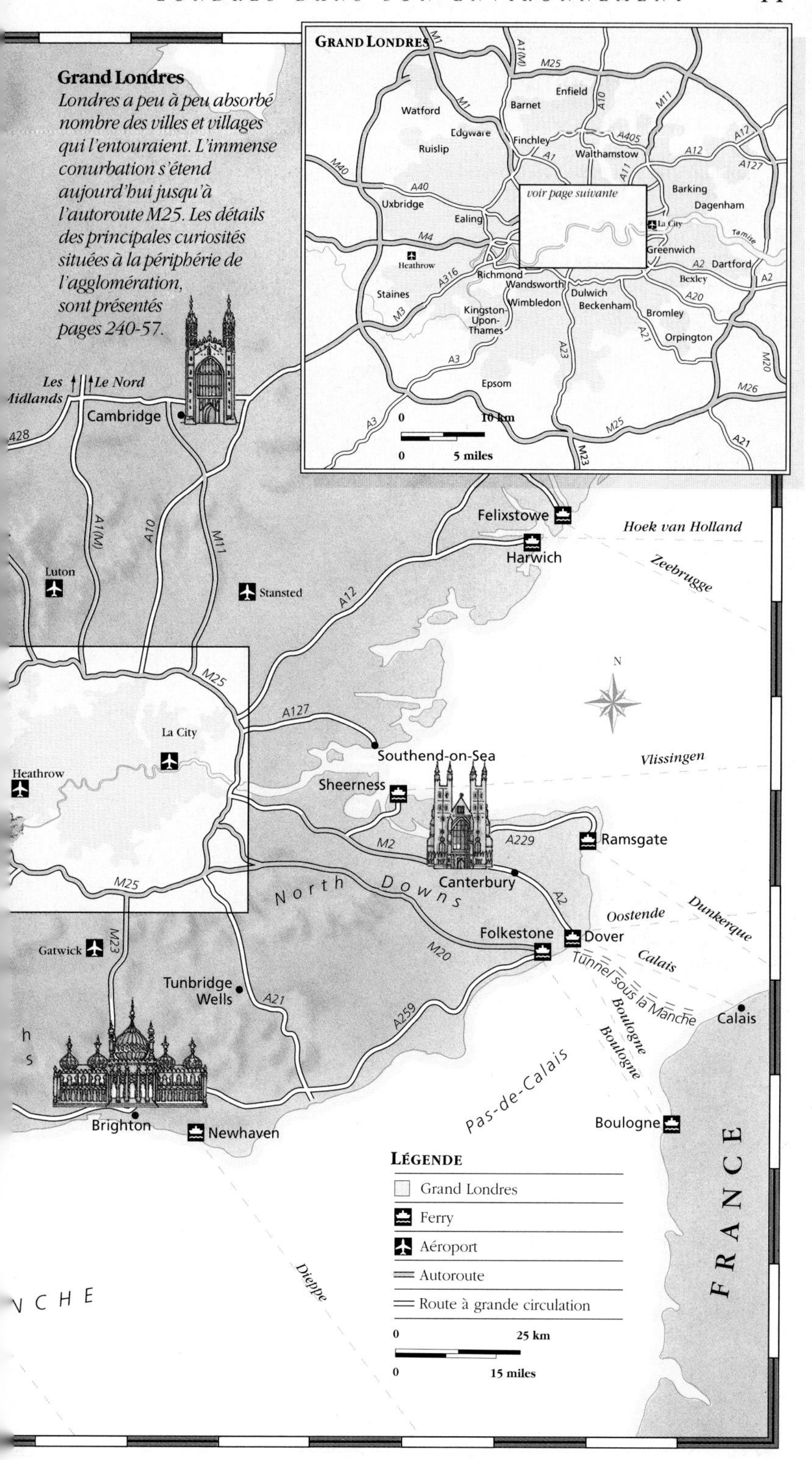

Grand Londres

Londres a peu à peu absorbé nombre des villes et villages qui l'entouraient. L'immense conurbation s'étend aujourd'hui jusqu'à l'autoroute M25. Les détails des principales curiosités situées à la périphérie de l'agglomération, sont présentés pages 240-57.

Centre de Londres

La plupart des objectifs touristiques décrits dans ce guide sont situés dans 14 quartiers du centre de Londres ou dans deux faubourgs de la capitale : Hampstead et Greenwich. Chacun de ces secteurs fait l'objet d'un chapitre. Si votre séjour à Londres est bref, vous pourrez vous limiter aux cinq quartiers qui recèlent les centres d'intérêt les plus célèbres : Whitehall et Westminster, la City, Bloomsbury et Fitzrovia, Soho et Trafalgar Square et enfin, South Kensington et Knightsbridge.

Pages 216-23
Plans
3-4, 11-12

Pages 232-9
Plans
23-24

Pages 224-31
Plans
1-2

Hampstead

Greenwich et Blackheath

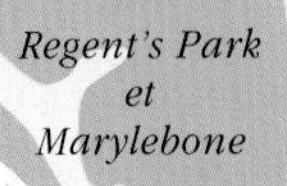

Pages 210-15
Plans
9-10, 17

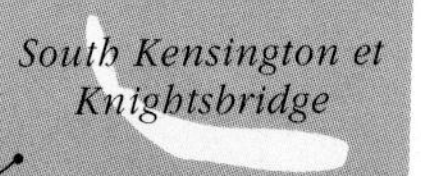

Piccadilly et St James's

Chelsea

Pages 194-209
Plans
10-11, 18-19

Pages 188-93
Plans
18-19

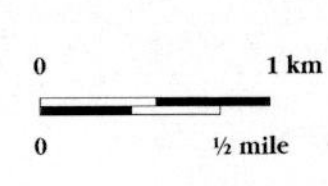

PAGES 98 - 109
Plans
12 - 13

PAGES 120 - 31
Plans
4 - 5, 13

PAGES 110 - 19
Plans
13 - 14

PAGES 132 - 41
Plans
5 - 6, 13 - 14

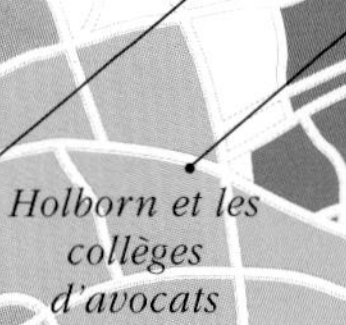

PAGES 160 - 71
Plans
6 - 7, 14, 16

PAGES 142 - 59
Plans
14 - 16

PAGES 68 - 85
Plans
13, 20 - 1

PAGES 86 - 97
Plans
12 - 13, 20

PAGES 180 - 7
Plans
13 - 14, 21 - 2

PAGES 172 - 9
Plans
6, 16

HISTOIRE DE LONDRES

En 55 av. J.-C., l'armée romaine de Jules César envahit l'Angleterre. Elle débarque dans le Kent, avance jusqu'à la Tamise et s'arrête sur le site actuel de Southwark. La colonie primitive celte, installée sur l'autre rive du fleuve, n'est guère importante. Toutefois, lors de la seconde invasion romaine, 88 ans plus tard, des marchands y font, avec la Gaule, le trafic des métaux, des peaux, des bois de construction et des esclaves. Les Romains construisent un pont et installent leur quartier général sur la rive gauche. Ils appellent la cité *Londinium*, une transformation du nom celte de la ville.

Le griffon, symbole de la City

LONDRES CAPITALE DU ROYAUME

Londres ne tarde pas à devenir la plus grande ville d'Angleterre et, à l'époque de l'invasion normande, il est évident qu'elle seule peut prétendre à être la capitale du pays.

La ville s'étend peu à peu au-delà de l'enceinte romaine, presque entièrement détruite lors du Grand Feu de 1666. Les travaux de reconstruction effectués après l'incendie, jettent les bases de la configuration actuelle de la City. Cependant, au XVIIIe s., la ville englobe également la City of Westminster, qui, depuis longtemps, constitue le centre politique et religieux de la métropole. La croissance rapide du commerce et de l'industrie, aux XVIIIe et XIXe s., font de Londres la ville la plus grande et la plus riche du monde. Une classe moyenne, relativement prospère, s'installe dans des demeures élégantes, dont certaines ont subsisté jusqu'à nos jours. L'espoir de s'enrichir attire dans la ville des millions de personnes qui viennent des campagnes ou de pays étrangers. La plupart vivent dans des quartiers insalubres à l'E. de la City et sont employés dans les docks.

À la fin du XIXe s., 4,5 millions d'individus vivent dans le centre de Londres et 4 autres millions à la périphérie de la ville. Les bombardements de la Seconde Guerre mondiale ont dévasté nombre des quartiers du centre. La seconde moitié du XXe s. a donné lieu à d'importantes reconstructions, notamment sur les anciens sites des docks et des usines de l'ère victorienne.

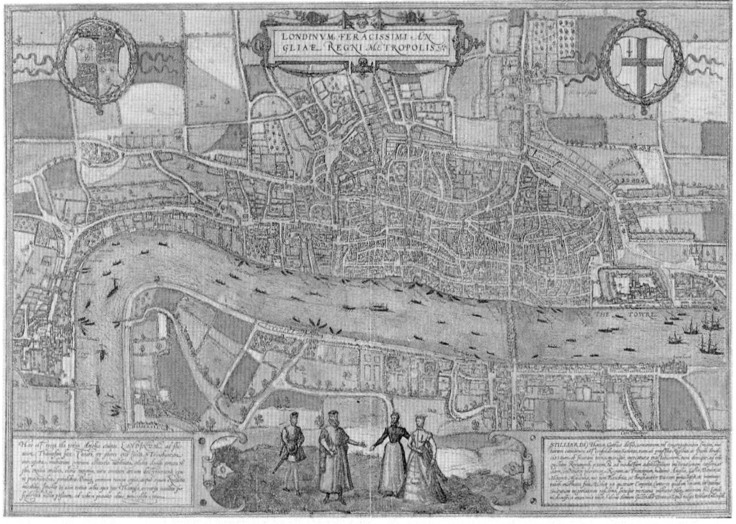

Cette carte de 1580 présente la City, et, à proximité du coin inférieur gauche, la City of Westminster

Sur ce manuscrit du XVe s., figurent la Tour de Londres, et, au fond, le pont de Londres

Londres romain

Pièce romaine du Ier s ap. J.-C.

Lorsque les Romains envahissent la Grande-Bretagne à la fin du Ier s. ap. J.-C., ils contrôlent déjà de vastes territoires situés de part et d'autre de la Méditerranée. Les tribus locales leur opposent une farouche résistance (conduite par la reine Boadicée). Les Romains parviennent cependant à préserver et à consolider les pouvoirs qu'ils détiennent. Londinium et son port se développent jusqu'à devenir la capitale du pays. Au IIIe s., la ville compte près de 50 000 habitants. Au Ve s., l'Empire romain s'effondre, les garnisons se retirent laissant la place aux pillards saxons.

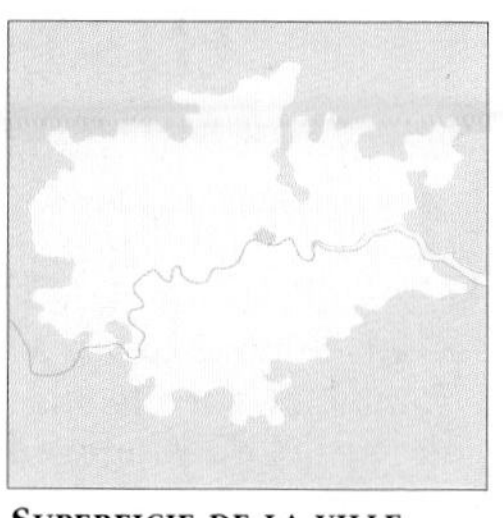

Superficie de la ville

En 125 | Aujourd'hui

Bains publics
Aux yeux des Romains, les bains revêtaient une importance considérable. Cet ustensile de toilette (doté d'un cure-ongles) et cette écuelle en bronze datent du Ier s. ap. J.-C.

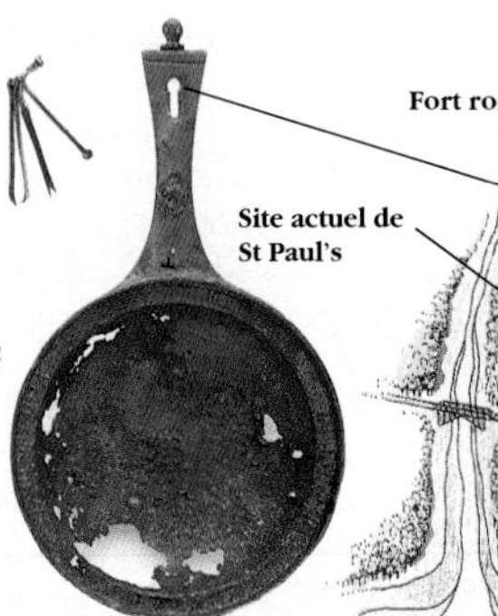

Basilique

Forum

Londinium
La ville romaine s'élevait sur le site actuel de la City (voir pp. 142-159). *Développée sur les rives de la Tamise, sa position stratégique facilitait le commerce avec le continent.*

Forum et basilique
À environ 200 m du pont de Londres se trouvaient le forum (marché et place où se tenaient les assemblées du peuple) et la basilique (l'hôtel de ville et le tribunal).

Portrait de Mithra
Il se trouvait dans le temple consacré au culte de ce défenseur de la vérité.

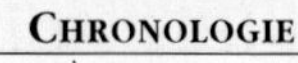

Chronologie

55 av. J.-C. César envahit la Grande-Bretagne

61 ap. J.-C. La reine Boadicée attaque Londres

200 Construction de l'enceinte romaine

410 Les légions romaines commencent à quitter la ville

100 | 200 | 300 | 400 | 5

43 av. J.-C. Claude établit Londinium et fait construire le premier pont

Londres romain

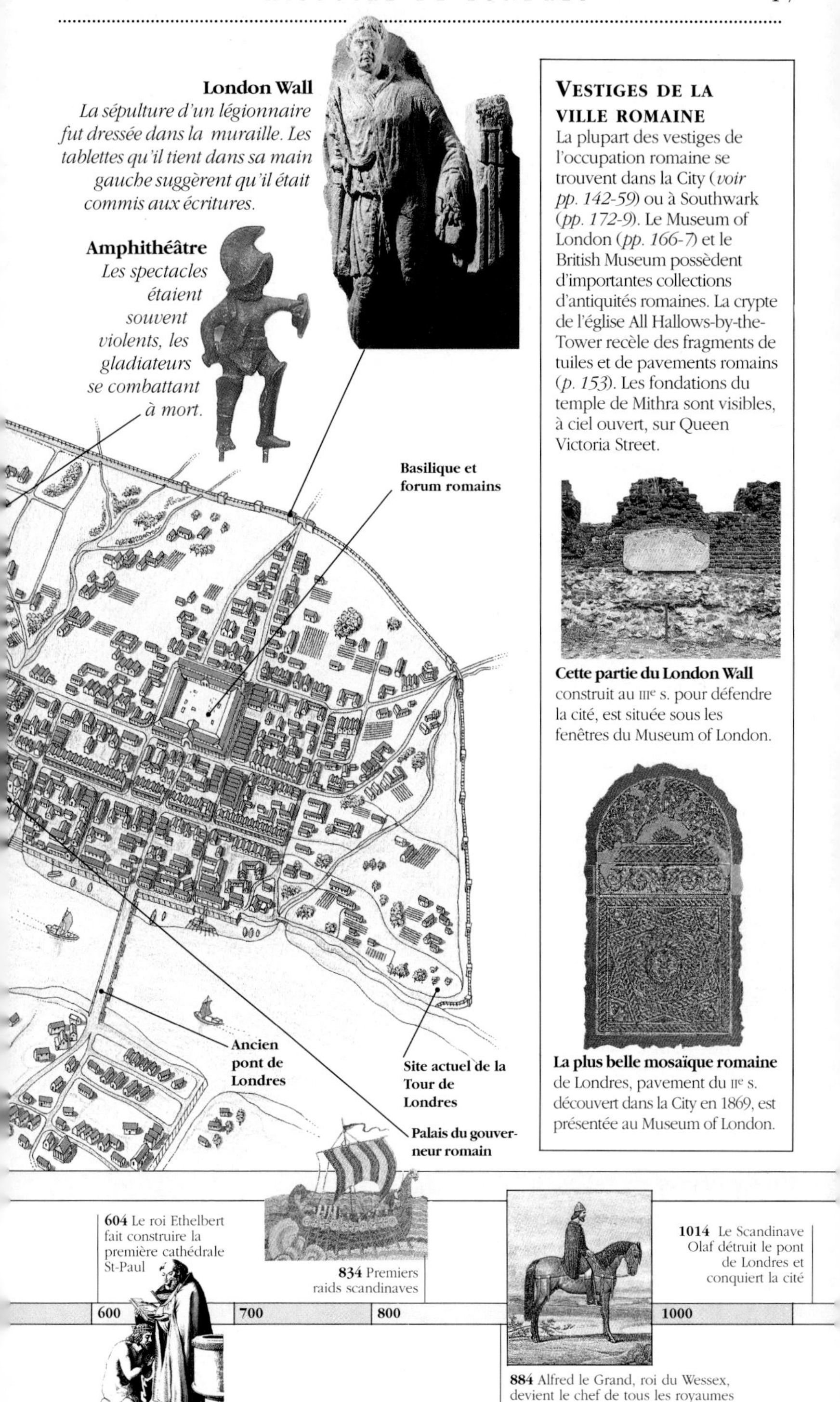

London Wall
La sépulture d'un légionnaire fut dressée dans la muraille. Les tablettes qu'il tient dans sa main gauche suggèrent qu'il était commis aux écritures.

Amphithéâtre
Les spectacles étaient souvent violents, les gladiateurs se combattant à mort.

Vestiges de la ville romaine

La plupart des vestiges de l'occupation romaine se trouvent dans la City (*voir pp. 142-59*) ou à Southwark (*pp. 172-9*). Le Museum of London (*pp. 166-7*) et le British Museum possèdent d'importantes collections d'antiquités romaines. La crypte de l'église All Hallows-by-the-Tower recèle des fragments de tuiles et de pavements romains (*p. 153*). Les fondations du temple de Mithra sont visibles, à ciel ouvert, sur Queen Victoria Street.

Cette partie du London Wall construit au IIIe s. pour défendre la cité, est située sous les fenêtres du Museum of London.

La plus belle mosaïque romaine de Londres, pavement du IIe s. découvert dans la City en 1869, est présentée au Museum of London.

600 | 700 | 800 | 1000

604 Le roi Ethelbert fait construire la première cathédrale St-Paul

834 Premiers raids scandinaves

884 Alfred le Grand, roi du Wessex, devient le chef de tous les royaumes

1014 Le Scandinave Olaf détruit le pont de Londres et conquiert la cité

Londres médiéval

Sous Edouard Ier le Confesseur, l'importance croissante de la grande cité commerciale et la construction du palais et de l'abbaye de Westminster (*voir pp. 76-9*) scellent la scission des deux pôles de la ville. À la même époque, dans la City, les artisans et commerçants créent leurs propres associations et désignent le premier maire de Londres. La Peste Noire (1348) décime la moitié de la population de la ville, qui ne compte guère alors plus d'habitants que lors de l'occupation romaine.

SUPERFICIE DE LA VILLE

En 1200 *Aujourd'hui*

St Thomas Becket
Archevêque de Canterbury assassiné en 1170 par des chevaliers influencés par les propos irréfléchis du roi Henri II, Thomas fut ensuite canonisé.

PONT DE LONDRES
Jusqu'à l'édification du pont de Westminster en 1750, le pont de Londres (XIIIe-XIXe s.) était le seul traversant la Tamise.

La Chapelle de St-Thomas, érigée l'année au cours de laquelle le pont fut achevé, fut l'un de ses premiers édifices.

Rambarde

Maisons et échoppes surplombaient le fleuve de part et d'autre du pont. Les marchands fabriquaient leurs produits sur place et vivaient à l'étage. Les apprentis s'occupaient de la vente.

Les piles étaient constituées de pieux en bois enfoncés dans le lit du fleuve et emplies de blocaille.

Dick Whittington,
*marchand du XVe s., fut maire de Londres à trois reprises (*voir p. 39*).*

La chasse à courre,
le divertissement préféré des riches propriétaires terriens.

Les arches, inégales, font de 4,50 m à 10 m de large.

CHRONOLOGIE

1042 Edouard Ier devient roi

1086 *Domesday Book*, le premier cadastre établi en Angleterre

1191 Henry Fitzalwin devient le premier maire de Londres

1215 Jean sans Terre accepte les articles de la Grande Charte (*Magna Carta*) qui confèrent davantage de pouvoirs à la Cité

1050 | 1100 | 1150 | 1200 | 1250

1066 Couronnement de Guillaume le Conquérant

1065 La construction de l'abbaye de Westminster s'achève

1176 Début des travaux du premier pont en pierre

1240 Deux chevaliers par comté et deux bourgeois par cité prennent part aux premières délibérations du Parlement

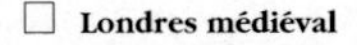
Londres médiéval

Chevalerie
Les chevaliers du Moyen Age étaient estimés pour leur courage et leur sens de l'honneur. Edward Burne-Jones (1833-98) a représenté saint George, le patron de l'Angleterre, terrassant le dragon.

Goeffrey Chaucer
Il est considéré comme l'auteur des Contes de Canterbury *qui font de lui l'un des témoins et critiques de l'Angleterre du XIVe s.*

Plan du pont
Doté de 19 travées, il demeura, pendant de nombreuses années, le pont en pierre le plus long de l'Angleterre.

VESTIGES DE LA VILLE MÉDIÉVALE

En 1666, le Grand Feu (*voir pp. 22-3*) n'épargne guère que la Tour (*pp. 154-7*), le grand hall du palais de Westminster (*p. 72*), l'abbaye (*pp. 76-9*) et quelques églises (*p. 46*). Le Museum of London (*pp. 166-7*) possède des objets et la Tate (*pp. 82-5*) et la National Gallery (*pp. 104-7*), de superbes peintures. Les manuscrits, notamment le *Domesday Book*, sont conservés à la British Library (*p. 129*) et au Public Record Office (*p. 137*).

La Tour de Londres, dont la construction commence en 1078, devient un palais royal et le haut lieu de la Cité.

Cette rosace du XIVe s. est l'unique vestige de Winchester House, sur Clink Street (*voir p. 177*).

Au XIIIe s., le tombeau de Becket est un but de pèlerinage

1348 La Peste Noire dévaste la ville

1394 Henri de Lancastre modifie le hall du palais de Westminster

Le Sceau de Richard nous donne une idée de l'apparence des rois du Moyen Age

1350 | **1400** | **1450**

1381 La révolte des paysans est réprimée

1397 Richard Whittington devient maire

1476 William Caxton établit à Westminster les premières presses d'imprimerie anglaises

Londres élisabéthain

Au XVIe s., les pouvoirs de la monarchie sont très étendus. La dynastie des Tudors encourage le développement du commerce et s'intéresse de près aux activités artistiques. Cette renaissance atteint son apogée sous le règne d'Elisabeth Ire, époque de la découverte du Nouveau Monde et des débuts du théâtre anglais, dont le rayonnement sera mondial.

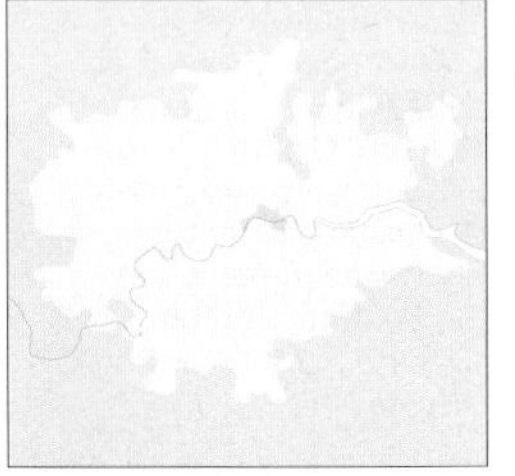

SUPERFICIE DE LA VILLE

En 1561 | *Aujourd'hui*

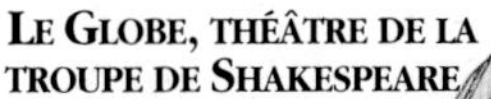

LE GLOBE, THÉÂTRE DE LA TROUPE DE SHAKESPEARE

Seule l'enceinte des théâtres élisabéthains, en bois, est couverte : les jours de pluie, les représentations sont annulées.

Rideau

Le balcon, sur la scène, fait partie du décor.

Le plateau scénique est doté d'une trappe.

Le parterre était à ciel ouvert, et les spectateurs, debout, entouraient les tréteaux de trois côtés.

Mort sur le bûcher
Les Tudors usent de méthodes expéditives à l'encontre des opposants au régime. Ici, en 1555, sous le règne de Marie Ire, les évêques Latimer et Ridley, accusés d'hérésie, sont brûlés vifs. Les traîtres étaient pendus, noyés ou écartelés.

La chasse et la fauconnerie, *passe-temps très prisés au XVIe s., sont représentées sur ce coussin.*

CHRONOLOGIE

Les chasseurs de rats étaient impuissants à enrayer la propagation de l'épidémie

1530

1534 Henri VIII rompt avec l'Eglise catholique et romaine

1535 Thomas More paie de sa vie sa fidélité à Rome

1536 Anne Boleyn, seconde femme de Henri VIII, est décapitée dans la Tour

1547 Henri VIII meurt et son fils Edouard VI accède au trône d'Angleterre

1550

1553 Marie Tudor succède à Edouard VI

Londres élisabéthain

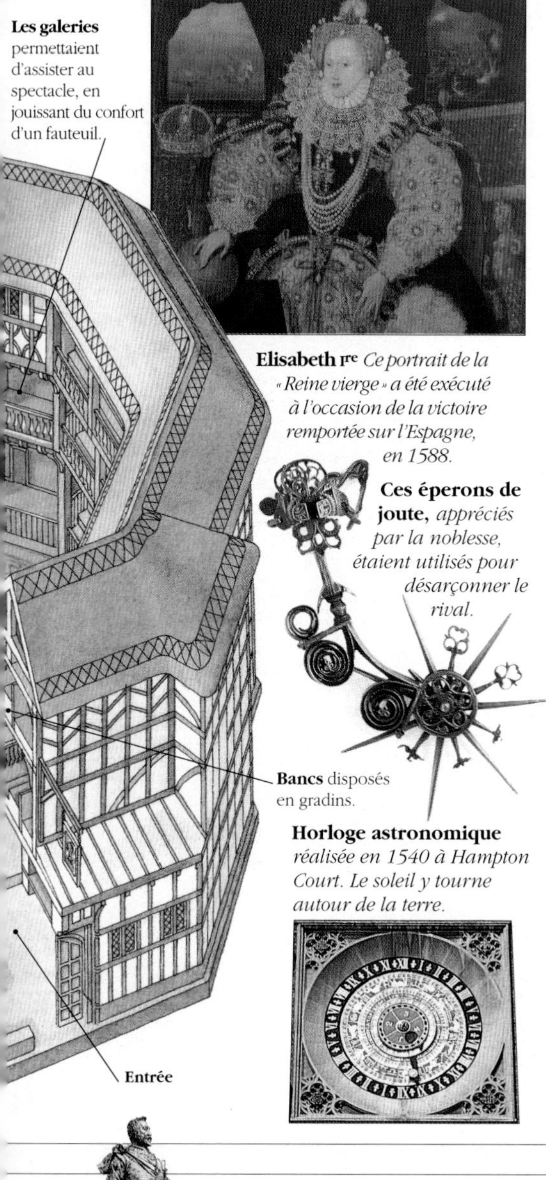

Les galeries permettaient d'assister au spectacle, en jouissant du confort d'un fauteuil.

Elisabeth Ire *Ce portrait de la « Reine vierge » a été exécuté à l'occasion de la victoire remportée sur l'Espagne, en 1588.*

Ces éperons de joute, *appréciés par la noblesse, étaient utilisés pour désarçonner le rival.*

Bancs disposés en gradins.

Horloge astronomique *réalisée en 1540 à Hampton Court. Le soleil y tourne autour de la terre.*

Entrée

VESTIGES DE LA VILLE ÉLISABÉTHAINE

Le Grand Feu de 1666 épargna Middle Temple (*p. 139*), Staple Inn (*p. 141*) et la chapelle Notre-Dame (Lady Chapel) de l'abbaye de Westminster (*pp. 76-9*). Le Museum of London (*pp. 166-7*), le Victoria and Albert Museum (*pp. 198-201*) et le Geffrye Museum (*p. 244*) possèdent de beaux témoignages du XVIIe s.
À l'extérieur de la ville, on visitera Hampton Court (*pp. 250-3*) et Sutton House (*p. 244*).

Elisabeth Ire assista à la représentation de la pièce de Shakespeare, *La Nuit des Rois.*

Ce magnifique pichet, qui appartient au Museum of London, a été exécuté par un artisan vénitien.

63 La peste
vaste l'Europe

1570 Francis Drake fait le premier voyage des Antilles

1584 Walter Raleigh tente de coloniser l'Amérique

1588 Drake repousse la flotte espagnole

1591 1re mise en scène d'une pièce de Shakespeare

1560 | 1570 | 1580 | 1590

558 Marie Tudor
eurt et sa sœur
isabeth lui succède

Gants confectionnés avec de la soie et du velours importés

1603 Elisabeth meurt et Jacques Ier accède au pouvoir

Londres et la restauration

La guerre civile éclate en 1642 lorsque les marchands exigent qu'une partie des pouvoirs du monarque soit conférée au Parlement. La république parlementaire, dominée par les puritains, est dirigée en fait par Oliver Cromwell. Les puritains interdisent la danse et le théâtre. En 1660, le rappel de Charles II, favorise la libération d'énergies créatrices longtemps refoulées. Toutefois, cette période est également marquée par deux grandes tragédies : la peste (1665) et le Grand Feu (1666).

SUPERFICIE DE LA VILLE

En 1680 *Aujourd'hui*

St-Paul est détruite par l'incendie de 1666 qui, à l'E., s'étend jusqu'à Fetter Lane (*plan 14 E1*).

Le pont de Londres est épargné, mais nombre de ses maisons et échoppes sont anéanties par les flammes.

Oliver Cromwell
En 1653, Cromwell dissout le Parlement avec l'aide de l'armée et conserve le titre de « lord-protecteur » jusqu'à sa mort, en 1658. Après la restauration, son corps est exhumé et mis à la potence à Tyburn, (près de Hyde Park voir p. 207*).*

Mort de Charles Ier
Accusé de haute trahison, le roi Charles Ier est condamné à mort et exécuté le 30 janvier 1649 devant le palais de Whitehall (voir p. 80*).*

Charles Ier
Après 1629, pendant onze années de « tyrannie », il tente de gouverner sans Parlement : c'est l'une des causes de la guerre civile.

CHRONOLOGIE

1605 Echec de la conspiration fomentée par Guy Fawkes, visant à faire sauter le Parlement lors de l'ouverture de la session, par le roi.

1620

1623 Premier folio publié par Shakespeare

1625 Jacques Ier meurt et son fils Charles Ier lui succède

Chapeau à plume porté par les cavaliers royalistes

1640

1642 La guerre civile éclate lorsque les Communes s'opposent au roi

1649 Charles Ier est exécuté et la république parlementaire est instaurée

1650

Londres et la restauration

Télescope de Newton
Physicien et astronome, Isaac Newton (1642-1727) découvre les lois de la gravitation universelle.

Samuel Pepys
Son journal nous renseigne sur le mode de vie de l'aristocratie de l'époque.

La Tour de Londres a échappé au Grand Feu.

LE GRAND FEU DE 1666

Un artiste néerlandais a exécuté cette vue de l'incendie qui a sévi pendant cinq jours, et détruit 13 000 maisons.

La peste
En 1665, des charretiers transportaient les cadavres à l'extérieur de la ville.

LES VESTIGES DE LA RESTAURATION

Les églises et la cathédrale St-Paul de Christopher Wren (*voir p. 47 et pp. 148-51*) sont, avec la Banqueting House (*p. 80*), les constructions du XVIIe s. les plus célèbres de Londres. Lincoln's Inn (*p. 136*) et Cloth Fair (*p. 165*) regroupent des bâtiments plus modestes. Le Museum of London (*pp. 166-7*) a reconstitué un intérieur de cette période. Le British Museum (*pp. 126-9*) et le Victoria and Albert Museum (*pp. 198-201*) présentent des objets d'époque.

Ham House (*p. 254*) a été construite en 1610, puis agrandie à la fin du siècle. Ses intérieurs sont remarquables.

Rubens a exécuté, en 1636, les panneaux du plafond de Banqueting House (*p. 80*), chef-d'œuvre d'Inigo Jones.

1660 Restauration de la monarchie, avec le rappel de Charles II

1664–5 La peste décime près de 100 000 personnes

1666 Grand Feu

Plat à barbe exécuté en 1681 par un potier londonien

1685 Charles II meurt et son frère Jacques II lui succède

1688 Jacques II se réfugie en France et la couronne est offerte à Marie et à son époux Guillaume d'Orange

1692 Naissance de la Lloyd's, la célèbre association d'assureurs

1694 William Paterson fonde la Banque d'Angleterre.

1660 | 1670 | 1690

Londres georgien

La fondation de la Banque d'Angleterre, en 1694, stimule la croissance de Londres et, lorsqu'en 1714, George Ier monte sur le trône, la ville est devenue un important centre de la finance et des affaires. Dans le West End, les marchands récemment enrichis habitent d'élégantes demeures construites par des architectes de renom, tel John Nash qui tire son inspiration de ce qui se fait de mieux dans les capitales européennes.

George Ier a régné de 1714 à 1727

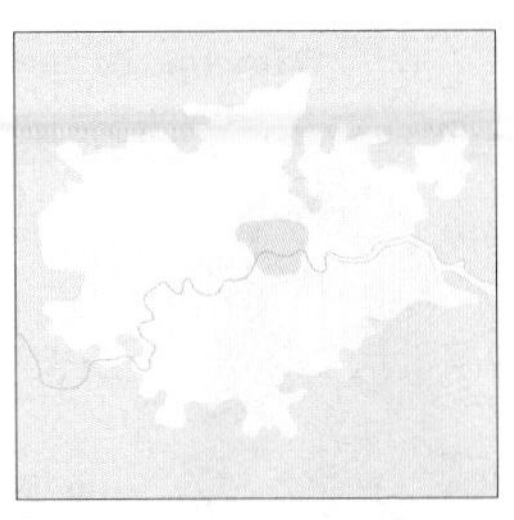

Superficie de la ville

En 1810 Aujourd'hui

Manchester Square a été créé entre 1776 et 1778.

Portman Square, construit en 1764, se trouvait alors à la périphérie de la ville.

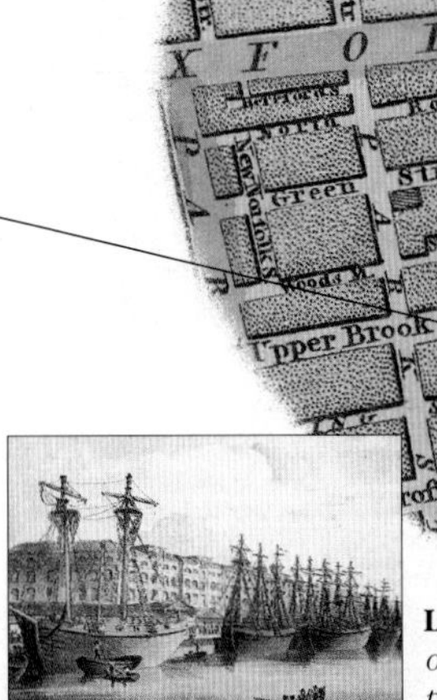

Great Cumberland Place
Ensemble architectural construit en 1790.

Grosvenor Square
Sur le plus ancien et le plus grand square de Mayfair, rares sont les édifices d'origine (1720) à avoir subsisté.

Les docks
ont été construits pour faciliter le commerce international.

Chronologie

1714 George Ier devient roi

1727 George II devient roi

1720

1717 Construction de Hanover Square et naissance du West End

1729 John Wesley (1703-91) fonde le méthodisme

1740

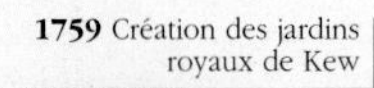

1759 Création des jardins royaux de Kew

1768 Fondation de l'Académie des beaux-arts

1760

1760 George III monte sur le trône

Londres georgien

John Nash
En s'inspirant des thèmes classiques, Nash a marqué le style de la ville du XVIIIe s. Cette porte monumentale, à Cumberland Terrace, près de Regent's Park, est caractéristique de ses réalisations.

OÙ VOIR LE LONDRES GEORGIEN

Le portique du Théâtre Royal, à Haymarket (*pp. 326-7*), illustre le courant architectural du Londres des années 1820, tout comme les bâtiments de deux clubs de Pall Mall (*p. 92*), le Reform et le Travellers'. Autres exemples dans le West End et dans Fournier Street (*p. 170*). Des pièces d'argenterie sont exposées au Victoria and Albert Museum (V & A *pp. 198-201*) ainsi qu'au London Silver Vaults (*p. 141*). Les toiles de Hogarth, à la Tate gallery (*pp. 82-85*) et certaines œuvres du Sir John Soane's Museum (*pp. 136-37*) témoignent des différentes conditions sociales de l'époque.

Cette grande horloge anglaise (1725), en chêne et en pin, à motifs chinois, est exposée au V & A Museum.

LONDRES GEORGIEN
Le tracé du West End n'a guère changé depuis 1828, date de la publication de ce plan.

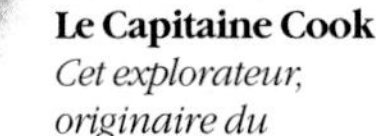

Le Capitaine Cook
Cet explorateur, originaire du Yorkshire, découvre l'Australie à l'occasion de son voyage autour du monde (1768-71).

Berkeley Square
Construit dans les années 1730 et 1740 sur le site de Berkeley House, il possède encore quelques maisons caractéristiques de cette période.

Ferronnerie
L'artisanat est en pleine expansion. Cette grille se trouve sur Manchester Square

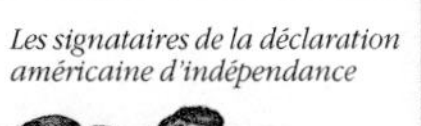

Les signataires de la déclaration américaine d'indépendance

1776 La Grande-Bretagne perd les colonies américaines lors de la déclaration d'indépendance

1802 La Bourse des valeurs s'installe à son emplacement actuel

1811 George III devient fou et, son fils George, le prince-régent, lui succède

1820 George III meurt et le prince-régent devient George IV

1830 George IV meurt et son fère Guillaume IV accède au trône

1800 | 1810 | 1820 | 1830

1829 Le premier bus londonien

Londres victorien

Une bonne partie de la ville actuelle date de l'ère victorienne. Jusqu'au début du XIXe s., la capitale n'avait guère dépassé les limites de l'enceinte romaine. S'y ajoutaient cependant Westminster et Mayfair, des prés et quelques villages. Dès les années 1820, ces espaces verts sont remplacés par les fameuses « terraces », ensembles de maisons destinées à accueillir les classes laborieuses. L'expansion rapide de la ville pose un certain nombre de problèmes : insalubrité, puanteur des eaux de la Tamise. En 1875, la création, par Joseph Bazalgette, du réseau d'égouts et l'édification des quais mettent un terme à ces désagréments.

La reine Victoria, l'année de son couronnement (1838)

SUPERFICIE DE LA VILLE

En 1900 *Aujourd'hui*

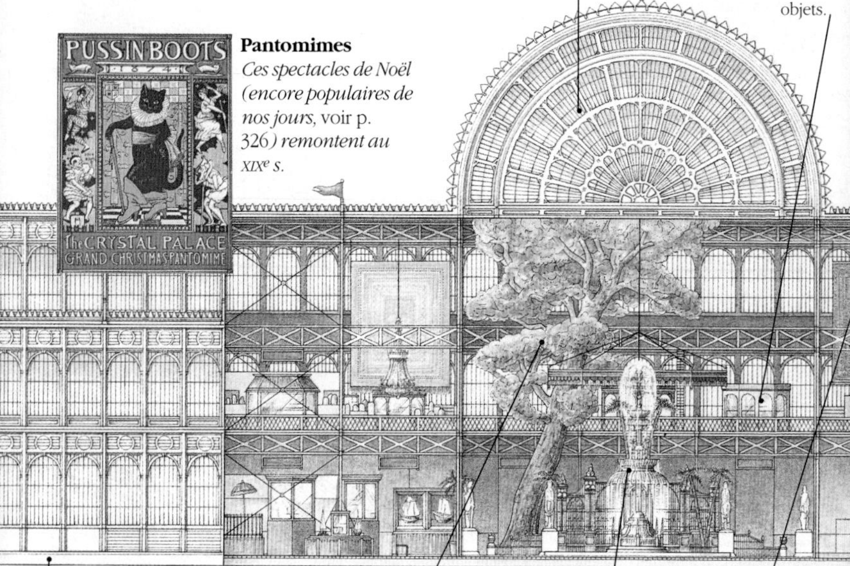

L'édifice mesurait 560 m de long et 33 m de haut.

Près de 14 000 exposants venus des quatre coins du monde présentèrent plus de 100 000 objets.

Pantomimes
Ces spectacles de Noël (encore populaires de nos jours, voir p. 326*) remontent au XIXe s.*

Avant l'ouverture de l'Exposition, il fut demandé à des soldats de déambuler et de sauter sur les planchers pour contrôler la résistance de la construction.

Trois grands ormes de Hyde Park furent englobés dans la construction.

La Fontaine de Crystal Palace mesurait 8 m de haut.

Des tapis et des vitraux étaient suspendus aux balcons

CHRONOLOGIE

1836 Le premier terminus ferroviaire londonien ouvre ses portes à London Bridge

1837 Victoria devient reine

1840 Rowland Hill fait paraître le 1er timbre-poste

1851 La Grande Exposition universelle

Carte d'abonnement à l'Exposition

Assiette Wedgwood ornée de motifs floraux représentatifs du style prisé à l'ère victorienne.

1860

1861 Mort du prince Albert

1863 Ouverture du Metropolitan Railway, le premier métro du monde.

1870 Construction de premiers immeuble Peabody, destinés accueillir les pauvres, su Blackfriars Roac

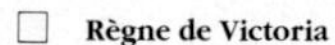

Règne de Victoria

Les chemins de fer
Dès le début du XXe s., des trains rapides, sillonnaient le pays.

VESTIGES DE L'ÈRE VICTORIENNE

Les édifices grandioses qui reflètent le mieux l'esprit de cette période sont, notamment, les gares, les musées de Kensington (*voir pp. 194-209*) et le Royal Albert Hall (*p. 203*). Un magnifique intérieur est préservé à Leighton House (*p. 214*). Le Victoria and Albert Museum présente des porcelaines et des tissus. Le London Transport Museum (*p. 114*), des autobus, des tramways et des trains.

Le style néogothique de l'ère victorienne était adapté aux Archives nationales (*p. 137*).

Le télégraphe
L'invention de nouvelles technologies de la communication, comme celle du télégraphe, en 1840, favorisa le développement des échanges.

Crystal Palace
En 1851, six millions de personnes visitèrent le bâtiment de fer et de verre conçu par Joseph Paxton. En 1852, l'édifice fut démonté et transporté au S. de Londres où il fut finalement détruit par un incendie, en 1936.

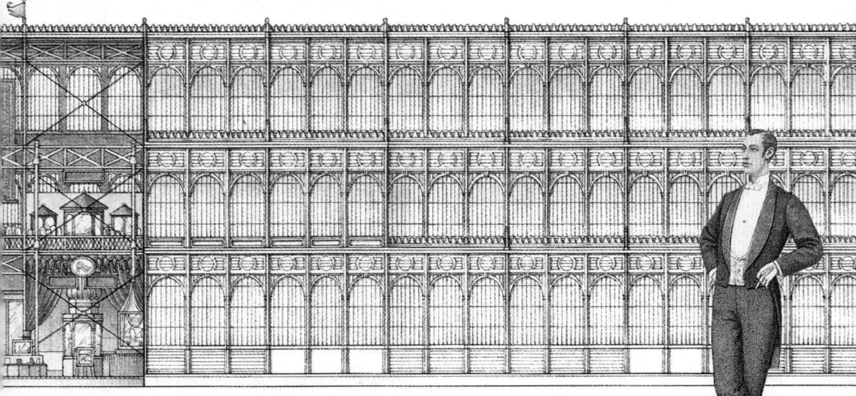

LA GRANDE EXPOSITION UNIVERSELLE DE 1851
L'Exposition rendit hommage aux progrès techniques et à l'expansion de l'Empire britannique.

Les tenues de soirée
À cette époque, les costumes masculins se devaient d'être classiques et sobres.

Carton spécialement conçu pour transporter un haut-de-forme

1880

1889 Création du London County Council (LCC)

1890

1890 Ouverture de la première ligne électrique du métro londonien

1891 Construction des premiers logements sociaux, à Shoreditch

1899 Apparition des premiers autobus

Eventail commémorant la victoire remportée, en 1903, sur les Boers.

1900

1901 Victoria meurt et Edouard VII monte sur le trône

Londres entre deux guerres

Tasse et soucoupe Art déco dessinées par Clarice Cliff

Après la Première Guerre mondiale, les Londoniens s'adaptent volontiers aux innovations technologiques qui leur sont offertes : l'automobile, le téléphone, les transports en commun. Le cinématographe importe la culture américaine : le jazz et le swing. La bonne moralité et l'étiquette préconisées durant l'ère victorienne ne les empêchent plus de se précipiter dans les clubs, restaurants ou établissements où l'on s'amuse. Mais les années 1930 sont marquées par la crise.

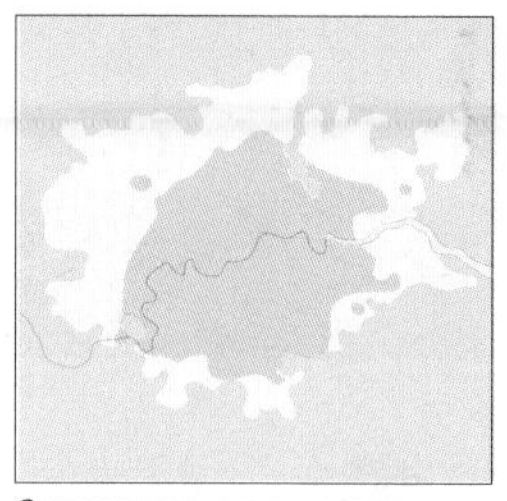

SUPERFICIE DE LA VILLE

En 1938 *Aujourd'hui*

Les transports en commun
Le développement du métro incite les Londoniens à s'installer dans les banlieues. La Metropolitan Line permet de se rendre jusque dans le Hertfordshire, zone que l'on surnomme « Metroland ».

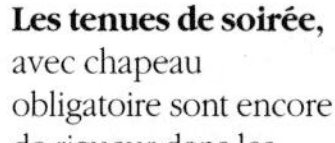

Les tenues de soirée, avec chapeau obligatoire sont encore de rigueur dans les établissements chic du West End.

La mode
Les lignes fluides des robes de l'époque contrastent avec la lourdeur des vêtements de l'ère victorienne. Cette robe habillée date des années 1920.

SCÈNE DE RUE
Cette toile de M. Greiflenhagen, de 1926, dépeint l'atmosphère trépidante des soirées londoniennes.

CHRONOLOGIE

Des médailles semblables à celle-ci sont frappées lors de la campagne en faveur du vote des femmes

1910

1910 George V succède à Edouard VII

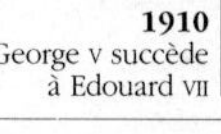

Pendant la Première Guerre mondiale, l'Angleterre utilise sa cavalerie au Moyen-Orient

1921 La North Circular Road relie les banlieues du N. de Londres

1922 Première émission de la BBC, diffusée sur l'ensemble du territoire

1920

Les années folles

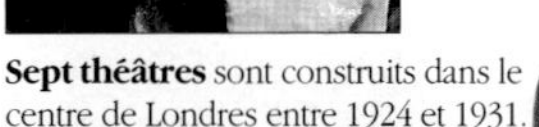

Les débuts du cinématographe
La popularité de Charlie Chaplin (1889-1977), originaire de Londres et que l'on voit ici, dans le film City Lights, *s'est encore accrue lors de l'avènement du cinéma parlant.*

Sept théâtres sont construits dans le centre de Londres entre 1924 et 1931.

Pendant l'entre-deux-guerres, le tirage des journaux ne cesse d'augmenter. En 1930, le *Daily Herald* a deux millions de lecteurs par jour.

George VI
Ce portrait du roi, exécuté par Oswald Birley, est un hommage à la détermination et à l'héroïsme du monarque pendant la guerre.

À l'image de ceux qui étaient tractés par des chevaux, les premiers autobus sont à impériale.

La communication
La radio informe et divertit. Ce récepteur date de 1933.

La Seconde Guerre mondiale et le Blitz

Les bombardements allemands de la dernière guerre font plusieurs milliers de morts et sèment l'horreur parmi la population civile de Londres. Un grand nombre d'habitants se réfugient dans les stations de métro et les enfants sont envoyés à la campagne.

Comme pendant la Première Guerre mondiale, les femmes dans les usines remplacent les hommes partis au front.

Les bombardements de 1940 et 1941 (le *blitz*) dévastent la ville.

1929 La chute spectaculaire des cours en bourse à Wall Street est à l'origine d'une crise mondiale

1927 Les débuts du cinéma parlant

1930

1936 Edouard VII abdique pour épouser Wallis Simpson. George VI monte sur le trône

1939 La Seconde Guerre mondiale éclate

1940 Winston Churchill devient Premier Ministre

Londres d'après-guerre

Pendant la période de reconstruction qui suit la Seconde Guerre mondiale, des cités sont construites à la va-vite. Certaines ont été rasées depuis. Dans les années 60, Londres devient une capitale de la mode et de la culture rock. Des tours s'élèvent, mais certaines restent vides, car la croissance des années 1980 s'essouffle et la décennie suivante s'ouvre avec une période de récession.

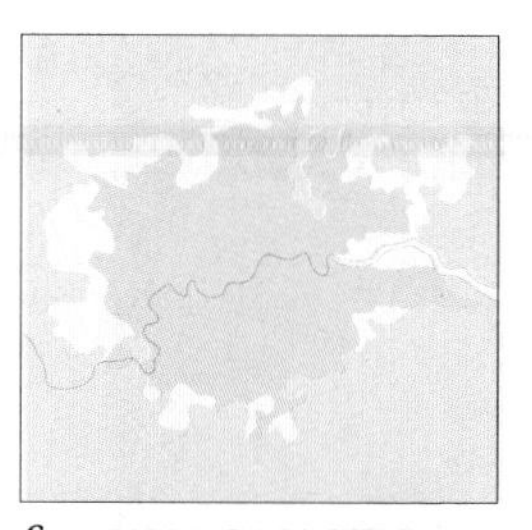

Superficie de la ville

En 1959 *Aujourd'hui*

Les Beatles
Le groupe de rock de Liverpool connaît dès 1963 un succès planétaire grâce à des chansons fraîches et toniques. Il est le symbole de l'insouciance qui, règne à Londres durant cette période.

Margaret Thatcher
Première femme Premier Ministre (1979-1990). Sa politique ultralibérale stimula la reprise des années 80.

Le Festival of Britain
Après la guerre, ce festival, qui célèbre le centième anniversaire de l'Exposition de 1851, remonte le moral des Londoniens (voir pp. 26-7).

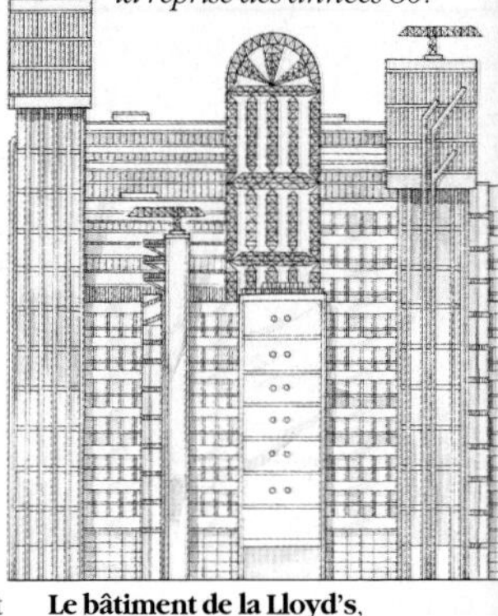

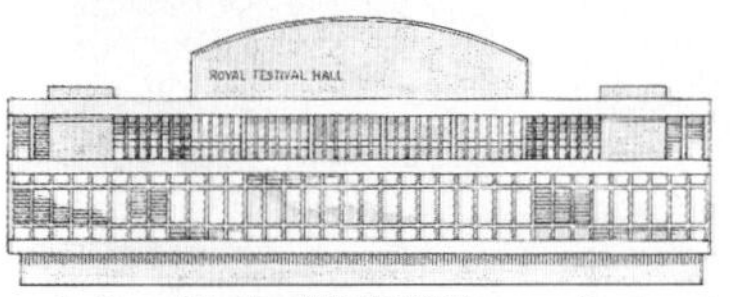

Le Royal Festival Hall (1951), centre nerveux du festival, attire encore de nombreux spectateurs.

La gigantesque tour de verre et d'acier des télécoms britanniques fut édifiée en 1964.

Le bâtiment de la Lloyd's, inauguré en 1986 illustre le style postmoderne (*voir p. 159*).

Chronologie

1948 Les jeux Olympiques se déroulent à Londres

1952 George VI meurt et sa fille Elisabeth II accède au trône

Les Austin mini deviennent le symbole des années 1960. Petites et maniables, elles correspondent à l'état d'esprit et au goût d'évasion de la décennie.

1945 | 1950 | 1955 | 1960 | 1965

1951 Festival of Britain

1945 La Seconde Guerre mondiale s'achève

1954 Abandon des tickets de rationnement utilisés pendant la guerre

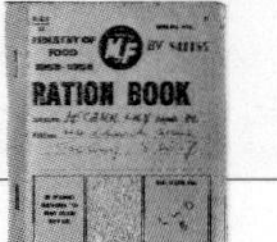

1963 L'Old Vic devient le siège du Théâtre national

☐ **Londres d'après-guerre**

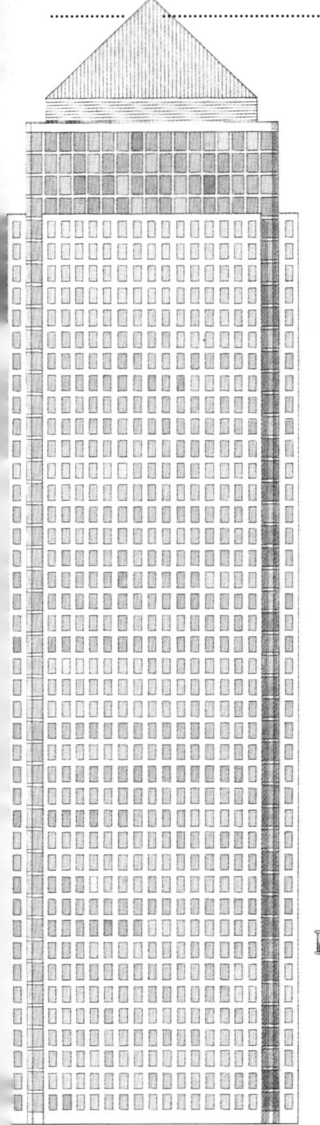

Canada Tower (érigée en 1991) est le plus grand gratte-ciel de la capitale. Il a été conçu par César Pelli (*voir p. 245*).

Le réseau ferroviaire des Docklands
Dans les années 1980, ces trains sans conducteur commencent à desservir les Docklands.

L'ARCHITECTURE POST-MODERNE

Au début des années 1980, un groupe de jeunes architectes décide de réagir contre la froideur des immeubles modernes. Certains, comme Richard Rogers, sont des maîtres du high-tech et mettent l'accent sur les structures de leurs projets. D'autres, comme Terry Farrel, adoptent une attitude plus ludique et pastichent des éléments classiques.

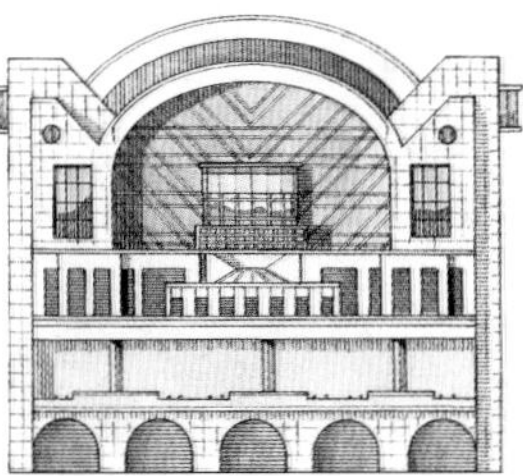

La voûte de verre de Charing Cross Station, conçue en 1991 recouvre la gare victorienne (*voir p. 119*).

LA JEUNESSE BRITANNIQUE

Détenteurs d'un certain pouvoir d'achat, les jeunes Anglais ont après-guerre, une influence considérable sur la culture pop. La musique, la mode et le design sont de plus de plus sensibles à l'évolution rapide de leurs goûts.

Dans les années 1970 et 1980, les punks créent l'événement. Leur objectif : choquer.

Le prince de Galles, fils de la reine Elisabeth II, est très critique à l'égard de l'architecture contemporaine.

1971 Construction du nouveau pont de Londres

1977 Fêtes célébrant les 25 premières années du règne d'Elisabeth II. Début des travaux de la Jubilee Line

1982 Le dernier des docks londoniens ferme ses portes

1984 Le barrage mobile de protection, la Thames Barrier, est achevé

1985 La famine qui sévit en Ethiopie donne lieu au concert du *Live Aid*

1986 Le Greater London Council cesse d'exister

Les vêtements de Vivian Westwood sont très cotés dans les années 1980 et 1990.

1992 Ouverture de Canary Wharf

1996 Divorce du Prince Charles et de Diana

1970 | 1975 | 1980 | 1985 | 1990 | 1995

Rois et reines de Londres

Londres est la capitale du royaume depuis 1066, date à laquelle Guillaume le Conquérant institue la tradition des couronnements à l'abbaye de Westminster. Depuis lors, les souverains successifs ont laissé leur empreinte sur nombre des lieux décrits dans ce guide : Henri VIII chasse à Richmond, Charles Ier est exécuté à Whitehall et la jeune reine Victoria fait du cheval sur Queensway. La monarchie est également célébrée à l'occasion de multiples cérémonies (*voir pp. 52-5*).

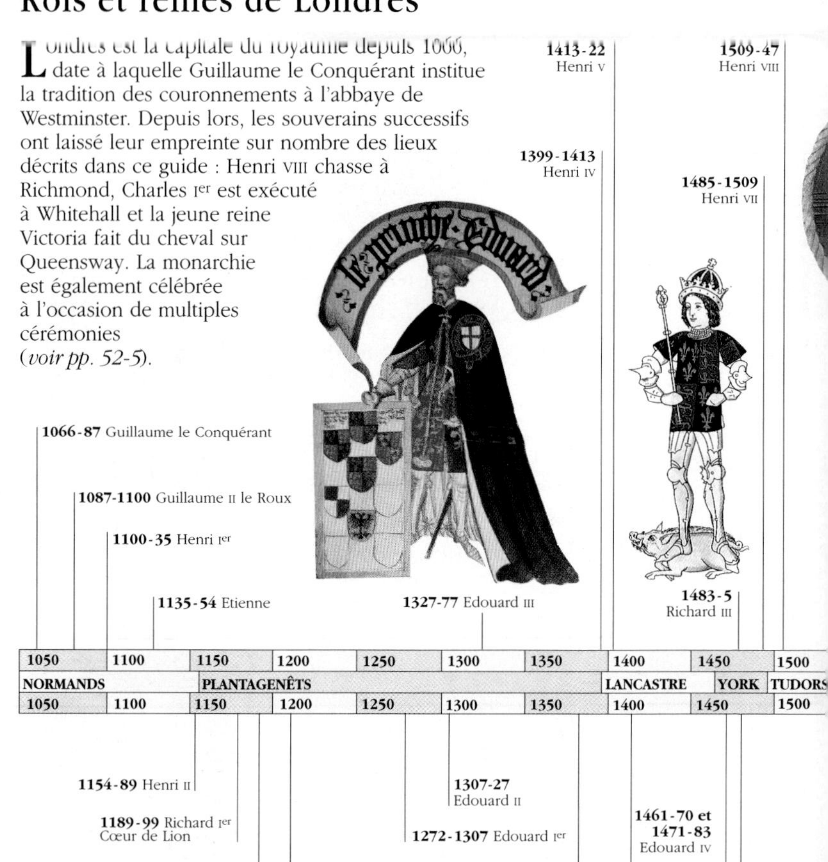

1066-87 Guillaume le Conquérant

1087-1100 Guillaume II le Roux

1100-35 Henri Ier

1135-54 Etienne

1327-77 Edouard III

1399-1413 Henri IV

1413-22 Henri V

1483-5 Richard III

1485-1509 Henri VII

1509-47 Henri VIII

1050	1100	1150	1200	1250	1300	1350	1400	1450	1500
NORMANDS		PLANTAGENÊTS					LANCASTRE	YORK	TUDORS
1050	1100	1150	1200	1250	1300	1350	1400	1450	1500

1154-89 Henri II

1189-99 Richard Ier Cœur de Lion

1199-1216 Jean sans Terre

1216-72 Henri III

1272-1307 Edouard Ier

1307-27 Edouard II

1461-70 et 1471-83 Edouard IV

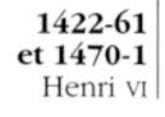

1422-61 et 1470-1 Henri VI

1377-99 Richard II

Cette miniature exécutée par Matthew Paris présente Richard Ier, Henri II, Jean sans Terre et Henri III

1483 Edouard V

1553-8 Marie Ire

1603-25 Jacques Ier

1660-85 Charles II

1685-8 Jacques II

1689-1702 Guillaume III et Marie II

1702-14 Anne

1714-27 George Ier

1727-60 George II

1837-1901 Victoria

1901-10 Edouard VII

1936 Edouard VIII

1952- Elisabeth II

550	1600	1650	1700	1750	1800	1850	1900	1950	2000
	STUARTS			HANOVRE			WINDSOR		
550	1600	1650	1700	1750	1800	1850	1900	1950	2000

1649-60 République parlementaire dirigée par Oliver Cromwell

1830-37 Guillaume IV

1936-52 George VI

1820-30 George IV

1910-36 George V

1625-49 Charles Ier

1558-1603 Elisabeth Ire

1760-1820 George III

547-53 Edouard VI

LONDRES D'UN COUP D'ŒIL

Près de 300 centres d'intérêt sont décrits dans le chapitre *Quartier par Quartier* du présent ouvrage. Vous y trouverez, par exemple, le Museum of the Moving Image qui présente l'histoire du cinéma et de la télévision (*voir p. 184*), l'effrayante salle d'opérations de l'hôpital St-Thomas présentée au musée, et illustrant l'histoire de la chirurgie (*p. 176*), la chartreuse de Londres (*p. 164*) ou le récent complexe de Canary Wharf (*p. 245*). Les vingt pages suivantes s'adressent à tous les visiteurs qui veulent profiter au maximum de leur séjour à Londres. Musées et galeries, églises, ainsi que parcs et jardins font l'objet de sections spécifiques. Il en est de même pour les Londoniens célèbres et les cérémonies officielles. À chaque fois qu'un site est mentionné, le numéro de la page où il est décrit en détail, est indiqué.

LES VISITES À NE PAS MANQUER

La cathédrale St-Paul
Voir pp. 148 - 51.

Hampton Court
Voir pp. 250 - 3.

La relève de la Garde
Buckingham Palace, voir pp. 94 - 5.

Le British Museum
Voir pp. 126 - 9.

La National Gallery
Voir pp. 104 - 7.

L'abbaye deWestminster
Voir pp. 76 - 9.

Madame Tussaud's
Voir p. 220.

Le palais du Parlement
Voir pp. 72 - 3.

La Tour de Londres
Voir pp. 154 - 7.

Le Victoria and Albert Museum
Voir pp. 198 - 201.

Pont et palais de Westminster

Les hôtes célèbres

Un bon nombre de Londoniens célèbres sont étroitement associés à l'histoire de la capitale : Samuel Pepys, Christopher Wren, Samuel Johnson ou Charles Dickens, par exemple (*voir pp. 38-39*). Le centre culturel, des affaires et de la politique de l'Angleterre a toujours attiré un grand nombre de personnalités venues de l'étranger. Certains ont ainsi échappé aux guerres ou à la persécution qui sévissaient dans leur pays, d'autres ont gagné Londres pour y travailler ou y étudier, d'autres, enfin, venaient en simples touristes.

Mary Seacole *(1805-81)*
Ecrivain née en Jamaïque et infirmière pendant la guerre de Crimée, elle vécut à Paddington.

N

Regent's Park et Marylebone

South Kensington et Knightsbridge

Kensington et Holland Park

Chelsea

Richard Wagner *(1813-1883)*
En 1877, le compositeur d'opéras allemand vivait au nº 12 Orme Square, à Bayswater. De son domicile, il traversait le parc à pied pour aller diriger l'orchestre du Royal Albert Hall (voir p. 203).

Henry James *(1811-1916)*
Le romancier américain vécut au nº 3 Bolton Street, à Mayfair, puis au nº 34 de Vere Gardens, à Kensington (1886-92). Il trouva la mort à Carlyle Mansions, sur Cheyne Walk.

Dwight Eisenhower *(1890-1969)*
Pendant la Seconde Guerre mondiale, il organise l'invasion de l'Afrique du Nord, depuis une maison située sur Grosvenor Square, à Mayfair.

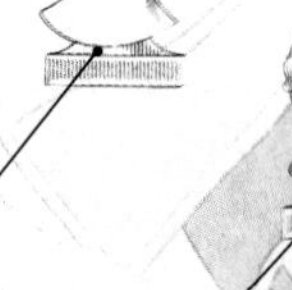

Jenny Lind *(1827-87)*
Le « rossignol suédois » vécut quelque temps au nº 189 Old Brompton Road, à Kensington.

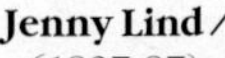

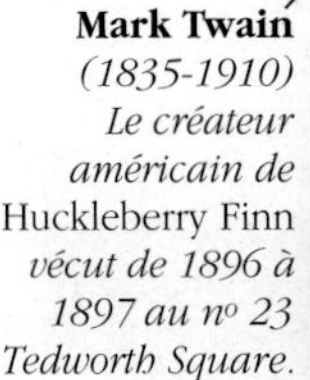

Mark Twain *(1835-1910)*
Le créateur américain de Huckleberry Finn *vécut de 1896 à 1897 au nº 23 Tedworth Square.*

Giuseppe Mazzini *(1805-72)*
Architecte de l'unité italienne, il est contraint de partir pour Londres en 1837. Il y vit en exil au nº 183 Gower Street jusqu'en 1840. Il crée une école pour les immigrés italiens au nº 5 Hatton Garden.

Karl Marx *(1818-83)*
Le philosophe allemand vivait au nº 28 Dean Street, et a écrit Le Capital *dans la salle de lecture de la British Library* (voir p. 129*)*.

Bloomsbury et Fitzrovia

Smithfield et Spitalfields

Holborn et les collèges d'avocats

Soho et Trafalgar Square

Covent Garden et le Strand

La City

LA TAMISE

South Bank

Southwark et Bankside

Piccadilly et St James's

Whitehall et Westminster

0 1 km

0 ½ mile

GREATER LONDON COUNCIL
GENERAL CHARLES DE GAULLE
President of the French National Committee set up the Headquarters of the Free French Forces here in 1940

Charles de Gaulle *(1890-1970)*
Pendant la Seconde Guerre mondiale, il organise, de Londres, la résistance française.

Gandhi *(1869-1948)*
Porte-parole du nationalisme indien, il étudie le droit à Inner Temple (voir p. 139*) en 1889 et prend ses repas au Central, un restaurant végétarien situé sur St Bride's Lane.*

Charlie Chaplin *(1889-1977)*
Le plus grand acteur américain de l'histoire du cinéma, est né au S. de Londres et a vécu au nº 287 Kennington Road. Il a fait ses débuts dans les music-halls londoniens.

Quelques Londoniens célèbres

Caricature de Wellington

De tout temps, Londres a accueilli les personnalités les plus marquantes et les plus influentes de leur époque. Certaines y sont seulement passées, d'autres y ont élu domicile en renonçant parfois à leur propre patrie. Que ce soit en construisant des édifices grandioses et durables, en instaurant des établissements ou des traditions, ou en la décrivant dans leurs œuvres littéraires ou picturales, toutes ont laissé leur empreinte sur la ville. La plupart ont également une influence qui se propage bien au-delà des limites de la métropole britannique.

Venus Venticordia, par Dante Gabriel Rossetti

Architectes et ingénieurs

Théâtre Royal Haymarket, conçu par John Nash (1821)

Inigo Jones (1573-1652) est le premier architecte vraiment important de l'histoire de la ville. Né à Londres, il est l'instigateur de l'architecture Renaissance. On lui doit également des peintures de paysages et des décors de théâtre. Surintendant des Bâtiments du roi, comme son successeur Christopher Wren (1632-1723), il vit et travaille à la Grande Cour d'Ecosse, à Whitehall.

Nicholas Hawksmoor (1661-1736), protégé de Christopher Wren, et James Gibbs (1682-1754), occupent après lui la fonction de premier architecte de la ville. Se succèdent ensuite des générations d'artistes qui, chacun à leur tour, marquent de leur génie l'aspect de la cité : les frères Robert (1728-92) et James Adam (1730-94) au XVIIIe s., puis John Nash (1752-1835), Charles Barry (1795-1860) et Decimus Burton (1800-81), et enfin, Alfred Waterhouse (1830-1905), Norman Shaw (1831-1912) et George Gilbert Scott (1811-78) durant l'ère victorienne.

Les égouts de Londres et les quais de la Tamise sont dus à l'ingénieur Joseph Bazalgette (1819-91).

Artistes peintres

A Londres comme ailleurs, les peintres vivent dans les mêmes quartiers, se soutiennent mutuellement et ont les mêmes préoccupations. Au XVIIIe s., ils fréquentent St James's pour ne pas trop s'éloigner de la Cour et de leurs mécènes. Ainsi, William Hogarth (1697-1764) et Joshua Reynolds (1723-92) vivent et travaillent à Leicester Square, tandis que Thomas Gainsborough (1727-88) s'installe sur Pall Mall. (Hogarth dispose également d'une « résidence secondaire » à Chiswick).

Plus tard, Cheyne Walk, à Chelsea, avec ses vues sur la Tamise, devient populaire auprès d'artistes peintres tels que J. M. W. Turner (1775-1851), James McNeill Whistler (1834-1903), Dante Gabriel Rossetti (1828-82), Philip Wilson Steer (1860-1942)

Les maisons de personnages célèbres

Quatre intérieurs d'écrivains ont été reconstitués et sont ouverts au public. Il s'agit de la maison du poète romantique **John Keats** (1795-1821) où il tombe amoureux de Fanny Brawne, de la demeure de l'historien **Thomas Carlyle** (1795-1881), du domicile du lexicographe **Samuel Johnson** (1709-84) ou de celui du grand romancier **Charles Dickens** (1812-70). La maison que **John Soane** (1753-1837) se fait construire subsiste largement dans l'état où il la laisse à sa mort. Il en est de même pour celle où le psychiatre **Sigmund Freud** (1856-1939) s'installe pour fuir l'Allemagne nazie avant que n'éclate la Seconde Guerre mondiale.

La maison de **Wellington** (1769-1852), vainqueur de la bataille de Waterloo, à Hyde Park Corner, est en cours de restauration. Enfin, l'appartement de **Sherlock Holmes**, le fameux détective imaginé par Conan Doyle, est reconstitué sur Baker Street.

Maison de Dickens

Maison de Carlyle

Plaques

À Londres, les maisons de personnages célèbres s'identifient aisément grâce aux plaques apposées sur les façades. Elles sont nombreuses à Chelsea, Kensington ou Mayfair.

Nº 3 Sussex Square, Kensington

Nº 50 Lawford Road, Islington

Nº 56 Oakley Street, Chelsea

ou le sculpteur Jacob Epstein (1880-1959). Augustus John (1879-1961) et John Singer Sargent (1856-1925) ont chacun un atelier sur Tite Street. John Constable (1776-1837) travaille surtout dans le Suffolk, mais vit quelque temps à Hampstead où il exécute de superbes peintures représentant le parc.

Ecrivains

Geoffrey Chaucer (env. 1345 - env. 1400), auteur des *Contes de Canterbury*, naît sur Upper Thames Street d'un père négociant en vins. Les dramaturges William Shakespeare (1564-1616) et Christopher Marlowe (1564-93) travaillent tous dans des théâtres de Southwark. Il est donc possible qu'ils aient vécu à proximité.

Les deux poètes John Donne (1572-1631) et John Milton (1608-74) naissent sur Bread Street, dans la City. Au terme d'une jeunesse dissolue, Donne devient doyen de Saint-Paul. Le diariste Samuel Pepys (1633-1703) naît à proximité de Fleet Street.

George Bernard Shaw

La romancière Jane Austen (1775-1817) vit brièvement près de Sloane Street et de l'hôtel Cadogan, où Oscar Wilde (1854-1900), esprit étincelant, est arrêté pour homosexualité. L'auteur dramatique, George Bernard Shaw (1856-1950), vit au n° 29 Fitzroy Square, à Bloomsbury. Plus tard, y habitera aussi Virginia Woolf (1882-1941). Elle y recevra le groupe de Bloomsbury (Vanessa Bell, John Maynard Keynes, E. M. Forster, Roger Fry et Duncan Grant, notamment).

Hommes publics

La légende faisait de Dick Whittington un orphelin sans le sou, venu à Londres avec son chat pour chercher fortune et qui, plus tard, devint lord-maire. En réalité, Richard Whittington (1360?-1423), trois fois lord-maire entre 1397 et 1420, et sans doute le plus populaire des premiers hommes politiques, était fils d'un châtelain. Thomas More (1478-1535), habite à Chelsea, est chancelier d'Henri VIII, et reste fidèle à la foi catholique jusqu'à sa mort, sur l'échafaud. L'Eglise l'a ensuite canonisé. Thomas Gresham est le promoteur de la première Bourse de Londres. Robert Peel (1788-1850) crée les premières forces de police de la capitale, dont les agents sont aujourd'hui communément appelés des « bobbies ».

Acteurs

Nell Gwynne (1650-87) est plus connue pour son « aventure » avec le roi Charles II que pour ses talents d'actrice. Elle monte cependant sur les planches du Drury Lane Theatre où elle vend également des oranges. En revanche, l'acteur des pièces de Shakespeare Edmund Kean (1789-1833) et la grande tragédienne Sarah Siddons (1755-1831) connaissent, dans ce même théâtre, un énorme succès. Il en est de même pour Henry Irving (1838-1905) et Ellen Terry (1847-1928) qui jouent ensemble pendant 24 ans. Charlie Chaplin naît à Kennington et vit une enfance misérable. Au XXe s., l'Old Vic est le véritable vivier d'excellents acteurs, parmi lesquels John Gielgud (1904-), Ralph Richardson (1902-83), Peggy Ashcroft (1907-91) ou Laurence Olivier (1907-89). Ce dernier devient le premier directeur du National Theatre.

Laurence Olivier

Les maisons de personnages célèbres

Thomas Carlyle p. 192
Charles Dickens p. 125
Sigmund Freud p. 242
William Hogarth p. 255
Sherlock Holmes p. 222
Samuel Johnson p. 140
John Keats p. 229
John Soane p. 136
Wellington (Aspley House) p. 97

Les plus grands musées de Londres

Les musées de Londres recèlent une étonnante quantité de trésors qui proviennent des quatre coins du monde. Ce plan présente les 15 principaux musées et galeries. Leurs collections peuvent satisfaire les curiosités les plus diverses. Certaines ont été constituées grâce aux dons effectués par les explorateurs, marchands et collectionneurs des XVIIIe et XIXe s. D'autres sont spécialisées dans un domaine de l'art, de l'histoire, de la science ou de la technologie. Un panorama plus complet des musées et galeries est présenté aux pages 42-3.

British Museum
Ce casque anglo-saxon est l'une des innombrables pièces de la collection d'antiquités.

Wallace Collection
Le Cavalier riant *de Frans Hals est une des plus belles peintures de ce musée où sont également présentés des meubles, des armures et des objets d'art.*

Royal Academy of Arts
Grandes expositions temporaires. Le Salon d'été (Summer Exhibition) a lieu chaque année et les œuvres exposées sont à vendre.

N

Regent's Park et Marylebone

Kensington et Holland Park

South Kensington et Knightsbridge

Piccad... et St Jam...

Chelsea

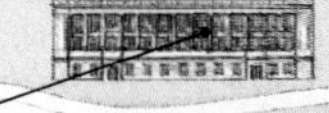

Science Museum
Le moteur de Newcomen (1712) est exposé dans ce musée qui intéressera tant les enfants que les spécialistes.

Muséum d'histoire naturelle
Toutes les formes de vie sont présentées dans ce musée : des dinosaures aux papillons.

Victoria and Albert
Le plus grand musée des arts décoratifs du monde. Ce vase indien date du XVIIIe s.

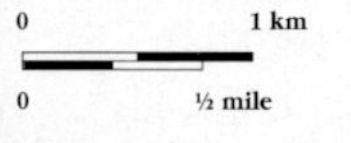

National Portrait Gallery
Tableaux et photographies représentent toute une série de personnalités britanniques. Ici, il s'agit de Vivien Leigh, photographiée par Angus McBean (1954).

Museum of London
Différents objets, comme cette porte d'ascenseur des années 1920, retracent l'histoire de Londres depuis l'âge de pierre.

Tour de Londres
Les joyaux de la Couronne et l'Armurerie royale. Cette armure a été portée au XIVe s. par un chevalier italien.

National Gallery
Les tableaux célèbres de cette collection proviennent des écoles européennes couvrant la période comprise entre les XVe et XIXe s.

Bloomsbury et Fitzrovia

Smithfield et Spitalfields

Holborn et les collèges d'avocats

La City

Soho et Trafalgar Square

Covent Garden et le Strand

LA TAMISE

Southwark et Bankside

South Bank

Whitehall et Westminster

Musée du Design
Inventions et prototypes. Objets de la vie quotidienne d'hier et d'aujourd'hui.

Courtauld Institute
Des œuvres célèbres, comme Un bar aux Folies-Bergère *(Manet) ornent les salles.*

Tate Gallery
Deux collections nationales extraordinaires : des peintures anglaises exécutées du milieu du XVIe s. à la fin du XIXe s., et des œuvres d'art moderne du monde entier.

Imperial War Museum
Les principales batailles du XXe s. y sont retracées. Ce tank est l'un des premiers à avoir été construit.

Museum of the Moving Image
Des mannequins y évoquent l'histoire du cinéma.

À la découverte des musées

L'Austin mini, au Design Museum

Londres possède des musées riches et divers qui témoignent de la place qu'occupait la capitale au sein d'un immense empire. Les collections, connues dans le monde entier, sont à voir absolument, mais il ne faut pas oublier les musées plus modestes. Ils s'intéressent à tous les domaines imaginables et sont souvent beaucoup plus calmes que les grandes institutions.

Geffrye Museum : art nouveau

La collection éclectique du Sir John Soane's Museum

Antiquités et archéologie

Le **British Museum** recèle des collections d'antiquités égyptiennes, grecques, romaines et du Proche-Orient parmi les plus riches du monde. Le **Sir John Soane's Museum** possède lui aussi des antiquités, ainsi que des livres, des manuscrits, des bustes, des peintures et des pierres précieuses. Le **Museum of London** retrace, par ordre chronologique, l'histoire de Londres et de ses habitants.

Meubles et intérieurs

Le **Museum of London** reconstitue des intérieurs caractéristiques de l'histoire de la ville. Le **Victoria and Albert Museum** (ou V&A) possède des intérieurs d'édifices aujourd'hui disparus et une superbe collection de meubles.

Le **Geffrye Museum**, plus modeste, présente également des intérieurs représentatifs de la période comprise entre le début du XVIIe s. et les années 1930. Les maisons de personnages célèbres (*voir p. 38*), comme le **Freud Museum**, permettent de se faire une idée des styles appréciés à différentes époques et la **Linley Sambourne House** offre aux visiteurs la possibilité d'admirer un exemple parfait d'intérieur victorien.

Chaises au Design Museum

Costumes et bijoux

Les vastes collections du **Victoria and Albert Museum** (V&A) comprennent des costumes anglais et européens de ces 400 dernières années et de magnifiques bijoux chinois, indiens et japonais. Les Joyaux de la Couronne, exposés à la **Tour**, sont, également, incontournables. Des habits de Cour (du XVIIIe au XXe s.) sont présentés au **palais de Kensington**. Le **musée du Théâtre** est consacré à tous les aspects du monde du spectacle et le **musée de l'Homme** s'intéresse aux coutumes mayas, aztèques ou africaines.

Arts décoratifs et arts appliqués

Une fois encore, le **Victoria and Albert Museum** (V&A) remporte la palme. Ses collections sont d'une richesse inouïe. La **William Morris Gallery** présente des œuvres représentatives de l'inspirateur du mouvement du XIXe s. Arts and Crafts. Le **Design Museum** se penche sur l'esthétique industrielle de notre temps. La **Crafts Council Gallery** est un centre d'artisanat contemporain.

Armée

Le **musée de l'Armée** évoque l'histoire de l'armée du Royaume-Uni, de 1485 à nos jours. Les régiments de gardes à pied, qui constituent l'élite de l'armée britannique, sont présentés au **musée de la Garde**. L'Armurerie royale, à la **Tour**, (collections d'armes anciennes et d'armures) est le plus ancien musée national du pays. La **Wallace Collection** possède également des armes et armures. L'**Imperial War Museum** propose des reconstitutions de tranchées de la Première Guerre mondiale et évoque les bombardements allemands de 1940 sur la capitale britannique. Le **Florence Nightingale Museum** illustre les batailles du XIXe s.

JOUETS

Ours en peluche et maisons de poupées sont quelques-uns des jouets que l'on peut contempler au **London Toy and Model Museum**. Le **Pollock's Toy Museum** présente une collection comparable. Le **Bethnal Green Museum of Childhood** et le **Museum of London** ont un caractère légèrement plus sérieux. Ils évoquent les aspects socio-culturels de l'enfance.

SCIENCES ET TECHNIQUES

Ordinateurs, électricité, exploration de l'espace et transports sont représentés au **Science Museum**. Le **London Transport Museum** permet aux visiteurs de monter dans des trains, autobus et tramways anciens. D'autres musées sont plus spécialisés : le **Faraday Museum**, histoire de l'électricité, le **Kew Bridge Steam Museum**, le **National Maritime Museum** et le **Museum of the Moving Image**.

Le **musée d'Histoire naturelle** présente toutes sortes d'animaux avec reconstitutions d'environnements naturels. Le **Museum of Garden History** est consacré au passe-temps favori des Britanniques : le jardinage.

Samson et Dalila **(1620), Van Dyck, Dulwich Picture Gallery**

Imperial War Museum

PEINTURE ET SCULPTURE

Les « musts » de la **National Gallery** sont ses primitifs italiens, son école espagnole du XVIIe s. et sa coll. d'œuvres des maîtres néerlandais. La **Tate Gallery** possède des œuvres européennes et américaines du XXe s. et des peintures anglaises, exécutées avant 1860. Le **V&A** présente des toiles européennes du début du XVIe à la fin du XIXe s. La **Royal Academy** et la **Hayward Gallery** organisent des expositions. Le **Courtauld Institute** possède des œuvres impressionnistes et post-impressionnistes. La **Wallace Collection** est spécialisée dans les peintures néerlandaises du XVIIe s. et l'école française du XVIIIe s. La **Dulwich Picture Gallery** abrite des toiles de Rembrandt, Rubens, Poussin et Gainsborough. **Kenwood House** présente des œuvres de Reynolds, Gainsborough et Rubens dans des intérieurs dessinés par Adam. Les expositions temporaires sont annoncées dans la presse spécialisée (*voir p. 324*).

Stone Dancer **(1913), Gaudier-Brzeska, Tate Gallery**

TROUVER LES MUSÉES

Bethnal Green Museum of Childhood *p. 244*
British Museum *pp. 126-9*
Courtauld Institute *p. 117*
Crafts Council Gallery *p. 246*
Design Museum *p. 179*
Dulwich Picture Gallery *p. 248*
Faraday Museum *p. 97*
Florence Nightingale Museum *p. 185*
Freud Museum *p. 242*
Geffrye Museum *p. 244*
Hayward Gallery *p. 184*
Imperial War Museum *p. 186*
Kenwood House *p. 230*
Kew Bridge Steam Museum *p. 254*
Linley Sambourne House *p. 214*
London Toy and Model Museum *p. 255*
London Transport Museum *p. 114*
Musée de l'Armée *p. 193*
Musée d'Histoire nat. *pp. 204-5*
Musée de l'Homme *p. 91*
Musée de la Garde *p. 81*
Musée du Théâtre *p. 115*
Museum of Garden History *p. 185*
Museum of London *pp. 166–7*
Museum of the Moving Image *p. 184*
National Gallery *p. 104-7*
National Maritime Museum *p. 236*
Palais de Kensington *p. 206*
Pollock's Toy Museum *p. 131*
Royal Academy of Arts *p. 90*
Science Museum *pp. 208-9*
Sir John Soane's Museum *p. 136*
Tate Gallery *pp. 82–5*
Tour de Londres *p. 154–7*
Victoria and Albert Museum *pp. 198-201*
Wallace Collection *p. 222*
William Morris Gallery *p. 245*

Les plus belles églises de Londres

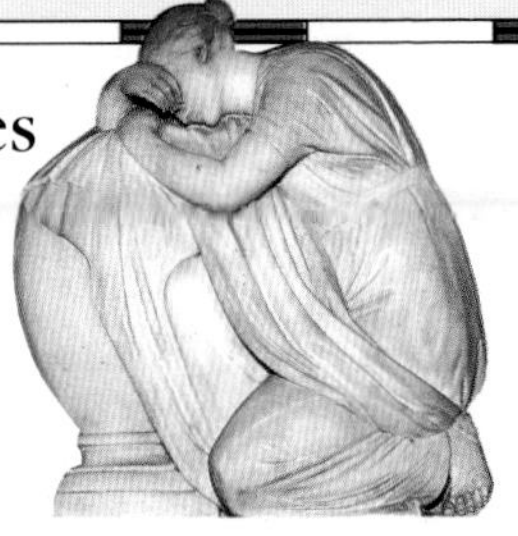

Eglise de Tous-les-Saints bâtie par Nash en 1824.
Ce bas-relief appartient à un tombeau qui s'y trouve.

Les églises de Londres méritent souvent qu'on s'arrête pour les visiter. Nombre d'entre elles ont remplacé, au fil des siècles, des sanctuaires plus anciens dont la construction remontait au tout début de l'ère chrétienne. Certains se trouvaient dans des villages situés bien au-delà de l'enceinte de la ville avant d'être absorbés dans les banlieues, au XVIIIe s. Les monuments commémoratifs des églises et cimetières recèlent quantité d'informations sur la vie locale et comportent ici et là des noms de personnages célèbres. Un panorama plus complet des églises de Londres est présenté aux pages 46-7.

St Paul's à Covent Garden
En raison de la simplicité exigée par le bailleur de fonds, l'architecte aurait déclaré : « Ce sera la plus belle grange d'Europe ».

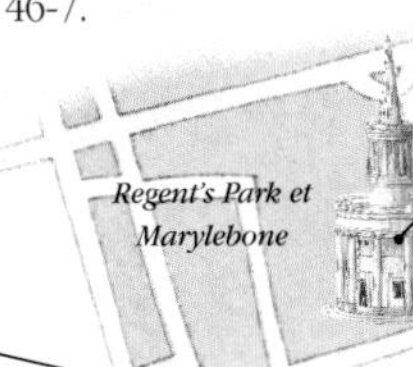

St Martin-in-the-Fields
Construite par Gibbs en 1726, elle fut considérée comme « trop élégante » pour le culte protestant.

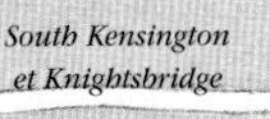

Cathédrale de Westminster
De style byzantin, cette imposante cathédrale est en brique rose rayée de pierre blanche. L'intérieur révèle la splendeur froide de marbres multicolores.

Abbaye de Westminster
La célèbre abbaye est l'exemple d'architecture médiévale le plus impressionnant de la capitale. Elle recèle de superbes tombeaux et monuments.

Oratoire de Londres
Edifice de style baroque italien orné, à l'intérieur, de statues sculptées par Mazzuoli.

St Mary-le-Strand
Entourée de rues animées, cette église a été construite par James Gibbs entre 1714 et 1717 dans le style baroque. Dotée de vitraux de forme élancée et d'une décoration intérieure soignée, ses murs assurent une bonne isolation acoustique.

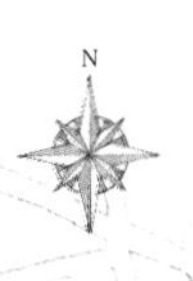

St Mary Woolnoth
L'éclairage dispensé à l'intérieur de cette petite église baroque, conçue par Nicholas Hawksmoor entre 1716 et 1727, est habilement combiné.

St Stephen Walbrook
Cette œuvre audacieuse de Wren (1672-77) présente une coupole qui servit peut-être d'ébauche pour St-Paul. Son autel moderne a été conçu par Henry Moore.

Cathédrale St-Paul
Avec 110 m de hauteur totale, le dôme de la cathédrale reconstruite par Christopher Wren, est le plus grand du monde après celui de St-Pierre, à Rome.

Southwark Cathedral
Édifice réalisé au XIIIe s. dans le style gothique primitif, qui n'a obtenu le titre de cathédrale qu'en 1905. Son chœur est un bon témoignage de l'architecture du début du XIIIe s.

Temple Church
Construite au XIIe et au XIIIe s., cette construction est l'une des rares églises circulaires à avoir subsisté en Angleterre.

A la découverte des églises

Les clochers qui ponctuent l'horizon londonien embrassent pratiquement dix siècles de l'histoire de la ville. Chacun d'eux est lié aux événements majeurs de la capitale : la conquête normande (1066), le Grand Feu (1666), la reconstruction qui suivit, sous la direction de Wren, la période Regency, l'ère victorienne et les bombardements allemands de 1940. Ces édifices ont été conçus par les plus grands architectes de leur temps.

St Paul's, Covent Garden

Églises médiévales

L'**abbaye de Westminster**, superbe édifice du XIIIe s., est le théâtre des couronnements, la nécropole des souverains et l'empyrée des gloires nationales. **St Barthélémy-le-Grand**, la plus ancienne des églises londoniennes (1123), **Temple Church**, l'église circulaire fondée en 1160 par l'ordre des Templiers et **Southwark Cathedral**, entourée de lignes de chemins de fer et d'entrepôts de l'ère victorienne, sont moins connues. **Chelsea Old Church** est une charmante église de village située à proximité de la Tamise.

Églises de Jones

Les églises d'Inigo Jones, (1573-1652), construites dans les années 1620 et 1630 choquèrent le public qui était habitué aux formules traditionnelles des constructions gothiques. La plus connue est sans nul doute **St Paul's Church**, pièce maîtresse de la piazza à l'italienne de Covent Garden. **Queen's Chapel**, qui faisait jadis partie du **palais St-James** est la première église classique d'Angleterre, elle possède un beau plafond peint, mais son accès est le plus souvent interdit au public.

Églises de Hawksmoor

Nicholas Hawksmoor (1661-1736) fut l'élève le plus doué de Christopher Wren, et ses églises comptent

Clochers

Parmi les flèches richement décorées des églises de Londres, voici quatre exemples représentatifs.

St Martin-in-the-Fields, conçue par James Gibbs, occupe une position dominante sur Trafalgar Square.

St Mary-le-Bow, construite par Christopher Wren, est surmontée par une girouette en cuivre qui représente un dragon.

St Bride's, autre flèche célèbre de Wren, de forme octogonale et surmontée d'un obélisque.

St George's, Bloomsbury, de Nicholas Hawksmoor, est dominée par une statue du roi George Ier vêtu d'une toge romaine.

parmi les plus beaux édifices baroques de Grande-Bretagne. **St George's, Bloomsbury** (1716-31) présente une façade d'ordre corinthien et un clocher surmonté par une statue du roi George Ier. **St Mary Woolnoth** est un véritable joyau ciselé entre 1716 et 1727 et **Christ Church, Spitalfields**, est un tour de force baroque, exécuté entre 1714 et 1729.

Parmi les églises de Hawksmoor édifiées dans l'East End, il faut citer **St Anne's, Limehouse** et **St Alfege** (1714-17). La tour de cette église fut ajoutée en 1730 par John James.

St Anne's Limehouse

CHRISTOPHER WREN

Christopher Wren (1632-1723) fut le principal architecte de la reconstruction de Londres, après le Grand Feu de 1666. Il conçut de redessiner la ville, en remplaçant les ruelles étroites par de larges avenues rayonnant autour de places, mais son projet fut rejeté. Toutefois, on lui commanda la construction de 52 nouvelles églises. 31 ont subsisté malgré les menaces de démolition et les bombardements allemands de 1940. Son chef-d'œuvre est la **cathédrale St-Paul**. **St Stephen Walbrook** (1672-77), sa superbe église coiffée d'un dôme, se trouve à proximité. Il convient de citer également l'église des journalistes, **St Bride's**, près de Fleet Street et **St Magnus Martyr**, sur Lower Thames Street. La préférée de Wren était **St James's, Piccadilly**, construite en 1683-84. **St Clement Danes** (1680-82), sur le Strand et **St James's, Garlickhythe** (1674-87), sont de dimensions plus modestes.

ÉGLISES DE GIBBS

James Gibbs (1682-1754) était plus conservateur que son contemporain baroque, Hawksmoor. Il garda également ses distances par rapport au style néoclassique, très prisé après 1720. Ses églises londoniennes, tout à fait personnelles, ont influencé nombre d'architectes. **St Mary-le-Strand** (1714-17), entourée de chaussées, semble voguer sur le Strand. L'édifice d'aspect élégant de **St Martin-in-the-Fields** (1722-26) fut élevé cent ans avant Trafalgar Square.

ÉGLISES REGENCY

En 1815, à la fin des batailles napoléoniennes, de nombreuses églises, inspirées de l'antique, furent construites, notamment dans les nouvelles banlieues. Les édifices n'ont certainement pas l'exubérance de ceux d'Hawksmoor, mais ils possèdent une élégance et une sobriété caractéristiques. L'**église de Tous-les-Saints** (1822-24), sur **Langham Place**, à l'extrémité N de Regent Street, fut conçue par Nash, architecte préféré du prince-régent, dont les œuvres étaient décriées car elles associaient des styles hétéroclites. **St Pancras**, construite en 1822 dans le style néogrec, est typique de cette période.

ÉGLISES VICTORIENNES

Londres possède quelques-unes des plus belles églises d'Europe édifiées au XIXe s. Imposantes et colorées, leur décoration contraste totalement avec la sobriété néoclassique de la période Regency. La **cathédrale de Westminster** (1895-1903) est peut-être la plus intéressante des églises londoniennes construites à la fin de l'ère victorienne. De style néo-byzantin, elle fut conçue par J.-F. Bentley et les bas-reliefs représentant le chemin de croix sont dus à Eric Gill. L'**Oratoire de Londres** est de style baroque italien et l'intérieur est orné de meubles provenant de toute l'Europe catholique.

Oratoire de Londres

TROUVER LES ÉGLISES

Abbaye de Westminster *pp.76-9*
Cathédrale de Westminster *p. 81*
Chelsea Old Church *p. 192*
Christ Church, Spitalfields *p. 170*
Eglise de Tous-les-Saints *p. 221*
Oratoire de Londres *p. 202*
Queen's Chapel *p. 93*
St Alfege *p. 236*
St Anne's, Limehouse *p. 245*
St Barthélémy-le-Grand *p. 165*
St Bride's *p. 139*
St Clement Danes *p. 138*
St George's, Bloomsbury *p. 124*
St James, Garlickhythe *p. 144*
St James's, Piccadilly *p. 90*
St Magnus the Martyr *p. 152*
St Martin-in-the-Fields *p. 102*
St Mary-le-Bow *p. 147*
St Mary-le-Strand *p. 118*
St Mary Woolnoth *p. 145*
St Pancras *p. 130*
St Paul's *pp. 148-51*
St Paul's Church *p. 114*
St Stephen Walbrook *p. 146*
Southwark Cathedral *p. 176*
Temple Church *p. 139*

Les plus beaux parcs et jardins de Londres

Londres a été dotée de grands espaces verts dès le Moyen Age. Certains, comme Hampstead Heath, étaient des champs communaux. D'autres, comme Richmond Park et Holland Park, étaient des domaines royaux réservés à la chasse ou les jardins privés d'imposantes demeures. Quelques-uns ont gardé l'apparence qu'ils avaient à l'époque. Aujourd'hui, il est encore possible de traverser le centre de Londres (de St James's Park, à l'E., à Kensington Gardens, à l'O.) sans quitter la verdure. Les parcs, comme Battersea ou les jardins royaux de Kew, sont plus récents.

Hampstead Heath
Ce grand parc, très aéré, est situé au N. de la capitale. Parliament Hill, à proximité, offre une vue spectaculaire sur St Paul's, la City et le West End.

Jardins royaux de Kew
Premier jardin botanique du monde que les amateurs de plantes exotiques ou plus courantes ne manqueront sous aucun prétexte.

Kensington Gardens
Cette plaque, qui provient d'un jardin italien, est l'un des éléments de ce parc très élégant.

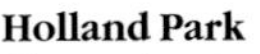

Holland Park
Ces anciens terrains d'une superbe demeure constituent aujourd'hui un parc très romantique.

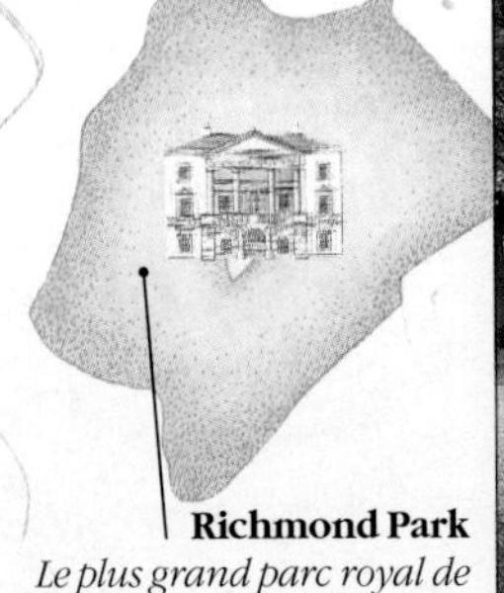

Richmond Park
Le plus grand parc royal de Londres est resté presque intact. On peut y voir des daims ainsi qu'une très belle vue sur la Tamise.

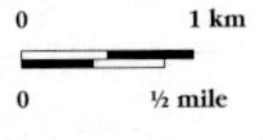

Regent's Park
Dans ce parc, entouré de magnifiques immeubles de style Regency, vous pourrez vous promener dans la roseraie, visiter le théâtre de verdure, ou simplement vous asseoir et admirer la vue.

Greenwich Park
Ses allées s'articulent autour du National Maritime Museum, dont l'architecture et les collections méritent aussi une visite.

Hyde Park
La Serpentine, plan d'eau ouvert à la baignade, est un des sites préférés des promeneurs. À proximité, on trouve des restaurants, une galerie d'art et le célèbre Speakers' Corner.

Green Park
Ses allées sont très appréciées des adeptes du jogging qui séjournent dans les hôtels de Mayfair.

Battersea Park
Les promeneurs peuvent y faire un tour de barque sur le lac et avoir ainsi une jolie vue sur ce paysage victorien.

St James's Park
Les promeneurs peuvent y observer les canards et les pélicans. Un orchestre y joue pendant tout l'été.

A la découverte des parcs et jardins

Le centre de Londres, aéré de squares plantés d'arbres et de jardins aux vastes pelouses, est sans aucun doute le plus verdoyant de la planète. Chacun des parcs de la capitale a un charme et un caractère particulier. Les amateurs de sports, de flore ou de faune, trouveront ci-après la liste des espaces verts les plus attrayants.

Camilla japonica

Embankment Gardens

Jardins fleuris

Le goût des Britanniques pour les jardins et les fleurs se manifeste brillamment dans les parcs londoniens. Tous les jardiniers amateurs seront comblés à **Kew Gardens** et au **Chelsea Physic Garden**, qui est particulièrement riche en herbes médicinales. **St James's Park**, plus proche du centre, possède de magnifiques massifs de fleurs dont les bulbes et les plantations sont régulièrement renouvelés. **Hyde Park** présente de superbes parterres de crocus et de jonquilles, et, au printemps, la plus belle roseraie est celle du Queen Mary's Gardens, à **Regent's Park**. **Kensington Gardens** possède un célèbre « mixed border » et le **Museum of Garden History**, un délicieux petit jardin du XVIIe s.

Battersea Park est un charmant jardin fleuri, et les amoureux des plantes ne manqueront pas de visiter la serre du **Barbican Centre**.

Jardins à la française

Celui de **Hampton Court** présente des parcelles caractéristiques des différentes périodes. Les jardins de **Chiswick House** sont encore agrémentés de leurs statues et fabriques du XVIIIe s. Parmi les jardins restaurés, il faut citer également ceux de **Ham House**, du XVIIe s., et **Osterley Park**. **Fenton House** dispose d'un beau jardin en terrasse. Quant à celui de **Kenwood House**, ses bosquets lui donnent un aspect moins rigoureux. **Parliament Hill** est un parc fort agréable pendant l'été. Le jardin de **Kensington Palace** est l'un des rares à avoir subi l'influence de Le Nôtre. Enfin, **Holland Park**, est un joli jardin de fleurs, orné de statues.

Le jardin en contrebas de Kensington Palace

Jardins tranquilles

Parmi les jardins londoniens qui sont ouverts au public, **Russell Square** est le plus grand et l'un des plus reposants. **Berkeley Square** est réputé pour ses platanes vénérables. **Green Park**, doté de grands arbres et de chaises longues est à deux pas du centre. Les quatre collèges d'avocats, à Holborn, offrent aussi des coins de verdure très agréables : **Gray's Inn gardens**, **Middle Temple**

La verdure à Londres

Le Grand Londres compte 1 700 parcs qui couvrent une superficie totale de 174 km². Ces espaces verts abritent 2 000 variétés de plantes et 100 espèces d'oiseaux. Les arbres sont le véritable poumon de la ville. Ils transforment l'air pollué en oxygène. Voici quelques-unes des variétés parmi les plus courantes dans les parcs et jardins de Londres.

Le platane de Londres
Essence la plus courante, largement représentée dans les rues de la ville.

Le chêne anglais Son bois était utilisé pour la construction des navires de la Royal Navy.

gardens et **Lincoln's Inn Fields**. **Soho Square** est plus bruyant et plus animé.

Concerts en plein air

Ecouter un orchestre allongé dans l'herbe est une tradition très britannique. Pendant l'été, de nombreux concerts sont ainsi donnés à **St James's Park**, à **Regent's Park** ou à **Parliament Hill**. Le calendrier des manifestations est souvent affiché à proximité des kiosques à musique.

Des festivals de musique classique sont également organisés dans plusieurs parcs (*voir p. 131*).

Faune

St **James's Park** abrite de nombreuses variétés de canards et d'oiseaux, ainsi que quelques pélicans. Les amateurs d'avifaune apprécieront également **Regent's Park**, **Hyde Park**, **Battersea Park** et **Hampstead Heath**. Le **zoo de Londres**, à **Regent's Park**, permet d'observer quantité d'animaux sauvages. De plus, plusieurs parcs et jardins, comme **Kew Gardens** et **Syon House**, possèdent des volières ou des aquariums.

Les oies de St James's Park

Cimetières historiques

Dans les années 1830, un ensemble de cimetières privés fut créé à la périphérie de Londres, car ceux qui se trouvaient au centre étaient surpeuplés et mal entretenus. Aujourd'hui, certains (notamment celui de **Highgate** et de Kensal Green, sur Harrow Road W10) méritent un détour car ils sont paisibles et recèlent plusieurs monuments victoriens. Celui de **Bunhill Fields** est le plus ancien. Il fut le premier à être utilisé lors de la peste de 1665.

Kensal Green

Les barques de Regent's Park

Sports

Le vélo n'est pas vraiment encouragé dans les parcs londoniens. En revanche, la plupart des espaces verts ont des courts de tennis que l'on doit réserver à l'avance. Vous pourrez faire de la barque à **Hyde Park**, à **Regent's Park** ou à **Battersea Park**. Des pistes d'athlétisme ont été tracées à Battersea Park et à **Parliament Hill**. La baignade est autorisée dans les étangs de **Hampstead Heath** et dans le Serpentine, à Hyde Park. Hampstead Heath est aussi un endroit rêvé pour les cerfs-volants.

Le hêtre a un cousin germain, le hêtre rouge, doté de superbes feuilles pourpres.

Le marronnier d'Inde fleurit au printemps mais ses fruits ne sont pas comestibles.

Trouver les parcs

Barbican Centre *p. 165*
Battersea Park *p. 247*
Berkeley Square *p. 260*
Bunhill Fields *p. 168*
Chelsea Physic Garden *p. 193*
Chiswick House *pp. 254-5*
Fenton House *p. 229*
Gray's Inn *p. 141*
Green Park *p. 97*
Greenwich Park *p. 239*
Ham House *p. 248*
Hampstead Heath *p. 230*
Hampton Court *pp. 250-3*
Highgate Cemetery *p. 242*
The Hill *p. 231*
Holland Park *p. 214*
Hyde Park *p. 207*
Kensington Gardens *pp. 206-7*
Kensington Palace *p. 206*
Kenwood House *pp. 230-1*
Kew Gardens *pp. 256-7*
Lincoln's Inn Fields *p. 137*
Middle Temple *p. 139*
Museum of Garden History *p. 185*
Osterley Park *p. 249*
Parliament Hill Fields *pp. 230-1*
Regent's Park *p. 220*
Richmond Park *p. 248*
Russell Square *p. 125*
St James's Park *p. 93*
Soho Square *p. 108*
Syon House *p. 249*
Zoo de Londres *p. 223*

Les grandes cérémonies

La plupart des cérémonies traditionnelles qui se tiennent à Londres ont été instaurées par la monarchie. Fidèlement perpétuées et célébrées jusqu'à nos jours, elles ont souvent pour origine le Moyen Age, époque à laquelle les rois tout-puissants devaient être protégés contre leurs opposants. Ce plan présente les lieux dans lesquels sont célébrées les plus importantes cérémonies de la capitale. Pour de plus amples renseignements, reportez-vous aux pages 54-5. Une liste des diverses manifestations qui ont lieu à Londres au cours de l'année se trouve pages 56-9.

St James's Palace et Buckingham Palace
Des membres de la garde du corps de la reine surveillent l'entrée des deux palais. L'été, la relève de la Garde a lieu quotidiennement.

Hyde Park
Des salves de coups de canon sont tirées du parc pour les anniversaires de la famille royale ou à l'occasion d'autres événements.

Chelsea Hospital
On y célèbre la fête du Gland (Oak Apple Day, le 29 mai) en mémoire de Charles II qui se cacha dans un chêne en 1651.

Horse Guards
À l'occasion du salut aux Couleurs (Trooping the Colour), la plus élaborée des cérémonies royales londoniennes, les sept régiments rendent hommage à leur Souveraine.

City et Embankment
Lors de la procession du lord-maire, les hérauts, hallebardiers et massiers escortent à travers la City le carrosse à six chevaux du XVIIIe s.

Le Cénotaphe
La reine y rend hommage chaque année aux soldats morts au cours de la Grande Guerre.

Holborn et les collèges d'avocats

Covent [Ga]rden et le Strand

La City

LA TAMISE

South Bank

Southwark et Bankside

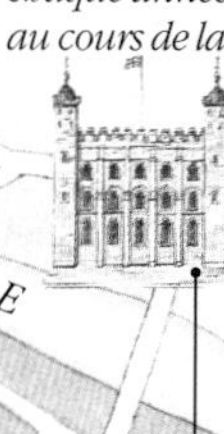

Tour de Londres
Lors de la cérémonie des Clés, qui a lieu chaque soir, le gardien-chef ferme les portes de la Tour et l'escorte veille à ce que les clés ne soient pas dérobées.

0 — 1 km
0 — ½ mile

Palais de Westminster
À l'automne, la reine se rend au palais en carrosse pour procéder à l'ouverture de la session parlementaire

Assister aux cérémonies de Londres

Les fastes de la monarchie et les lois du commerce donnent lieu aux principales cérémonies de la capitale.
Bien qu'apparemment archaïques et désuètes, ces manifestations ont une signification historique qui remonte au Moyen Age.

Cérémonies royales

Bien que la reine joue un rôle essentiellement symbolique, la garde de Buckingham continue à surveiller de près les environs du palais. L'impressionnante **cérémonie de la relève** (avec ses ordres vociférés et ses musiques militaires) met en présence l'ancienne et la nouvelle garde. Celles-ci sont composées de trois officiers et de 40 hommes lorsque la reine séjourne au palais. Le contingent est ramené à trois officiers et 31 hommes lorsqu'elle est absente. La cérémonie a lieu devant le palais. Il est également procédé à la relève de la garde aux Horse Guards et dans la cour intérieure de la Tour.

La **cérémonie des Clés**, à la Tour, est l'une des plus anciennes de la capitale. Une fois que toutes les portes de la Tour sont fermées, le clairon sonne la Retraite et les Clés sont ramenées à la Maison de la reine pour y passer la nuit en toute sécurité.

La Tour et Hyde Park sont également le théâtre des **salves royales** tirées pour une naissance royale ou pour d'autres occasions. 41 coups de canon sont tirés du parc à midi, et 62 de la Tour à treize heures. L'arrivée, à Hyde Park, des 71 cavaliers et des 13 canons est très impressionnante.

L'apparat, les uniformes et la musique de la parade militaire du **Salut aux couleurs** font de cette manifestation la cérémonie préférée des Londoniens. Le sergent-major salue le drapeau, les gardes défilent devant la reine, puis la souveraine revient au palais de Buckingham par le Mall. Le meilleur endroit pour assister à cette cérémonie est l'esplanade des Horse Guards, située du côté de St James's Park. La fanfare à cheval appartenant à la Maison royale et l'orchestre des Gardes sont les principaux acteurs de la cérémonie de la Retraite des régiments (Beating the Retreat). Celle-ci a lieu à l'esplanade des Horse Guards trois ou quatre fois par semaine dans les quinze jours précédant l'anniversaire officiel de la reine (Trooping the Colour).

L'ouverture de la session parlementaire, à laquelle procède la reine au mois de novembre, ne peut malheureusement être suivie qu'à la télévision. Le cortège royal (du palais de Buckingham au Parlement), composé, notamment, du superbe carrosse de la reine, tiré par quatre chevaux, mérite cependant le déplacement.

Un des gardes du corps de la reine

Garde de la reine, en tenue hivernale

Cérémonies militaires

Le **dimanche du Souvenir** (Remembrance Sunday), la reine rend hommage aux soldats anglais morts au cours des deux guerres mondiales.

La **fête de la Marine** (National Navy Day) est commémorée par une parade et un office religieux célébré à Trafalgar Square.

Salves royales, Tour de Londres

Relève de la Garde, Tour de Londres

Silent Change, cérémonie au Guildhall en l'honneur du nouveau Lord-Maire

Cérémonies dans la City

Le mois de novembre voit se dérouler les principales cérémonies de la City. Lors du **Silent Change**, au Guildhall, le lord-maire sortant remet au nouveau maire les symboles de la fonction, en ne prononçant presque aucun mot. Le lendemain, a lieu la **procession du Lord-Maire**. Celui-ci, trônant dans son somptueux carrosse, est escorté par des détachements militaires qui quittent la City, passent devant Mansion House et le Palais de justice, longent l'Embankment, puis regagnent la City.

Nombre des cérémonies qui ont lieu dans la City ont un rapport avec les corporations des corps de métier (*voir p. 152*). Les **marchands de vin** fêtent les vendanges et le **Cakes and Ale Sermon** est adressé aux papetiers, à St-Paul, conformément au vœu d'un papetier du XVIIe s.

Cérémonies nominatives

Tous les 21 mai, pour rendre hommage au **roi Henri VI** assassiné dans la Tour en 1471, des membres d'Eton College et de King's College (deux institutions qu'il créa), se réunissent pour une cérémonie célébrée dans la tour Wakefield. La **fête du Gland** commémore la journée au cours de laquelle, en 1651, le roi Charles II échappa aux forces parlementaires d'Oliver Cromwell en se cachant dans le tronc d'un chêne. Aujourd'hui, les pensionnaires de l'hôpital lui rendent hommage en décorant sa statue de branches et de feuilles de chêne. Le 18 décembre, un office rend hommage au diariste **Samuel Johnson** à l'abbaye de Westminster.

Armoiries du lord-maire

Cérémonies moins officielles

Au mois de juillet, des membres de la corporation des Bateliers participent à la **Doggett's Coat and Badge Race**. À l'automne, les **Pearly Kings and Queens**, des représentants de marchands de l'E. de Londres, se réunissent à St Martin-in-the-Fields. Au mois de mars, est célébré à l'église St Clement Danes, l'office **Oranges and Lemons Service**. En février, des clowns participent à un office en l'honneur de **Joseph Grimaldi** (1779-1837).

Pearly Queen

Les cérémonies

Beating the Retreat (Retraite des régiments)
Horse Guards *p. 80*, deux premières semaines du mois de juin.

Cakes and Ale Sermon
St-Paul *pp. 148-51*, mercredi des Cendres.

Cérémonie des Clés
Tour de Londres *pp. 154-7*, t.l.j. à 22 h. Réserver à la Tour plusieurs mois à l'avance.

Dimanche du Souvenir
Cénotaphe *p. 74*, dimanche le plus proche du 11 novembre.

Doggett's Coat and Badge Race
Du pont de Londres à Cadogan Pier, Chelsea *pp. 189-93*, en juillet.

Dr Johnson Memorial Service
Abbaye de Westminster *pp. 76-9*, 18 décembre.

Fête du Gland (Oak Apple Day)
Royal Hospital *p. 193*, jeu. suivant le 29 mai.

Joseph Grimaldi Memorial
Holy Trinity Church, Dalston E8, 7 fév.

King Henry VI Memorial
Tour Wakefield, Tour de Londres *pp. 154-7*, 21 mai.

Marchands de vin (vendange)
St Olave's Church, Hart St EC3, deuxième mar. du mois d'octobre.

National Navy Day
Trafalgar Square *p. 102*, 21 oct.

Oranges and Lemons Service
St Clement Danes *p. 138*, mars.

Ouverture de la session parlementaire
palais de Westminster *pp. 72-3*, oct.-nov. Procession du palais de Buckingham *pp. 94-5* à Westminster.

Pearly Kings and Queens Harvest Festival
St Martin-in-the-Fields *p. 102*, autom.

Procession du Lord-Maire
la City *pp. 143-53*, deuxième sam. du mois de novembre.

Relève de la Garde
Palais de Buckingham *pp. 94-5*, t.l.j. à 10 h. Horse Guards *p. 80*, t.l.j. à 13 h. Tour de Londres *pp. 154-7*, t.l.j. à midi.

Salves royales
Hyde Park *p. 207*, anniversaires de la famille royale et autres occasions.

Silent Change
Guildhall *p. 159*, deuxième ven. du mois de novembre.

Trooping the Colour
Horse Guards *p. 80*, deuxième sam. du mois de juin (répétitions, les deux sam. précédents). Un nombre limité de tickets est distribué au quartier général des cavaliers appartenant à la Maison royale, Horse Guards.

Londres au jour le jour

Au printemps, insensiblement, les jours rallongent et les Londoniens sortent davantage. Les jonquilles fleurissent les parcs et les moins vaillants des citadins abandonnent leurs velléités de jogging matinal lorsqu'ils sont confrontés aux coureurs assidus qui s'entraînent pour le marathon de Londres. Quand vient l'été, les parcs se parent de leurs plus beaux atours et à Kensington Gardens, les nounous des quartiers chic bavardent sous les arbres. À l'automne, les marroniers prennent des couleurs dorées, et les Londoniens fréquentent les musées ou les galeries d'art, avant d'aller prendre le thé. L'année se termine avec les feux d'artifice tirés en souvenir de Guy Fawkes et les soldes dans les magasins. Pour tout renseignement sur les manifestations de la saison, consulter l'Office du tourisme de Londres (*voir p.345*) ou la presse hebdomadaire (*p. 325*).

Printemps

Au printemps, il est prudent de se munir d'un parapluie. L'équinoxe est discrètement célébré sur la colline de la Tour. Les artistes peintres rêvent de voir leurs œuvres exposées au Salon d'été de la Royal Academy. La saison de football s'achève par la finale de la coupe à Wembley au moment où s'ouvre celle du cricket. Comme chaque année, la compétition d'aviron oppose Oxford et Cambridge, et le marathon de Londres réunit, dans les rues de la ville, des milliers de concurrents.

Les coureurs du marathon de Londres à proximité de Tower Bridge

Mars

Chelsea Antiques Fair (deuxième semaine), Chelsea Old Town Hall, King's Rd SW3. Foire aux antiquités.
Ideal Home Exhibition (deuxième semaine), Earl's Court, Warwick Rd SW5. Ce salon des arts ménagers présente les technologies les plus avancées.
Oranges and Lemons Service, St Clement Danes (*p. 55*). Office réservé aux écoliers.
Compétition d'aviron Oxford-Cambridge (sam. avant Pâques ou jour de Pâques), de Putney à Mortlake (*p. 337*).
Célébration de l'équinoxe de printemps (21 mars), colline de la Tour EC3.

Pâques

Le vend. saint et le lun. suivant sont des jours de fêtes légales. **Parades de Pâques**, Covent Garden (*p. 114*), Battersea Park (*p. 247*).
Cerfs-volants, Blackheath (*p. 239*) et Hampstead Heath (*p. 230*). **Procession et hymnes de Pâques** (lun. de Pâques), abbaye de Westminster (*pp. 76-9*).
International Model Railway Exhibition (week-end de Pâques), Royal Horticultural Hall, Vincent Sq SW1.

Un parc londonien au printemps

Avril

Salves royales en l'honneur de l'anniversaire de la reine (21 avril), Hyde Park, Tour de Londres (*p. 54*).
Marathon de Londres (dim. en avr. ou en mai), de Greenwich à Westminster (*p. 337*).

Mai

Le premier et le dernier lundi sont des jours de fêtes légales.
Finale de la coupe de football, Wembley (*p. 336*).
Henry VI memorial (*p. 55*).
Beating the Bounds (jeud. de l'Ascension), dans la City.
Oak Apple Day, au Royal Hospital, Chelsea (*p. 55*).
Fêtes foraines (dernier week-end), dans des jardins publics.
Chelsea Flower Show (fin mai), Royal Hospital, Chelsea.
Beating the Retreat (*p. 54*).
Royal Academy Summer Exhibition (mai-juillet), Piccadilly (*p. 90*).

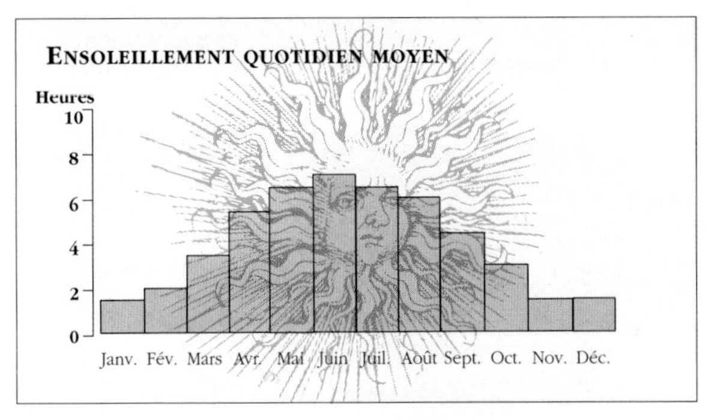

Ensoleillement
Les jours les plus longs et les plus ensoleillés de la capitale se situent entre les mois de mai et d'août. Au beau milieu de l'été, il fait jour de 5 h à 21 h. Les journées sont nettement plus courtes en hiver, mais le soleil peut donner à la ville un éclat particulier.

ETÉ

L'été est sans aucun doute la saison la plus riche en matière de festivités en tout genre et le soleil devrait vous permettre de profiter de votre séjour.

Cette sélection comprend nombre de manifestations traditionnelles, comme les internationaux de Wimbledon ou les épreuves de cricket, au Lord's. La reine organise des garden-parties dans les jardins du palais de Buckingham. Les fêtes foraines battent leur plein dans la plupart des parcs londoniens, notamment lorsqu'un week-end est prolongé par un jour férié.

JUIN

Morris Dancing (tous les mer. soirs, pendant tout l'été), abbaye de Westminster (*pp. 76-9*). Danses folkloriques anglaises.
Salves royales célébrant le jour du Couronnement (2 juin), Hyde Park et Tour de Londres (*p. 54*).
Ceramics Fair, Dorchester Hotel, Park Lane W1.
Fine Art and Antiques fair, Olympia, Olympia Way W14 (beaux-arts et antiquités).
Trooping the Colour, Horse Guards (*p. 54*).
Charles Dickens Memorial Service (9 juin), abbaye de Westminster (*pp. 76-9*). Office à la mémoire du célèbre écrivain.
Salves royales en l'honneur de l'anniversaire du duc d'Edimbourg (10 juin), Hyde Park et Tour de Londres (*p. 54*).
Internationaux de Wimbledon (deux dernières semaines de juin ; *p. 336*).
Epreuves de cricket, Lord's (*p. 336*).
Pièces de Shakespeare interprétées en plein air (pendant tout l'été), Regent's Park et Holland Park (*p. 326*).
Concerts en plein air, Kenwood, Hampstead Heath, Crystal Palace, Marble Hill, St James's Park (*p. 331*).
Festival du théâtre de rue (juin-juillet), Covent Garden (*p. 114*). Des comédiens en tout genre font connaître leurs talents dans les rues du quartier.
Festivals d'été (fin juin), Greenwich, Spitalfields et Primrose Hill. L'office du tourisme (*p. 345*) ou la presse hebdomadaire (*p.325*) vous fourniront tous les renseignements sur les différentes manifestations.

Le carnaval de Notting Hill

JUILLET

Festivals d'été, City et Richmond.
Soldes. Dans la plupart des magasins de Londres (*p. 311*).
Doggett's Coat and Badge Race (*p. 55*).
Floralies de Hampton Court, Hampton Court Palace (*pp. 250-53*).
Carrousel militaire (mi-juillet), Earl's Court, Warwick Rd SW5. Impressionnante parade militaire.
Capital Radio Jazz Festival, Royal Festival Hall (*p. 184*).
Henry Wood Promenade Concerts (fin juillet-sept), Royal Albert Hall (*p. 203*).

AOÛT

Le dernier lun. est férié.
Salves royales en l'honneur de la reine mère (4 août), Hyde Park et Tour de Londres (*p. 54*).
Carnaval de Notting Hill (dernier week-end du mois d'août). Manifestation organisée par les différentes communautés ethniques du quartier (*p. 215*).
Fêtes foraines (dernier week-end) dans la plupart des parcs londoniens.

Fanfare militaire, à St James's Park

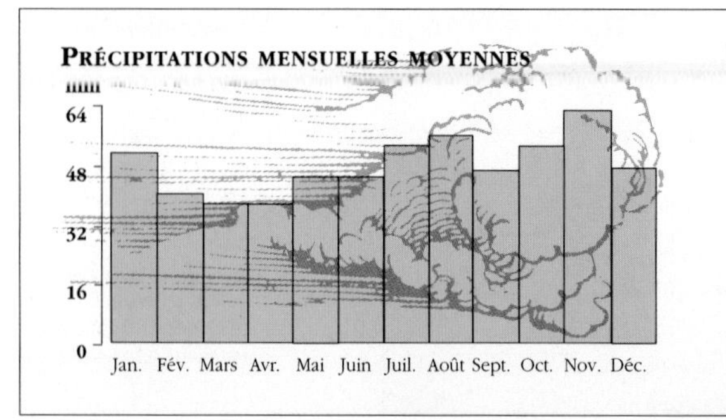

Précipitations
Les précipitations mensuelles moyennes de Londres demeurent à peu près identiques toute l'année. Les deux mois les plus chauds, juillet et août, sont également les plus arrosés. Il pleut moins au printemps, mais il y a des averses en toute saison.

Automne

Avec la rentrée universitaire, l'ouverture de la session parlementaire (*p. 54*) et la croissance de la fréquentation dans les magasins, l'automne à Londres n'est pas une demi-saison. Avec les dernières épreuves au Lord's, se termine la saison de cricket tandis que pour faire honneur à la pêche, de superbes étals de poissons frais sont disposés dans la salle de réunion du conseil paroissial de St Mary-at-the-Hill, une église conçue par Christopher Wren.

Une tumultueuse ouverture de session parlementaire est évoquée le 5 novembre avec des pétards et des feux d'artifice. Ils commémorent l'échec de la conspiration des Poudres fomentée par Guy Fawkes, qui projetait, en 1605, de faire sauter le Parlement. Quelques jours plus tard, la reine, à Whitehall, rend hommage aux soldats anglais morts au cours des deux guerres mondiales.

Le rallye des voitures anciennes

Les Pearly Kings, représentants de marchands de l'E. de Londres, se réunissent à St Martin-in-the-Fields

Septembre

National Rose Society Annual Show, Royal Horticultural Hall.
Chelsea Antiques Fair (*3e semaine*), Chelsea Old Town Hall. Foire aux antiquités.
Dernier Concert des « Proms » Royal Albert Hall (*p. 203*).

Octobre

Pearly Harvest Festival (*3 oct.*), St Martin-in-the-Fields (*p. 55*).
Punch and Judy Festival (*3 oct.*), Covent Garden WC2. Festival de marionnettes.
Horse of the Year Show (*début oct.*), Wembley (*p. 337*). Concours du cheval de l'année.
Harvest of the Sea (*2e dim.*), St Mary-at-Hill Church (*p. 152*). Fête de la pêche.
Vintners' and Distillers' Wine Harvest (*p. 55*). Fête des vendanges.
National Navy Day (*p. 54*). Fête de la Marine.

Novembre

Guy Fawkes Night (*5 nov.*). Feux d'artifice. Voir la presse hebdomadaire. (*p. 324*).
Remembrance Sunday (*p. 54*). Dim. du Souvenir.
Silent Change (*p. 55*).
Procession du Lord-Maire (*p. 55*).
London to Brighton Veteran Car Run (*1er dim.*). Départ à Hyde Park. Voitures anciennes (p. 207).
Christmas lights (*fin nov.-6 janv.*). Illuminations de Noël.

Couleurs d'automne dans un parc

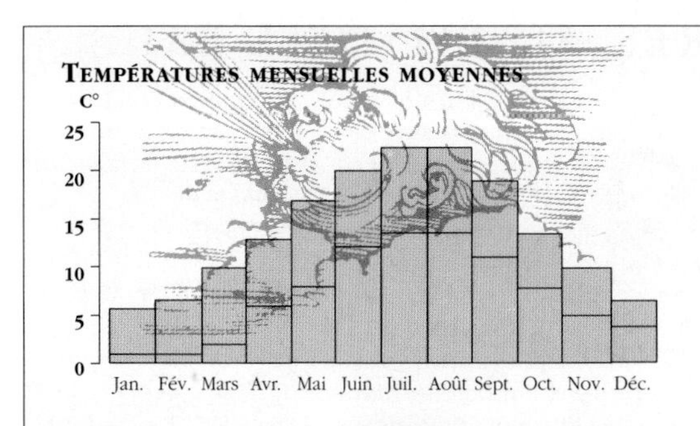

Températures
La moyenne des températures estivales se situe juste en dessous de 25° C. La mauvaise réputation du climat londonien est donc exagérée. Les températures baissent régulièrement à mesure que les jours raccourcissent et il gèle de novembre à février.

HIVER

De superbes paysages de Londres — des œuvres des XVIIe et XVIIIe s. — représentent la Tamise gelée. Plus près de nous, Claude Monet a aussi décrit les rives du fleuve, souvent enveloppées dans un épais brouillard hivernal. Pendant des siècles, l'hiver, le « fog » a fait partie du paysage. L'installation du chauffage au mazout et de dispositifs de dépollution de l'atmosphère a semble-t-il résolu le problème.

Avant les fêtes, sapins et illuminations décorent tous les quartiers, et l'odeur des marrons chauds, grillés dans les braseros de marchands ambulants, se répand aux quatre coins de la ville.

Les restaurants servent de la dinde rôtie, des « mince pies » et le fameux pudding de Noël. Les pantomimes et les ballets classiques comme *Le Lac des cygnes* sont les sorties en famille les plus appréciées de cette période de l'année.

La patinoire en plein air du Broadgate Centre, dans la City, compte de nombreux amateurs et la glace recouvrant les lacs des parcs et jardins est parfois assez épaisse pour s'y lancer sans appréhension.

JOURS FÉRIÉS
Jour de l'an (1er janv.) ; **vendredi saint ; lun. de Pâques ; May Day** (1er lun. du mois de mai) ; **lundi de la Pentecôte** (dernier lun. du mois de mai) ; **August Bank Holiday** (dernier lun. du mois d'août) ; **Noël** (25-26 déc.).

Kensington Gardens, l'hiver

DÉCEMBRE

Match de rugby opposant Oxford à Cambridge (*mi-déc.*), à Twickenham (*p. 337*).
Dr Johnson memorial service (*18 déc.*), abbaye de Westminster (*p. 55*).

NOËL ET NOUVEL AN

Les 25-26 déc. et 1er janv. sont fériés. Pas de métro le 25 déc.
Carol Services (*tous les soirs précédant Noël*), Trafalgar Square (*p. 102*), St-Paul (*pp. 148-51*), abbaye de Westminster (*pp. 76-9*) et autres églises : chants de noël.
Turkey auction (*24 déc.*), Smithfields Market (*p. 164*) : marché à la volaille de Noël.
Baignade du jour de Noël, Serpentine, Hyde Park (*p. 207*).
Saint-Sylvestre (*31 déc.*), Trafalgar Square, St-Paul.

JANVIER

Soldes (*p. 311*).
Salon nautique international, Earl's Court, Warwick Rd SW5.
International Mime Festival (*mi-janv.-début fév.*), dans différents théâtres.
Dépôt de fleurs au pied de la statue de Charles Ier (*dernier dim.*). Procession de St Jame's Palace à Banqueting House.
Nouvel an chinois (*fin janv.-début fév.*), quartier chinois (*p. 108*) et Soho (*p. 109*).

FÉVRIER

Messe des clowns (*1er dim.*), Dalston (*p. 55*).
Salves royales en l'honneur de l'accession au trône de la reine (*6 fév.*), 41 coups de canons tirés de Hyde Park, 62 de la Tour (*p. 54*).
Pancake races (*mardi gras*), Lincoln's Inn Fields (*p. 137*) et Covent Garden (*p. 114*).

Illuminations de Noël à Trafalgar Square

LONDRES AU FIL DE L'EAU

Détail, sur Southwark Bridge

Fleuve se disant *teme* en ancien celte, les Romains adoptent ce vocable pour désigner cette grande voie navigable sur les rives de laquelle, il y a près de 2 000 ans, ils établissent *Londinium* (*voir pp. 16-17*). En fonction des moyens technologiques dont ils disposent, ils choisissent de construire un pont le plus près possible de l'embouchure du fleuve. Depuis lors, la Tamise ne cesse de jouer un rôle capital dans l'histoire de Londres. Elle est le trajet emprunté par les Vikings aux VIIIe et IXe siècles, le lieu de naissance de la Marine royale à l'époque des Tudors, et l'artère principale de l'acheminement des marchandises jusque dans les années 1950. Aujourd'hui, les échanges internationaux ont contraint les grands navires à quitter la capitale et le fleuve est ainsi devenu l'un des principaux buts de balade pour les citadins. Promenades, marinas, bars et restaurants ont désormais remplacé les quais et les entrepôts. L'une des façons les plus intéressantes de visiter la capitale, consiste à prendre un bateau-mouche. Plusieurs entreprises proposent ces promenades dont la plupart partent du centre de Londres. Leur durée varie entre 30 mn et 4 heures. La partie du fleuve la plus intéressante commence au palais de Westminster et se termine au niveau de Tower Bridge. De la Tamise, le point de vue sur les monuments est très différent. Vous apercevrez, par exemple, l'entrée du Traître, à la Tour, par laquelle on faisait pénétrer les prisonniers qui venaient d'être jugés dans la Grande Salle du palais de Westminster (*voir pp. 72-3*). Des promenades plus longues vous permettront d'apprécier la variété des styles architecturaux représentés entre Hampton Court et la Thames Barrier.

La Tamise à Londres

Les vedettes et bateaux-mouches circulent sur une cinquantaine de kilomètres, d'Hampton Court à l'O., au barrage – situé au niveau des anciens Docklands – à l'E.

Péniches, à Chelsea

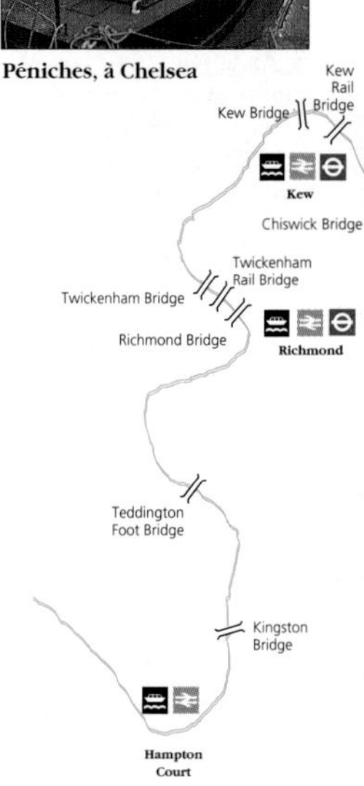

VEDETTES ET BATEAUX-MOUCHES

Un service quotidien sillonne la Tamise du 1er avril à la fin du mois de septembre. Ensuite, on passe aux horaires d'hiver. Téléphoner pour obtenir de plus amples renseignements.

Promenade à bord du *Mercedes*

Embarcadère de Westminster
Plan 13 C5.
Westminster.

Vers l'aval, jusqu'à l'embarcadère de la Tour
0171-515 1415.
Départs *10 h 15, 10 h 40, 11 h, 11 h 30 et midi. Ensuite, toutes les 30 mn jusqu'à 17 h (jusqu'à 19 h en pleine saison).*
Durée *30 minutes.*

Vers l'aval, jusqu'à Greenwich
0171-930 4097.
Départs *toutes les 30 mn, de 10 h 30 à 15 h 30 (jusqu'à 20 h en pleine saison).*
Durée *40-50 minutes.*

Vers l'aval, jusqu'au barrage
0171-930 3373.
Départs *10 h 20, 11 h 20, 12 h 45, 13 h 45 et 15 h 15.*
Durée *75 minutes.*

Vers l'amont, jusqu'à Kew
0171-930 4721.
Départs *10 h 30, 11 h 15, 12 h, 14 h, 14 h 30.*
Durée *environ 90 minutes.*

Vers l'amont, jusqu'à Richmond
0171-930 4721.
Départs *10 h 30 et midi.*
Durée *environ 3 heures.*

Vers l'amont, jusqu'à Hampton Court
0171-930 4721.
Départs *11 h 15 et midi.*
Durée *3-4 h 30.*
Aller et retour avec déjeuner à bord

Soirée privée à bord d'une vedette

La Tamise a un charme presque romantique quand la nuit tombe. Sur cette photographie prise de Waterloo Bridge, on aperçoit St-Paul et la City sur la rive gauche et la tour Oxo sur la rive droite.

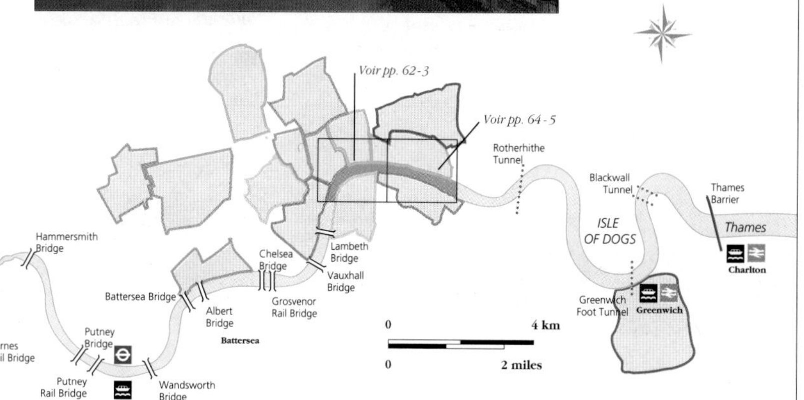

LÉGENDE

- Station de métro
- Gare du British Rail
- Arrêt des bateaux-mouches

Le fleuve à Twickenham

La Tamise vue de la colline de Richmond

Bateau à ponts extérieurs

☎ *0171-839 3572.*
12 h 45 le dim.
Durée *2 heures.*
Aller et retour avec dîner à bord
☎ *0171-839 3572.*
21 h mer., ven., dim.
Durée *90 minutes.*
Aller et retour en soirée
☎ *0171-930 2062.*
19 h 30 et 20 h 30
Durée *45 minutes.*

Embarcadère de Charing Cross

Plan 13 C3.
Charing Cross, Embankment.

Vers l'aval, jusqu'à la Tour
☎ *0171-839 3572.*
Départs *toutes les 30 mn, de 10 h 30 à 17 h.*
Durée *20 minutes.*

Vers l'aval, jusqu'à Greenwich
☎ *0171-839 3572.*
Départs *toutes les 30 mn, de 10 h 30 à 17 h.*
Durée *40-60 minutes.*
Aller et retour en soirée
☎ *0171-839 3572.*
18 h 30, 19 h 30 et 20 h 30
Durée *45 minutes.*

Embarcadère de la Tour

Plan 16 D3. *Tower Hill.*

Vers l'amont, jusqu'au HMS Belfast
☎ *0181-468 7201.*
Départs *toutes les 30 mn, de 10 h 30 à 16 h.*
Vers l'aval, jusqu'à Greenwich
☎ *0171-839 3572.*
Départs *toutes les 30 mn, de 10 h à 16 h 30.*
Durée *35 mn.*

Bateau-bus

☎ *0171-987 0311.*

Le riverbus circule t. l. j. entre Charing Cross et l'aéroport de la City et entre Swal Lane et Chelsea Harbour. Principalement utilisé par les banlieusards, il dessert plusieurs embarcadères mais ne propose aucun commentaire concernant les monuments devant lesquels il circule. L'avenir de ce service est à l'étude.

Bateau-mouche

De Westminster Bridge à Blackfriars Bridge

Jusqu'à la Seconde Guerre mondiale, cette partie de la Tamise établissait une sorte de frontière entre les riches et les pauvres de la capitale. Les bureaux, les magasins, les hôtels de luxe et les superbes appartements de Whitehall et du Strand se trouvaient sur la rive gauche. La rive droite, en revanche, devait se contenter des usines noires de suie et des bidonvilles. Après la guerre, le Festival of Britain favorisa la réhabilitation du Southbank (*voir pp. 181-7*).

Hôtel Savoy
Cet hôtel a été construit sur le site d'un palais médiéval (p. 116).

Shell Mex House
Le siège de la compagnie pétrolière a été construit en 1931 sur le site du Cecil Hotel.

Sommerset House est un immeuble de bureaux construit en 1786 (p. 117).

Cleopatra's Needle, obélisque égyptien érigé à Londres en 1878 (*p. 118*).

Embankment Gardens
Nombreux concerts en plein air, pendant l'été (*p. 118*).

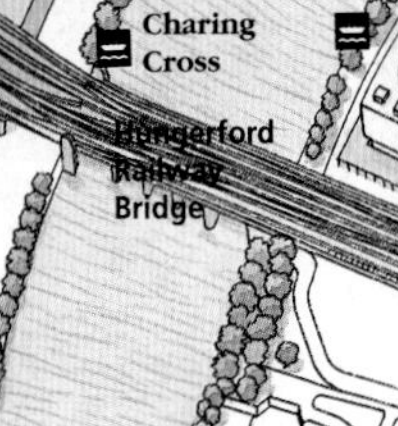

Charing Cross
L'une des principales gares de Londres, enchâssée dans un complexe post-moderne doté de nombreux magasins (p. 119).

South Bank Art Centre
Conçu en 1951 à l'occasion du Festival of Britain, il s'agit du centre culturel le plus important de Londres. Il comprend notamment le Festival Hall, le National Theatre et la Hayward Gallery (pp. 181-7).

Banqueting House, seul rescapé du palais de Whitehall (*p. 80*), est l'un des plus beaux édifices conçus par Inigo Jones.

Le ministère de la Défense est un immeuble blanc et massif achevé dans les années 1950.

County Hall
Siège du conseil du Grand Londres depuis le début du siècle et jusqu'à son abolition, il est actuellement transformé en hôtel (*p. 185*).

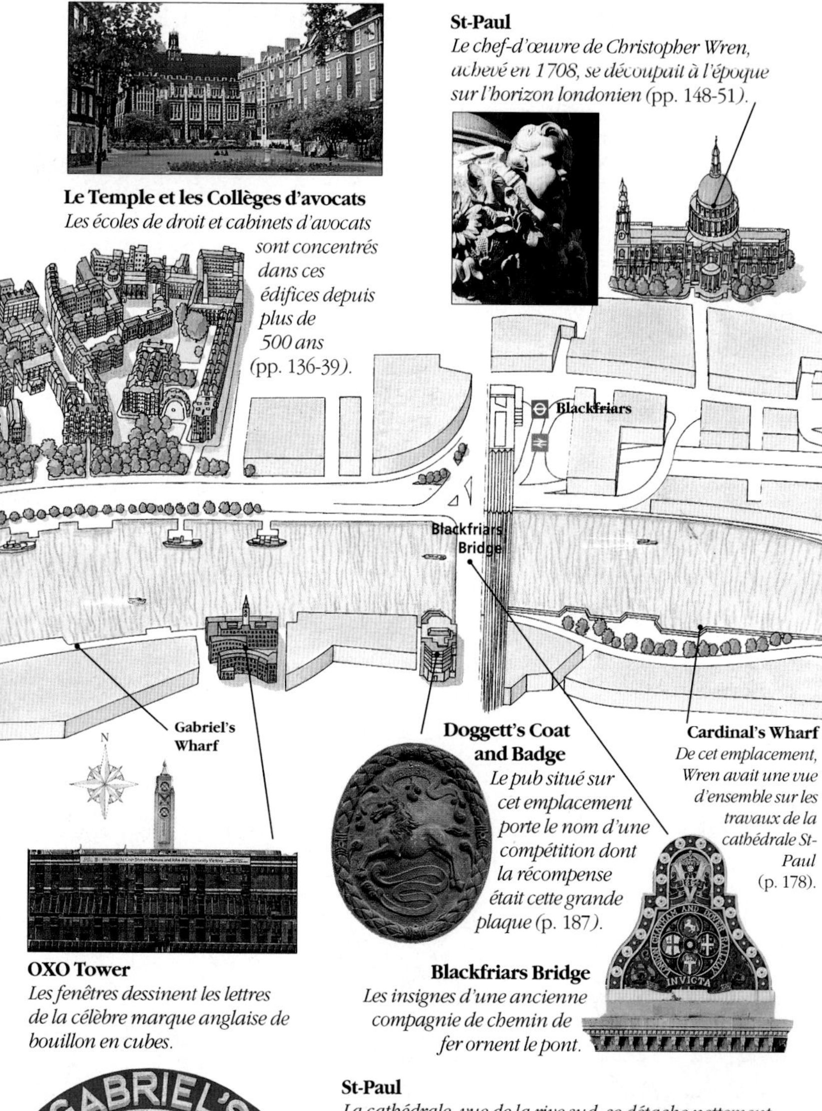

St-Paul
Le chef-d'œuvre de Christopher Wren, achevé en 1708, se découpait à l'époque sur l'horizon londonien (pp. 148-51).

Le Temple et les Collèges d'avocats
Les écoles de droit et cabinets d'avocats sont concentrés dans ces édifices depuis plus de 500 ans (pp. 136-39).

Doggett's Coat and Badge
Le pub situé sur cet emplacement porte le nom d'une compétition dont la récompense était cette grande plaque (p. 187).

Cardinal's Wharf
De cet emplacement, Wren avait une vue d'ensemble sur les travaux de la cathédrale St-Paul (p. 178).

OXO Tower
Les fenêtres dessinent les lettres de la célèbre marque anglaise de bouillon en cubes.

Blackfriars Bridge
Les insignes d'une ancienne compagnie de chemin de fer ornent le pont.

Gabriel's Wharf
Agréable marché artisanal, installé sur le site d'anciens entrepôts (p. 187).

St-Paul
La cathédrale, vue de la rive sud, se détache nettement.

Légende

- Station de métro
- Gare du British Rail
- Arrêt des bateaux-mouches

De Southwark Bridge à Katharine's Dock

Pendant des siècles, la partie de la Tamise située à l'E. de London Bridge a été la plus active de la capitale, les marchandises des nombreux navires y étaient déchargées sur les deux rives. Puis, au XIXe s., la construction des docks décongestionne cette zone fluviale. Aujourd'hui, la plupart des bâtiments de ces quartiers témoignent encore de cette prospérité.

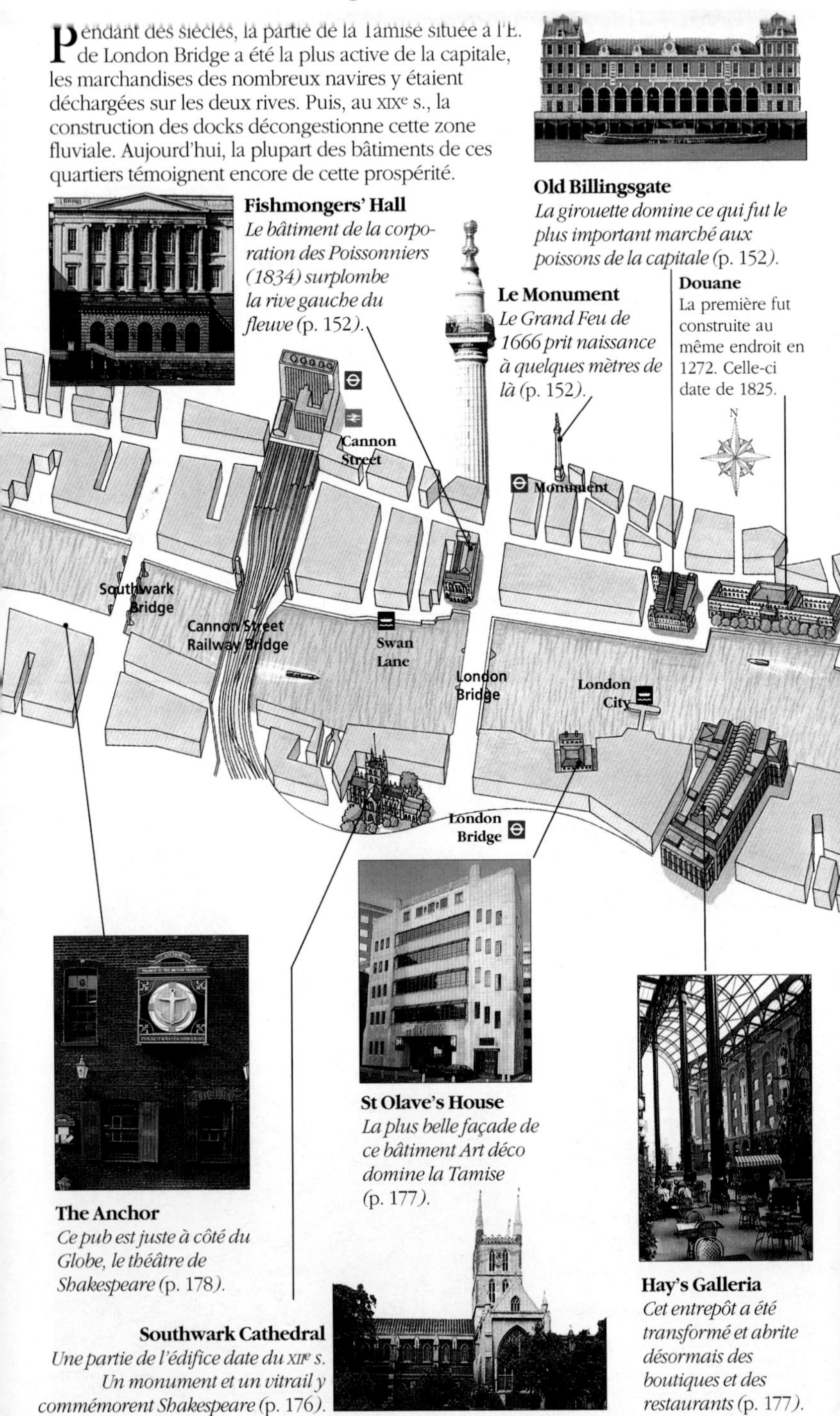

Old Billingsgate
La girouette domine ce qui fut le plus important marché aux poissons de la capitale (p. 152).

Fishmongers' Hall
Le bâtiment de la corporation des Poissonniers (1834) surplombe la rive gauche du fleuve (p. 152).

Le Monument
Le Grand Feu de 1666 prit naissance à quelques mètres de là (p. 152).

Douane
La première fut construite au même endroit en 1272. Celle-ci date de 1825.

St Olave's House
La plus belle façade de ce bâtiment Art déco domine la Tamise (p. 177).

The Anchor
Ce pub est juste à côté du Globe, le théâtre de Shakespeare (p. 178).

Hay's Galleria
Cet entrepôt a été transformé et abrite désormais des boutiques et des restaurants (p. 177).

Southwark Cathedral
Une partie de l'édifice date du XIIe s. Un monument et un vitrail y commémorent Shakespeare (p. 176).

Quais de Southwark
Ces appontements où les navires étaient amarrés ont été transformés en promenades.

Tower Bridge
Il s'ouvre encore de temps en temps pour laisser passer les plus grands navires (p. 153).

Tour de Londres
Remarquer l'entrée du Traître par laquelle on faisait pénétrer les prisonniers dans la Tour (pp. 154-7).

St Katharine's Dock
L'ancien dock et sa marina sont aujourd'hui un agréable but de balade pour les flâneurs (p. 158).

Tower

Tower Bridge

Les entrepôts victoriens de Butlers Wharf ont été transformés en appartements.

HMS Belfast
Ce bâtiment de la Seconde Guerre mondiale a été tranformé en musée en 1971 (p. 179).

Design Museum
Inauguré en 1989, cet édifice très moderne symbolise parfaitement la réhabilitation du quartier des docks (p. 179).

LONDRES QUARTIER PAR QUARTIER

WHITEHALL ET WESTMINSTER 68-85

PICCADILLY ET ST JAMES'S 86-97

SOHO ET TRAFALGAR SQUARE 98-109

COVENT GARDEN ET LE STRAND 110-19

BLOOMSBURY ET FITZROVIA 120-31

HOLBORN ET LES COLLÈGES D'AVOCATS 132-41

LA CITY 142-59

SMITHFIELD ET SPITALFIELDS 160-71

SOUTHWARK ET BANKSIDE 172-9

SOUTH BANK 180-7

CHELSEA 188-93

SOUTH KENSINGTON ET KNIGHTSBRIDGE 194-209

KENSINGTON ET HOLLAND PARK 210-15

REGENT'S PARK ET MARYLEBONE 216-23

HAMPSTEAD 224-31

GREENWICH ET BLACKHEATH 232-9

EN DEHORS DU CENTRE 240-57

CINQ PROMENADES À PIED 258-69

Whitehall et Westminster

Whitehall et Westminster sont au cœur de la vie politique et religieuse du pays depuis un millier d'années. Knut le Grand, qui régna sur Londres au début du XIe siècle, fut le premier monarque à faire édifier un palais sur le site autrefois marécageux où la Tamise et son affluent aujourd'hui disparu, la Tyburn, se rejoignaient.

Knut fit construire son palais à proximité de l'église dont, 50 ans plus tard, Edouard le Confesseur fit la plus grande abbaye d'Angleterre, et qui donna son nom à tout le quartier (« minster » signifie église abbatiale).

Au cours des siècles suivants, les grandes institutions de l'Etat s'établirent dans les environs. Au Nord, Trafalgar Square est à la limite du West End, le quartier des salles de spectacle.

Horse Guard à Whitehall

Le quartier d'un coup d'œil

Rues et édifices historiques

Palais de Westminster pp. 72-3 1
Big Ben 2
Tour du Trésor 3
Dean's Yard 5
Parliament Square 7
Downing Street 9
Cabinet War Rooms 10
Banqueting House 11
Horse Guards 12
Queen Anne's Gate 14
Station de métro de St James's Park 16
Blewcoat School 17

Églises, abbayes et cathédrales

Abbaye de Westminster pp. 76-9 4
St Margaret's Church 6
Cathédrale de Westminster 18
St John's, Smith Square 19

Musées et galeries

Musée de la Garde 15
Tate Gallery pp. 82-5 20

Théâtre

Whitehall Theatre 13

Monument

Cénotaphe 8

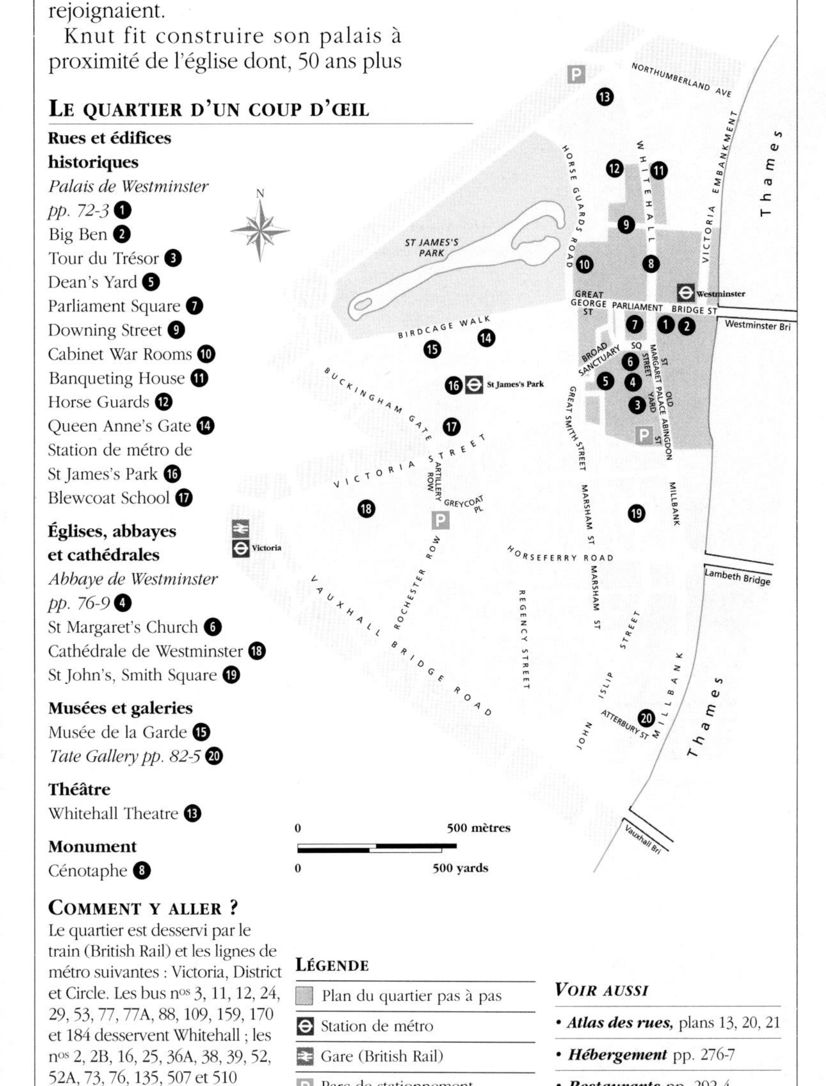

Comment y aller ?

Le quartier est desservi par le train (British Rail) et les lignes de métro suivantes : Victoria, District et Circle. Les bus n°s 3, 11, 12, 24, 29, 53, 77, 77A, 88, 109, 159, 170 et 184 desservent Whitehall ; les n°s 2, 2B, 16, 25, 36A, 38, 39, 52, 52A, 73, 76, 135, 507 et 510 s'arrêtent à Victoria.

Légende

- Plan du quartier pas à pas
- Station de métro
- Gare (British Rail)
- Parc de stationnement

Voir aussi

• ***Atlas des rues,*** plans 13, 20, 21
• ***Hébergement*** pp. 276-7
• ***Restaurants*** pp. 292-4

La perspective de Whitehall en direction de Big Ben

Whitehall et Westminster pas à pas

Earl Haig, commandant les forces britanniques pendant la Première Guerre mondiale (sculpture d'A. Hardiman, 1936)

Contrairement à d'autres capitales, Londres n'a pas une architecture froide ou intimidante. Toutefois, dans ce quartier, épicentre politique et religieux du royaume, le caractère monumental des édifices et la largeur des avenues ne sont pas sans évoquer la magnificence de Paris, de Rome ou de Madrid. Les jours ouvrables, les rues sont noires de fonctionnaires, car la plupart des administrations se situent dans ce quartier. En revanche, le week-end, elles sont envahies par les touristes qui flânent d'un monument à l'autre.

Downing Street *Résidence officielle du Premier ministre depuis 1732* ❾

Central Hall, salle de réunion des méthodistes, construite en 1911. La première assemblée générale des Nations unies y est organisée en 1946.

★ Cabinet War Rooms *On peut désormais visiter les salles de ce centre opérationnel utilisé par Winston Churchill pendant la dernière guerre* ❿

★ Abbaye de Westminster *L'abbaye est la plus ancienne et la plus importante église de Londres* ❹

Le Sanctuaire est un lieu protégé utilisé au Moyen Age par ceux qui voulaient échapper à la loi.

Statue de Richard Ier Cœur de Lion par Carlo Marochetti (1860).

Dean's Yard *Westminster School y a été créée en 1540* ❺

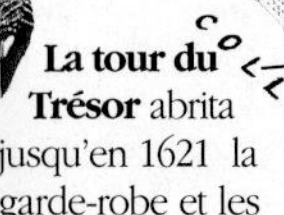

La tour du Trésor abrita jusqu'en 1621 la garde-robe et les joyaux de la Couronne ❸

Les Bourgeois de Calais *Copie de la célèbre sculpture de Rodin, dont l'original est à Paris.*

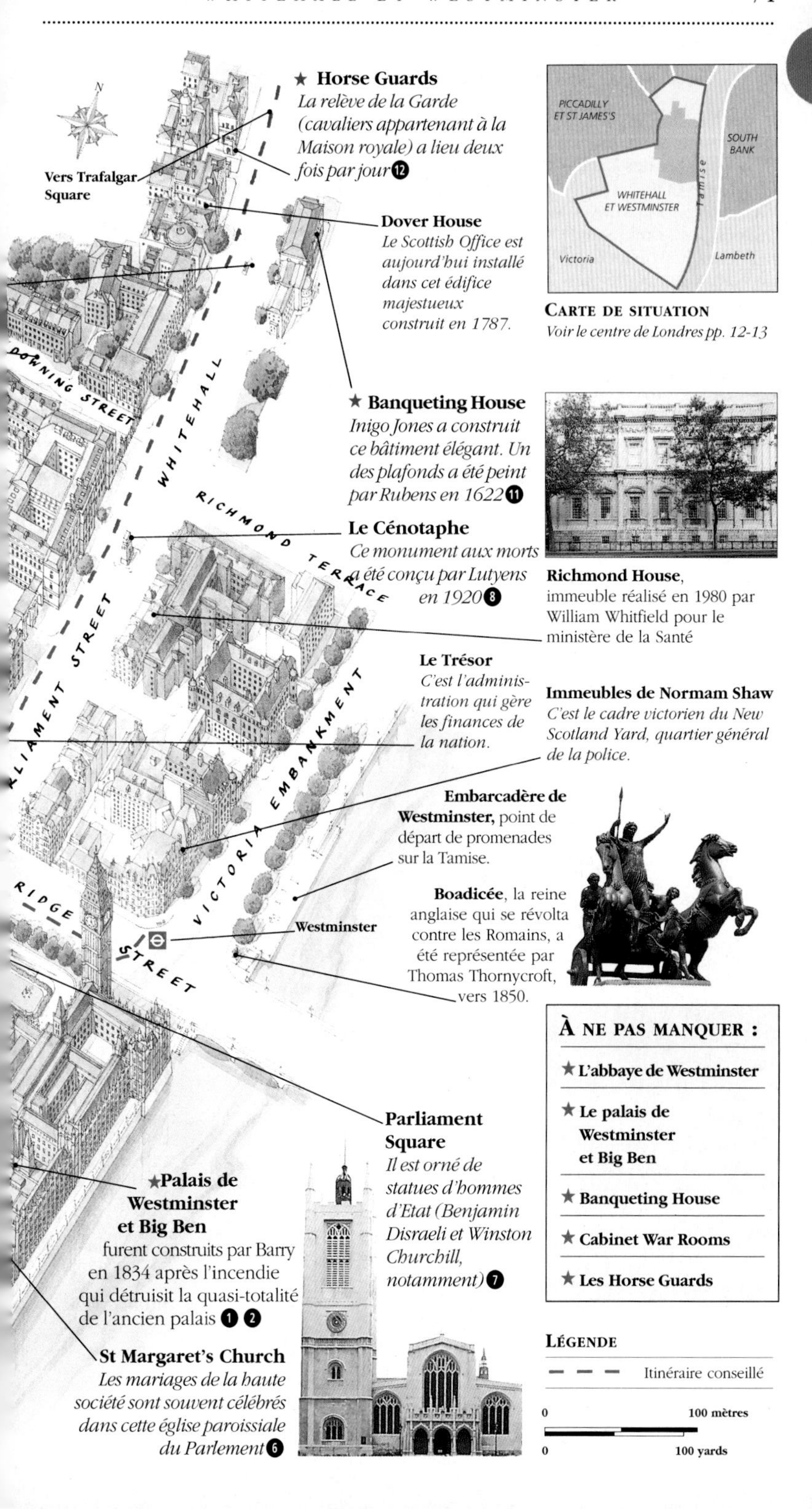

Vers Trafalgar Square

★ Horse Guards
La relève de la Garde (cavaliers appartenant à la Maison royale) a lieu deux fois par jour ⓬

Dover House
Le Scottish Office est aujourd'hui installé dans cet édifice majestueux construit en 1787.

Carte de situation
Voir le centre de Londres pp. 12-13

★ Banqueting House
Inigo Jones a construit ce bâtiment élégant. Un des plafonds a été peint par Rubens en 1622 ⓫

Le Cénotaphe
Ce monument aux morts a été conçu par Lutyens en 1920 ❽

Richmond House, immeuble réalisé en 1980 par William Whitfield pour le ministère de la Santé

Le Trésor
C'est l'administration qui gère les finances de la nation.

Immeubles de Normam Shaw
C'est le cadre victorien du New Scotland Yard, quartier général de la police.

Embarcadère de Westminster, point de départ de promenades sur la Tamise.

Boadicée, la reine anglaise qui se révolta contre les Romains, a été représentée par Thomas Thornycroft, vers 1850.

Westminster

Parliament Square
Il est orné de statues d'hommes d'Etat (Benjamin Disraeli et Winston Churchill, notamment) ❼

★Palais de Westminster et Big Ben
furent construits par Barry en 1834 après l'incendie qui détruisit la quasi-totalité de l'ancien palais ❶ ❷

St Margaret's Church
Les mariages de la haute société sont souvent célébrés dans cette église paroissiale du Parlement ❻

À ne pas manquer :

- ★ L'abbaye de Westminster
- ★ Le palais de Westminster et Big Ben
- ★ Banqueting House
- ★ Cabinet War Rooms
- ★ Les Horse Guards

Légende

– – – Itinéraire conseillé

0 100 mètres

0 100 yards

Le palais de Westminster ❶

Depuis 1512, le palais de Westminster est le siège de la Chambre des communes et de la Chambre des lords. La première est composée de membres du parlement (MPs) élus et issus des différents partis politiques. Le parti qui détient le plus grand nombre de sièges forme le gouvernement et son président devient Premier ministre. Les députés des autres partis constituent l'opposition. Les débats de la Chambre des communes, parfois assez houleux, sont arbitrés par un député, appelé le « speaker ». Les Communes formulent les lois qui sont débattues au sein des deux Chambres avant d'être adoptées.

L'édifice est un pastiche gothique, réalisé par l'architecte victorien Charles Barry. La Tour Victoria (à gauche) conserve les milliers de lois adoptées depuis 1497.

★ **La Chambre des communes** est tapissée de vert. Les bancs situés à la droite du speaker sont occupés par le gouvernement, l'opposition prenant place à sa gauche.

Big Ben
L'énorme cloche, installée en 1858, sonne les heures. Quatre autres, plus petites, sonnent les quarts d'heure (voir p. 74).

Entrée

À NE PAS MANQUER :

- ★ **Westminster Hall**
- ★ **Chambre des lords**
- ★ **Ch. des communes**

★ **Westminster Hall**
Seul vestige du palais d'origine, il date de 1097. Son exceptionnelle charpente a été conçue au XIVe siècle.

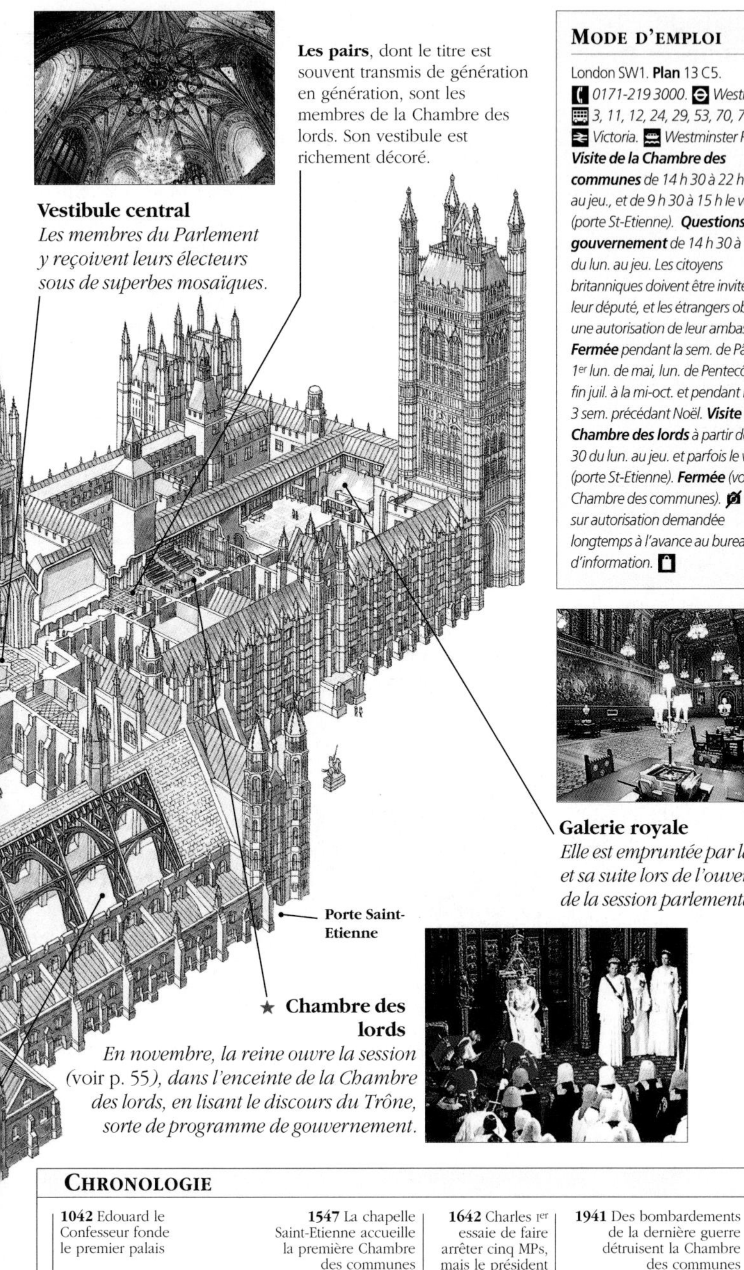

Les pairs, dont le titre est souvent transmis de génération en génération, sont les membres de la Chambre des lords. Son vestibule est richement décoré.

Vestibule central
Les membres du Parlement y reçoivent leurs électeurs sous de superbes mosaïques.

Galerie royale
Elle est empruntée par la reine et sa suite lors de l'ouverture de la session parlementaire.

★ Chambre des lords
En novembre, la reine ouvre la session (voir p. 55)*, dans l'enceinte de la Chambre des lords, en lisant le discours du Trône, sorte de programme de gouvernement.*

Mode d'emploi

London SW1. **Plan** 13 C5.
0171-219 3000. Westminster.
3, 11, 12, 24, 29, 53, 70, 77, 77a.
Victoria. Westminster Pier.
***Visite de la Chambre des communes** de 14 h 30 à 22 h du lun. au jeu., et de 9 h 30 à 15 h le ven. (porte St-Etienne). **Questions au gouvernement** de 14 h 30 à 15 h 30 du lun. au jeu. Les citoyens britanniques doivent être invités par leur député, et les étrangers obtenir une autorisation de leur ambassade. **Fermée** pendant la sem. de Pâques, 1er lun. de mai, lun. de Pentecôte, de fin juil. à la mi-oct. et pendant les 3 sem. précédant Noël. **Visite de la Chambre des lords** à partir de 14 h 30 du lun. au jeu. et parfois le ven. (porte St-Etienne). **Fermée** (voir Chambre des communes). sur autorisation demandée longtemps à l'avance au bureau d'information.*

Chronologie

1042 Edouard le Confesseur fonde le premier palais

1087-1100 Construction de Westminster Hall

1512 Après un incendie, la palais cesse d'être la résidence royale

1547 La chapelle Saint-Etienne accueille la première Chambre des communes

1605 Guy Fawkes et la conspiration des Poudres tentent de faire sauter le Parlement

1642 Charles Ier essaie de faire arrêter cinq MPs, mais le président l'oblige à se retirer

1834 Le palais est détruit par un incendie. Seuls subsistent Westminster Hall et la tour du Trésor

1870 Les travaux du palais actuel s'achèvent

1941 Des bombardements de la dernière guerre détruisent la Chambre des communes

1000 — 1200 — 1400 — 1600 — 1800 — 2000

La Masse : symbole de l'autorité du souverain sur les Communes

Le palais de Westminster ❶

Voir pp. 72-3

Big Ben ❷

Bridge St SW1. **Plan** 13 C5.
0171-222 2219. *Westminster.*
***Fermé** au public.*

Pour être précis, Big Ben ne désigne pas la célèbre horloge de la tour de 106 m qui s'élève au-dessus du palais de Westminster, mais la cloche de 14 tonnes qui sonne les heures. Son nom rend hommage à Benjamin Hall, entrepreneur des travaux du palais en 1858. Fondue à Whitechapel, c'était la seconde cloche à être réalisée, la première s'étant fêlée lors des essais. (Big Ben a également une légère fêlure.) L'horloge est la plus grande du royaume. Les cadrans, de 7,5 m de diamètre, et la grande aiguille, qui mesure 4,25 m, ont été réalisés en cuivre creux pour alléger l'ensemble. Son premier carillon résonna le 31 mai 1859 et depuis, son exactitude n'a jamais défailli.

La tour du Trésor ❸

Abingdon St SW1. **Plan** 13 B5.
0171-222 2219. *Westminster.*
Ouvert** avr.-sept. : 10 h-18 h t.l.j. ; oct.-mars : 10 h-16 h t.l.j.* ***Fermé** entre 13 et 14 h t.l.j., 24-26 déc., 1er jan., et lors des cérémonies officielles.* ***Accès payant.

La tour du Trésor et Westminster Hall (*voir p. 72*) sont les seuls vestiges de l'ancien palais de Westminster. Elevée en 1366 pour abriter la garde-robe et les joyaux d'Edouard VII, elle recèle désormais des documents relatifs à l'histoire de l'ancien palais, une collection d'objets domestiques trouvés dans les fossés et quelques-uns des meilleurs projets imaginés en 1834 pour reconstruire le palais.

De 1869 à 1938, la tour abrita le bureau des Poids et Mesures.

L'abbaye de Westminster ❹

Voir pp. 76-9

Dean's Yard ❺

Broad Sanctuary SW1. **Plan** 13 B5.
Westminster. ***Bâtiments fermés** au public.*

Entrée de l'abbaye et des cloîtres, vue de Dean's Yard

Un passage, à proximité de la porte O. de l'abbaye, s'ouvre sur un square entouré d'édifices conçus à différentes époques. Du côté E., la demeure du Moyen Age présente une lucarne intéressante. Sa façade arrière donne sur le Little Dean Yard, où se trouvaient les cellules des moines. Dean's Yard est une propriété privée qui appartient au doyen et au chapitre de Westminster. La Westminster School, un des plus prestigieux collèges du pays, y est établie. Elle a notamment compté, parmi ses élèves, le poète John Dryden et l'auteur dramatique Ben Jonson.

St Margaret's Church ❻

Parliament Sq SW1. **Plan** 13 B5.
0171-222 5152. *Westminster.*
Ouvert** 9 h 20-15 h 45 lun.-ven., 9 h-14 h sam., 13 h-17 h 30 dim. 11 h dim.* ***Concerts.

Buste de Charles Ier au-dessus de l'entrée de St Margaret's Church

Eclipsée par l'abbaye, cette église du début de XVe s. a longtemps été le lieu des mariages à la mode. Celui de Winston et Clementine Churchill y fut notamment célébré. Bien que très restaurée, elle conserve des éléments de l'époque des Tudors, comme le superbe vitrail conçu en l'honneur du mariage de Catherine d'Aragon et du prince Arthur, frère aîné de Henri VIII.

Parliament Square ❼

SW1. **Plan** 13 B5. *Westminster.*

Tracé dans les années 1840 pour dégager la vue sur le palais de Westminster, la place devint, en 1926, le premier rond-point de Grande-Bretagne. Aujourd'hui, la circulation y est souvent dense. Parmi les statues, on remarque tout de suite celle de Winston Churchill, enveloppé dans un grand manteau et observant la Chambre des communes d'un air maussade. La statue d'Abraham Lincoln se trouve au N. du square, devant l'édifice néogothique (1913) du Middlesex Guildhall.

Le Cénotaphe ❽

Whitehall SW1. **Plan** 13 B4.
Westminster.

D'une grande simplicité, cette stèle, située sur Whitehall, a été érigée en 1920 par Edwin Lutyens à la mémoire des soldats anglais morts au cours de la Première Guerre mondiale. Chaque année, le dimanche le plus proche du 11 nov., la reine, accompagnée de personnalités, y dépose des couronnes de coquelicots. Cette cérémonie commémorative de l'armistice de 1918 rend hommage aux victimes des deux dernières guerres (*voir pp. 54-5*).

Le Cénotaphe

Cabinet War Rooms ❿

Clive Steps, King Charles St SW1. **Plan** 13 B5. ☎ *0171-930 6961.* ⊖ *Westminster.* ***Ouvert*** *10 h-18 h t.l.j.* ***Fermé*** *24-26 déc., 1er jan.* ***Accès payant****.*

Un épisode étonnant de l'histoire du pays s'est déroulé dans ces caves du Government Office Building, au Nord de Parliament Square. En effet, les membres du cabinet du ministère de la Défense, placés sous l'autorité de Neville Chamberlain, puis de Winston Churchill, s'y réunissaient lors des attaques aériennes sur la capitale pendant la dernière guerre. Les Cabinet War Rooms comprennent les appartements privés des principaux ministres et généraux de l'époque et une salle complètement insonorisée où étaient prises les décisions importantes. Les cloisons, en béton, font un mètre d'épaisseur. Rien n'y a été modifié depuis la guerre. Le mobilier d'époque, le bureau de Churchill, les vieux téléphones et les cartes ont été conservés.

Téléphones de la salle des cartes, Cabinet War Rooms

Downing Street ❾

SW1. **Plan** 13 B4. ⊖ *Westminster.* ***Fermé*** *au public.*

George Downing (1623-84) passa une partie de sa jeunesse dans les colonies d'Amérique. L'un des premiers étudiants diplômés de Harvard, il regagna la Grande-Bretagne pour se battre aux côtés des parlementaristes, lors de la guerre civile. En 1680, il acheta des terres, à proximité du palais de Whitehall, et y fit construire des immeubles dont quatre d'entre eux ont subisté. En 1732, George II installa Robert Walpole au no 10. Depuis, la maison est la résidence officielle du Premier ministre. En 1989, pour des raisons de sécurité, des grilles ont été dressées du côté de Whitehall.

L'entrée du no 10 Downing Street

no 12, le Whips' Office, bureaux dans lesquels les campagnes du parti sont organisées.

La politique du gouvernement est adoptée au no 10.

no 11 Résidence officielle du chancelier de l'Echiquier.

no 10 Résidence officielle du Premier ministre.

Le Premier ministre accueille ses hôtes officiels dans cette salle de réception.

L'abbaye de Westminster ❹

Popularisée dans le monde entier par les retransmissions télévisées des couronnements, des mariages ou des enterrements royaux, l'abbaye est un bel exemple d'architecture médiévale. Elle conserve de très nombreux tombeaux ou monuments intéressants. À la fois centre religieux et musée national, l'abbaye occupe une position particulière dans la conscience collective des Britanniques.

★ **Les arcs-boutants** soutiennent de l'extérieur la nef centrale culminant à 31 m.

Portail Nord
Ce dragon a été taillé dans la pierre à l'époque victorienne.

★ **La façade occidentale** et ses deux tours, ont été conçues par Nicholas Hawksmoor entre 1734 et 1745.

Le transept possède, dans le croisillon gauche, quelques-uns des plus beaux monuments de l'abbaye.

Entrée principale

À NE PAS MANQUER :

- ★ **La façade occidentale**
- ★ **Les arcs-boutants**
- ★ **La nef vue de l'ouest**
- ★ **Lady Chapel**
- ★ **La salle capitulaire**

★ **La nef vue de l'O.**
Relativement étroite (10 m de large), elle est en revanche la plus haute d'Angleterre.

Les cloîtres, construits en grande partie aux XIIIe et XIVe s., permettent, de l'abbaye, de gagner les autres bâtiments abbatiaux.

Chapelle d'Edouard le Confesseur où se trouvent non seulement le trône du Couronnement et le tombeau d'Edouard le Confesseur, mais aussi les sépultures de plusieurs monarques du Moyen Age.

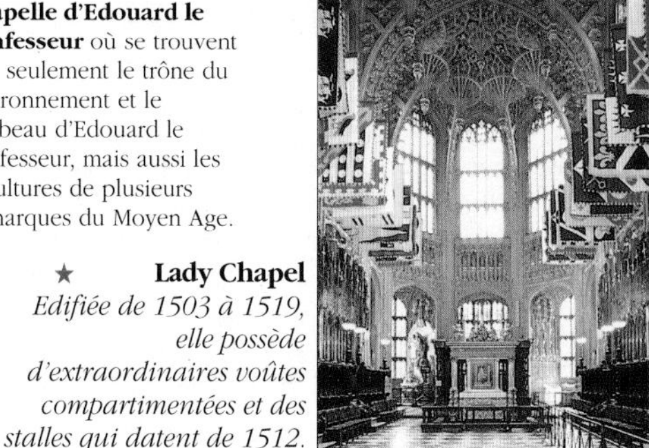

★ **Lady Chapel**
Edifiée de 1503 à 1519, elle possède d'extraordinaires voûtes compartimentées et des stalles qui datent de 1512.

MODE D'EMPLOI

Broad Sanctuary SW1. **Plan** 13 B5. *0171-222 5152.* *St James's Park, Westminster.* *3, 11, 12, 24, 29, 53, 70, 77, 77a, 88, 109, 159, 170.* *Victoria, Waterloo.* *Westminster Pier.* ***Accès payant*** *pour les chapelles royales, « le Coin des poètes », le chœur et le déambulatoire (sauf entre 18 h et 19 h 45 le mer.), la salle capitulaire, la salle du Coffre et le Musée.* ***Visite de la nef et des cloîtres*** *de 8 h à 18 h du lun. au sam., et entre les offices le dim.* ***Visite des chapelles royales, du Coin des poètes et du déambulatoire*** *de 9 h à 15 h 45 du lun. au ven., de 9 à 13 h 45 et de 15 h 45 à 16 h 45 le sam.* ***Visite de la salle capitulaire*** *t.l.j. de 10 h à 17 h 45 d'avr. à sept. et de 10 h à 16 h d'oct. à mars.* ***Visite du Centre de reproduction des dessins des plaques*** *de 9 h à 17 h du lun. au sam.* ***Visite du jardin*** *le jeu.* ***Concerts****.*

★ **Salle capitulaire**
Cette structure octogonale mérite d'être visitée pour ses superbes carreaux du XIIIe s.

Le croisillon sud du transept est « le Coin des poètes ». Il possède des monuments rendant hommage aux principaux écrivains du royaume.

Musée

CHRONOLOGIE

1050 Début de la construction de la première abbatiale par Edouard le Confesseur

1376 Henry Yevele reprend entièrement la nef de l'abbatiale

Carreau du XIIIe s. dans la salle capitulaire

1838 Couronnement de Victoria

1000 — 1200 — 1400 — 1600 — 1800 — 2000

1245 Nouvelle abbaye conçue par Henri de Reims

1269 Le corps d'Edouard le Confesseur est inhumé dans un nouveau tombeau de l'abbaye

1734 Début de la construction de la façade aux deux tours

1540 Les moines bénédictins sont chassés

1953 Dernier couronnement en date : celui d'Elisabeth II

Visite guidée de l'abbaye de Westminster

L'abbaye présente des styles extrêmement variés : la nef a l'austérité des édifices gothiques français, la chapelle Henri VII est d'une finesse et d'une légèreté arachnéennes et l'imagination des artistes a triomphé lors de la réalisation des monuments de la fin du XVIIIe siècle. De nombreux monarques ont été inhumés dans l'abbaye. Certaines sépultures sont volontairement dépouillées, d'autres sont richement décorées. Par ailleurs, des monuments ont été élevés à la mémoire de plusieurs personnalités britanniques – hommes politiques ou poètes – tant dans les bas-côtés que dans le transept.

② Le monument à lady Nightingale
Le croisillon nord du transept possède quelques-uns des plus beaux monuments de l'abbaye. Celui-ci, exécuté par Roubilliac en 1861, rend hommage à lady Nightingale.

Les étapes de la construction

La première abbaye daterait du Xe s., époque à laquelle saint Dunstan réunit un groupe de bénédictins. La majeure partie de la structure actuelle date du XIIIe s. Henri III Plantagenêt fit reconstruire l'abbaye en 1245 en s'inspirant des formules de l'art gothique français. Sanctuaire privilégié de la monarchie où se déroulent, depuis Guillaume le Conquérant, les sacres des souverains, elle fut peu touchée par la Réforme, en 1540.

Légende

- Antérieur à 1400
- Ajouté au XVe siècle
- Construit de 1503 à 1519
- Achevé en 1745
- Achevé après 1850

Portail Nord

① La nef
Pénétrez dans l'église et admirez la nef. Large de 10,5 m et haute de 31 m, sa construction a duré 150 ans.

Le chœur dont une partie du jubé doré à l'or fin (1840) date du XIIIe s.

⑧ Le cloître
Un atelier, situé dans le cloître, donne aux visiteurs la possibilité d'emporter, en souvenir de l'abbaye, une réplique de plaque.

Entrée principale

La chambre de Jérusalem possède une cheminée du XVIIe s., des tapisseries des années 1540 et un plafond peint intéressant.

La salle Jéricho, ajoutée au début du XVIe s., possède de belles boiseries.

Le doyenné était la demeure du père-abbé.

LES COURONNEMENTS
Depuis 1066, l'abbaye est le cadre des cérémonies du sacre des souverains. La reine Elisabeth II est le dernier monarque à être monté sur le trône du Couronnement. La cérémonie, célébrée en 1953, fut rentransmise à la télévision.

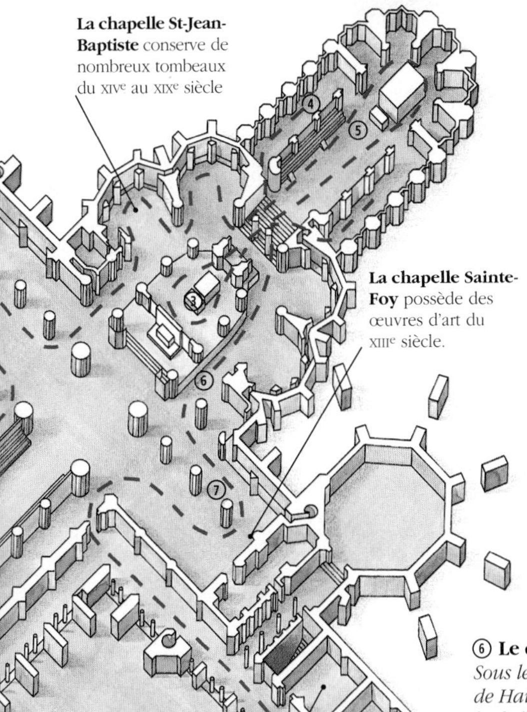

La chapelle St-Jean-Baptiste conserve de nombreux tombeaux du XIVe au XIXe siècle

La chapelle Sainte-Foy possède des œuvres d'art du XIIIe siècle.

Salle du coffre *Ses colonnes grossières datent du XIe siècle.*

Entrée du Dean's Yard

LÉGENDE

– – – Itinéraire de visite

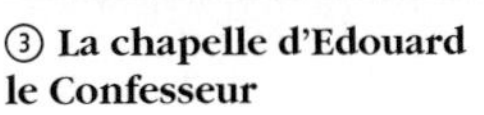

③ La chapelle d'Edouard le Confesseur
On peut y admirer le trône du Couronnement, le tombeau d'Edouard le Confesseur et les sépultures de plusieurs monarques du Moyen Age.

④ Le gisant d'Elisabeth Ire
(qui régna de 1558 à 1603). Il est à l'intérieur de la Chapelle Henri VII. Sa demi-sœur Marie Tudor est inhumée dans le même caveau.

⑤ Chapelle Henri VII
Les stalles de chêne, du chœur, sculptées en 1512, représentent d'amusantes miséricordes historiées.

⑥ Le déambulatoire
Sous le tombeau de Philippine de Hainault, remarquez les belles boiseries, exécutées en 1270.

⑦ Le coin des poètes
Prenez le temps d'admirer les innombrables monuments élevés à la mémoire des grands écrivains britanniques (Shakespeare et Dickens, notamment).

Banqueting House ⓫

Whitehall SW1. **Plan** 13 B4.
0171-839 7569. Charing Cross, Embankment, Westminster.
***Ouvert** 10 h-17 h lun.-sam. (dernière admission : 16 h 30). **Fermé** 25-26 déc., 1er jan., et lors des cérémonies.*
Accès payant.
Vidéocassette.

L'architecture de ce superbe édifice a eu, à Londres, une influence considérable. L'architecte Inigo Jones, très influencé par l'Italie, a donné ici son interprétation du style palladien. Achevée en 1622, la sobre façade en pierre, très classique, contrastait totalement avec le pittoresque des tourelles et de l'ornementation extérieure des bâtiments élisabéthains. Banqueting House fut la seule construction à échapper au feu qui, en 1698, détruisit l'ancien palais de Whitehall.

Chef-d'œuvre de Rubens, le plafond, qui représente l'Apothéose de Jacques Ier, a été commandé en 1629 par Charles Ier. Ce vibrant hommage, rendu à la monarchie, ne plaisait guère à Oliver Cromwell ni aux parlementaristes, qui, en 1649, firent exécuter Charles Ier devant le palais. Vingt ans plus tard, Banqueting House fut pourtant le théâtre de la Restauration, lorsque Charles II monta sur le trône. Le bâtiment est parfois utilisé pour des cérémonies officielles.

Cavalier en faction devant l'édifice des Horse Guards

Horse Guards ⓬

Whitehall SW1. **Plan** 13 B4.
*0171-930 4466. Westminster, Charing Cross. **Fermé** les sam. en juin. **Revue de la Garde** 11 h lun.-sam., 10 h dim. **Revue mettant fin au service** 16 h t.l.j. **Salut aux Couleurs** voir **cérémonies de Londres** pp. 52-5.*

Terrain jadis utilisé par Henri VIII pour des tournois, ce site est aujourd'hui celui de la relève de la Garde. Les élégants bâtiments, achevés en 1755, ont été conçus par William Kent. Sur la gauche, en traversant l'esplanade, remarquez l'ancienne trésorerie, également édifiée par Kent, ainsi que la façade arrière de Dover House, achevée en 1758 et siège, à présent, du Scottish Office. À proximité, dans un coin de l'esplanade, subsiste le tracé du court de tennis sur lequel Henri VIII aurait pratiqué ce sport très ancien. En face, couvert de lierre, se trouve le bâtiment de la Citadelle. Construit en 1940 à côté de l'Amirauté, il assurait une protection contre les bombardements aériens. La Marine l'utilisa pendant la dernière guerre comme centre de télécommunications.

Plafond peint par Rubens, à Banqueting House

Whitehall Theatre ⓭

Whitehall SW1. **Plan** 13 B3.
0171-867 1119. Charing Cross.
***Ouvert** lors des représentations uniquement. Voir **Spectacles** pp. 326-7.*

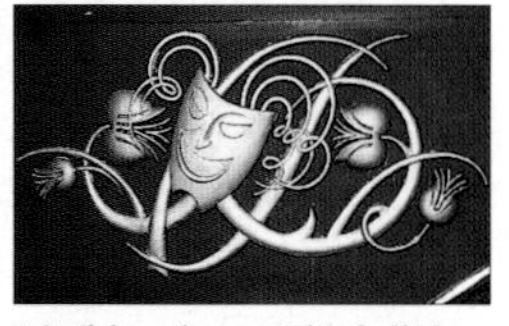

Détail d'une loge au Whitehall Th.

Construit en 1930, la façade blanche, très sobre, est un peu à l'image du Cénotaphe (*voir p. 74*), situé à l'autre extrémité de la rue. L'intérieur, toutefois, recèle de beaux exemples d'ornementation Art déco. De 1950 à 1980, ce théâtre était très couru pour ses mises en scène de farces.

Queen Anne's Gate ⓮

SW1. **Plan** 13 A5. *St James's Park.*

La partie ouest de cet élégant ensemble de demeures résidentielles en briques (1704) est réputée pour ses auvents richement décorés. À l'autre extrémité, les maisons, construites 70 ans plus tard, portent des plaques bleues, apposées en souvenir de leurs habitants (lord Palmerston, le Premier ministre de l'ère victorienne, par exemple). Depuis peu, les services secrets britanniques auraient quitté l'un des immeubles. La petite statue de la reine Anne se dresse devant le mur qui sépare les nos 13 et 15. À l'Ouest, au coin de Petty France, le Home Office

Building (1976) de Sir Basil Spence est plutôt étonnant. Des marches conduisent à Birdcage Walk, l'endroit où se réunissaient au XVIIe siècle les amateurs de combats de coqs.

Le musée de la Garde ⓯

Birdcage Walk SW1. **Plan** 13 A5. *0171-930 4466 x 3271.* *St James's Park.* ***Ouvert*** *10 h-16 h t.l.j..* ***Fermé*** *25 déc., 1er jan., et lors des cérémonies.* ***Accès payant.***

Le musée est situé sous l'esplanade des casernes Wellington, quartier général des cinq régiments de la Garde.

Des tableaux et des dioramas retracent les différentes batailles auxquelles la Garde a participé, de la guerre civile (1642-48) à nos jours. Des armes de toutes sortes et de superbes uniformes y sont présentés.

La station de métro de St James's Park ⓰

55 Broadway SW1. **Plan** 13 A5. *St James's Park.*

Sculpture de Epstein à la station de métro de St James's Park

Réputée pour ses sculptures et ses bas-reliefs, la station fut construite à l'intérieur de Broadway House, édifice conçu en 1929 par Charles Holden pour la régie des transports londoniens.

Blewcoat School ⓱

23 Caxton St SW1. **Plan** 13 A5. *0171-222 2877.* *St James's Park.* ***Ouvert*** *10 h-17 h 30 lun.-mer., ven., 10 h-19 h jeu.*

Statue d'un élève de Blewcoat School, au-dessus de l'entrée, sur Caxton Street

Ce petit bijou en briques rouges, cerné par les immeubles de bureaux de Victoria Street, fut construit en 1709 pour accueillir des orphelins et leur apprendre « à lire, à écrire, le catéchisme et à faire des comptes ». L'école resta ouverte jusqu'en 1939, date à laquelle elle fut transformée en arsenal jusqu'à la fin de la dernière guerre. En 1954, elle fut rachetée par le National Trust. L'intérieur, aux proportions très harmonieuses, abrite aujourd'hui une boutique de cadeaux du National Trust.

La cathédrale de Westminster ⓲

Ashley Place SW1. **Plan** 20 F1. *0171-834 7452.* *Victoria.* ***Ouvert*** *6 h 45-20 h t.l.j.* ***Accès payant*** *pour la montée au campanile (avr.-oct. : 9 h-13 h, 14-16 h 30).* *17 h 30 lun.-ven., 10 h 30 sam. et dim., chorale et chants grégoriens pendant les offices.* ***Concerts.***

Conçue dans le style néo-byzantin par John Francis Bentley pour le diocèse catholique, la cathédrale a été achevée en 1903. Son campanile, de brique rose rayée de pierre blanche, de 87 m de haut, se détache sur l'horizon du quartier et contraste avec l'abbaye voisine. Le paisible parvis, situé du côté nord, permet d'admirer la cathédrale depuis Victoria Street. À l'intérieur, au-dessus de la nef, la nudité des coupoles tranche nettement avec les marbres et les mosaïques multicolores qui ornent l'édifice. Faute de moyens, sa décoration est inachevée. Les 14 scènes du chemin de Croix exécutées par Eric Gill pendant la Première Guerre mondiale couvrent les piliers de la nef. L'orgue, un des plus beaux d'Europe, est utilisé lors des concerts donnés le 2e mardi du mois, de juin à septembre.

St John's, Smith Square ⓳

Smith Sq SW1. **Plan** 21 B1. *0171-222 1061.* *Westminster,* ***Ouvert*** *10 h-17 h 30 et en soirée pour les concerts.* ***Concerts.*** *Voir* ***Spectacles*** *pp. 330-1.*

Concert à St John's, Smith Square

Considérée comme l'un des chefs-d'œuvre de l'architecture baroque britannique par l'artiste et historien d'art Hugh Casson, l'église ornée de tourelles, conçue par Thomas Archer, donne l'impression de dominer tout le square. Il est vrai que son style est beaucoup plus voyant que celui des discrètes maisons du XVIIIe siècle, situées du côté nord de la place. L'histoire de cet édifice est assez mouvementée : achevé en 1728, il fut dévasté par un incendie en 1742, foudroyé en 1773 et détruit de nouveau lors des bombardements de la dernière guerre. Un restaurant, aménagé au sous-sol, propose des déjeuners et des dîners (les soirs de concerts) à des prix raisonnables.

La Tate Gallery ⓴

Voir pp. 82-5

La Tate Gallery ⑳

Créée grâce aux libéralités du magnat du sucre Henry Tate, la Tate Gallery possède aujourd'hui une riche collection d'œuvres britanniques, réalisées entre le XVIe siècle et le XXe siècle. C'est également le musée d'art moderne le plus important de la capitale. L'édifice mitoyen, la Clore Gallery, abrite la magnifique collection Turner, que le maître lui-même a léguée à la nation.

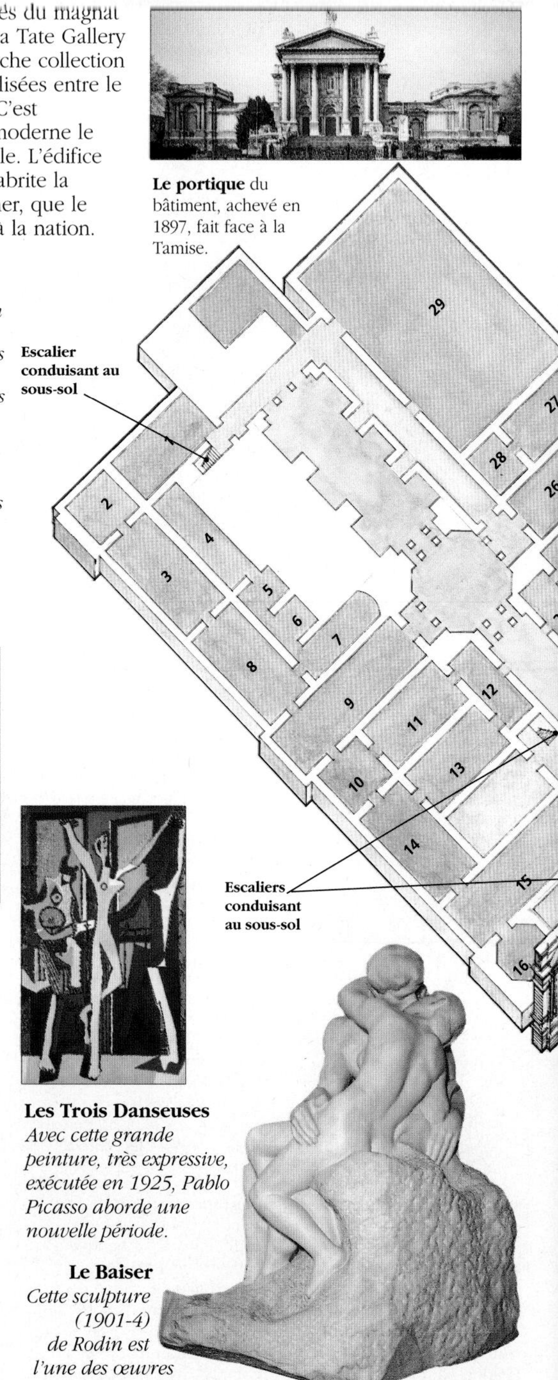

Le portique du bâtiment, achevé en 1897, fait face à la Tamise.

Les Trois Danseuses
Avec cette grande peinture, très expressive, exécutée en 1925, Pablo Picasso aborde une nouvelle période.

Le Baiser
Cette sculpture (1901-4) de Rodin est l'une des œuvres préférées des visiteurs.

Suivez le guide !

La majeure partie de la collection est présentée dans les 30 salles du rez-de-chaussée. Les peintures ont été accrochées par ordre chronologique. Il s'agit d'œuvres de l'école anglaise, peintes de 1550 (salle 1) à nos jours et de toiles d'artistes étrangers, représentatives des courants picturaux contemporains (salles 27-30). L'accrochage est renouvelé chaque année, il est donc possible que certaines des œuvres reproduites ici ne soient pas visibles lors de votre visite.

★ **Funérailles en mer**
Dans cette œuvre, J. M. W. Turner rend hommage à son ami et rival David Wilkie. Elle fut exécutée en 1842, peu de temps après le décès de Wilkie, survenu en mer.

Légende

- Sculptures
- Expositions temporaires
- Peintures
- Clore Gallery (Turner)
- Dégagements et services

ART ET BUFFET...

Au sous-sol, la Tate dispose d'une cafétéria et d'un restaurant décoré d'une superbe peinture murale de Rex Whistler. Celle-ci évoque l'histoire des habitants de la mythique cité d'Epicurania et de leur recherche d'aliments exotiques destinés à stimuler leurs papilles gustatives. Le restaurant n'est ouvert qu'à l'heure du déjeuner.

MODE D'EMPLOI

Millbank SW1. **Plan** 21 B2. *0171-887 8000. 0171-821 7128. Pimlico. 77a, 88, C10 or 2, 2b, 3, 36, 36b, 159, 185 (jusqu'à Bessborough Gardens), 507. Victoria, Vauxhall.* ***Ouvert*** *10 h-17 h 50 lun.-sam., 14-17 h 50 dim.* ***Fermé*** *24-26 déc., 1er jan., ven. saint, May Day (1er lun. du mois de mai).* ***Accès payant*** *pour les grandes expositions. Atterbury St.*

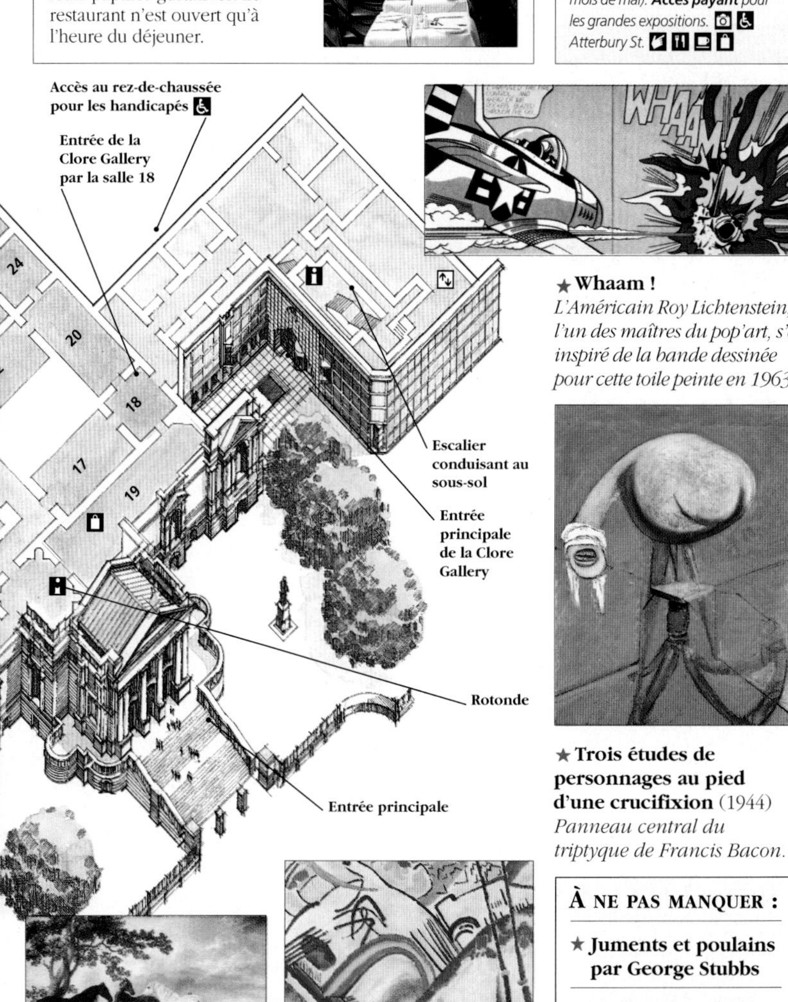

★ **Whaam !**
L'Américain Roy Lichtenstein, l'un des maîtres du pop'art, s'est inspiré de la bande dessinée pour cette toile peinte en 1963.

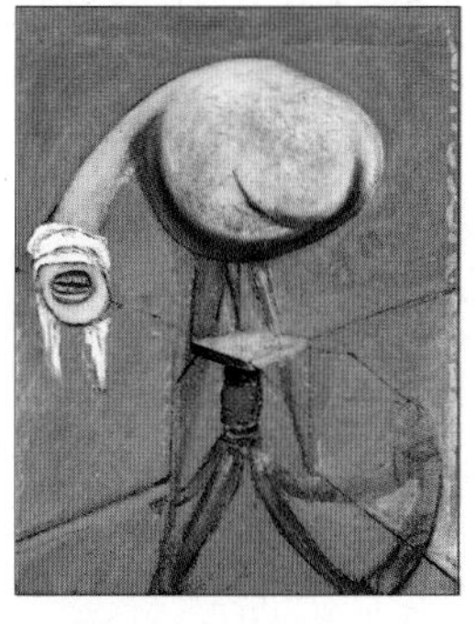

★ **Trois études de personnages au pied d'une crucifixion** (1944)
Panneau central du triptyque de Francis Bacon.

Les Cosaques
Exécutée en 1911 par Wassily Kandinsky, cette œuvre fut considérée comme un événement important dans l'histoire de l'art abstrait.

★ **Juments et poulains**
La perfection des détails anatomiques est caractéristique de cette œuvre (1762-8) de George Stubbs.

À NE PAS MANQUER :

- ★ **Juments et poulains par George Stubbs**
- ★ **Funérailles en mer par J. M. W. Turner**
- ★ **Trois études par Francis Bacon**
- ★ **Whaam ! par Roy Lichtenstein**

A la découverte des collections de la Tate Gallery

La Tate Gallery est composé de 3 collections principales : l'école anglaise du XVIe siècle à nos jours, l'ensemble d'œuvres d'art contemporain et le prestigieux ensemble de Turner, présenté à la Clore Gallery.

PEINTURE ANGLAISE DES XVIe ET XVIIe SIÈCLES

Endymion Porter **(1643-5), de William Dobson**

Durant cette période, les portraits officiels ont une importance considérable. La plus ancienne peinture de la Tate, *A Man in a Black Cap*, exécutée en 1545 par John Bettes, témoigne de l'influence de Holbein, peintre d'origine souabe, sur les maîtres de la Renaissance anglaise. Son goût pour le rendu exact fait de nombreux adeptes. Nicholas Hilliard, miniaturiste, est en revanche un pur produit de la culture britannique. Son portrait de la reine Elisabeth Ire est un véritable bijou. Au XVIIe siècle, un nouveau style de portraits, élégants, majestueux et inspirés par Van Dyck, fait son apparition. Les tableaux d'une *Dame de la famille Spencer*, de Van Dyck, et *Endymion Porter*, de William Dobson, sont représentatifs de cette période. *Singes et épagneuls*, de Francis Barlow, est une charmante peinture animalière et le *Paysage à l'arc-en-ciel à Henley-on-Thames*, de Jan Sibrecht, inaugure la tradition du paysage anglais, inspiré des Pays-Bas.

PEINTURE ANGLAISE DU XVIIIe SIÈCLE

Aux peintures illustratives du début du XVIIIe siècle s'ajoutent de remarquables exemples de portraits de groupes. On remarquera, notamment, la plaisante *Famille James*, d'Arthur Devis, et l'expressive *Famille Strode*, peinte par William Hogarth. Les œuvres satiriques de ce grand artiste anglais du XVIIIe siècle sont connues dans le monde entier. À la fin du XVIIIe siècle, le « grand genre » du portraitiste Joshua Reynolds peut être comparé aux touches délicates de son rival, Thomas Gainsborough. À la même époque, Richard Wilson fait preuve d'une maîtrise comparable dans ses représentations de paysages et George Stubbs exécute des scènes de campagne et des peintures animalières d'une grande précision.

PEINTURE ANGLAISE DU XIXe S.

Le Châtiment de Job **(env. 1826), de William Blake**

La Tate possède une superbe collection d'œuvres de William Blake, poète et artiste visionnaire du XIXe siècle. Samuel Palmer, disciple de Blake, a peint des scènes pastorales fortement teintées de mysticisme. Les deux grands paysagistes du siècle, Turner (à la Clore Gallery) et Constable sont bien représentés. Parmi les dessins et les peintures de John Constable, on remarquera notamment le célèbre tableau intitulé *Le Moulin de Flatford*. La collection comprend également des paysages de Crome, Cotman ou Bonington. La variété des sujets et des styles des œuvres de l'ère victorienne est habilement présentée. On verra, par exemple, le *Violoneux aveugle*, peinture très sentimentale de David Wilkie dont le décès est évoqué dans *Funérailles en mer* de Turner (*voir p. 82*), *Le Jour du Derby*, de William Frith, ou les peintures émouvantes et colorées des préraphaélites.

TURNER À LA CLORE GALLERY

Lorsque J. M. W. Turner (1775-1851) légua son œuvre à la nation, il exigea qu'elle ne fût pas éparpillée aux quatre coins du pays. En 1910, quelques salles de la Tate furent consacrées à certaines de ses peintures à l'huile, mais ce n'est qu'en 1987, avec l'inauguration de la Clore Gallery, que l'ensemble (y compris les milliers d'esquisses) fut réuni. Ce musée présente aussi des aquarelles, comme *Ville et fleuve au coucher du soleil*, œuvre d'une série représentant les grands fleuves d'Europe.

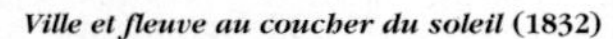

Ville et fleuve au coucher du soleil **(1832)**

Impressionnisme et postimpressionnisme

Le Jardinier (1906), de Paul Cézanne

Un bon nombre des œuvres impressionnistes et post-impressionnistes sont désormais exposées à la National Gallery (*voir pp. 104-7*). Toutefois, la Tate a conservé une sélection de toiles de cette période au cours de laquelle se dessinent déjà les grands courants de l'art moderne. Renoir, Pissarro, Sisley, Degas, Toulouse-Lautrec, Van Gogh, Gauguin et Seurat sont notamment représentés. *Peupliers au bord de l'Epte*, de Claude Monet, et *Le Jardinier*, de Paul Cézanne, sont des œuvres majeures, annonciatrices de l'art abstrait.

Début du xxe siècle

Les premières œuvres du xxe siècle présentées ici sont les peintures intimistes et décoratives des Nabis, Vuillard et Bonnard. Le portrait de Derain, exécuté par Matisse, est représentatif du fauvisme, célèbre école avant-gardiste de cette période. Tous les mouvements importants de l'époque sont évoqués : la révolution cubiste provoquée par Picasso, Braque et Léger ; le futurisme de Severini et Boccioni ; les peintures inquiétantes de Munch, Kirchner, Beckman et d'autres expressionnistes allemands ; ou les styles plus traditionnels des peintres anglais de l'entre-deux-guerres. On remarquera notamment les œuvres de Stanley Spencer, comme l'impressionnant *Résurrection, Cookham*. La Tate possède aussi des toiles peintes par les grands maîtres de l'art abstrait, Kandinsky, Mondrian ou Malevitch, et par des peintres anglais comme Nicholson. Les surréalistes ne sont pas oubliés et les tableaux de Dali sont parmi les « musts » du musée. Des sculptures de Rodin, Brancusi, Hepworth et Moore sont également exposées.

Madame Derain au châle blanc (1919-20), de André Derain

Fin du xxe siècle

Les mouvements nés après la dernière guerre occupent une place de choix et témoignent des évolutions récentes de l'abstraction et de la figuration. Dans les années 1940 et 1950, l'influence exercée par la guerre est plus ou moins perceptible. Elle est évidente dans *Totes Meer*, le paysage dévasté, exécuté par Paul Nash, et plus discrète dans la nouvelle figuration de l'Homme créée par Giacometti, Dubuffet ou Bacon. Les peintures de Picasso, Matisse et Léger sont à l'image des mouvements expressionnistes et abstraits de cette période. On remarquera *L'Escargot*, superbe papier découpé de Matisse. La Tate possède aussi de magnifiques toiles de Kooning, Pollock et Rothko, chefs de file de l'expressionnisme abstrait américain.

La page de l'expressionnisme abstrait des années 1950 semble se tourner avec *Early One Morning*, l'étonnante sculpture en métal rouge d'Anthony Caro. Elle symbolise l'évolution considérable que représentent le op art et l'art cinétique. Le mouvement qui reflète le mieux l'atmosphère des années 1960 est sans aucun doute le pop'art. La Tate possède des œuvres majeures des grands artistes britanniques et américains de l'époque : *Toy Shop*, de Peter Blake, *Whaam !*, de Roy Lichtenstein ou *Marilyn Diptych*, d'Andy Warhol.

Les artistes anglais contemporains (Freud, Auerbach, Kossof, Kitaj, Hockney et Bacon) sont bien représentés. Les œuvres minimalistes – comme *Equivalent VIII* (un amas de briques), de l'Américain Carl André, sont plus controversées. L'art conceptuel occupe également une place de choix. Les sculptures de Richard Long, intégrées aux paysages et parfois associées à des cartes, à des photos ou à des mots imprimés, sont particulièrement intéressantes. De nouvelles acquisitions alimentent toujours l'impressionnante collection de la Tate et tentent de témoigner des évolutions récentes de l'art contemporain.

M. et Mme Clark et Percy (1970-1), de David Hockney

NEW &
LINGWOOD
22
HOEMAKERS
NEW &
LINGWOOD
PICCADILLY
PHOTO CENTRE

Piccadilly et St James's

Piccadilly est l'artère principale du West End. Dénommée, jadis, Portugal Street, elle tiendrait son nom actuel du commerce des « piccadils », hauts cols empesés très en faveur auprès des dandies du XVIIe s. À St James's, plusieurs édifices témoignent de l'époque où le quartier abondait en courtisans et en magasins réputés. Deux de ces établissements ont subsisté sur St James's Street : Lock the Hatter et Berry Bros vintners. Fortnum et Mason, sur Piccadilly, propose de l'épicerie fine de grande qualité depuis près de 300 ans. Mayfair est toujours un des quartiers les plus chic de la capitale, et Piccadilly Circus permet d'accéder à Soho.

Serrure, à Buckingham Palace

Le quartier d'un coup d'œil

Rues et édifices historiques

Piccadilly Circus ❶
Albany ❸
Burlington Arcade ❻
L'hôtel Ritz ❼
Spencer House ❽
Le palais de St James ❾
St James's Square ❿
Royal Opera Arcade ⓫
Pall Mall ⓬
Le Mall ⓯
Marlborough House ⓰
Clarence House ⓲
Lancaster House ⓳
Le palais de Buckingham pp. 94-5 ⓴
Royal Mews ㉒
Wellington Arch ㉓
Shepherd Market ㉕

Musées et galeries

Royal Academy of Arts ❹
Musée de l'Homme ❺
Institute of Contemporary Arts ⓭
Queen's Gallery ㉑
Royal Mews ㉒
Apsley House ㉔
Faraday Museum ㉗

Églises

St James's Church ❷
Queen's Chapel ⓱

Parcs et jardins

St James's Park ⓮
Green Park ㉖

Voir aussi

• ***Atlas des rues***, plans 12, 13
• ***Hébergement*** pp. 276-7
• ***Restaurants*** pp. 292-4

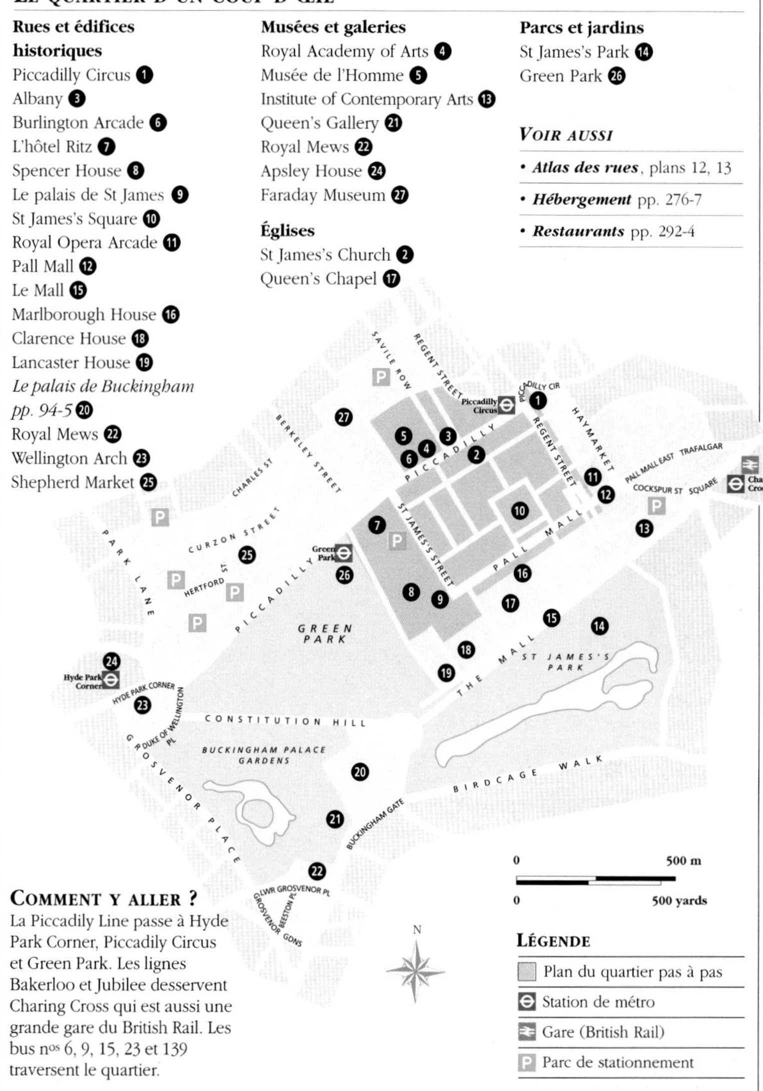

Comment y aller ?

La Piccadily Line passe à Hyde Park Corner, Piccadily Circus et Green Park. Les lignes Bakerloo et Jubilee desservent Charing Cross qui est aussi une grande gare du British Rail. Les bus nos 6, 9, 15, 23 et 139 traversent le quartier.

Légende

- Plan du quartier pas à pas
- Station de métro
- Gare (British Rail)
- Parc de stationnement

Piccadilly Arcade avec ses nombreuses boutiques de luxe

Piccadilly et St James's pas à pas

Dès la construction du palais de St James, dans les années 1530, le quartier acquiert une réputation qui, depuis, n'a jamais été démentie. Les personnalités les plus influentes du pays empruntent ses rues historiques pour aller déjeuner dans leur club, faire des emplettes dans les magasins les plus anciens et les plus chic de la ville ou visiter ses nombreuses galeries d'art.

★ Musée de l'Homme
Ce léopard en ivoire fait partie de la collection d'art primitif présentée au musée ❺

Hôtel Albany
Depuis plus de deux siècles, c'est une des adresses les plus chic de la capitale ❸

★ Royal Academy of Arts
Créée en 1768 par Joshua Reynolds, elle organise aujourd'hui de magnifiques expositions ❹

★ Burlington Arcade
Ce passage est gardé par des huissiers portant redingote et chapeau haut de forme ❻

Fortnum and Mason
Epicerie fine, fondée en 1707, réputée pour ses marmelades d'orange, ses pickles et son thé

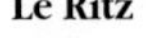

Le Ritz
Construit en 1906, son luxe est à la hauteur de sa réputation ❼

Spencer House
Maison construite en 1766 par un ancêtre de la princesse Diana ❽

Palais de St-James
Construit par Henri VIII à partir de 1532, il est encore occupé, de nos jours, par le grand chambellan et le personnel

Vers le Mall

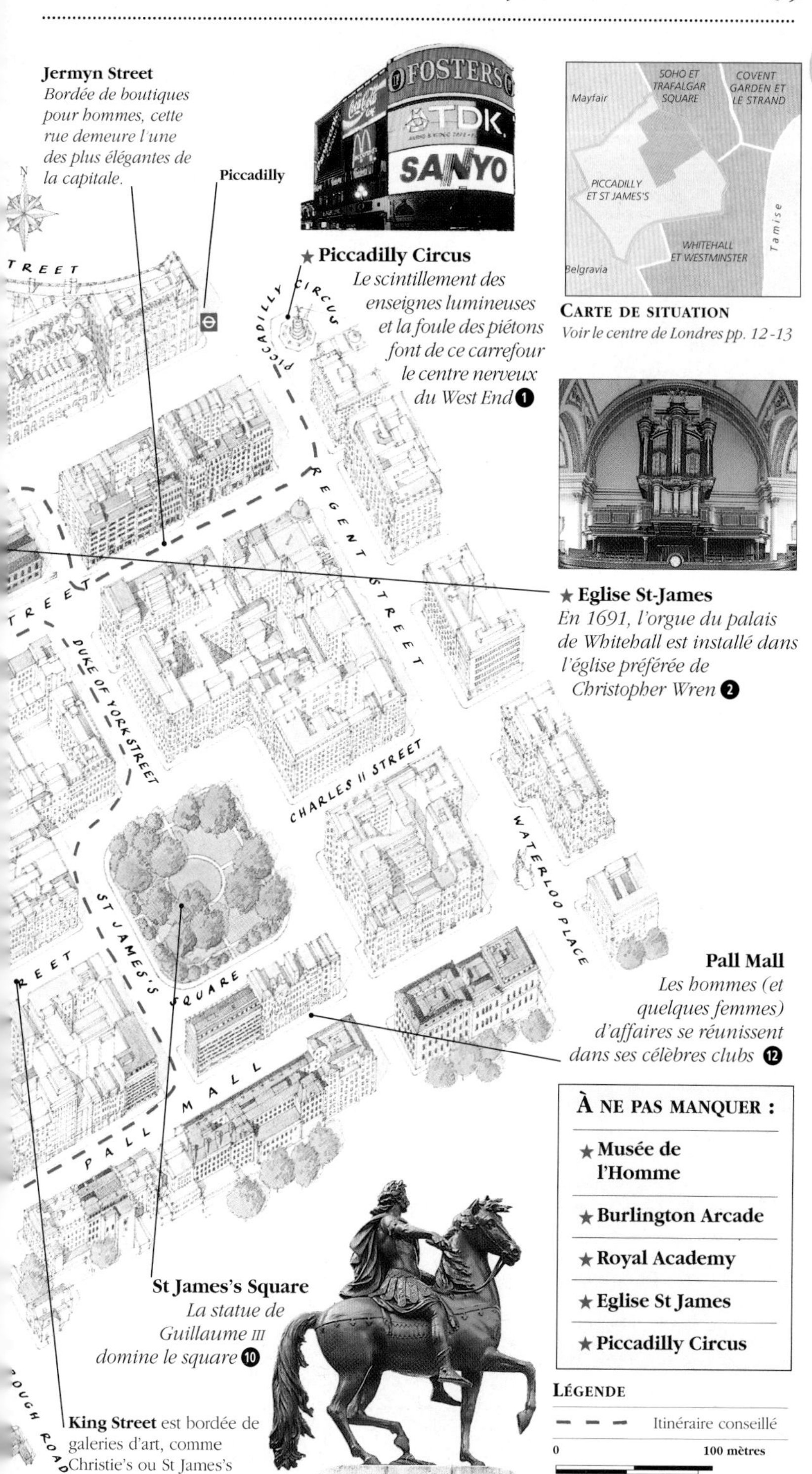

Jermyn Street
Bordée de boutiques pour hommes, cette rue demeure l'une des plus élégantes de la capitale.

Piccadilly

★ Piccadilly Circus
Le scintillement des enseignes lumineuses et la foule des piétons font de ce carrefour le centre nerveux du West End ❶

Carte de situation
Voir le centre de Londres pp. 12-13

★ Eglise St-James
En 1691, l'orgue du palais de Whitehall est installé dans l'église préférée de Christopher Wren ❷

Pall Mall
Les hommes (et quelques femmes) d'affaires se réunissent dans ses célèbres clubs ⓬

St James's Square
La statue de Guillaume III domine le square ❿

King Street est bordée de galeries d'art, comme Christie's ou St James's

À NE PAS MANQUER :

- ★ **Musée de l'Homme**
- ★ **Burlington Arcade**
- ★ **Royal Academy**
- ★ **Eglise St James**
- ★ **Piccadilly Circus**

Légende

— — — Itinéraire conseillé

0 100 mètres

0 100 yards

Piccadilly Circus ❶

W1. **Plan** 13 A3. *Piccadilly Circus.*

Eros, par Alfred Gilbert

Depuis des années, les badauds se réunissent sous l'Eros de Piccadilly Circus. Cet ange de la miséricorde, armé de son arc et qui porte aujourd'hui le nom du dieu grec de l'amour, est en quelque sorte la mascotte de la capitale. Il fut érigé en 1892 en mémoire de Lord Shaftesbury, le philanthrope de l'ère victorienne. Elément important du projet de Nash pour Regent's Street (*voir p. 220*), la place a beaucoup changé au cours de ces dernières années. Le carrefour est désormais agrémenté de plusieurs galeries marchandes. L'une d'entre elles se situe derrière la façade du London Pavilion (1885), qui fut jadis un music-hall très populaire. Le soir, le scintillement des enseignes lumineuses invite les passants à entrer dans les cinémas, théâtres, boîtes de nuit, restaurants et pubs de ce quartier très animé.

L'église St-James ❷

197 Piccadilly W1. **Plan** 13 A3. *0171-734 4511. Piccadilly Circus, Green Park.* **Ouverte** *9 h-19 h t.l.j.* **Fermée** *jours fériés.* **Marché** *9 h 30-18 h jeu., ven. et sam. sauf à Pâques. pendant les offices.* **Concerts, conférences.**

Parmi les nombreuses églises conçues par Wren (*voir p. 47*), celle-ci était sa préférée. Modifiée à de nombreuses reprises et à moitié détruite lors des bombardements de 1940, elle a cependant conservé les éléments essentiels de sa construction (1684) : sa voûte en berceau, sa fine flèche (réplique en fibre de verre exécutée en 1966) et son intérieur clair et élégant. L'encadrement du retable d'autel et les fonts baptismaux en marbre blanc dont le fût évoque *la Tentation d'Adam et Eve* ont été sculptés au XVIIe siècle par Grinling Gibbons. L'artiste peintre et poète William Blake et le Premier ministre Pitt l'ancien ont été baptisés dans cette église. Le buffet d'orgues, fabriqué pour le palais Whitehall mais installé ici en 1691, a également été sculpté par Gibbons. Aujourd'hui, l'église propose de nombreuses manifestations et gère la Wren Coffee House, un restaurant végétarien.

Albany ❸

Albany Court Yard, Piccadilly W1. **Plan** 12 F3. *Green Park, Piccadilly Circus.*

Ces appartements pour célibataires fortunés furent construits en 1803 par Henry Nolland. Le poète Lord Byron, le romancier Graham Greene, deux Premiers ministres (William Gladstone et Edward Heath) et l'acteur Terence Stamp sont quelques-uns des occupants célèbres. En 1878, les hommes mariés commencent à être tolérés, mais leurs femmes ne peuvent les rejoindre qu'à partir de 1919.

Lord Byron a vécu à l'Albany

Royal Academy of Arts ❹

Burlington House, Piccadilly W1. **Plan** 12 F3. *0171-439 7438. Piccadilly Circus, Green Park.* **Ouvert** *10 h-18 h t.l.j. (der. ent. : 17 h 30).* **Fermé** *24-26 déc., ven. saint.* **Accès payant.** **Conférences.**

Madonne à l'enfant, de Michel-Ange

La cour située à l'entrée de Burlington House, l'un des derniers hôtels particuliers édifiés dans le West End au XVIIIe siècle, est fréquemment noire de monde. En effet, les visiteurs y font souvent la queue lors des grandes expositions organisées à la Royal Academy (1768). Le célèbre Salon d'été, qui a lieu depuis plus de 200 ans, présente environ 1 200 œuvres récentes. Celles-ci sont réalisées tant par des peintres, sculpteurs ou architectes réputés que par des artistes totalement inconnus.

Les Sackler Galleries, salles spacieuses conçues par Norman Foster en 1991, accueillent les expositions temporaires. Parmi les sculptures du fonds, on remarquera celle de Michel-Ange : *Madone à l'enfant* (1505). La collection (qui n'est jamais entièrement exposée) comprend une œuvre de chacun des anciens ou nouveaux académiciens. Au premier étage, un magasin vend des cartes postales et divers objets conçus par des membres de la Royal Academy.

Le musée de l'Homme ❺

6 Burlington Gdns W1. **Plan** 12 F3. *0171-437 2224. Piccadilly Circus, Green Park.* ***Ouvert*** *10 h-17 h lun.-sam., 14 h 30-18 h dim.* ***Fermé*** *24-26 déc., 1er jan., ven. saint, 1er lun de mai.* ***Conférences, films.***

Le département d'ethnographie du British Museum (*voir pp. 126-9*) occupe la partie de Burlington House (Royal Academy) construite dans les années 1860. Les chefs-d'œuvre de cette collection consacrée aux civilisations anciennes et contemporaines sont présentés au premier étage. Parmi les trésors de l'Ouest africain, on remarquera les deux léopards du Bénin, en ivoire, et la porte yoruba, finement sculptée. Les expositions temporaires sont présentées au rez-de-chaussée. Elles comprennent parfois des reconstitutions de constructions et de villages.

À la cafétéria précolombienne (d'énormes colonnes mayas encadrent son entrée !), on peut tranquillement prendre un verre, un plat chaud ou un repas léger.

Dieu hawaïen de la guerre, musée de l'Homme

Burlington Arcade ❻

Piccadilly W1. **Plan** 12 F3. *Green Park, Piccadilly Circus. Voir* ***Magasins et marchés*** *p. 318.*

C'est l'un des trois passages du XIXe siècle à regrouper des boutiques d'articles caractéristiques du chic britannique (les deux autres sont Piccadilly Arcade et Princes Arcade). Burlington Arcade fut construite en 1819 par Lord Cavendish. Elle est toujours surveillée par des huissiers portant redingote et haut-de-forme.

Prendre le thé au Ritz est un «must» absolu d'un séjour à Londres

L'hôtel Ritz ❼

Piccadilly W1. **Plan** 12 F3. *0171-493 8181. Green Park. Les visiteurs peuvent prendre le thé ou un repas au restaurant. Voir* ***Hébergement*** *p. 282 et* ***Restaurants et pubs*** *p. 306.*

L'hôtelier suisse César Ritz, est à l'origine, en Angleterre, de l'épithète « ritzy », qui veut dire « luxueux ». Construit en 1906 le célèbre hôtel ne dément pas ce qualificatif. Il a préservé son atmosphère édouardienne et sert, l'après-midi, l'un des meilleurs thés de la capitale. Ses arcades devaient rappeler la rue de Rivoli, à Paris, où fleurissaient les plus grands hôtels du début du siècle.

Spencer House ❽

27 St James's Pl SW1. **Plan** 12 F4. *0171-499 8620. Green Park.* ***Ouvert*** *10 h 45-17 h 30 dim. (der. ent. : 16 h 45).* ***Fermé*** *en jan. et août.* ***Accès payant. Les enfants*** *de moins de 10 ans ne sont pas admis. obligatoire.*

Cette demeure palladienne fut construite en 1766 pour un ancêtre de la princesse Diana. Magnifiquement restaurée, elle abrite des superbes peintures et des meubles contemporains. L'une des pièces est ornée de peintures murales. La visite est guidée et la maison peut être louée pour des réceptions ou des réunions.

Le palais de St James ❾

The Mall SW1. **Plan** 12 F4. *Green Park.* ***Fermé*** *au public.*

Construit par Henri VIII à partir de 1532 sur l'emplacement d'un hospice de lépreux, le palais est une résidence royale sous le règne d'Elisabeth Ire, ainsi qu'à la fin du XVIIe siècle et au début du XVIIIe siècle. En 1952, la reine Elisabeth II y prononce son premier discours et les ambassadeurs étrangers sont toujours accrédités auprès de la cour de St-James. L'entrée principale du palais est une belle porte fortifiée, de style Tudor. Derrière, les appartements sont occupés par des dignitaires de la Cour.

L'entrée du palais de St-James

Royal Opera Arcade

St James's Square ⑩

SW1. **Plan** 13 A3. *Green Park, Piccadilly Circus.*

Ce square, l'un des premiers de Londres, fut tracé dans les années 1670. Les fonctions exercées par ses riverains leur imposaient d'habiter à proximité du palais de St-James. La plupart des immeubles datent des XVIIIe et XIXe siècles et ont été occupés par des personnalités célèbres. Pendant la dernière guerre, Eisenhower et de Gaulle y ont tenu des réunions importantes.

Aujourd'hui, du côté Nord, au no 10, Chatham House (1736) est le siège du Royal Institute for International Affairs. Toujours du côté Nord, dans un coin du square, se trouve la London Library (1896), une bibliothèque de prêt, privée, créée notamment par l'historien Thomas Carlyle (*voir p. 192*). Au centre du square, trône depuis 1808 une statue équestre de Guillaume III.

Royal Opera Arcade ⑪

SW1. **Plan** 13 A3. *Piccadilly Circus.*

Première galerie marchande de Londres, elle fut construite par John Nash en 1818 derrière l'opéra de Haymarket (dénommé aujourd'hui Her Majesty's Theatre). Elle fut achevée à peu près un an avant Burlington Arcade (*voir p. 91*). Farlows y vend des armes de chasse, des articles de pêche, les célèbres bottes en caoutchouc Hunter et tout ce qu'il faut pour vivre comme un « gentleman farmer ».

Pall Mall ⑫

SW1. **Plan** 13 A4. *Charing Cross, Green Park.*

Le duc de Wellington (1842) : visiteur assidu de Pall Mall

Pall Mall est ainsi nommé parce que l'on y pratiquait, au XVIIe siècle, le « paille-maille », un jeu français dont les règles tenaient de celles du croquet et du golf. Pendant plus de 150 ans, quantité de clubs ont été créés dans ce quartier. Des gentlemen de la haute société trouvaient là un havre de paix.

Les immeubles furent construits par les architectes les plus en vue de cette période. À l'extrémité Est de l'avenue, au no 116, se trouvait le United Services Club, conçu par Nash en 1827. Le bâtiment abrite désormais l'Institute of Directors. En face, de l'autre côté de Waterloo Place, se trouve l'Athenaeum, bâti trois ans plus tard par Decimus Burton et où se rassemblait une bonne partie de l'establishment britannique. Les deux clubs conçus par Charles Barry, l'architecte du palais de Westminster (*voir pp. 72-3*), sont juste à côté : le Travellers est au no 106 et le Reform, au no 104. Les intérieurs ont été soigneusement entretenus, mais seuls les membres et leurs hôtes peuvent en profiter…

Institute of Contemporary Arts ⑬

The Mall SW1. **Plan** 13 B3. *0171-930 3647. Charing Cross, Piccadilly Circus.* ***Ouvert*** *midi-1 h t.l.j.* ***Fermé*** *sem. de Noël, jours fériés.* ***Accès payant.*** *prévenir à l'avance.* ***Concerts, théâtre, danse, conférences.*** *Voir* ***Spectacles*** *pp. 332-3.*

L'Institut d'art contemporain est créé en 1947 pour offrir aux peintres britanniques une structure comparable à celle proposée aux artistes américains au Musée d'art moderne de New York. Installé dans un premier temps sur Dover Street, l'ICA occupe depuis 1968 une partie de Carlton House Terrace, le bâtiment dessiné par Nash en 1833. Par l'entrée, on accède au cinéma, à l'auditorium, à la librairie, à la galerie d'art, au bar et au restaurant. L'ICA propose des expositions, des conférences, des concerts, des films et des pièces de théâtre, souvent avant-gardistes. L'accès est payant pour les visiteurs qui ne sont pas membres.

L'Institut d'art contemporain, à Carlton House Terrace

St James's Park ⓮

SW1. **Plan** 13 A4. *0171-930 1793. St James's Park.* **Ouvert** *6 h-minuit t.l.j.* **Ouvert** *10 h-18 h t.l.j.* **Concerts** *deux fois par jour en été selon la météo.* **Réserve d'oiseaux**.

L'été, les employés de bureaux font la pause au soleil entre les massifs de fleurs de ce parc, l'un des plus agréables de la ville. L'hiver, les hauts fonctionnaires y discutent des affaires de l'Etat, tout en observant les canards, les oies et les pélicans. Ce marais asséché par Henri VIII fut utilisé pour ses parties de chasse. Charles II modifia, ensuite, le tracé et ajouta une volière du côté Sud (qui donna son nom à Birdcage Walk). Ce parc permet de prendre un bol d'air avant de regagner les rues embouteillées et donne l'occasion d'apercevoir les toitures de Whitehall. L'été, des concerts sont donnés dans le kiosque à musique.

Le Mall ⓯

SW1. **Plan** 13 A4. *Charing Cross, Green Park, Piccadilly Circus.*

Cette large avenue fut percée, en 1911, par Aston Webb lorsqu'il modifia la façade du palais de Buckingham et qu'il érigea le monument de Victoria (*voir photo p. 96*). Elle suit le tracé de la promenade, qui à partir du règne de Charles II, longeait St James's Park. De part et d'autre du Mall, des drapeaux sont hissés sur les mâts lors des visites officielles de chefs d'Etat.

Marlborough House ⓰

Pall Mall SW1. **Plan** 13 A4. *0171-839 3411. St James's Park, Green Park.* **Ouvert** *9 h 15-21 h 30 lun.-ven.* **Fermé** *24-26 déc.*

Marlborough House fut construite par Christopher Wren (*voir p. 47*) pour la duchesse de Marlborough. Achevée en 1711, elle fut considérablement agrandie au XIXe siècle et utilisée par des membres de la famille royale. De 1863 à 1903, elle fut la résidence du prince (futur Edouard VII) et de la princesse de Galles. Du côté de Marlborough Road, un Mémorial, de style Art nouveau, rend hommage à l'épouse d'Edouard VII, la reine Alexandra. L'édifice abrite désormais le secrétariat général du Commonwealth.

Queen's Chapel ⓱

Marlborough Rd SW1. **Plan** 13 A4. *Green Park.* **Fermé** *au public.*

Ce chef-d'œuvre de l'architecte Inigo Jones fut aménagé, en 1627, pour l'épouse de Charles Ier, Henriette-Marie de France. Il s'agit du premier édifice de style classique élevé en Grande-Bretagne. Cette chapelle devait faire partie du palais de St-James mais en fut finalement séparée par Marlborough Gate. En 1761, George III y épousa Charlotte de Mecklenburg-Strelitz (qui lui donna 15 enfants !).

L'intérieur, orné du magnifique autel, peint par Annibale Carrache, n'est malheureusement accessible qu'aux paroissiens, au printemps et au début de l'été.

Queen's Chapel

St James's Park, aux premiers jours de l'été

Le palais de Buckingham ⓴

Buckingham Palace est la résidence officielle des souverains britanniques. Il sert pour les réceptions et les cérémonies d'Etat : des banquets y sont donnés lors des visites de chefs d'Etat. Le personnel du palais comprend environ 300 personnes. Parmi elles, les officiers de la Maison royale qui organisent les sorties officielles de la reine.

George IV (qui régna de 1820 à 1830) demanda à John Nash de transformer en palais le vieux manoir d'origine. Le roi et son frère (qui lui succéda de 1830 à 1837) moururent tous deux, alors que les travaux n'étaient pas achevés. La reine Victoria fut le premier monarque à s'installer dans le nouveau palais. La façade actuelle, à l'extrémité de la large promenade du Mall, fut ajoutée en 1913.

Le Salon de musique
Il sert de cadre aux baptêmes royaux et de salon d'accueil pour les visiteurs officiels.

La Galerie de peintures abrite une partie de la superbe collection de la reine.

La salle à manger d'Etat est utilisée pour les réceptions moins solennelles que les cérémonies d'investiture et que les grands banquets

Cuisines et service

Le salon Bleu
Des colonnes imitant l'onyx, conçues par Nash, décorent cette pièce.

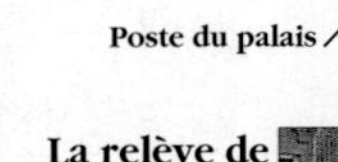

Poste du palais

La salle de bal
dans le style chargé de l'ère georgienne, est utilisée pour les investitures et les grands banquets.

La relève de la Garde
Pendant l'été, le changement des deux gardes a lieu tous les jours (voir p. 52-5).

Les salles de la façade arrière du palais ouvrent sur la pièce d'eau et les jardins peuplés de nombreuses espèces d'oiseaux.

Le salon Blanc est la pièce dans laquelle la famille royale se réunit avant de gagner la salle de bal.

Une piscine et un cinéma ont été aménagés à l'intérieur du palais.

La salle du Trône est éclairée par sept candélabres.

Le salon Vert est la pièce dans laquelle les hôtes de la reine sont accueillis.

Mode d'emploi

SW1. **Plan** 12 F5. *0171-930 5526. St James's Park, Victoria. 2B, 11, 16, 24, 25, 36, 38, 52, 73, 135, C1. Victoria.* ***Appartements d'Etat ouvert*** *août-sept. : 9 h 30-17 h 30 t.l.j.* ***Accès payant.*** ***Relève de la Garde*** *: de mai à août : 11 h 30 t.l.j. ; sept.-avr. : (la relève n'a pas lieu par temps de pluie ou pour raison d'Etat).*

La chambre des audiences est l'une des 12 pièces des appartements privés de la reine, au premier étage du palais.

L'Union Jack flotte sur le palais quand la souveraine y réside.

Qui habite à Buckingham ?

Le palais est la résidence londonienne de la reine et de son époux, le duc d'Edimbourg. Le prince Edouard, la princesse Anne et le duc d'York y ont également des appartements. Environ 50 domestiques sont logés au palais. Les autres membres du personnel logent au Royal Mews (*voir p. 96*).

Vue sur le Mall depuis le balcon où apparaît la famille royale à chaque grande occasion.

Clarence House 18

Stable Yard SW1. **Plan** 12 F4. *Green Park, St James's Park.* ***Fermé** au public.*

Cette demeure qui donne sur le Mall a été conçue en 1827 par John Nash pour le prédécesseur de la reine Victoria, Guillaume, duc de Clarence. Il y a vécu après avoir accédé au trône, en 1830. Elle est désormais habitée par la mère de la reine Elisabeth.

Lancaster House 19

Stable Yard SW1. **Plan** 12 F4. *Green Park, St James's Park.* ***Fermé** au public.*

Lancaster House

Cet hôtel particulier fut construit en 1825 pour le duc d'York par Benjamin Wyatt, l'architecte d'Apsley House. En 1848, Chopin y interpréta ses œuvres pour la reine Victoria, le prince Albert et le duc de Wellington. L'édifice est désormais utilisé comme centre de conférences.

Le palais de Buckingham 20

Voir pp. 94-95

Queen's Gallery 21

Buckingham Palace Rd SW1. **Plan** 12 F5. *0171-799 2331.* *St James's Park, Victoria.* ***Ouvert** 10 h-17 h mar.-sam., 14-17 h dim.* ***Fermé** 25-26 déc., 1er jan.* ***Accès payant.***

La reine possède la plus riche collection privée de peintures du monde. Elle comprend notamment des œuvres de Vermeer et de Léonard de Vinci. (Anthony Blunt fut le conseiller artistique de la reine de 1949 à 1979, date à laquelle on découvrit qu'il travaillait pour les services secrets soviétiques !)

Une sélection des œuvres est présentée dans cette petite galerie (située sur le côté gauche du palais), qui servait de serre jusqu'en 1962. L'édifice fut également utilisé comme chapelle et des offices y sont encore célébrés, à l'abri des regards indiscrets des visiteurs. Les expositions sont organisées autour d'un thème et changent régulièrement. Un magasin vend des souvenirs… royaux, comme il se doit !

Un œuf de Fabergé, Queen's Gallery

Royal Mews 22

Buckingham Palace Rd SW1. **Plan** 12 E5. *0171-799 2331.* *St James's Park, Victoria.* ***Ouvert** midi-16 h mer., et d'autres jours pendant l'été. Se renseigner.* ***Accès payant.***

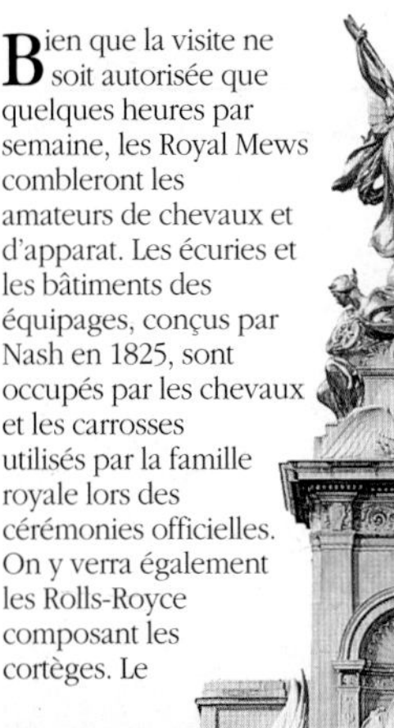

Bien que la visite ne soit autorisée que quelques heures par semaine, les Royal Mews combleront les amateurs de chevaux et d'apparat. Les écuries et les bâtiments des équipages, conçus par Nash en 1825, sont occupés par les chevaux et les carrosses utilisés par la famille royale lors des cérémonies officielles. On y verra également les Rolls-Royce composant les cortèges. Le carrosse du couronnement, conçu en 1761 pour George III, est orné de scènes allégoriques exécutées par Giovanni Cipriani. On remarquera aussi l'Irish State Coach, utilisé pour l'ouverture de la session parlementaire, le State Landau, pour les visites des chefs d'Etat, et le carosse vitré, à parois latérales de glaces transparentes, pour les mariages princiers. Les superbes harnais sont exposés avec quelques-uns des magnifiques chevaux qui les portent.

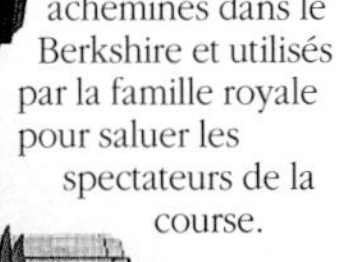

Les écuries restent ouvertes pendant la semaine des courses du Royal Ascot en juin. Toutefois, à l'occasion de cette manifestation, les véhicules des Mews sont acheminés dans le Berkshire et utilisés par la famille royale pour saluer les spectateurs de la course.

Le monument à la reine Victoria, devant le palais de Buckingham

Wellington Arch ㉓

SW1. **Plan** 12 D4. *Hyde Park Corner.* ***Ouvert*** *5 h-minuit t.l.j.*

Après un siècle d'hésitations portant sur ce qu'il convenait de faire du terrain qui se trouvait devant Apsley House, cet arc de triomphe, conçu par Decimus Burton, fut élevé, en 1828. La sculpture d'Adrian Jones fut ajoutée en 1912. Avant qu'elle ne soit installée au-dessus du monument, Jones organisa un dîner avec huit convives, assis à l'intérieur du corps creux de l'un des chevaux de la sculpture. Jusqu'en 1992, l'intérieur de l'arc, parfois également appelé Constitution Arch, fut utilisé comme commissariat de police.

Wellington Arch

Apsley House ㉔

149 Piccadilly W1. **Plan** 12 D4. *0171-499 5676.* *Hyde Park Corner.* ***Fermé*** *pour travaux de restauration.* ***Ouvert normalement*** *: 11 h-17 h mar.-dim.(der. entrée 16 h 30).* ***Accès payant.*** *un jeu. sur deux l'après-midi.*

Apsley House, située au coin S.-E. de Hyde Park, fut conçue en 1778 par Robert Adam pour le baron Apsley. Cinquante ans plus tard, elle fut agrandie et modifiée par les architectes Benjamin et Philip Wyatt pour le duc de Wellington, vainqueur de Napoléon, en 1815, à Waterloo. Plus tard, Wellington devint Premier ministre. Elle présente désormais nombre de trophées et d'objets d'art rassemblés par le célèbre homme de guerre. On remarquera l'immense statue de Napoléon, sculptée dans un marbre de Carrare par Canova, et représentant l'Empereur dans le plus simple appareil. Elle fut exposée quelque temps au musée du Louvre. La plupart des peintures représentent des contemporains ou des victoires de Wellington, mais certaines sont dues à des maîtres plus anciens. Les rares intérieurs, conçus par Adam, à avoir subsisté sont remarquables.

Intérieur, à Apsley House

Shepherd Market ㉕

W1. **Plan** 12 E4. *Green Park.*

Situé entre Piccadilly et Curzon Street, ce village miniature aux rues piétonnes, groupant des antiquaires, des marchands de souvenirs, des restaurants et des pubs, fut conçu par Edward Shepherd en 1735. Au XVIIe siècle, la foire de Mai (qui donna son nom au quartier de Mayfair) avait lieu sur cet emplacement et aujourd'hui, Shepherd Market est encore le centre nerveux du quartier.

Green Park ㉖

SW1. **Plan** 12 E4. *0171-930 1793.* *Green Park, Hyde Park Corner.* ***Ouvert*** *5 h-minuit t.l.j.*

Jadis utilisé par le roi Henri VIII pour ses parties de chasse, il fut, comme St James's Park, ouvert au public par Charles II dans les années 1660. Ses plantations, à l'aspect naturel, et ses superbes fleurs le rendent fort agréable au printemps. Au XVIIIe siècle, des duels s'y déroulaient fréquemment. En 1771, le poète Alfieri y fut blessé par l'époux de sa maîtresse, le vicomte Ligonier. Cela ne l'empêcha pas de se rendre aussitôt après au Haymarket Theatre pour assister au dernier acte d'une pièce. Aujourd'hui, le parc est très apprécié des clients des hôtels de Mayfair.

Le musée Faraday ㉗

The Royal Institution, 21 Albemarle St W1. **Plan** 12 F3. *0171-409 2992.* *Green Park.* ***Ouvert*** *10 h-18 h lun.-ven.* ***Accès payant.***

Michael Faraday fut, au XIXe siècle, un véritable promoteur dans le domaine de l'industrie électrique. Son laboratoire de recherches des années 1850 a été reconstitué dans les sous-sols de la Royal Institution. Un petit musée présente des appareils et quelques-unes des expériences menées par le savant.

Michael Faraday

SOHO ET TRAFALGAR SQUARE

Depuis sa création à la fin du XVIIe siècle, Soho est réputé pour les plaisirs de la table, de l'esprit ou de la chair. Durant le premier siècle de son existence, le quartier a été l'un des plus en vogue de la capitale et ses habitants y ont organisé des réceptions mémorables.

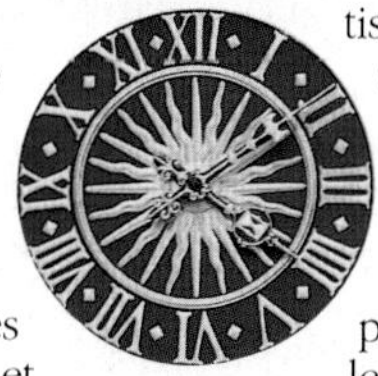

Horloge du magasin Liberty

Aujourd'hui, malgré la législation qui pèse sur les prostituées depuis 1959, Soho demeure le quartier chaud le plus connu de Londres. De nombreux artistes, peintres ou écrivains fréquentent ses pubs, ses clubs et ses cafés.

Soho est un des coins de Londres parmi les plus cosmopolites. Au XVIIIe siècle, les premiers immigrants à s'y installer furent des Huguenots (*voir Christ Church, Spitalfields p. 170*). Ils furent suivis par des personnes venues de tous les autres pays d'Europe. Aujourd'hui, Soho est le *Chinatown* (quartier chinois) de la capitale.

LE QUARTIER D'UN COUP D'ŒIL

Rues et édifices historiques
- Trafalgar Square 1
- Admiralty Arch 2
- Leicester Square 6
- Shaftesbury Avenue 8
- Chinatown 9
- Charing Cross Road 10
- Soho Square 12
- Carnaby Street 14

Magasins et marchés
- Berwick Street Market 13
- Liberty 15

Église
- St Martin-in-the-Fields 4

Musées et galeries
- *National Gallery pp. 104-7* 3
- National Portrait Gallery 5
- Design Council 7

Théâtre
- Palace Theatre 11

COMMENT Y ALLER ?

Le quartier est desservi par les lignes de métro suivantes : Central, Piccadilly, Bakerloo, Victoria, Northern et Jubilee. De nombreux bus traversent Trafalgar Square. Charing Cross est la gare du British Rail.

LÉGENDE
- Plan du quartier pas à pas
- Station de métro
- Gare (British Rail)
- Parc de stationnement

0 500 mètres

0 500 yards

VOIR AUSSI

- ***Atlas des rues,*** plans 11, 12, 13
- ***Hébergement*** pp. 276-7
- ***Restaurants*** pp. 292-4

Les fontaines de Trafalgar Square

Trafalgar Square pas à pas

C'est le quartier de Londres le plus animé grâce à ses théâtres, cinémas, boîtes de nuit et restaurants. On y trouve également de grands immeubles officiels et, à proximité, des rues très commerçantes.

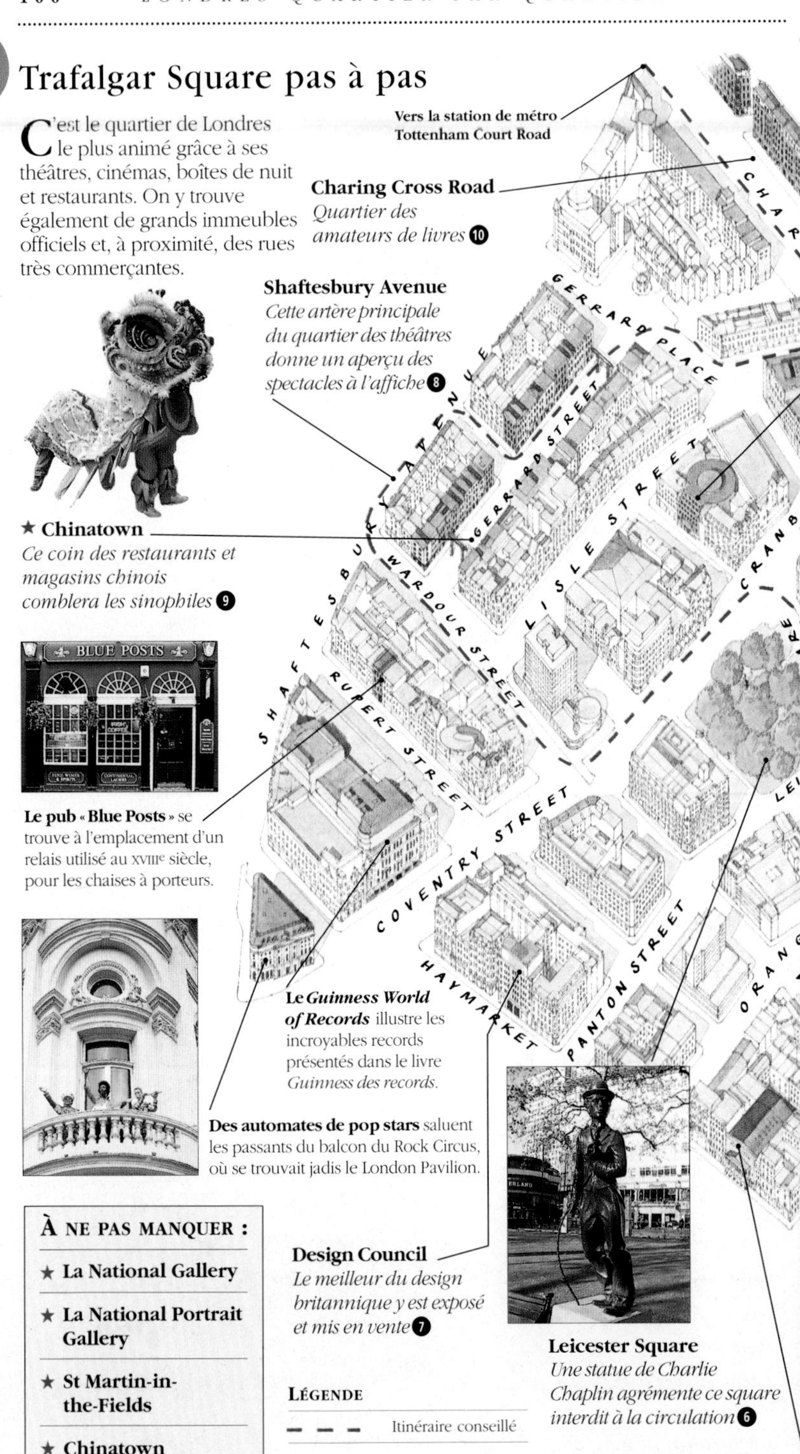

Vers la station de métro Tottenham Court Road

Charing Cross Road
Quartier des amateurs de livres ❿

Shaftesbury Avenue
Cette artère principale du quartier des théâtres donne un aperçu des spectacles à l'affiche ❽

★ Chinatown
Ce coin des restaurants et magasins chinois comblera les sinophiles ❾

Le pub « Blue Posts » se trouve à l'emplacement d'un relais utilisé au XVIIIe siècle, pour les chaises à porteurs.

Le *Guinness World of Records* illustre les incroyables records présentés dans le livre *Guinness des records*.

Des automates de pop stars saluent les passants du balcon du Rock Circus, où se trouvait jadis le London Pavilion.

Design Council
Le meilleur du design britannique y est exposé et mis en vente ❼

Leicester Square
Une statue de Charlie Chaplin agrémente ce square interdit à la circulation ❻

Le Théâtre Royal, à l'emplacement d'un théâtre plus ancien, est orné d'u superbe portique conçu par John Nas

À NE PAS MANQUER :

- ★ La National Gallery
- ★ La National Portrait Gallery
- ★ St Martin-in-the-Fields
- ★ Chinatown
- ★ Trafalgar Square

LÉGENDE

— — — Itinéraire conseillé

0 100 mètres

0 100 yards

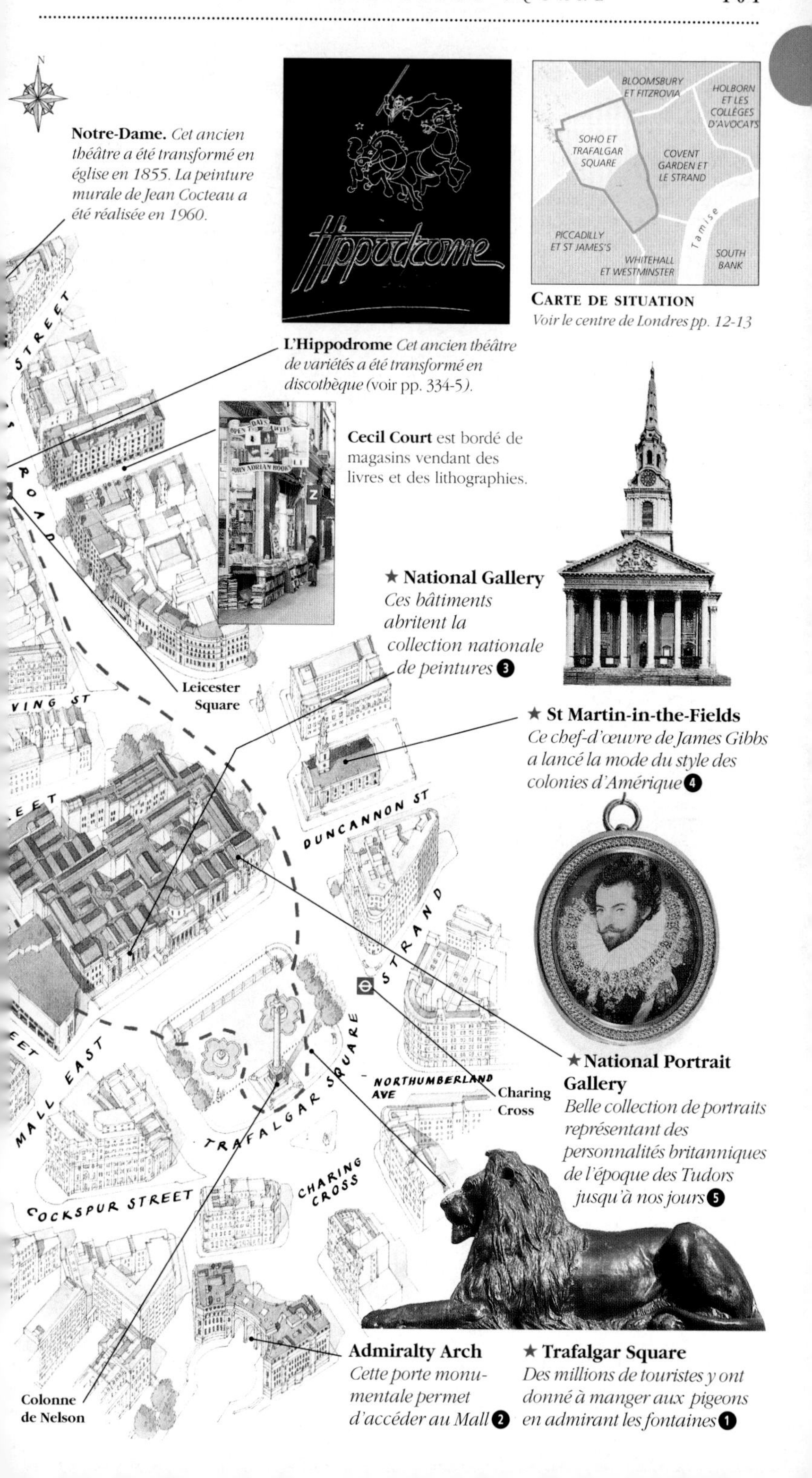

Notre-Dame. *Cet ancien théâtre a été transformé en église en 1855. La peinture murale de Jean Cocteau a été réalisée en 1960.*

Carte de situation
Voir le centre de Londres pp. 12-13

L'Hippodrome *Cet ancien théâtre de variétés a été transformé en discothèque* (voir pp. 334-5).

Cecil Court est bordé de magasins vendant des livres et des lithographies.

★ National Gallery
Ces bâtiments abritent la collection nationale de peintures ❸

★ St Martin-in-the-Fields
Ce chef-d'œuvre de James Gibbs a lancé la mode du style des colonies d'Amérique ❹

★ National Portrait Gallery
Belle collection de portraits représentant des personnalités britanniques de l'époque des Tudors jusqu'à nos jours ❺

Admiralty Arch
Cette porte monumentale permet d'accéder au Mall ❷

★ Trafalgar Square
Des millions de touristes y ont donné à manger aux pigeons en admirant les fontaines ❶

Trafalgar Square ❶

WC2. **Plan** 13 B3. *Charing Cross.*

La place a été dessinée par John Nash et aménagée dans les années 1830. La colonne, de 50 m de haut, rend hommage à Nelson, amiral plusieurs fois victorieux qui trouva la mort à bord du *Victory*, en 1805, le jour de la bataille de Trafalgar. La colonne a été dressée en 1842. On raconte que 14 tailleurs de pierre prirent un dîner à son sommet avant l'installation de la statue. Les quatre lions de Edwin Landseer ont été ajoutés au pied de la colonne 25 ans plus tard. Le côté N. de la place est désormais occupé par la National Gallery et son annexe (*voir pp. 104-7*). Le musée est flanqué à l'O. de la Canada House et à l'E. de la South Africa House. Les immeubles et l'arcade situés du côté S. de la place ont été construits en 1880 pour abriter le Grand Hôtel. Aujourd'hui, le square couvert d'une nuée de pigeons draine régulièrement des militants de tous bords et rassemble les foules le soir de la Saint-Sylvestre.

Statue de Nelson dominant Trafalgar Square

Admiralty Arch ❷

The Mall SW1. **Plan** 13 B3. *Charing Cross.*

Conçu en 1911, cet arc de triomphe faisait partie du projet d'Aston Webb visant à donner au Mall l'allure d'une allée d'honneur conduisant au palais de Buckingham. Bien que la circulation soit autorisée sous l'arc, celui-ci constitue le point de départ de la promenade et sépare efficacement les quartiers royaux de la capitale du tumulte de Trafalgar Square. Le portail central de l'arc n'est ouvert que pour les processions royales et sert ainsi de décor grandiose aux carrosses et chevaux des cortèges.

Le tournage du film *Howard's End*, à proximité de l'Admiralty Arch

La National Gallery ❸

Voir pp. 104-7

St Martin-in-the-Fields ❹

Trafalgar Sq WC2. **Plan** 13 B3. *0171-930 1862. Charing Cross.* ***Visite*** *: t.l.j. de 9 h à 18 h. le dim. à 11 h 30.* ***London Brass Rubbing Centre*** *(voir p. 78). 0171-437 9306.* ***Visite*** *: du lun. au sam. de 10 h à 18 h et le dim. de 12 h à 18 h.* ***Concerts*** *voir* ***Spectacles*** *pp. 330-1.*

Il y a une église sur cet emplacement depuis le XIIIe siècle. Plusieurs personnalités y ont été inhumées parmi lesquelles la maîtresse de Charles II, Nell Gwynn, ainsi que les peintres William Hogarth et Joshua Reynolds. L'église actuelle a été conçue par James Gibbs et achevée en 1726. Le style de l'édifice a eu une influence déterminante sur l'architecture anglaise. À l'intérieur, on remarquera la loge aménagée dans la galerie pour la famille royale.

De 1914 à 1917, des soldats et des sans-abri ont pu se réfugier dans la crypte. Celle-ci fut également utilisée lors des bombardements de la dernière guerre. Aujourd'hui, des repas y sont encore servis aux plus démunis. L'église comprend également un restaurant, une librairie vendant des ouvrages religieux et la boutique du Brass Rubbing Centre (*voir p. 340*). Il y a un marché intéressant dans la cour située à proximité (*voir p. 323*) et des concerts sont souvent donnés dans l'église à l'heure du déjeuner ou en soirée.

National Portrait Gallery ❺

2 St Martin's Place WC2. **Plan** 13 B3. *0171-306 0055. Leicester Sq, Charing Cross.* ***Visite*** *: du lun. au sam. de 12 h à 18 h et le dim. de 14 h à 18 h.* ***Fermée*** *: ven. saint, May Day, 25 déc., 1er janv limité. Au mois d'août.* ***Conférences.***

Trop souvent négligé en raison de la proximité de la National Gallery, ce fascinant musée retrace pourtant toute l'histoire de l'Angleterre. On y verra des tableaux de la fin du XIVe siècle à nos jours, représentant des rois, des reines, des poètes, des musiciens, des peintres, des penseurs, des héros et des crapules. Les œuvres les plus

Portrait de Margaret Thatcher par Rodrigo Moynihan (1984)

anciennes, au quatrième étage, comprennent un dessin de Hans Holbein représentant le roi Henri VIII et des peintures de quelques-unes de ses malheureuses femmes. De l'époque élisabéthaine, à l'étage supérieur, on remarquera le portrait de Shakespeare, le seul, probablement, pour lequel le dramaturge ait jamais posé. Les étages inférieurs présentent chronologiquement des portraits par Van Dyck, Reynolds, Gainsborough et Sargent.

Le XXe siècle est évoqué au premier étage. Les photographies y sont aussi nombreuses que les peintures. Les chanteurs Elton John et Mick Jagger et les grandes couturières Mary Quant et Katherine Hammet côtoient la famille royale et des hommes politiques.

Le musée accueille également des expositions temporaires et possède une boutique qui vend des livres d'art ou d'histoire, des cartes postales, des lithos et des affiches reproduisant des œuvres de la collection.

Leicester Square ❻

WC2. **Plan** 13 B2. *Leicester Sq, Piccadilly Circus.*

Il est aujourd'hui très difficile d'imaginer que cette place du West End était jadis convoitée par la haute société. Tracé en 1670 au S. de Leicester House, résidence officielle qui a disparu depuis, le square a eu le privilège d'avoir comme riverains le savant Isaac Newton, et, plus tard, les peintres Joshua Reynolds et William Hogarth. (La maison de Hogarth, au coin S.-E. du square, devint, en 1801, l'Hôtel de la Sablonnière, le premier restaurant du quartier.)

À l'époque de la reine Victoria, plusieurs music-halls y ont ouvert leurs portes : l'Empire (dont le cinéma aujourd'hui situé au même emplacement a conservé le nom) et l'Alhambra, remplacé en 1937 par l'Odeon, de style Art déco. Le centre du square a récemment été réaménagé et s'y trouve un kiosque où l'on peut se procurer des places de théâtre à des tarifs intéressants (*voir pp. 336-7*). On remarquera également la statue de Charlie Chaplin (de John Doubleday), installée en 1981. La fontaine de Shakespeare a été réalisée à l'occasion d'un réaménagement antérieur, en 1874.

Design Council ❼

1 Oxendon St SW1. **Plan** 13 A3. *0171-208 2121. Leicester Sq, Piccadilly Circus.* ***Visite*** *: du lun. au sam. de 10 h à 16 h.* ***Fermé*** *les jours fériés.*

Le Council for Industrial Design était le seul établissement à présenter des objets du design britannique jusqu'à l'ouverture, récente, du Design Museum, à Bermondsey (*voir p. 179*). La présentation est régulièrement renouvelée, et chaque année, des prix sont décernés aux meilleurs designers. Les lauréats exposent dans la Awards Gallery. La librairie est largement documentée sur le design.

Shaftesbury Avenue ❽

W1. **Plan** 13 A2. *Piccadilly Circus, Leicester Sq.*

Artère principale du quartier des spectacles, Shaftesbury Avenue possède six théâtres et deux cinémas tous situés de son côté Nord. Tracée entre 1877 et 1886 dans un quartier alors assez crasseux, sur l'emplacement d'une ancienne route, elle avait pour objet d'améliorer la circulation, alors le West End. Elle porte le nom du comte de Shaftesbury (1801-85), philanthrope victorien qui contribua à améliorer les conditions de vie des pauvres du quartier (la statue d'Eros, à Piccadilly Circus, lui rend également hommage, *voir p. 90*). Le Lyric Theatre, conçu par C. J. Phipps, a ouvert ses portes peu de temps après le percement de l'avenue.

Le quartier du West End : le Globe, sur Shaftesbury Avenue

La National Gallery ❸

Façade sur Trafalgar Square

Depuis sa création au début du XIXe siècle, la collection de la National Gallery n'a cessé de croître. En 1824, George IV parvint à persuader le gouvernement de se porter acquéreur de 38 peintures – parmi lesquelles figuraient des œuvres de Raphaël et de Rembrandt –, pour créer un musée national. Au fil des ans, grâce à plusieurs legs et à différentes contributions, la collection s'enrichit. Le bâtiment principal fut construit dans un style néo-classique par Williams Wilkins entre 1834 et 1838.
Assez controversée, la construction de la nouvelle aile du musée, la Sainsbury Wing, a été financée par les propriétaires de la chaîne de supermarchés britanniques et achevée en 1991. Elle abrite la peinture des primitifs du début de la Renaissance.

SUIVEZ LE GUIDE !

La majeure partie des collections est présentée sur un seul niveau. Les tableaux sont accrochés par ordre chronologique. Les plus anciens (1260-1510) sont regroupés dans la Sainsbury Wing. Les ailes N., O. et E. sont consacrées à la période qui va du XVIe au début du XXe siècle. Les œuvres moins importantes sont présentées au niveau inférieur.

Accès au niveau inférieur

Entrée d'Orange St

Accès au niveau inférieur

Accès au bâtiment principal

Accès au niveau inférieur

★ **Carton de Léonard de Vinci** (vers 1510)
Le génie de Léonard de Vinci transparaît dans ce carton intitulé La Vierge, l'Enfant, sainte Anne et saint Jean-Baptiste.

LÉGENDE

- Peintures 1260–1510
- Peintures 1510–1600
- Peintures 1600–1700
- Peintures 1700–1920
- Circulations et services
- Expositions temporaires

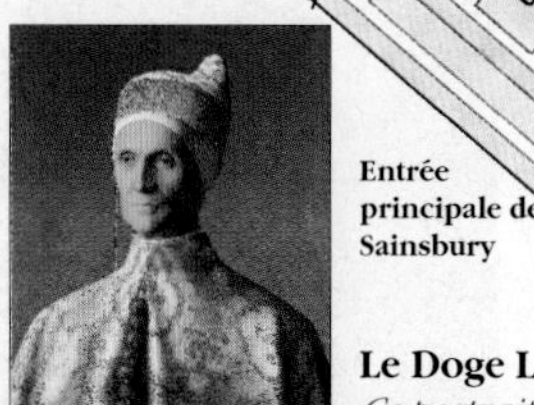

Entrée principale de l'aile Sainsbury

Le Doge Leonardo Loredan (1501)
Ce portrait du notable vénitien a été conçu par Giovanni Bellini comme un buste sculpt

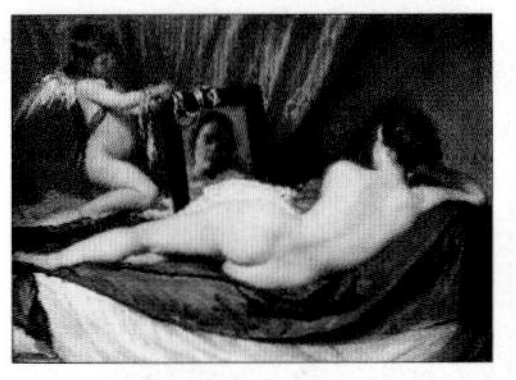

★ La Vénus au miroir (1649)
Egalement appelée Vénus de Rokeby, *cette toile est le seul nu féminin de Vélasquez.*

★ La Charrette de foin (1821)
John Constable a merveilleusement retranscrit les effets d'ombre et de lumière de cette journée d'été, dans le Suffolk.

MODE D'EMPLOI

Trafalgar Sq WC2. **Plan** 13 B3. *0171-839 3321.* *0171-389 1785.* *Charing Cross, Leicester Sq, Piccadilly Circus.* *3, 6, 9, 11, 12, 13, 15, 23, 24, 29, 30, 53, 77a, 88, 94, 109, 159, 176.* *Charing Cross.* ***Ouvert*** *10 h-18 h lun.-sam., 14 h-18 h dim.* ***Fermé*** *24-26 déc., 1er jan., ven. saint.* *Entrée Orange St et de l'aile Sainsbury.* ***Conférences, films vidéos, expositions temporaires, manifestations, guide de la National Gallery sur CD-Rom.***

Une baignade à Asnières (1884)
Exemple précoce du divisionnisme dans lequel Georges Seurat décompose la lumière en milliers de petites touches de couleurs.

Accès au niveau inférieur

★Les Ambassadeurs
La forme bizarre du premier plan de ce tableau de Holbein est une anamorphose de crâne, rappelant la vanité de ce monde.

Entrée sur Trafalgar Square

★Le Baptême du Christ
Piero della Francesca a exécuté ce chef-d'œuvre (vers 1442), d'une grande fraîcheur de coloris, pour une église de sa région natale, l'Ombrie.

Les Fiançailles des Arnolfini
Sur ce tableau de Van Eyck (1434), la jeune femme n'est pas enceinte : son physique correspond aux canons de la beauté de l'époque.

À NE PAS MANQUER :

- ★***Le Baptême du Christ*** **par Piero della Francesca**
- ★**Le Carton de Léonard de Vinci**
- ★***La Vénus au miroir*** **par Diego Vélasquez**
- ★***Les Ambassadeurs*** **par Hans Holbein**
- ★***La Charrette de foin*** **par John Constable**

A la découverte de la National Gallery

Avec ses 2 200 tableaux, dont la plupart sont exposés en permanence, la National Gallery possède l'une des collections les plus riches de la capitale. Consacrée à la peinture, de Giotto à Picasso, elle recèle notamment des chefs-d'œuvre de l'école hollandaise, des précurseurs de la Renaissance italienne et des maîtres espagnols du XVIIe siècle.

***Adoration des mages* (1564), de Brueghel**

Précurseurs de la Renaissance (1260-1510) : écoles italienne et flamande

Les célèbres panneaux du retable *La Maestà*, de Duccio sont les tableaux les plus anciens de la collection.

Le *Diptyque Wilton*, qui représente Richard II, est attribué à un artiste anglais. Il a l'élégance lyrique du style gothique international.

Les maîtres italiens de cette période sont Pisanello et Gentile da Fabriano, dont la *Madone* (1426) est souvent accrochée à côté de celle de Masaccio. De l'école florentine, on admirera les œuvres de Lippi, Botticelli et Uccello, ainsi que *La Nativité* et *Le Baptême du Christ*, de Piero della Francesca. Font également partie de cet ensemble, de superbes toiles de Mantegna et de Bellini, ainsi que d'autres œuvres, des écoles vénitienne et ferraraise. *Saint Jérôme dans sa cellule*, attribuée à Van Eyck, est en fait une peinture d'Antonello de Messine. À la vue des *Fiançailles des Arnolfini*, de Van Eyck, on comprend immédiatement pourquoi cette confusion a pu être faite. Des œuvres importantes de l'école flamande, notamment celles de Van der Weyden et de ses disciples, sont également présentées dans l'aile Sainsbury.

Renaissance (1510-1600) : peintures italiennes, flamandes et allemandes

***Le Christ aux outrages* (1490-1500), de Jérôme Bosch**

La *Résurrection de Lazare*, de Sebastiano del Piombo, dont Michel-Ange dessina certains des personnages, a été exécutée en réponse à la *Transfiguration*, de Raphaël, exposée à la pinacothèque du Vatican. Les écoles italiennes du XVIe siècle sont admirablement représentées. On remarquera *Le Mariage mystique de sainte Catherine*, de Parmesan, *Vierge à l'enfant avec sainte Anne et saint Jean-Baptiste*, de Léonard de Vinci (étude sur papier à la pierre noire rehaussée de blanc), et sa seconde version de la *Vierge aux rochers*. Figurent aussi des œuvres tendres et amusantes de Piero di Cosimo et plusieurs Titien, dont *Bacchus et Ariane*, qui, une fois restauré, en 1840, surprit les visiteurs par la vivacité de ses couleurs.

Les écoles flamande et allemande sont moins riches. Elles comprennent toutefois *Les Ambassadeurs*, le double portrait exécuté par Hans Holbein et le merveilleux *Christ quittant sa mère*, d'Albrecht Altdorfer, acquis par le musée en 1980. On admirera enfin le *Christ aux outrages*, de Jérôme Bosch, et l'excellent Brueghel, *Adoration des mages*.

***L'Annonciation* (1448), de Filippo Lippi**

L'aile Sainsbury

La construction de cette aile, achevée en 1991, a fait couler beaucoup d'encre. Le prince Charles a qualifié l'un des premiers projets de « bouton monstrueux sur le visage d'un ami cher ». D'autres ont accusé Venturi Scott Brown Associates, les architectes du bâtiment, d'avoir consenti à un compromis.
À l'intérieur, la Micro Gallery, qui est une base de données, permet aux visiteurs de se procurer des plans du musée et des renseignements illustrés.

Écoles hollandaise, italienne, française et espagnole du XVIIe s.

Deux salles de peinture hollandaise sont consacrées à Rembrandt. Vermeer, Van Dyck (avec son portrait équestre du roi Charles Ier) et Rubens (avec le *Chapeau de paille*) sont également représentés.

De l'école italienne, on pourra voir les œuvres de Carrache, du Caravage et l'autoportrait de Salvatore Rosa.

Les toiles françaises présentées comprennent un beau portrait du cardinal de Richelieu par Philippe de Champaigne. *L'Embarquement de la reine de Saba*, du Lorrain, est accroché, comme Turner l'avait demandé, à côté de son imitation : *Didon dirige la construction de Carthage*.

Les œuvres espagnoles les plus connues sont celles de Murillo, de Vélasquez et de Zurbarán.

La Jeune Femme à l'épinette **(1670), de Vermeer**

La Gamme d'amour **(1715-18), de Watteau**

Écoles vénitienne, française et anglaise du XVIIIe s.

La *Cour du tailleur de pierre*, de Canaletto, est une des œuvres du XVIIIe siècle parmi les plus célèbres du musée.

La collection de peintures françaises comprend les maîtres du style rocaille, Chardin, Watteau et Boucher, ainsi que des paysagistes et des portraitistes.

Les premières œuvres de Gainsborough, *M. et Mme Andrews* et La *Promenade matinale*, ont de nombreux admirateurs. Son rival, Joshua Reynolds, est représenté par quelques-unes de ses toiles classiques et par des portraits

Écoles anglaise, française et allemande du XIXe s.

Les paysages sont les plus nombreux. Parmi ceux-ci, on verra les œuvres de Constable et de Turner, ainsi que celles de Corot et de Daubigny. De l'époque romantique, figurent *Cheval effrayé par l'éclair*, de Géricault, et plusieurs toiles de Delacroix. Par comparaison, le portrait de *Madame Moitessier assise*, d'Ingres, semble d'inspiration beaucoup plus classique. Les impressionnistes et autres avant-gardistes français sont bien représentés. *Les Nymphéas*, de Monet, *Les Parapluies*, de Renoir, les *Tournesols*, de Van Gogh, *Une baignade à Asnières*, de Seurat et *Femmes assises dans un jardin*, de Toulouse-Lautrec sont les œuvres les plus connues. *Hermione Gallia*, de Klimt, est l'une des rares peintures autrichiennes présentées. La plupart des œuvres anglaises de cette période sont conservées à la Tate Gallery (*voir pp. 82-5*).

Les Parapluies **(1881-6), de Renoir**

Chinatown ❾

Rues à proximité de Gerrard St W1. **Plan** 13 A2. ⊖ *Leicester Sq, Piccadilly Circus.*

Une communauté chinoise est installée à Londres depuis le XIXe siècle. Dans un premier temps, elle s'est réunie à Limehouse, à proximité des docks de l'East End, où se sont créées les fumeries d'opium à l'ère victorienne. Le nombre d'immigrants augmentant considérablement dans les années 50, plusieurs investirent Soho où se trouve aujourd'hui, un véritable quartier chinois. Elle recèle quantité de restaurants et de magasins dans lesquels se répandent les parfums des épices exotiques. Trois arcs enjambent Gerrard Street où des processions colorées célèbrent le nouvel an chinois (*voir p. 59*).

Charing Cross Road ❿

WC2. **Plan** 13 B2. ⊖ *Leicester Sq. Voir* ***Magasins et marchés*** *p. 316*

Livres anciens d'une librairie de Charing Cross Road

Avec ses boutiques qui, au S. de Cambridge Circus, vendent des livres d'occasion et celles, plus au N., qui vendent des livres neufs, Charing Cross Road est le paradis des amateurs de littérature. Parmi les grandes librairies, citons Foyle's ainsi que Waterstones, peut-être la plus agréable. Collet's est spécialisée dans la littérature et les ouvrages politiques provenant de tous les pays d'Europe. Au niveau de New Oxford Street, s'élève le gratte-ciel des années 60 : Centre Point. Ses propriétaires refusant de le louer, il demeura vide pendant les dix années qui suivirent sa construction !

Au Palace Theatre, en 1898

Le Palace Theatre ⓫

Shaftesbury Ave W1. **Plan** 13 B2. ☎ ***Locations*** *: 0171-434 0909.* ⊖ *Leicester Sq.* ***Visite*** *: lors des représentations uniquement. Voir* ***Spectacles*** *pp. 326-7*

D'un point de vue architectural, la plupart des théâtres du West End ne sont guère intéressants. Celui-ci, en revanche, situé du côté O. de Cambridge Circus, vaut le détour, notamment pour sa façade revêtue de céramique et son intérieur luxueux. La salle d'opéra, achevée en 1891, devint salle de concert dès 1892. La ballerine Anna Pavlova y fit ses débuts londoniens en 1910. Andrew Lloyd Webber, dont les comédies musicales sont présentées partout dans le West End, en est désormais le propriétaire.

Soho Square ⓬

W1. **Plan** 13 A1. ⊖ *Tottenham Court Rd.*

Peu de temps après sa naissance, en 1681, cette place fit l'objet de toutes les convoitises. Dans un premier temps, elle fut appelé King Square, en raison de la statue de Charles II qui y fut érigée, mais à la fin du XVIIIe siècle, elle cessa d'être réputée. Elle est désormais entourée d'immeubles de bureaux sans grand intérêt. L'abri de jardin, dans un style néotudor, fut ajouté à l'époque victorienne.

Berwick Street Market ⓭

W1. **Plan** 13 A1. ⊖ *Piccadilly Circus.* ***Visite*** *: du lun. au sam. de 9 h à 18 h. Voir* ***Magasins et marchés*** *p. 322.*

Un marché s'installa sur cet emplacement dès les années 1840. En 1890, Jack Smith, marchand de Berwick Street, fit connaître les pamplemousses aux Londoniens. Aujourd'hui, Berwick Street Market est le meilleur marché en plein air du West End. On y trouve les produits les plus frais et les moins chers de cette partie de la ville ainsi que quelques magasins intéressants, comme Camisa, un traîteur italien, ou Borovick, qui vend de magnifiques tissus. À l'extrémité S., la rue se transforme en impasse où le Raymond Revue Bar (l'établissement le plus fréquentable de ce quartier chaud) présente son festival érotique depuis 1958.

Le marché de Berwick Street est un des moins chers de Londres

Carnaby Street ⓮

W1. **Plan** 12 F2. ⊖ *Oxford Circus.*

Pendant les années 60, cette rue était tellement associée à l'effervescence du mouvement Pop, que le dictionnaire Oxford de la langue anglaise admet « Carnaby Street » comme synonyme de « vêtements à la mode pour les jeunes gens ». Aujourd'hui, elle attire davantage les touristes que les branchés authentiques. On y trouve Inderwick's, le plus ancien fabricant de pipes d'Angleterre, nº 45 et de jeunes couturiers ont ouvert des magasins dans les rues avoisinantes, sur Newburgh Street notamment (*voir pp. 314-5*).

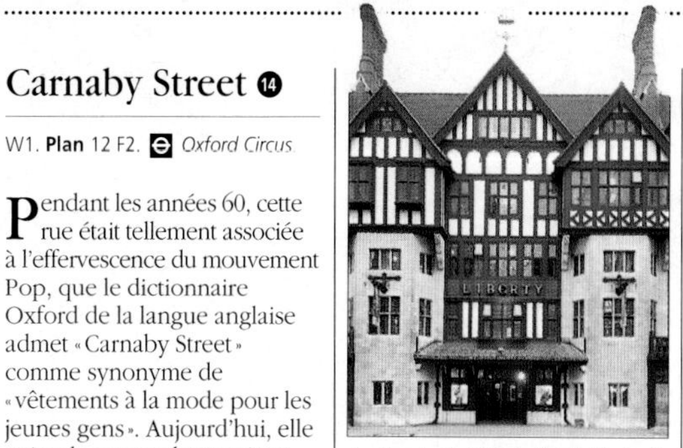

La façade de Liberty (style Tudor)

Liberty ⓯

Regent St W1. **Plan** 12 F2. ⊖ *Oxford Circus. Voir **Magasins et marchés** p. 315.*

En 1875, Arthur Lasenby Liberty ouvrit son premier commerce et vendait des soieries orientales. Les peintres Ruskin, Rossetti et Whistler furent quelques-uns de ses premiers clients. Les tissus imprimés, dessinés notamment par William Morris, eurent une influence considérable sur le mouvement Arts and Crafts de la fin du XIXe siècle et du début du XXe siècle. Ils sont encore très appréciés.

Bâti dans un style néotudor étonnant, ce grand magasin date de 1925. Aujourd'hui encore certains liens le rattachent à l'Orient : le bazar oriental du sous-sol et le dernier étage, empli d'objets Art nouveau et de meubles représentatifs du mouvement Arts and Crafts, valent le détour.

Au cœur de Soho

Old Compton Street est l'artère principale du quartier. Ses magasins et ses restaurants témoignent de la grande diversité des gens qui ont vécu dans cette partie de la ville depuis des siècles. Nombre de ses habitants sont artistes, musiciens ou écrivains.

Le Bar Italia est une cafétéria située sous la pièce où, en 1926, John Logie Baird présenta la première télévision. Mozart a vécu à proximité, entre 1764 et 1765.

The Coach and Horses. *Ce pub, rendez-vous de la bohème du quartier depuis les années 50, est très populaire.*

Ronnie Scott's ouvrit ses portes en 1959. Depuis, tous les grands noms du jazz sont venus s'y produire (*voir pp. 333-5*).

Wheeler's ouvrit ses portes en 1929. Il s'agit d'une chaîne de restaurants de poisson (*voir p. 301*).

Pâtisserie Valérie *Les propriétaires hongrois de ce café servent de délicieuses pâtisseries (*voir pp. 306-7*).*

Clocher de l'église Ste-Anne *Seul vestige du monument, détruit lors des bombardements de la dernière guerre.*

The French House était fréquentée par Maurice Chevalier et le général de Gaulle.

The Palace Theatre a présenté de nombreuses comédies musicales à succès.

FEED
LITTER

COVENT GARDEN ET LE STRAND

Les terrasses de café, les amuseurs de rues, les magasins chic et les marchés de ce quartier attirent de nombreux visiteurs. La Piazza, a d'abord abrité un marché de gros jusqu'en 1974. Depuis, ses édifices victoriens et ceux des rues avoisinantes ont été transformés et le quartier est aujourd'hui l'un des plus animés de la capitale. Au Moyen Age, un jardin conventuel (*convent garden*) approvisionnait l'abbaye de Westminster. Dans les années 1630, Inigo Jones, dessina la place dont le côté Ouest est occupé par l'église St-Paul. Il répondait à une commande du duc de Bedford, propriétaire de l'une des demeures du Strand au bord de la Tamise.

Fleurs séchées de la Piazza

LE QUARTIER D'UN SEUL COUP D'ŒIL

Rues et édifices historiques

La Piazza et le marché central 1
Neal Street et Neal's Yard 7
L'hôtel Savoy 13
Somerset House 15
Les bains romains 18
Bush House 19
Adelphi 22
Charing Cross 23

Musées et galeries

London Transport Museum 3
Theatre Museum 4
Photographers' Gallery 11
Courtauld Institute Galeries 16

Églises

St Paul's Church 2
Savoy Chapel 14
St Mary-le-Strand 17

Monuments et statues

Seven Dials 9
Cleopatra's Needle 20

Théâtres célèbres

Théâtre Royal 5
Royal Opera House 6
Adelphi Theatre 12
The London Coliseum 24

Parcs et jardins

Victoria Embankment Gardens 21

Pubs historiques et galeries marchandes

Lamb and Flag 10
Thomas Neal's 8

0 500 m
0 500 yards

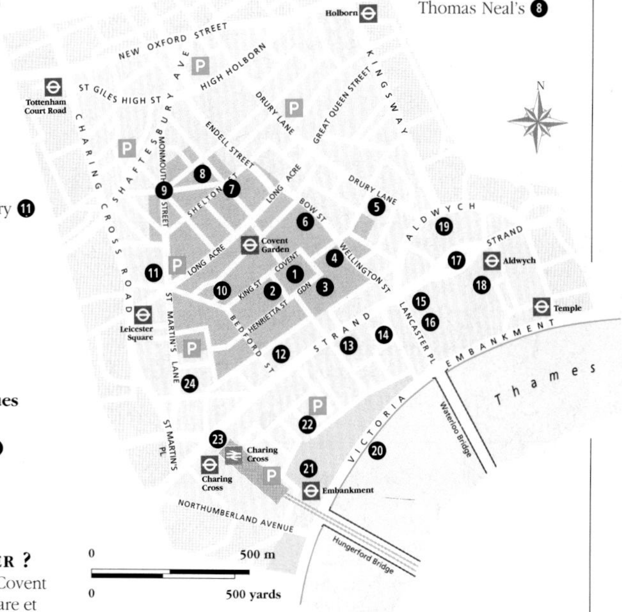

COMMENT Y ALLER ?

Les stations de métro Covent Garden, Leicester Square et Charing Cross sont à proximité. Plusieurs bus (nº 9, 11, 15 et 30) conduisent au Strand ou à Shaftesbury Avenue (nº 14, 19, 22b, 24, 29, 38 et 76). Charing Cross, la gare du British Rail, est à deux pas.

LÉGENDE

- Plan du quartier pas à pas
- Station de métro
- Gare (British Rail)
- Parc de stationnement

VOIR AUSSI

- ***Atlas des rues***, plans 13, 14
- ***Hébergement*** pp. 276-7
- ***Restaurants*** pp. 292-4

La vieille halle aux légumes a été transformée en galerie couverte avec des boutiques et des bistrots sympathiques

Covent Garden pas à pas

Quartier aux rues autrefois vétustes et bordées d'entrepôts délabrés, Covent Garden ne prenait vie qu'aux petites heures de la nuit, lorsque les marchands de fruits et légumes commençaient à déballer leur marchandise. Il est aujourd'hui totalement rénové : touristes et riverains, noctambules et amuseurs de rue fréquentent cette place animée.

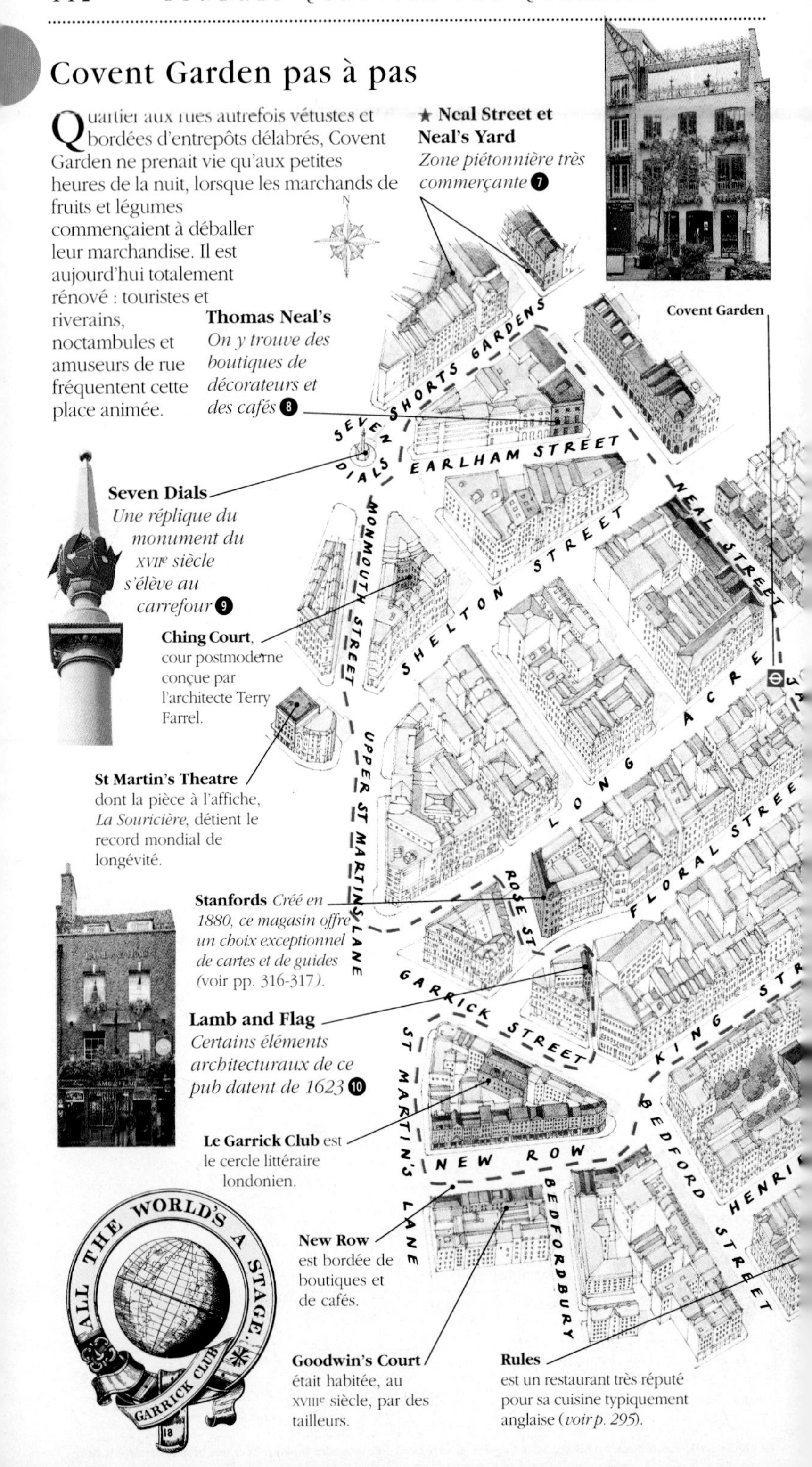

★ Neal Street et Neal's Yard
Zone piétonnière très commerçante ❼

Thomas Neal's
On y trouve des boutiques de décorateurs et des cafés ❽

Seven Dials
Une réplique du monument du XVIIe siècle s'élève au carrefour ❾

Ching Court, cour postmoderne conçue par l'architecte Terry Farrel.

St Martin's Theatre dont la pièce à l'affiche, *La Souricière*, détient le record mondial de longévité.

Stanfords *Créé en 1880, ce magasin offre un choix exceptionnel de cartes et de guides* (voir pp. 316-317).

Lamb and Flag
Certains éléments architecturaux de ce pub datent de 1623 ❿

Le Garrick Club est le cercle littéraire londonien.

New Row est bordée de boutiques et de cafés.

Goodwin's Court était habitée, au XVIIIe siècle, par des tailleurs.

Rules est un restaurant très réputé pour sa cuisine typiquement anglaise (*voir p. 295*).

★ La place et l'ancien marché
Des artistes en tout genre – jongleurs, acrobates et musiciens – divertissent les passants ❶

Bow Street Police Station quartier général de la police londonienne depuis le XVIIIe siècle, a fermé en 1992.

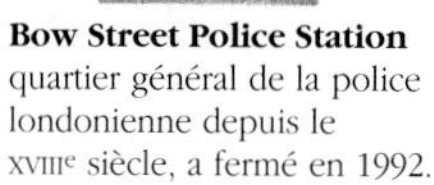

CARTE DE SITUATION
Voir le centre de Londres pp. 12-13

Royal Opera House
Les plus grands chanteurs et danseurs du monde y ont été acclamés ❻

Floral Hall était un marché aux fleurs et aux fruits exotiques.

★ Theatre Museum
conserve une collection consacrée au monde du spectacle ❹

Théâtre Royal
Ce vieux théâtre présente désormais des comédies musicales ❺

Boswells est aujourd'hui un restaurant. C'est là que Samuel Johnson y rencontra son biographe Boswell.

★ Le London Transport Museum
évoque l'histoire du métro et des bus londoniens ❸

Jubilee Market
Fripes et bric-à-brac

★ St Paul's Church
Cette église d'Inigo Jones n'ouvre pas sur la place mais sur un petit jardin situé à l'arrière ❷

À NE PAS MANQUER :

- ★ **La Piazza et le marché central**
- ★ **St Paul's Church**
- ★ **Le London Transport Museum**
- ★ **Le Theatre Museum**
- ★ **Neal Street et Neal's Yard**

LÉGENDE

— — — Itinéraire conseillé

0 100 mètres

0 100 yards

La place et l'ancien marché ❶

Covent Garden WC2. **Plan** 13 C2. *Covent Garden.* *mais rues pavées.* ***Amuseurs de rues*** *de 10 h à la tombée du jour. Voir* ***Magasins et marchés*** *p. 323*

Le projet d'Inigo Jones, au XVIIe siècle, s'inspira de la Piazza Grande de Livourne, en Italie. La halle centrale, quant à elle, a été conçue par Fowler en 1833 pour abriter les étals de fruits et légumes. Sa toiture de verre et de métal servit de modèle, à la fin du XIXe siècle, aux grandes gares comme St-Pancras (*voir p. 130*) ou Waterloo (*voir p. 187*). Elle abrite aujourd'hui de nombreuses boutiques qui vendent vêtements chic, livres, objets d'art, artisanat, articles de décoration ou antiquités. Les étals installés à l'extérieur atteignent, au N. les rues adjacentes, et, au S. Jubilee Market, construit en 1903.

La colonnade de Bedford Chambers, du côté N. rappelle le projet d'Inigo Jones. La plupart des édifices actuels situés sur la place ou à proximité datent cependant de l'époque victorienne : ils ont été reconstruits et partiellement modifiés en 1879.

Les bateleurs amusent le quartier depuis plusieurs siècles. Déjà, en 1662, Samuel Pepys écrivait dans son journal qu'il avait assisté à une pantomime sous le portique de St Paul's Church.

La place au XVIIIe siècle

L'entrée ouest de St Paul's

St Paul's Church ❷

Bedford St WC2. **Plan** 13 C2. *0171-836 5221.* *Covent Garden.* ***Visite*** *: du lun. au ven. de 10 h à 13 h.* *le dim. à 11 h.*

Inigo Jones construisit cette église (achevée en 1633) en plaçant l'autel à l'ouest, de façon à ce que le grand portique, composé de deux colonnes de section carrée et de deux autres de section ronde, ouvre sur la place. Mais le clergé s'opposa à cette disposition peu orthodoxe et l'autel dut être installé à… l'emplacement habituel, du côté est. Jones conserva toutefois à l'édifice sa physionomie extérieure initiale. Il faut donc contourner l'église pour y pénétrer, tandis que la façade qui donne sur la Piazza est aveugle. Le portique sert souvent de scène improvisée aux artistes de rues. En 1795, l'intérieur fut dévasté par un incendie mais restauré, ensuite, dans le style sobre et aéré d'Inigo Jones. St Paul's est désormais le seul vestige du projet que l'architecte avait conçu pour le quartier. Longtemps été appelée église des acteurs, et des plaques y évoquent des célébrités. Un bas-relief de Grinling Gibbons, (XVIIe siècle), rend hommage à Jones.

Punch and Judy performer

Le London Transport Museum ❸

The Piazza WC2. **Plan** 13 C2. *0171-379 6344.* *Covent Garden.* ***Visite*** *: t.l.j. de 10 h à 18 h (dern. adm. : 17 h 15).* ***Fermé*** *: 24-26 déc.* ***Accès payant.***

Le London Transport Museum

Même si vous n'êtes pas un passionné du rail ou un fervent adepte des bus londoniens, vous prendrez plaisir à visiter ce musée. Son étonnante collection est présentée depuis 1980 dans un pittoresque marché aux fleurs, reconstruit en 1872. Elle est consacrée aux modes de transport de la capitale à toutes les époques.

L'histoire des transports londoniens aide à expliquer l'évolution sociale de la capitale. Par exemple, l'accroissement de la population dans les banlieues O. et N. a largement influencé le tracé des itinéraires des bus, tramways et rames de métro. Le musée possède une importante collection de gravures, affiches et souvenirs car les sociétés de chemins de fer et les régies de transports londoniens ont souvent parrainé des artistes contemporains. Des reproductions de leurs œuvres sont en vente à la boutique du musée. On y trouvera, par exemple, des dessins Art déco de E. McKnight ou des œuvres d'artistes connus des années 30, tels Graham Sutherland et Paul Nash.

Les enfants adorent ce musée. Ils peuvent toucher la plupart des objets exposés, s'installer sur le siège d'un chauffeur d'autobus, ou prendre la place du conducteur d'une rame de métro.

Le Theatre Museum ❹

7 Russell St WC2. **Plan** 13 C2. 📞 *0171-836 7891.* ⊖ *Covent Garden.* ***Visite*** *: du mar. au dim. de 11 h à 19 h.* ***Fermé*** *: 25-26 déc., 1er janv. et jours fériés.* ***Accès payant.*** ♿ ***Représentations, manifestations.***

Une grande statue représentant la Gaieté, qui trônait autrefois sur le toit de l'ancien Théâtre de la Gaieté, observe désormais les visiteurs. La magnifique collection comprend des affiches, des programmes, des accessoires et des costumes de mises en scène célèbres, des éléments de décorations intérieures de théâtres disparus, des portraits d'acteurs et des toiles représentant des pièces de théâtre. Une partie du musée renferme des maquettes illustrant l'évolution des salles de spectacle depuis l'époque de Shakespeare à nos jours. Des expositions temporaires sont fréquemment organisées et de jeunes troupes montent souvent des spectacles dans le théâtre du musée.

Le Théâtre Royal ❺

Catherine St WC2. **Plan** 13 C2. 📞 *0171-494 5040.* ⊖ *Covent Garden, Holborn, Temple.* ***Visite*** *: lors des représentations uniquement.* *Voir* ***Spectacles*** *pp. 336-7.*

C'est le premier à avoir été construit sur le site, qui était, en 1663, l'un des deux endroits de spectacles autorisés, à Londres. Nell Gwynn, la maîtresse de Charles II, y a joué. Depuis, trois des théâtres qui ont été bâtis à cet emplacement – (dont un construit par Christopher Wren, *voir p. 47*), furent dévastés par des incendies. Le bâtiment actuel, conçu par Benjamin Wyatt et achevé en 1812, possède l'une des plus grandes salles de la ville. Dans les années 1800, il était réputé pour ses pantomimes. Il est désormais spécialisé dans les comédies musicales grand public.

Le Royal Opera House, conçu par E. M. Barry en 1858

Le Royal Opera House ❻

Covent Garden WC2. **Plan** 13 C2. 📞 *0171-240 1066.* ⊖ *Covent Garden.* ***Visite*** *: lors des représentations uniquement.* *Voir* ***Spectacles*** *p. 330.*

Le premier théâtre à avoir été construit sur cet emplacement, en 1732, proposait des concerts et des pièces. Il fut dévasté par les flammes à deux reprises, en 1808 et en 1856 et l'Opéra actuel a été conçu en 1858 par E. M. Barry (fils de l'architecte du palais de Westminster). La frise du portique, représentant la Tragédie et la Comédie, est due à John Flaxman. Elle est le seul vestige du bâtiment élevé en 1809. Au fil des décennies, cet Opéra a connu des périodes plus ou moins fastes. En 1892, Gustav Mahler y dirigea la première londonienne de *L'Anneau de Nibelung*, de Richard Wagner. Plus tard, pendant la Première Guerre mondiale, il fut réquisitionné par le gouvernement pour servir d'entrepôt. Sa proximité avec un marché très animé a été utilisée par George Bernard Shaw pour sa pièce *Pygmalion*, dont la comédie musicale *My Fair Lady*, est une adaptation. L'édifice abrite désormais l'orchestre de l'Opéra de Londres (le Royal Opera), et son corps de ballet (le Royal Ballet). Les meilleures places, qui coûtent plus de 900 F, sont difficiles à obtenir. Récemment, certaines représentations ont été diffusées à l'extérieur, sur écran géant.

Neal Street et Neal's Yard ❼

Covent Garden WC2. **Plan** 13 B1. ⊖ *Covent Garden.* *Voir* ***Magasins et marchés*** *pp. 312-13*

Une boutique de thé, sur Neal Street

Dans Neal Street, les entrepôts du XIXe siècle sont facilement reconnaissables à leurs curieux dispositifs de levage fixés aux façades. Les immeubles ont été transformés en magasins, en galeries d'art ou en restaurants. À proximité se trouve Neal's Yard, un vrai paradis pour les amateurs de produits macrobiotiques, fromages et yoghourts fermiers, herbes fraîches et autres pains cuits à l'ancienne. Au-dessus de la Wholefood Warehouse, on remarquera l'étrange horloge conçue par Tim Hunkin.

plaque située à l'extérieur de l'immeuble rend hommage à Joshua Reynolds, fondateur de la Royal Academy (*voir p. 90*), qui a habité ici au XVIIIe siècle.

Thomas Neal's

Thomas Neal's ❽

Earlham St WC2. **Plan** 13 B2. ⊖ *Covent Garden.* ♿ *rez-de-chaussée uniquement.*

Ouvert au début des années 1990, ce centre commercial offre une intéressante variété de magasins. On y trouve des vêtements de stylistes, des bijouteries, des lainages, de la dentelle et des souvenirs. C'est un endroit idéal pour acheter des cadeaux et flâner dans le café ou le restaurant du niveau inférieur. Le théâtre Donmar Warehouse a réouvert dans le centre Thomas Neal's en 1992 (*voir p. 328*).

Seven Dials ❾

Monmouth St WC2. **Plan** 13 B2. ⊖ *Covent Garden, Leicester Sq.*

La colonne de ce carrefour de sept rues est un cadran solaire à six faces, la septième aiguille étant la colonne elle-même. Installée en 1989, elle est la réplique d'un monument du XVIIe s. L'ancienne horloge a été retirée au XIXe s. car elle était devenue le lieu de rendez-vous favori des criminels.

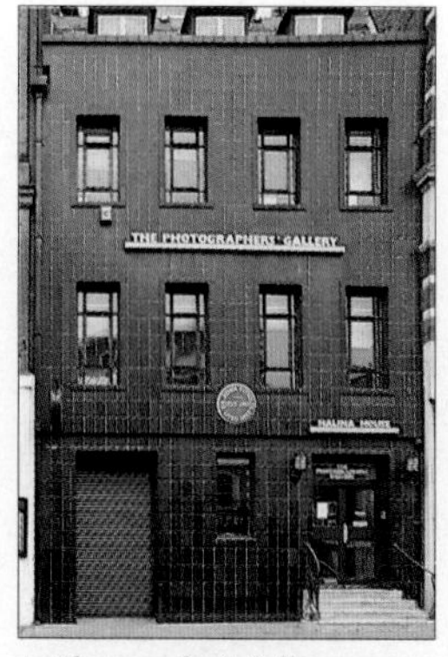

La Photographer's Gallery

Le Lamb and Flag ❿

33 Rose St WC2. **Plan** 13 B2. ☎ *0171-497 9504.* ⊖ *Covent Garden, Leicester Sq.* ***Visite*** *: du lun. au sam. de 11 h à 23 h, et le dim. de 12 h à 15 h et de 19 h à 22 h 30. Voir* ***Restaurants et pubs*** *p. 309.*

Une auberge ouvre ses portes à cet emplacement dès le XVIe siècle. Depuis, l'aménagement intérieur de l'établissement n'a guère changé. Une plaque rend hommage au satiriste John Dryden qui fut rossé à proximité du pub, probablement parce qu'il s'était moqué (en vers) de la duchesse de Portsmouth, l'une des maîtresses de Charles II.

La Photographers' Gallery ⓫

5 & 8 Great Newport St WC2. **Plan** 13 B2. ☎ *0171-831 1772.* ⊖ *Leicester Sq.* ***Visite*** *: du mar. au sam. de 11 h à 18 h.*

Cette galerie très dynamique accueille régulièrement d'excellentes expositions de photographies. Conférences et manifestations théâtrales y sont organisées. La librairie vend des ouvrages spécialisés et des tirages de qualité. Le café vous permettra de rencontrer des passionnés de photo. La

L'Adelphi Theatre ⓬

Strand WC2. **Plan** 13 C3. ☎ *0171-836 7611.* ⊖ *Charing Cross, Embankment.* ***Visite*** *: lors des représentations uniquement. Voir* ***Spectacles*** *pp. 326-7.*

Construit en 1806, l'Adelphi ouvrit ses portes à l'initiative de John Scott, un riche marchand qui voulait aider sa fille à faire carrière au théâtre. Transformé en 1930, il est désormais de style Art déco. On remarquera les motifs très caractéristiques apposés sur la façade, l'entrée, la salle ainsi que les éléments de décoration.

L'Adelphi Theatre (1840)

L'hôtel Savoy ⓭

Strand WC2. **Plan** 13 C2. ☎ *0171-836 4343.* ⊖ *Charing Cross, Embankment. Voir* ***Hébergement*** *p. 285*

L'hôtel a été inauguré en 1889 sur l'emplacement du palais médiéval le Savoy Palace. Cet établissement fut le premier à proposer le confort moderne et l'éclairage électrique. La cour d'accès à l'hôtel est le seul endroit de Grande-Bretagne où l'on conduit à droite. Le Savoy abrite également un théâtre – où furent interprétées notamment des opérettes de Gilbert & Sullivan –, le restaurant anglais Simpson's

L'entrée de l'hôtel Savoy

où l'on sert le fameux « roast beef », et une boutique de tailleur à devanture Art nouveau.

La Savoy Chapel ⓮

Strand WC2. **Plan** 13 C2. *0171-836 7221.* *Charing Cross, Embankment.* ***Visite*** *: mar.-ven. de 11 h 30 à 15 h 30.* ***Fermée*** *: août-sept.* *Dim. 11 h.*

La première chapelle a été créée au XVIe siècle pour l'hôpital construit sur l'emplacement de l'ancien Savoy Palace. Une partie des murs extérieurs date de 1502, mais la quasi-totalité du bâtiment remonte aux années 1850. En 1890, ce fut le premier édifice religieux à être doté de l'éclairage électrique. En 1936, elle devint la chapelle du Royal Victorian Order. La reine en est désormais la souveraine spirituelle et temporelle. De 1922 à 1932, les premiers studios de la BBC s'installèrent à proximité, sur Savoy Hill.

Somerset House ⓯

Strand WC2. **Plan** 14 D2. *0171-438 6622.* *Temple, Embankment, Charing Cross.* ***Fermé*** *au public.*

Ce superbe édifice classique fut construit par William Chambers dans les années 1770, à l'emplacement du palais Renaissance des ducs de Somerset. Première construction importante destinée à accueillir des bureaux, elle est composée de quatre bâtiments réunis autour d'une cour. Avant que les quais ne soient élevés à la fin du XIXe siècle, Somerset House surplombait le fleuve. D'anciennes boucles d'amarrage sont encore fixées à la façade S. Les visiteurs peuvent pénétrer dans la cour, mais l'intérieur, où se trouvent les bureaux de l'administration, est presque entièrement interdit au public. Le seul immeuble qu'il est possible de visiter est celui qui fut construit pour la Royal Academy of Arts. Il abrite désormais les salles de l'Institut Courtauld.

Somerset House, façade donnant sur le Strand

Le Courtauld Institute ⓰

Somerset House, Strand WC2. **Plan** 14 D2. *0171-873 2526.* *Temple, Embankment, Charing Cross.* ***Visite*** *: lun.-sam. de 10 h à 18 h, et le dim. de 14 h à 18 h (dern. adm. : 17 h 15).* ***Fermé*** *: 26 déc., 1er janv., Ven. Saint.* ***Accès payant.***

En 1990, l'un des plus beaux ensembles de peintures de Londres a été transféré à Somerset House. L'institut a été créé en 1931 par Samuel Courtauld, un magnat du textile. Sa collection doit surtout sa renommée à ses tableaux de maîtres impressionnistes et postimpressionnistes français. Complétée par différents legs, elle comprend également des œuvres exceptionnelles datant de la fin du XVe s. à nos jours.

Les salles présentant les tableaux les plus anciens exposent notamment des peintures de Botticelli, Brueghel, Bellini, Rubens et Tiepolo. La collection d'œuvres impressionnistes comprend *Un bar aux Folies-Bergère* et une réplique réduite du *Déjeuner sur l'herbe*, d'Edouard Manet, l'*Autoportrait à l'oreille bandée*, de Van Gogh, ainsi que des toiles de Renoir, Monet, Degas, Gauguin, Cézanne et Toulouse-Lautrec. L'institut possède enfin un bel ensemble de peintures anglaises du XXe siècle.

Autoportrait à l'oreille bandée **(1889), de Van Gogh, au Courtauld Institute**

St Mary-le-Strand ⓱

The Strand WC2. **Plan** 14 D2.
☎ *0171-836 3126.* ⊖ *Temple, Holborn.* ***Visite*** *: lun.-ven. de 11 h à 16 h, et le dim. de 10 h à 13 h*
✝ *Dim. à 11 h*

Cette église a été achevée en 1717. Ce fut le premier édifice public construit par James Gibbs, à qui l'on doit également St Martin-in-the-Fields (*voir p. 102*). Si Gibbs a sans aucun doute été influencé par Christopher Wren, on remarquera également que la riche décoration extérieure doit beaucoup aux églises baroques de Rome. L'église présente un porche en rotonde, un toit en terrasse et un clocher étagé qui se termine par un lanternon. Les offices y sont désormais célébrés pour le Women's Royal Naval Service (les femmes de la Marine nationale britannique).

St Mary-le-Strand

Le bain romain ⓲

5 Strand Lane WC2. **Plan** 14 D2.
☎ *0171-798 2063.* ⊖ *Temple, Embankment, Charing Cross.*
Visite *: sur demande.* ♿ *par Temple Pl.*

Ce bain, aux dimensions réduites, peut être vu d'une fenêtre qui donne sur Surrey Street. Il suffit pour cela d'appuyer sur l'interrupteur de l'éclairage, situé sur le mur extérieur. Il est pratiquement certain qu'il ne s'agit pas d'un véritable bain romain. En effet, aucun vestige d'habitation romaine n'a été découvert à proximité. Il est plus probable qu'il faisait partie de Arundel House, un des palais qui se dressaient sur le Strand depuis l'époque des Tudors et qui furent démolis au XVIIe siècle pour être remplacés par d'autres édifices. Au XIXe siècle, on pouvait encore aller y prendre un bain glacé, apprécié pour ses vertus tonifiantes.

Bush House vue de Kingsway

Bush House ⓳

Aldwych WC2. **Plan** 14 D2.
⊖ *Temple, Holborn.* ***Fermé*** *au public.*

Situé au centre d'Aldwych Crescent, cet immeuble néoclassique achevé en 1935 a été conçu par l'Américain Irving T. Bush pour être utilisé comme hall d'exposition. Il est particulièrement impressionnant quand on l'observe depuis Kingsway, d'où l'on voit son entrée N. ornée de différentes statues symbolisant les relations anglo-américaines. Depuis les années 1940, il est devenu le siège du BBC World Service, qui sera transféré à l'ouest de Londres d'ici quelques années.

Cleopatra's Needle ⓴

Embankment WC2. **Plan** 13 C3.
⊖ *Embankment, Charing Cross.*

Dressé à Héliopolis aux environs de l'an 1500 av. J.-C., cet étonnant monument en granit rose est bien plus ancien que Londres. Ses inscriptions rendent hommage aux pharaons de l'Egypte ancienne. En 1819, il fut offert à la Grande-Bretagne par le vice-roi d'Egypte, Mohammed Ali, puis dressé à Londres en 1878, peu après la construction du quai Victoria. Dans le piédestal, on a scellé un coffret qui renferme des objets de ce temps-là : des journaux, un horaire des trains et les photographies de 12 beautés de l'époque.

Les deux sphinx en bronze, ajoutés en 1882, ont eu moins de chemin à parcourir que l'obélisque : ils sont anglais.

Les jardins du quai Victoria ㉑

WC2. **Plan** 13 C3. ⊖ *Embankment, Charing Cross.* ***Visite*** *: t.l.j. de 7 h 30 au coucher du soleil.* ♿

Cette étroite enfilade de jardins, créée à l'époque de la construction du quai Victoria, révèle des massifs bien entretenus, quelques statues représentant des personnalités britanniques (le poète écossais Robert Burns, par exemple) et accueille, l'été, des concerts de musique classique. Dans l'angle N.-O. des jardins, la porte d'eau est le seul vestige de York House, l'ancien palais du duc de Buckingham, bâti en 1626. Toujours à son emplacement d'origine, cette porte à trois arcades ne donne plus directement accès à la Tamise depuis la construction du quai.

Jardins du quai Victoria

Centre commercial et bureaux de la gare de Charing Cross

Les Adelphi ㉒

Strand WC2. **Plan** 13 C3.
Embankment, Charing Cross.
***Fermé** au public.*

John Adam Street, Adelphi

Le nom de ce quartier construit par Robert et John Adam en 1772, et qui avait jadis la faveur des artistes, vient du grec *adelphoi* signifiant « frères ». Ce nom fait aujourd'hui référence à l'ensemble de bureaux de style Art déco qui, en 1938, remplaça les immeubles de rapport conçus par les frères Adam dans un style palladien. L'entrée présente des bas-reliefs de N. A. Trent figurant des hommes au travail. La démolition des édifices antérieurs est aujourd'hui considérée comme un des pires actes de vandalisme du XXe siècle. Par chance, quelques immeubles d'origine ont subsisté, notamment la Royal Society for the Encouragement of the Arts, Manufactures and Commerce. De la même période, on remarquera aussi les nos 1-4 de Robert Street, où vécut Robert Adam, et le no 7 d'Adam Street, orné de chèvrefeuille sculpté.

Charing Cross ㉓

Strand WC2. **Plan** 13 C3.
Charing Cross, Embankment.

En 1290, Edouard le Confesseur fit élever douze croix à la mémoire de sa femme Eléonore de Castille, entre le Nottinghamshire et l'abbaye de Westminster. La dernière d'entre elles a donné son nom à l'une des principales gares de Londres. Au XIXe siècle, une reproduction de cette croix a été érigée devant la gare. La croix et le Charing Cross Hotel ont été dessinés en 1863 par E. M. Barry, l'architecte du Royal Opera House (*voir p. 115*). Depuis 1991, un centre commercial et des bureaux surmontent l'édifice de la gare. Cette construction, imaginée par Terry Farrel, fait penser à un gigantesque paquebot dont les hublots donneraient sur Villiers Street. Du fleuve, l'effet est saisissant. Les arcades situées à l'arrière de la gare ont été modernisées et investies par des petits magasins et des cafés, et par le Players Theatre, l'un des derniers music-halls de l'époque victorienne.

Le London Coliseum ㉔

St Martin's Lane WC2. **Plan** 13 B3.
0171-632 8300. Leicester Sq, Charing Cross. ***Visite*** *: lors des représentations uniquement.*
Conférences. *Voir* ***Spectacles*** *pp. 330-1.*

Ce curieux édifice surmonté d'un globe, conçu en 1904 par Frank Matcham et doté de la première scène tournante de Londres, est le plus grand et le plus sophistiqué des théâtres de la capitale. Pouvant accueillir plus de 2 500 spectateurs, il fut également le premier d'Europe à être équipé d'ascenseurs. Théâtre de variétés pendant quelque temps, il fut transformé en cinéma entre 1961 et 1968. Il abrite à présent l'English National Opera et mérite une visite, ne serait-ce que pour sa décoration du début du siècle, avec ses chérubins dorés et ses lourds rideaux pourpres.

Le London Coliseum

5 3

BLOOMSBURY ET FITZROVIA

Depuis le début du XXe siècle, Bloomsbury et Fitzrovia sont des quartiers qui évoquent la littérature l'art et le savoir. Le groupe de Bloomsbury a réuni des écrivains et des peintres du début du siècle jusqu'aux années 1930. Le nom Fitzrovia a été inventé par des écrivains, dont Dylan Thomas, au pub Fitzroy Tavern. Bloomsbury abrite toujours l'université de Londres, le British Museum et plusieurs squares de style georgien. Le quartier est réputé pour ses restaurants de Charlotte Street et pour ses magasins de meubles ou d'appareils électriques de Tottenham Court Road.

Bas-relief à Russell Square

LE QUARTIER D'UN COUP D'ŒIL

Rues et édifices historiques

Bloomsbury Square 2
Bedford Square 4
Russell Square 5
Queen Square 6
Gare de St-Pancras 9
Woburn Walk 11
Fitzroy Square 13
Charlotte Street 15

Musées

British Museum pp. 126-9 1
Dickens House Museum 7
Thomas Coram Foundation Museum 8
Percival David Foundation of Chinese Art 12
Pollock's Toy Museum 16

Églises

St George's, Bloomsbury 3
St Pancras Parish Church 10

Pub

Fitzroy Tavern 14

VOIR AUSSI

• ***Atlas des rues***, plans 4, 5, 6, 13
• ***Hébergement*** pp. 276-7
• ***Restaurants*** pp. 292-4

COMMENT Y ALLER ?

Les lignes Circle, Northern, Hammersmith, City et Central desservent le quartier. Parmi les bus les plus pratiques, il faut citer les nos 8 et 98. Les grandes gares du British Rail sont Euston, St-Pancras et King's Cross.

0 500 m
0 500 yards

LÉGENDE

Plan du quartier pas à pas
Station de métro
Gare (British Rail)
Parc de stationnement

Une demeure de style georgien sur Bedford Square

Le quartier de Bloomsbury pas à pas

La présence du British Museum influence toute la vie du quartier. Son atmosphère intellectuelle a gagné les rues voisines jusqu'aux couloirs de l'université de Londres, plus au N. De nombreux écrivains et peintres ont élu domicile dans ces immeubles. Si la plupart des maisons d'édition ont quitté les lieux, on y trouve néanmoins encore plusieurs librairies.

La Senate House (1932) abrite l'administration de l'université de Londres. Sa bibliothèque est extrêmement bien pourvue.

Bedford Square
Toutes identiques, les portes des immeubles qui bordent le square (1775), sont ornées de pierres artificielles ❹

★ Le British Museum
Conçu au milieu du XIXe siècle, il attire plus de cinq millions de visiteurs par an : c'est le monument le plus visité de Londres ❶

À NE PAS MANQUER :

★ **Le British Museum et sa bibliothèque**

★ **Russel Square**

LÉGENDE

— — — Itinéraire conseillé

0 100 mètres

0 100 yards

Museum Street est bordée de petits cafés et de boutiques qui vendent des livres, des lithographies et des antiquités.

Pizza Express occupe les locaux d'une ancienne laiterie de l'époque victorienne.

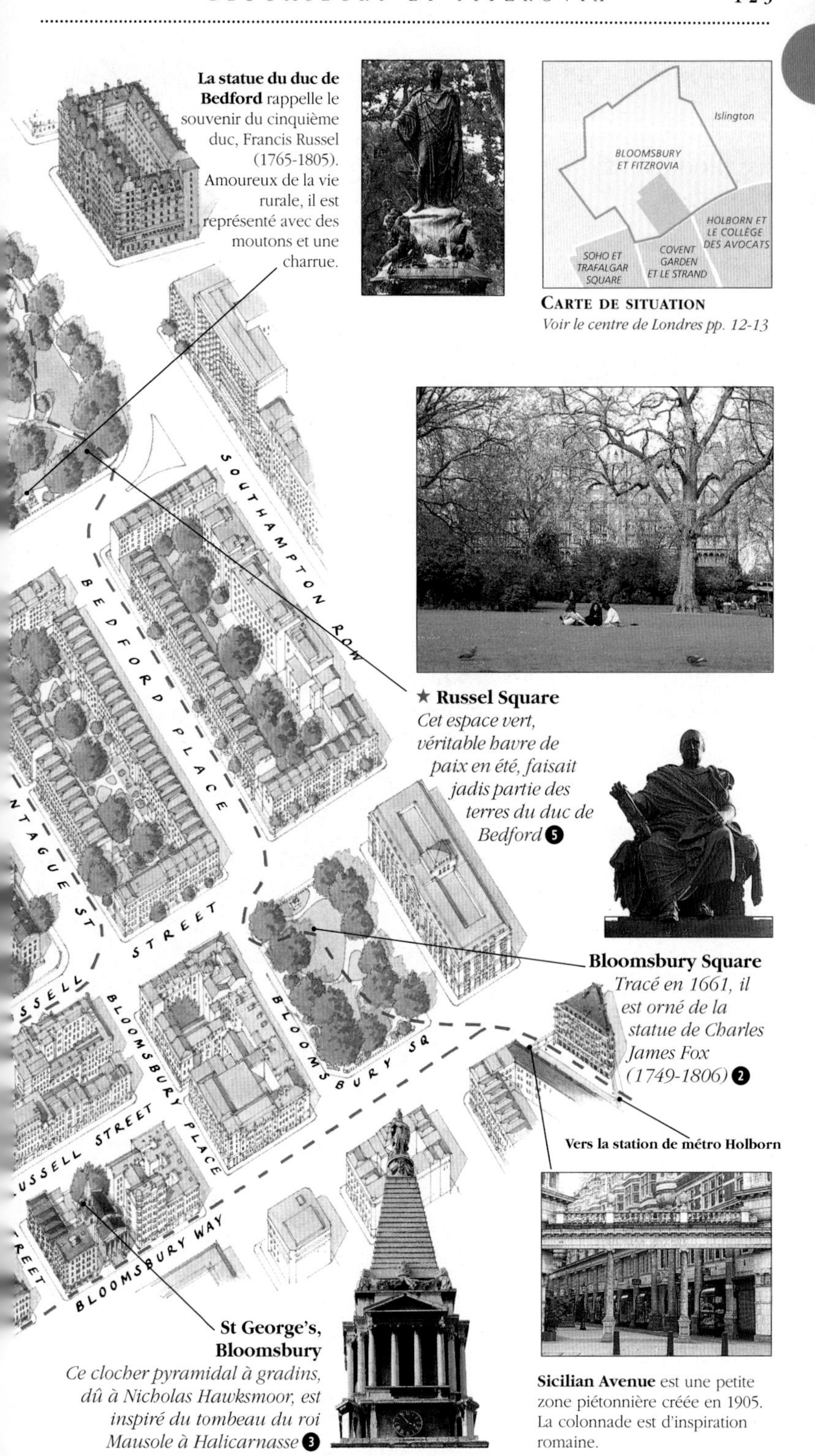

La statue du duc de Bedford rappelle le souvenir du cinquième duc, Francis Russel (1765-1805). Amoureux de la vie rurale, il est représenté avec des moutons et une charrue.

CARTE DE SITUATION
Voir le centre de Londres pp. 12-13

★ Russel Square
Cet espace vert, véritable havre de paix en été, faisait jadis partie des terres du duc de Bedford ❺

Bloomsbury Square
Tracé en 1661, il est orné de la statue de Charles James Fox (1749-1806) ❷

Vers la station de métro Holborn

St George's, Bloomsbury
Ce clocher pyramidal à gradins, dû à Nicholas Hawksmoor, est inspiré du tombeau du roi Mausole à Halicarnasse ❸

Sicilian Avenue est une petite zone piétonnière créée en 1905. La colonnade est d'inspiration romaine.

Le British Museum ❶

Voir pp. 126-9.

Le Bloomsbury Square ❷

WC1. **Plan** 5 C5. ⊖ *Holborn.*

La romancière Virginia Woolf, habita le quartier de Bloomsbury

Le plus ancien des squares du quartier a été tracé en 1661 par le comte de Southampton propriétaire des terrains. Aucun des immeubles de l'époque n'a subsisté et le jardin ombragé est désormais cerné par une circulation intense. Si l'on veut se promener à pied dans le centre de Londres, il est presque toujours possible de trouver une place dans le parking souterrain aménagé sous le square. Les riverains célèbres ont été nombreux. Une plaque rappelle la présence du groupe de Bloomsbury qui se réunissait dans le quartier au début du siècle autour de la romancière Virginia Woolf ; le biographe Lytton Strachey, et les peintres Vanessa Bell, Duncan Grant et Dora Carrington. D'autres plaques leur rendent hommage sur leurs immeubles respectifs.

St George's Bloomsbury ❸

Bloomsbury Way WC1. **Plan** 13 B1. ☎ *0171-405 3044.* ⊖ *Holborn, Tottenham Court Rd.* ***Visite*** *: lun.-ven. de 10 h à 14 h.* ✝ *Dim. à 10 h.* ***Récitals, expositions.***

Cette église a été conçue par Nicholas Hawksmoor, l'élève de Wren, et achevée en 1730. Elle a été construite pour les habitants aisés de ce nouveau quartier, très en vogue dès sa création. Le clocher pyramidal à gradins, inspiré du tombeau du roi Mausole à Halicarnasse et surmonté d'une statue du roi George Ier, a fait l'objet de nombreuses critiques. La décoration intérieure est intéressante, notamment dans l'abside.

Bedford Square ❹

WC1. **Plan** 5 B5. ⊖ *Tottenham Court Rd, Goodge St.*

Tracé en 1775, ce square est l'un des mieux conservés du XVIIIe siècle. Toutes les portes d'entrée des immeubles en brique sont ornées avec de la « pierre de Coade », sorte de terre cuite dure créée à Lambeth par Eleanor Coade, dont le mode de fabrication est longtemps resté secret. Ces rangées de maisons étaient autrefois

Plaque rendant hommage à des habitants célèbres de Bloomsbury Square

habitées par des membres de l'aristocratie. Aujourd'hui, la plupart ont été transformées en bureaux. Plusieurs maisons d'édition les occupaient, mais les loyers ayant récemment augmenté, elles ont été obligées de s'installer dans des quartiers moins chers. Un grand nombre d'architectes londoniens ont fait partie (nos 34-36) de l'Architectural Association, dont Richard Rogers, à qui l'on doit le Centre Pompidou à Paris et la Lloyd's (*voir p. 159*).

Les superbes jardins de Bedford Square

Le pompeux hôtel Russel, sur Russel Square

Russel Square ❺

WC1. **Plan** 5 B5. Russell Sq.
Les heures d'ouverture peuvent varier.

Sur l'une des plus vastes places de Londres se trouvent, du côté E., les plus beaux hôtels victoriens de la capitale. L'hôtel Russel, dû à Charles Doll (*voir p. 284*), a ouvert ses portes en 1900. Sa magnifique façade en céramique est ornée d'une colonnade et d'angelots placés sous les pilastres. À l'intérieur, le hall est revêtu de marbres polychromes.

Le jardin est accessible au public. De 1925 à 1965, le poète T. S. Eliot a travaillé dans l'immeuble situé à l'angle O. du square, dans les bureaux de la maison d'édition Faber & Faber.

Queen Square ❻

WC1. **Plan** 5 C5. Russell Sq.

Bien que le nom du square fasse référence à la reine Anne, on y a élevé une statue de la reine Charlotte. Son époux, le roi George III, a séjourné ici, au domicile de son médecin, avant de devenir fou et de mourir en 1820. À présent, la plupart des édifices du square sont des bâtiments hospitaliers. Du côté O., on remarquera des maisons de style georgien.

Statue de la reine Charlotte, à Queen Square

La maison de Dickens ❼

48 Doughty St WC1. **Plan** 6 D4.
0171-405 2127. Chancery Lane, Russell Sq. ***Visite*** *: lun.-sam. de 10 h à 17 h (dern. adm. : 16 h 30).* ***Fermée*** *: semaine de Noël-nouvel an, jours fériés.* ***Accès payant.***

Le romancier Charles Dickens a vécu dans cette maison du début du XIXe siècle pendant les années les plus productives de sa vie (de 1837 à 1839). *Oliver Twist, Nicholas Nickleby* ont été écrits dans ces murs et les *Aventures de M. Pickwick* y ont été achevées. Dickens a habité plusieurs maisons à Londres, mais celle-ci est la seule qui existe encore. Achetée par les amis de Dickens en 1923, elle a été transformée en musée et reconstitue l'environnement quotidien du célèbre écrivain. Des pièces ont spécialement été aménagées pour présenter différents souvenirs : lettres, manuscrits, portraits, meubles retrouvés dans les autres maisons londoniennes de l'écrivain et premières éditions de ses œuvres. Les enfants apprécieront tout particulièrement la visite de ce musée.

Thomas Coram Foundation Museum ❽

40 Brunswick Sq WC1.
Plan 5 C4.
0171-278 2424. Russell Sq.
Visite *: horaires non réguliers. Se renseigner.*

En 1739, Thomas Coram, capitaine de la marine, fut chargé par le roi George II de créer un hôpital et une école pour les enfants abandonnés. Coram demanda à des artistes célèbres de l'aider à accomplir cette mission. L'un d'entre eux, William Hogarth, légua à la fondation un portrait de Thomas Coram.

L'institution possède de nombreux témoignages du passé, notamment une partition du *Messie* ayant appartenu à Haendel et quelques uniformes des enfants recueillis. Les immeubles de l'hôpital ont été démolis en 1926, mais l'une de ses grandes salles a été reconstituée. Les enfants ont été transférés dans le Hertfordshire. Aujourd'hui, la fondation poursuit son œuvre, accordant une attention toute particulière aux enfants en bas âge.

Thomas Coram, par W. Hogarth

Le British Museum et sa bibliothèque ❶

Créé en 1753, le British Museum est le plus ancien musée du monde. Sa collection fut d'abord constituée par un médecin, Hans Sloane (1660-1753), qui participa également à la création du jardin botanique de Chelsea (*voir p. 193*). Au fil des années, legs et acquisitions enrichirent considérablement la collection de Sloane. Aujourd'hui, le musée possède des trésors venant du monde entier. Plusieurs ont été rapportés par des voyageurs et des explorateurs aux XVIIIe et XIXe siècles. La majeure partie de l'édifice actuel (1823-50) a été construite par Robert Smirke.

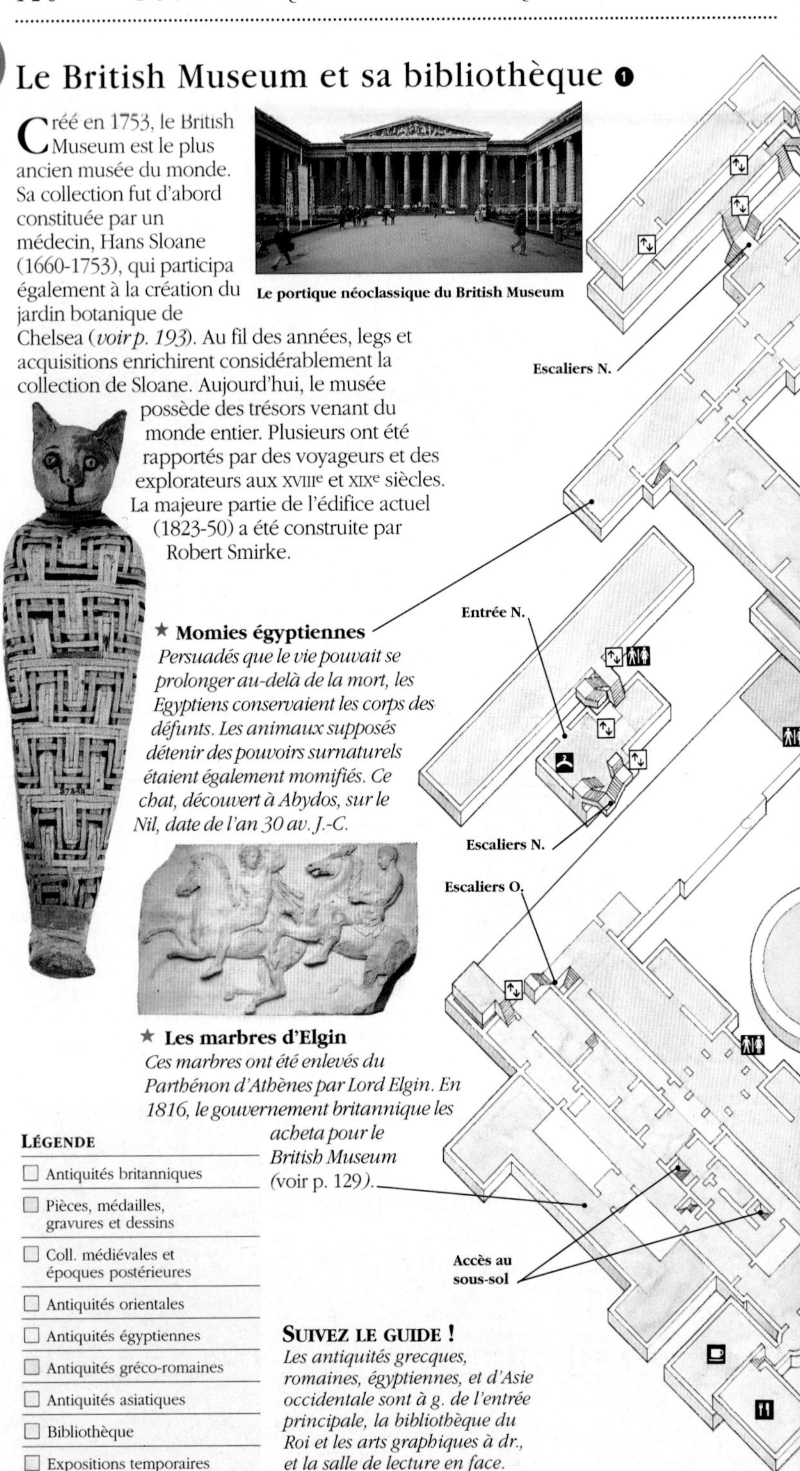

Le portique néoclassique du British Museum

★ Momies égyptiennes
Persuadés que le vie pouvait se prolonger au-delà de la mort, les Egyptiens conservaient les corps des défunts. Les animaux supposés détenir des pouvoirs surnaturels étaient également momifiés. Ce chat, découvert à Abydos, sur le Nil, date de l'an 30 av. J.-C.

★ Les marbres d'Elgin
Ces marbres ont été enlevés du Parthénon d'Athènes par Lord Elgin. En 1816, le gouvernement britannique les acheta pour le British Museum (voir p. 129).

LÉGENDE

- Antiquités britanniques
- Pièces, médailles, gravures et dessins
- Coll. médiévales et époques postérieures
- Antiquités orientales
- Antiquités égyptiennes
- Antiquités gréco-romaines
- Antiquités asiatiques
- Bibliothèque
- Expositions temporaires
- Salles libres

SUIVEZ LE GUIDE !
Les antiquités grecques, romaines, égyptiennes, et d'Asie occidentale sont à g. de l'entrée principale, la bibliothèque du Roi et les arts graphiques à dr., et la salle de lecture en face. D'autres coll. sont présentées au premier étage et au sous-sol.

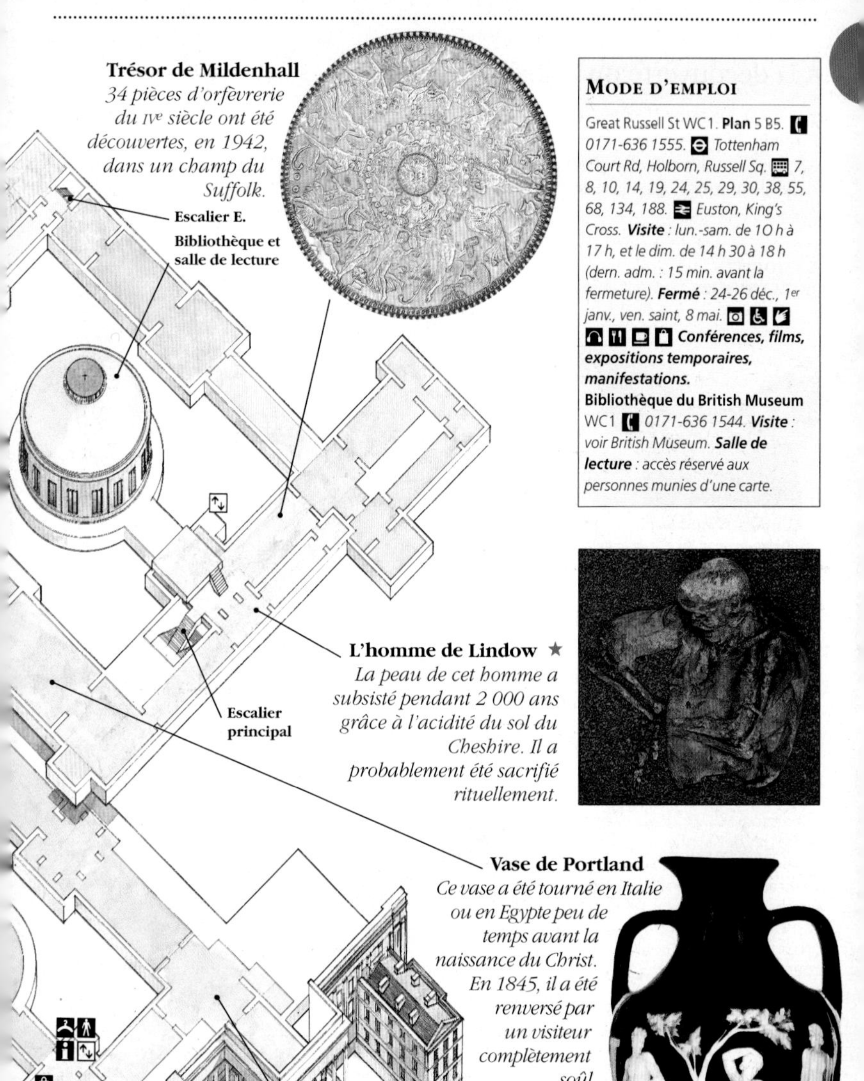

Trésor de Mildenhall
34 pièces d'orfèvrerie du IVe siècle ont été découvertes, en 1942, dans un champ du Suffolk.

L'homme de Lindow ★
La peau de cet homme a subsisté pendant 2 000 ans grâce à l'acidité du sol du Cheshire. Il a probablement été sacrifié rituellement.

Vase de Portland
Ce vase a été tourné en Italie ou en Egypte peu de temps avant la naissance du Christ. En 1845, il a été renversé par un visiteur complètement soûl. Depuis, les 200 morceaux ont été recollés à deux reprises !

Bible de Lindisfarne ★
Manuscrit en latin du VIIe s. illustré de ravissantes miniatures. L'île de Lindisfarne se trouve au large des côtes N.-E. de l'Angleterre.

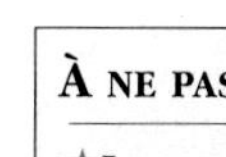

MODE D'EMPLOI

Great Russell St WC1. **Plan** 5 B5. ☎ *0171-636 1555.* ⊖ *Tottenham Court Rd, Holborn, Russell Sq.* 🚌 *7, 8, 10, 14, 19, 24, 25, 29, 30, 38, 55, 68, 134, 188.* ⇌ *Euston, King's Cross.* ***Visite*** *: lun.-sam. de 10 h à 17 h, et le dim. de 14 h 30 à 18 h (dern. adm. : 15 min. avant la fermeture).* ***Fermé*** *: 24-26 déc., 1er janv., ven. saint, 8 mai.* ***Conférences, films, expositions temporaires, manifestations.***
Bibliothèque du British Museum WC1 ☎ *0171-636 1544.* ***Visite*** *: voir British Museum.* ***Salle de lecture*** *: accès réservé aux personnes munies d'une carte.*

À NE PAS MANQUER :

- ★ **Les marbres d'Elgin**
- ★ **L'homme de Lindow**
- ★ **Momies égyptiennes**
- ★ **Bible de Lindisfarne**

À la découverte du British Museum

Le musée retrace l'histoire des plus prestigieuses civilisations, sur une période de plusieurs dizaines de siècles. Ses collections, exposées dans 94 salles (longueur totale de 4 km !), sont classées de cette manière :

Détail d'une lyre royale, art sumérien

Antiquités britanniques

Casque en bronze du Ier siècle av. J.-C., retrouvé dans la Tamise

Les six salles couvrent la période comprise entre la fabrication des premiers outils de pierre, en Tanzanie, et l'apparition d'une tradition chrétienne en Grande-Bretagne. En haut de l'escalier principal, une mosaïque découverte dans le Dorset représente le Christ.

L'« homme de Lindow », corps d'un homme sacrifié rituellement il y a près de 2 000 ans et découvert dans un marais du Cheshire en 1984, est exposé dans la salle 37.

Les salles 38 et 39 sont consacrées à l'art celte. La salle 40 abrite le *Trésor de Mildenhall* et des objets de la vie quotidienne de l'époque romaine, fabriqués pour la plupart par des artisans anglais.

Coll. médiévales et époques postérieures

Le *Trésor de Sutton Hoo* est exposé dans la salle 41. Il a été trouvé dans la tombe d'un roi anglo-saxon du VIIe siècle et ses pièces d'orfèvrerie sont pratiquement intactes. La salle 44 abrite une collection d'horlogerie et d'instruments scientifiques. On y suivra l'évolution des pendules avant et après l'apparition du balancier, et on remarquera notamment l'horloge-bateau, canonnière dorée du XVIe siècle, et la montre française en or émaillé de fleurs (1650).

La salle 45 présente les objets d'art offerts par le baron F. de Rothschild. La salle 47 est consacrée à la période comprise entre la Renaissance et le XVIIIe siècle, et la salle 48, à l'art décoratif des XIXe et XXe siècles.

Horloge-bateau, travail praguois du XVIe siècle

Asie occidentale

Dix-huit salles du musée, réparties sur les trois niveaux, sont consacrées aux collections d'Asie occidentale. Elles couvrent 7 000 ans d'histoire et s'intéressent aux régions comprises entre l'Afghanistan et la Phénicie. La salle 21 renferme le joyau de la collection : les reliefs assyriens du palais du roi Assurbanipal à Ninive, dont la découverte jeta les bases de l'assyriologie. Les deux statues colossales de taureau ailé à tête humaine qui gardaient l'entrée de la citadelle à Khorsabad, capitale sous le règne de Sargon (721-705 av. J.-C.), se trouvent dans la salle 16. La salle 19 possède l'Obélisque noir de Salmanasar III. La salle 51 expose une partie du trésor d'Oxus : des bijoux d'or et d'argent finement ciselés. La collection de tablettes d'argile couvertes de textes en cunéiforme, de Mésopotamie ou de Syrie, est dans la salle 55.

Antiquités égyptiennes

Les sculptures égyptiennes se trouvent dans la salle 25. La fameuse pierre de Rosette, qui porte une double inscription, en égyptien et en grec, est proche de l'entrée principale. Dans une galerie latérale, on remarquera un beau portrait exécuté en schiste vert en 1490 av. J.-C. et une peinture de scène de chasse. Au centre de la galerie principale, admirez le chat en bronze, aux narines ornées d'un anneau en or et les statues en granit rouge de Ramsès II. Les momies, bijoux et souvenirs de l'Égypte gréco-romaine et chrétienne sont dans les salles 60 à 66.

Fragment d'une statue en granit rouge de Ramsès II

ANTIQUITÉS GRÉCO-ROMAINES

Les collections grecques et romaines, qui occupent 30 salles, comprennent le trésor le plus précieux du musée : les marbres du Parthénon. Ces reliefs du Ve siècle av. J.-C. faisaient jadis partie d'une frise en marbre agrémentée de frontons et de panneaux sculptés, qui entourait le temple dédié à Athéna, sur l'Acropole d'Athènes. Cette frise fut partiellement détruite par une bombe vénitienne en 1687 et, entre 1801 et 1804, une bonne partie de ce qu'il en restait fut enlevée par lord Elgin et vendue à la Grande-Bretagne. Le gouvernement grec voudrait à présent récupérer ces marbres. Le monument des Néréides, dans la salle 7, est magnifique. Regardez également la sculpture et les frises du tombeau du roi Mausole (350 av. J.-C.) découvert à Halicarnasse : c'était l'une des sept merveilles du monde. Le vase de Portland, exécuté peu de temps avant la naissance du Christ se trouve dans la salle 70, au premier étage.

Vase grec sur lequel est représenté Hercule luttant avec un taureau

ANTIQUITÉS D'ORIENT ET D'EXTRÊME-ORIENT

Ce département est particulièrement riche en porcelaines et bronzes chinois datant de la dynastie des Shang. La salle 33 présente des œuvres de l'art décoratif chinois et une collection de sculptures du S. asiatique. La salle 33a est consacrée aux sculptures provenant du stupa bouddhique d'Amaravati. La faïence d'Iznik se trouve dans la salle 34. La salle 91 abrite les expositions temporaires, et les nouvelles galeries japonaises (salles 92 à 94) permettent de s'initier à la fameuse cérémonie du thé. Dans le hall, on remarquera les *netsukés* (figurines sculptées dans l'ivoire).

Statue du dieu hindou Shiva Nataraja, également appelé Seigneur de la danse (XIe siècle)

LA BIBLIOTHÈQUE

La magnifique Bible de Lindisfarne, du VIIe siècle, est présentée dans la salle 30a, et la célèbre *Grande Charte* (1215) dans la salle 30. De superbes manuscrits provenant des quatre coins du monde sont exposés dans la bibliothèque du Roi (salle 32).

LA SALLE DE LECTURE DE LA BIBLIOTHÈQUE

La bibliothèque a été créée par décision du Parlement, en 1973. Bien qu'elle n'existe que depuis deux décennies, son origine remonte à la création du British Museum, en 1753. La vaste salle de lecture a été construite par Robert Smirke, l'architecte du musée. Le plan a été conçu par Anthony Panizzi. Achevée en 1857, elle devait faciliter l'accès aux collections de la bibliothèque « à toute personne studieuse et curieuse ». Elle forme une immense rotonde épaulée par vingt poutrelles de fer et surmontée d'un lanternon vitré. Les visites sont autorisées du lun. au ven. à 14 h, 15 h et 16 h. Environné de 30 000 ouvrages de référence, on peut penser à toutes les personnalités qui ont travaillé sous cette coupole : Marx, Gandhi, Shaw et bien d'autres.

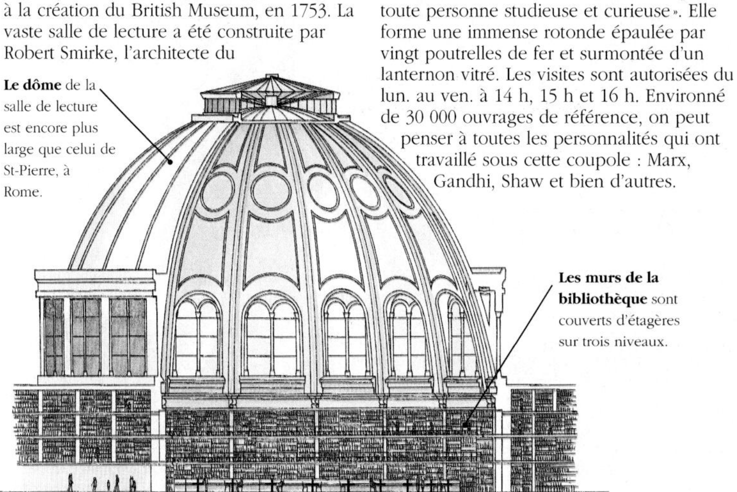

Le dôme de la salle de lecture est encore plus large que celui de St-Pierre, à Rome.

Les murs de la bibliothèque sont couverts d'étagères sur trois niveaux.

Le bâtiment du Midland Grand Hotel, à la gare de St-Pancras

La Gare de St-Pancras ❾

Euston Rd NW1. **Plan** 5 B2. *0171-387 7070 (renseignements British Rail).* *King's Cross, St Pancras.* ***Visite** : t.l.j. de 5 h à 23 h. Voir **Comment se rendre à Londres** pp. 358-9.*

À l'origine, le plus impressionnant des trois terminus situés sur Euston Road, avec sa façade en brique rouge de style néo-gothique, ne fait pas partie de la gare. L'édifice conçu par Gilbert Scott et inauguré en 1874 était en réalité le Midland Grand Hotel, un luxueux établissement de 250 chambres. En 1890, le premier salon fumeurs réservé aux femmes y ouvre ses portes. De1935 au début des années 1980, l'immeuble est occupé par des bureaux ; il n'est plus utilisé aujourd'hui et on ignore à quoi il sera destiné. Par-derrière, la verrière de 210 m de long sur 30 de large, dont l'arc culmine à 75 m, est un exemple des prouesses techniques réalisées à l'époque de la reine Victoria.

Les cariatides de l'église St-Pancras

St Pancras Parish Church ❿

Euston Rd NW1. **Plan** 5 B3. *0171-387 8250.* *Euston.* ***Visite** : lun. de 9 h à 12 h, mer.-sam. de 9 h à 18 h, dim. de 9 h à 12 h et de 16 h à 18 h 30.* *dim. à 10 h.* ***Récitals** : mars-sept., le jeu. à 13 h 15.*

Cette église de style néoclassique a été conçue en 1822 par William Inwood et son fils Henry, tous deux grands admirateurs de l'architecture grecque. L'Erechthéion de l'Acropole d'Athènes a fortement influencé l'ensemble, jusqu'aux colonnes ioniques qui soutiennent la chaire en bois. L'intérieur, long et étroit, a la sévérité qui sied au style de l'édifice. Les cariatides sculptées pour la façade N. étant un peu trop grandes, il a fallu les raccourcir pour les loger sous la corniche qu'elles étaient censées soutenir.

Woburn Walk ⓫

WC1. **Plan** 5 B1. *Euston, Euston Sq.*

Cette rue bordée de boutiques aux devantures en saillie a été conçue par Thomas Cubitt en 1822 et récemment restaurée. Du côté E., le trottoir surélevé était destiné à protéger les magasins des éclaboussures. Le poète W. B. Yeats a vécu au n° 5 de 1895 à 1919.

Percival David Foundation of Chinese Art ⓬

53 Gordon Sq WC1. **Plan** 5 B4. *0171-387 3909.* *Russell Sq, Euston Sq, Goodge St.* ***Visite** : du lun. au ven. de 10 h 30 à 17 h. **Fermé** : semaine de Noël-nouvel an, jeu. saint-lun. de Pâques, jours fériés.*

Particulièrement appréciée des amateurs de porcelaine chinoise, cette collection présente des objets réalisés du Xe au XVIIIe siècle. Percival David l'a léguée à l'université de Londres en 1950, et elle est désormais gérée par l'École d'études orientales et africaines. La fondation comprend également une bibliothèque et organise des expositions temporaires présentant des objets d'art d'Extrême-Orient. On y découvrira, entre autres, le superbe vase bleu à anses en forme de tête d'éléphants.

Vase bleu de la collection David

Fitzroy Square ⓭

W1. **Plan** 4 F4. *Warren St, Great Portland St.*

De ce square édifié en pierre de Portland par Robert Adam en 1794, seuls les côtés S. et E. ont subsisté. Les plaques bleues rendent hommage aux nombreux artistes, écrivains et hommes politiques qui ont vécu dans ces superbes immeubles : George Bernard Shaw et Virginia Woolf, par exemple, ont habité au nº 29, à des époques différentes. En 1913, Shaw aida Roger Fry à créer l'atelier Omega au nº 33. De jeunes artisans et peintres salariés y réalisaient et vendaient meubles, poteries, tapis et peintures dans le style postimpressionniste.

Numéro 29, Fitzroy Square

Fitzroy Tavern ⓮

16 Charlotte St W1. **Plan** 4 F5.
0171-580 3714. Goodge St.
***Visite** : du lun. au sam. de 11 h à 23 h, et le dim. de 12 h à 15 h et de 19 h à 22 h 30. Voir **Restaurants et pubs** pp. 308-9.*

Un groupe d'écrivains et de peintres, qui se réunissait dans ce pub traditionnel durant l'entre-deux-guerres, décida d'appeler « Fitzrovia » le quartier de Fitzroy Square et de Charlotte Street. Au sous-sol, le « bar des écrivains et des artistes » expose des photographies de ses clients célèbres : Dylan Thomas, George Orwell et Augustus John.

Charlotte Street ⓯

W1. **Plan** 5 A5. *Goodge St.*

Lorsque au début du XIXe siècle, la haute société quitta Bloomsbury pour s'installer plus à l'O., artistes et immigrants européens affluèrent dans le quartier qui devint une sorte d'annexe de Soho (*voir pp. 98-109*). Le peintre John Constable vécut et travailla pendant plusieurs années au nº 76. Des ateliers se créèrent pour fournir les boutiques de vêtements d'Oxford Street et les magasins de meubles de Tottenham Court Road. D'autres arrivants ouvrirent des restaurants. Bon nombre de ces établissements existent encore aujourd'hui. Depuis 1964, la gigantesque tour de verre et d'acier (180 m) des British Telecom (*voir p. 30*) domine l'extrémité N. de Charlotte Street.

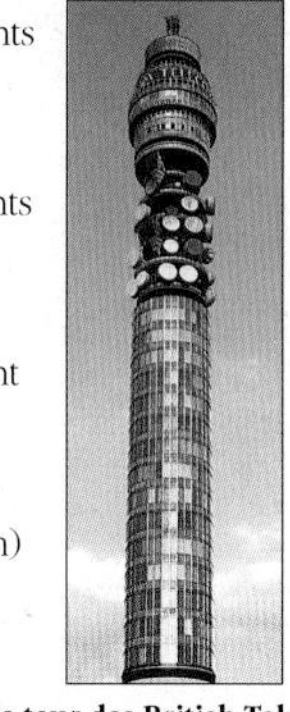

La tour des British Telecom

Le Pollock's Toy Museum ⓰

1 Scala St W1. **Plan** 5 A5.
0171-636 3452. Goodge St.
Visite** : lun.-sam. de 10 h à 17 h. **Fermé** : jours fériés. **Accès payant.

A la fin du XIXe siècle et au début du XXe siècle, Benjamin Pollock était un fabricant réputé de théâtres de marionnettes. Le romancier Robert Louis Stevenson était un client fidèle de la maison. Le musée, qui comprend une reconstitution de l'atelier de Pollock, a ouvert en 1956. Spécialement conçue pour les enfants, sa collection est exposée dans deux maisons du XVIIIe siècle. Les salles renferment des jouets anciens fabriqués dans tous les pays du monde. On y trouve des poupées, des marionnettes, des trains, des voitures, des jeux de construction et une série de superbes maisons de poupées datant de l'ère victorienne. Des spectacles sont organisés pendant les vacances scolaires et des jeux sont prêtés aux enfants pendant leur visite. À la sortie, vous ne résisterez sûrement pas à la tentation de rapporter un souvenir acheté dans le magasin de jouets.

Un Pearly King et une Pearly Queen (*voir p. 55*). Pollock's Toy Museum

HOLBORN ET LES COLLÈGES D'AVOCATS

Ce quartier est depuis longtemps celui du droit et de la presse. Si le Palais de justice et les collèges d'avocats sont toujours présents, la plupart des quotidiens nationaux ont quitté Fleet Street dans les années 1980. Plusieurs édifices sont antérieurs au Grand Feu de 1666 (*voir pp. 22-3*) : Staple Inn, Prince Henry's Room ou Middle Temple Hall, entre autres. Le quartier était autrefois l'un des plus commerçants de la capitale. Ce n'est plus le cas, même si les joailliers et les marchands de diamants de Hatton Garden sont encore là, ainsi que les London Silver Vaults (boutiques d'orfèvres construites sous terre).

Lincoln's Inn

LE QUARTIER D'UN COUP D'ŒIL

Rues et édifices historiques
Lincoln's Inn 2
Old Curiosity Shop 4
Royal Courts of Justice 7
Fleet Street 9
Prince Henry's Room 10
Le Temple 11
Dr Johnson's House 14
Holborn Viaduct 16
Hatton Garden 18
Staple Inn 19
Gray's Inn 21

Musées
Sir John Soane's Museum 1
Public Record Office Museum 5

Églises
St Clement Danes 6
St Bride's 12
St Andrew, Holborn 15
St Etheldreda's Chapel 17

Monument
Temple Bar Memorial 8

Parc et jardin
Lincoln's Inn Fields 3

Pub
Ye Olde Cheshire Cheese 13

Magasin
London Silver Vaults 20

LÉGENDE
Plan du quartier pas à pas
Station de métro
Gare (British Rail)
Parc de stationnement

COMMENT Y ALLER ?
Le quartier est desservi par les lignes de métro suivantes : Circle, Central, District, Metropolitan et Piccadilly. Parmi les nombreux bus qui sillonnent Holborn, citons les nos 17, 18, 45, 46, 171, 243 et 259. Des gares du British Rail se trouvent également dans le quartier.

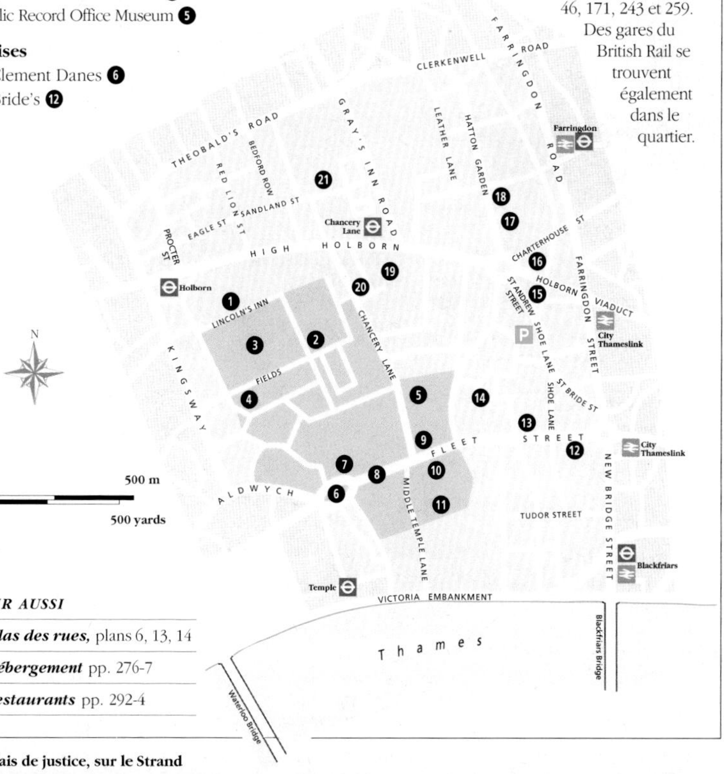

VOIR AUSSI

• ***Atlas des rues,*** plans 6, 13, 14
• ***Hébergement*** pp. 276-7
• ***Restaurants*** pp. 292-4

Le Palais de justice, sur le Strand

Le quartier de Lincoln's Inn pas à pas

Toute l'histoire du droit britannique est concentrée dans ce quartier passionnant. Lincoln's Inn, mitoyen avec le premier square résidentiel de la ville, comprend des édifices de la fin du XVe siècle. On y voit fréquemment des hommes de loi, vêtus de noir, et leurs dossiers sous le bras gagner les collèges d'avocats. Le Temple est à proximité, ainsi que sa célèbre église de forme circulaire, édifiée au XIIIe siècle.

★ **Sir John Soane's Museum**
Soane a fait bâtir cette maison où il vécut, puis l'a léguée à la nation, avec l'étonnante collection qu'elle contient ❶

Vers Kingsway

LINCOLN'S INN FIELDS

LINCOLN'S INN FIELDS

PORTSMOUTH ST

PORTUGAL STREET

CAREY

★ **Lincoln's Inn Fields**
L'entrée du square, élevée en 1845, est une imitation du style Tudor ❸

Old curiosity Shop
L'une des rares constructions du XVIIe siècle à avoir échappé au Grand Feu de Londres était un magasin ❹

Le Royal College of Surgeons a été conçu par Charles Barry, en 1836. Il abrite des laboratoires de recherche et un musée d'Anatomie.

À NE PAS MANQUER :

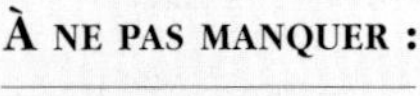

- ★ **Sir John Soane's Museum**
- ★ **Le Temple**
- ★ **Lincoln's Inn Fields**
- ★ **Lincoln's Inn**

LÉGENDE

— — — Itinéraire conseillé

0 100 mètres

0 100 yards

Twinings vend du thé dans cette boutique depuis 1706. L'entrée date de 1787, époque à laquelle le magasin s'appelait le Lion d'or.

La statue de William Gladstone a été érigée en 1905 pour rendre hommage à l'homme politique de l'ère victorienne qui a été quatre fois Premier ministre.

★ Lincoln's Inn
La Court of Chancery siégea ici, dans l'ancien Hall, de 1835 à 1858. Sir John Taylor Coleridge était l'un des juges les plus connus de l'époque ❷

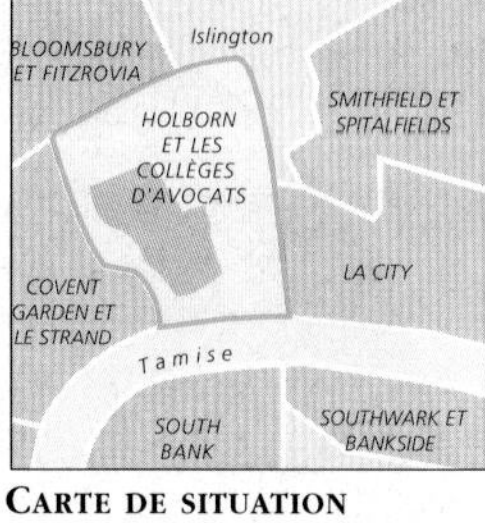

CARTE DE SITUATION
Voir le centre de Londres pp. 12-13

Royal Courts of Justice
Le principal palais de justice du pays pour les procès civils et les appels a été construit en 1882, avec des briques habillées de pierre de Portland ❼

Public Record Office
Les Archives nationales détiennent notamment le testament de Shakespeare et le Domesday Book ❺

Fleet Street
Pendant près de deux siècles, cette rue fut le centre nerveux de la presse nationale. Aujourd'hui, la plupart des quotidiens ont déménagé ❾

El Vino's est un bar à vin réputé où se côtoient journalistes et hommes de loi.

Prince Henry's Room
La chambre du fils de Jacques Ier, le prince Henri, se trouve dans l'une des entrées du Temple ❿

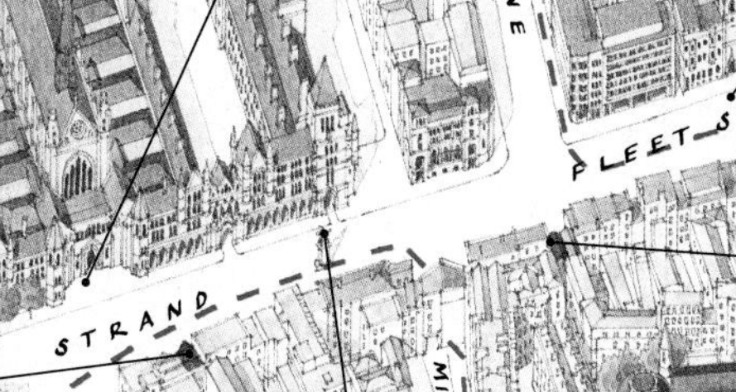

St Clement Danes
Conçue par Wren en 1679, c'est l'église de la Royal Air Force ❻

Temple Bar Memorial
Un dragon de bronze, symbole de la Cité, indique l'emplacement de la porte monumentale qui marquait la limite de la City . ❽

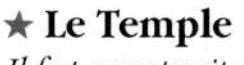

★ Le Temple
Il fut construit au XIIIe siècle pour les templiers et abrite aujourd'hui deux des quatre collèges d'avocats ⓫

Avocats perruqués s'apprêtant à gagner leur étude, à Lincoln's Inn

Lincoln's Inn ❷

WC2. **Plan** 14 D1. ☎ *0171 405 1393.* ⊖ *Holborn, Chancery Lane.* ***Visite des jardins*** *: lun.-ven. de 9 h à 17 h 30.* ***Visite de la chapelle*** *: lun.-ven. de 12 h 30 à 14 h 30.* ***Hall*** *: s'adresser au gardien.* ☎ *0171-405 6360.* ♿ *jardins uniquement.*

Certains des édifices de Lincoln's Inn – le mieux préservé des collèges d'avocats londoniens – datent de la fin du xve siècle. Les armoiries de l'entrée monumentale, située sur Chancery Lane, remontent à Henri VIII et la lourde porte en chêne est de la même période. On raconte que Ben Jonson, un contemporain de Shakespeare, aurait posé quelques-unes des briques de Lincoln's Inn durant le règne d'Elisabeth Ire. La chapelle gothique date du début du XVIIe siècle. Les femmes ne purent y être enterrées qu'à partir de 1839. Lord Brougham demanda en effet à ce que la règle soit modifiée, pour qu'à son décès, sa fille puisse le rejoindre dans la sépulture de la chapelle.

Lincoln's Inn a eu des élèves célèbres : Oliver Cromwell,

Sir John Soane's Museum ❶

13 Lincoln's Inn Fields WC2. **Plan** 14 D1. ☎ *0171-430 0175.* ⊖ *Holborn.* ***Visite*** *: mar.-sam. de 10 h à 17 h et le 1er mar. du mois de 18 h à 19 h.* ***Fermé*** *: 24-26 déc., 1er janv., Pâques, jours fériés.* *Sam. à 14 h 30.* ♿ *Rez-de-chaussée uniquement.*

Cette maison, léguée à la nation par Sir John Soane en 1837 abrite l'un des musées les plus étonnants de Londres. Fils de maçon, Soane fut l'un des meilleurs architectes britanniques du XIXe siècle. On lui doit notamment la construction de la Bank of England. Après avoir épousé la nièce d'un riche promoteur qui lui laissa sa fortune, il acheta et reconstruisit le n° 12 Lincoln's Inn Fields. En 1813, il emménagea au n° 13 et, en 1824, reconstruisit le n° 14. Aujourd'hui, selon le vœu de Soane, les collections – une multitude d'objets rares, étranges et souvent instructifs – sont dans l'état où il les laissa.

L'édifice en lui-même est surprenant : dans la salle principale du rez-de-chaussée, tendue de vert et rouge, des miroirs habilement disposés créent des effets d'optique. À l'étage, la salle des peintures est tapissée de panneaux mobiles sur lesquels sont accrochés les tableaux. D'autres parois s'ouvrent sur des salles annexes. On pourra également voir des plans de Soane, notamment ceux du Pitshanger Manor (*voir p. 254*) et de la Bank of England (*voir p. 147*). S'y trouvent aussi les suites de Hogarth, la *Vie du libertin* (*Rake's Progress*) et plusieurs autres de ses peintures.

Un dôme vitré laisse filtrer la lumière jusqu'au sous-sol en éclairant des murs couverts de bustes classiques.

Une verrière éclaire la maison jusqu'au sous-sol.

Un énorme sarcophage occupe la crypte.

John Donne, le poète du XVIIe siècle, et William Penn, le fondateur de l'État de Pennsylvanie, y ont étudié.

Lincoln's Inn Fields ❸

WC2. **Plan** 14 D1. *Holborn.* ***Visite*** *: t.l.j. de 8 h au crépuscule.* ***Courts de tennis.*** *0171-278 4444.*

Ce square fut le théâtre de plusieurs exécutions publiques. Sous le règne des Tudors et des Stuarts, de nombreux martyrs et autres personnes soupçonnées de trahison envers la Couronne y trouvèrent la mort.

Dans les années 1640, lorsque William Newton décida de commencer à y construire des bâtiments, les étudiants et les riverains lui imposèrent de conserver le jardin public situé au centre du terrain. Grâce à ce véritable « lobby » écolo, les hommes de loi peuvent encore y jouer au tennis ou consulter leurs dossiers en plein air. Au cours de ces dernières années, le terrain a également accueilli des campements de sans-abri.

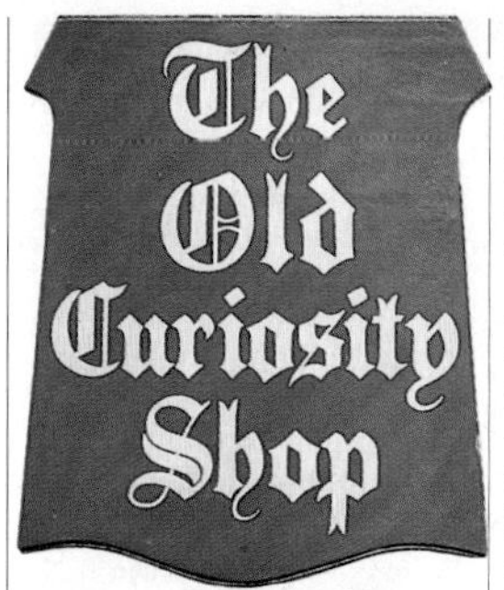

L'enseigne de l'Old Curiosity Shop

Old Curiosity Shop ❹

13-14 Portsmouth St WC2. **Plan** 14 D1. *Holborn.* ***Fermé****, changement de propriétaire.*

Qu'il s'agisse ou non du magasin qui a inspiré à Charles Dickens le roman du même nom, l'immeuble est bien du XVIIe siècle. Par ailleurs, c'est certainement la plus ancienne boutique du centre de Londres et, avec son premier étage qui surplombe la rue, elle permet d'imaginer le quartier avant le Grand Feu de 1666. Les locaux sont inoccupés, mais, classé monument historique, le magasin rouvrira probablement ses portes prochainement.

Public Record Office Museum ❺

Chancery Lane WC2. **Plan** 14 E1. *0181-876 3444. Chancery Lane, Holborn, Temple.* ***Visite*** *: lun.-ven. de 9 h 30 à 17 h.* ***Fermé*** *: jours fériés, deux premières semaines d'oct.*

Les minutes des décisions et actions du gouvernement et des tribunaux sont conservées dans ce bâtiment. Une petite exposition temporaire présente par roulement des documents de toutes les périodes de l'histoire du pays depuis la conquête normande en 1066. La collection comprend, entre autres, le *Domesday Book* (recensement foncier réalisé à partir de 1086 sur ordre de Guillaume le Conquérant), le rapport de Francis Drake sur la défaite de l'Armada espagnole en 1588, le testament de Shakespeare.

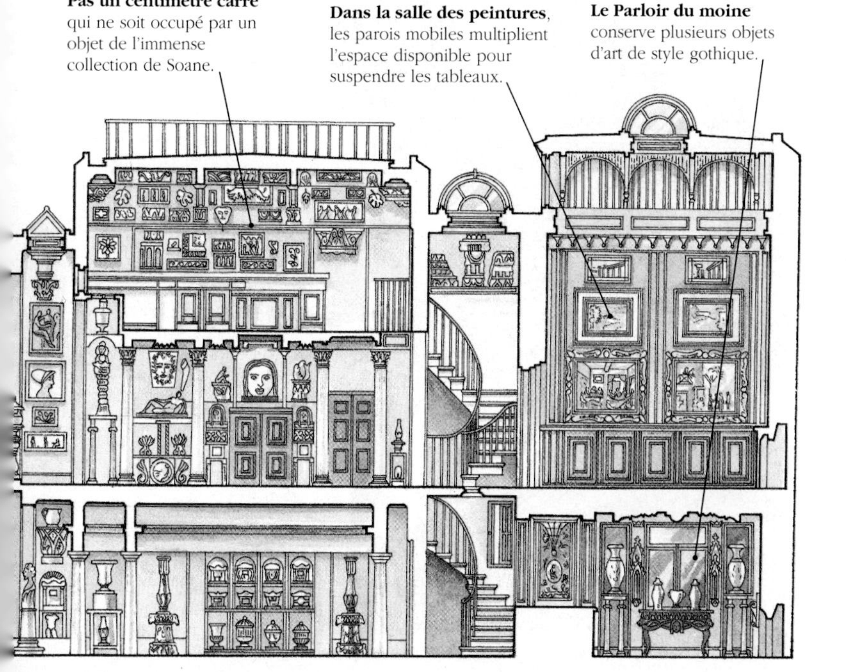

Pas un centimètre carré qui ne soit occupé par un objet de l'immense collection de Soane.

Dans la salle des peintures, les parois mobiles multiplient l'espace disponible pour suspendre les tableaux.

Le Parloir du moine conserve plusieurs objets d'art de style gothique.

St Clement Danes 6

Strand WC2. **Plan** 14 D2.
0171-242 8282. *Temple.* ***Visite*** *: t.l.j. de 8 h 30 à 16 h 30.* ***Fermée*** *: du 25 déc. à 12 h au 27 déc.* *Dim. à 11 h. Voir* ***Cérémonies à Londres*** *p. 55.*

Christopher Wren a conçu cette magnifique église en 1680. Elle doit son nom à celle qui avait été construite au IXe siècle, au même emplacement, par les descendants des envahisseurs danois. Entre le XVIIe et le XIXe siècles, de nombreuses personnalités furent enterrées dans la crypte. La chaîne, scellée à l'une de ses parois, était probablement utilisée pour éviter que les cadavres ne soient dérobés et vendus aux laboratoires des hôpitaux. Le bâtiment est aujourd'hui l'église de la Royal Air Force. Sa décoration intérieure conserve de nombreux symboles et monuments lui rendant hommage. À l'extérieur, à l'E., on remarquera une statue (1910) de Samuel Johnson (*voir p. 140*) qui, au XVIIIe siècle, assistait régulièrement aux offices. Tous les jours, à 9 h, 12 h, 15 h et 18 h, les cloches égrènent les notes de la comptine *Oranges et Citrons* et, une fois par an, les enfants du quartier reçoivent un citron et une orange.

L'horloge du Palais de justice

Le dragon de bronze, symbole de la City, sur Temple Bar

Royal Courts of Justice (Palais de justice) 7

Strand WC2. **Plan** 14 D2.
0171-936 6000. *Holborn, Temple, Chancery Lane.* ***Visite*** *: lun.-vend. de 9 h à 16 h 30.* ***Fermé*** *: jours fériés.* *Accès limité.*

Le bâtiment, de style néo-gothique, a été achevé en 1882. Immense et tentaculaire, il comprendrait 1 000 pièces et 5,6 km de corridors. Des manifestants et des caméras de télévision sont souvent postés à l'extérieur, dans l'attente des résultats des délibérations lors de certains procès particulièrement polémiques. Principal Palais de justice du pays pour les procès civils, il est compétent en matière de divorce, de diffamation, de responsabilité civile et d'appels. Les audiences sont publiques et des informations sont affichées sur les procès en cours dans les différents tribunaux. Les affaires pénales sont, elles, du ressort de l'Old Bailey, situé à proximité (*voir p. 147*).

Temple Bar Memorial 8

Fleet St EC4. **Plan** 14 D2.
Holborn, Temple, Chancery Lane.

Le monument qui se dresse au milieu de Fleet Street, devant le Palais de justice, date de 1880. Il indique l'entrée de la City et, lors des cérémonies officielles, le monarque doit s'y arrêter et demander au lord-maire la permission d'entrer. Temple Bar, la porte monumentale édifiée par Christopher Wren, se trouvait à cet emplacement. Elle est représentée sur l'un des quatre bas-reliefs qui ornent la base du monument actuel.

Fleet Street 9

EC4. **Plan** 14 E1. *Temple, Blackfriars, St Paul's.*

Le premier imprimeur à s'installer ici à la fin du XVe siècle avait été l'associé du fameux William Caxton.

Gravure de William Capon représentant Fleet Street en 1799

Depuis, Fleet Street est le royaume de la presse et de l'imprimerie. Shakespeare et Ben Jonson ont été des clients célèbres de la Mitre Tavern, qui se trouvait au nº 37. En 1702, le premier quotidien, *The Daily Courant*, prit son essor à Fleet Street. À mi-chemin entre la City et Westminster, il était bien placé pour recevoir le maximum d'informations. La rue ne tarda pas à devenir le centre vital de la presse.

En 1987, les rotatives situées dans les sous-sols ont été abandonnées : il est beaucoup plus facile de fabriquer les journaux à la périphérie de Londres, à Wapping ou dans les Docklands, par exemple. Aujourd'hui, les quotidiens ont quitté Fleet Street et seules les agences Reuter et Press Association sont restées fidèles au quartier. El Vino's, situé à l'extrémité O., en face de Fetter Lane, est un bar à vin fréquenté par des journalistes et des hommes de loi.

Gisants de chevaliers, Temple Church

Prince Henry's Room ⑩

17 Fleet St EC4. **Plan** 14 E1. *0171-936 2710.* *Temple, Chancery Lane. Horaires non réguliers. Se renseigner.*

Cette chambre, qui faisait partie d'une taverne de Fleet Street construite en 1610, abrite une exposition sur Samuel Pepys. Elle doit son nom aux armoiries du prince de Galles et aux initiales PH qui ornent le centre de son plafond. Elles y ont probablement été inscrites lorsqu'Henri, fils de Jacques Ier, est devenu prince de Galles. La façade à pans de bois et l'entrée du Temple sont d'époque, ainsi que certaines boiseries de la chambre.

Le Temple ⑪

Inner Temple, King's Bench Walk EC4. **Plan** 14 E2. *0171-353 1736.* *Temple. **Visite** : mer.-sam. de 10 h à 16 h, et le dim. de 12 h 30 à 16 h.* **Middle Temple Hall,** Middle Temple Lane EC4. **Plan** 14 E2. *0171-353 4355.* *Temple. **Visite** : lun.-ven. de 10 h à 11 h 30 et de 15 h à 16 h. **Fermé** lors des réceptions.*

Le Temple abrite deux des quatre collèges d'avocats, Middle Temple et Inner Temple, les deux autres étant Lincoln's et Gray's Inns (*voir p. 136 et p. 141*). Son nom rappelle les Templiers, ordre à la fois militaire et religieux chargé d'assurer la protection des Lieux Saints et des routes de pèlerinage. La maison londonienne du Temple s'installa à cet endroit en 1185. En 1312, son pouvoir étant jugé dangereux, l'Ordre fut supprimé par la Couronne. Des rites d'initiation avaient probablement lieu en secret dans la crypte de Temple Church. La nef abrite des gisants de chevaliers (XIIe-XIIIe siècles).

On visitera également Middle Temple Hall, dont l'intérieur élisabéthain a subsisté. *La Nuit des rois*, de Shakespeare, y a été représentée en 1601. Derrière le Temple, de grandes pelouses s'étendent jusqu'au bord de la Tamise.

St Bride's ⑫

Fleet St EC4. **Plan** 14 F2. *0171-353 1301.* *Blackfriars, St Paul's. **Visite** : lun.-ven. de 8 h 30 à 17 h, sam. de 9 h à 16 h 30 et dim. de 9 h à 17 h 30. **Fermé** : jours fériés.* *Dim. à 11 h 30. **Concerts***

St Bride's, l'église de la presse

St Bride's (1703) fut l'une des églises préférées de Christopher Wren. Du fait de son emplacement, à proximité de Fleet Street, elle ne tarda pas à devenir l'église de la presse. Des plaques y rendent hommage à des journalistes et à des imprimeurs célèbres.

On remarquera son superbe clocher constitué d'éléments octogonaux superposés. Après les bombardements de 1940, l'intérieur a été scrupuleusement restauré. La crypte contient des vestiges d'anciennes églises élevées sur le même site, ainsi que des pavements d'époque romaine.

Ye Olde Cheshire Cheese ⓭

Wine Office Court, 145 Fleet St EC4. **Plan** 14 E1. *0171-353 6170. Blackfriars.* ***Visite*** *: lun.-sam. de 11 h 30 à 23 h, dim. de 12 h à 15 h et de 18 h à 22 h. Voir* ***Restaurants et pubs*** *pp. 308-9.*

Cela fait des siècles qu'il y a une auberge à cet emplacement. Une partie du bâtiment remonte à 1667, quand le pub Cheshire Cheese fut reconstruit après le Grand Feu de Londres. Au XVIIe siècle, Samuel Pepys s'y rendait régulièrement, mais c'est surtout Samuel Johnson qui, au XIXe siècle, en fit un véritable salon littéraire. Les romanciers Mark Twain et Charles Dickens comptaient parmi les clients célèbres de l'établissement.

Aujourd'hui, le Cheshire Cheese est l'un des rares pubs de la capitale à avoir conservé sa décoration et son ameublement du XVIIIe siècle : petites pièces, cheminées et bancs.

Dr Johnson's House ⓮

17 Gough Sq EC4. **Plan** 14 E1. *0171-353 3745. Blackfriars, Chancery Lane, Temple.* ***Visite*** *: lun.-sam. de 11 h à 17 h 30 de mai à sept., lun.-sam. de 11 à 17 h d'oct. à avr.* ***Fermé*** *: 24-26 déc., 1er janv., ven. saint, jours fériés.* ***Accès payant.*** *autorisées, contre un petit dédommagement.*

L'œuvre de l'écrivain Samuel Johnson (1708-1784) a eu sur la littérature anglaise une profonde influence. Son ami

Une élève de St Andrew, XIXe siècle

Boswell l' a souligné dans une remarquable biographie. Johnson a habité dans cette maison de 1748 à 1759. Dans le grenier, il a travaillé, avec six aides, à la réalisation du célèbre *Dictionnaire de la langue anglaise* (publié en 1755).

La maison, dont la construction est antérieure à 1700, possède quelques meubles du XVIIIe siècle et quantité d'objets ayant appartenu à Johnson ou datant de son époque. On remarquera, par exemple, le service à thé de son amie Mme Thrale, ou les portraits de l'écrivain et de ses contemporains.

L'intérieur de la maison de Samuel Johnson

St Andrew, Holborn ⓯

Holborn Circus EC4. **Plan** 14 E1. *0171-353 3544. Chancery Lane.* ***Visite*** *: lun.-ven. de 8 h à 17 h.*

Cette église médiévale échappa au Grand Feu de 1666. En 1686, il fut demandé à Christopher Wren de la modifier, et seule la base du clocher fut conservée. L'édifice, l'un des plus vastes conçus par Wren, a été dévasté par les bombardements de la dernière guerre, mais soigneusement restauré. St Andrew est l'église des corporations des corps de métier. Benjamin Disraeli, Premier ministre issu d'une famille juive, y a été baptisé en 1817, à l'âge de 12 ans. Au XIXe siècle, un orphelinat fut rattaché à l'église.

Holborn Viaduct ⓰

EC1. **Plan** 14 F1. *Farringdon, St Paul's, Chancery Lane.*

Armoiries sur le viaduc d'Holborn

Cet ouvrage d'art de l'ère victorienne a été réalisé dans les années 1860. À l'intérieur des tours angulaires, et des escaliers relient le viaduc à Farringdon Street, en contrebas. On admirera les statues représentant les héros de la City et les reliefs en bronze évoquant le Commerce, l'Agriculture, la Science et les Beaux-Arts.

St Etheldreda's Chapel ⓱

14 Ely Place EC1. **Plan** 6 E5. *0171-405 1061. Chancery Lane, Farringdon.* ***Visite*** *: t.l.j. de 8 à 18 h. Lun.-ven. de 12 h à 14 h.*

La chapelle et la crypte d'Ely Place, où vécurent les évêques d'Ely jusqu'à la

Réforme, datent des XIIIe et XIVe siècles. St Etheldreda fut ensuite acquise par Christopher Hatton, un courtisan élisabéthain. Ses descendants démolirent le palais mais conservèrent la chapelle qu'ils transformèrent en église protestante. Elle changea plusieurs fois de propriétaire et est redevenue depuis 1874 un lieu de culte catholique.

Hatton Garden ⓲

EC1. **Plan** 6 E5. *Chancery Lane, Farringdon.*

Bâti sur les anciens jardins de Hatton House, ce quartier est celui du diamant et des bijoux. Les pierres précieuses, quelconques ou inestimables, y sont vendues dans une multitude de petits magasins aux devantures étincelantes, et jusque sur les trottoirs. L'un des derniers prêteurs sur gages de la capitale est installé ici. On reconnaît son établissement aux trois boules de cuivre fixées au-dessus de la porte.

Staple Inn, édifié en 1586

Staple Inn ⓳

Holborn WC1. **Plan** 14 E1. *0171-242 5240. Chancery Lane.* ***Accès à la cour*** *: lun.-ven. de 9 h à 17 h*

Cet ancien marché aux laines possède l'unique façade à colombages élisabéthaine du centre de Londres. Bien qu'elle ait été largement restaurée, elle ressemble encore à celle construite en 1586. Au rez-de-chaussée, les magasins ont conservé l'atmosphère du XIXe siècle et, dans la cour, quelques bâtiments du XVIIIe siècle ont subsisté.

London Silver Vaults ⓴

53–64 Chancery Lane WC2. **Plan** 14 D1. *Chancery Lane. Voir* ***Magasins et marchés*** *pp. 322-3.*

La Caisse des coffres et des dépôts, fondée en 1885, est à l'origine de la création des London Silver Vaults. Un escalier mène à des portes d'acier derrière lesquelles se trouvent de nombreuses boutiques d'orfèvres, construites comme les coffres souterrains des banques. Les orfèvres de Londres, qui ont connu leur période la plus faste à l'ère georgienne, sont réputés depuis des siècles. Les plus beaux objets coûtent plusieurs milliers de livres sterling, mais la plupart des magasins proposent aussi des pièces à des prix plus abordables.

Cafetière (1716). Silver Vaults

Gray's Inn ㉑

Gray's Inn Rd WC1. **Plan** 6 D5. *0171-405 8164. Chancery Lane, Holborn.* ***Visite*** *: lun.-ven. de 10 h à 16 h.* ***jardins ouverts*** *t.l.j. 24 h sur 24.*

Fondé en 1391, Gray's Inn est l'un des quatre collèges d'avocats de la City. Comme la plupart des édifices du quartier, il a été sérieusement endommagé lors des bombardements de la dernière guerre. Il a toutefois été soigneusement restauré. Le jubé en bois sculpté date du XVIe siècle. *La Comédie des erreurs*, de Shakespeare, a été représentée dans le hall en 1594. Plus récemment, en 1827-28, le jeune Dickens y fut employé comme clerc. Aujourd'hui, les jardins, où eurent lieu jadis de nombreux duels, constituent un cadre agréable pour un pique-nique. Il y règne un calme caractéristique des quatre collèges d'avocats. Les édifices ne peuvent être visités que sur autorisation spéciale.

LA CITY

À Londres, le centre des affaires s'élève sur le site conquis par les Romains au premier siècle de notre ère. La physionomie de la City of London, communément appelée la City, a été marquée par le Grand Feu de 1666 puis par la Seconde Guerre mondiale (*pp. 24-5 et 31*). Aujourd'hui, des édifices contemporains côtoient des banques aux vestibules ornés de colonnes. La sévérité des constructions de l'ère victorienne rappelle l'austérité des édifices religieux de Christopher Wren, et contraste avec la modernité des gratte-ciel étincelants. Théâtre d'une activité fébrile pendant la journée, le quartier ne compte plus que quelques habitants. Seules les églises témoignent de l'époque où la City était un quartier résidentiel recherché.

Enseigne de banque, sur Lombard Street

LE QUARTIER D'UN COUP D'ŒIL

Rues et édifices historiques
Mansion House ❶
Royal Exchange ❸
Old Bailey ❼
Maison des Apothicaires ❽
Maison des Poissonniers ❾
Tour de Londres pp. 154-7 ⓰
Tower Bridge ⓱
Lloyd's of London ㉒
Stock Exchange ㉔
Guildhall ㉕

Musées et galeries
Bank of England Museum ❹
Tower Hill Pageant ⓳

Marchés
Billingsgate ⓬
Leadenhall ㉓

Monument
Le Monument ⓫

Églises et cathédrales
St Stephen Walbrook ❷
St Mary-le-Bow ❺
St Paul's Cathedral pp. 148-51 ❻
St Magnus the Martyr ❿
St Mary-at-Hill ⓭
St Margaret Pattens ⓮
All Hallows by the Tower ⓯
St Helen's Bishopsgate ⓴
St Katharine Cree ㉑

Dock
St Katharine's Dock ⓲

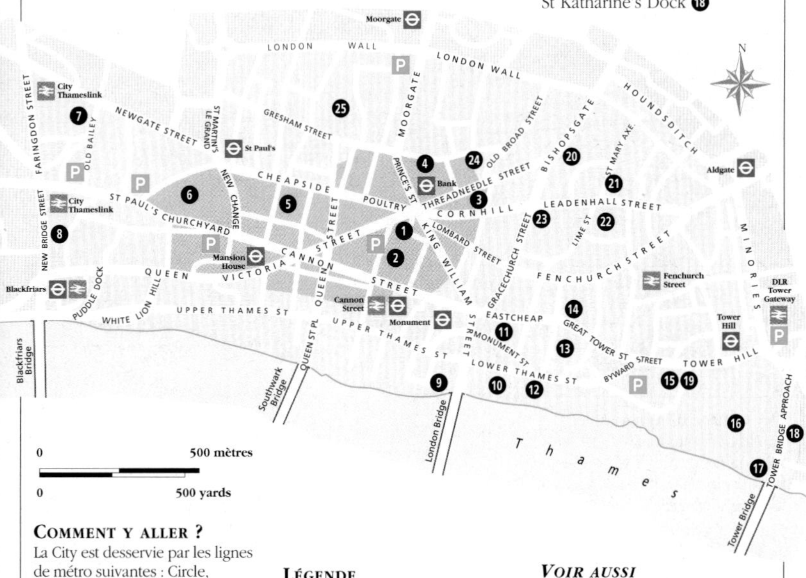

COMMENT Y ALLER ?

La City est desservie par les lignes de métro suivantes : Circle, Central, District, Northern et Metropolitan et les bus nos 6, 8, 9, 11, 15, 15B, 22B, 25, 133 et 501. Il est également possible de s'y rendre en vedette fluviale ou d'y accéder en train par les nombreuses gares (British Rail).

LÉGENDE

- Plan du quartier pas à pas
- Station de métro
- Gare (British Rail)
- Parc de stationnement

VOIR AUSSI

• ***Atlas des rues,*** plans 14, 15, 16
• ***Hébergement*** pp. 276-7
• ***Restaurants*** pp. 292-4

Le jour se lève sur la City : la cathédrale St-Paul et la tour de la NatWest (1980) sur la gauche.

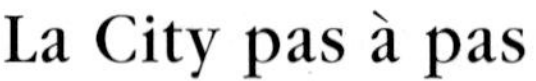

La City pas à pas

Centre des affaires de la capitale, la City abrite d'importantes institutions financières, comme la Bourse des valeurs ou la Banque d'Angleterre. Ces édifices pompeux des XIXe et XXe siècles tranchent nettement avec les églises de Christopher Wren. Une promenade dans la City permet d'en voir un grand nombre car, après le Grand Feu de 1666, Wren n'en reconstruisit pas moins de 52 ! Nombre de ces églises témoignent aujourd'hui du génie du plus grand (et du plus prolifique) architecte du pays.

St Mary le Bow
Quiconque est né assez près de cette église, conçue par Wren, pour en entendre les cloches (Bow Bells) peut se vanter d'être un véritable « cockney » ❺

Temple de Mithra, vestige d'un temple romain dont les fondations ont été découvertes lors des bombardements de 1940.

★ St-Paul
Le chef-d'œuvre de Wren domine encore l'horizon de la City ❻

St Paul's station

NEW CHANGE
WATLING STREET
ST PAUL'S CHURCHYARD
BREAD STREET
CANNON STREET
FRIDAY ST
QUEEN VICTORIA

Mansion House station

St Nicholas Cole fut la première église construite par Wren dans la City (1677). Comme la plupart de ces édifices, elle fut restaurée après les bombardements de la dernière guerre.

COLLEGE · OF · ARMS

The College of Arms, collège héraldique, remonte à 1484. Sa mission est d'étudier les problèmes de filiation ou de blason des familles anglaises.

St James Garlickhythe, par Wren, possède sous son élégant clocher (1717) un porte-épée du XVIIe siècle.

Skinners' Hall, de la fin du XVIIIe siècle, est l'édifice qui abritait la corporation des pelletiers.

À NE PAS MANQUER :

- ★ **St-Paul**
- ★ **St Stephen Walbrook**
- ★ **Le musée de la Banque d'Angleterre**

LÉGENDE

– – – Itinéraire conseillé

0 100 mètres

0 100 yards

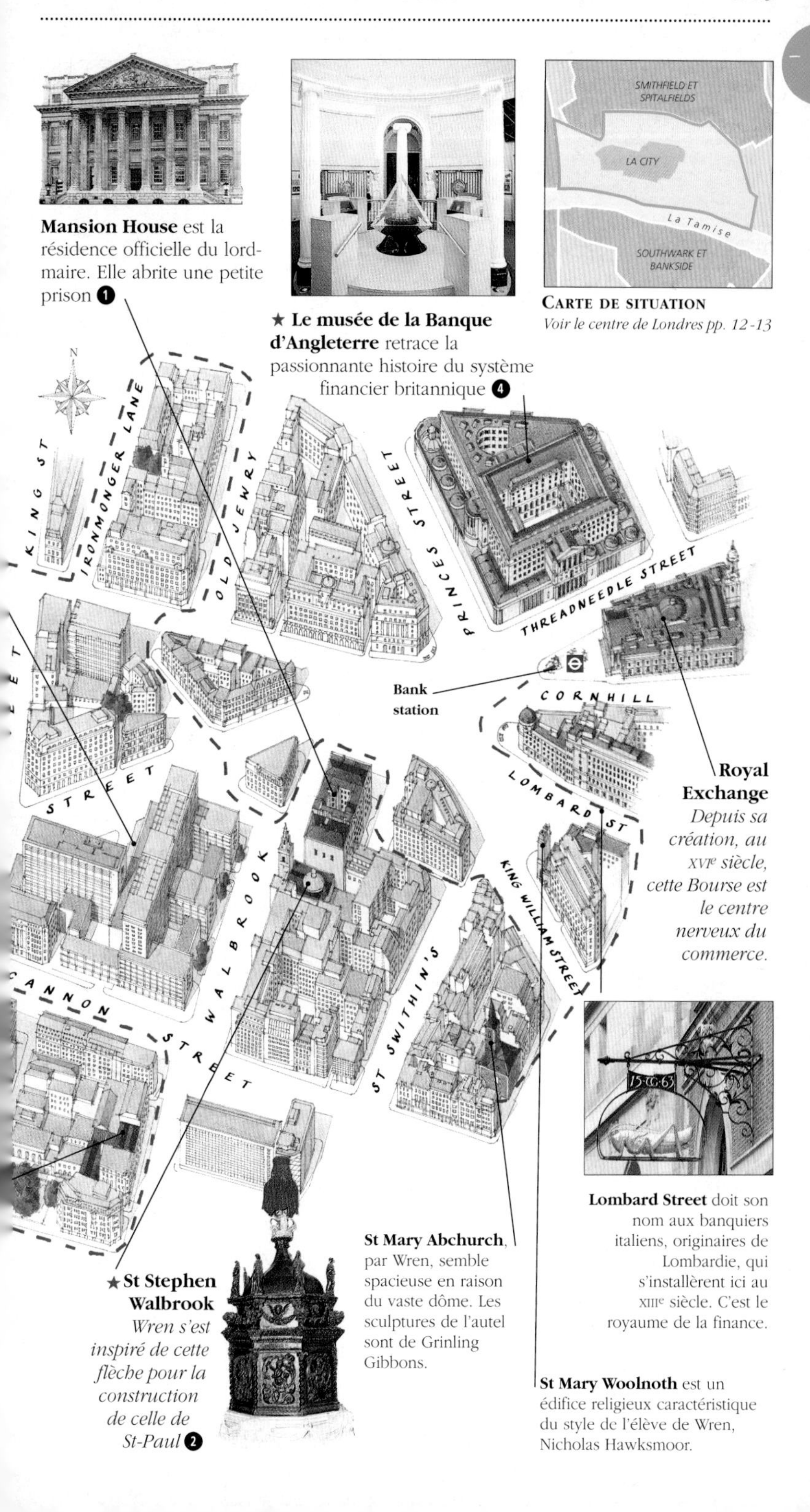

Mansion House est la résidence officielle du lord-maire. Elle abrite une petite prison ❶

★ **Le musée de la Banque d'Angleterre** retrace la passionnante histoire du système financier britannique ❹

Carte de situation
Voir le centre de Londres pp. 12-13

Bank station

Royal Exchange
Depuis sa création, au XVIe siècle, cette Bourse est le centre nerveux du commerce.

Lombard Street doit son nom aux banquiers italiens, originaires de Lombardie, qui s'installèrent ici au XIIIe siècle. C'est le royaume de la finance.

St Mary Abchurch, par Wren, semble spacieuse en raison du vaste dôme. Les sculptures de l'autel sont de Grinling Gibbons.

★ **St Stephen Walbrook**
Wren s'est inspiré de cette flèche pour la construction de celle de St-Paul ❷

St Mary Woolnoth est un édifice religieux caractéristique du style de l'élève de Wren, Nicholas Hawksmoor.

Mansion House ❶

Walbrook EC4. **Plan** 15 B2
0171-626 2500. *Bank, Mansion House.* ***Fermé** au public.*

La résidence officielle du lord-maire, dont les plans sont exposés dans le musée de Sir John Soane (*voir pp. 136-7*), a été conçue par George Dance l'Aîné en 1753. La façade néopalladienne, ornée de grandes colonnes corinthiennes, est une des plus familières de la City. Les appartements du lord-maire et les salons de réception sont richement ornés et meublés. Le hall égyptien, avec ses dimensions impressionnantes (27 m sur 18) est décoré de majestueuses colonnes cannelées.

Dans les sous-sols se trouvent dix cellules pour hommes et une pour femmes – la cage d'oiseau – où fut enfermée la suffragette Emmeline Pankhurst. Durant son mandat d'un an, le lord-maire est également le premier magistrat de la City.

Le hall égyptien de Mansion House

St Stephen Walbrook ❷

39 Walbrook EC4. **Plan** 15 B2. *0171-283 4444.* *Bank, Cannon St.* ***Ouvert** 10 h-16 h lun.-jeu. (der. adm. : 15 h 30), 10 h-15 h ven.* *12 h 45 jeu., messe chantée* ***Concerts d'orgue** le ven.*

L'église paroissiale du lord-maire a été construite par Wren de 1672 à 1679. Elle est considérée comme l'une des plus belles églises dessinées par Wren pour la City (*voir p. 147*). La coupole à caissons, surmontée d'une lanterne, annonce celle de Saint-Paul. Lumineux et aéré, l'intérieur, divisé par quatre rangées de colonnes, contraste avec le dépouillement de l'extérieur.

Le dais de la chaire est finement ouvragé. Quant à l'autel, une énorme pierre blanche, il a été sculpté par Henry Moore (1987).

Cependant, le « monument » qui est probablement le plus émouvant de l'église est un simple téléphone. Il rend hommage au recteur Chad Varah qui, en 1953, forma une équipe de bénévoles pour venir en aide, par téléphone, aux personnes désespérées.

Le Martyre de saint Etienne, accroché sur le mur N. de l'église, est une œuvre d'un peintre américain, Benjamin West, devenu académicien (voir p. 90) en 1768.

Le clocher, ajouté en 1717.

La coupole, agrandit et éclaire le volume intérieur.

L'autel et le jubé conçus par Wren ont subsisté.

La chaire, de Wren, est ornée d'un superbe dais.

L'autel sculpté par Henry Moore a été ajouté en 1987.

Royal Exchange ❸

EC3. **Plan** 15 C2. *0171-623 0444.* *Bank.* ***Fermé** au public.*

Thomas Gresham (1519-1579), riche marchand mercier, fut le promoteur, en 1565, de la première bourse de Londres. Cet édifice se trouvait au centre d'une vaste cour où les marchands faisaient affaire. Elisabeth Ire, venue l'inaugurer, lui donna ses lettres de noblesse : la bourse devint officiellement le Royal Exchange. Le bâtiment actuel, le troisième construit sur cet emplacement, fut inauguré en 1844 par la reine Victoria.

Les premières toilettes publiques de Grande-Bretagne (pour hommes uniquement), furent construites devant le Royal Exchange en 1855.

La façade du Royal Exchange, construit par William Tite en 1844

Le musée de la Banque d'Angleterre ❹

Bartholomew Lane EC2. **Plan** 15 B1. *0171-601 5545.* *0171-601 5792.* *Bank.*
***Ouvert :** 10 h-17 h lun.-ven.*
***Fermé** les jours fériés entre le 1er oct. et Pâques.* *(itinéraire).*
Films, conférences

Statue équestre de Wellington (1884), en face de la Banque d'Angleterre

Fondée en 1694, la Banque d'Angleterre avait pour mission de réunir l'argent nécessaire à la guerre contre la France. La banque conserve aujourd'hui les réserves monétaires du pays et le département « émission » a la charge de frapper la monnaie.

John Soane fut l'architecte du bâtiment élevé sur ce site en 1788, mais seuls les murs extérieurs de son projet ont subsisté. Le reste fut détruit dans les années 1920 et 1930 lorsque la banque fut agrandie. Le Stock Office (1793), également réalisé par Soane, a, quant à lui, été reconstitué.

Des éléments de décoration, en métal argenté, et une partie du sol, dans le style des mosaïques romaines, sont exposés au musée. Celui-ci évoque le rôle de la banque et son système financier. Le magasin de souvenirs vend des presse-papiers faits en billets.

St Mary-le-Bow ❺

(Bow Church) Cheapside EC2.
Plan 15 A2. *0171-248 5139.*
Mansion House. ***Ouvert** 6 h 30-18 h lun., mer., ven. 6 h 30-19 h jeu, 6 h 30-16 h ven.* *17 h 45 jeu.*

Elle est appelée ainsi en raison des arcades de pierre (bow) qui ornaient pour la première fois à Londres l'édifice primitif. Lorsque Wren reconstruisit l'église (en 1670-80) après le Grand Feu (*voir pp. 22-3*), il reprit ce motif architectural pour l'élégant clocher. La girouette, de 1674, représente un énorme dragon.

L'église fut détruite lors des bombardements de 1941. Seuls subsistèrent le clocher et deux des murs extérieurs. Elle fut restaurée en 1956-62. La tradition veut que tout vrai Londonien « cockney » naisse à portée du son des cloches de St Mary.

St-Paul ❻

Voir pp. 148-51

Old Bailey ❼

EC4. **Plan** 14 F1. *0171-248 3277.* *St Paul's.* ***Ouvert** 10 h 30-13 h, 14-16 h 30 lun.-ven. (les horaires peuvent varier d'un tribunal à l'autre).* ***Fermé** Noël,nouvel an, Pâques, jours fériés.*

La Justice, au-dessus du tribunal criminel de Londres

Cette petite rue est depuis longtemps associée aux crimes et aux châtiments… Le Central Criminal Court a ouvert ses portes en 1907 sur l'emplacement de la prison de Newgate, de sinistre réputation. Aujourd'hui, la plupart des audiences du tribunal sont ouvertes au public.

En face, le pub Magpie and Stump servait un « menu d'exécution » les jours de peine capitale. En effet, jusqu'en 1868, on se pressait devant la prison pour assister aux pendaisons publiques.

La cathédrale St-Paul ❻

En 1666, le Grand Feu de Londres détruisit la cathédrale médiévale St-Paul. C'est à Christopher Wren que l'on demanda de reconstruire l'édifice. Il proposa un plan en croix grecque coiffé d'un dôme, mais le projet fut rejeté. Avec la « grande maquette » de 1672, exposée dans la crypte actuelle de la cathédrale, il chercha, en vain, à lever les résistances. Enfin, contraint de s'incliner, Wren présenta en 1675 un nouveau projet de conception beaucoup moins audacieuse. Aujourd'hui, la majesté de la cathédrale témoigne encore de la détermination de l'architecte.

Élément décoratif, en pierre, à l'extérieur du transept

★ Le dôme
Culminant à 110 m, il est le deuxième du monde après celui de St-Pierre à Rome. Il est aussi impressionnant vu de l'extérieur que de l'intérieur.

Les balustrades qui couronnent trois des côtés ont été ajoutées, en 1718, contre la volonté de Wren.

Le fronton, sculpté en 1706, représente la conversion de saint Paul.

★ La façade occidentale et les tours
Les tours, dont les deux clochetons auraient dû être dotés d'horloges, ne faisaient pas partie du projet initial conçu par Wren. Il les ajouta en 1707, à l'âge de 75 ans.

Les arcs-boutants soutiennent les murs de la nef et le dôme.

À NE PAS MANQUER :

- ★ **La façade occidentale et les tours**
- ★ **L'intérieur et l'extérieur du dôme**
- ★ **Galerie des Murmures**

Le portique Ouest est double et à colonnes jumelées. Wren avait prévu une colonnade disposée sur un seul niveau.

Le portail **occidental**, du côté de Ludgate Hill, est l'entrée principale de la cathédrale.

La statue de la reine Anne, réplique sculptée en 1886 d'après le modèle de Francis Bird (1712), trône sur le parvis.

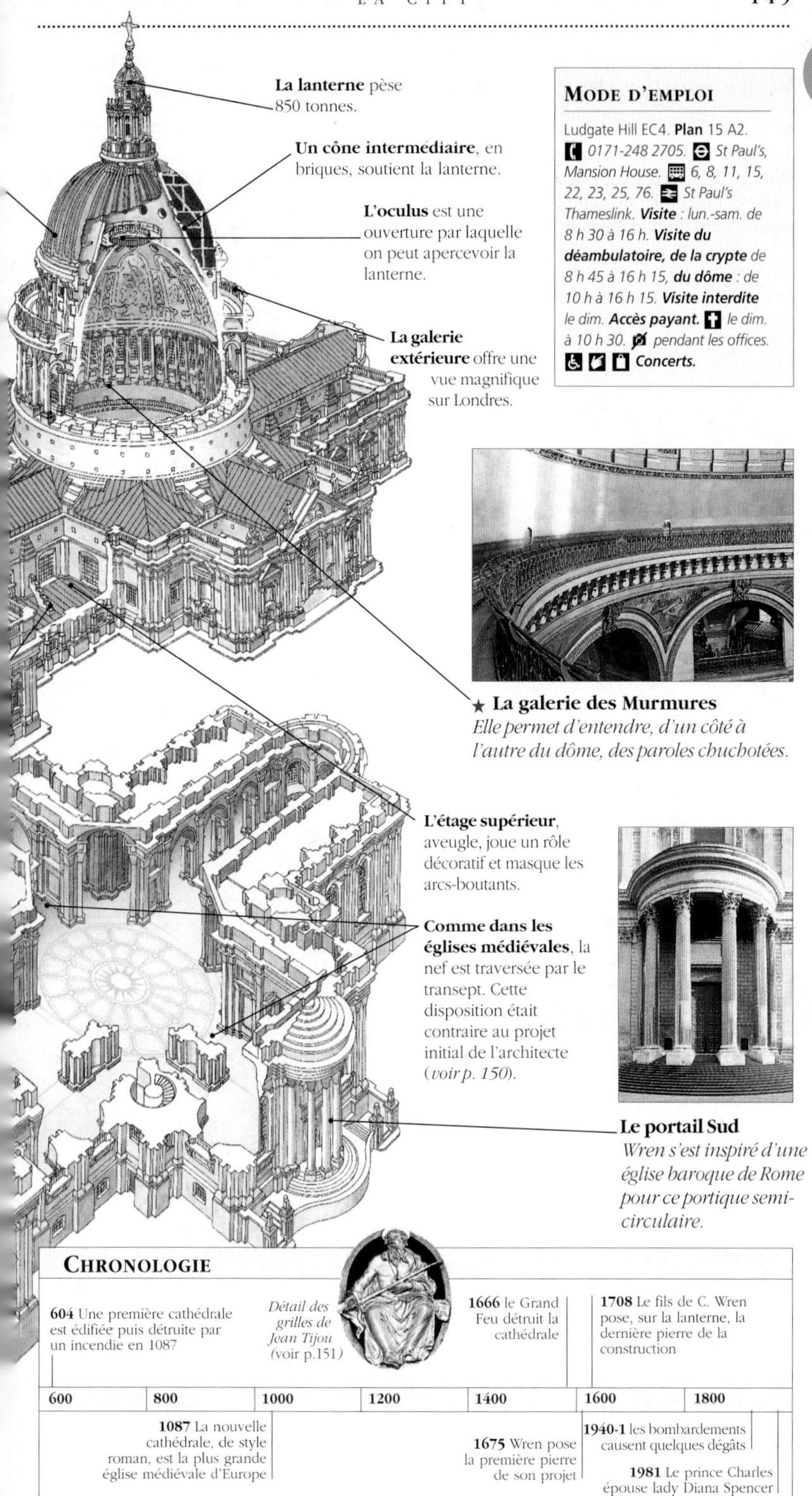

MODE D'EMPLOI

Ludgate Hill EC4. **Plan** 15 A2. *0171-248 2705. St Paul's, Mansion House. 6, 8, 11, 15, 22, 23, 25, 76. St Paul's Thameslink.* ***Visite*** *: lun.-sam. de 8 h 30 à 16 h.* ***Visite du déambulatoire, de la crypte*** *de 8 h 45 à 16 h 15,* ***du dôme*** *: de 10 h à 16 h 15.* ***Visite interdite*** *le dim.* ***Accès payant.*** *le dim. à 10 h 30. pendant les offices.* ***Concerts.***

CHRONOLOGIE

604 Une première cathédrale est édifiée puis détruite par un incendie en 1087

Détail des grilles de Jean Tijou (voir p.151)

1666 le Grand Feu détruit la cathédrale

1708 Le fils de C. Wren pose, sur la lanterne, la dernière pierre de la construction

600 | 800 | 1000 | 1200 | 1400 | 1600 | 1800

1087 La nouvelle cathédrale, de style roman, est la plus grande église médiévale d'Europe

1675 Wren pose la première pierre de son projet

1940-1 les bombardements causent quelques dégâts

1981 Le prince Charles épouse lady Diana Spencer

Visite guidée de la cathédrale St-Paul

Le visiteur est immédiatement impressionné par l'harmonie et la sérénité qui règnent à l'intérieur de cet édifice très spacieux. La nef, le transept et le chœur forment une croix, comme dans les cathédrales médiévales, mais le style de Wren, d'inspiration classique, a triomphé en dépit des résistances manifestées par les autorités ecclésiastiques. Aidé par quelques-uns des plus célèbres artistes de son temps, il a créé un intérieur baroque d'une grande majesté, cadre à la mesure des cérémonies officielles qui s'y déroulent. Les funérailles de Winston Churchill y ont été célébrées en 1965 et, plus récemment, en 1981, le mariage du prince Charles et de lady Diana Spencer.

Les mosaïques, au-dessus du chœur, ont été exécutées par William Richmond dans les années 1890.

① **La nef,**
qui frappe par ses proportions, est prolongée par le chœur et la coupole.

② **Les bas-côtés**
sont surmontés de petits dômes qui répondent à ceux de la nef.

⑨ **Un escalier**
de 259 marches conduit à la galerie des Murmures.

⑧ **La grande maquette**
a été réalisé par Wren en 1672. Le projet, jugé trop novateur, fut rejeté.

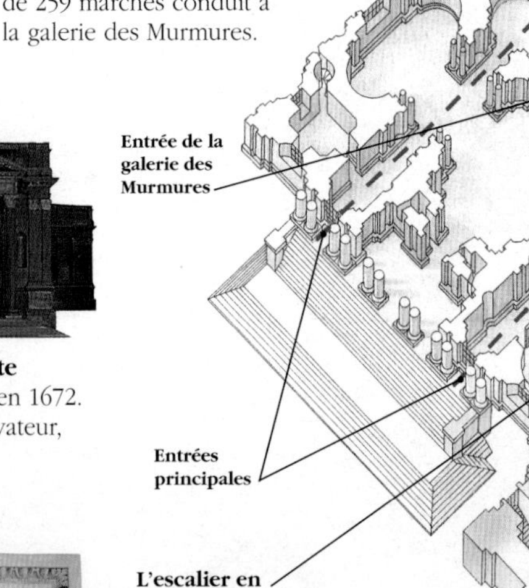

Entrée de la galerie des Murmures

Entrées principales

L'escalier en colimaçon
(92 marches) conduit à la bibliothèque de la cathédrale.

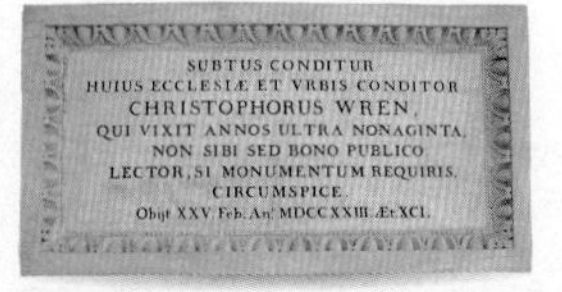

⑦ **La tombe de Wren**
Sur une simple dalle, une dédicace en latin porte ces mots : Si monumentum requiris, circumspice *(Si tu cherches mon tombeau, regarde autour de toi).*

LÉGENDE

— — — Itinéraire conseillé

③ **Sous le dôme,** le visiteur est impressionné par l'ampleur de la construction. James Thornhill a décoré la coupole de fresques monochromes illustrant la vie de saint Paul.

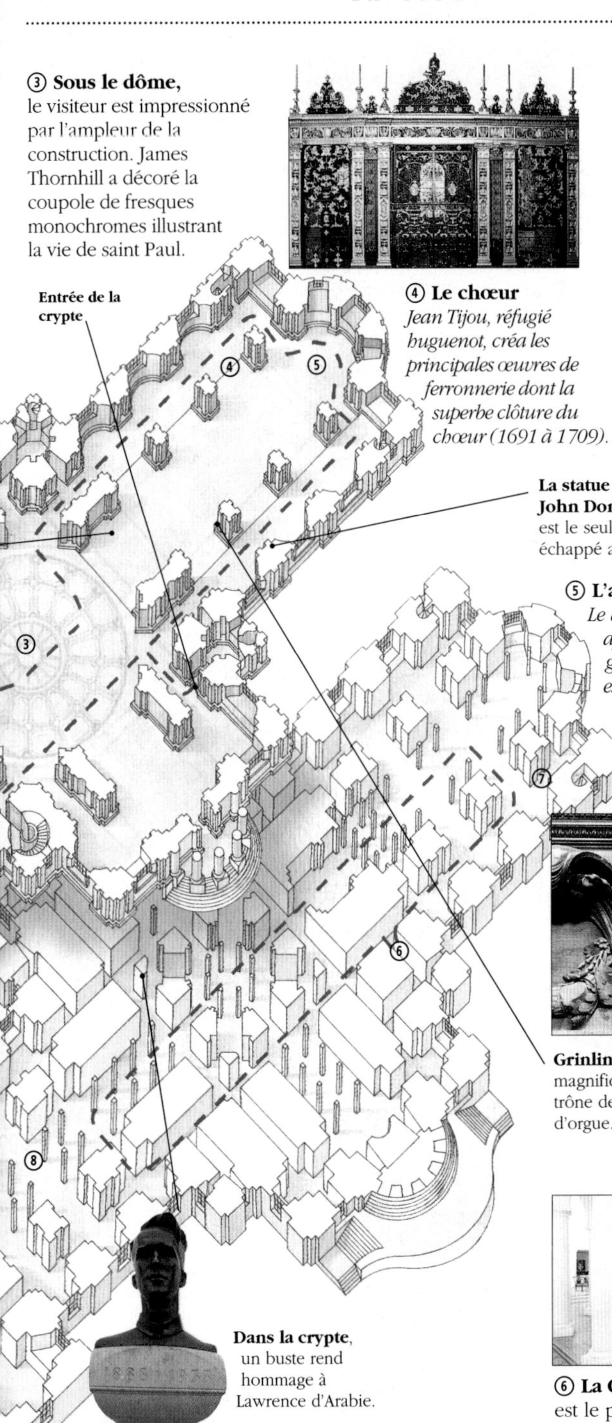

Entrée de la crypte

④ **Le chœur**
Jean Tijou, réfugié huguenot, créa les principales œuvres de ferronnerie dont la superbe clôture du chœur (1691 à 1709).

La statue du poète-théologien John Donne, sculptée en 1631, est le seul monument à avoir échappé au Grand Feu de 1666.

⑤ **L'autel**
Le dais a été remplacé après la dernière guerre. Il a été exécuté en style baroque d'après les dessins de Wren.

Grinling Gibbons a sculpté les magnifiques stalles du chœur, le trône de l'évêque et le buffet d'orgue.

Dans la crypte, un buste rend hommage à Lawrence d'Arabie.

⑥ **La Crypte**
est le panthéon des grands hommes anglais. Elle renferme notamment le tombeau de Nelson.

La maison des Apothicaires ❽

Blackfriars Lane EC4. **Plan** 14 F2. *0171-236 1189. Blackfriars.* ***Accès à la cour** : lun.-ven. de 9 h à 17 h 30. **Fermée** : jours fériés. **La visite** de l'intérieur est interdite.*

La maison des Apothicaires, reconstruite en 1670

Les corporations, ou « Livery Companies », remontent aux guildes du Moyen Age. La maison des Apothicaires fut fondée en 1617 pour ceux qui préparaient, prescrivaient ou vendaient des médicaments. Elle compta des élèves inattendus parmi lesquels il faut citer Oliver Cromwell et le poète John Keats. Désormais, pratiquement tous ses membres sont médecins ou chirurgiens.

La maison des Poissonniers ❾

London Bridge EC4. **Plan** 15 B3. *0171-626 3531. Monument.* ***Fermée** au public.*

Fondée en 1272, c'est l'une des plus anciennes corporations. En 1381, le lord-maire Walworth, membre de la corporation des Poissonniers, assassina Wat Tyler, le chef de la révolte paysanne (*voir p. 162*). Aujourd'hui, la mission de la Maison est inchangée : tous les poissons vendus dans la City doivent être contrôlés par les responsables de la corporation. L'immeuble actuel date de 1834.

St Magnus the Martyr ❿

Lower Thames St EC3. **Plan** 15 C3. *0171-626 4481. Monument.* ***Ouvert** : mar.-ven., de 10 h 30 à 16 h 30, sam. de 14 h à 17 h, dim. de 10 h 30 à 12 h 30. le dim. à 11 h.*

Cela fait plus de 1 000 ans qu'il y a une église sur cet emplacement. Son saint patron, Magnus, était un seigneur norvégien, des îles Orcades. Grand chef chrétien, il fut assassiné en 1110. Christopher Wren construisit cette église (1671-6) à proximité de l'ancien London Bridge qui demeura jusqu'en 1738 l'unique pont de Londres. En quittant la City par le S., le visiteur ne pourra pas manquer son magnifique clocher-porche, ni le dallage conduisant au pont. On admirera également, à l'intérieur, le buffet d'orgue finement sculpté et la chaire, restaurée en 1924.

Le Monument ⓫

Monument St EC3. **Plan** 15 C2. *0171-626 2717. Monument.* ***Visite** : d'avr. à sept. : lun.-ven. de 9 h à 17 h 30, et sam.-dim. de 14 h à 17 h 30 ; d'oct. à mars : lun.-sam. de 9 h à 15 h 30. **Accès payant.** **Fermé**, pour restauration, jusqu'à mi-1995.*

Elevée par Wren pour commémorer le Grand Feu de septembre 1666, c'est la plus grande colonne de pierre du monde. Ses 62 m de hauteur représentent la distance qui la sépare de l'endroit exact où se déclara l'incendie. Elle fut dressée à proximité de l'ancien London Bridge, qui se trouvait à quelques mètres en aval du pont actuel. À la base du monument, un bas-relief évoque la reconstruction de la City sous le patronage de Charles II. Les 311 marches conduisent à une plate-forme d'où l'on a une vue superbe sur Londres et la Tamise. En 1842, une rambarde a été ajoutée pour empêcher les suicides.

L'autel de St Magnus the Martyr

Billingsgate ⓬

Lower Thames St EC3. **Plan** 15 C3. *Monument. **Fermé** au public.*

La girouette du marché de Billingsgate

Il y a 900 ans, le principal marché aux poissons de Londres s'établit à cet emplacement. Au XIXe siècle et au début du XXe siècle, on y vendait 400 tonnes de poisson par jour. C'était le marché le plus bruyant de Londres et il a toujours été connu pour les grossièretés qui s'y échangeaient. En 1982, le marché a été transféré à India and Millwall Docks.

St Mary-at-Hill ⓭

Lovat Lane EC3. **Plan** 15 C2. *0171-626 4184. Monument.* ***Concerts. Visite** : lun.-ven. de 10 h à 15 h.*

L'intérieur et l'extrémité E. ont été construits d'après les plans de Christopher Wren (1670-6). Sa forme de croix grecque lui servit de modèle pour les projets proposés lors de la reconstruction de St-Paul.

Les moulures et la décoration du XVIIe siècle ont échappé à la vague de restauration de l'ère victorienne, puis aux bombardements allemands de la dernière guerre. Elles ont été détruites dans un incendie en 1988. Puis de nouveau endommagées, en 1992, par une bombe de l'IRA.

St Margaret Pattens ⓮

Rood Lane and Eastcheap EC3. **Plan** 15 C2. *0171-623 6630.* *Monument.* ***Visite*** *: lun.-ven. de 8 hà 16 h.* ***Fermée*** *: semaine de Noël, et pendant trois semaines en août.* *le mer. à 13 h.*

Cette église construite par Wren (1684-7) doit son nom aux galoches fabriquées dans une rue voisine, au XVe siècle. Ses murs en pierre de Portland contrastent avec le stuc du parvis, de style georgien. On remarquera les bancs du XVIIe siècle et un superbe bénitier.

All Hallows by the Tower ⓯

Byward St EC3. **Plan** 16 D3. *0171-481 2928.* *Tower Hill.* ***Visite*** *: lun. et ven. de 9 h à 18 h, jeu. de 9 h à 17 h, sam. de 11 h à 17 h et dim. de 10 h à 17 h.* ***Fermée*** *: 26-27 déc., 1er janv.* *le dim. à 11 h.*

C'est un roi saxon qui fonda la première église sur cet emplacement. L'arc de l'angle S.-O. comprend des carreaux romains, ainsi que certaines des croix érigées dans la crypte à l'époque de la construction. L'intérieur a été modifié lors d'une restauration, mais un couvercle de fonts baptismaux en bois de citronnier, sculpté par Grinling Gibbons en 1682, a subsisté.

William Penn (le fondateur de la Pennsylvanie) a été baptisé dans cette église en 1644 et John Quincy Adams s'y est marié en 1797, avant de devenir Président des États-Unis. Samuel Pepys fut témoin du Grand Feu du haut du clocher de l'église.

Carreau romain, à All Hallows by the Tower

La Tour de Londres ⓰

Voir pp. 154-7.

Tower Bridge ⓱

SE1. **Plan** 16 D3. *0171-403 3761.* *Tower Hill.* ***Visite*** *: d'avr. à oct. : t.l.j. de 10 h à 18 h 30 ; de nov. à mars : de 10 h à 16 h 45 (dern. adm. : 45 min. avant la fermeture).* ***Fermé*** *: 24-26 déc., 1er janv., ven. saint.* ***Accès payant.*** ***Vidéo.***

Achevée en 1894, cette réussite technologique de l'ère victorienne n'a pas tardé à devenir le symbole de la capitale. Les tours néo-gothiques sont reliées par un pont routier et, à l'étage supérieur, par une passerelle pour piétons. Le pont routier comporte deux tabliers pouvant basculer pour laisser le passage aux navires de haute mer, ou pour des occasions spéciales, comme le retour du *Gipsy Moth* (*voir p. 237*). Le pont abrite désormais un musée qui illustre son histoire. On y verra également la machine à vapeur qui, jusqu'en 1976, actionnait le mécanisme de levage.

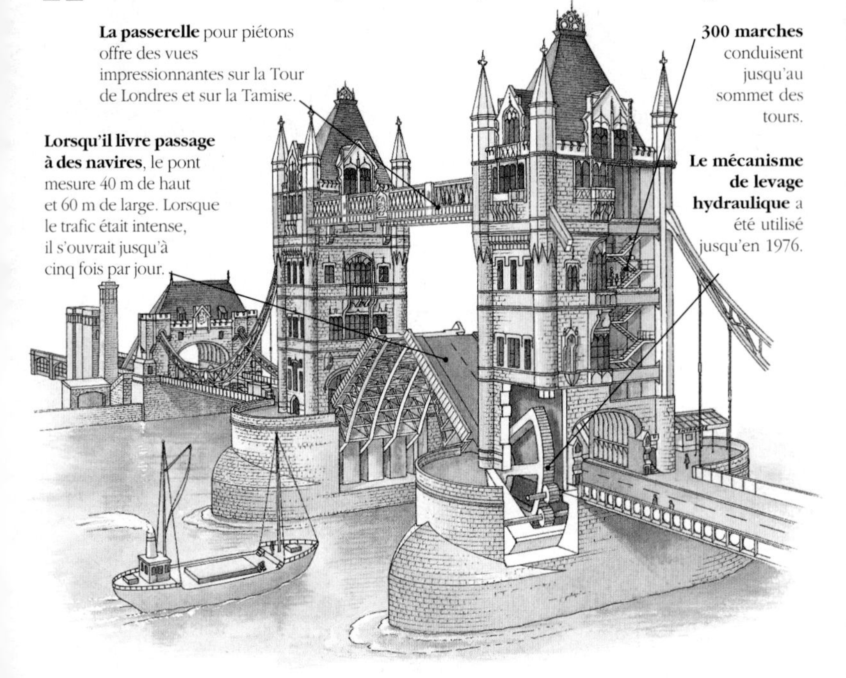

La Tour de Londres 16

Depuis qu'elle existe, c'est-à-dire depuis presque neuf siècles, la Tour a toujours inspiré la crainte. Ceux qui avaient offensé le roi étaient incarcérés dans ses cachots humides. Quelques privilégiés jouissaient d'un confort relatif, mais la plupart vivaient dans des conditions terribles. Nombre des prisonniers y ont trouvé la mort ou ont été torturés avant d'être exécutés sur Tower Hill, à proximité.

Un « Beefeater »
Une quarantaine de « Yeoman Warder » armés de hallebardes gardent la forteresse.

★ La tour Blanche
Quand elle fut achevée en 1097, c'était le plus grand bâtiment de la ville (30 m de hauteur).

★ La maison des Joyaux abrite la somptueuse collection des joyaux de la Couronne (*voir p. 156*)

La tour Beauchamp
Des prisonniers célèbres y ont été incarcérés, parfois avec leurs domestiques.

Tower Green La pelouse marque l'endroit où périrent sur le billot sept personnalités. Deux des sept femmes d'Henri VIII y furent exécutées. Les prisonniers moins importants mouraient sur la place publique, à Tower Hill.

Entrée principale

À NE PAS MANQUER :

- ★ La tour Blanche
- ★ La maison des Joyaux
- ★ La chapelle St-Jean
- ★ La porte du Traître

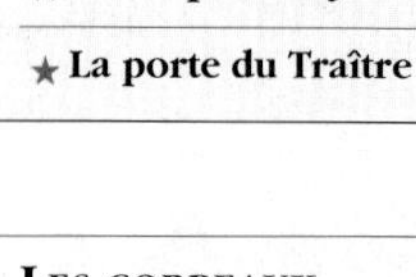

Queen's House
L'administrateur de la Tour y a sa résidence officielle.

LES CORBEAUX

Les neuf corbeaux de la Tour comptent parmi ses habitants les plus célèbres. On ignore la date de leur installation mais, selon la croyance populaire, le jour où ils disparaîtront, la Tour s'effondrera. En fait, leurs ailes ont été rognées pour les empêcher de s'envoler. Un maître des Corbeaux, l'un des Yeoman Warders, est chargé de s'occuper d'eux. Un monument a été

élevé dans les douves en souvenir des corbeaux morts à la Tour depuis les années 1950.

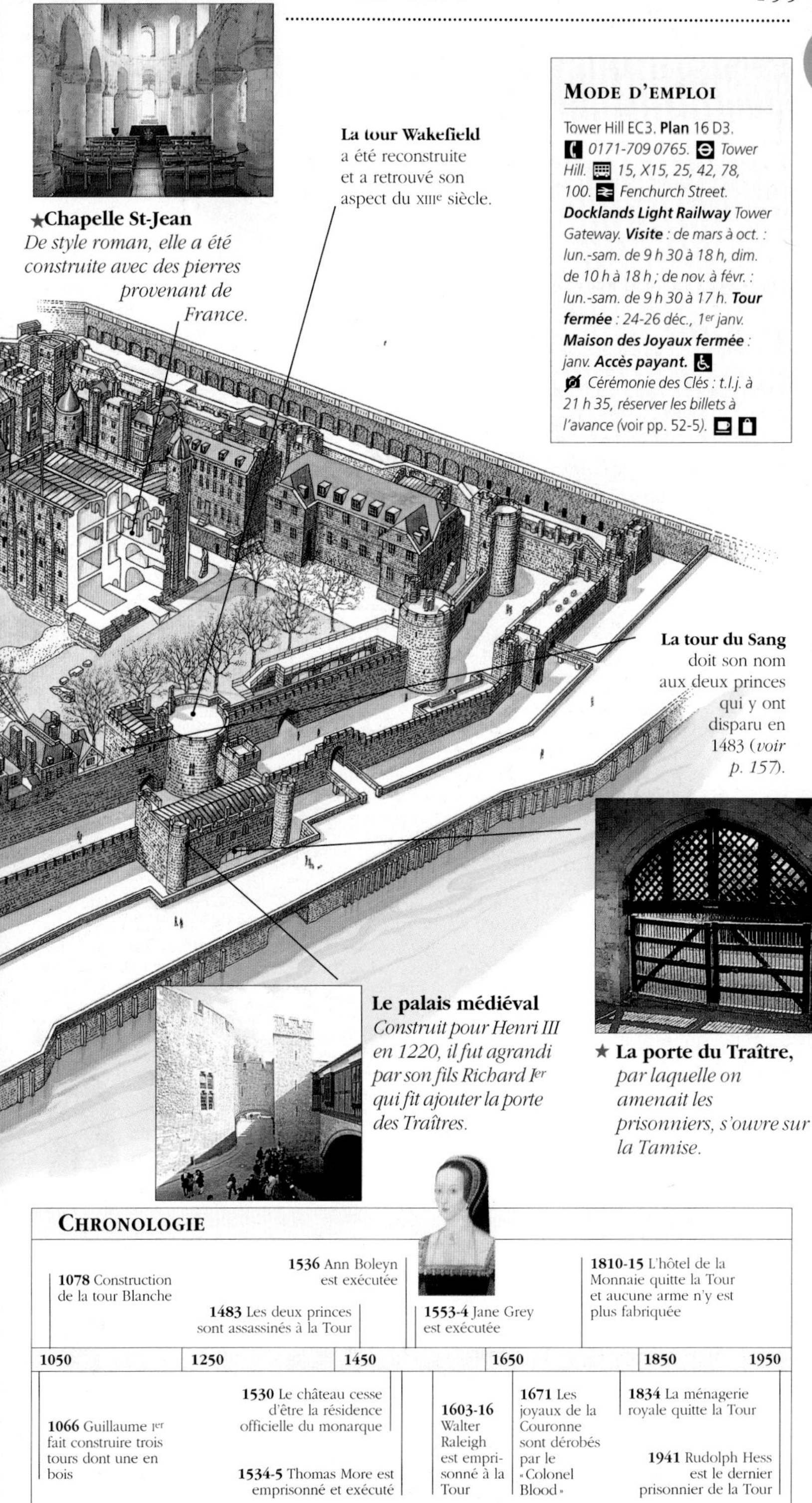

★Chapelle St-Jean
De style roman, elle a été construite avec des pierres provenant de France.

La tour Wakefield a été reconstruite et a retrouvé son aspect du XIIIe siècle.

Mode d'emploi

Tower Hill EC3. **Plan** 16 D3. *0171-709 0765. Tower Hill. 15, X15, 25, 42, 78, 100. Fenchurch Street.* ***Docklands Light Railway*** *Tower Gateway.* ***Visite*** *: de mars à oct. : lun.-sam. de 9 h 30 à 18 h, dim. de 10 h à 18 h ; de nov. à févr. : lun.-sam. de 9 h 30 à 17 h.* ***Tour fermée*** *: 24-26 déc., 1er janv.* ***Maison des Joyaux fermée*** *: janv.* ***Accès payant.*** *Cérémonie des Clés : t.l.j. à 21 h 35, réserver les billets à l'avance (voir pp. 52-5).*

La tour du Sang doit son nom aux deux princes qui y ont disparu en 1483 (*voir p. 157*).

Le palais médiéval
Construit pour Henri III en 1220, il fut agrandi par son fils Richard Ier qui fit ajouter la porte des Traîtres.

★ La porte du Traître,
par laquelle on amenait les prisonniers, s'ouvre sur la Tamise.

Chronologie

1078 Construction de la tour Blanche

1483 Les deux princes sont assassinés à la Tour

1536 Ann Boleyn est exécutée

1553-4 Jane Grey est exécutée

1810-15 L'hôtel de la Monnaie quitte la Tour et aucune arme n'y est plus fabriquée

1050 — 1250 — 1450 — 1650 — 1850 — 1950

1066 Guillaume Ier fait construire trois tours dont une en bois

1530 Le château cesse d'être la résidence officielle du monarque

1534-5 Thomas More est emprisonné et exécuté

1603-16 Walter Raleigh est emprisonné à la Tour

1671 Les joyaux de la Couronne sont dérobés par le « Colonel Blood »

1834 La ménagerie royale quitte la Tour

1941 Rudolph Hess est le dernier prisonnier de la Tour

L'intérieur de la Tour

L'intérêt suscité par la Tour n'a cessé de croître depuis le règne de Charles II (1660-85), époque à laquelle les joyaux de la Couronne et l'Armurerie furent ouverts au public pour la première fois. Ces symboles et attributs témoignent de la puissance et de la richesse des souverains.

Le Globe, emblème du pouvoir du Christ sur la terre

Les joyaux de la Couronne

Les insignes de la royauté – couronnes, sceptres, globes et épées – sont utilisés à l'occasion des couronnements ou lors des cérémonies officielles. D'une valeur inestimable, ils font partie de l'histoire et de la vie religieuse du royaume. Après l'exécution de Charles Ier, en 1649, le Parlement détruisit la quasi-totalité des couronnes et des sceptres, et les membres du clergé dissimulèrent jusqu'à la Restauration, les rares pièces antérieures, à l'abbaye de Westminster. La plupart des joyaux présentés sont donc ceux qui servirent au sacre de Charles II, en 1661.

La cérémonie du couronnement

Nombre d'éléments de cette cérémonie solennelle datent de l'époque d'Edouard le Confesseur. Le souverain entre à l'abbaye de Westminster, revêt les insignes de la royauté et la grande épée d'apparat lui est présentée par l'archevêque. Il reçoit ensuite l'onction destinée à lui attirer la grâce, puis le manteau royal et les différents emblèmes. Chacun des joyaux rappelle les rôles du monarque, chef de l'Eglise et de l'Etat. La couronne de saint Edouard est alors posée sur sa tête tandis que montent les acclamations : « Dieu protège le roi ! » (ou la reine). Les trompettes sonnent et les coups de canons retentissent à la Tour. Le dernier couronnement fut celui d'Elisabeth II, en 1953.

La couronne impériale d'Etat, est ornée de 2 800 diamants, 273 perles et autres pierres précieuses

Les couronnes

Des douze couronnes exposées à la Tour, seule la couronne impériale d'Etat est régulièrement portée par la Reine, à l'occasion, par exemple, de l'ouverture de la session du Parlement (*voir p. 73*). Elle fut créée en 1937 pour Georges VI à l'identique de celle faite pour la Reine Victoria. Le saphir qui brille au centre de la croix terminale aurait été porté en anneau par Edouard le Confesseur (roi de 1042 à 1066). La plus récente des couronnes n'est pas présentée à la Tour. Exécutée en 1969, date à laquelle le prince Charles accéda au titre de Prince de Galles, elle est conservée au château de Caernavon. À l'exception de celle conçue en platine pour la reine mère Elisabeth, lors du couronnement de son époux, le roi George VI, en 1937, toutes les couronnes de la Tour sont en or.

Les autres insignes de la royauté

D'autres pièces de cette exceptionnelle collection ont une importance considérable lors des cérémonies de couronnement. Les trois épées de l'Equité, notamment, symbolisent la miséricorde et les justices divine et humaine. Le Globe en or, cerclé de pierres précieuses, pèse environ 1,3 kg. Le sceptre à la Croix est orné du plus gros diamant taillé du monde, l'*Étoile d'Afrique* (530 carats), extrait d'une pierre gemme de 3 106 carats.

La Bague du souverain, également appelée « l'anneau de mariage de l'Angleterre »

La vaisselle d'apparat

Les joyaux de la Couronne conservent également de superbes pièces d'orfèvrerie et d'argenterie. L'Écuelle du jeudi saint est encore utilisée de nos jours pour distribuer de l'argent à quelques personnes âgées. La salière d'Exeter (datant de l'époque où le sel était une monnaie d'échange) fut offerte par les citoyens d'Exeter, en Cornouailles, à Charles II. Au moment de la guerre civile, Exeter était en effet un bastion royaliste.

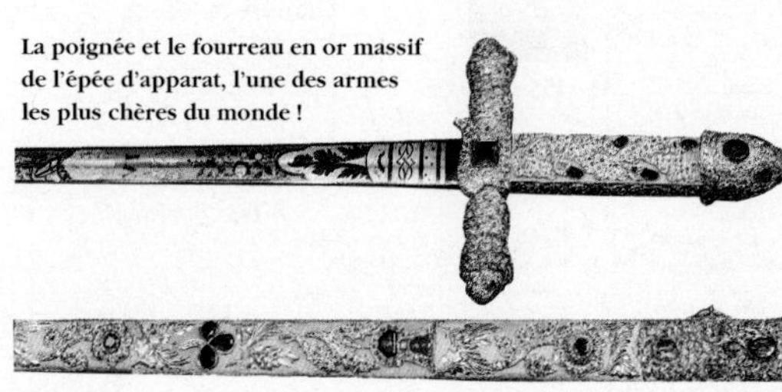

La poignée et le fourreau en or massif de l'épée d'apparat, l'une des armes les plus chères du monde !

Le sceptre à la Croix (1660), modifié en 1910 lorsque l'*Étoile d'Afrique* fut offerte à Edouard VII

L'Armurerie royale

L'Armurerie royale est la plus importante collection d'armes anciennes et d'armures du pays. Ces 40 000 pièces étaient utilisées lors de combats, mais aussi pour la chasse, les joutes ou les tournois. L'ensemble fut réorganisé par Henri VIII, peu de temps après son accession au trône en 1509, lorsqu'il ordonna que la Tour soit équipée des dernières armes et armures. La collection actuelle s'est enrichie au fil des siècles grâce aux prises de guerre accumulées au cours des conquêtes du royaume.

Pistolets à silex (1695)

Les armes anciennes

La collection occupe les quatre étages de la tour Blanche. Le premier étage est consacré à la chasse et aux tournois. La Sporting Gallery présente des arbalètes, des lances, des épées, ainsi que des fusils de chasse. L'engouement pour les tournois se développe à partir du début du XVe siècle. Il s'agit de combats courtois entre plusieurs chevaliers qui s'affrontent en champs clos et en présence d'une brillante assemblée. Les armures sont réalisées avec une incroyable habileté et richement décorées. Le deuxième étage abrite des armures du Moyen Age et du XVIe siècle. On remarquera le « trois-quarts d'armure » incrusté d'or et finement ciselé, réalisé pour le duc de Southampton en 1598, et les superbes harnois du cavalier et de son cheval, exécutés au XVe siècle. L'armure médiévale pour cheval est l'un des exemples de harnois de cavalerie les plus anciens du monde.

Jambière (protection de la jambe) et soleret (protection du pied) du XVIe siècle

Les armes utilisées à partir des Tudors

Les armures des Tudors et des Stuarts sont exposées au 3e étage. On remarquera celles du roi Henri VIII. La première remonte à 1520 (il était alors âgé de 29 ans), et la seconde, de 1540, accuse une plus forte corpulence. L'armure d'enfant a probablement été battue pour Edouard VI, fils de Henri VIII. Une autre, plus petite encore, mesure moins d'un mètre. Cet étage recèle également nombre d'épées richement décorées et une imposante collection de pistolets. Dans la cave, sont entreposés épées, armures et canons. On peut aussi y découvrir la Lignée des rois, créée par Charles II. Il s'agit de figures représentant des rois d'Angleterre portant des armures du XVIe siècle. Quelques-uns des chevaux ont été exécutés par le célèbre sculpteur sur bois, Grinling Gibbons.

La nouvelle salle d'armes

Cet ancien entrepôt construit au XVIIe siècle abrite aujourd'hui des pièces des XVIIIe et XIXe siècles. Les premières mitrailleuses (conçues notamment par Gatling et Maxim) y sont présentées, ainsi qu'une paire de pistolets de duel, fabriqués en 1834 par Purdey, l'armurier anglais. Figurent également dans cette collection des canons miniatures, des épées d'enfant et la plus petite arme automatique jamais réalisée (Allemagne, 1913-14).

La tour Martin

Cette tour expose les sinistres instruments de torture utilisés pour arracher les aveux des prisonniers. Les victimes – pour la plupart des opposants aux opinions religieuses ou politiques du souverain – étaient suppliciées sur la roue ou subissaient un lent broyage des membres.

Armure de Henri VIII (1540)

Les princes de la Tour

Le plus grand mystère entoure encore l'histoire des deux fils héritiers d'Edouard IV. À la mort de leur père, en 1483, ils furent enfermés dans la Tour sur ordre de Richard de Gloucester. Ensuite, on ne les revit jamais plus et Richard fut sacré roi la même année. Ce n'est qu'en 1674 que les squelettes de deux enfants furent découverts à proximité de la Tour.

La marina de St Katharine's Dock

St Katharine's Dock ⓲

E1. **Plan** 16 E3. *0171-488 0555.* *Tower Hill.*

Ce dock, le plus central de la capitale, a été construit par Thomas Telford sur l'emplacement du vieil hôpital Ste-Catherine et inauguré en 1828. Du thé, du marbre, mais aussi des tortues vivantes (la soupe de tortue était très appréciée à l'époque de la reine Victoria !) y étaient déchargés.

Au XIXe siècle et au début du XXe siècle, l'activité était intense. À partir des années 50, les anciens docks n'étaient plus adaptés à la taille des cargos et des conteneurs qui étaient de plus en plus grands. Il fallut donc construire de nouveaux quais, plus en aval. St Katharine's a fermé en 1968 et tous les autres docks l'imitèrent les années suivantes.

À présent, St Katharine's est un complexe fort apprécié. On y trouve un centre commercial, des appartements, des salles de spectacle, un hôtel et une marina. Les étages des anciens entrepôts ont été transformés en bureaux et les rez-de-chaussée en magasins.

Du côté N., on remarquera le London Fox (Futures and Options Exchange), une bourse spécialisée dans le café, le sucre et l'huile. La visite y est interdite, mais de l'entrée principale, il est possible de jeter un œil sur ce temple du commerce. Après avoir visité la Tour de Londres et Tower Bridge, il faut absolument faire un détour jusqu'à Katharine's dock.

St Helen's Bishopsgate

Tower Hill Pageant ⓳

Tower Hill Terrace EC3. **Plan** 16 D2. *0171-709 0081.* *Tower Hill.* ***Visite** : d'avr. à oct.: t.l.j. de 9 h 30 à 17 h 30; de nov. à mars: t.l.j. de 9 h 30 à 16 h 30.* ***Accès payant.*** ***Films***

Cette visite souterraine évoque l'histoire de Londres et, notamment, celle de ses activités portuaires. Différentes scènes de la vie londonienne y sont reconstituées et animées par des effets spéciaux. Une petite exposition, organisée par le Museum of London, présente des objets recueillis dans la Tamise (dont quelques épaves de navires) et explique comment les archéologues parviennent à faire la lumière sur le passé à partir de ces découvertes. Un magasin vend, entre autres souvenirs, des reproductions de bijoux romains découverts à Londres.

St Helen's Bishopsgate ⓴

Great St Helen's EC3. **Plan** 15 C1. *0171-283 2810.* *Liverpool St.* ***Fermée** pour restauration jusqu'à l'automne 1995.*

Cette église gothique, construite au XIIIe siècle, comprend deux nefs ; l'une était réservée aux religieuses, l'autre aux paroissiens ordinaires (les religieuses médiévales doivent leur notoriété au « baiser séculier »). St Helen abrite d'imposants tombeaux de notables. L'un des plus intéressants est celui de Thomas Gresham (1579), fondateur du Royal Exchange (*voir p. 147*).

St Katharine Cree ㉑

86 Leadenhall St EC3. **Plan** 16 D1 *0171-283 5733.* *Aldgate, Tower Hill.* ***Visite** : lun.-ven. de 9 h à 18 h.* ***Fermée** : Noël, Pâques. pendant les offices. Le jeu. à 13 h 05.*

L'orgue de St Katharine Cree

Cette église du XVIIe siècle est l'une des rares de la City à avoir échappé au Grand Feu de 1666. Quelques-unes des moulures de la nef représentent les armoiries de plusieurs corps de métier. Purcell et Haendel ont interprété certaines de leurs œuvres sur l'orgue du XVIIe siècle, supporté par de magnifiques colonnes sculptées.

Lloyd's ㉒

1 Lime St EC3. **Plan** 15 C2. ☎ *0171-327 6210.* ⊖ *Bank, Monument, Liverpool St, Aldgate.* **Fermé** *au public.*

La Lloyd's est née à la fin du XVIIe siècle à l'initiative d'un cabaretier gallois, Edward Lloyd, dont la taverne de Lombard Street, était fréquentée par une clientèle de navigateurs, d'armateurs et de marchands qui y traitaient leurs affaires. Depuis la fin du siècle dernier, la Lloyd's est habilitée à établir toutes les formes de contrat d'assurances : celle d'un super-pétrolier comme celle des jambes de Betty Grable

Le bâtiment actuel, conçu en 1986 par Richard Rogers, (l'architecte du Centre Pompidou à Paris), est l'un des immeubles modernes les plus intéressants de la capitale (*voir p. 30*). Ses énormes tuyaux en acier inoxydable et son aspect high-tech font penser à une gigantesque usine futuriste, surtout la nuit, lorsque sa structure est illuminée.

Leadenhall Market ㉓

Whittington Ave EC3. **Plan** 15 C2. ⊖ *Bank, Monument.* ***Visite*** *: lun.-ven. de 7 h à 16 h. Voir* ***Magasins et marchés*** *pp. 322-3.*

Depuis le Moyen Age, il y a eu un marché sur ce site qui est aujourd'hui consacré à la volaille et au gibier. La halle victorienne que l'on peut voir aujourd'hui, a été construite en 1881 par Horace Jones, l'architecte du marché au poisson de Billingsgate (*voir p. 152*). Elle doit son nom à une demeure couverte d'un toit en plomb (« lead ») qui, au XIVe siècle, se trouvait à proximité. À Noël, tous les étals sont magnifiquement décorés.

Stock Exchange ㉔

Old Broad St EC4. **Plan** 15 B1. ⊖ *Bank.* **Fermé** *au public.*

La première Bourse de Londres s'installa sur Threadneedle Street en 1773. Auparavant, aux XVIIe et XVIIIe siècles, les agents de change se réunissaient dans les restaurants de la City. Jusqu'en

Leadenhall Market en 1881

1914, la Bourse de Londres fut la plus importante du monde. Aujourd'hui, elle est en troisième position derrière celles de Tokyo et de New York. Le bâtiment, de 1969, abritait jusqu'en 1986 la « corbeille » autour de laquelle les agents de change suivaient fiévreusement les cours des principales valeurs. Aujourd'hui, toutes les transactions sont informatisées. La visite est interdite depuis que la Bourse a fait l'objet d'un attentat terroriste.

Guildhall ㉕

Gresham St EC2. **Plan** 15 B1. ☎ *0171-606 3030.* ⊖ *St Paul's.* **Fermé** *au public.* ***Musée de l'Horlogerie.*** Aldermanbury St EC2. ***Visite*** *: lun.-sam. de 9 h 30 à 17 h.* ♿

Il s'agit du centre administratif de la City depuis plus de 800 ans. La crypte et le grand hall datent du XVe siècle. Pendant plusieurs siècles, des procès ont eu lieu dans le hall et de nombreuses personnes y ont été condamnées à mort. Parmi celles-ci, Henry Garnet, l'un des protagonistes de la conspiration des Poudres (*voir p. 22*). Aujourd'hui, le lundi suivant la procession du lord-maire, celui-ci y donne un grand banquet auquel est convié le Premier ministre (*voir pp. 54-5*). La bibliothèque abrite le musée de l'Horlogerie. 700 modèles y sont présentés depuis les grandes horloges comtoises en bois ouvragé jusqu'aux montres et aux chronomètres.

Le bâtiment futuriste de la Lloyd's, encore plus impresionnant de nuit

Smithfield et Spitalfields

Ces quartiers situés au N. de la City servaient de refuge à des individus et des institutions qui ne souhaitaient pas relever de la juridiction de la City ou qui n'avaient pas le droit d'y séjourner. Au XVIIe siècle s'y installèrent notamment des ordres religieux, des églises dissidentes, des huguenots, ainsi que les premiers théâtres, puis, aux XIXe et XXe siècles, d'autres immigrants européens et plus tard bengalis. Ils créèrent des ateliers, de petites usines, des restaurants et des lieux de culte.

Le quartier Spitalfields doit son nom au prieuré médiéval St Mary Spital.

Middlesex Street, à proximité de Aldgate, prit le nom de Petticoat Lane au XVIe siècle, lorsqu'un marché aux vêtements y fut créé. Le dimanche matin, c'est encore un marché très animé. Il s'étend, à l'E., jusqu'à Brick Lane, une rue bordée de magasins bengalis. Le marché aux fruits et légumes de Spitalfieds a subsisté jusqu'en 1991, puis a été transféré à l'E. de la ville. Le marché à la viande de Smithfield, en revanche, est toujours très florissant. Le quartier situé entre Smithfield et la City est dominé par le Barbican, un complexe résidentiel moderne doté d'un centre culturel et d'un centre de conférences.

Tour : marché de Smithfield

Marché aux fleurs et aux plantes de Columbia Road

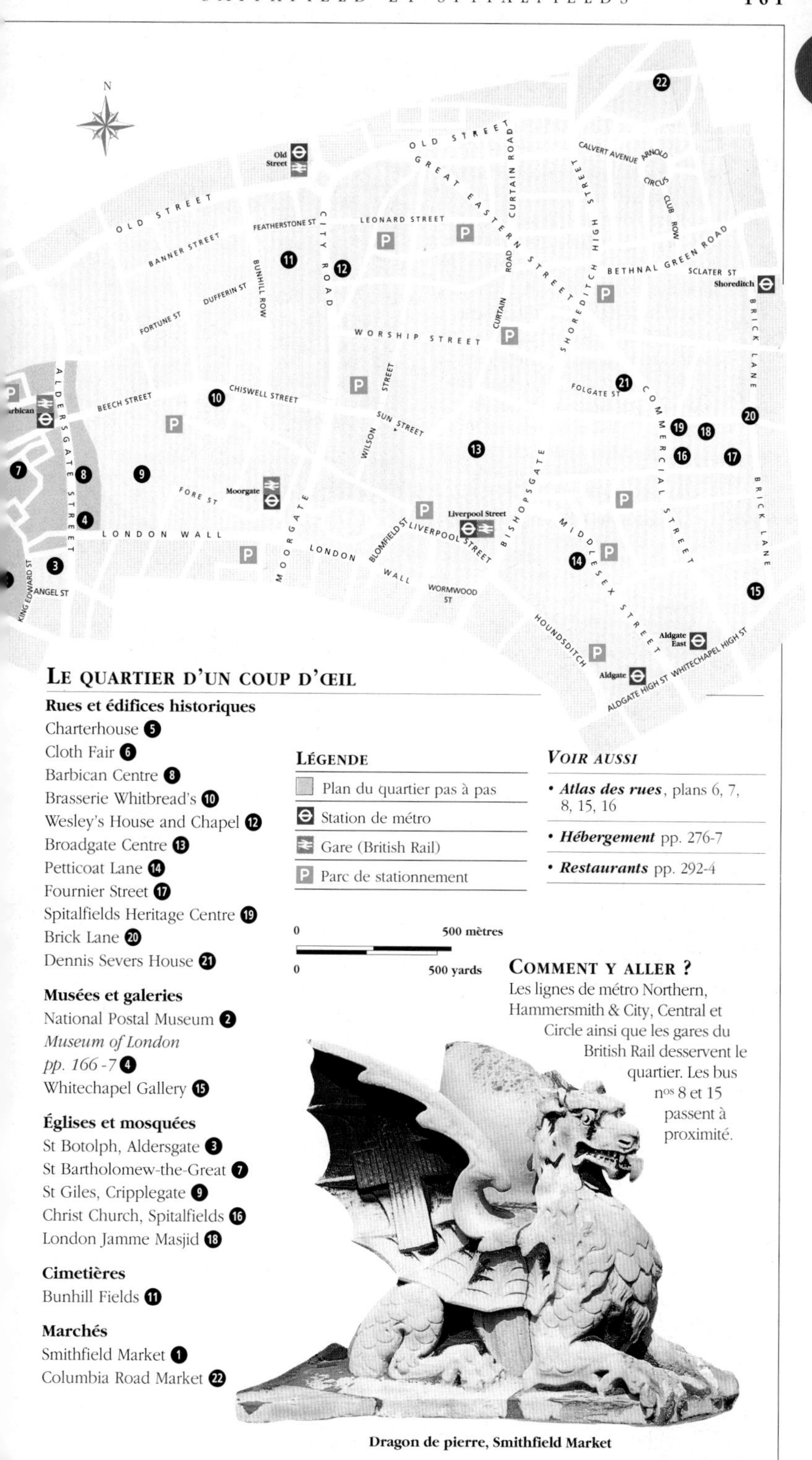

Le quartier d'un coup d'œil

Rues et édifices historiques

Charterhouse 5
Cloth Fair 6
Barbican Centre 8
Brasserie Whitbread's 10
Wesley's House and Chapel 12
Broadgate Centre 13
Petticoat Lane 14
Fournier Street 17
Spitalfields Heritage Centre 19
Brick Lane 20
Dennis Severs House 21

Musées et galeries

National Postal Museum 2
Museum of London pp. 166-7 4
Whitechapel Gallery 15

Églises et mosquées

St Botolph, Aldersgate 3
St Bartholomew-the-Great 7
St Giles, Cripplegate 9
Christ Church, Spitalfields 16
London Jamme Masjid 18

Cimetières

Bunhill Fields 11

Marchés

Smithfield Market 1
Columbia Road Market 22

Légende

- Plan du quartier pas à pas
- Station de métro
- Gare (British Rail)
- Parc de stationnement

0 — 500 mètres
0 — 500 yards

Voir aussi

• ***Atlas des rues***, plans 6, 7, 8, 15, 16
• ***Hébergement*** pp. 276-7
• ***Restaurants*** pp. 292-4

Comment y aller ?

Les lignes de métro Northern, Hammersmith & City, Central et Circle ainsi que les gares du British Rail desservent le quartier. Les bus nos 8 et 15 passent à proximité.

Dragon de pierre, Smithfield Market

Le quartier de Smithfield pas à pas

L'histoire de ce quartier est particulièrement ancienne : il possède des vestiges du mur romain (à proximité du Museum of London), l'une des plus anciennes églises de la capitale, des maisons du XVIIe siècle et le dernier marché alimentaire de gros de la capitale. La longue histoire de Smithfield est marquée par des événements tragiques. En 1381, le chef de la révolte paysanne, Wat Tyler, y fut assassiné par un proche de Richard II alors qu'il demandait l'abrogation d'un nouvel impôt. Plus tard, sous le règne de Marie Ire (1553-58), plusieurs protestants y furent brûlés vifs.

The Fat Boy : souvenir du Grand Feu de 1666

Le pub The Fox and Anchor ouvre ses portes dès 7 h du matin et sert de copieux petits déjeuners aux débardeurs du marché.

★ Smithfield Market
Cette gravure représente le marché à la viande tel qu'il était après son achèvement par Horace Jones en 1867 ❶

The Saracen's Head était une auberge réputée ; elle fut démolie en 1860 lors de la construction du pont de Holborn (*voir p. 140*).

St Bartholomew-the-Less possède une tour carrée du XVe siècle. Ce vitrail du début du XXe siècle, qui représente une infirmière, évoque les liens qu'entretenait l'église avec l'hôpital. Il fut offert par une corporation de vitriers.

L'hôpital St Bartholomew a été fondé sur ce site en 1123. Une partie des bâtiments actuels date du milieu du XVIIIe siècle.

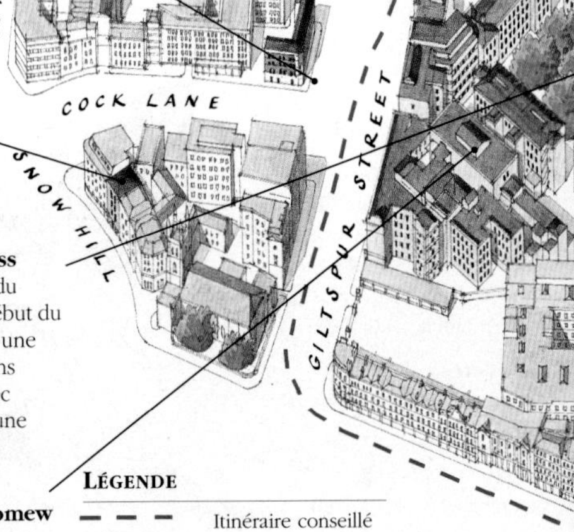

LÉGENDE

– – – Itinéraire conseillé

0 100 mètres

0 100 yards

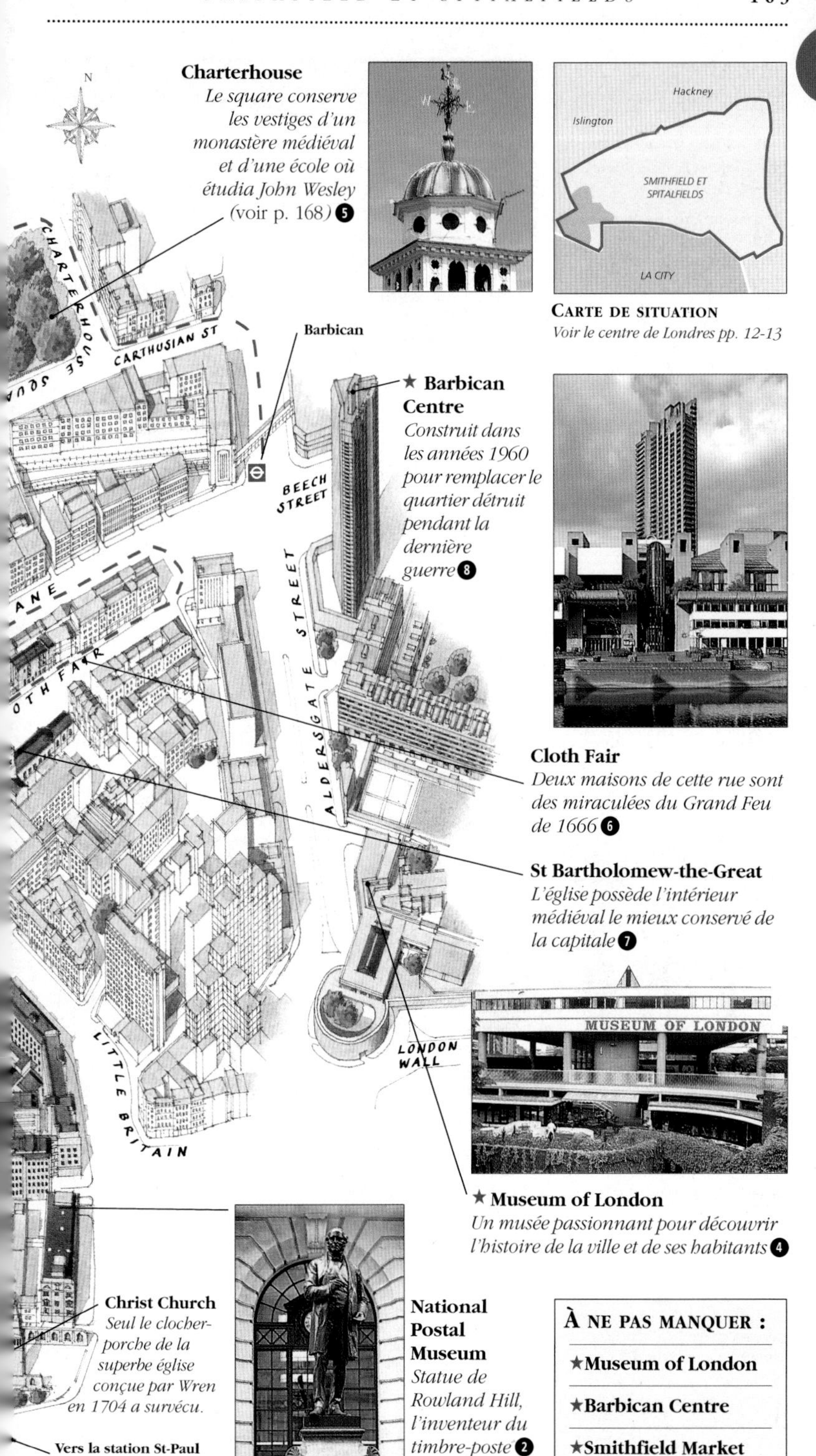

Charterhouse
Le square conserve les vestiges d'un monastère médiéval et d'une école où étudia John Wesley (voir p. 168) ❺

Carte de situation
Voir le centre de Londres pp. 12-13

★ **Barbican Centre**
Construit dans les années 1960 pour remplacer le quartier détruit pendant la dernière guerre ❽

Cloth Fair
Deux maisons de cette rue sont des miraculées du Grand Feu de 1666 ❻

St Bartholomew-the-Great
L'église possède l'intérieur médiéval le mieux conservé de la capitale ❼

★ **Museum of London**
Un musée passionnant pour découvrir l'histoire de la ville et de ses habitants ❹

Christ Church
Seul le clocher-porche de la superbe église conçue par Wren en 1704 a survécu.

National Postal Museum
Statue de Rowland Hill, l'inventeur du timbre-poste ❷

À ne pas manquer :

- ★**Museum of London**
- ★**Barbican Centre**
- ★**Smithfield Market**

Smithfield Market ❶

Charterhouse St EC1. **Plan** 6 F5. *Farringdon, Barbican.* ***Visite*** *: lun.-ven. de 5 h à 9 h*

Marché aux bestiaux jusqu'aux années 1850, Smithfield abrite aujourd'hui les pavillons du marché à la viande. Les anciens bâtiments ont été conçus par Horace Jones, l'architecte victorien spécialisé dans la construction des halles et des marchés.

Une partie a été ajoutée au XXe siècle. Quelques pubs du quartier ouvrent leurs portes de bon matin et servent de solides petits déjeuners (arrosés de bière !) aux employés du marché.

La tour centrale de Smithfield Market

National Postal Museum ❷

King Edward Bldg, King Edward St EC1. **Plan** 15 A1. *0171-239 5420. Barbican, St Paul's.* ***Visite*** *: lun.-ven. de 9 h 30 à 16 h 30.* ***Fermé*** *: les jours fériés.*

Incorporé dans la poste centrale, ce musée se trouve, derrière St-Paul, sur l'emplacement de l'ancienne auberge Bull and Mouth d'où, au XVIIIe siècle, partaient les malles-postes. Le musée présente une riche collection de timbres-poste, le plus ancien étant le « Penny Black » de 1840. Il possède également d'anciennes boîtes aux lettres et des machines à affranchir.

Timbre émis en 1953 en l'honneur du sacre de la reine Elisabeth II, National Postal Museum

St Botolph, Aldergate ❸

Aldersgate St EC1. **Plan** 15 A1. *0171-606 0684. St Paul's.* ***Visite****: lun.-ven. de 11 h à 16 h. Le jeu. à 13 h 10.*

L'extérieur georgien dépouillé (achevé en 1791) abrite un somptueux décor intérieur fort bien conservé : plafond de plâtre mouluré, buffet d'orgue en bois sombre, chaire reposant sur un palmier sculpté. Les stalles originales ont été placées dans la galerie et non au cœur de l'édifice. Certains monuments funéraires proviennent de l'ancienne église élevée sur cet emplacement au XIVe siècle.

Postman's Park, le jardin qui, en 1880, a remplacé l'ancien cimetière, doit son nom aux employés de la poste voisine. A la fin du XIXe siècle, l'artiste peintre G.-F. Watts a rassemblé sur l'un des murs une étonnante collection de plaques rendant hommage à des inconnus ayant fait acte d'un courage exceptionnel. Un minotaure en bronze, sculpté par Michael Ayrton, a été érigé en 1973.

Museum of London ❹

voir pp. 166-7

Charterhouse ❺

Charterhouse Sq EC1. **Plan** 6 F5. *0171-253 9503. Barbican.* ***Visite*** *: d'avr. à juil., le mer. à 14 h 15.* ***Accès payant.***

Un porche du XIVe siècle situé au N. du square conduit à l'emplacement d'un ancien monastère de pères chartreux frappé, sous Henri VIII, par la dissolution des ordres religieux. En 1611, les bâtiments furent transformés en institution charitable, à la fois hospice pour gentilshommes indigents et école pour garçons pauvres. John Wesley (*voir p. 168*), l'écrivain William Thackeray et Robert Baden-Powell, le fondateur du scoutisme, y ont été élèves. En 1872, l'école fut transférée à Godalming dans le Surrey. Endommagée par les bombardements de la dernière guerre, l'ancienne chartreuse reste le siège du Sutton's Hospital, maison de retraite administrée par des frères.

Pierre taillée, Charterhouse

Cloth Fair ❻

EC1. **Plan** 6 F5. *Barbican.*

Cette jolie rue doit son nom à la foire aux étoffes Bartholomew Fair qui s'y tenait jusqu'en 1855.

Les maisons des nos 41 et 42, avec leurs bow-windows en bois, sont du XVIIe siècle mais les rez-de-chaussée ont été refaits. Le poète John Betjeman, décédé en 1984, a passé une bonne partie de sa vie au no 43. Depuis, la maison a été transformée en un bar à vin qui porte son nom.

Maisons du XVIIe siècle, Cloth Fair

St Bartholomew-the-Great ❼

West Smithfield EC1. **Plan** 6 F5. 0171-606 5171. *Barbican.* ***Visite*** *: lun.-ven. de 9 h à 16 h 30 (16 h en hiver). Le dim. à 11 h.* ***Concerts.***

L'une des plus anciennes églises de Londres a été fondée en 1123 par le moine Rahère, dont le tombeau se trouve à gauche du chœur. Rahère était le bouffon du roi Henri Ier jusqu'à ce qu'en rêve, saint Barthélemy lui apparaisse pour le sauver des griffes d'un monstre ailé. Une arcade du XIIIe siècle donnait accès à la nef qui fut détruite sur ordre d'Henri VIII.

Aujourd'hui, l'arcade conduit à un petit cimetière dont l'entrée est plus récente. La voûte, renforcée par des arcs en ogive, est d'origine. L'église possède plusieurs beaux monuments de l'époque des Tudors. Le grand peintre et graveur William Hogarth (*voir p. 257*) y fut baptisé en 1697.

L'église n'a pas toujours servi de lieu de culte : un forgeron s'y est installé pendant quelque temps et en 1725, le jeune Benjamin Franklin y a travaillé dans une imprimerie.

Barbican Centre ❽

Silk St EC2. **Plan** 7 A5. *0171-638 8891. 0171-628 9760. Barbican, Moorgate.* ***Visite*** *: lun.-sam. de 9 h à 20 h, et le dim. et les jours fériés de 12 h à 23 h. Tapis roulant.* ***Films, concerts, expositions.*** *Voir* ***Spectacles*** *pp. 324-37.*

L'ensemble du quartier avait été anéanti lors des bombardements de la dernière guerre et la réalisation d'un ambitieux projet de réaménagement, débuté en 1962, s'est achevé 20 ans plus tard. Il comprend des commerces, un centre culturel et des tours d'habitations, entourant un lac artificiel, des fontaines et des pelouses. Une partie de l'enceinte romaine y est encore visible (notamment depuis les fenêtres du Museum of London – *voir pp. 166-7*).

Barbican vient du français barbacane (ouvrage militaire, percé de meurtrières) et de fait l'ensemble a l'allure d'une forteresse isolée du monde extérieur. Dédale de bâtiments, cours, tours, escaliers, tunnels et passerelles, la réalisation n'est pas très chaleureuse… En outre, malgré les indications et les lignes jaunes sur le sol, il reste difficile d'y retrouver son chemin.

Le Barbican comprend deux théâtres, une salle de concerts, des cinémas, une galerie où sont présentées d'importantes expositions temporaires, une salle de conférences, une bibliothèque et une école de musique (la Guilhall School of Music). Un étonnant jardin d'hiver a été aménagé sur les toits.

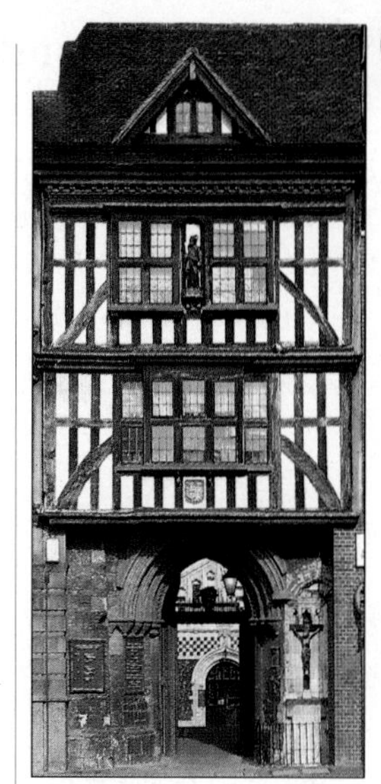

Le porche de St Bartholomew

Le jardin d'hiver du Barbican Centre

Museum of London ❹

Installé depuis 1976 à proximité de l'ensemble du Barbican, le musée retrace l'histoire de la capitale, de la préhistoire à nos jours. Des reconstitutions d'intérieurs et de scènes de rue alternent avec la présentation d'objets divers découverts lors de fouilles archéologiques. Près de la maquette animée du Grand Feu de 1666, on entendra le récit du témoignage de Samuel Pepys, le célèbre chroniqueur de l'époque.

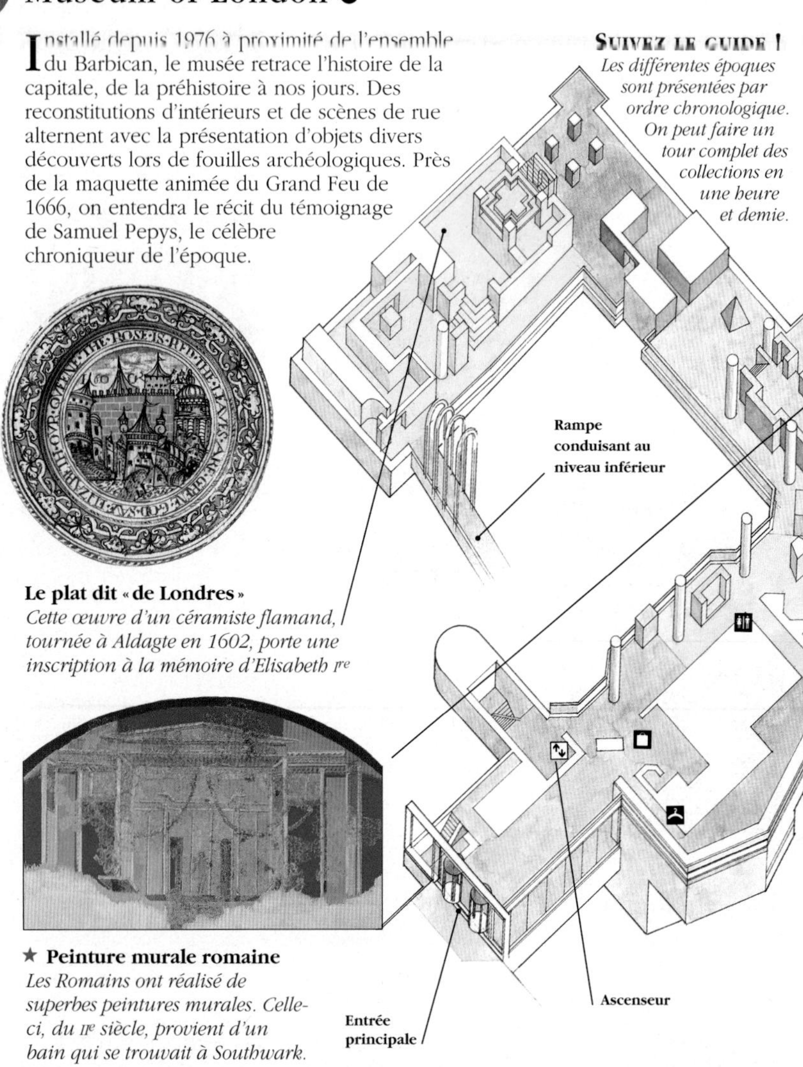

Suivez le guide !
Les différentes époques sont présentées par ordre chronologique. On peut faire un tour complet des collections en une heure et demie.

Le plat dit « de Londres »
Cette œuvre d'un céramiste flamand, tournée à Aldagte en 1602, porte une inscription à la mémoire d'Elisabeth Ire

★ Peinture murale romaine
Les Romains ont réalisé de superbes peintures murales. Celle-ci, du IIe siècle, provient d'un bain qui se trouvait à Southwark.

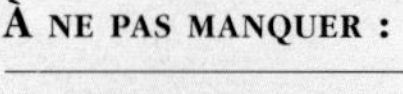

À ne pas manquer :

- ★ **La peinture murale romaine**
- ★ **Londres des Stuarts**
- ★ **Devantures victoriennes de magasins**

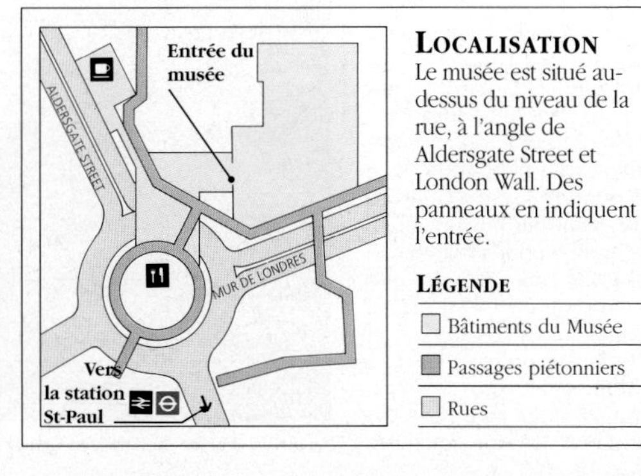

Localisation
Le musée est situé au-dessus du niveau de la rue, à l'angle de Aldersgate Street et London Wall. Des panneaux en indiquent l'entrée.

Légende
- Bâtiments du Musée
- Passages piétonniers
- Rues

Mode d'emploi

London Wall EC2. **Plan** 15 A1. *0171-600 3699.* *Barbican, St Paul's, Moorgate.* *4, 6, 8, 9, 11, 15, 22, 25, 141, 279A, 501, 513, 502.* *City Thameslink.* ***Visite*** *: mar.-sam., jours fériés qui tombent un lun. de 10 h à 17 h 50, et le dim. de 12 h à 17 h 50.* ***Fermé*** *: 24-26 déc., ven. saint.* ***Accès payant.*** *Tapis roulant.* ***Conférences, films.***

★ Devantures de magasins de l'époque victorienne
Des boutiques reconstituées, comme cette épicerie, restituent l'atmosphère de la ville du XIXe siècle.

Londres du XXe siècle.
Tous les grands événements historiques du siècle sont évoqués : le vote des femmes, la naissance du cinéma, la dernière guerre, la culture pop des années 60…

Jardin

Costumes du XVIIIe s.
Cette robe a été réalisée en 1753 avec des soies fines tissées dans le quartier de Spitalfields. Une armature faite de cerceaux légers lui donnait sa forme.

Ascenseur

★ Londres sous les derniers Stuarts
De superbes objets de demeures de la fin du XVIIe siècle ont été réunis pour cette reconstitution.

Légende

- Londres préhistorique
- Londres romain
- Londres saxon
- Londres médiéval
- Londres des Tudors, des Stuarts
- Londres des derniers Stuarts
- Londres georgien
- Londres du XIXe siècle et capitale de l'Empire britannique
- Londres du XXe siècle
- Carrosse du lord-maire
- Expositions temporaires
- Circulations et services

St Giles, Cripplegate ⑨

Fore St EC2. **Plan** 7 A5.
0171-606 3630. Barbican, Moorgate. ***Visite*** *: d'avr. à oct. : t.l.j. de 9 h 30 à 17 h ; de nov. à mars : t.l.j. de 9 h 30 à 16 h 30. le dim. à 10 h 30.*

Achevée en 1550, cette église a échappé au Grand Feu de 1666, mais elle a été sérieusement endommagée lors des bombardements de la dernière guerre. Seul le clocher a subsisté. Restaurée dans les années 1950, St Giles sert désormais de paroisse au complexe du Barbican et contraste avec la modernité imposante de ce dernier.

Oliver Cromwell y a épousé Elisabeth Boucher en 1620 et le poète John Milton y a été enterré en 1674. Des vestiges bien conservés du mur de Londres se trouvent du côté S. de l'église.

La brasserie Whitbread ⑩

Chiswell St EC1. **Plan** 7 B5.
Barbican, Moorgate. ***Fermée*** *au public.*

En 1736, à l'âge de 16 ans, Samuel Whitbread devint apprenti brasseur à Bedford. L'année de son décès, en 1796, la Whitbread's Brewery qu'il avait fondée en1750, brassait 909 200 litres de bière par an, un record pour la ville de Londres. La brasserie ferma ses portes en 1976 et le bâtiment fut partagé en salles à louer pour des réceptions. La magnifique charpente de la grande salle, la Great Porter Tun Room, est la plus gande d'Europe (18 m). L'Overlord Embroidery est exposée dans cette salle. Il s'agit de la plus grande broderie du monde : elle commémore le débarquement en Normandie au cours de la dernière guerre.

Les bâtiments du XVIIIe siècle qui bordent la rue sont bien conservés. Une plaque apposée sur l'un d'entre eux rappelle que le roi George III et la reine Charlotte visitèrent la brasserie en 1787.

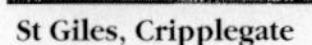
St Giles, Cripplegate

Pierre tombale de William Blake, à Bunhill Fields

Bunhill Fields ⑪

City Rd EC1. **Plan** 7 B4.
0181-472 3584. Old St. ***Visite*** *: de 12 h à 17 h 30 ; sam., dim. et jours fériés de 9 h 30 à 16 h.* ***Fermé*** *: 25-26 déc., 1er janv.*

C'est lors de la Grande Peste de 1665 (*voir p. 23*) que cet endroit, entouré d'un mur de briques, devint un cimetière. Vingt ans plus tard, on y ensevelissait de nombreux non-conformistes : ne respectant pas la religion anglicane, ceux-ci n'avaient pas le droit d'être enterrés dans un cimetière ordinaire. Situé à l'écart du tumulte de la City, cet endroit paisible, ombragé de grands platanes, possède des monuments rendant hommage aux écrivains Daniel Defoe, John Bunyan et William Blake, ainsi qu'à des membres de la famille d'Oliver Cromwell.

John Milton écrivit son célèbre poème, le *Paradis perdu*, à Bunhill Row, où il vécut pendant quelques années, jusqu'à sa mort en 1674.

Wesley's House and Chapel ⑫

49 City Rd EC1. **Plan** 7 B4. *0171-253 2262. Old St.* ***Visite de la maison*** *: du lun. au sam. de 10 h à 16 h, le dim. de 12 h à 14 h.* ***Accès payant.*** *le dim. à 11 h.* ***Films, expositions.***

Wesley's Chapel

John Wesley, fondateur de l'Eglise méthodiste, posa la première pierre de cette chapelle en 1777. Il y prêcha jusqu'à sa mort, en 1791, et repose désormais derrière la chapelle. Dans sa maison, juste à côté, sont exposés quelques-uns de ses meubles, livres et objets personnels.

La chapelle fut construite dans un style austère, conformément aux rigoureux principes religieux du théologien. Ses colonnes sont faites avec des mâts de navires. Le mariage de Margaret Thatcher, première femme Premier ministre (de 1979 à 1990), y fut célébré. La crypte renferme un musée du méthodisme.

Le Broadgate Centre ⓭

Exchange Sq EC2. **Plan** 7 C5.
0171-588 6565. *Liverpool St.*

La patinoire du Broadgate Centre

Construit entre 1985 et 1991, au-dessus et autour de la gare de Liverpool Street, ce complexe comprenant boutiques et bureaux est l'un des plus réussis de ces dernières années. Chacun des squares a un style particulier. Broadgate Arena rappelle le Rockefeller Centre de New York. L'hiver, il sert de patinoire, et accueille, l'été, de nombreuses manifestations culturelles. Parmi les sculptures qui décorent l'ensemble, on remarquera celles de George Segal, Rush Hour Group, et de Barry Flanagan, Leaping Hare on Crescent and Bell. Depuis Exchange Square, la vue sur Liverpool Street et sur la verrière de la gare est impressionnante.

Petticoat Lane ⓮

Middlesex St E1. **Plan** 16 D1.
Aldgate East, Aldgate, Liverpool St. ***Visite*** *: Dim. de 9 h à 14 h. Voir* ***Magasins et marchés*** *pp. 322-3.*

Sous le règne de Victoria, cette rue célèbre pour son marché fut débaptisée, et on la renomma, beaucoup plus banalement, Middlesex Street. Officiellement, elle s'appelle toujours ainsi, mais l'ancien nom, qui faisait référence depuis longtemps, dans ce haut lieu du commerce des vêtements, continue à être employé. Il désigne le marché qui, le dimanche matin, investit tout le quartier. De nombreuses tentatives ont été faites pour l'interdire, mais sans succès. On y vend des articles de toutes sortes, mais les vêtements, en cuir notamment, continuent à s'y tailler la part du lion. L'atmosphère y est fort sympathique et l'accent cockney règne en maître incontesté. On y trouve des snack-bars à tous les coins de rues et on peut y acheter des produits kasher.

Whitechapel Art Gallery ⓯

Whitechapel High St E1. **Plan** 16 E1.
0171-522 7878. *Aldgate East, Aldgate.* ***Visite*** *: mar.-dim. de 11 h à 17 h, le mer. de 11 h à 20 h.* ***Fermé*** *: 25-26 déc., 1er janv., et entre les expositions.* ***Accès payant à l'occasion de certaines expositions.*** ***Films, conférences.***

L'entrée de la Whitechapel Gallery

Cette galerie d'art, dont la superbe façade Art nouveau a été conçue par C. Harrison Townsend, a ouvert ses portes en 1901. Son objectif est de mieux faire connaître l'art contemporain aux habitants de l'E. de Londres. Elle organise des expositions de grande qualité et bénéficie aujourd'hui d'une excellente réputation à l'échelle internationale. Elle présente également des œuvres qui témoignent de la diversité des cultures et des communautés qui habitent le quartier. Dans les années 1950 et 1960, Jackson Pollock, Robert Rauschenberg, Anthony Caro et John Hoyland y ont exposé leurs œuvres. La première grande rétrospective de David Hockney y fut présentée en 1970. La galerie possède aussi une librairie intéressante et un café très agréable.

Le marché de Petticoat Lane

Maisons du XVIIIe s., Fournier Street

Christ Church, Spitalfields ⓰

Commercial St E1. **Plan** 8 E5. *0171-247 7202. Aldgate East, Liverpool St.* ***Visite*** *: lun.-vend. de 12 h à 14 h 45. Le dim. à 10 h 30.* ***Concerts*** *en juin.*

La plus belle des six églises de Londres conçues par Nicholas Hawksmoor a été construite entre 1714 et 1729. En 1866, elle fit l'objet d'une restauration controversée. Néanmoins, elle domine toujours les rues avoisinantes. Elle présente la particularité de posséder un porche à arche centrale à la romaine, une tour en arc de triomphe et une flèche d'un style proche du gothique.

Christ Church doit son existence à un impôt levé, en 1711, pour donner « cinquante nouvelles églises aux cités de Londres et de Westminster ». L'objectif était d'enrayer libéralisation de la religion, que la reine Anne considérait comme la décadence morale de l'Angleterre. De plus, les huguenots persécutés en France, s'étaient réfugiés dans le quartier où ils avaient créé des ateliers de tissage de la soie mais ils manquaient de lieu de culte.

À l'intérieur, l'aspect grandiose de l'église est renforcé par la hauteur de la nef, la structure en bois qui surplombe l'entrée O. et la galerie. Dans le projet initial de Nicholas Hawksmoor, celle-ci courait le long des côtés N. et S. et rejoignait l'orgue, à l'extrémité O. L'orgue date de 1735 et les armoiries royales, en pierre artificielle, de 1822.

Au XIXe siècle, les ateliers de tissage disparurent et le quartier devint trop pauvre pour pouvoir entretenir l'édifice. Au début du XXe siècle, l'église était très délabrée, et elle ferma ses portes en 1958. Les travaux de restauration, qui commencèrent en 1964 , se prolongèrent jusqu'en 1987. Depuis 1965, des réunions sont organisées dans la crypte pour venir en aide à d'anciens alcooliques.

Fournier Street ⓱

E1. **Plan** 8 E5. *Aldgate East, Liverpool Street.*

Les maisons du XVIIIe siècle situées au N. de la rue étaient dotées de vastes greniers très clairs dans lesquels les huguenots installèrent leurs ateliers de tissage de la soie. Le commerce du textile, stimulé par la main-d'œuvre étrangère, est encore très présent dans le quartier où, désormais, les ouvriers bengalis ont remplacé les huguenots. Les conditions de travail ont été améliorées et de nombreux ateliers ont été transformés en magasins : les entreprises y vendent ce qu'elles fabriquent, aujourd'hui, dans de grandes usines de banlieue.

Christ Church, Spitalfields

Pâtisserie bengali sur Brick Lane

London Jamme Masjid ⓲

Brick Lane E1. **Plan** 8 E5. *Liverpool St, Aldgate East.*

L'histoire de l'édifice correspond aux différents flux migratoires dans le quartier. La chapelle, construite en 1743 pour les huguenots, devint une synagogue au XIXe siècle, une chapelle méthodiste au début du XXe siècle, et enfin une mosquée à partir des années 1950. Le cadran solaire, au-dessus de l'entrée, porte cette inscription : « Umbra sumus » « Nous sommes des ombres ».

Spitalfields Heritage Centre ⓳

19 Princelet St E1. **Plan** 8 E5. *0171-377 6901. Aldgate East, Liverpool St.* ***Visite*** *: de 10 h à 17 h (se renseigner).* ***Expositions, représentations théâtrales.***

Bâtie en 1719, cette maison possède encore un grenier aménagé en atelier de tissage de la soie. La synagogue qui s'élève dans le jardin date de1870 et fut utilisée jusque dans les années 1960. Les balcons portent des inscriptions en hébreu.

Brick Lane ⓴

E1. **Plan** 8 E5. *Liverpool St, Aldgate East, Old St.* ***Visite du marché*** *: le dim. de l'aube à 12 h. Voir* ***Magasins et marchés*** *pp. 322-3.*

Jadis simple allée traversant Brickfields, la rue est désormais le centre de la communauté bengali. Au fil des

La grande chambre à coucher, Dennis Severs House

décennies, ses magasins et ses maisons, dont certains datent du XVIIIe siècle, ont été investis par des immigrants de différentes nationalités. On y trouve à présent des denrées alimentaires, des épices, des soieries et des saris. Au XIXe siècle, les premiers Bengalis à s'installer dans le quartier étaient des marins. À l'époque, le quartier était principalement juif et quelques magasins kasher ont subsisté, notamment au n° 159. Le dimanche, un grand marché envahit Brick Lane et les rues avoisinantes, complétant ainsi celui de Petticoat Lane (*voir p. 169*). La brasserie Black Eagle se trouve à l'extrémité N. de Brick Lane. Bel exemple d'architecture industrielle des XVIIIe et XIXe siècles, elle est prolongée par un corps de bâtiment moderne, en verre.

La Dennis Severs House ㉑

18 Folgate St E1. **Plan** 8 D5. ☎ *0171-247 4013.* ⊖ *Liverpool St.* ***Visite*** *: 1er dim. du mois, de 14 h à 17 h.* ***Accès payant. Représentations en soirée.***

Dans la maison du n° 18 Folgate Street, construite en 1724, Dennis Severs, acteur et créateur de décors et de costumes de théâtre, a reconstitué des intérieurs caractéristiques des XVIIe et XIXe siècles. Véritables tableaux vivants, les pièces donnent l'impression que leurs occupants viennent juste de partir. Il y a du pain dans les assiettes, du vin dans les verres et des fruits dans les compotiers. Les bougies sont allumées et, à l'extérieur, on entend les sabots des chevaux qui claquent sur les pavés. Le soir, en semaine, il est possible de participer à une visite plus complète de la maison. On y écoutera de la musique du XVIIIe siècle et on pourra y boire un verre. Ces soirées ne sont organisées que pour des groupes de moins de huit personnes. Les enfants de moins de 12 ans ne sont pas admis et les réservations doivent être effectuées au moins trois semaines à l'avance.

À proximité, sur Elder Street, on remarquera deux des « terraces » parmi les plus anciennes de Londres. Egalement édifiées dans les années 1720, nombre de ces maisons georgiennes, en briques, ont été restaurées.

Portrait du XVIIIe s., Dennis Severs House

Columbia Road Market ㉒

Columbia Rd E2. **Plan** 8 D3. ⊖ *Liverpool St, Old St, Bethnal Green.* ***Visite*** *: le dim. de 8 h 30 à 13 h. Voir* ***Magasins et marchés*** *pp. 322-3.*

Même si l'on n'a pas l'intention d'acheter l'une des nombreuses plantes exotiques qui y sont proposées, parcourir Columbia Road est l'une des façons les plus agréables d'occuper un dimanche matin à Londres. Installé tout le long de la rue, dans de petites boutiques de style victorien, ce marché aux fleurs et aux plantes, très animé, est aussi parfumé que coloré. D'autres magasins vendent du pain cuit au feu de bois, des fromages fermiers, des antiquités et toutes sortes d'articles ayant un rapport avec les fleurs. On y trouve également un traiteur espagnol et un bon snack-bar où, on pourra se réchauffer, en hiver.

Marché aux fleurs, Columbia Road

BUTLER'S WHARF L

SOUTHWARK ET BANKSIDE

Jadis, le quartier de Southwark permettait de fuir un peu l'austérité et le sérieux de la City. Borough High Street était bordée de tavernes : les cours, qui datent du Moyen Age, indiquent les emplacements de ces établissements. Parmi les auberges de Londres qui étaient dotées d'une galerie, seul le George a subsisté. Les maisons qui faisaient face au fleuve étaient fréquentées par des prostituées et le quartier comptait, au XVIe siècle, plusieurs théâtres et montreurs d'ours (*voir illustration p. 178*). La troupe de Shakespeare travaillait au Globe, mais jouait aussi au Rose, à proximité. Le palais des évêques de Winchester, dont une superbe rosace a subsisté, cachait dans ses sous-sols « The Clink », la célèbre prison. Aujourd'hui, les entrepôts sont fermés et la promenade au bord du fleuve offre de superbes points de vue sur la City.

Vitrail de Shakespeare Southwark Cathedral

LE QUARTIER D'UN COUP D'ŒIL

Rues et monuments historiques
Hop Exchange 2
Old St Thomas's Operating Theatre 5
Hay's Galleria 6
St Olave's House 7
Cardinal's Wharf 11

Musées et galeries
Clink Exhibition 8
Shakespeare's Globe Museum 10
Bankside Gallery 12
London Dungeon 14
Design Museum 15

Cathédrale
Southwark Cathedral 1

Pubs
George Inn 4
The Anchor 9

Marchés
Borough Market 3
Bermondsey Antiques Market 13

Navire historique
HMS Belfast 16

0 500 mètres
0 500 yards

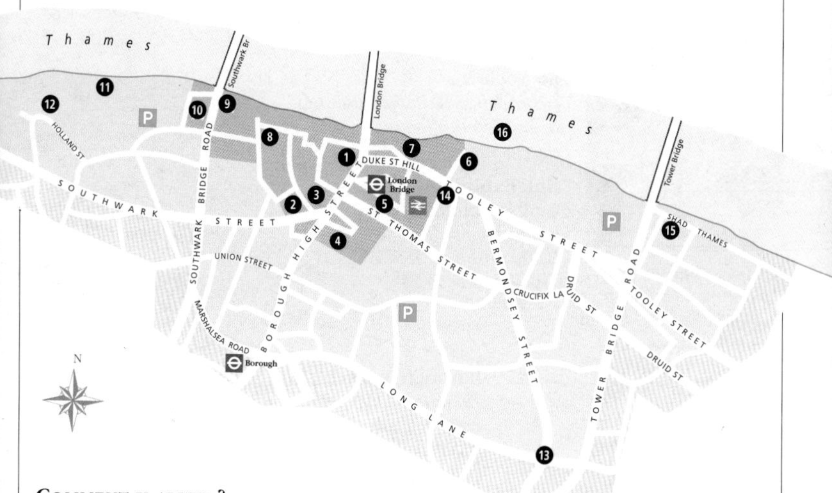

COMMENT Y ALLER ?

La ligne Northern dessert le quartier. Pratiquement tous les trains qui partent des gares (British Rail) Charing Cross ou Cannon Street s'arrêtent à London Bridge. Se rendre en bus dans le quartier en partant de la City n'est guère pratique car il faut en changer.

VOIR AUSSI

- ***Atlas des rues***, plans 14, 15, 16
- ***Hébergement*** pp. 276-7
- ***Restaurants*** pp. 292-4

LÉGENDE

- Plan du quartier pas à pas
- Station de métro
- Gare (British Rail)
- Parc de stationnement

Une vue de la Tamise à marée basse, en aval de Tower Bridge

Southwark pas à pas

Du Moyen Age au XVIIIe siècle, Southwark fut un lieu de prédilection pour mener une vie de plaisirs. Situé au sud de la Tamise, le quartier échappait à la juridiction de la City qui était hostile, entre autres, au théâtre élisabéthain. Aux XVIIIe et XIXe siècles, docks, entrepôts, usines et les chemins de fer s'y implantent. Aujourd'hui, de nombreux immeubles de bureaux ont investi cette partie de la ville.

Southwark Bridge a été inauguré en 1912 pour remplacer le pont construit en 1819.

★ **Shakespeare's Globe Museum**
Le musée du Théâtre élisabéthain jouxte l'emplacement du Globe (gravure de 1612) ❿

The Anchor
Célèbre depuis de nombreuses années, ce pub offre une belle vue sur la Tamise ❾

Clink Exhibition
Ce musée installé sur l'emplacement de la célèbre prison retrace le passé du quartier ❽

Hop Exchange
La Bourse du houblon était le lieu où les brasseurs venaient négocier. Aujourd'hui, l'édifice abrite des bureaux ❷

Borough market
Un marché est établi sur cet emplacement depuis 1276. À présent, on y vend des fruits et des légumes en gros ❸

War Memorial
Érigé en 1924 sur Borough High Street, ce **monument aux morts** rend hommage aux soldats disparus lors de la Première Guerre mondiale.

★ **George Inn**
est la dernière auberge à galerie de la capitale ❹

Le fleuve, à Southwark

LA CITY
Tamise
SOUTHWARK ET BANKSIDE
Elephant et Castle

CARTE DE SITUATION
Voir le centre de Londres pp. 12-13

LÉGENDE

— — — Itinéraire conseillé

0 100 mètres
0 100 yards

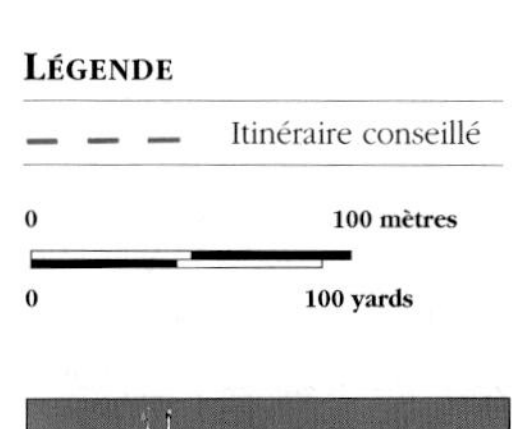

De l'époque romaine à 1750, **London Bridge** fut le seul pont à traverser la Tamise. Le pont actuel, achevé en 1972, a remplacé l'ouvrage de 1831, qui a été transporté et reconstruit… en Arizona !

★ Southwark Cathedral
Malgré les nombreuses altérations qu'elle a subies, elle possède encore des éléments médiévaux ❶

St Olave's House
Ces immeubles Art déco de Hay's Wharf ont été construits en 1932 ❼

Old St Thomas's Operating Theatre
L'époque de la chirurgie sans anesthésie est évoquée dans cette salle d'opération très bien conservée ❺

À NE PAS MANQUER :

- ★ Southwark Cathedral
- ★ George Inn
- ★ Shakespeare's Globe Museum

Southwark Cathedral ❶

Montague Close SE1. **Plan** 15 B3. *0171-407 2939. London Bridge. **Visite** : du lun. au ven. de 7 h 30 à 18 h, sam. et dim. de 8 h 30 à 18 h. Le dim. à 11 h.* ***Concerts.***

Cette église n'a été élevée au rang de cathédrale qu'en 1905. Certaines parties de l'édifice datent du XIIe siècle, époque à laquelle elle était rattachée au prieuré, et nombre de ses particularités médiévales ont subsisté. Un gisant du XIIIe siècle, en chêne, représente un chevalier aux jambes croisées. La tombe de John Gower (1330-1408), un ami de Geoffrey Chaucer (*voir p. 39*), est magnifique.

Élevé devant un bas-relief représentant Southwark au XVIIe siècle, le monument rendant hommage à Shakespeare a été sculpté en 1912. Le frère de l'acteur et dramaturge, l'acteur Edmond repose dans cette cathédrale, ainsi que Philip Henslowe, directeur du Rose Theatre à l'époque de Shakespeare. John Harvard, fondateur de l'université qui porte son nom, a été baptisé ici en 1607.

Vitrail rendant hommage à Shakespeare, dans la Cathédrale

Hop Exchange ❷

Southwark St SE1. **Plan** 15 B4. *London Bridge. **Fermé** au public.*

Southwark, quartier aisément accessible depuis la région du Kent où le houblon est cultivé, était le lieu où négociaient les brasseurs et les agriculteurs. Aujourd'hui transformé en immeuble de bureaux, l'édifice a conservé ses éléments de décoration : des bas-reliefs et des grilles en fer forgé représentant la récolte du houblon.

George Inn appartient, aujourd'hui, au National Trust

Borough Market ❸

Stoney St SE1. **Plan** 15 B4. *London Bridge. **Visite** : lun.-sam. de minuit à 10 h.*

Ce petit marché spécialisé dans la vente en gros de fruits et légumes est installé sous les voies ferrées. Il succéda à un marché médiéval, établi sur London Bridge puis transféré sur Borough High Street en 1276 pour désencombrer le pont. Il déménagea de nouveau en 1756 et investit, plus tard, les édifices actuels, construits en 1851. Son existence est aujourd'hui remise en question.

George Inn ❹

77 Borough High St SE1. **Plan** 15 B4. *0171-407 2056. London Bridge, Borough. **Visite** : lun.-sam. de 11 h à 23 h, dim. de 12 h à 23 h.* *Voir **Restaurants et pubs** pp. 308-9.*

Construite au XVIIe siècle, cette auberge dotée, à l'intérieur, d'une galerie en bois, est la seule de ce type à avoir subsisté dans la capitale. Elle a été reconstruite dans un style médiéval après l'incendie de Southwark, en 1676. Initialement, elle était constituée de trois corps de bâtiment entourant une cour dans laquelle, au XVIIe siècle, on donnait des représentations théâtrales. En 1889, les ailes N. et E. ont été démolies lors de la construction de la voie ferrée.

L'auberge, qui appartient désormais au National Trust, abrite toujours un pub et un restaurant. L'été, pièces de théâtre et spectacles divers sont présentés dans la cour.

Old St Thomas's Operating Theatre ❺

9a St Thomas St SE1. **Plan** 15 B4. *0171-955 4791. London Bridge. **Visite** : t.l.j. de 10 h à 16 h. **Fermé** : semaine de Noël, nouvel an, jours fériés.* ***Accès payant.***

L'hôpital St Thomas, le plus ancien de Grande-Bretagne, est resté sur cet emplacement depuis sa création, au XIIe siècle, jusqu'à son transfert à Lambeth en 1862. La plupart des bâtiments furent alors démolis pour

Instruments de chirurgie du XIXe s.

faciliter la construction de la voie ferrée. Si la salle d'opérations subsista, ce fut uniquement parce qu'elle se trouvait à bonne distance des bâtiments principaux, dans les combles de l'église de l'hôpital (désormais utilisée comme salle du chapitre de la cathédrale). Elle tomba dans l'oubli jusqu'aux années 1950. Restaurée, elle a aujourd'hui retrouvé son aspect du début du XIXe siècle, quand il n'y avait ni anesthésie, ni antiseptiques.

Bâillonnés, les yeux bandés, les patients étaient solidement attachés à une table de bois. En dessous, une boîte de sciure absorbait le sang.

La Hay's Galleria ❻

Tooley St SE1. **Plan** 15 C3. ⊖ *London Bridge.*

L'atrium de la Hay's Galleria

Construit en 1857 par Thomas Cubitt, cet ancien dépôt de marchandises (thé, épices et autres produits exotiques) a été transformé en un luxueux ensemble qui comprend des boutiques, des cafés, des restaurants, et même des bureaux. C'était l'un des premiers entrepôts à posséder des chambres froides où l'on conservait, dès 1867, le beurre et le fromage en provenance de Nouvelle-Zélande. La galerie est aujourd'hui surmontée d'une voûte en berceau, vitrée et soutenue par des colonnes en fer. Elle abrite également les étals d'un marché, des spectacles de rues

St Olave's House, Hay's Wharf : un joyau de l'Art nouveau

et, au centre, l'étrange sculpture de David Kemp, *The Navigators*, entourée de jets d'eau, de fontaines et de symboles évoquant les grands voiliers qui accostaient le quai.

La Hay's Galleria est le centre de la London Bridge City, le quartier d'immeubles de bureaux situé au sud de la Tamise.

St Olave's House ❼

Tooley St SE1. **Plan** 15 C3. ⊖ *London Bridge.*

A l'époque de sa construction, en 1932, l'immeuble de bureaux Art déco conçu par H.-S. Goodhart-Rendell a fait couler beaucoup d'encre. Il est à présent considéré comme l'un des plus beaux bâtiments de cette période et a été soigneusement restauré. Centre administratif du Hay's Wharf, il en porte le nom, en lettres dorés, sur la façade donnant sur le fleuve. En dessous, trois bas-reliefs en bronze, sculptés par Frank Dobson, représentent le Capital, le Travail et le Commerce. Ils sont entourés par d'autres bas-reliefs de dimensions plus réduites.

Clink Exhibition ❽

1 Clink St SE1. **Plan** 15 B3. ☎ *0171-403 6515.* ⊖ *London Bridge.* ***Visite*** *: t.l.j. de 10 h à 18 h et certains soirs, jusqu'à 21 h (se renseigner).* ***Fermé*** *: 25 déc.* ***Accès payant.*** *Se renseigner.*

« The Clink » était le nom de la prison rattachée à Winchester House, palais des évêques de Winchester. Du XIIe au XVIIe siècle, ce sont eux qui contrôlaient tout le quartier placé sous leur juridiction. Or, cette partie de la ville était celle des excès et des plaisirs, et, plutôt que de condamner la prostitution, et de suivre en cela les règles imposées par la City, les évêques autorisèrent les maisons closes, mais en réglementant leurs heures d'ouverture.

Quatre autres prisons existaient alors dans le quartier, mais The Clink fut la première à accueillir des femmes. Certaines étaient sans doute des « grues de Winchester », c'est-à-dire des prostituées qui avaient dérogé aux règles de leur profession.

Le musée retrace l'histoire de la prison et de la prostitution. On y trouve également la dernière armurerie de Grande-Bretagne où les armes et les armures sont fabriquées et entretenues.

Le Globe (*voir p. 178*), théâtre de la troupe de Shakespeare, dépendait également de la juridiction de l'évêque. Bâtiment en bois de forme circulaire, il doit son nom à Hercule portant la Terre sur ses épaules. Shakespeare était l'un des propriétaires du théâtre mais il mettait volontiers la main à la pâte en jouant lui-même dans ses propres pièces. Il a notamment tenu des rôles dans *Roméo et Juliette*, *Le Roi Lear*, *Othello* ou *Macbeth*.

Du palais des évêques de Winchester, seule la rosace du XIVe siècle a subsisté. Elle a été découverte lors de l'incendie de 1814.

Reproduction d'un casque ancien, fabriqué à l'armurerie du Clink

The Anchor ❾

34 Park St SE1. **Plan** 15 A3. *0171-407 1577. London Bridge.* ***Visite*** *: lun.-sam. de 11 h 30 à 23 h, dim. de 12 h à 15 h et de 18 h 30 à 22 h 30*

L'enseigne du pub The Anchor

Il s'agit d'un des pubs du bord de la Tamise parmi les plus célèbres de Londres. Il a été construit après l'incendie de Southwark, qui dévasta le quartier en 1676. Dix ans plus tôt, le Grand Feu avait anéanti la City (*voir pp. 22-3*). Le bâtiment actuel date du XVIIIe siècle, mais des vestiges d'une hôtellerie bien plus ancienne ont été découverts dans le sous-sol. L'auberge était jadis associée à une brasserie située de l'autre côté de la rue, qui appartenait à Henry Thrale, un ami de Samuel Johnson (*voir p. 140*). Lorsque Thrale mourut en 1781, Samuel Johnson assista à la vente du fonds de commerce et encouragea les enchérisseurs pour faire monter le prix.

En été, la terrasse au bord de la Tamise permet de boire un verre tout en profitant d'une vue superbe sur la City.

Le Shakespeare's Globe Museum ❿

New Globe Walk SE1. **Plan** 15 A3. *0171-620 0202. London Bridge.* ***Visite*** *: t.l.j. de 10 h à 17 h.* ***Fermé*** *: sem. de Noël-2 janv., jours fériés.* ***Accès payant.*** ***Concerts, manifestations.***

Le musée est installé dans un entrepôt situé sur l'emplacement du Davies Amphitheatre, un endroit où, au XVIIe siècle, se produisaient les montreurs d'ours. Samuel Pepys note dans son journal qu'il y a même assisté à des combats entre des chiens et un taureau (un divertissement qu'il jugeait « barbare et répugnant ! »). Le musée évoque ces étonnants spectacles, ainsi que les nombreux théâtres élisabéthains du quartier.

Le Globe, théâtre de la troupe pour laquelle écrivait Shakespeare, est en cours de reconstruction juste à côté de son ancien emplacement. Le musée retrace l'histoire du Globe, mais aussi du Rose, un autre théâtre où Shakespeare interprétait ses pièces.

À l'heure du déjeuner, le musée organise différentes manifestations : concerts de jazz ou de musique élisabéthaine, lectures de poésies.

Montreurs d'ours au Davies Amphitheatre

Cardinal's Wharf ⓫

SE1. **Plan** 15 A3. *London Bridge.*

Un petit groupe de maisons du XVIIe siècle a subsisté à proximité de la centrale électrique aujourd'hui abandonnée. Une plaque rappelle le séjour de Christopher Wren dans l'une d'entre elles lors de la construction de la cathédrale St-Paul (*voir pp. 148-51*). De cet emplacement, il avait sans doute une vue superbe sur le chantier engagé sur l'autre rive.

Bankside Gallery ⓬

48 Hopton St SE1. **Plan** 14 F3. *0171-928 7521. Blackfriars, Waterloo.* ***Visite*** *: mar. et sam. de 10 h à 20 h, mer.-ven. de 10 h à 17 h, le dim. de 13 h à 17 h.* ***Fermé*** *: sem. de Noël-2 janv., Pâques.* ***Accès payant.*** ***Conférences.***

St-Paul, vue du Founders' Arms

Cette galerie moderne, installée au bord de la Tamise, abrite la société royale des aquarellistes et la société royale des peintres graveurs. Des expositions temporaires d'aquarelles et de gravures y sont régulièrement organisées. Une partie des œuvres exposées est à vendre. Une boutique propose des livres d'art et du matériel de dessin.

À proximité, depuis le Founders'Arms, pub construit sur le site où les cloches de St-Paul furent fondues, la vue sur la cathédrale est exceptionnelle. Au Sud, sur Hopton Street, on remarquera d'anciennes maisons de retraite construites à partir de 1752.

Bermondsey Antiques Market 13

(New Caledonian Market) Long Lane et Bermondsey St SE1. **Plan** 15 C5. *London Bridge, Borough.* ***Visite*** *: le ven. de 5 h à 15 h, commence à fermer vers midi. Voir* ***Magasins et marchés*** *pp. 322-3.*

Etabli ici dans les années 1960, lors du réaménagement de l'ancien Caledonian Market à Islington, Bermondsey Market est l'un des principaux marchés aux antiquités de Londres. Tous les vendredis, dès les premières heures de la journée, les antiquaires viennent y proposer leurs dernières acquisitions. La presse rapporte quelquefois qu'un chef-d'œuvre disparu depuis longtemps y a été acheté pour une bouchée de pain. Il faut cependant savoir que seuls les lève-tôt ont des chances de faire de véritables affaires.

Plusieurs magasins d'antiquités restent ouverts toute la semaine. Les plus intéressants se trouvent dans de vieux entrepôts de Tower Bridge Road. Ils proposent des meubles et des objets plus ou moins anciens.

Le stand d'un brocanteur au marché de Bermondsey

Le London Dungeon 14

Tooley St SE1. **Plan** 15 C3. *0171-403 7221. 0171-403 0606. London Bridge.* ***Visite*** *: d'avr. à sept. : t.l.j. de 10 h à 18 h 30 (dern. adm. : 17 h 30) ; d'oct. à mars : t.l.j. de 10 h à 17 h 30 (dern. adm. : 16 h 30).* ***Fermé*** *: 24-26 déc.* ***Accès payant.***

Vision sophistiquée de la chambre des Horreurs de Madame Tussaud's (*voir p. 220*), ce musée est assez macabre. Il évoque les événements les plus sinistres de la capitale. On y assiste à un sacrifice humain accompli par des druides à Stonehenge, à l'exécution d'Anne Boleyn sur ordre de son époux le roi Henri VIII, ou aux souffrances subies par des Londoniens, contaminés, en 1665, par la Grande Peste. Tortures, meurtres et sorcellerie complètent le tableau : tout un programme !

Le Design Museum 15

Butlers Wharf, Shad Thames SE1. **Plan** 16 E4. *0171-378 6055. Tower Hill, London Bridge.* ***Visite*** *: lun.-ven. de 11 h 30 à 18 h, sam. et dim. de 12 h à 18 h.* ***Fermé*** *: 24-26 déc. 1er janv.* ***Accès payant.***

Ce musée fut le premier au monde à être entièrement consacré à l'esthétique industrielle. La collection permanente comprend des meubles, du matériel de bureau, des voitures, des radios, des télévisions et des objets domestiques. Des expositions temporaires, présentées dans les galeries Review et Collections, donnent une idée assez précise des prochaines tendances. Le Blueprint Café, au premier étage du musée, offre une vue superbe sur la Tamise.

Sculpture d'Eduardo Paolozzi devant le Design Museum

HMS Belfast 16

Morgan's Lane, Tooley St SE1. **Plan** 16 D3. *0171-407 6434. London Bridge, Tower Hill. Tower Pier.* ***Visite*** *: du 1er mars au 31 oct. : t.l.j. de 10 h à 18 h ; du 1er nov. à la 1er mars : t.l.j. de 10 h à 17 h.* ***Fermé*** *: 24-26 déc., 1er janv.* ***Accès payant.*** *sauf au café.*

Ancré depuis 1971, le croiseur *Belfast* a été transformé en musée de la Marine. La vie à bord de ce croiseur qui se distingua durant la dernière guerre est évoquée à l'intérieur du bâtiment. Différents souvenirs illustrent également l'histoire de la Royal navy.

SOUTH BANK (LA RIVE SUD)

Construit depuis le Festival of Britain (1951), le centre culturel a investi toute la zone située à proximité du Royal Festival Hall. L'architecture de certains bâtiments, comme celle de la Hayward Gallery, par exemple, a fait couler beaucoup d'encre, mais les passions se sont apaisées. Le quartier connaît aujourd'hui un certain succès et les amateurs de culture s'y rendent nombreux, l'après-midi ou en soirée. Les quartiers de Waterloo et de Lambeth sont à la fois plus résidentiels et plus populaires. L'entrée du palais de Lambeth, situé au sud du quartier, est un des plus beaux exemples d'architecture de style Tudor que l'on puisse voir à Londres.

Panneaux au South Bank Centre

LE QUARTIER D'UN COUP D'ŒIL

Rues et édifices historiques
County Hall 6
Palais de Lambeth 9
Gare de Waterloo 12
Gabriel's Wharf 14

Musées et galeries
Museum of the Moving Image 2
Hayward Gallery 3
Florence Nightingale Museum 7
Museum of Garden History 8
Imperial War Museum 10

Église
St John's, Waterloo Road 13

Jardin
Jubilee Gardens 5

Théâtres et salles de concert
National Theatre 1
Royal Festival Hall 4
Old Vic 11

Pub
Doggett's Coat and Badge 15

COMMENT Y ALLER ?

Les lignes Northern et Bakerloo desservent la station Waterloo qui est également une gare du British Rail. Quelques bus, dont les nos 12, 53 et 176 passent par Oxford Circus et Trafalgar Square et s'arrêtent sur la rive droite du fleuve, à proximité du South Bank Centre.

VOIR AUSSI

• ***Atlas des rues***, plans 13, 22
• ***Hébergement*** pp. 276-7
• ***Restaurants*** pp. 292-4

LÉGENDE

- Plan du quartier pas à pas
- Station de métro
- Gare (British Rail)
- Parcs de stationnement

Promenade au bord du fleuve, à la hauteur du South Bank Centre

Le South Bank Centre, pas à pas

Ce quartier d'entrepôts et d'usines a été dévasté par les bombardements de la dernière guerre et c'est le Festival of Britain (*voir p. 30*) qui le réhabilita en 1951, en y célébrant le centenaire de l'Exposition universelle (*voir pp. 26-7*). Le Royal Festival Hall est le seul édifice à avoir été conservé après le Festival, mais depuis, le principal centre culturel de Londres a été construit à proximité. Il comprend le National Theatre, le National Film Theatre et la Hayward Gallery.

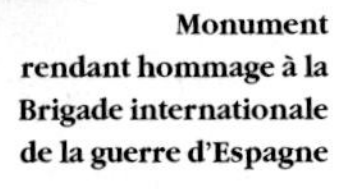

Monument rendant hommage à la Brigade internationale de la guerre d'Espagne

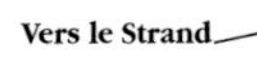

Vers le Strand

★ **Royal National Theatre**
Ses trois salles montent le répertoire classique ou contemporain ❶

Le National Film Theatre a été créé en 1953 pour présenter les chefs-d'œuvre du cinéma contemporain (*voir pp. 328-9*)

Embarcadère Festival

Le Queen Elizabeth Hall est consacré aux concerts classiques. La Purcell Room est réservée à la musique de chambre (*voir pp. 330-1*)

Hayward Gallery
La structure en béton de l'édifice est bien adaptée à l'accrochage d'œuvres contemporaines ❸

★ **Royal Festival Hall**
Le London Philharmonic est l'un des grands orchestres qui se produisent régulièrement dans cette salle ❹

Hungerford Bridge a été construit en 1864. Il conduit trains et piétons à la gare de Charing Cross.

À NE PAS MANQUER :

- ★ **Museum of the Moving Image**
- ★ **Le Royal National Theatre**
- ★ **Le Royal Festival Hall**

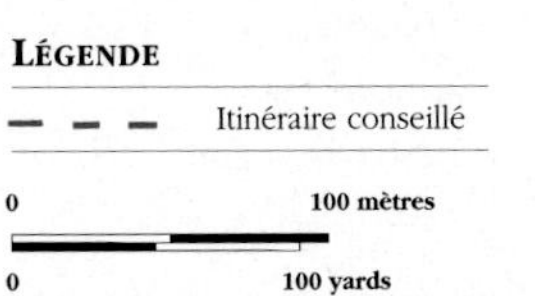

LÉGENDE

— — — Itinéraire conseillé

0 100 mètres

0 100 yards

★ **Le Museum of the Moving Image**
présente l'histoire du cinéma et de la télévision ❷

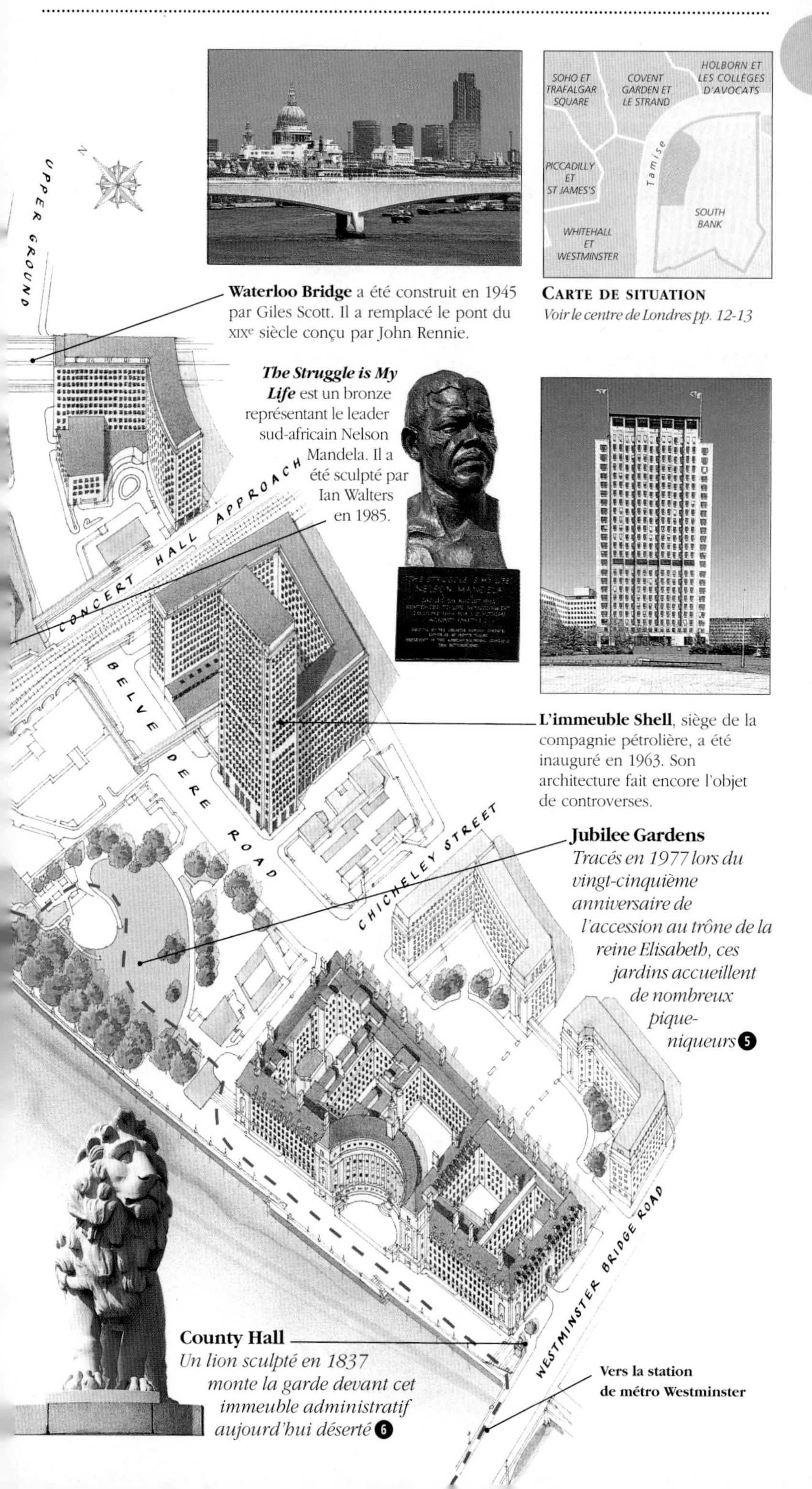

Carte de situation
Voir le centre de Londres pp. 12-13

Waterloo Bridge a été construit en 1945 par Giles Scott. Il a remplacé le pont du XIXe siècle conçu par John Rennie.

The Struggle is My Life est un bronze représentant le leader sud-africain Nelson Mandela. Il a été sculpté par Ian Walters en 1985.

L'immeuble Shell, siège de la compagnie pétrolière, a été inauguré en 1963. Son architecture fait encore l'objet de controverses.

Jubilee Gardens
Tracés en 1977 lors du vingt-cinquième anniversaire de l'accession au trône de la reine Elisabeth, ces jardins accueillent de nombreux pique-niqueurs ❺

County Hall
Un lion sculpté en 1837 monte la garde devant cet immeuble administratif aujourd'hui déserté ❻

Vers la station de métro Westminster

Brute de décoffrage : la façade en béton de la Hayward Gallery

Le Royal National Theatre ❶

South Bank Centre SE1. **Plan** 14 D3. *0171-928 2252.* *Waterloo.* ***Visite*** *: lun.-sam de 10 h à 23 h.* ***Fermé*** *: 24-25 déc. pendant les représentations.* ***Concerts*** *à 18 h. Voir* ***Spectacles*** *pp. 326-7.*

Même si vous n'avez pas l'intention d'y voir un spectacle, ce complexe vaut le détour. La création du Théâtre national et son emplacement ont donné lieu à d'âpres discussions pendant près de deux siècles. Le bâtiment conçu par Denys Lasdun a ouvert ses portes en 1976. La troupe, dirigée par Laurence Olivier, a été constituée en 1963. La plus vaste des trois salles porte le nom du célèbre acteur et les autres, la Cottesloe et la Lyttleton, ceux de deux des administrateurs du Théâtre.

Museum of the Moving Image ❷

South Bank Centre SE1. **Plan** 14 D3. *0171-401 2636.* *Waterloo.* ***Visite*** *: t.l.j. de 10 h à 18 h (dernière admission : 17 h).* ***Fermé*** *: 24-26 déc.* ***Accès payant.*** ***Manifestations, conférences, films.***

Le MOMI est un musée très amusant, tant pour les adultes que pour les enfants, mais c'est aussi un centre de documentation très apprécié des étudiants. Le musée présente l'histoire du cinéma et de la télévision, les premières expériences dans le domaine de l'optique, les inventions d'Edison et des frères Lumière, les films muets, l'introduction du son et l'animation moderne. Une salle rend hommage à Charlie Chaplin, né à Kennington (*voir p. 37*), avec des extraits de ses films et quelques documents. D'autres salles présentent des documentaires et des actualités ainsi que des extraits de chefs-d'œuvre du cinéma français, soviétique ou d'autres nationalités. Des cow-boys, des starlettes et des ouvreuses guident les visiteurs et les invitent à venir interpréter des scènes de films. On peut y être interviewé dans un studio, participer à la création d'un dessin animé, présenter des informations en lisant un téléscripteur ou s'y faire filmer en train de survoler la Tamise.

Un robot du MOMI

La Hayward Gallery ❸

South Bank Centre SE1. **Plan** 14 D3. *0171-928 3144.* *Waterloo.* ***Visite*** *: mar.-mer. de 10 h à 20 h, et du jeu. au lun. de 10 h à 18 h.* ***Fermée*** *: 24-26 déc., 1er janv., ven. saint, 1er lun. du mois de mai, et entre les expositions.* ***Accès payant.***

L'architecture de la Hayward Gallery, en béton brut, a fait grincer bien des dents et nombreux sont ses détracteurs qui ont souhaité sa démolition depuis la date de son inauguration, en octobre 1968. C'est aujourd'hui un important lieu d'expositions temporaires, consacré à l'art classique ou contemporain, et les artistes britanniques vivants y sont régulièrement accueillis. Il y a souvent la queue, surtout le week-end.

Le Royal Festival Hall ❹

South Bank Centre SE1. **Plan** 14 D4. *0171-928 3191.* *Waterloo.* ***Visite*** *: t.l.j. de 10 h à 22 h.* ***Fermé*** *: 25 déc. pendant les concerts.* ***Conférences avant les concerts, expositions, concerts gratuits.*** *Voir* ***Spectacles*** *p. 330.*

Le Royal Festival Hall fut la seule construction du Festival of Britain (*voir p. 30*) à ne pas avoir été démolie au terme de cette manifestation. Conçue par Robert Matthew et Leslie Martin, la salle de concerts fut le premier bâtiment public important mis en chantier après la Seconde Guerre mondiale. Il a si bien résisté à l'épreuve du temps, qu'au fil des années, d'autres institutions culturelles l'ont rejoint. À l'intérieur, les escaliers – à la fois majestueux et fonctionnels – conduisent du hall d'entrée à l'orchestre. Le Royal Festival Hall a accueilli, des chefs prestigieux et de nombreuses stars, de l'art lyrique. L'orgue a été installé en 1954. Les étages inférieurs recèlent des cafés, des bars, des librairies et des disquaires. Des visites des coulisses et des loges sont organisées.

L'affiche du Festival of Britain (1951)

Jubilee Gardens ❺

South Bank SE1. **Plan** 14 D4. ⊖ *Waterloo.*

Ces jardins du bord de la Tamise ont été dessinés en 1977. L'été, de nombreux employés des bureaux voisins viennent y faire une pause à l'heure du déjeuner. En soirée, des concerts et des spectacles divers y sont organisés. Parmi les sculptures, on remarquera celle de la Brigade Internationale de la Guerre civile espagnole (1936-9).

County Hall ❻

York Rd SE1. **Plan** 13 C4. ⊖ *Waterloo, Westminster.* ***Fermé*** *au public.*

Ce grand immeuble, désormais désaffecté, était le siège du London County Council. Sa construction a commencé en 1912, mais interrompue lors des deux guerres mondiales, elle n'a été achevée qu'en 1958. De l'autre rive, le visiteur pourra contempler sa partie centrale, plaquée d'une colonnade.

En 1965, le LCC devint le Greater London Council (GLC), mais en 1986, il fut aboli par Margaret Thatcher. Rien n'a encore été décidé quant à l'avenir de l'édifice.

Florence Nightingale Museum ❼

2 Lambeth Palace Rd SE1. **Plan** 14 D5. *0171-620 0374.* ⊖ *Waterloo, Westminster.* ***Visite*** *: mar.-dim. et jours fériés de 10 h à 17 h.* ***Fermé*** *: 24-26 déc., 1er janv., ven. saint, dim. de Pâques.* ***Accès payant.*** ***Vidéos.***

Cette femme au tempérament exceptionnel partit en Crimée en 1854 pour y soigner des blessés. À son retour, elle ouvrit la première école d'infirmières à l'ancien hôpital St-Thomas.

Situé à proximité du nouvel hôpital St-Thomas, le musée mérite une visite. Il évoque le destin extraordinaire de Florence Nightingale grâce à des documents, des photographies et des objets personnels. La contribution qu'elle a apportée en matière de soins et d'hygiène jusqu'à son décès en 1910, à l'âge de 90 ans, justifiait largement un tel hommage.

Florence Nightingale

Museum of Garden History ❽

Lambeth Palace Rd SE1. **Plan** 21 C1. *0171-261 1891.* ⊖ *Waterloo, Vauxhall, Lambeth North, Westminster.* ***Visite*** *: lun.-ven. de 11 h à 16 h, et le dim. de 10 h 30 à 17 h.* ***Fermé*** *: du second dim. de déc. au premier dim. de mars. en échange d'une petite contribution.* ***Conférences, films.***

Ce musée a été créé en 1979 à l'intérieur et à l'extérieur du clocher, du XIVe siècle, de St Mary's Church. John Tradescant et son fils, de même prénom, reposent au cimetière de l'église. Les Tradescant, jardiniers des rois au XVIIe siècle, effectuèrent plusieurs voyages en Amérique, en Russie et en Europe et acclimatèrent des plantes inconnues dans les îles britanniques. Leur collection a permis de créer, à Oxford, l'Ashmoleum Museum.

Le musée illustre l'histoire des jardins anglais et possède de nombreux outils, plantes et documents. Un jardin classique, à l'extérieur, regroupe des plantes caractéristiques du XVIIe siècle. La boutique vend de nombreux articles pour les amateurs de jardinage.

Le County Hall, à la recherche d'une nouvelle affectation

L'entrée du palais de Lambeth

Le palais de Lambeth ❾

SE1. **Plan** 21 C1. *Lambeth North, Westminster, Waterloo, Vauxhall.* ***Fermé*** *au public.*

Ce palais est la résidence des archevêques de Canterbury depuis sept siècles et demi. La crypte voûtée, située sous la chapelle, est la partie la plus ancienne du bâtiment : elle date du XIIIe siècle. Le palais lui-même est bien plus récent. La dernière restauration importante a été conduite par Edward Blore entre 1828 et 1834. Le châtelet (1485), de style Tudor, est l'un des plus beaux bâtiments des bords de la Tamise.

Jusqu'à la construction du premier pont de Westminster, seul un bac à péage, tiré par un cheval, permettait de traverser le fleuve. Ces revenus étaient versés à l'archevêque et lorsque le pont fut achevé, en 1750, on l'indemnisa pour ce manque à gagner.

L'Imperial War Museum ❿

Lambeth Rd SE1. **Plan** 22 E1. *0171-416 5000. 0171-820 1683. Lambeth North, Elephant & Castle.* ***Visite*** *: t.l.j. de 10 h à 18 h.* ***Fermé*** *: 24-26 déc.* ***Accès payant*** *gratuit après 16 h 30.* ***Films, conférences.***

En dépit des deux énormes canons situés à l'entrée principale du musée, celui-ci n'est pas exclusivement consacré aux armes modernes. Des tanks, des pièces d'artillerie, des bombes et des avions y sont exposés, mais c'est également l'aspect social des guerres du XXe siècle et leur impact sur les modes de vie qui sont évoqués. De fidèles reconstitutions illustrent la vie quotidienne à l'époque du rationnement, du couvre-feu, de la censure et de la propagande.

Les arts sont bien représentés grâce à des extraits de films et d'émissions de radio, des manuscrits d'écrivains et plusieurs centaines de photographies. On y verra aussi des peintures de Graham Sutherland et de Paul Nash, ainsi que des œuvres du sculpteur Jacob Epstein. Des dessins de Henry Moore illustrent la vie des Londoniens qui, pendant la dernière guerre, devaient se réfugier dans les stations de métro pour se protéger des bombardements.

Le musée retrace également les conflits auxquels les forces britanniques ont participé au cours de ces dernières années, comme la guerre du Golfe en 1991. Une partie de la collection est présentée dans l'ancien bâtiment du Bethlehem Hospital, un asile construit en 1811. En 1930, l'hôpital a été transféré dans le Surrey. Les deux ailes ont été démolies et le pavillon central transformé en musée. Celui-ci a ouvert ses portes en 1936.

Une des salles de l'Imperial War Museum

L'Old Vic ⓫

Waterloo Rd SE1. **Plan** 14 E5. *0171-928 7616. 0171-928 7618. Waterloo.* ***Visite*** *: guidée ou lors des représentations. Voir* ***Spectacles*** *pp. 326-7.*

La façade de l'Old Vic, théâtre construit en 1816

Ce magnifique bâtiment date de 1816 et abrita d'abord le Royal Coburg Theatre. En 1833, son nom fut changé en celui de Royal Victoria, en l'honneur de la future reine.

Il devint quelques années plus tard le haut lieu du music-hall. Ce type de spectacle, extrêmement populaire à l'époque de Victoria, réunissait chanteurs, danseurs et comédiens.

Placé sous la direction de Lillian Baylis en 1912, le théâtre présenta des pièces de Shakespeare à partir de 1914. Entre 1963 et 1976, il fut le siège du Théâtre national. Après une récente restauration, l'Old Vic est de nouveau un théâtre à succès.

La gare de Waterloo ⓬

York Rd SE1. **Plan** 14 D4. *0171-928 5100* *Waterloo. Voir* ***Comment aller à Londres*** *pp. 358-9*

Ce terminus des trains en provenance du S.-O. de l'Angleterre est en cours de transformation pour pouvoir accueillir les T.G.V. qui auront traversé le tunnel sous la Manche. Construite en 1848, la gare a été entièrement réaménagée au début du XXe siècle pour présenter, du côté N.-E., une entrée monumentale. Spacieuse, elle abrite de nombreux magasins.

St John's, Waterloo Road ⓭

SE1. **Plan** 14 E4. *0171-633 9819.* *Waterloo.* ***Visite*** *: lun.-ven. de 11 h 30 à 13 h, et le sam. de 10 h à 12 h ; se renseigner.* *Le dim. à 10 h 30*

St John's, l'une des quatre « églises de Waterloo », a été construite en 1818, après les guerres napoléoniennes. Contrairement à une idée reçue, ces églises n'ont pas été élevées pour saluer les victoires remportées par l'Angleterre, mais pour pouvoir accueillir le nombre croissant des paroissiens. Le porche, composé de six colonnes doriques et d'un fronton, a été exécuté dans le style néo-classique, très à la mode à cette époque. Endommagé lors de la dernière guerre, le bâtiment a été restauré et, en 1951, St-Jean devint l'église officielle du Festival of Britain (*voir p. 30*).

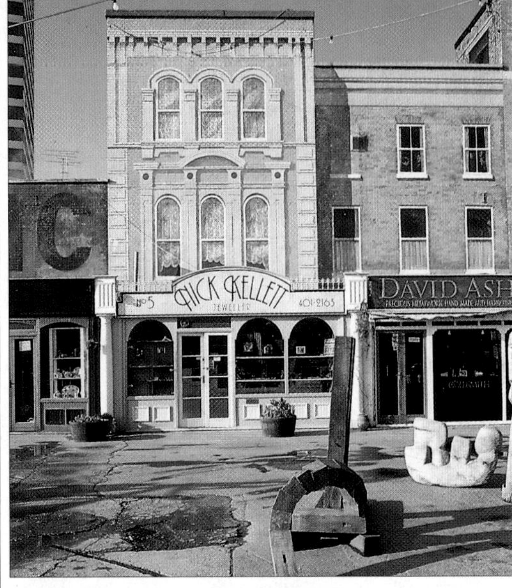

Trompe-l'œil sur les immeubles de Gabriel's Wharf

Gabriel's Wharf ⓮

56 Upper Ground SE1. **Plan** 14 E3. *Waterloo. Voir* ***Magasins et marchés*** *pp. 322-3.*

L'ancienne zone industrielle du bord de la Tamise a fait l'objet de nombreuses tractations avant d'être transformée en un ensemble de boutiques et de cafés très agréable. Les habitants du quartier étaient farouchement opposés à l'implantation d'immeubles de bureaux. En 1984, une association parvint même à acquérir une partie des terrains et à y faire construire quelques logements. À proximité du marché se trouvent un petit jardin et une promenade d'où l'on peut contempler le nord de la ville. À l'Est, les fenêtres de la Tour Oxo, construite en 1928, dessinent les lettres de la célèbre marque anglaise de bouillon en cubes.

Doggett's Coat and Badge ⓯

1 Blackfriars Bridge SE1. **Plan** 14 F3. *0171-633 9081.* *Blackfriars.* ***Visite*** *: lun.-sam., heures d'ouverture des pubs.* ***Fermé*** *: 25 déc.* *Voir* ***Cérémonies de Londres*** *p. 55.*

Ce pub moderne, situé au bord de la Tamise à proximité de Blackfriars Bridge, porte le nom d'une course célèbre organisée tous les ans par la corporation des passeurs qui, autrefois, transportaient les passagers d'une rive à l'autre. Elle eut lieu pour la première fois en 1716 et était parrainée par Thomas Doggett, un comédien qui redora le blason des bateliers, autrefois célèbres pour leur grossièreté légendaire.

La course se déroule toujours entre London Bridge et Cadogan Pier, à Chelsea.

L'entrée monumentale de la gare de Waterloo

19

Chelsea

Les jeunes « branchés » qui, des années 1960 aux années 1980, paradaient sur les trottoirs de King's Road ont plus ou moins disparu. De même, l'extrémisme des comportements, adopté au XIXe s. par tout un groupe d'écrivains et de peintres, est passé de mode. Cet ancien village situé sur la rive gauche de la Tamise prit son essor à l'époque des Tudors. Henri VIII l'appréciait tellement qu'il y fit construire un petit palais. Les peintres furent attirés par les jolies vues du fleuve depuis Cheyne Walk. Dans les années 1830, l'arrivée de l'historien Thomas Carlyle et de l'essayiste Leigh Hunt, puis, plus tard, du poète Swinburne, donna à Chelsea sa réputation de quartier littéraire. Chelsea est également connu pour la vie dissolue que menaient certains de ses habitants : le Chelsea Arts Club demeura célèbre pour ses bals qui se terminaient souvent par des bagarres. Aujourd'hui, Chelsea est devenu un quartier chic et trop cher pour la plupart des peintres, mais de nombreux magasins d'antiquités et galeries ont pris le relais.

Tête de vache indiquant la laiterie de Old Church Street

Le quartier d'un coup d'œil

Rues et monuments historiques
King's Road ❶
Carlyle's House ❷
Cheyne Walk ❺
Royal Hospital ❽
Sloane Square ❾

Musée
National Army Museum ❼

Église
Chelsea Old Church ❸

Jardins
Roper's Garden ❹
Chelsea Physic Garden ❻

Comment y aller ?

Les lignes District et Circle desservent Sloane Square, et la ligne Piccadilly passe tout près du quartier, à South Kensington. Les bus nos 11, 19 et 22 empruntent King's Road.

Voir aussi

- ***Atlas des rues***, plans 19, 20
- ***Hébergement*** pp. 276-7
- ***Restaurants*** pp. 292-4
- ***Promenade à Chelsea et à Battersea*** pp. 266-7

Le no 56 Oakley Street, où vécut l'explorateur R.-F. Scott

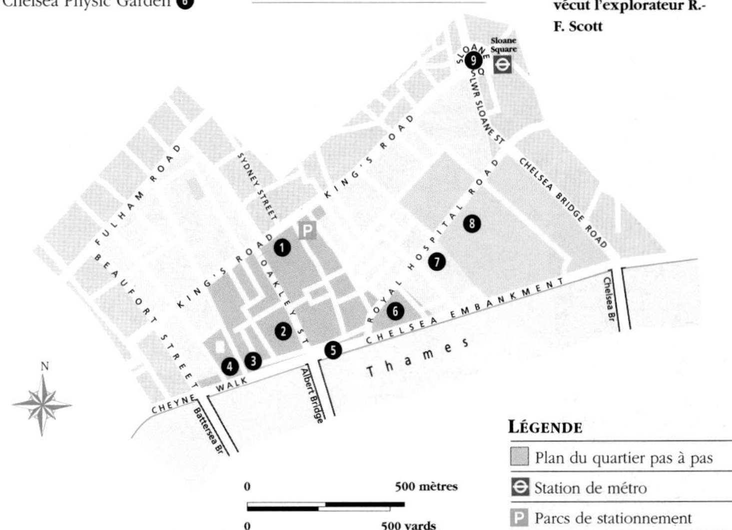

Maisons proprettes et pimpantes dans une impasse donnant sur King's Road

Chelsea pas à pas

Jadis paisible village de la rive gauche de la Tamise, Chelsea acquit ses lettres de noblesse lorsque Thomas More, le chancelier du roi Henri VIII, vint s'y installer. Cheyne Walk et sa vue sur la Tamise attirèrent Turner, Whistler et Rossetti. De nombreuses galeries et magasins d'antiquités perpétuent la tradition artistique du quartier et quelques maisons du XVIIIe siècle ont conservé leur aspect villageois.

King's Road
Bordée d'innombrables boutiques de mode dans les années 1960 et 1970, la rue est encore très commerçante aujourd'hui ❶

La Laiterie, au nº 46 Old Church Street, fut construite en 1796, quand les vaches paissaient encore à proximité. Les carreaux de céramique sont d'époque.

Vers King's Road

Carlyle's House
L'historien et philosophe a vécu dans cette maison de 1834 jusqu'à son décès en 1882 ❷

Chelsea Old Church
Très endommagée pendant la dernière guerre, cette église possède encore des monuments de l'époque Tudor ❸

Roper's Garden
Le jardin présente notamment une sculpture de Jacob Epstein ❹

Cette sculpture de **Thomas More**, exécutée en 1969 par L. Cubitt Bevis, a été placée près de l'endroit où il vivait.

À NE PAS MANQUER :

★ **Chelsea Physic Garden**

LÉGENDE

– – – Itinéraire conseillé

0 100 mètres

0 100 yards

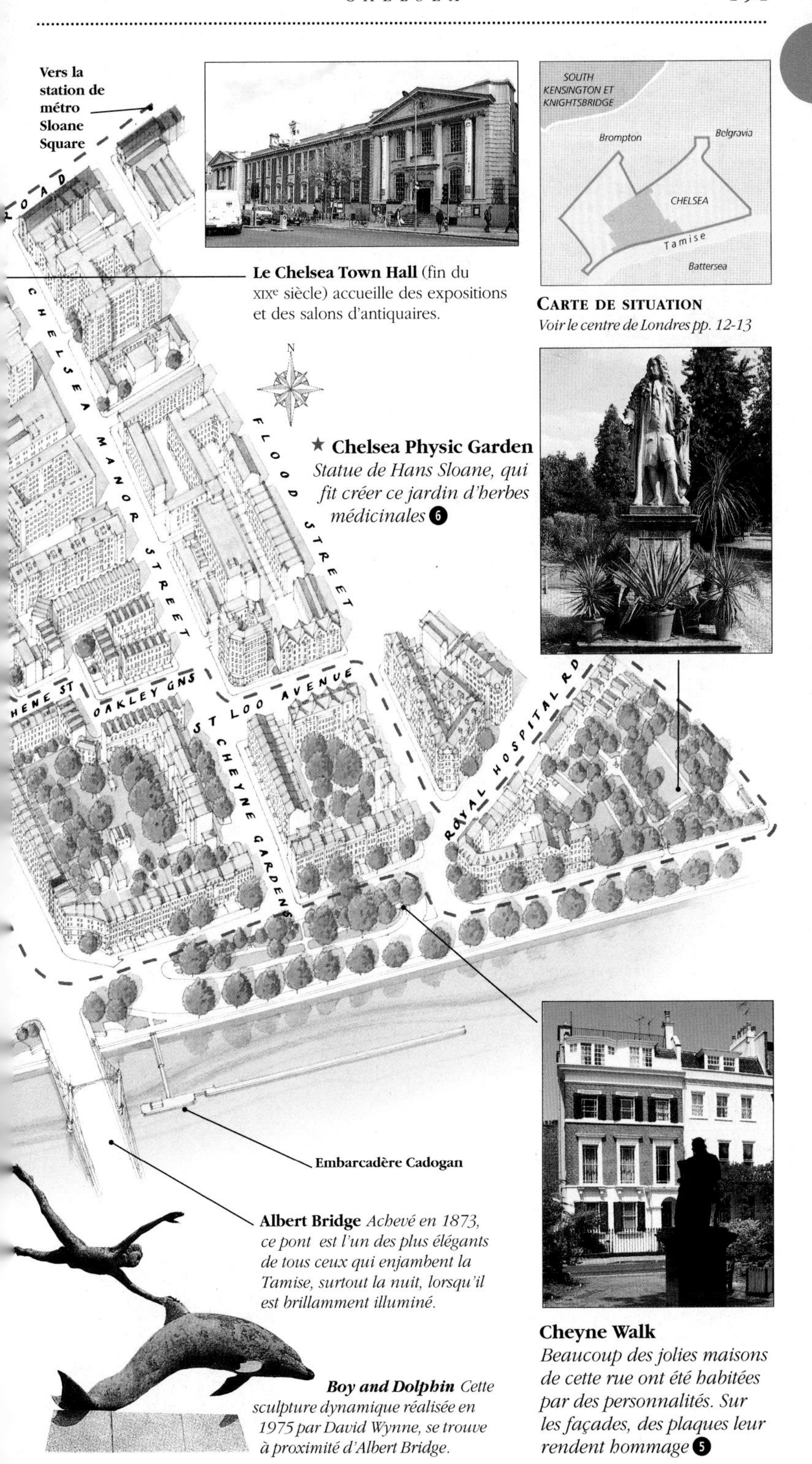

Vers la station de métro Sloane Square

Le Chelsea Town Hall (fin du XIXe siècle) accueille des expositions et des salons d'antiquaires.

Carte de situation
Voir le centre de Londres pp. 12-13

★ Chelsea Physic Garden
Statue de Hans Sloane, qui fit créer ce jardin d'herbes médicinales ❻

Embarcadère Cadogan

Albert Bridge *Achevé en 1873, ce pont est l'un des plus élégants de tous ceux qui enjambent la Tamise, surtout la nuit, lorsqu'il est brillamment illuminé.*

Boy and Dolphin *Cette sculpture dynamique réalisée en 1975 par David Wynne, se trouve à proximité d'Albert Bridge.*

Cheyne Walk
Beaucoup des jolies maisons de cette rue ont été habitées par des personnalités. Sur les façades, des plaques leur rendent hommage ❺

The Pheasantry, King's Road

King's Road ❶

SW3 and SW10. **Plan** 19 B3.
⊖ *Sloane Square.* *Voir* ***Magasins et marchés*** *pp. 310-23.*

Artère principale du quartier, elle est littéralement envahie par des boutiques de mode. La vogue de la minijupe et quantité de mouvements – les punks, par exemple – sont nés dans cette rue.

Le promeneur s'arrêtera quelques instants devant la façade du Pheasantry, au nº 152, pour observer sa décoration et ses cariatides. L'immeuble fut construit en 1881 pour abriter le hall d'exposition d'un fabricant de meubles. Aujourd'hui, un restaurant s'y est installé. Les amateurs d'antiquités pourront chiner à l'Antiquarius (au nº 137), aux Chenil Galleries (aux nºs 181-3) et au Chelsea Antiques Market (au nº 253).

Carlyle's House ❷

24 Cheyne Row SW3. **Plan** 19 B4.
0171-352 7087. ⊖ *Sloane Square, South Kensington.* ***Visite*** *: avr.-oct. : mer.-dim. de 11 h à 17 h, et les jours fériés (der. adm. : 16 h 30).* ***Fermée*** *: ven. saint.* ***Accès payant.***

L'historien et le fondateur de la London Library (*voir St James's Square p. 96*), Thomas Carlyle, s'installa dans cette modeste demeure en 1834. Il y a écrit nombre de ses ouvrages, dont *La Révolution française* et *Frédéric le Grand.* C'est lui qui mit le quartier à la mode, conviant chez lui quelques-uns des plus grands écrivains du XIXe siècle. Les romanciers Charles Dickens et William Thackeray, le poète Alfred lord Tennyson, le naturaliste Charles Darwin et le philosophe John Stuart Mill s'y rendaient régulièrement. La maison, restaurée, a retrouvé son aspect d'autrefois et abrite désormais un musée consacré à la vie et à l'œuvre de Carlyle.

Chelsea Old Church ❸

Cheyne Walk SW3. **Plan** 19 A4.
0171-352 7978. ⊖ *Sloane Square, South Kensington.* ***Visite*** *: t.l.j. de 10 h à 13 h et de 14 h à 17 h (se renseigner).* *presque t.l.j.* *le dim. à 11 h.*

Chelsea Old Church, en 1860

De l'extérieur, cette église à tour carrée, reconstruite après la Seconde Guerre mondiale, n'a pas l'air très ancienne. Pourtant des gravures attestent qu'il s'agit bien de la réplique exacte de l'église médiévale détruite par les bombardements.

Ses vestiges de l'époque Tudor sont remarquables. En 1532, Thomas More y fit ériger pour sa femme un monument funéraire où il désirait être lui-même enseveli. On remarquera la chapelle Lawrence, dédiée à un marchand de l'époque élisabéthaine, et le gisant de lady Jane Cheyne, du XVIIe siècle, dont Cheyne Walk porte le nom de l'époux. À l'extérieur de l'église se trouve la statue de Thomas More, « un homme d'Etat, un érudit, un saint ».

Roper's Garden ❹

Cheyne Walk SW3. **Plan** 19 A4.
⊖ *Sloane Square, South Kensington.*

Il s'agit d'un petit jardin qui jouxte Chelsea Old Church. Il doit son nom à Margaret Roper, fille de Thomas More, et à son époux William, qui écrivit la biographie de More. Le sculpteur Jacob Epstein travailla dans un atelier situé ici entre 1909 et 1914. Une de ses sculptures lui rend hommage. La statue de femme nue est une œuvre de Gilbert Carter.

Cheyne Walk ❺

SW3. **Plan** 19 B4. ⊖ *Sloane Square, South Kensington.*

Jusqu'à la construction du quai de Chelsea en 1874, Cheyne Walk était très agréable à emprunter. Aujourd'hui, les maisons donnent sur une rue au trafic intense qui masque une partie de leur charme. La plupart des façades, du XVIIIe siècle, portent une plaque de céramique bleue qui rappelle le passage d'une personnalité. J.-M. W. Turner a vécu au nº 119, George Eliot au nº 4 et quelques écrivains (Henry James, T.-S. Eliot et Ian Fleming, notamment) ont habité à Carlyle Mansions.

Thomas More, Cheyne Walk

Chelsea Physic Garden ❻

Swan Walk SW3. **Plan** 19 C4. *0171-352 5646. Sloane Square.* ***Visite*** *: avr.-oct.: merc., dim. de 14 h à 17 h.* ***Accès payant.*** *de 15 h 15 à 16 h 45.* ***Exposition annuelle*** *pendant le Chelsea Flower Show, voir p. 56.*

Fondé en 1673 par la société des apothicaires, ce jardin est consacré à l'étude des plantes médicinales. Menacé de fermeture en 1722, il fut racheté par Hans Sloane et offert à la société. Sa statue se trouve au fond de l'allée principale. Si le nombre de variétés plantées a sensiblement augmenté au fil des siècles, la plupart demeurent caractéristiques du XVIIIe siècle.

Les premiers plants de coton y furent élevés, puis envoyés en Amérique, dans les Etats du Sud. Les visiteurs peuvent contempler ses arbres plusieurs fois centenaires et la première rocaille de Grande-Bretagne, créée en 1772.

Un pensionnaire du Royal Hospital

Chelsea Physic Garden, au printemps

Le National Army Museum ❼

Royal Hospital Rd SW3. **Plan** 19 C4. *0171-730 0717. Sloane Square.* ***Visite*** *: t.l.j. de 10 h à 17 h 30.* ***Fermé*** *: 24-26 déc., 1er janv., ven. saint, 1er lun. du mois de mai.*

Ce musée évoque de façon agréable et rationnelle l'histoire de l'armée du Royaume-Uni de 1845 à nos jours. Des tableaux vivants, des diaporamas et des extraits de films d'archives sont consacrés aux principaux conflits. On y remarquera également des peintures représentant des batailles et des portraits de soldats. Le magasin du musée vend des livres et des soldats de plomb.

Le Royal Hospital ❽

Royal Hospital Rd SW3. **Plan** 20 D3. *0171-730 0161. Sloane Square.* ***Visite*** *: lun.-sam. de 10 h à midi et de 14 h à 16 h, et le dim. de 14 à 16 h.*

En 1682, Christopher Wren est chargé par Charles II de créer cet ensemble d'architecture classique pour accueillir 400 soldats âgés d'au moins 65 ans. Le Royal Hospital fut inauguré dix ans plus tard. Aujourd'hui, ses pensionnaires portent toujours l'uniforme créé au XVIIe siècle : une tunique de sortie rouge et un tricorne.

La chapelle, d'une grande sobriété, et le grand hall utilisé comme réfectoire, sont situés de part et d'autre du dôme central. Un petit musée illustre l'histoire des pensionnaires.

Une statue de Charles II, exécutée par Grinling Gibbons, a été érigée face à la chapelle. Des jardins, on pourra observer l'impressionnante bâtisse de la centrale électrique de Battersea.

Sloane Square ❾

SW1. **Plan** 20 D2. *Sloane Square.*

Fontaine de Sloane Square

Ce charmant petit square (de forme rectangulaire) présente une partie centrale pavée et agrémentée d'une statue de Vénus. Tracé à la fin du XVIIIe siècle, il porte le nom de Hans Sloane, riche médecin qui acheta le domaine de Chelsea en 1712. En face du grand magasin Peter Jones, construit en 1936, se trouve le Royal Court Theatre, où, depuis plus d'un siècle, se jouent des pièces modernes.

South Kensington et Knightsbridge

Avec leurs espaces verts, leurs ambassades et leurs consulats, South Kensington et Knightsbridge sont en tête du hit-parade des quartiers chic de la capitale. Du fait de la proximité du palais de Kensington, qui est toujours une résidence royale, cette partie de la ville a encore peu changé. Avec Mayfair, c'est l'endroit le plus cher de la capitale et les magasins de luxe, dont le célèbre Harrod's, répondent à toutes les exigences d'une clientèle de privilégiés. Enfin, au cœur de ces quartiers où les visiteurs trouveront un savant mélange de calme et de monumentalité, de grands musées témoignent du goût du savoir de l'ère victorienne.

La pompeuse façade du Victoria & Albert Museum, le « V&A »

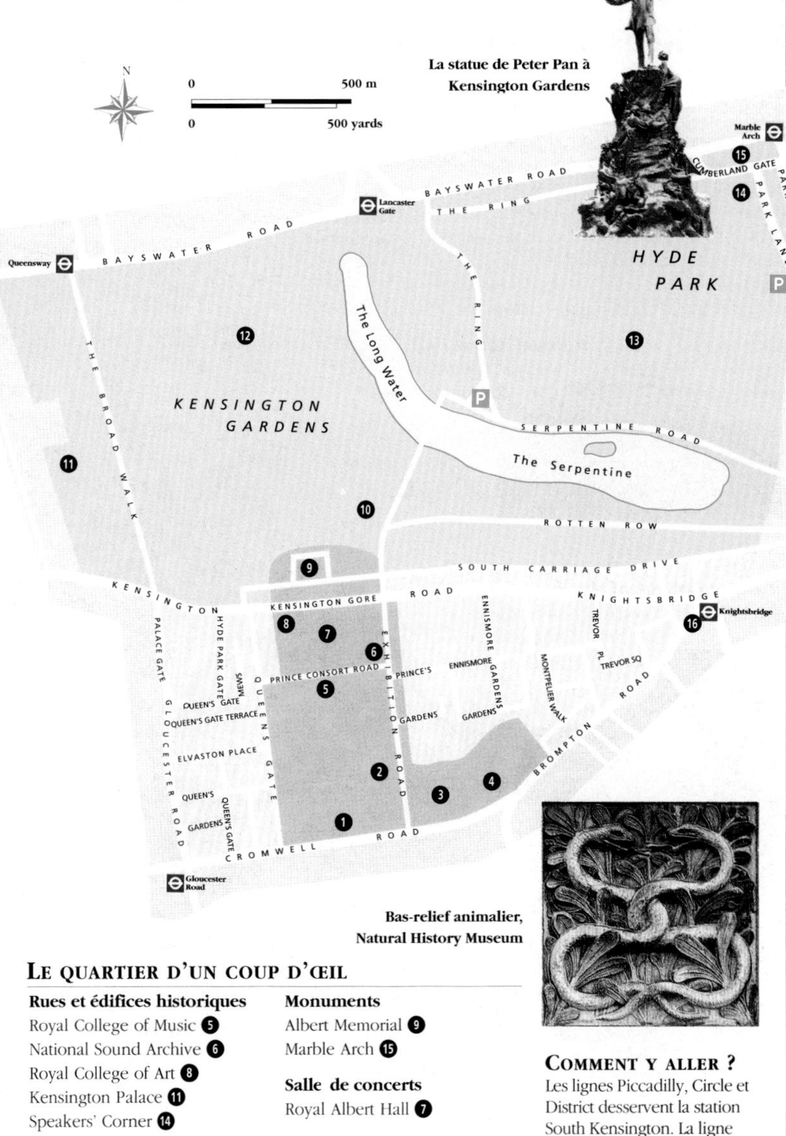

La statue de Peter Pan à Kensington Gardens

Bas-relief animalier, Natural History Museum

Le quartier d'un coup d'œil

Rues et édifices historiques
Royal College of Music 5
National Sound Archive 6
Royal College of Art 8
Kensington Palace 11
Speakers' Corner 14

Église
Brompton Oratory 4

Musées et galeries
Natural History Museum pp. 204-5 1
Science Museum pp. 208-9 2
Victoria and Albert Museum pp. 198-201 3
Serpentine Gallery 10

Parcs et jardins
Kensington Gardens 12
Hyde Park 13

Monuments
Albert Memorial 9
Marble Arch 15

Salle de concerts
Royal Albert Hall 7

Magasin
Harrod's 16

Voir aussi

- ***Atlas des rues***, plans 10, 11, 19
- ***Hébergement*** pp. 276-7
- ***Restaurants*** pp. 292-4
- ***Promenade à Mayfair*** pp. 260-1

Comment y aller ?

Les lignes Piccadilly, Circle et District desservent la station South Kensington. La ligne Piccadilly est la seule à desservir la station Knightsbridge. Le bus nº 14 relie directement Piccadilly Circus à South Kensington ; il s'arrête à Green Park et à Knightsbridge.

Légende

- Plan du quartier pas à pas
- Station de métro
- Parc de stationnement

South Kensington pas à pas

L'Exposition universelle de 1851 eut un tel succès que, les années suivantes, d'autres manifestations d'envergure furent organisées un peu plus au Sud. À la fin du siècle, celles-ci furent à l'origine de la création des musées que nous connaissons aujourd'hui, construits dans un style froid et pompeux caractéristique de l'ère victorienne. Le quartier possède donc une concentration exceptionnelle d'institutions culturelles.

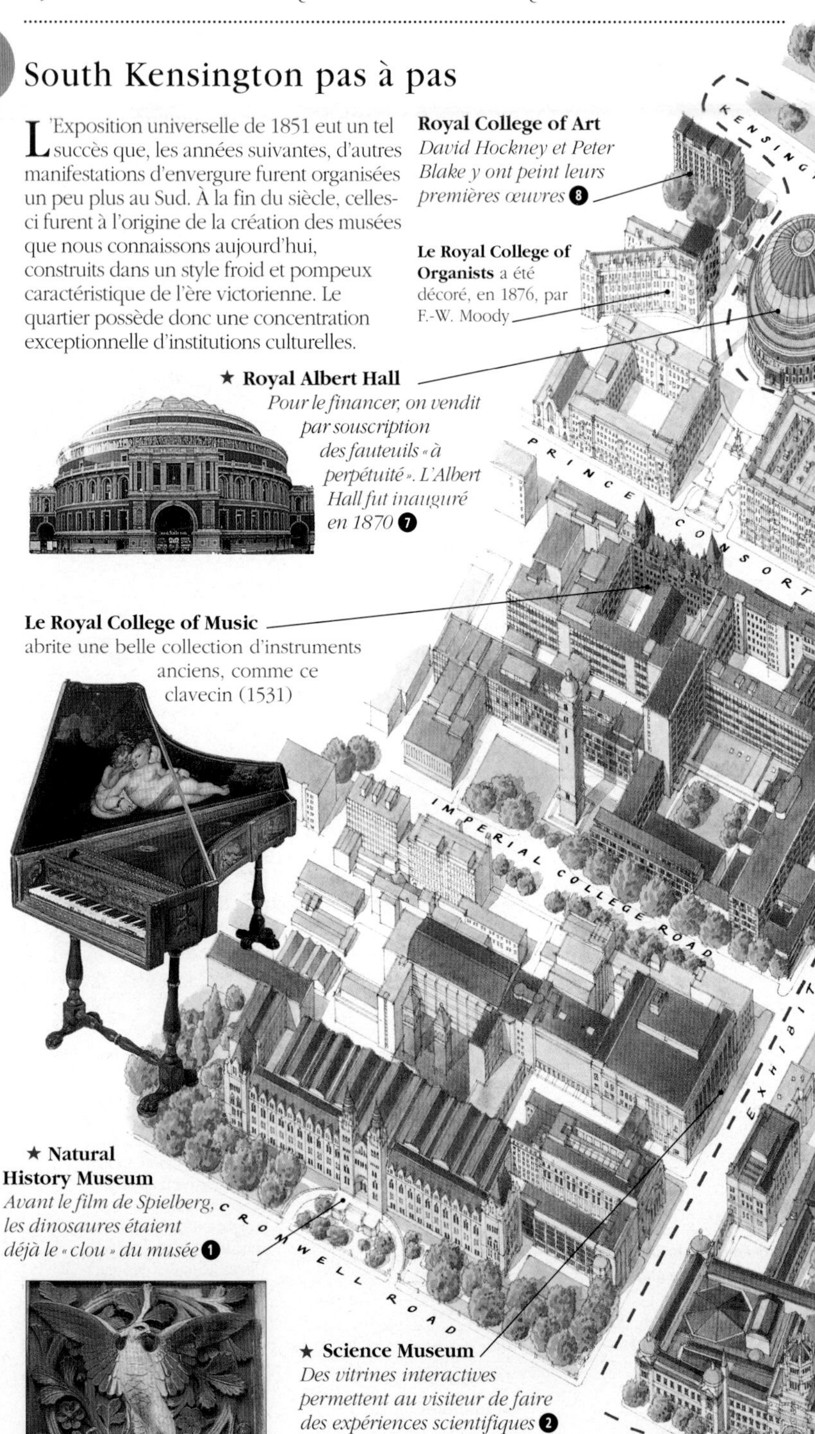

Royal College of Art
David Hockney et Peter Blake y ont peint leurs premières œuvres ❽

Le Royal College of Organists a été décoré, en 1876, par F.-W. Moody

★ **Royal Albert Hall**
Pour le financer, on vendit par souscription des fauteuils « à perpétuité ». L'Albert Hall fut inauguré en 1870 ❼

Le Royal College of Music abrite une belle collection d'instruments anciens, comme ce clavecin (1531)

★ **Natural History Museum**
Avant le film de Spielberg, les dinosaures étaient déjà le « clou » du musée ❶

★ **Science Museum**
Des vitrines interactives permettent au visiteur de faire des expériences scientifiques ❷

★ **Victoria & Albert Museum**
Une collection encyclopédique illustre l'histoire des beaux-arts et des arts appliqués ❸

Albert Memorial
Ce monument (1861-72) rappelle le souvenir de l'époux de la reine Victoria ❾

Albert Hall Mansions
Construits en 1879 par Norman Shaw, ces immeubles lancèrent la mode de la brique rouge.

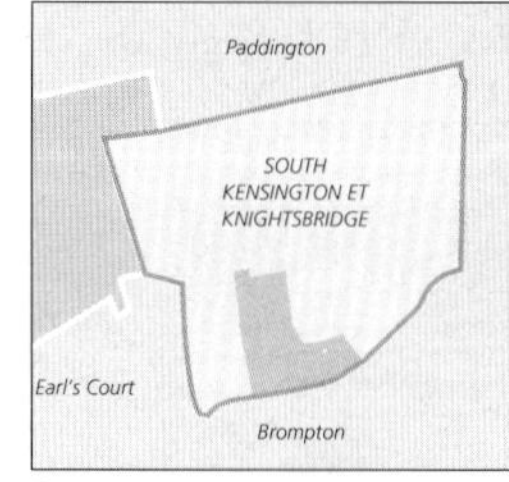

CARTE DE SITUATION
Voir le centre de Londres pp. 12-13

LÉGENDE

— — — Itinéraire conseillé

0 100 mètres

0 100 yards

La Royal Geographical Society a été fondée en 1830. L'explorateur écossais David Livingstone (1813-73) en était membre.

La National Sound Archive
On peut y entendre un enregistrement de la voix de la reine Victoria ❻

L'Imperial College
Cette grande institution scientifique fait partie de l'université de Londres.

Le Brompton Oratory a été construit au XIXe siècle dans le style baroque italien ❹

Brompton Square *Tracé en 1821, il ne tarda guère à devenir un quartier résidentiel très couru.*

Holy Trinity Church
Cette église du XIXe siècle est située dans un environnement très agréable.

Vers la station de métro Knightsbridge

À NE PAS MANQUER :

- ★ **Le Victoria and Albert Museum**
- ★ **Le Natural History Museum**
- ★ **Le Science Museum**
- ★ **Le Royal Albert Hall**

Le Victoria & Albert Museum ❸

Entrée principale

Familièrement appelé le V&A, ce musée des Beaux-Arts et des Arts appliqués, est l'un des plus riches du monde. On y trouve aussi bien des objets de culte datant du début du christianisme, que des peintures de Constable, des œuvres religieuses du S.-E. asiatique ou des bottes Doc Marten. Le bâtiment abrite également des collections de sculptures, d'aquarelles, de bijoux et d'instruments de musique. Inauguré en 1857, sa construction et son aménagement ont duré près d'un quart de siècle.

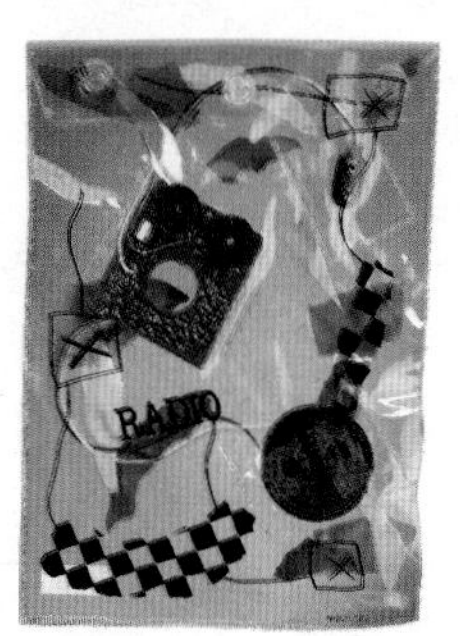

★ Mobilier du XXe s.
Cette salle présente des objets de design contemporain, comme cette radio de Daniel Weil (1983).

Arts décoratifs européens
Ces colonnes de lapis-lazuli appartenaient à Marie-Antoinette. Elles illustrent les cinq ordres de l'architecture.

Peinture anglaise de 1700 à 1900
Ce tableau de John Constable (1776-1837), Windmill Among Houses, *est un des chefs-d'œuvre du grand paysagiste.*

SUIVEZ LE GUIDE !
Le musée compte 145 salles réparties sur quatre niveaux. Une section illustre l'évolution chronologique des arts appliqués, l'autre, les techniques et les matériaux. Dans la première, on verra, par exemple, des œuvres et des objets réalisés en Europe entre 1600 et 1800. Dans la seconde, les collections sont présentées par type d'objet ou de matériau : céramique, tapisserie, etc. La première section occupe la majeure partie du rez-de-chaussée. Les arts décoratifs et appliqués anglais sont exposés au premier étage. L'aile Henry Cole est située au N.-O. du bâtiment principal et abrite les collections de peintures, de dessins, de gravures et de photographies du musée. C'est ici que se trouvent également les nouvelles salles Frank Lloyd Wright.

Aile Henry Cole

Entrée d'Exhibition Road

LÉGENDE

- Sous-sol
- Rez-de-chaussée
- Mezzanine 1
- 1er étage
- Mezzanine 2
- 2e étage
- Aile Henry Cole

À NE PAS MANQUER :

★ L'art du Moyen Age

★ L'art indien galerie Nehru

★ Les costumes

★ Les salles William Morris

★ Le mobilier du XXe siècle

★ Salles de William Morris (1834-1896) et de son école
L'abandon des formes compliquées et le retour des techniques artisanales sont caractéristiques de cette période.

MODE D'EMPLOI

Cromwell Rd SW7. **Plan** 19 A1. *0171-938 8500.* *0171-938 8441.* *South Kensington.* *14, 45A, 49, 74, 349, C1.* **Ouvert** *midi-17 h 50 lun., 10 h-17 h 50 mar.-dim. (également de 18 h 30 à 21 h 30 le mer.).* **Fermé** *24-26 déc., 1er jan., ven. saint.* ***Conférences, films, visites guidées, concerts, expositions temporaires, manifestations.***

Art de la Chine et de la Corée
Ce portrait, une aquarelle sur soie, représente un empereur de la dynastie des Qing (1644-1912).

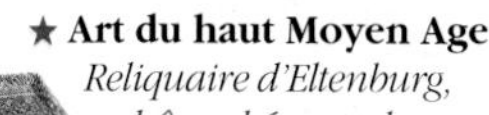

★ Art du haut Moyen Age
Reliquaire d'Eltenburg, châsse rhénane du XIIe s., en bronze doré enrichi d'émaux et d'ivoires sculptés.

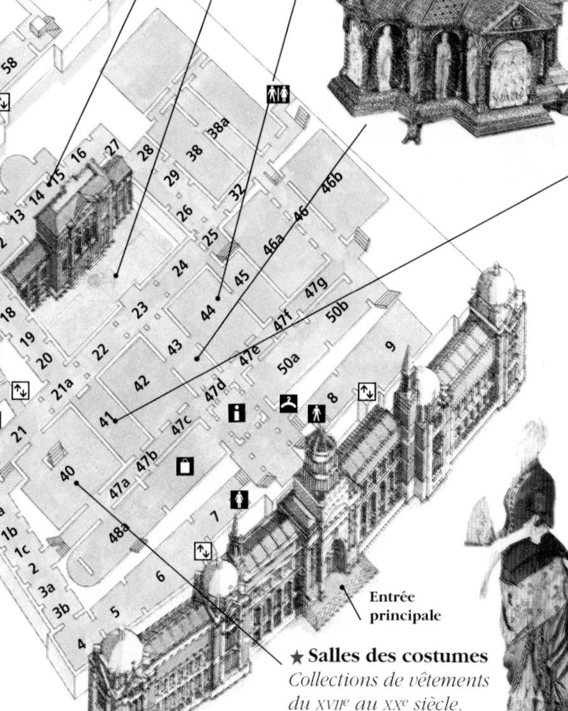

★ Art de l'Inde
Coupe en jade (1657) du shah Jahan dont l'anse est sculptée d'une gracieuse tête de chèvre.

★ Salles des costumes
Collections de vêtements du XVIIe au XXe siècle.

A la découverte des collections du Victoria and Albert museum

Initialement Museum of Manufactures, devenu South Kensington Museum en 1859, il fut baptisé Victoria and Albert Museum en 1899. Un grand nombre des objets et des œuvres proviennent des anciennes colonies de l'Empire britannique. La collection d'art indien est la plus vaste du monde hors d'Asie. Le musée abrite également la National Art Library qui conserve des ouvrages consacrés aux beaux-arts et aux arts appliqués, des documents illustrant la fabrication des livres, ainsi que des journaux et manuscrits d'artistes.

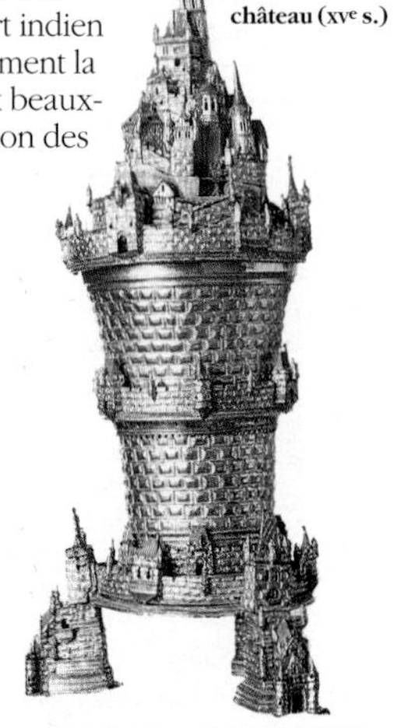

Coupe allemande en forme de château (XVe s.)

Sculpture

Pas moins de 26 salles sont consacrées à la sculpture, aux albâtres, ivoires, bronzes et pièces moulées. La magnifique collection Renaissance comprend un relief de marbre de Donatello, *Le Christ mort soutenu par des anges.* 17 sculptures d'Auguste Rodin, offertes par l'artiste en 1914, sont présentées dans l'entrée d'Exhibition Road. Des œuvres provenant d'Inde, du Moyen-Orient et d'Extrême-Orient sont également exposées.

Céramique et verrerie

Vingt et une salles sont consacrées aux poteries, porcelaines et verreries européennes, orientales et extrême-orientales, depuis le début de notre ère. Sont notamment représentées les principales manufactures d'Europe : Meissen, Sèvres, Vincennes, Copenhague et Worcester ; les vitraux, les céramiques réalisées par William de Morgan, Picasso ou Bernard Leach, ainsi que les porcelaines du Proche-Orient et de l'Extrême-Orient (dont des pièces de Perse, Turquie et Chine).

Porcelaine russe (1862)

Mobilier et décor

Trente-sept salles présentent du mobilier et des éléments de décoration intérieure. Les pièces des collections française et britannique du XVIIIe siècle sont les plus remarquables. Des reconstitutions d'intérieurs (meubles, peintures, céramiques et objets domestiques) permettent de reconstituer les modes de vie. La salle 3A, qui évoque La Tournerie, un manoir situé près d'Alençon, est particulièrement réussie. Le V&A possède également une vaste collection d'instruments de musique : épinettes élisabéthaines, luths, flûtes, barytons, boîtes à musique, harpes, pianos, etc.

Travail du métal

Coupes, carafes, médailles, tabatières, armes, armures, cors de chasse, montres et horloges sont quelques-uns des 35 000 objets d'Europe et du Proche-Orient présentés dans 22 salles du musée.

On remarquera notamment la nef Burghley (salle 26), salière française du XVIe siècle en forme de voilier dont la coque est un nautile supporté par une sirène, la coupe allemande (salle 27) du XVe siècle en forme de château et la soupière d'Ashburnham, exécutée au XVIIIe siècle dans un style rococo.

Le grand lit de Ware

Fabriqué à Ware, dans le Hertfordshire, dans les années 1590, en chêne marqueté et peint, ce lit monumental mesure 3,60 m de large sur 3,60 m de long. C'est sans aucun doute le meuble le plus célèbre du V&A Museum, non seulement parce qu'il représente un admirable travail d'ébénisterie anglaise de cette période, mais aussi parce que ses proportions considérables continuent d'exciter les imaginations… Mentionné dans la *Nuit des rois,* pièce de Shakespeare écrite en 1601, il ne tarda pas à acquérir une solide réputation.

Au XVIIe siècle, le lit était entouré de rideaux.

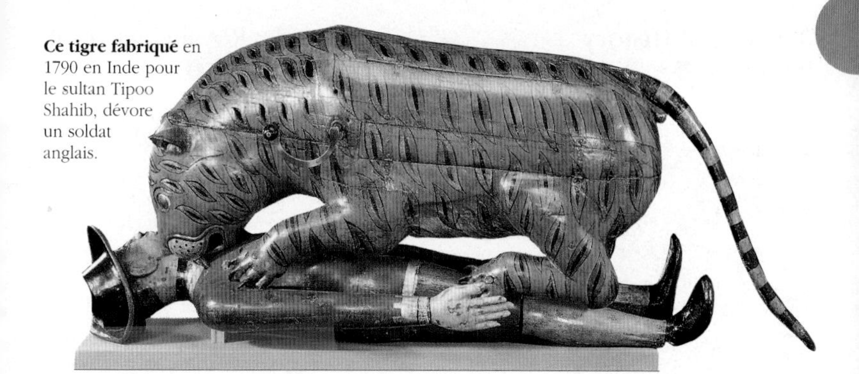

Ce tigre fabriqué en 1790 en Inde pour le sultan Tipoo Shahib, dévore un soldat anglais.

Art de l'Inde

La galerie Nehru est le pivot de la collection d'art indien. Couvrant la période comprise entre 1550 et 1900, elle est consacrée à la période mogole et à l'époque pendant laquelle l'Inde était rattachée à la Couronne britannique. Y sont exposés textiles, armes, bijoux, objets en métal, verreries et peintures, profanes ou sacrées. On remarquera une tente mogole en coton peint à la main (1640), ornée d'oiseaux, d'arbres et d'un aigle à deux têtes (salle 41), et un bronze du XIe siècle représentant Shiva dansant dans un cercle de flammes (salle 47B).

Tenture indienne (XVIIIe siècle) en coton teint et imprimé

Textiles et costumes

La salle 40 présente des vêtements confectionnés du XVIIe au XXe siècle. Des mannequins sont habillés de vêtements complets et de leurs accessoires. Des boutons, chaussures, chapeaux et ombrelles sont exposés dans des vitrines. Les textiles, répartis dans 18 salles, proviennent du monde entier et certains remontent à l'Egypte ancienne. Les tissus anglais des XVIIIe, XIXe et XXe siècles, sont particulièrement bien représentés.

Les quatre grandes tapisseries médiévales exposées dans la salle 94 dépeignent les passe-temps de la Cour. On admirera également la *Chape de Syon* (1300-20), un exemple superbe d'*opus anglicanum* : un style de broderie anglaise du Moyen Age, très apprécié en Europe.

Art d'Extrême-Orient

Huit salles sont consacrées aux arts de la Chine, du Japon, de la Corée et d'autres pays d'Extrême-Orient. Les objets domestiques de la galerie d'art chinois sont exposés sous une impressionnante structure métallique représentant l'épine dorsale d'un dragon. On remarquera notamment une énorme tête de Bouddha (700-900), un lit exécuté à l'époque de la dynastie des Ming, les jades et les céramiques (salle 44).

La galerie Toshiba présente l'art japonais. On y verra des objets en laque, des céramiques, des textiles, des armures et des dessins. Dans la salle 38A, on découvrira une écritoire du XVIIe siècle incrustée de laque d'or et d'argent, ainsi que l'armure d'Akita, battue en 1714.

Manteau de prière , Chine, XIXe siècle

Peintures, gravures, dessins et photographies

L'aile Henry Cole abrite ces collections où les visiteurs découvriront des peintures anglaises réalisées entre 1700 et 1900, de superbes miniatures anglaises, des peintures européennes de la période comprise entre 1500 et 1900, et un vaste ensemble de dessins et de tableaux de John Constable. La Print Room est une salle où l'on pourra consulter des aquarelles, des gravures, des eaux-fortes, et même des cartes à jouer et des rouleaux de papier peint.

***A Young Man Among Roses* (1588), miniature de Nicholas Hilliard**

Le Natural History Museum ❶

Voir pp. 204-5.

Bas-relief au Natural History Museum

Le Science Museum ❷

Voir pp. 208-9.

Le Victoria & Albert Museum ❸

Voir pp. 198-201

Brompton Oratory ❹

Brompton Rd SW7. **Plan** 19 A1. *0171-589 4811.* *South Kensington.* ***Visite*** *: t.l.j. de 6 h 30 à 20 h.* *Le dim. à 11 h, messe chantée en latin.*

De style néobaroque italien, l'Oratoire de Londres, improprement appelé Brompton Oratory, doit son existence au cardinal Newman (1801-1890). Frederick William Faber avait fondé à Charing Cross une communauté de prêtres qui, plus tard, s'installa à Brompton. Newman et Faber (tous deux convertis au catholicisme) y introduisirent alors la congrégation de l'Oratoire fondée à Rome par saint Philippe Neri en 1575.

L'église actuelle date de 1884. La façade et le dôme ont été ajoutés dans les années 1890, et la décoration intérieure a été progressivement enrichie. Herbert Gribble, l'architecte, lui aussi converti au catholicisme, n'avait que 29 ans lorsqu'il fut chargé du projet.

La plupart des trésors que conserve l'oratoire proviennent d'églises italiennes. Ainsi, les douze statues représentant les apôtres ont été sculptées par Giuseppe Mazzuoli au XVIIe siècle, pour la cathédrale de Sienne. La chapelle de la Vierge abrite un superbe retable Renaissance destiné, à l'origine, à l'église dominicaine de Brescia. Enfin, le retable du XVIIe siècle installé dans la chapelle Wilfrid se trouvait auparavant dans l'église St-Servais de Maastricht.

L'intérieur somptueux de l'Oratoire de Londres

Le Royal College of Music ❺

Prince Consort Rd SW7. **Plan** 10 F5. *0171-589 3643.* *High St Kensington, Knightsbridge, South Kensington.* ***Visite du musée instrumental*** *: le mer., hors vacances universitaires, de 14 h à 16 h 30.* ***Accès payant.***

Cet édifice de style néo-gothique, orné de tourelles en poivrière, a été conçu en 1894 par Sir Arthur Blomfield. George Grove, auteur d'un célèbre dictionnaire de la musique, fonda l'institution en 1882. Celle-ci a notamment accueilli les compositeurs anglais Benjamin Britten et Ralph Vaughan Williams. Le musée est très intéressant mais rarement ouvert. On y trouve des instruments construits à différentes époques et provenant de tous les pays du monde. Certains des instruments exposés ont servi à de grands musiciens : on remarquera notamment une épinette de Haendel et un clavecin de Haydn.

Viole du XVIIe siècle, Royal College of Music

National Sound Archive ❻

29 Exhibition Rd SW7. **Plan** 11 A5. *0171-412 7440.* *South Kensington.* ***Visite*** *: lun.-ven. de 10 h à 17 h, jeu. de 10 h à 21 h (der. adm. : 16 h 45).* ***Fermé*** *les jours fériés.*

Ce département de la British Library possède 900 000 disques, dont certains, datant des années 1890, sont les tout premiers de l'histoire de l'enregistrement.
Parmi les 80 000 heures de bande magnétique et les 6 000 vidéos, vous trouverez entre autres un enregistrement de la reine Victoria réalisé en 1880. Une petite exposition présente des gramophones, des phonographes et divers objets, dont un jouet allemand (1903) sur lequel on pouvait passer des disques… en chocolat !

La statue du prince Albert, par Joseph Durham (1858), à côté du Royal Albert Hall

Le Royal Albert Hall ❼

Kensington Gore SW7. **Plan** 10 F5. *0171-589 3203. High St Kensington, South Kensington Knightsbridge.* ***Visite*** *guidée ou à l'occasion des concerts. 0171-589 8212. Voir* ***Spectacles*** *pp. 330-1.*

Conçu par l'ingénieur Francis Fowke, ce bâtiment, achevé en 1871, est bâti sur un plan circulaire. Il présente une façade de brique rouge sur laquelle se détache une frise en terre cuite évoquant le Triomphe des arts. Le nom initialement prévu, Hall of Arts and Sciences, fut changé par la reine Victoria lorsqu'elle posa la première pierre.

L'Albert Hall accueille principalement des concerts de musique classique, mais aussi des matchs de boxe ou des congrès divers.

Le Royal College of Art ❽

Kensington Gore SW7. **Plan** 10 F5. *0171-584 5020. High St Kensington, South Kensington, Knightsbridge.* ***Visite*** *: lun.-ven. de 10 h à 18 h (se renseigner).* ***Conférences, manifestations, films, expositions temporaires.***

L'immeuble de verre conçu en 1973 par Hugh Casson tranche nettement avec le style victorien du quartier. À l'origine, le RCA était une école d'arts appliqués. Dans les années 1950 et 1960, il acquit une réputation internationale lorsque David Hockney, Peter Blake et Eduardo Paolozzi y firent leurs débuts de plasticiens.

Albert Memorial ❾

South Carriage Drive, Kensington Gdns SW7. **Plan** 10 F5. *High St Kensington, Knightsbridge, South Kensington. En restauration jusqu'en 1995.*

Ce témoignage de l'affection de Victoria pour son époux fut achevé en 1876. Albert était un prince allemand, cousin de la reine Victoria. Époux de la reine depuis 21 ans et père de neuf enfants, il mourut de la typhoïde en 1861, à l'âge de 41 ans. Le monument a été élevé à proximité de l'emplacement de l'Exposition universelle de 1851 (*voir pp. 26-27*) pour rappeler que le prince était un ardent défenseur de l'éducation, de la culture et des sciences. La statue de John Foley, plus grande que nature, le représente assis, un catalogue de l'Exposition sur les genoux.

George Gilbert Scott fut désigné par la reine pour élaborer ce monument haut de 55 m, qui comporte un soubassement orné de près de 200 effigies de marbre et un dais néogothique enrichi de mosaïques. Il est entouré d'une plate-forme supportant des groupes de marbre qui symbolisent les continents : l'Asie avec un superbe éléphant, l'Europe sur un taureau, l'Afrique avec un sphinx et une « Cléopâtre » sur un chameau, et l'Amérique avec un bison chargeant et un sauvage emplumé.

Victoria et Albert, à l'inauguration de l'Exposition universelle (1851)

Le Natural History Museum ❶

Entrée du Museum

Ce musée d'Histoire naturelle présente toutes les formes de vie de notre planète ainsi que l'histoire et la composition de la Terre. Associant l'utilisation des technologies les plus récentes à des présentations plus traditionnelles, il aborde toutes sortes de sujets, comme la fragilité des écosystèmes, la lente évolution de la Terre, l'origine des espèces et la morphologie des êtres humains à travers les âges. Le bâtiment victorien qui l'abrite ressemble à une cathédrale romane ; conçu par Alfred Waterhouse, il fut inauguré en 1881. Les arcs et les colonnes, richement décorés de sculptures de plantes et d'animaux, dissimulent la structure de fer et d'acier.

★ Insectes

Huit espèces animales sur dix sont des arthropodes (insectes et araignées) comme cette tarentule.

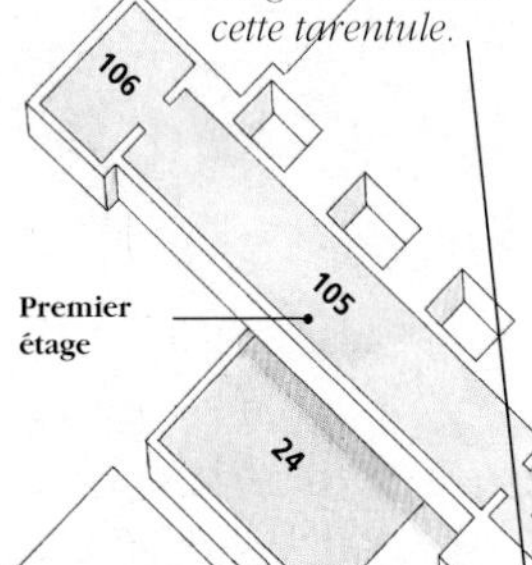

Rez-de-chaussée

Galerie des dinosaures

Ce déinonychus est l'un des dinosaures présentés dans la galerie.

Entrée principale

Accès au sous-sol

SUIVEZ LE GUIDE !

Les collections du musée se partagent en deux grandes sections : la Vie et la Terre. La première section occupe le bâtiment principal. Du haut de ses 26 m, le squelette d'un diplodocus domine le hall **(10)**. *Les dinosaures* **(21)**, *la biologie humaine* **(22)**, *les invertébrés marins* **(23)** *et les grands mammifères* **(24)** *sont présentés dans les salles situées à gauche du hall. L'écologie* **(32)** *et les insectes* **(33)** *se trouvent à droite. Les reptiles et les poissons* **(12)** *sont au fond du bâtiment principal. Au sous-sol, les enfants visiteront le Discovery Centre.*
L'origine des espèces **(105)** *est évoquée au premier étage, les mammifères* **(107)** *sont présentés dans une galerie, et l'histoire naturelle britannique* **(202)** *est illustrée au deuxième étage.*
Les salles consacrées à notre planète sont situées à droite du hall, dans une aile distincte et viennent de réouvrir à la suite de rénovations et d'agrandissement.

★ Écologie

La reconstitution d'une forêt tropicale humide sert d'introduction à l'exploration des écosystèmes.

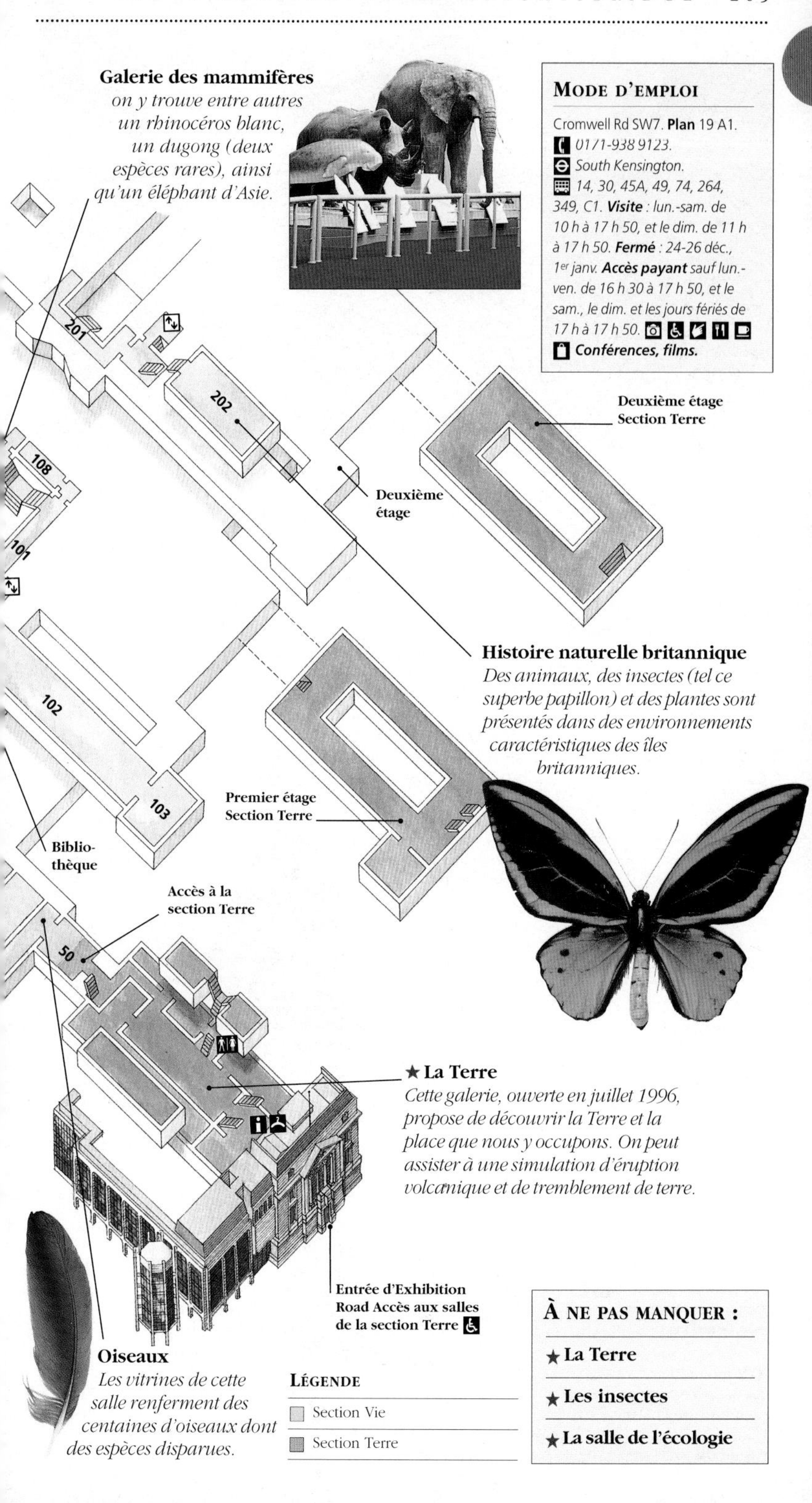

MODE D'EMPLOI

Cromwell Rd SW7. **Plan** 19 A1. *0171-938 9123.* *South Kensington.* *14, 30, 45A, 49, 74, 264, 349, C1.* **Visite** : *lun.-sam. de 10 h à 17 h 50, et le dim. de 11 h à 17 h 50.* **Fermé** : *24-26 déc., 1er janv.* **Accès payant** *sauf lun.-ven. de 16 h 30 à 17 h 50, et le sam., le dim. et les jours fériés de 17 h à 17 h 50.* **Conférences, films.**

À NE PAS MANQUER :

★ **La Terre**

★ **Les insectes**

★ **La salle de l'écologie**

Statue de la reine Victoria, sculptée par sa fille Louise, devant le palais de Kensington

La Serpentine Gallery ⑩

Kensington Gdns W2. **Plan** 10 F4. *0171-402 6075.* *Lancaster Gate, South Kensington.* ***Visite*** *: t.l.j. de 10 h à 18 h.* ***Fermé*** *: entre les expositions, semaine de Noël.* ***Conférences*** *sur l'exposition en cours, le dim. à 15 h.*

La Serpentine Gallery se situe au coin S.-E. de Kensington Gardens. Elle abrite des expositions temporaires de peinture et de sculpture contemporaines. Construit en 1910, le bâtiment abritait jadis un salon de thé. Parfois, les œuvres sont également présentées à l'extérieur. La librairie possède un nombre considérable d'ouvrages d'art.

Le palais de Kensington ⑪

Kensington Palace Gdns W8. **Plan** 10 D4. *0171-937 9561.* *High St Kensington, Queensway.* ***Visite*** *: lun.-sam. de 9 h à 17 h, et le dim. de 11 h à 17 h (der. adm. : 16 h 15).* ***Fermé*** *: 24-26 déc., 1er janv., ven. saint.* ***Accès payant.*** *rez-de-chaussée uniquement.* ***Expositions temporaires, manifestations.***

La moitié de ce vaste palais est occupée par des membres de la famille royale. L'autre moitié, une résidence royale du XVIIIe siècle, peut être visitée. En 1689, lorsque Guillaume III et son épouse Marie accédèrent au trône, ils chargèrent Christopher Wren d'agrandir les bâtiments existants (1605) pour en faire un palais. L'escalier de la Reine permet d'accéder aux grands appartements que créa l'architecte.

En 1714, la reine Anne y mourut d'apoplexie pour avoir trop mangé et le 20 juin 1837, à 5 h du matin, la princesse Victoria y débuta son long règne de 64 ans : on venait de la réveiller pour lui apprendre la mort du roi, son oncle.

Ceux que passionne la chronique des altesses ne manqueront sous aucun prétexte la collection d'habits de Cour, qui comprend notamment la somptueuse robe de mariée (1981) de la princesse de Galles…

Détail des grilles de Kensington Gardens

L'Arche **d'Henry Moore (1979), Kensington Gardens**

Kensington Gardens ⑫

W8. **Plan** 10 E4. *0171-262 5484.* *Bayswater, High St Kensington, Queensway, Lancaster Gate.* ***Visite*** *: t.l.j. de 5 h à minuit.*

Les anciens jardins du palais de Kensington sont ouverts au public depuis 1841 ; à l'Est, ils rejoignent Hyde Park. Ces jardins sont pleins de charme et restent une promenade favorite des familles londoniennes. Sculptée par G. Frampton en 1912, la statue de Peter Pan attire toujours les petits Londoniens qui viennent caresser les lapins gambadant sur son socle en compagnie des fées. La statue a été érigée à proximité de la Serpentine, cet étang dans lequel Harriet, l'épouse du poète Shelley, se noya en 1816.

Sur la rive Nord, on remarquera les fontaines et les sculptures, tout particulièrement celle de Jacob Epstein, intitulée *Rima. Physical Energy*, la statue équestre sculptée par George Frederick Watts, se trouve sur la rive Sud. À proximité, s'élèvent un pavillon d'été conçu par William Kent en 1735, et la Serpentine Gallery.

La pièce d'eau circulaire, créée en 1728 à l'Est du palais, est souvent couverte de maquettes de bateaux. L'hiver, il est parfois possible d'y patiner. Au Nord, près de Lancaster Gate, se trouve un cimetière de chiens, fondé en 1880 par le duc de Cambridge à la mort d'un de ses animaux familiers.

Hyde Park ⓭

W2. **Plan** 11 B3. *0171-262 5484. Hyde Park Corner, Knightsbridge, Lancaster Gate, Marble Arch.* ***Visite*** *: t.l.j. de 5 h à minuit.* ***Installations sportives.*** *Voir également* ***Cinq Promenades à pied*** *pp. 260-1.*

Promenade à cheval, Hyde Park

Hyde Park doit son nom à l'ancien manoir de Hyde, possession de l'abbaye de Westminster passée à la Couronne à la suite de la Réforme et devenue réserve de chasse de Henri VIII. Au début du XVIIe siècle, le parc fut ouvert au public par Jacques Ier et devint alors lieu de détente et de loisir. La Serpentine, lac artificiel où l'on peut faire de la barque et se baigner, a été créée en 1730, lorsque Caroline d'Anspach, femme de George II, fit construire un barrage sur un ruisseau affluent de la Tamise.

Ce parc célèbre a été le théâtre de duels, de courses de chevaux, de manifestations politiques et de concerts, comme celui des Rolling Stones ou de Luciano Pavarotti. L'Exposition universelle de 1851 y fut organisée dans un vaste palais de verre (*voir pp. 26-7*).

Speakers' Corner ⓮

Hyde Park W2. **Plan** 11 C2. *Marble Arch.*

Une loi adoptée en 1872 permet aux orateurs de s'exprimer en public sur le sujet de leur choix. Depuis, prédications religieuses, déclamations morales, apostrophes politiques ou révolutionnaires sont dispensées sur tous les tons au milieu d'un parterre de Londoniens plus ou moins attentifs. Faites-y un saut le dimanche : les discours se succèdent, et le moins que l'on puisse dire est que le public ne manque pas d'esprit critique.

Marble Arch ⓯

Park Lane W1. **Plan** 11 C2. *Marble Arch.*

Dessiné par John Nash en 1827, cet arc de triomphe devait servir d'entrée monumentale au palais de Buckingham. Trop étroit pour les grands carrosses d'apparat, il fut transféré à son emplacement actuel en 1851.

À côté de Marble Arch coulait jadis une petite rivière, la Tyburn, désormais comblée, sur les bords de laquelle eurent lieu les pendaisons jusqu'en 1783. Une pierre marque l'emplacement de l'orme qui servait de potence.

Orateur pessimiste à Speakers' Corner

Harrod's ⓰

Knightsbridge SW1. **Plan** 11 C5. *0171-730 1234. Knightsbridge.* ***Ouvert*** *: lun., mar., sam. de 10 h à 18 h, mer.-ven. de 10 h à 19 h. Voir* ***Magasins et marchés*** *p. 311.*

Le plus célèbre des grands magasins de Londres doit son existence à Henry Charles Harrod qui, en 1849, ouvrit une petite épicerie sur Brompton Road. Grâce à la qualité des services et des produits proposés, le magasin acquit rapidement une excellente réputation.

On disait qu'Harrod's pouvait fournir n'importe quoi, « même un éléphant ». Aujourd'hui, cela n'est plus tout à fait vrai, même si la gamme d'articles mis en vente est encore très étendue.

La nuit, Harrod's est illuminé par 11 500 ampoules électriques !

Le Science Museum ❷

Cet immense musée illustre toutes les formes – anciennes et contemporaines – d'activités scientifiques ainsi que leurs applications pratiques. La diversité des équipements et objets présentés est exceptionnelle : machines à vapeur, premiers ordinateurs, vaisseau spatial, etc. L'impact des découvertes et des inventions sur la vie quotidienne ainsi que les expériences qui permettent de franchir des étapes décisives sont également évoqués. Enfin, le musée invite le visiteur à explorer lui-même l'univers fascinant de la recherche.

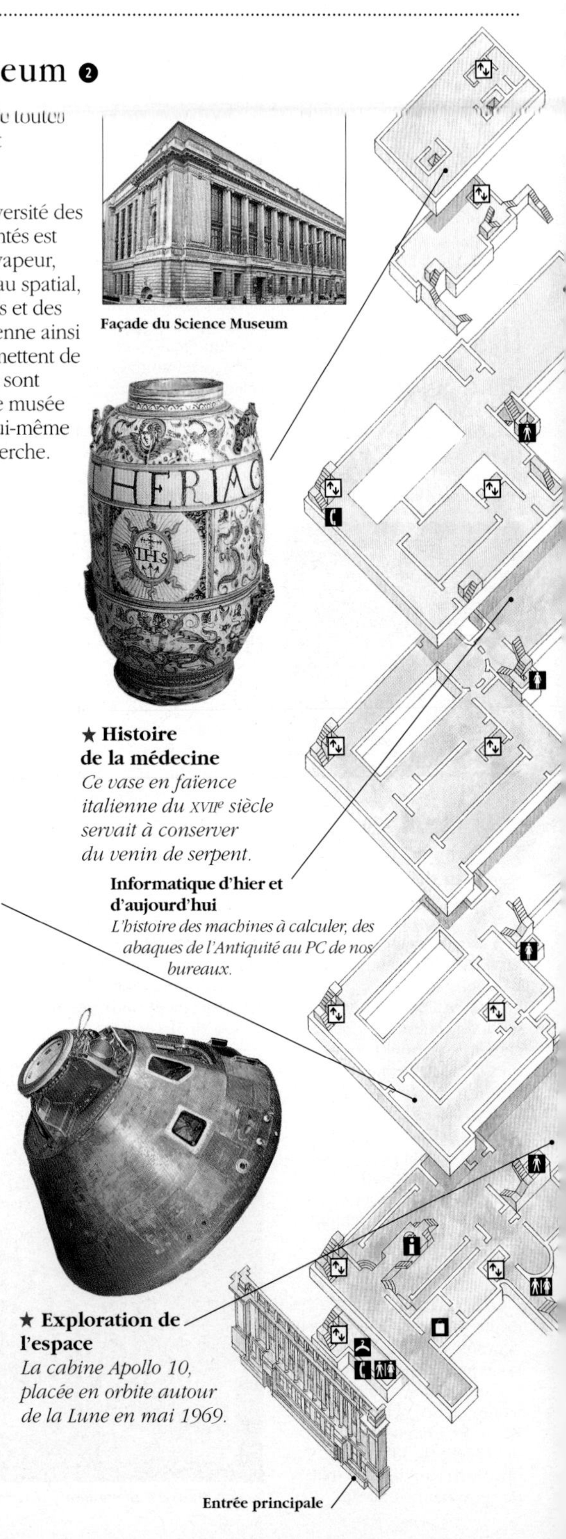

Façade du Science Museum

★ Histoire de la médecine
Ce vase en faïence italienne du XVIIe siècle servait à conserver du venin de serpent.

Informatique d'hier et d'aujourd'hui
L'histoire des machines à calculer, des abaques de l'Antiquité au PC de nos bureaux.

★ Exploration de l'espace
La cabine Apollo 10, placée en orbite autour de la Lune en mai 1969.

Entrée principale

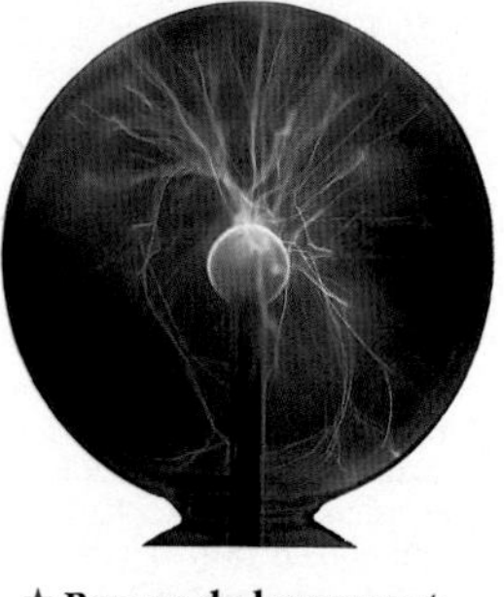

★ Rampe de lancement
Cette boule à plasma fait partie de l'une des animations qui, au premier étage, expliquent les principales lois scientifiques.

SUIVEZ LE GUIDE !
Les collections sont présentées sur cinq niveaux. Une initiation pour les enfants (jouets scientifiques) occupe une bonne partie du sous-sol. Une cuisine et une salle de bain de 1880 y sont également exposées. Les machines à vapeur, locomotives et voitures, se trouvent au rez-de-chaussée. L'exploration de l'espace et la lutte contre les incendies sont aussi évoquées. Le premier étage concerne les télécommunications, le fer et l'acier, le gaz et l'alimentation. Le deuxième étage est consacré, notamment, à l'énergie nucléaire, à la navigation, à l'imprimerie et à l'informatique. Le troisième étage présente l'aviation, la photographie, l'optique et l'électricité. Les quatrième et cinquième étages s'intéressent à l'histoire de la médecine.

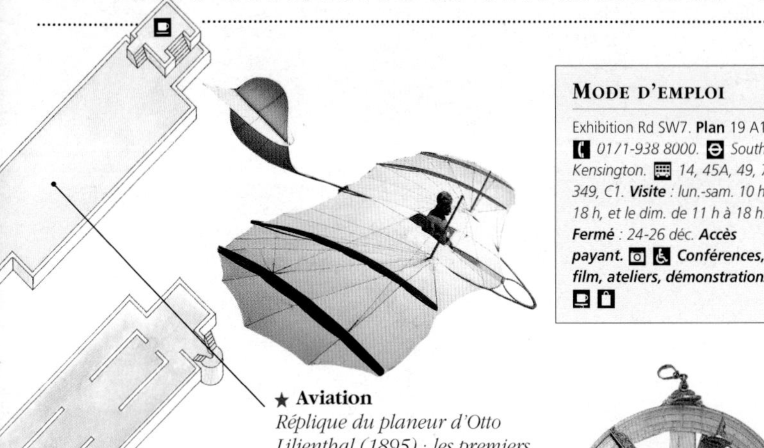

MODE D'EMPLOI

Exhibition Rd SW7. **Plan** 19 A1. *0171-938 8000.* South Kensington. *14, 45A, 49, 74, 349, C1.* ***Visite*** *: lun.-sam. 10 h à 18 h, et le dim. de 11 h à 18 h.* ***Fermé*** *: 24-26 déc.* **Accès payant.** ***Conférences, film, ateliers, démonstrations.***

★ Aviation

Réplique du planeur d'Otto Lilienthal (1895) : les premiers engins volants côtoient les jets les plus sophistiqués.

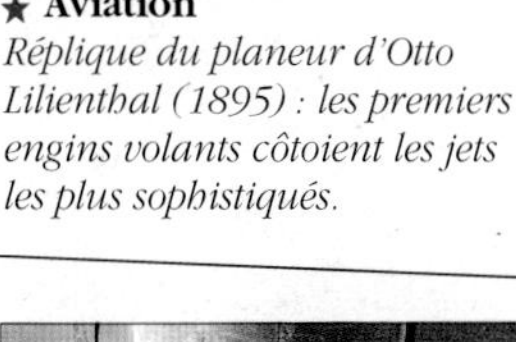

Alimentation et nutrition

Reconstitution d'une cuisine du XVIIIe siècle.

Navigation

Parmi les instruments de mesure, on remarquera ce graphomètre finement décoré (1676), conçu par l'architecte Joannes Macarius.

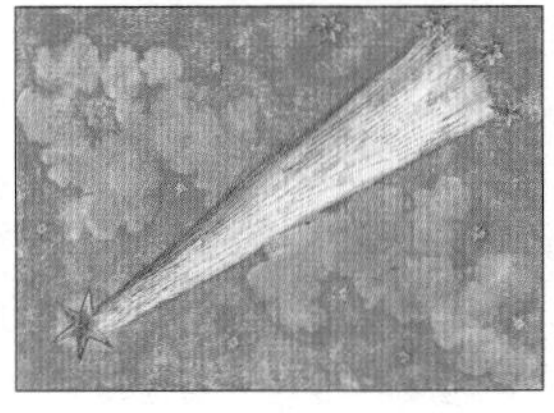

Météorologie

Cette aquarelle du XVIe siècle représente une comète.

★ Transports terrestres

On y trouve des voitures et motos anciennes, un tramway et ce prototype de la locomotive britannique Deltic (1956).

LÉGENDE

- Sous-sol
- Rez-de-chaussée
- Premier étage
- Deuxième étage
- Troisième étage
- Quatrième étage
- Cinquième étage

À NE PAS MANQUER :

- ★ La rampe de lancement
- ★ L'exploration de l'espace
- ★ Les transports terrestres
- ★ L'aviation
- ★ L'histoire de la médecine

KENSINGTON ET HOLLAND PARK

Les quartiers situés à l'O. et au N. de Kensington Gardens sont résidentiels et très cossus ; de nombreuses ambassades y sont installées. Les magasins de Kensington High Street sont presque aussi chic que ceux de Knightsbridge, et Kensington Church Street est le paradis des amateurs d'antiquités. De superbes demeures ont été construites à proximité de Holland Park à la fin de l'ère victorienne. Deux d'entre elles peuvent être visitées. Du côté de Bayswater et de Notting Hill, l'atmosphère est bien plus animée. Nombre des immeubles ornés de stuc ont été transformés en hôtels ou en restaurants bon marché. Bayswater est un quartier qui a toujours eu un côté un peu mystérieux. Les bourgeois de l'ère victorienne y logeaient souvent leurs maîtresses. Les scandales y sont monnaie courante et la prostitution y règne avec discrétion depuis fort longtemps. L'artère principale, Queensway, propose de nombreux clubs et cafés, et Portobello Road, plus à l'Ouest, est connue pour son marché aux puces. Dans les années 1950, une communauté antillaise s'est installée à Notting Hill et organise, au mois d'août, un magnifique carnaval (*voir p. 57*).

Faîtière, Holland House

LE QUARTIER D'UN COUP D'ŒIL

Rues et monuments historiques
Holland House ❷
Leighton House ❸
Commonwealth Institute ❹
Linley Sambourne House ❺
Kensington Square ❻
Kensington Palace Gardens ❼
Queensway ❽

Parc et jardin
Holland Park ❶

Marché
Portobello Road ❾

Quartier historique
Notting Hill ❿

COMMENT Y ALLER ?

Les lignes District, Circle et Central desservent le quartier. Les bus nos 9, 10, 73, 27, 28, 49, 52, 70, C1 et 31 empruntent Kensington High Street. Les bus nos 12, 27, 23, 31, 52, 70 et 94 se rendent à Notting Hill Gate. Les bus nos 70, 7, 15, 23, 27, 36, 12 et 94 traversent Bayswater.

LÉGENDE

- Plan du quartier pas à pas
- Station de métro

VOIR AUSSI

• ***Atlas des rues***, plans 9, 17
• ***Hébergement*** pp. 276-7
• ***Restaurants*** pp. 292-4

Entrée d'une maison sur Edward's Square, dans le quartier de Kensington

Kensington et Holland Park pas à pas

Dans les années 1830, ce quartier, actuellement au centre de Londres n'était qu'un village, composé de jardins maraîchers et de quelques manoirs. L'un des plus élégants était Holland House, dont il ne subsiste que l'aile orientale. La population a fortement augmenté vers les années 1850, entraînant la construction d'appartements de standing et de nombreux magasins.

Holland House
Édifiée au début du XVIIe siècle, cette demeure a été sérieusement endommagée lors de la dernière guerre ❷

★ Holland Park
Une partie des anciens jardins à la française a été conservée ❶

L'Orangerie, qui abrite aujourd'hui un restaurant, possède des éléments architecturaux des années 1630.

Melbury Road est bordée de vastes maisons victoriennes. Nombre d'entre elles furent construites pour des artistes célèbres à l'époque.

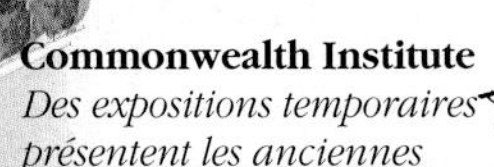

Commonwealth Institute
Des expositions temporaires présentent les anciennes colonies britanniques ❹

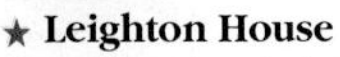

Cette boîte aux lettres de l'ère victorienne, sur Kensington High Street, est l'une des plus anciennes de Londres

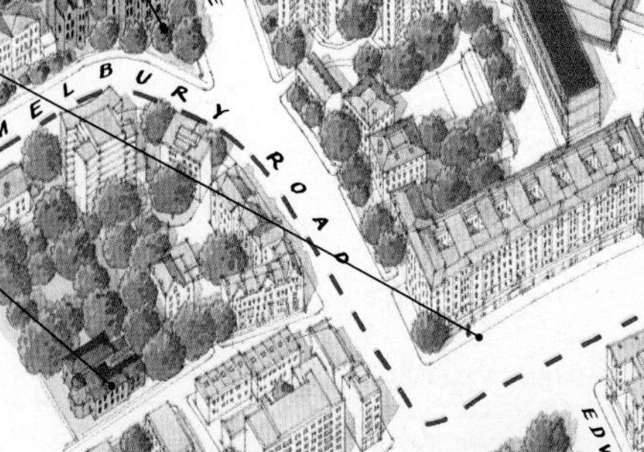

★ Leighton House
La maison de ce peintre célèbre de l'ère victorienne, a été conservée en l'état. Il possédait des céramiques du Moyen-Orient ❸

L'auteur de *The Wind in the Willows*, Kenneth Grahame, a habité au n° 16 Phillimore Place de 1901 à 1908.

Church Walk mène à Church Street, une rue bordée de boutiques d'antiquités (*voir p. 321*).

Carte de situation
Voir le centre de Londres pp. 12-13

Notting Hill
Shepherds Bush
South Kensington et Knightsbridge
Kensington et Holland Park
West Kensington
Earl's Court

Phillimore Place
Argyle Road
Campden Hill Road
Hornton Street
Drayson Mews
Hornton Place
Essex Villas
Stafford Terrace
Phillimore Walk
Kensington High Street

Station de métro Kensington High Street

Kensington Civic Centre, immeuble moderne, conçu par Basil Spence a été achevé en 1976.

Linley Sambourne House *La décoration intérieure de cette maison, de la fin de l'époque victorienne, a été soigneusement conservée* **5**

Drayson Mews *Les petites maisons anciennes qui bordent cette pittoresque allée étaient construites derrière de grandes demeures auxquelles elles servaient d'écuries.*

Sticky Fingers *Bill Wyman, le bassiste des Rolling Stones, est propriétaire de ce café animé, au coin de Phillimore Gardens.*

À ne pas manquer :

★ **Holland Park**

★ **Leighton House**

Légende

— — — Itinéraire conseillé

0 — 100 mètres

0 — 100 yards

Holland Park ❶

Abbotsbury Rd W14. **Plan** 9 B4. 0171-602 9487. Holland Park, High St Kensington, Notting Hill Gate. **Visite** : d'avr. à fin oct. : t.l.j. de 7 h 30 à 22 h ; de fin oct. à mars: de 7 h 30 à 16 h 30 (illumination des monuments, jusqu'à 23 h). **Opéras, pièces de théâtre et ballets en plein air.** D'avr. à oct. : **expositions temporaires.** Voir **Spectacles** pp. 326-7.

Ce petit parc très agréable, plus boisé que ses voisins situés à l'Est (Hyde Park et Kensington Gardens, *voir pp. 206-7*), a ouvert ses portes en 1952 sur une partie de l'ancien domaine de Holland House. Le reste du terrain a été vendu à la fin du XIXe siècle et l'on y a construit de vastes maisons et des «terraces». Le parc a conservé une partie des jardins à la française tracés pour Holland House au début du XIXe siècle. Il comprend également un jardin japonais, créé en 1991 pour le London Festival of Japan. Des paons et de nombreux oiseaux ont élu domicile dans le parc.

Holland House ❷

Holland Park W8. **Plan** 9 B5. **Auberge de jeunesse.** 0171-937 0748. Holland Park, High St Kensington. Voir **Hébergement** p. 275.

Carreaux de céramique, à Holland House

Au XIXe siècle, Holland House accueillait sous son toit des personnalités aussi différentes que le politicien lord Palmerston et le poète Byron. L'aile qui a échappé aux bombardements de la dernière guerre abrite désormais une auberge de jeunesse.

Des expositions sont organisées dans l'orangerie et dans la glacière. Quant à la salle de bal de l'ancien jardin, elle a été transformée en restaurant.

Le café, à Holland Park

Leighton House ❸

12 Holland Park Rd W14. **Plan** 17 B1. 0171-602 3316. High St Kensington. **Visite** : lun.-sam. de 11 h à 17 h 30. **Fermée** les jours fériés. **Concerts, expositions.**

Construite pour le peintre préraphaélite lord Leighton, cette maison de la seconde moitié du XIXe siècle possède une décoration intérieure soigneusement conservée. Elle comprend un salon arabe qui abrite une superbe collection de céramiques du Moyen-Orient. Les plus belles peintures – parmi lesquelles figurent des œuvres d'Edward Burne- Jones, de John Millais et de lord Leighton – sont présentées dans les pièces du rez-de-chaussée.

Le Commonwealth Institute ❹

Kensington High St W8. **Plan** 9 C5. 0171-603 4535. High St Kensington. **Fermé** pour rénovations jusqu'en 1997.

En 1962, le Commonwealth Institute remplaça l'Imperial Institute (fondé en 1887). L'édifice, construit en forme de tente, présente l'histoire, la culture et les ressources des 50 pays membres du Commonwealth. De même que des expositions temporaires et permanentes et des concerts de leurs artistes. L'Institut fait actuellement l'objet d'une complète rénovation, et sa réouverture au public n'est pas prévue avant 1997.

Linley Sambourne House ❺

18 Stafford Terrace W8. **Plan** 9 C5. 0181-994 1019. High St Kensington. **Visite** : 1er mars-31 oct. : le mer. de 10 h à 16 h, et le dim. de 14 h à 17 h. **Fermé** : du 1er nov. au 28 fév. **Accès payant.**

Meublée dans le style victorien et décorée de lourdes tentures en velours et de bibelots de porcelaine, cette maison construite dans les années 1870 n'a subi, depuis, que de très légères modifications. Sambourne était célèbre pour ses dessins satiriques publiés dans le magazine *Punch*. Plusieurs de ses œuvres décorent les murs de la maison. On remarquera le papier peint conçu par William Morris (*voir p. 245*) et on jettera un coup d'œil sur les toilettes qui sont typiquement victoriennes…

Logo du magazine Punch (1841-1992)

Kensington Square ❻

W8. **Plan** 10 D5. ⊖ *High St Kensington.*

Tracé dans les années 1680, ce square possède encore quelques maisons du XVIIIe siècle (celles des nos 11 et 12 sont les plus anciennes). Le philosophe John Stuart Mill a vécu au no 18, et le peintre et illustrateur préraphaélite Edward Burne-Jones au no 41.

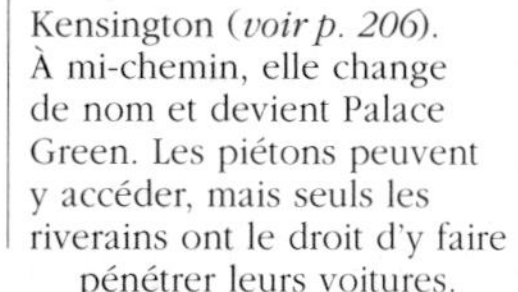

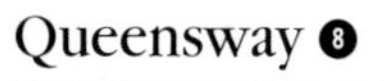

Plaque rendant hommage à John Stuart Mill, à Kensington Square

Kensington Palace Gardens ❼

W8. **Plan** 10 D3. ⊖ *High St Kensington, Notting Hill Gate, Queensway.*

Cette voie privée bordée de superbes maisons se trouve sur l'ancien emplacement du jardin potager du palais de Kensington (*voir p. 206*). À mi-chemin, elle change de nom et devient Palace Green. Les piétons peuvent y accéder, mais seuls les riverains ont le droit d'y faire pénétrer leurs voitures. En soirée, les barrières situées à chacune des extrémités de la rue s'ouvrent fréquemment pour laisser entrer de superbes limousines noires.

Queensway ❽

W2. **Plan** 10 D2. ⊖ *Queensway, Bayswater.*

Queensway, l'une des rues les plus cosmopolites de Londres, possède d'innombrables restaurants. Chez le marchand de journaux, les quotidiens arabes sont parfois plus nombreux que les périodiques britanniques. Le magasin Whiteley se trouve à l'extrémité nord de la rue. Fondé par William Whiteley, né dans le Yorkshire en 1863, c'était un des premiers grands magasins du monde. Le bâtiment actuel date de 1911.

La rue doit son nom à la reine Victoria qui, avant d'accéder au trône, s'y promenait fréquemment à cheval.

Devanture de magasin sur Queensway

Portobello Road ❾

W11. **Plan** 9 C3. ⊖ *Notting Hill Gate, Ladbroke Grove.* ***Visite du marché aux puces*** *: ven. de 9 h 30 à 16 h, et le sam. de 8 h à 17 h. Voir également* ***Magasins et marchés*** *p. 323.*

Un marché est établi dans ce quartier depuis 1837. À l'extrémité sud de la rue se trouvent les stands des brocanteurs (meubles, bijoux, souvenirs et bric-à-brac de collection). L'été, la rue grouille de monde, mais le marché vaut la visite pour son atmosphère sympathique. Les vendeurs restant très fermes sur les prix, vous aurez sans doute du mal à y faire de véritables affaires.

Notting Hill ❿

W11. **Plan** 9 C3. ⊖ *Notting Hill Gate.*

Principalement agricole jusqu'au XIXe siècle, ce quartier de Londres organise aujourd'hui l'un des plus beaux carnavals d'Europe.

Dans les années 1950 et 1960, une communauté antillaise s'est installée dans cette partie de la capitale et organise depuis 1966 un carnaval de trois jours le dernier week-end d'août (*voir p. 57*).

Antiquaire sur Portobello Road

Regent's Park et Marylebone

Le quartier situé au sud de Regent's Park, englobant le village médiéval de Marylebone, a été aménagé par Robert Harley, comte d'Oxford, quand Londres s'est étendue vers l'ouest au XVIIIe siècle. C'est ici que l'on peut voir le plus grand nombre de résidences et d'élégants immeubles de style georgien. Les « terraces » dues à John Nash marquent la limite sud de Regent's Park, tandis qu'au nord-ouest, s'étend l'élégant faubourg de St John's Wood.

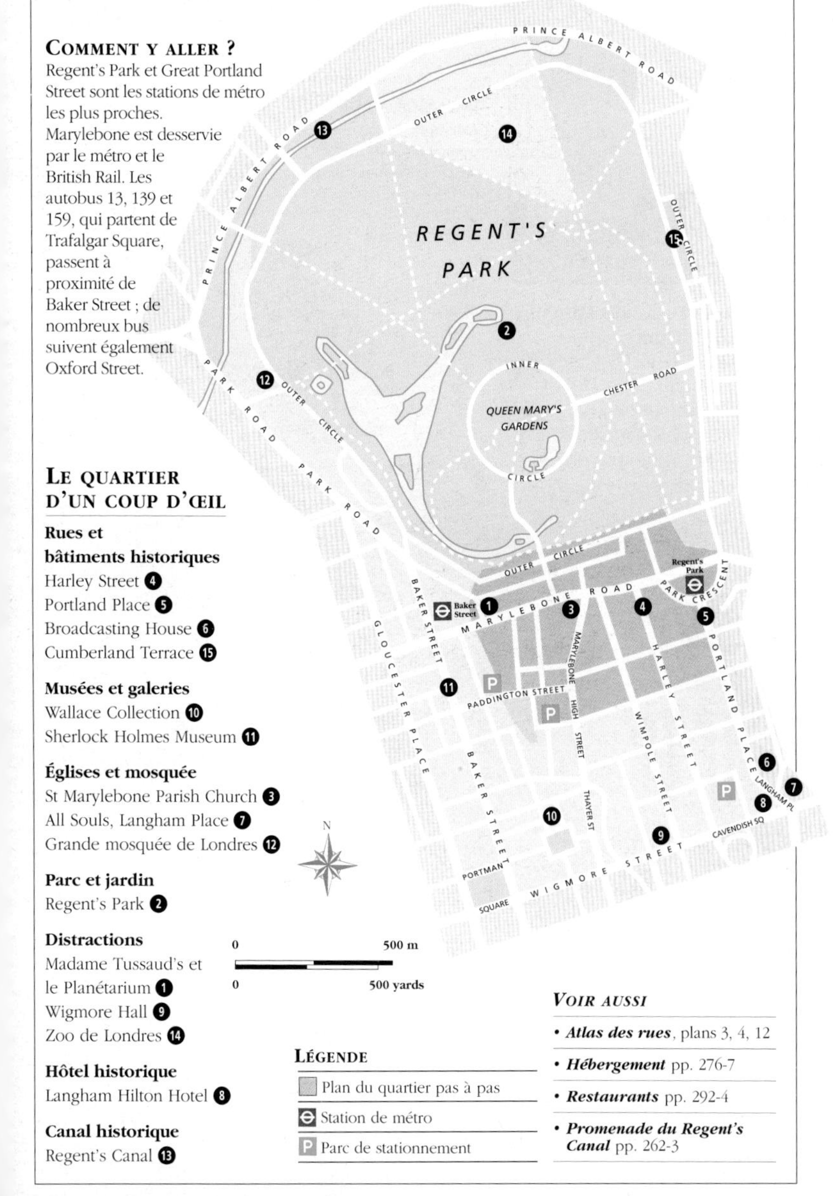

Comment y aller ?

Regent's Park et Great Portland Street sont les stations de métro les plus proches. Marylebone est desservie par le métro et le British Rail. Les autobus 13, 139 et 159, qui partent de Trafalgar Square, passent à proximité de Baker Street ; de nombreux bus suivent également Oxford Street.

Le quartier d'un coup d'œil

Rues et bâtiments historiques
Harley Street 4
Portland Place 5
Broadcasting House 6
Cumberland Terrace 15

Musées et galeries
Wallace Collection 10
Sherlock Holmes Museum 11

Églises et mosquée
St Marylebone Parish Church 3
All Souls, Langham Place 7
Grande mosquée de Londres 12

Parc et jardin
Regent's Park 2

Distractions
Madame Tussaud's et le Planétarium 1
Wigmore Hall 9
Zoo de Londres 14

Hôtel historique
Langham Hilton Hotel 8

Canal historique
Regent's Canal 13

Légende

- Plan du quartier pas à pas
- Station de métro
- Parc de stationnement

Voir aussi

- ***Atlas des rues***, plans 3, 4, 12
- ***Hébergement*** pp. 276-7
- ***Restaurants*** pp. 292-4
- ***Promenade du Regent's Canal*** pp. 262-3

St Andrew's Place, Regent's Park

Marylebone pas à pas

Situé au sud de Regent's Park, le quartier de l'ancien village médiéval de Marylebone (appelé à l'origine Maryburne, c'est-à-dire le « ruisseau près de l'église Sainte-Marie ») fut urbanisé au XVIIIe siècle, lorsque la noblesse et la grande bourgeoisie abandonnèrent la City et Westminster pour s'installer plus à l'ouest. C'est ici que s'élève le plus grand nombre de résidences aristocratiques de style georgien. Au milieu du XIXe siècle, les membres des professions libérales, surtout des médecins, occupent à leur tour ces spacieuses demeures pour recevoir leur clientèle.

Mémorial de Tian' anmen sur Portland Place

★ Regent's Park *fut aménagé en 1812 par John Nash pour servir de cadre à des villas et des terrasses de style classique* ❷

★ Madame Tussaud's Museum et le Planétarium
Le musée de cire de Madame Tussaud est l'une des attractions les plus populaires de Londres. Le Planétarium propose des spectacles sur le ciel et les étoiles ❶

L'Académie royale de musique, la première d'Angleterre, fut fondée en 1774. L'actuel bâtiment de briques, qui possède sa propre salle de concert, date de 1911.

Vers Regent's Park

St Marylebone Parish Church
Le poète Robert Browning et Elizabeth Barrett se sont mariés dans cette église ❸

LÉGENDE

— — — Itinéraire conseillé

0 100 mètres

0 100 yards

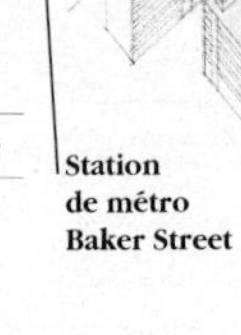

Station de métro Baker Street

Park Crescent a conservé les magnifiques façades de Nash mais l'intérieur des bâtiments a été transformé en bureaux dans les années 1960. Le « croissant » marque l'extrémité de l'axe triomphal également créé par Nash reliant St James's Park à Regent's Park via Regent Street et Portland Place.

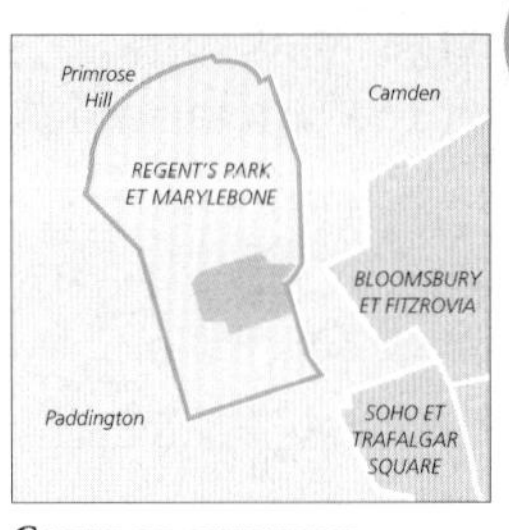

CARTE DE SITUATION
Voir le centre de Londres pp. 12-13

La London Clinic est l'un des établissements privés les plus célèbres de ce quartier de médecins.

Station de métro Regent's Park

Portland Place
Au centre de cette large avenue s'élève une statue du maréchal George Stuart White, qui obtint la Victoria Cross pour sa bravoure lors de la Guerre afghane, en 1879 ❺

Le Royal Institute of British Architects occupe un bâtiment de style Art déco conçu par Grey Wornum en 1934.

Harley Street
est connue pour abriter depuis plus d'un siècle nombre de cabinets de médecins spécialistes ❹

À NE PAS MANQUER :

★ **Madame Tussaud's et le Planétarium**

★ **Regent's Park**

Mme Tussaud's et le Planétarium ❶

Marylebone Rd NW1. **Plan** 4 D5.
0171-935 6861.
Baker St.
Ouvert *9 h 30-17 h 30 t.l.j.*
Fermé *25 déc.*
Accès payant.
téléphoner.

Madame Tussaud, française d'origine, a commencé sa carrière de sculpteur sur cire en prenant le masque mortuaire des victimes illustres de la Révolution. Arrivée en Angleterre en 1802, elle organise peu après la première exposition de ses œuvres à Baker Street, à quelques pas du musée actuel.

Les personnalités de la politique, du cinéma, de la télévision et du sport que l'on peut voir dans le musée sont toujours modelés en cire selon des procédés traditionnels. Parmi les principaux tableaux de

La sculpture sur cire traditionnelle chez Mme Tussaud

l'exposition, la « Garden Party » montre des célébrités d'un naturel criant de vérité, « Super Stars » est consacrée aux stars du show-business, et le « Grand Hall » rassemble souverains, hommes d'Etat, écrivains et artistes.
La chambre des Horreurs la plus connue et la plus macabre du musée, représente dans leurs moindres détails, les assassinats les plus épouvantables de l'histoire du crime (Gary Gilmore, Dr Crippen et Ethel le Nève...). Pour l'exposition « Spirit of London », les visiteurs effectuent un voyage temporel et assistent à des événements qui ont marqué la capitale, tels le Grand Feu de 1666, les bombardements de la dernière guerre et le « Swinging London » des années 1960.

Juste à côté du musée, le London Planetarium présente un extraordinaire spectacle qui permet de découvrir et de mieux connaître les planètes, le système solaire et les étoiles. Une exposition interactive, le Space Trail (voyage dans l'espace) présente des maquettes détaillées des planètes, des satellites et d'un vaisseau spatial.

Effigie en cire d'Elizabeth II

L'époque des tulipes au Queen Mary's Gardens

Regent's Park ❷

NW1. **Plan** 3 C2. *0171-486 7905.* *Regent's Park, Baker St, Great Portland St.* ***Ouvert*** *t.l.j. 5 h au coucher du soleil.* ***Théâtre de plein air.*** *Voir* ***Spectacles*** *pp. 326-8.*

Ce gigantesque jardin a été créé en 1812 par John Nash qui envisageait d'y aménager une sorte de cité-jardin. Huit villas furent édifiées à l'intérieur du parc (trois sont encore visibles autour de l'Inner Circle). Le lac, permet de faire du canotage au milieu de différentes espèces de gibier d'eau. C'est un endroit merveilleusement romantique, d'où l'on peut percevoir les échos lointains des concerts donnés sous le kiosque à musique. Les Queen Mary's Gardens, splendides roseraies à l'intérieur de l'Inner Circle, sont particulièrement agréables ; on y assiste en été, à des représentations des pièces de Shakespeare au Théâtre de plein air. Broad Walk, au nord de Park Square, est une promenade pittoresque. Les aménagements urbains effectués par Nash pour Regent's Park se prolongent vers le nord-est, dans Park Village East et West : on peut remarquer d'élégants bâtiments de 1828, revêtus de stuc et parfois ornés de médaillons de style Wedgwood.

St Marylebone Parish Church ❸

Marylebone Rd NW1. **Plan** 4 D5. *0171-935 7315.* *Regent's Park.* ***Ouvert*** *12 h 30-13 h 30 lun.-ven., dim. matin.* *11 h dim.*

C'est dans cette grande et imposante église, consacrée en 1817, que les poètes Robert Browning et Elizabeth Barrett se marièrent secrètement en 1846 après avoir fui l'autorité rigide de leurs familles, qui habitaient près de là, à Wimpole Street. C'est parce que la précédente église, où fut baptisé lord

Byron en 1778, était devenue trop petite pour le quartier que Thomas Hardwick décida de construire sa nouvelle église avec d'aussi vastes proportions.

Vitrail commémoratif de St Marylebone Parish Church

Harley Street ❹

W1. **Plan** 4E5 *Regent's Park, Oxford Circus, Bond St, Great Portland St.*

Cette rue, bordée de grands immeubles de la fin du XVIIIe siècle, doit sa célébrité aux nombreux médecins et spécialistes de renom qui vinrent y installer leurs cabinets de consultation au milieu du XIXe siècle. Elle a conservé une atmosphère silencieuse et de bonne moralité ouatée, assez inhabituelle pour le centre de Londres. William Gladstone y vécut de 1876 à 1882 (no 73).

Portland Place ❺

W1. **Plan** 4 E5. *Regent's Park.*

Les frères Adam, Robert et James, tracèrent cette rue en 1773. Il ne reste que quelques-unes des maisons de l'époque, les plus belles étant les nos 27 et 47 du côté ouest, au sud de Devonshire Street. John Nash intégra la rue dans l'axe triomphal qui allait de Carlton House à Regent's Park et aboutissait, à son extrémité nord, à Park Crescent. Le bâtiment du Royal Institute of British Architects (1934), au no 66, est orné de statues et de hauts-reliefs intéressants ; ses portes de bronze représentent les monuments de Londres et la Tamise.

Broadcasting House ❻

Portland Place W1. **Plan** 12 F1. *Oxford Circus.* ***Fermé*** *au public.*

Ce bâtiment Art déco, édifié en 1931, est le siège de la BBC, la radio nationale britannique. Les services de la télévision, quant à eux, sont installés dans l'ouest de Londres, à White City. La façade, qui épouse la courbure de la rue, est dominée notamment par un haut-relief du sculpteur Eric Gill, inspiré d'une scène de *La Tempête* de Shakespeare et représentant Prospero et son messager Ariel. Le hall d'entrée a été soigneusement restauré pour lui restituer son apparence des années 1930.

All Souls, Langham Place ❼

Langham Place W1. **Plan** 12 F1. *0171-580 3522. Oxford Circus.* ***Ouvert*** *10 h-18 h lun.-ven., 9 h-21 h dim.* *11 h dim.*

C'est depuis Regent's Street que l'on apprécie le mieux le portique ionique circulaire de cette église, édifiée par Nash en 1824. Une fois achevée, la silhouette gracile du clocher valut à son auteur des remarques sarcastiques.

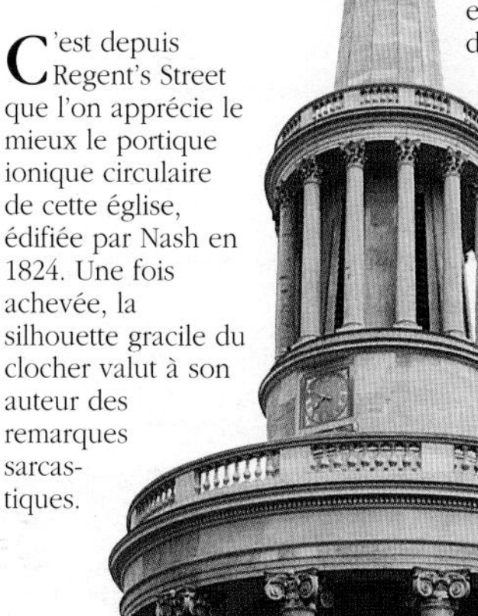

L'église All Souls, sur Langham Place, construite par John Nash, (1824)

Haut-relief du Royal Institute of British Architects sur Portland Place

Seule église de Nash à Londres, elle sert souvent de studio d'enregistrement pour certaines des émissions quotidiennes de la BBC.

Hôtel Langham Hilton ❽

1 Portland Place W1. **Plan** 12 F1. *0171-636 1000. Oxford Circus.* *Voir* ***Hébergement*** *p. 283-284.*

C'était le plus grand hôtel de Londres au moment de son ouverture, en 1865. Les écrivains Oscar Wilde et Mark Twain, ainsi que le compositeur Anton Dvorak, en furent les clients célèbres. La facade est restée intacte et l'intérieur a été restauré dans son état original. Le hall d'entrée recouvert de marbre conduit à la Palm Court, où l'on vient boire le thé en écoutant du piano. Des souvenirs sont exposés au restaurant Empire et au bar Chukka, ils rappellent avec nostalgie l'époque de l'Empire colonial britannique.

Wigmore Hall ❾

36 Wigmore St W1. **Plan** 12 F1.
0171-935 2141. *Bond St.*
*Voir **Distractions** p. 331.*

Cette agréable petite salle de concerts de musique de chambre fut conçue par T.-E. Collcutt, l'architecte de l'hôtel Savoy (*voir p. 285*), en 1900. Elle fut tout d'abord appelée Bechstein Hall en raison de la proximité de Bechstein, principal marchand de claviers de Londres. En face s'élève un bâtiment Art nouveau, à carreaux de céramique blancs, construit en 1907 pour les grands magasins Debenham and Freebody.

La Mosquée de Londres, en lisière de Regent's Park

Wallace Collection ❿

Hertford House, Manchester Square W1. **Plan** 12 D1. *0171-935 0687.* *Bond St.* ***Ouvert** 10 h-17 h lun.-sam., 14-17 h dim. **Fermé** 24-26 déc., 1er jan., ven. saint, 1er mai.* ***Conférences***

Plat italien du XVIe siècle (Wallace Collection)

La Wallace Collection, l'une des plus belles collections privées d'œuvres d'art, est le fruit de la passion de quatre générations de Hertford. Léguée au gouvernement anglais en 1897 à la condition qu'elle soit mise à la disposition du public et qu'on ne la modifie en rien, elle représente un trésor inestimable de l'art européen jusqu'à la fin du XIXe siècle. La salle 22 regroupe près de 70 chefs-d'œuvre, parmi lesquels le *Cavalier riant* de Frans Hals, *Titus* de Rembrandt, *Persée et Andromède* du Titien, et la *Ronde de la vie humaine* de Nicolas Poussin, ainsi que de superbes portraits dus à des peintres anglais comme Reynolds, Gainsborough et Romney. Les 25 galeries présentent également de belles porcelaines de Sèvres et des sculptures de Houdon, Roubiliac et Rysbrack, de même qu'une intéressante collection d'armes et d'armures.

Musée Sherlock Holmes ⓫

221b Baker St NW1. **Plan** 3 C5.
0171-935 8866. *Baker St.*
***Ouvert** t.l.j. 9 h 30-18 h. **Fermé** 25 déc. **Accès payant**.*

Si le célèbre détective, né de l'imagination de Sir Arthur Conan Doyle, est censé avoir habité au 221b Baker Street, le musée est installé entre les numéros 237 et 239. Accueillis par la « logeuse » de Holmes, on parcourt les pièces du premier étage, fidèlement reconstituées. Au troisième étage, une boutique-librairie vend des « chapeaux à la Sherlock Holmes ».

Sherlock Holmes

Grande mosquée de Londres ⓬

146 Park Rd NW8. **Plan** 3 B3. *0171-724 3363.* *Marylebone, St John's Wood, Baker St.* ***Ouvert** t.l.j. de l'aube au crépuscule* ***Conférences***

Entourée d'arbres et située en lisière de Regent's Park, cette grande mosquée au dôme doré, dessinée par Sir Frederick Gibberd, fut achevée en 1978. Elle fut édifiée pour accueillir le nombre croissant de musulmans résidant ou de passage à Londres. La principale salle de prière, qui peut accueillir 1 800 personnes, est un vaste espace quadrangulaire, orné uniquement d'un magnifique tapis et d'un lustre colossal. La coupole qui la coiffe est soulignée par des dessins traditionnels d'inspiration islamique dans les tons de bleu. Les visiteurs doivent enlever leurs chaussures avant de pénétrer à l'intérieur de la mosquée, et les femmes, doivent couvrir leurs cheveux.

Regent's Canal ⓭

NW1 & NW8. **Plan** 3 C1. *0171-482 0523. Camden Town, St John's Wood, Warwick Ave.* **Chemin de halage ouv.** *t.l.j. de l'aube au crépuscule. Voir* **Cinq promenades à pied** *pp. 262-3.*

Croisière sur le Regent's Canal

Ce canal, ouvert en 1820, relie Grand Junction Canal qui aboutit à Little Venice dans Paddington aux docks de Londres, à Limehouse. John Nash, très enthousiaste, le considérait comme un élément intéressant à intégrer dans le plan de Regent's Park, et aurait même souhaité qu'il le traverse. Il fut détourné de son projet par certains qui pensèrent que la vulgarité des bateliers risquerait d'offenser les bourgeois du quartier. Peut-être était-ce aussi parce que les péniches à vapeur qui tiraient les barges étaient sales et, parfois même, dangereuses. Ainsi, en 1874, une barge transportant de la poudre à canon explosa dans la traversée du zoo de Londres, tuant l'équipage, détruisant un pont et terrifiant la population et les animaux. Après une certaine période de prospérité, le trafic fluvial se mit à décliner face à la concurrence croissante du chemin de fer.

Le canal connaît aujourd'hui une nouvelle vie : le chemin de halage a été aménagé en une agréable promenade à pied tandis que des minipéniches d'excursion circulent entre Little Venice et Camden Lock, où se tient un intéressant marché d'art et d'artisanat.

Zoo de Londres ⓮

Regent's Park NW1. **Plan** 4 D2. *0171-722 3333. Camden Town.* **Ouvert** *t.l.j. 10 h-16 h.* **Accès payant.** **Séances de cinéma** *en été.*

Le zoo sert également de centre de recherches et a longtemps été l'un des hauts lieux touristiques de Londres (avec un record de 3 millions de visiteurs dans les années 1950), ouvert en 1828. Des émissions de télévision sur la vie sauvage, et les interrogations éthiques de sur la mise en cage des animaux ont entraîné une chute de la fréquentation du zoo. Son avenir est désormais incertain.

La volière du zoo de Londres, dessinée par Lord Snowdon (1964)

Cumberland Terrace ⓯

NW1. **Plan** 4 E2. *Great Portland St, Regent's Park.*

C'est à James Thomson que l'on attribue la conception des détails de la Cumberland Terrace, la plus longue et la plus élaborée des terrasses de Nash autour de Regent's Park. Sa façade de colonnes ioniques est surmontée d'un fronton classique sculpté. Achevé en 1828, cet ensemble était conçu pour fermer la perspective que l'on aurait eue depuis le palais que Nash prévoyait de construire pour le prince-régent (le futur George IV), et qui ne fut jamais édifié.

Façade de Cumberland Terrace, de Nash

HAMPSTEAD

Hampstead s'est toujours tenu à l'écart de la capitale, qu'il semble regarder de haut depuis sa colline au nord de Londres. La « lande » (*heath*), vaste espace boisé qui sépare Hampstead de Highgate, ajoute à son attrait en l'isolant de l'agitation de la ville moderne. Une balade dans les charmantes rues de ce village à l'atmosphère georgienne et à travers la lande en fait un des plus agréables lieux de promenade de Londres.

LE QUARTIER D'UN COUP D'ŒIL

Rues et bâtiments historiques
Flask Walk et Well Walk 1
Church Row 5
Downshire Hill 6
Vale of Health 13

Musées et galeries
Burgh House 2
Fenton House 4
Keats House 7
Kenwood House 10

Parcs et jardins
Hampstead Heath 8
Parliament Hill 9
The Hill 12

Pubs et restaurants
Jack Straw's Castle 3
Spaniards Inn 11

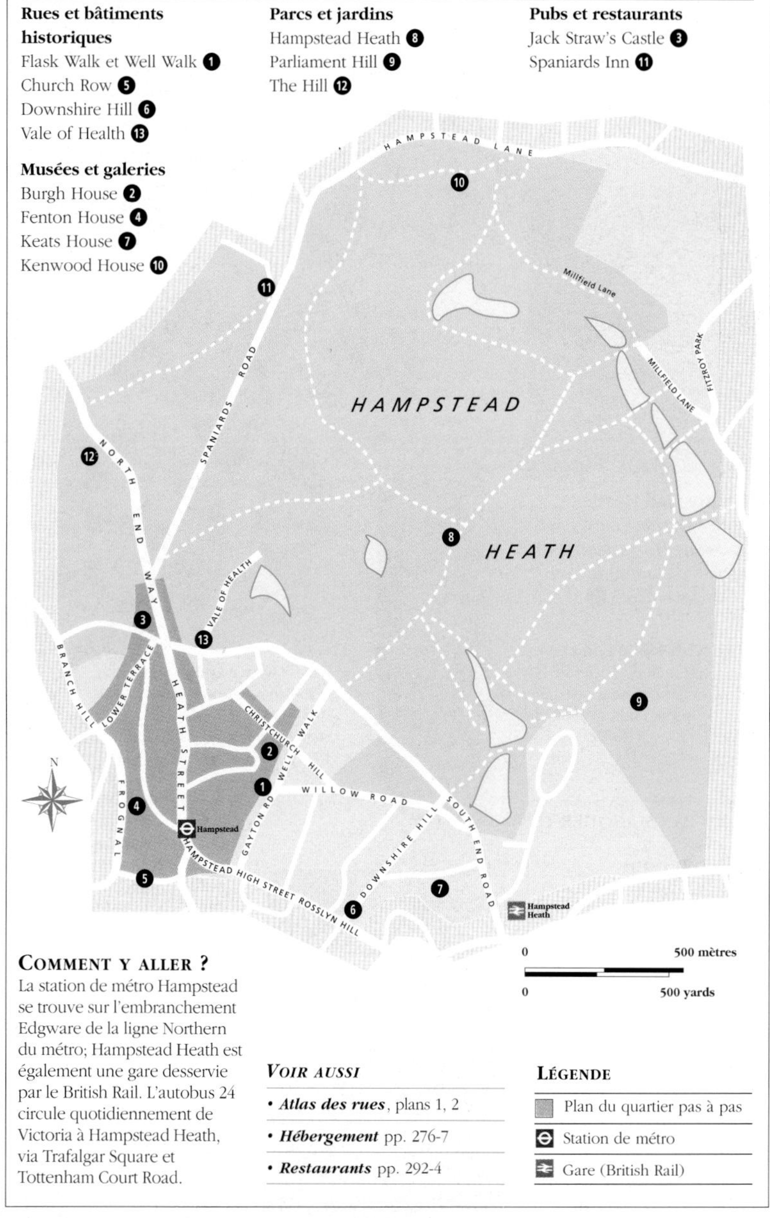

COMMENT Y ALLER ?

La station de métro Hampstead se trouve sur l'embranchement Edgware de la ligne Northern du métro; Hampstead Heath est également une gare desservie par le British Rail. L'autobus 24 circule quotidiennement de Victoria à Hampstead Heath, via Trafalgar Square et Tottenham Court Road.

VOIR AUSSI

• ***Atlas des rues***, plans 1, 2
• ***Hébergement*** pp. 276-7
• ***Restaurants*** pp. 292-4

LÉGENDE

Plan du quartier pas à pas
Station de métro
Gare (British Rail)

Vue sur Hampstead depuis Holly Hill : la campagne en pleine ville

Hampstead pas à pas

Fièrement perché au sommet d'une colline que borde sa grande lande au nord, Hampstead a su conserver une atmosphère villageoise et paisible qui a attiré nombre d'artistes et d'écrivains depuis l'époque georgienne. C'est l'un des quartiers résidentiels les plus recherchés de Londres. Une promenade à travers ses étroites rues, bordées de belles demeures et d'hôtels particuliers parfaitement conservés, est un des plaisirs tranquilles qu'offre la capitale.

Jack Straw's Castle
Ce pub, situé en lisière de la lande, porte le nom d'un insurgé du XIVe siècle ❸

★ Hampstead Heath
Les vastes espaces boisés de la lande de Hampstead sont parsemés d'étangs, de lacs et de vertes prairies ❽

Le Whitestone Pond tient son nom d'une ancienne borne blanche dressée à proximité, à 7 km (4,5 miles) de Holborn (*voir pp. 132-141*).

C'est à Grove Lodge que le romancier John Galsworthy (1867-1933), auteur de la *Saga des Forsythe*, passa les 15 dernières années de sa vie.

L'Admiral's House, dont la façade est décorée de motifs à caractère maritime, fut édifiée vers 1700 pour un capitaine au long cours, mais aucun amiral n'y a jamais vécu.

À NE PAS MANQUER :

- ★ **Burgh House**
- ★ **Hampstead Heath**
- ★ **Fenton House**
- ★ **Church Row**

LÉGENDE

— — — Itinéraire conseillé

0 100 mètres

0 100 yards

★ Fenton House
En été, cette demeure de la fin du XVIIe siècle et son délicieux jardin clos se dissimulent sous les frondaisons des arbres de la lande ❹

★ Burgh House
Edifiée en 1702– mais beaucoup modifiée par la suite–, cette demeure abrite un surprenant musée d'histoire locale, ainsi qu'un café donnant sur un petit jardin ❷

CARTE DE SITUATION
Voir le Grand Londres pp. 10-11

Le New End Theatre, qui servit de morgue, expose des œuvres peu nombreuses mais de grand intérêt.

C'est au 40 Well Walk que vécut John Constable lorsqu'il travaillait à ses nombreux tableaux sur Hampstead.

Flask Walk et Well Walk
Cette allée bordée de charmantes boutiques s'élargit en une rue de village résidentielle ❶

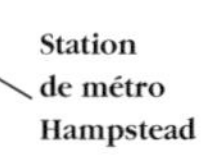

Station de métro Hampstead

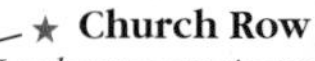

★ Church Row
Les hautes maisons qui dominent ce qui est sans doute la plus belle rue georgienne de Londres sont admirablement ornées de grilles de fer forgé ❺

Le Everyman Cinema est un cinéma d'art et d'essai depuis 1933.

La taverne Jack Straw's Castle au XIXe siècle

Flask Walk et Well Walk ❶

NW3. **Plan** 1 B5. *Hampstead.*

Flask Walk doit son nom au pub Flask. C'est ici qu'étaient mises en bouteilles, au XVIIIe siècle, les eaux thérapeutiques de la source thermale du village de Hampstead. L'eau, riche en sels de fer, provenait du puits (marqué par une fontaine aujourd'hui abandonnée) de Well Walk. La Wells Tavern, située presque en face de la source, était une hostellerie qui accueillait complaisamment des couples illégitimes, ce qui contribua à la réputation de la station thermale.

Par la suite, Well Walk fut habitée par de nombreuses célébrités : l'artiste John Constable (au no 40), les romanciers D.-H. Lawrence et J.-B. Priestley, et le poète John Keats avant qu'il ne s'installe à Keats Grove.

Etroite et bordée de vieilles boutiques du côté de High Street, Flask Walk s'élargit à la hauteur du pub (remarquez les panneaux de carrelage victoriens de la façade) où elle est dominée par des maisons de style Regency, l'une d'entre elles ayant appartenu au romancier Kingsley Amis.

L'emplacement du puits de Well Walk

Burgh House ❷

New End Sq NW3. **Plan** 1 B4. *0171-431 0144. Hampstead.* ***Ouvert*** *midi-17 h merc.-dim., 14 h-17 h jours fériés.* ***Fermé*** *semaine de Noël, ven. saint.* ***Récitals de musique***

Le dernier propriétaire de Burgh House étant le gendre de l'écrivain Rudyard Kipling, ce dernier y logea de temps en temps au cours des dernières années de sa vie. Après avoir été la propriété du Hampstead Borough Council, la maison fut confiée au Burgh House Trust, qui l'a transformée à partir de 1979 en musée de Hampstead. On peut y découvrir l'histoire de la région et quelques-uns de ses plus célèbres habitants. Une pièce est consacrée à la vie de John Constable, peintre d'une extraordinaire série d'études de nuages à Hampstead Heath ; on y voit également des sections consacrées à Lawrence, Keats, l'artiste Stanley Spencer, et bien d'autres encore qui vécurent et travaillèrent dans la région. Est également présentée une intéressante exposition sur Hampstead, ville d'eaux aux XVIIIe et XIXe siècles. La Burgh House expose régulièrement des artistes locaux contemporains. La maison, édifiée en 1703 et très modifiée depuis, fut habitée vers 1720 par le Dr William Gibbons, médecin-chef de la station thermale, et doit son nom au révérend Allatson Burgh, un de ses locataires au XIXe siècle. À l'intérieur, l'escalier sculpté est un véritable chef-d'œuvre. La salle de musique, reconstruite en 1920 et où ont été placés de beaux lambris de pin d'une autre demeure, datant du XVIIIe siècle, mérite une visite.

Il existe un café (très abordable) au rez-de-chaussée. Sa terrasse ouvre sur le charmant jardin de la maison.

L'escalier de Burgh House

Jack Straw's Castle ❸

12 North End Way NW3. **Plan** 1 A3. *0171-435 8374 Hampstead.* ***Ouvert*** *heures légales* *(voir p. 308).*

Ce pub porte le nom d'un des lieutenants de Wat Tyler à l'époque de la révolte des Paysans en 1381 (*voir p. 162*). On pense que Jack Straw, prévoyant de marcher sur Londres, aurait établi son camp à cet emplacement ; il fut capturé et pendu par les hommes du roi avant de mettre son projet à exécution. S'il y eut effectivement un pub ici – Charles Dickens en fut un des clients –, le bâtiment actuel ne date que de 1962. On découvre un beau panorama sur la lande de Hampstead depuis le restaurant et le Turret Bar à l'étage.

Fenton House ❹

20 Hampstead Grove NW3. **Plan** 1 A4. 0171-435 3471. Hampstead. **Ouvert** : 13 h-17 h 30 lun.-merc., 11 h-17 h 30 sam., dim., jours fériés. **Fermé** nov.-fév. **Accès payant.** **Concerts en été** merc. 20 h.

Cette splendide maison de l'époque de Guillaume et Mary (construite en 1693) est le plus ancien manoir de Hampstead. Il abrite deux expositions ouvertes au public en été. La collection Benton-Fletcher d'instruments à clavier anciens, possède notamment un clavecin de 1612 dont Haendel aurait joué ; les instruments sont bien entretenus et sont utilisés pour des concerts organisés dans la demeure. La belle collection de porcelaines a été rassemblée par lady Binning qui légua la maison et tout son contenu au National Trust en 1952.

Church Row ❺

NW3. **Plan** 1 A5. Hampstead.

Cette rue aux maisons de style georgien, remarquables pour leurs ferronneries, est l'une des mieux conservées de Londres.

À l'extrémité ouest de la rue s'élève St John's, l'église paroissiale de Hampstead, édifiée en 1745. Les grilles, plus anciennes, proviennent de Canons Park, à Edgware. À l'intérieur de l'église se trouve un buste de John Keats. Outre John Constable, de nombreuses célébrités de Hampstead sont enterrées dans le cimetière adjacent.

Downshire Hill ❻

NW3. **Plan** 1 C5. Hampstead.

Cette belle rue aux maisons Regency a donné son nom à un groupe d'artistes, notamment Stanley Spencer et Mark Gertler, qui se rassemblait entre les deux guerres au nº 47, là où se retrouvaient également des artistes préraphaélites parmi lesquels Dante Gabriel Rossetti et Edward Burne-Jones. Jim Henson, le créateur du Muppet Show, a quant à lui résidé au nº 5.

L'église située au coin de la rue (la seconde église de Hampstead consacrée à St John's) fut édifiée en 1823 pour les habitants du quartier de Hill ; elle a conservé ses bancs d'origine.

L'église St John's, à Downshire Hill

Keats House ❼

Keats Grove NW3. **Plan** 1 C5. 0171-435 2062. Hampstead, Belsize Park. **Ouvert** avr.-oct. : 10 h-13 h, 14-18 h lun.-ven. ; nov.-mars : 13-17 h lun.-ven. ; toute l'année : 10 h-13 h, 14 h-17 h sam. ; 14 h-17 h dim., jours fériés. **Fermé** 24-26 déc., 1er jan., Pâques, 1er mai. **Lectures de poésie, conférences**

Une boucle de cheveux de John Keats

En 1818, Keats fut incité à s'installer dans la plus petite des deux maisons jumelles, construites en 1816, par son ami Charles Armitage Brown. Keats y passa deux années particulièrement créatrices : l'*Ode à un rossignol*, sans doute son poème le plus admiré, fut composé sous un prunier du jardin. Keats se fiança à Fanny, la fille des Brawne, qui vinrent occuper un an plus tard la grande maison voisine. Le mariage n'eut jamais lieu car Keats mourut de phtisie à Rome moins de deux ans après, à l'âge de 25 ans.

La maison de Keats, ouverte pour la première fois au public en 1925, expose entre autres l'une des lettres d'amour de Keats à Fanny, la bague de fiançailles qu'il lui offrit, et une boucle de ses cheveux, ainsi que certains manuscrits originaux du poète et des livres.

Façade XVIIe siècle de Fenton House

Vue sur Londres depuis Hampstead Heath

Hampstead Heath ❽

NW3. **Plan** 1 C2. ☎ *0181-348 9945.* ⊖ *Belsize Park, Hampstead.* **Ouvert** *: t.l.j. 24 h/24.* ***Promenades guidées*** *dim.* ***Concerts, lectures de poésie, activités pour enfants*** *en été.* ***installations sportives, bassins de baignade. Réservations pour le sport.*** ☎ *0181-458 4548.*

Séparant les villages de Hampstead, au sommet de la colline, et de Highgate (*voir p. 242*), la lande (80 ha) a été créée sur les terrains de plusieurs propriétés et présente une grande diversité de paysages – bois, prairies, collines, étangs et lacs – que ne «dépare» aucun des édicules ou statues qui peuplent les parcs du centre de Londres. Aussi, ce vaste espace est-il devenu de plus en plus cher au cœur des Londoniens. Le dimanche après-midi est sans doute le meilleur moment pour se promener sur la lande. On profitera également de l'atmosphère privilégiée du parc lorsque la partie sud de Hampstead Heath est occupée par la foire populaire (*voir pp. 56-59*), qui se déroule les trois week-ends fériés : Pâques, fin du printemps et fin de l'été.

Parliament Hill ❾

NW3. **Plan** 2 E4. ☎ *0171-485 4491.* ⊖ *Belsize Park, Hampstead.* ♿ ***Concerts, activités pour enfants*** *en été.* ***Installations sportives.***

Une des explications avancées pour le nom de cet endroit est qu'il s'agit du lieu où se rassemblèrent, le 5 novembre 1605, les compagnons du félon Guy Fawkes dans le vain espoir d'assister à la destruction du Parlement de Londres après y avoir placé des charges de poudre (*voir p. 22*). Il s'agit en fait, plus vraisemblablement, de l'emplacements d'une des batteries d'artillerie des troupes du Parlement pendant la Guerre

Kenwood House ❿

Hampstead Lane NW3. **Plan** 1 C1. ☎ *0181-348 1286.* ⊖ *Highgate, Archway.* **Ouvert** *avr.-sept. : t.l.j. 10 h-18 h ; oct.-mars : t.l.j. 10 h-16 h.* **Fermé** *24-25 déc.* ♿ ***Concerts près du lac*** *en été.* ***Expositions, lectures de poésie, récitals.*** *Voir* ***Spectacles*** *pp. 330-31.*

Cette magnifique demeure due à Adam, ornée de tableaux de maîtres – Vermeer, Turner et Romney –, est située sur un terrain paysager au-dessus de Hampstead Heath. La maison qui occupait cet emplacement depuis 1616 fut transformée par Robert Adam en 1764 pour le comte de Mansfield, Grand Chancelier du roi. Adam réaménagea les pièces existantes et en ajouta d'autres au bâtiment originel. La plupart des décorations intérieures ont subsisté, la pièce maîtresse étant constituée par la bibliothèque. Outre des œuvres de Van Dyck, Hals, Reynolds, etc., on peut y admirer un autoportrait de Rembrandt, chef-d'œuvre de la collection.

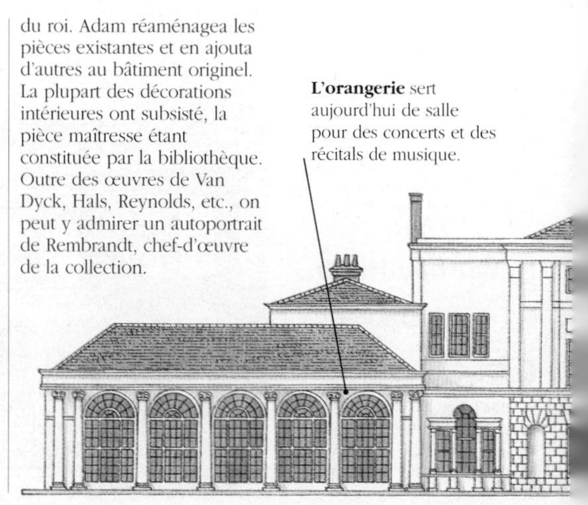

civile, 40 ans plus tard. Aujourd'hui encore, malgré les hautes silhouettes des buildings, on y découvre un spectaculaire panorama sur la capitale, le dôme de St-Paul apparaissant dans toute sa splendeur.

Parliament Hill est également un lieu fréquenté par les amateurs de modélisme (avions et bateaux).

Spaniards Inn ⓫

Spaniards Rd NW3. **Plan** 1 B1. *0181-455 3276. Hampstead, Golders Green.* ***Ouvert*** *11 h-23 h lun.-sam., midi-15 h, 19 h-23 h dim.* *Voir* ***Restaurants et pubs*** *pp. 308-9.*

Le pub Spaniards Inn

On dit que Dick Turpin, célèbre bandit de grand chemin au XVIIIe siècle, aurait fréquenté ce pub, mettant son cheval en pension à l'écurie voisine lorsqu'il n'était pas occupé à attaquer les malles-postes sur la route de Londres. Bien que le bar du rez-de-chaussée ait été fréquemment modifié, la maison remonte certainement à l'époque de Turpin – comme en témoigne le petit Turpin Bar de l'étage. La paire de pistolets accrochée au-dessus du bar aurait été prise à des catholiques venus à Hampstead brûler la maison du lord chancelier (Kenwood House) pendant les Gordon Riots de 1780 : l'aubergiste les aurait soûlés de bière puis désarmés.

Parmi les clients du pub, on note les poètes Shelley, Keats et Byron, l'acteur David Garrick et le peintre Joshua Reynolds.

La maison d'octroi, restaurée, est édifiée en saillie sur la route de sorte qu'il était impossible aux véhicules de passer sans payer.

The Hill ⓬

North End Way NW3. **Plan** 1 A2 *0181-455 5183. Hampstead, Golders Green.* ***Ouvert*** *t.l.j. 9 h au créphuscule.*

Ce charmant jardin fut créé à l'époque édouardienne par lord Everhulme, savonnier et protecteur des arts. Sa maison, aujourd'hui transformée en hôpital, fait partie de Hampstead Heath. Deux de ses plus grands attraits sont son allée en pergola, très agréable en été quand les plantes sont en fleurs et son étang régulier.

L'allée en pergola de The Hill

Vale of Health ⓭

NW3. **Plan** 1 B4. *Hampstead.*

Cette région, appelée Hatches Bottom, était connue pour être un marécage insalubre avant qu'on ne le draine en 1770. Elle pourrait devoir son nom actuel pour avoir servi de refuge aux Londoniens fuyant une épidémie de choléra au XVIIIe siècle ; mais il peut également s'agir du nom choisi à des fins publicitaires (le « Val de Santé ») par un promoteur immobilier en 1801.

Le poète James Henry Leigh Hunt s'y installa en 1815, et y accueillit Coleridge, Byron, Shelley et Keats. D.H. Lawrence vécut également ici, et le peintre Stanley Spencer travailla dans une chambre du Vale of Health Hotel, démoli en 1964.

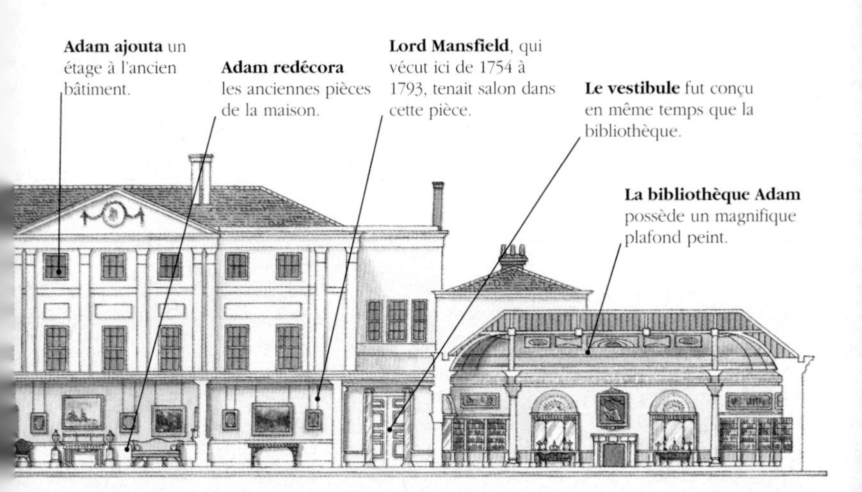

GREENWICH ET BLACKHEATH

Greenwich est connu dans le monde entier : c'est l'endroit où passe le méridien de référence à partir duquel sont déterminés latitudes, longitudes, et fuseaux horaires. Historiquement, Greenwich est aussi la porte orientale de Londres. La ville abrite le National Maritime Museum et l'exquise Queen's House, ainsi que nombre de librairies, de boutiques d'antiquités et de marchés élégants. Blackheath s'étend juste au Sud.

LE QUARTIER D'UN COUP D'ŒIL

Rues et bâtiments historiques
Queen's House 2
Royal Naval College 7
Old Royal Observatory 9
Croom's Hill 12

Musées
National Maritime Museum 1
Musée des Eventails 13

Église
St Alfege Church 3

Parcs et jardins
Greenwich Park 10
Blackheath 11

Passage pour piétons
Tunnel de Greenwich 6

Pubs et restaurants
Trafalgar Tavern 8

Navires
Gipsy Moth IV 4
Cutty Sark 5

COMMENT Y ALLER ?

Le meilleur moyen pour se rendre à Greenwich est le train au départ des gares de Charing Cross, Cannon Street ou London Bridge. Il n'y a pas de ligne d'autobus directe depuis le centre de Londres, mais il existe en revanche plusieurs services de bateaux sur la Tamise (*voir pp. 60-65*).

VOIR AUSSI

- ***Atlas des rues***, plans 23, 24
- ***Hébergement*** pp. 276-7
- ***Restaurants*** pp. 292-4

LÉGENDE

- Plan du quartier pas à pas
- Gare (British Rail)
- Parc de stationnement

D'une rive à l'autre de la Tamise, la maison de la Reine et le quartier des docks rivalisent sourdement

Greenwich pas à pas

C'est en arrivant par la Tamise (*voir pp. 60-65*) que l'on apprécie le mieux la ville. À l'époque des Tudors s'y élevait un palais très apprécié de Henry VIII pour sa proximité d'un beau terrain de chasse et de la base navale royale. Le vieux palais fut démoli et remplacé par l'exquise Queen's House, dessinée par Inigo Jones pour l'épouse de Jacques Ier. Ses musées, ses librairies et ses boutiques d'antiquités, ses marchés, ses monuments de Wren et son magnifique parc font de Greenwich un but d'excursion agréable.

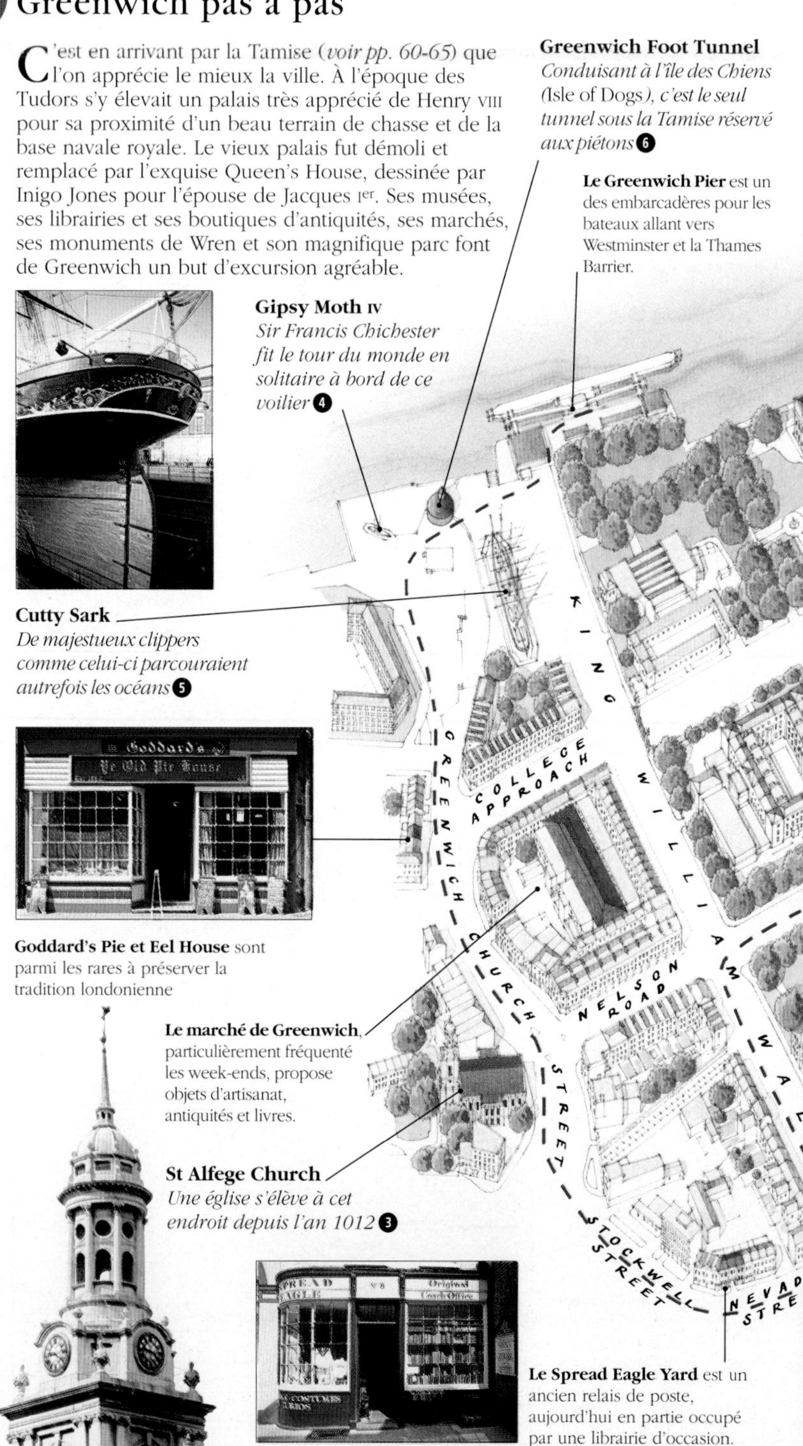

Greenwich Foot Tunnel
Conduisant à l'île des Chiens (Isle of Dogs), c'est le seul tunnel sous la Tamise réservé aux piétons ❻

Le Greenwich Pier est un des embarcadères pour les bateaux allant vers Westminster et la Thames Barrier.

Gipsy Moth IV
Sir Francis Chichester fit le tour du monde en solitaire à bord de ce voilier ❹

Cutty Sark
De majestueux clippers comme celui-ci parcouraient autrefois les océans ❺

Goddard's Pie et Eel House sont parmi les rares à préserver la tradition londonienne

Le marché de Greenwich, particulièrement fréquenté les week-ends, propose objets d'artisanat, antiquités et livres.

St Alfege Church
Une église s'élève à cet endroit depuis l'an 1012 ❸

Le Spread Eagle Yard est un ancien relais de poste, aujourd'hui en partie occupé par une librairie d'occasion.

GREENWICH
ET BLACKHEATH
Carte de situation
Voir le Grand Londres pp. 10-11
★ Royal Naval College
Wren conçut un bâtiment en deux parties de manière à laisser ouverte la perspective sur la Tamise à la Queen's House 7
Cette statue de George II en empereur romain fut exécutée par John Rysbrack en 1735.
Le Painted Hall abrite des fresques du XVIIIe siècle de Sir James Thornhill, qui décora également l'intérieur du dôme de la cathédrale St-Paul.
N
ROMNEY ROAD
★ Queen's House
C'est le premier bâtiment que Inigo Jones construisit dans le style palladien à son retour d'Italie 2
À ne pas manquer :
★ Royal Naval College
★ Queen's House
National Maritime Museum
Le musée illustre toute l'histoire britannique en exposant des maquettes et de vrais bateaux, des marines et des instruments nautiques, comme ce compas du XVIIIe siècle 1
Légende
Itinéraire conseillé
0
100 mètres
0
100 yards

National Maritime Museum ❶

Romney Rd SE10. **Plan** 23 C2.
0181-858 4422. *Maze Hill.*
***Ouvert** t.l.j. de 10 h à 17 h (der. ent. : 30 mn av. la ferm.). **Fermé** 24-26 déc.*
Accès payant. *une grande partie du musée.* ***Conférences, expositions.***

La mer a toujours joué un rôle extrêmement important dans l'histoire de la Grande-Bretagne, et ce vaste musée célèbre l'héritage maritime de « l'île-nation ». On peut y découvrir les premiers *curragh* (canoës primitifs) en bois et cuir, les galions d'époque élisabéthaine ainsi que des cargos, des paquebots et des navires de guerre modernes. Certaines salles sont plus particulièrement consacrées aux relations commerciales dans l'Empire britannique, d'autres aux expéditions du capitaine Cook ou encore aux guerres napoléoniennes.

L'une des pièces principales du musée est l'uniforme que portait lord Nelson lorsqu'il fut blessé à la bataille de Trafalgar (octobre 1805) : on remarquera les traces de sang et le trou de la balle qui le tua. Plus spectaculaire encore, les barges royales exposées au rez-de-chaussée, dont celle qui fut construite pour le prince Frédéric en 1732, ornée somptueusement, avec en poupe, des plumes du prince de Galles. Le musée abrite également nombre de maquettes délicatement ouvragées de bateaux ainsi que de belles marines.

La barge du prince Frédéric au National Maritime Museum

La clôture du chœur et l'autel de St Alfege, par Jean Tijou

Le pavillon de la Reine ❷

Romney Rd SE10. **Plan** 23 C2.
0181-858 4422. *Maze Hill, Greenwich.* ***Ouvert** avr.-sept. : 10 h-18 h lun.-sam., midi-18 h dim. ; oct.-mars : 10 h-17 h lun.-sam., 12 h-17 h dim. (der. ent. : 30 mn av. la ferm.).* ***Accès payant.*** ***Conférences, concerts, expositions.***

Le bâtiment fut dessiné par Inigo Jones à son retour d'Italie et terminé en 1637. Destiné à l'origine à l'épouse de Jacques Ier, Anne de Danemark, qui décéda au cours de la construction, il fut alors achevé pour la reine Henrietta Maria, femme de Charles Ier, qui l'appela sa « maison des plaisirs ». Brièvement occupée par Henrietta, alors reine douairière, après la Guerre civile, la maison fut progressivement délaissée par la famille royale.

Queen's House a été récemment restaurée dans son état du XVIIe siècle. L'ensemble se compose de deux bâtiments situés de part et d'autre de la route de Woolwich à Deptford – elle fut détournée ultérieurement mais son ancien tracé est symbolisé par des galets dans la cour – que relie une galerie à colonnades, ainsi que d'un pavillon central dont le grand hall est un cube parfait de 12 m de côté. On remarquera « l'escalier tulipe » (nommé ainsi à cause de ses balustrades) à vis sans noyau qui dessert les étages supérieurs.

L'église St Alfege ❸

Greenwich Church St SE10.
Plan 23 B2. *0181-853 0687.*
Greenwich. ***Ouvert** t.l.j. 12 h 30-16 h.* *9 h 30 dim.*
Concerts, expositions

Cette église est, avec ses gigantesques colonnes et ses frontons coiffés d'urnes, l'une des réalisations les plus imposantes et les plus caractéristiques de Nicholas

Hawksmoor. Achevée en 1714, elle occupe l'emplacement d'une précédente église qui marquait le lieu du martyre de saint Alfege, archevêque de Canterbury, assassiné par les envahisseurs danois en 1012.

Les bois sculptés de l'intérieur, dus à Grinling Gibbons, ont été restaurés après avoir été endommagés par une bombe pendant la Seconde Guerre mondiale. Les grilles en fer forgé de la clôture du chœur et du chancel sont des œuvres originales attribuées à Jean Tijou. On peut également voir une reproduction du registre de baptême d'Henry VIII, une dalle de cuivre qui marque la tombe du général Wolfe, mort en combattant les Français au Québec en 1759, et un vitrail rappelant le souvenir de Thomas Tallis, compositeur et organiste du XVIe siècle, enterré ici.

Le Gipsy Moth IV ❹

King William Walk SE10. **Plan** 23 B2. 0181-858 2698. Greenwich, Maze Hill. Greenwich Pier. **Ouvert** *avr.-sept. : 10 h-18 h lun.-sam., midi-18 h dim.* **Fermé** *nov.-mars.* **Accès payant**.

Le *Gipsy Moth IV*

C'est en 1966-1967 que Sir Francis Chichester fit le tour du monde en solitaire (48 000 km en 226 jours, dans des conditions souvent très difficiles) à bord de ce ketch de 16 m. À l'issue de son périple, la reine le fit chevalier à bord même de son bateau en utilisant l'épée qui avait servi à Elizabeth Ire pour adouber un autre grand navigateur anglais, Sir Francis Drake.

Le dôme du tunnel piétonnier de Greenwich

Le Cutty Sark ❺

King William Walk SE10. **Plan** 23 B2. *0181-858 2698.* *0181-853 3589.* *Greenwich, Maze Hill.* *Greenwich Pier.* **Ouvert** *avr.-sept. : 10 h-18 h lun-sam., midi-18 h dim. ; oct.-mars : 10 h-17 h lun.-sam., midi-17 h dim., jours fériés (der. ent. : 30 mn av. la ferm.).* **Fermé** *24-26 déc.* **Accès payant**. *interdit.* **Films, vidéos**.

Ce majestueux navire est un des clippers qui sillonnaient l'Atlantique et le Pacifique au XIXe siècle. Lancé en 1869, il remporta en 107 jours la « course du thé » disputée entre la Chine et Londres en 1871. Après son dernier voyage, en 1938, il fut exposé ici en cale sèche dès 1957. À bord, des expositions illustrent l'histoire de la marine et du commerce dans le Pacifique. Ce bateau-musée abrite également une extraordinaire collection de figures de proue.

Le tunnel piétonnier de Greenwich ❻

Between Greenwich Pier SE10 and Isle of Dogs E14. **Plan** 23 B1. *Maze Hill, Greenwich.* **Docklands Light Railway** *Island Gardens.* *Greenwich Pier.* **Ouvert** *t.l.j. 24 h/24.* **Ascenseur ouvert** *t.l.j. 5 h-21 h.* *horaire des ascenseurs*

Ce souterrain de 370 m de long fut ouvert en 1902 pour permettre aux ouvriers du sud de Londres de se rendre aux Millwall Docks. De l'autre côté de la Tamise, on bénéficie d'un superbe point de vue sur le Royal Naval College de Christopher Wren et le pavillon de la Reine d'Inigo Jones. Les sorties du tunnel, de chaque côté de la Tamise, sont marquées par un bâtiment de brique rouge coiffé d'un dôme de verre. Son extrémité nord, à la pointe sud de l'île aux Chiens, est proche du terminus du Docklands Light Railway, dont les rames desservent Canary Wharf (*voir p. 245*), Limehouse, East London et la City. Malgré l'existence de caméras de surveillance, il est déconseillé d'emprunter le tunnel la nuit.

Figure de proue de la fin du XIXe siècle exposée sur le *Cutty Sark*

Royal Naval College ❼

Greenwich SE10. **Plan** 23 C2. *0181-858 2154.* *Greenwich, Maze Hill.* ***Ouvert*** *14 h 30-16 h 45 ven.-merc.*

Cet ambitieux ensemble de bâtiments fut édifié par Christopher Wren sur le site de l'ancien palais royal du XVe siècle où vécurent Henry VIII, Mary Ire et Elizabeth Ire. La façade ouest a été achevée par Vanbrugh. La chapelle et le hall sont les seules parties du collège ouvertes au public.

La chapelle de Wren fut détruite par un incendie en 1779. L'actuel intérieur rococo, dessiné par Jacques Stuart, est un vaste espace lumineux, qui présente de délicates moulurations sur les plafonds et les murs. La clôture du chœur, l'autel et le candélabre sont dorés. La somptueuse décoration du Painted Hall fut exécutée par James Thornhill dans le premier quart du XVIIIe siècle. Les magnifiques peintures du plafond sont agrémentées de piliers en trompe-l'œil et de frises. En bas de l'une des fresques du mur ouest, l'artiste s'est représenté la main tendue, pour réclamer de l'argent !

La fresque de Thornhill représentant le roi William, dans le Hall du Naval College

Trafalgar Tavern ❽

Park Row SE10. **Plan** 23 C1. *0181-858 2437. Voir* ***Restaurants et pubs*** *pp. 308-9.*

Ce charmant pub lambrissé, construit en 1837, devint bientôt, à l'instar de nombreuses autres auberges de Greenwich, un lieu fréquenté pour ses « whitebait dinners » (littéralement « dîners de blanchaille », c'est-à-dire de la friture de petits poissons pêchés dans le fleuve). S'y rencontraient, en certaines occasions, ministres du gouvernement, ténors du barreau, etc., venant de Westminster et de Charing Cross par bateau sur la Tamise. La dernière rencontre entre ministres du gouvernement eut lieu ici en 1885. Ce pub fut également fréquenté par Charles Dickens, qui venait souvent y boire accompagné par l'un de ses plus célèbres illustrateurs, le graveur George Cruickshank.

Devenu le point de ralliement des anciens marins du commerce en 1915, le pub fut restauré en 1965 après avoir longtemps servi de club ouvrier.

Trafalgar Tavern vue depuis la Tamise

Old Royal Observatory ❾

Greenwich Park SE10. **Plan** 23 C3. *0181-858 4422.* *Maze Hill, Greenwich.* ***Ouvert*** *avr.-sept. : 10 h-18 h lun.-sam., midi-18 h dim. ; oct.-mars : 10 h-17 h lun.-sam., 14-17 h dim.* ***Accès payant.***

Le méridien (0° de longitude) qui marque la limite entre les hémisphères est et ouest de la terre passe exactement à cet endroit, matérialisé par une ligne. C'est en 1884 que le Greenwich Mean Time (GMT) est devenu, par convention internationale, l'heure de référence pour le monde entier.

Le bâtiment d'origine de Flamsteed House (Flamsteed fut le premier astronome du Roi appointé par Charles II), dessiné par Wren, présente au sommet une pièce octogonale enfermée dans un carré et couronnée par deux tourelles. Au-dessus de l'une d'elles, un globe horaire tombe tous les jours d'un mat à 13 h depuis 1833, permettant aux marins de la Tamise et aux fabricants de chronomètres (horloge marine) de régler leurs instruments.

Le bâtiment fut l'observatoire officiel de la Couronne de 1675 à 1948, date à laquelle les astronomes s'installèrent dans le Sussex, au ciel plus lumineux que celui de Londres. L'astronome du Roi est aujourd'hui installé à Cambridge. L'ancien observatoire présente une exposition intéressante d'instruments astronomiques, de chronomètres et d'horloges.

Une horloge de 24 heures à l'Old Royal Observatory

Greenwich Park ⑩

SE10. **Plan** 23 C3. ☎ *0181-858 2608.* ⇌ *Greenwich, Blackheath, Maze Hill.* ***Ouvert*** *6 h-coucher du soleil, piétons.* ♿ ▢ ***Spectacles pour enfant, musique, sports. Ranger's House*** Chesterfield Walk, Greenwich Park SE10. **Plan** 23 C4. ☎ *0181-853 0035.* ***Ouvert*** *Ven. Saint-30 sept. : 10 h-13 h, 14-18 h mer., dim. ; 31 oct.-jeu. saint : 10 h-13 h, 14 h-16 h mer., dim.* ***Fermé*** *24-25 déc.* ♿ *r.-d.-c. uniquement*

Dépendant à l'origine d'un palais royal et toujours propriété de la Couronne, le parc fut enclos en 1433 et son mur d'enceinte en brique construit sous le règne de Jacques Ier. Au XVIIe siècle, le jardinier royal André Le Nôtre, qui dessina les jardins de Versailles, fut invité à dessiner ceux de Greenwich ; c'est à lui que l'on doit la large avenue qui escalade la colline au sud, et d'où l'on découvre un beau panorama sur le fleuve (par beau temps, on peut voir presque tout Londres). À l'extrémité sud-est du parc s'élève la Ranger's House (1688), donnée aux gardes forestiers du parc en 1815, mais qui abrite aujourd'hui la collection Suffolk (portraits du XVIIe siècle anglais par William Larkin, Sir Peter Lely, etc.), ainsi qu'une exposition d'instruments de musique anciens.

La Ranger's House de Greenwich Park

Blackheath ⑪

SE3. **Plan** 24 D5. ⇌ *Blackheath.*

Cette lande servait de lieu de rassemblement aux grandes bandes arrivant à Londres par l'Est, notamment les compagnons de Wat Tyler à l'époque de la Révolte des paysans de 1381. C'est également ici que Jacques Ier initia les Anglais au jeu de golf, originaire de son Ecosse natale.

Aujourd'hui, une promenade dans la lande permet de découvrir les belles demeures georgiennes et les « terraces » qui l'entourent. Dans Tranquil Vale, au sud, on trouvera des boutiques de livres, de gravures et de meubles anciens.

Croom's Hill ⑫

SE10. **Plan** 23 C3. ⇌ *Greenwich.*

Cette rue est une des mieux conservées du vieux Londres (XVIIe-XIXe siècle). Les plus anciens bâtiments sont à l'extrémité sud, près de Blackheath : Manor House, de 1695, puis le no 68, à peu près de la même date, et enfin la maison du no 66, la plus ancienne.

Entre autres habitants célèbres de Croom's Hill, on compte le général James Wolfe (enterré à St Alfege) et l'acteur anglais Daniel Day Lewis.

Fan Museum ⑬

12 Croom's Hill SE10. **Plan** 23 B3. ☎ *0181-858 7879.* ⇌ *Greenwich.* ***Ouvert*** *11 h-16 h 30 mar.-sam., midi-16 h 30 dim.* ***Accès payant*** *mais réductions pour retraités et invalides.* ◙ ♿ ▢ ▢ ***Conférences, ateliers de création d'éventails.***

Ce musée – unique au monde – est l'un des plus étonnants de la capitale. Ouvert en 1989, il doit son existence à l'enthousiasme de Hélène Alexander, dont la collection personnelle de 2 000 éventails (du XVIIe siècle à nos jours) a été augmentée par de nombreux dons, parmi lesquels des éventails créés pour le théâtre. Les expositions tournent régulièrement pour présenter toute la diversité de cet art (dessin, miniature, sculpture et broderie). Si elle est là, Mme Alexander vous guidera elle-même dans son exposition.

Eventail de théâtre utilisé dans une opérette de D'Oyly Carte

EN DEHORS DU CENTRE

Suite au développement des banlieues à l'époque victorienne, les grandes demeures construites pour servir de maison de campagne aux membres de l'aristocratie et aux riches Londoniens se sont retrouvées englobées dans le périmètre du Grand Londres. Nombre de ces demeures ont été transformées en musées. Si Richmond Park et Wimbledon Common donnent un avant-goût de campagne, une balade à Canary Wharf est moins bucolique.

LE GRAND LONDRES D'UN COUP D'ŒIL

Rues et bâtiments historiques
Sutton House 11
Charlton House 18
Eltham Palace 19
Ham House 28
Orleans House 29
Hampton Court (pp. 250-253) 27
Marble Hill House 30
Syon House 32
Osterley Park House 34
Musée de Pitshanger Manor 35
Strand on the Green 38
Chiswick House 39
Palais de Fulham 41

Églises
St Mary, Rotherhithe 13
St Mary's, Battersea 23
St Anne's, Limehouse 14

Musées et galeries d'art
Terrain de cricket Lord 1
Collection Saatchi 2
Musée Freud 3
St John's Gate 7
Crafts Council Gallery 8
Musée Geffrye 10
Musée de l'Enfant de Bethnal Green 12
Galerie William Morris 16
Musée Horniman 20
Dulwich Picture Gallery 21
Musée du Tennis de Wimbledon 24
Musée du Wimbledon Windmill 25
Musée de la Musique 33
Musée des Machines à vapeur du pont de Kew 36
Hogarth's House 40
Musée du Jouet 43

Parcs et jardins
Battersea Park 22
Parc de Richmond 26
Kew Gardens (pp. 256-257) 37

Cimetière
Cimetière de Highgate 5

Architecture moderne
Canary Wharf 15
Chelsea Harbour 42

Quartiers historiques
Highgate 4
Clerkenwell 6
Islington 9
Richmond 31

Dispositif technologique
Thames Barrier 17

Tous les sites décrits dans ce chapitre sont dans le périmètre de l'autoroute M25 (*voir pp. 10-11*).

LÉGENDE
Principales zones de visite
Autoroute

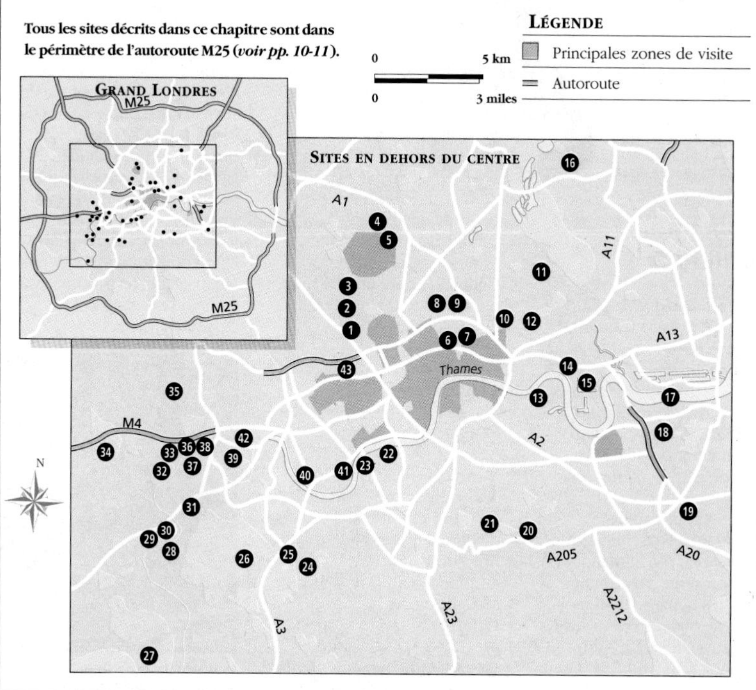

Tombeaux victoriens au cimetière de Highgate, au nord de Londres

Au nord de Londres

Terrain de cricket Lord ❶

NW8. **Plan** 3 A3. *0171-289 1611.* *St John's Wood.* **Ouvert**, *en été : 10 h-17 h les jours de match ; en hiver : réservé aux visites guidées.* ***Fermé*** *25 déc.* ***Accès payant****.* *t.l.j. 12 h-14 h.* *Voir* ***Spectacles*** *pp. 336-7.*

Ce temple du cricket abrite un musée assez étonnant par les pièces qui y sont exposées, comme un moineau tué par une balle au cours d'une partie, ainsi qu'une collection de trophées. Le musée retrace l'histoire de ce sport national et expose de nombreux tableaux et souvenirs de joueurs célèbres. Les visiteurs étrangers pourront s'y familiariser aux règles de ce sport.

Thomas Lord, pionnier du cricket, a aménagé le terrain qui porte son nom à cet emplacement en 1814. Le Pavillon, construit à l'époque victorienne supporte une girouette qui représente le Temps. Des visites guidées sont organisées même en dehors des périodes de compétition.

Un trophée de cricket

Collection Saatchi ❷

98a Boundary Rd NW8. *0171-624 8299.* *St John's Wood, Swiss Cottage.* ***Ouvert*** *12 h-18 h jeu.-dim.* ***Conférences****.*

Le publicitaire Charles Saatchi et sa première femme ont installé cette galerie d'art contemporain dans un entrepôt désaffecté (aucun panneau ne la signalant à l'extérieur, prenez garde à ne pas la manquer). Elle présente, par roulement tous les deux ou trois mois, près de 600 œuvres d'artistes de renom tels que Andy Warhol, Carl André ou Frank Stella.

Le célèbre divan de Sigmund Freud

Musée Freud ❸

20 Maresfield Gdns NW3. *0171-435 2002.* *Finchley Rd.* ***Ouvert*** *12 h-17 h merc.-dim.* ***Accès payant****.* ***Conférences, vidéos, cours du soir****.*

Sigmund Freud, le père de la psychanalyse, fuyant l'Autriche et les persécutions nazies, vint s'installer en 1938 dans cette maison de Hampstead, et recréa l'atmosphère de son cabinet de consultation viennois grâce au mobilier qu'il avait emporté avec lui. Après la mort de Freud (1939), sa fille Anna (initiatrice de la psychanalyse des enfants) conserva la maison en l'état. En 1986, après la mort d'Anna, le bâtiment fut aménagé en musée. Sa pièce maîtresse est le fameux divan sur lequel le maître faisait allonger ses patients. Un montage de films de famille, datant des années 1930, montre Freud dans l'intimité. La librairie du musée possède une vaste collection de ses œuvres.

Highgate ❹

N6. *Highgate.*

Le site de Highgate, où étaient installés un relais de poste et une barrière d'octroi sur la grande route nord de Londres, est habité au moins depuis le début du Moyen Age. À l'instar de Hampstead Heath (*voir pp. 228-231*), Highgate est rapidement devenu à la mode en raison de la pureté de son air, et de nombreux nobles y firent édifier leur résidence de campagne. Sur Highgate Hill, la statue d'un chat noir marque l'endroit où le marchand Richard Whittington et son chat se seraient arrêtés. Découragé par des revers électoraux, au moment de quitter Londres, il entendit les cloches le rappeler… et il obtint trois mandats successifs de lord-maire (*voir p 18*).

Cimetière de Highgate ❺

Swain's Lane N6. *0181-340 1834.* *Archway.* ***Cimetière Est ouvert*** *avr.-oct. : t.l.j. 10 h-17 h ; nov.-mars : t.l.j. 10 h-16 h.* ***Cimetière Ouest ouvert*** ***Seulement*** *avr.-oct. : 12 h-14 h, 16 h lun.-ven., 11 h-16 h sam., dim. ; nov.-mars : 12 h-14 h, 15 h lun.-ven., 11 h-15 h sam., dim.* ***Fermé*** *25-26 déc. et pendant les enterrements.* ***Accès payant.***

La partie ouest de ce cimetière qui reflète le goût victorien pour la fantaisie et le pittoresque, fut ouverte en 1839. Laissé à l'abandon, il a été remis en état par une association de volontaires. C'est à ses efforts que l'on doit la restauration de l'Egyptian Avenue, une allée bordée de caveaux de famille édifiés dans le style des tombeaux des pharaons, et des tombes du Circle of Lebanon, disposées en cercle autour d'un cèdre. Dans la section E. du cimetière se trouve la tombe de Karl Marx, que domine son buste gigantesque. Le romancier George Eliot repose également ici.

Le mausolée de George Wombwell au cimetière de Highgate

Le prieuré de Saint-Jean : aujourd'hui, seul subsiste le bâtiment de la loge

Clerkenwell ❻

EC1. **Plan** 6 E4. ⊖ *Farringdon. Voir* ***Spectacles*** *p. 332.*

Affiche du Sadler's Wells Theatre

Le prieuré de Saint-Jean était le monument le plus important des alentours jusqu'à la dissolution des ordres monastiques par Henry VIII, en 1536. L'endroit devint ensuite une banlieue à la mode, mais déclina après la Peste de 1665 (*voir p. 22*). Des huguenots français vinrent s'y réfugier et installèrent des ateliers de bijouterie et d'orfèvrerie. Plus tard, il devint un centre d'horlogerie. À l'époque victorienne, Clerkenwell comprenait quelques-uns des pires taudis de Londres, que Dickens décrit dans *Oliver Twist*. Plus récemment, Clerkenwell a été surnommé « La petite Italie » en raison des nombreux émigrés italiens qui vinrent s'y installer dès la fin du XIXe siècle jusqu'aux années 1930. C'est sur l'emplacement du Sadler's Wells Theatre que Thomas Sadler édifia en 1683 une première « maison de musique ». Reconstruit en 1927 par Lilian Baylis, le bâtiment accueillit la célèbre troupe de danseurs du Sadler's Wells Royal Ballet jusqu'en 1990.

St John's Gate ❼

St John's Square EC1. **Plan** 6 F4. ☎ *0171-253 6644.* ⊖ *Farringdon.* ***Musée ouvert*** *10 h-17 h lun.-ven., 9 h-16 h sam.* ***Fermé*** *25 déc., Pâques, jours fériés.* ***Accès payant****.* *11 h, 2 h 30 mar., ven., sam.*

La loge de style Tudor et une partie de l'église (XIIe siècle) sont tout ce qu'il reste du prieuré des Chevaliers hospitaliers de Saint-Jean, qui fut florissant pendant 4 siècles. Les bâtiments du prieuré ont servi à de multiples usages : bureaux du maître des divertissements d'Elisabeth Ire, pub, salon de thé (tenu par le père du peintre William Hogarth), et bureaux du *Gentlemen's Magazine* (1731-1754), de Edward Cave. Si le musée de l'Histoire de l'ordre des hospitaliers est ouvert tous les jours, il faut se joindre à une visite guidée pour visiter le reste du bâtiment.

Crafts Council Gallery (musée de l'Artisanat) ❽

44a Pentonville Rd N1. **Plan** 6 D2. ☎ *0171-278 7700.* ⊖ *Angel.* ***Ouvert*** *11 h-18 h mar.-sam., 14 h-18 h dim.* ***Conférences****.*

Le Conseil a mission de promouvoir la création et de favoriser l'artisanat en Grande-Bretagne. Il possède une importante collection d'objets d'artisanat d'art britannique. Il possède aussi une riche bibliothèque, un service d'information, et une boutique bien fournie où l'on peut acheter de beaux exemples d'artisanat contemporain.

Islington ❾

N1. **Plan** 6 E1. ⊖ *Angel, Highbury & Islington.*

Islington était autrefois une station thermale très en vogue. La région déclina rapidement à la fin du XVIIIe siècle quand les membres de la haute société commencèrent à s'en désintéresser. Au XXe siècle, des écrivains comme Evelyn Waugh, George Orwell et Joe Orton y vécurent. Aujourd'hui, Islington est redevenue à la mode et s'est « embourgeoisée ».

La Canonbury Tower, vestige d'un manoir médiéval converti en appartements au XVIIIe siècle, fut habitée par des écrivains comme Washington Irving et Oliver Goldsmith. Elle abrite aujourd'hui le Tower Theatre. Sur Islington Green se dresse la statue de Sir Hugh Myddleton, créateur en 1613 du canal qui traversait Islington pour alimenter Londres en eau depuis le Hertfordshire ; les rives du canal sont aménagées en agréable promenade, entre les gares de Essex Road et de Canonbury (*voir pp. 264-265*). Deux marchés sont installés à proximité de la station de métro Angel (*voir pp. 322*) : celui de Chapel Road est spécialisé dans les produits frais et les fripes, et l'on trouve des magasins d'antiquités (assez chers) dans celui de Camden Passage.

La Crafts Council Gallery

A l'est de Londres

La chambre victorienne du Musée Geffrye

Musée Geffrye ⑩

Kingsland Rd E2. 0171-739 9893. Liverpool St, Old St. **Ouvert** 10 h-17 h mar.-sam., 14 h-17 h dim. **Fermé** 24-26 déc., 1er jan., Ven saint. **Expositions, conférences manifestations**.

Ce petit musée est aménagé dans les bâtiments d'un hospice construit en 1715 sur un terrain légué par Robert Geffrye, lord-maire de Londres. Celui-ci fit fortune dans le trafic des esclaves, au XVIIe siècle. Les appartements de l'hospice (construits pour accueillir les ouvriers métallurgistes et leur famille) ont été décorés et meublés dans le style de différentes époques – élisabéthaine (avec de magnifiques boiseries), Art nouveau et années 1950 –, offrant ainsi un bon aperçu sur l'évolution du cadre de la vie familiale et de la décoration intérieure. La chapelle située au centre de l'hospice n'a pas subi de modifications importantes, et a conservé ses stalles et ses bancs ; les textes du Credo, des Dix Commandements et du Notre Père sont inscrits sur le mur d'une niche. Le musée est entouré de jardins, dont un joli jardin d'herbes aromatiques.

Sutton House ⑪

2-4 Homerton High St E9. 0181-986 2264. Bethnal Green puis bus 253. **Ouvert** 11 h 30-17 h merc., dim. **Fermé** déc., jan., ven saint. **Accès payant**. **Concerts, conférences, films**.

Cette maison de négociant, est actuellement en cours de restauration. Edifiée en 1535 pour Ralph Sadleir, un courtisan de Henry VIII, plusieurs riches familles y résidèrent avant qu'elle ne soit transformée en école, au XVIIe siècle. Si la façade a été modifiée au XVIIIe, le gros œuvre Tudor est resté intact, conservant une grande partie de son appareil de briques, ses grandes cheminées et ses boiseries.

Le musée de l'Enfant de Bethnal Green ⑫

Cambridge Heath Rd E2. 0181-983 5200. Bethnal Green. **Ouvert** 10 h-17 h 50 lun.-jeu., sam., 14 h 30-17 h 50 dim. **Fermé** 24-26 déc., 1er jan., 1er mai. **Atelier, animations pour enfants**.

Cette annexe du Victoria and Albert Museum (*voir pp. 198-201*) est généralement considérée comme un musée du Jouet, bien qu'il soit prévu d'étendre son domaine en y présentant des expositions sur l'histoire sociale de l'enfance. Ses collections de poupées anciennes, de maisons de poupée (certaines offertes par la famille royale), de jeux, de trains miniatures, de petits théâtres, de marionnettes... sont bien expliquées et présentées de manière attrayante. Le bâtiment construit spécialement pour le musée se trouvait autrefois sur le site du Victoria & Albert Museum. En 1872, lorsque ce dernier fut agrandi, il fut démonté et remonté ici pour diffuser les « lumières de l'instruction » dans l'East End.

Une maison de poupée (vers 1760)

St Mary, Rotherhithe ⑬

St Marychurch St SE16. 0171-231 2465. Rotherhithe. **Ouvert** t.l.j. 8 h-18 h. 9 h 30, 18 h dim. limité. **Concerts, expositions**.

St Mary, Rotherhithe

Cette église fut édifiée en 1715 sur l'emplacement d'un sanctuaire médiéval, dont le clocher conserve quelques éléments. Elle abrite un monument à Christopher Jones, le capitaine du *Mayflower* sur lequel les Pères Fondateurs s'embarquèrent pour l'Amérique du Nord. On remarque également sa voûte en berceau, en forme de carène renversée, et son autel, construit à l'aide des membrures du *Téméraire*, vaisseau de guerre immortalisé dans un tableau de Turner à la National Gallery (*voir pp. 104-107*).

Une tapisserie de William Morris (1885)

St Anne's, Limehouse ⓮

Commercial Rd E14. *0171-987 1502.* ***Docklands Light Railway*** *Westferry.* ***Ouvert*** *15 h-16 h 30 dim., ou demander la clé à la sacristie. 5 Newell St, E14.* *10 h 30 dim.* ***Concerts, conférences.***

Achevée en 1724, cette église de l'East End a été dessinée par Nicholas Hawksmoor. Son clocher de 40 m de haut (le plus élevé de Londres) servait d'amer aux navires se rendant aux docks de l'East End. L'église, gravement endommagée par le feu en 1850, fut restaurée par l'architecte Philip Harwick, qui décora son intérieur dans le style victorien. Bombardée au cours de la Seconde Guerre mondiale, elle mériterait une seconde restauration.

Canary Wharf ⓯

E14. ***Docklands Light Railway*** *Canary Wharf.* ***Centre d'information, concerts, expositions.*** *Voir* ***Histoire de Londres*** *pp. 30-1.*

Le plus ambitieux projet d'aménagement de Londres a été inauguré en 1991, lors de l'aménagement de la Canada Tower, conçue par l'architecte américain Cesar Pelli. Cette tour de 250 m de hauteur (50 étages) qui domine tout l'est de la ville est le plus haut gratte-ciel de bureaux d'Europe. Elle occupe les terrains de l'ancien West India Dock, fermé, comme tous les docks de Londres, entre 1960 et 1980, lorsque le trafic de marchandises fut déplacé en aval vers le port de conteneurs de Tilbury. Lorsque le complexe commercial de Canary Wharf sera achevé, il offrira 21 immeubles de bureau ainsi que des boutiques et des centres de loisirs.

La galerie William Morris ⓰

Forest Rd E17. *0181-527 3782.* *Walthamstow Central.* ***Ouvert*** *10 h-13 h, 14-17 h mar.-sam., 10 h-13 h, 14 h-17 h 1er dim. de chaque mois.* ***Conférences.***

William Morris (né en 1834), l'architecte-décorateur le plus influent de l'ère victorienne, passa sa jeunesse dans cette imposante demeure du XVIIIe siècle. Le musée agréable et bien présenté permet de découvrir la personnalité de cet artiste, décorateur, artisan, écrivain et pionnier du socialisme en raison de ses œuvres et de celles de différents autres membres du mouvement Arts and Crafts qu'il inspira : mobilier de A.-H. Mackmurdo, livres de Kelmscott Press, céramiques de Morgan, poteries des frères Martin, et tableaux des préraphaélites.

Thames Barrier ⓱

(le barrage anti-crues)

Unity Way SE18. *0181-854 1373.* *Charlton.* ***Ouvert*** *10 h-17 h lun.-ven., 10 h 30-17 h 30 sam., dim.* ***Fermé*** *25 déc., 1er jan.* ***Accès payant.*** ***Spectacles multimédias, expositions.***

Le barrage anti-crues

En 1236, la Tamise eut une crue si forte que les Londoniens pouvaient traverser Westminster Hall en barque. Londres fut également inondée en 1663, en 1928 ainsi qu'en 1953. Aussi, le Conseil du Grand Londres (*voir County Hall, p. 183*) lança-t-il en 1965 un concours pour mettre un terme à cette menace permanente. Neuf ans plus tard commençaient les travaux de construction d'un formidable barrage. De 520 m de long, il se compose de 10 portes pivotantes pouvant se redresser jusqu'à 1,60 m au-dessus du niveau atteint par la marée de 1953. Le mieux est de le visiter par bateau (*voir pp. 60-65*).

Canada Tower, à Canary Wharf

Le sud de Londres

Cheminée jacobéenne de Charlton House

Charlton House 18

Charlton Rd SE7. *0181-856 3951.* *Charlton.* **Ouvert** *t.l.j. 9 h-22 h.* **Fermé** *jours fériés.*

Cette maison de style jacobéen – la mieux conservée de l'époque aux environs de Londres – fut achevée en 1612 pour Adam Newton, précepteur du prince Henry, fils aîné de Jacques Ier. À l'intérieur subsistent la plupart des plafonds (certains restaurés à l'aide des moules originaux découverts au sous-sol) et des cheminées d'origine, ainsi qu'un remarquable escalier sculpté, étonnamment surchargé d'ornements. Certaines parties des lambris sont d'époque. La maison, qui accueille aujourd'hui un centre social, offre de belles vues sur le fleuve. On remarquera, dans le parc, un pavillon d'été, qui pourrait avoir été conçu par Inigo Jones, et un mûrier (probablement le plus vieux de toute l'Angleterre) planté par Jacques Ier en 1608.

***Portrait de Jacob de Gheyn III*, par Rembrandt, Dulwich Picture Gallery**

Eltham Palace 19

Court Yard SE9. *0181-294 2548.* *Eltham puis 15 mn à pied.* **Ouvert** *jeu., dim. de 10 h à 16 h.*

Au XIVe siècle, la famille royale avait coutume de passer Noël dans ce palais. Il servit ensuite de relais de chasse aux Tudors mais tomba en ruines après la Guerre civile (1642-1660). En 1934, Stephen Courtauld fit restaurer le hall, seule partie ancienne conservée (avec le pont franchissant les douves). À proximité du fossé s'élève la maison du Cardinal Wolsey, du XVe siècle (*voir p. 253*).

Le musée Horniman 20

100 London Rd SE23. *0181-699 2339.* *Forest Hill.* **Jardins ouvert** *t.l.j. 8 h-au crépuscule.* **Musée ouvert** *10 h 30-17 h 30 lun.-sam., 14 h-17 h 30 dim.* **Fermé** *24-26 déc.* **Concerts, conférences, manifestations.**

Frederick Horniman, négociant en thé, a fait construire ce musée en 1901 pour abriter les curiosités qu'il avait collectionnées au cours de ses voyages. On remarquera les mosaïques de la façade (représentant l'Humanité au Temple des Circonstances) et la baleine empaillée à l'intérieur. Il y a également, une exposition de théières, bouilloires et passoires à thé.

Dulwich Picture Gallery 21

College Rd SE21. *0181-305 0067.* *West Dulwich, North Dulwich.* **Ouvert** *10 h-13 h, 14 h-17 h mar.-ven., 11 h-17 h sam., 14 h-17 h dim. (der. ent. : 16 h 45).* **Fermé** *jours fériés.* **Accès payant.** *15 h sam., dim.* **Concerts, manifestations.**

La plus ancienne d'Angleterre, fut ouverte en 1817. Conçue par Sir John Soane (*voir pp. 136-7*), son utilisation de la lumière

Masque d'acteur (Java, fin XIXe siècle), musée Horniman

naturelle en a fait le modèle de la plupart des galeries construites depuis cette époque. Elle abrite la magnifique collection de tableaux du Dulwich College voisin (édifié en 1870 par Charles Barry), comprenant des œuvres de Rembrandt (le *Portrait de Jacob de Gheyn III* y fut volé quatre fois), Canaletto, Poussin, Watteau, Le Lorrain, Murillo et Raphaël. Le bâtiment abrite le mausolée dédié à Desenfans et Bourgeois, fondateurs de la collection. Le parc de Dulwich est situé en face du musée.

Battersea Park 22

Albert Bridge Rd SW11. **Plan** 19 C5. *0181-871 7530. Sloane Square puis bus 137. Battersea Park.* ***Ouvert*** *t.l.j. du lever au coucher du soleil.* ***Horticultural Therapy Garden*** *01-71-720 2212.* ***Manifestations.*** *Voir* ***Cinq promenades à pied*** *pp. 266-7.*

Pagode de la Paix, Battersea Park

Battersea Park, inauguré en 1858, est le deuxième jardin public créé à l'époque victorienne pour aérer Londres dans sa croissance urbaine. Il fut aménagé à l'emplacement des anciens Battersea Fields, quartier marécageux où le vice régnait sous toutes ses formes, particulièrement autour du pub de la Maison Rouge.

Le nouveau parc fut immédiatement apprécié, notamment pour son lac artificiel, ses rochers, ses jardins et ses cascades romantiques. Plus tard, il devint le lieu de rendez-vous favori des cyclistes.

En 1985, une pagode dédiée à la Paix – l'une des 70 construites de par le monde – fut érigée dans le parc par des moines bouddhistes, qui mirent 11 mois pour achever ce monument de 35 m de haut.

Raquette et filet de tennis de 1888, musée du Tennis de Wimbledon

L'église Sainte-Marie de Battersea 23

Battersea Church Rd SW11. *0171-228 9648. Sloane Square puis bus 19 ou 219.* ***Ouvert*** *midi-15 h mar. et mer. ou clé à Vicarage, 32 Vicarage Crescent SW11. 11 h dim.* ***Concerts****.*

Une église occupait cet emplacement depuis au moins le Xe siècle. Le bâtiment de brique actuel date de 1775, mais les vitraux du XVIIe siècle, représentant les Tudors, proviennent de l'ancienne église.

C'est ici que le poète et artiste William Blake épousa la fille d'un maraîcher du marché de Battersea en 1782. J.-M.-W. Turner peignit certains des paysages de la vallée de la Tamise que l'on découvre depuis le clocher. La Old Battersea House (1699) s'élève à proximité.

Le musée du Tennis de Wimbledon 24

Church Rd SW19. *0181-946 6131. Southfields.* ***Ouvert*** *10 h 30-17 h mar.-sam., 14-17 h dim.* ***Accès payant****.* ***Expositions****.*

Même ceux qui s'intéressent peu au tennis apprécieront cet agréable musée. Toute l'histoire de ce sport y est retracée, depuis son invention (vers 1860) destinée à animer les réceptions données à la campagne dans les demeures de la haute société, jusqu'au sport professionnel que nous connaissons aujourd'hui. Après avoir vu le curieux matériel utilisé au XIXe siècle, on peut assister à la projection de courts métrages montrant les matchs d'anciens joueurs. Les tournois plus récents peuvent être visionnés dans la salle vidéo.

Le musée des Moulins à vent 25

Windmill Rd SW19. *0181-947 2825. Wimbledon puis une marche de 30 mn.* ***Ouvert*** *Pâques-31 oct. : 14-17 h sam.-dim.* ***Fermé*** *1er nov.-Pâques.* ***Accès payant****.*

Ce moulin, situé sur la commune de Wimbledon, fut construit en 1817 et modifié en 1893. Le bâtiment fut transformé en 1864 en cottages, où résida notamment Baden-Powell, fondateur du scoutisme. Il abrite aujourd'hui un musée des moulins à vent.

L'église St Mary's, Battersea

A l'ouest de Londres

Ham House

Le parc de Richmond ㉖

Kingston Vale SW15. 0181-948 3209. Richmond puis bus 65 ou 71. **Ouv.** oct.-mars : t.l.j. 7 h 30 au crépuscule ; avr.-sept. : t.l.j. 7 h au crépuscule. **Pêche, golf.**

Daims dans le parc de Richmond

Charles Ier fit construire en 1637 un mur de 13 km de longueur pour clôturer le parc royal qui servait alors de terrain de chasse. Des cerfs soigneusement sélectionnés, y vivent encore aujourd'hui parmi les châtaigniers, les bouleaux et les chênes, observés par les milliers de visiteurs qui viennent se promener aux beaux jours. À la fin du printemps, les rhododendrons en fleurs égaient la pépinière Isabella, tandis que les Pen Ponds voisins sont fréquentés par les pêcheurs (Adam's Pond est réservé aux maquettes de bateaux). Le reste du parc est couvert de landes, de fougères et d'arbres. Richmond Gate, au nord-ouest, fut dessinée par le jardinier-paysagiste Capability Brown en 1798. À proximité s'élève le Henry VIII Mound, d'où le roi attendit, en 1536, le signal de l'exécution de son ex-femme, Anne Boleyn. La White Lodge, construite en 1729 dans le style palladien pour George II, est occupée par l'école nationale de Danse, la Royal Ballet School.

Hampton Court ㉗

Voir pp. 250-253

Ham House ㉘

Ham St, Richmond. 0181-940 1950. *Richmond puis bus 65 ou 371.* ***Ouvert*** *13 h-17 h lun.-mer., 13 h-17 h 30 sam., 12 h-17 h 30 dim.*

Cette magnifique demeure des bords de la Tamise, édifiée en 1610, a dû sa notoriété, le siècle suivant, à son propriétaire, le duc de Lauderdale, confident de Charles II et secrétaire d'Etat à l'Ecosse. Sa femme, la

Marble Hill House

comtesse de Dysart, avait hérité de la maison par son père, le « whipping boy » de Charles Ier (c'est lui qui était fouetté à la place du roi !). À partir de 1672, le duc et la comtesse modernisèrent la propriété pour qu'elle soit la plus belle de Grande-Bretagne. Le mémorialiste John Evelyn admirait beaucoup le jardin des Lauderdale, aujourd'hui restauré selon son dessin du XVIIe siècle.

Certains jours d'été, une navette rejoint Marble Hill House et Orleans House, à Twickenham.

Orleans House ㉙

Orleans Rd, Twickenham. *0181-892 0221. Richmond puis bus 33, 90, 290, R68 ou R70.* ***Ouvert*** *avr.-sept. : 13 h-17 h 30 mar.-sam., 14 h-17 h 30 dim., jours fériés. oct.-mars : 13 h-16 h 30 mar.-sam., 14 h-16 h 30 dim., jours fériés.* ***Fermé*** *24-26 déc., ven saint. réglementé.* ***Concerts, conférences.***

Seul l'Octogone, dessiné par James Gibbs pour James Johnson en 1720, subsiste de cette demeure du début du XVIIIe siècle. Elle doit son nom à Louis-Philippe, duc d'Orléans, qui vécut ici de 1800 à 1817, avant de devenir roi de France en 1830. Les magnifiques stucs de l'intérieur de l'Octogone sont restés intacts. La galerie voisine organise des expositions temporaires, notamment sur l'histoire locale.

Marble Hill House ㉚

Richmond Rd, Twickenham. *0181-892 5115. Richmond puis bus 33, 90, 290, R68 ou R70.* ***Ouvert*** *avr.-sept. : t.l.j. 10 h-18 h ; oct.-mars : t.l.j. 10 h-16 h.* ***Fermé*** *24-25 déc. réglementé.* ***Concerts, feu d'artifices*** *le week-end en été. Voir* ***Spectacles*** *p. 331.*

Edifiée en 1729 pour la maîtresse de George II, la demeure et le parc qui l'entoure sont ouverts au public depuis 1903. Aujourd'hui en grande partie restaurée dans son style georgien, son mobilier reste encore à compléter. On y remarque quelques tableaux de William Hogarth, ainsi qu'une vue du fleuve et de la maison exécutée en 1762 par Richard Wilson, considéré comme le père de la peinture anglaise de paysages.

Richmond ㉛

SW15. *Richmond.*

Une ruelle de Richmond

De nombreuses maisons du XVIIIe siècle subsistent à proximité du fleuve et sur la colline de Richmond, notamment à Maids of Honour Row, édifiée en 1724. Reproduit par de nombreux peintres paysagistes, le célèbre panorama sur la Tamise que l'on découvre depuis le sommet de la colline, est encore en grande partie intact.

Syon House ㉜

London Rd, Brentford. *0181-560 0881. Gunnersbury puis bus 237 ou 267.* ***Maison ouverte*** *avr.-sept. : 11 h-17 h sam., dim. jours fériés et sur rendez-vous.* ***Maison fermée*** *oct.-mars.* ***Jardins ouverts*** *t.l.j. 10 h au crépuscule.* ***Accès payant.*** *aux jardins seulement.*

Les comtes et les ducs de Northumberland ont vécu ici pendant quatre siècles et c'est le seul grand manoir de la région de Londres à être toujours resté entre les mains de la même famille. Le musée, aménagé dans les dépendances, expose 120 voitures anciennes et abrite une serre aux papillons, un centre d'art, un centre horticole, une boutique du National Trust et deux restaurants. La demeure reste cependant le principal attrait de la visite pour ses superbes intérieurs décorés par Robert Adam, ses pièces tendues de soie de Spitalfields et ses nombreux tableaux. À voir, dans les jardins, la roseraie et une spectaculaire serre édifiée en 1830.

Le musée de la Musique ㉝

368 High St, Brentford. *0181-560 8108. Gunnersbury, South Ealing puis bus 65, 237 ou 267.* ***Ouvert*** *avr.-juin, sept.-oct. : 14 h-17 h sam. et dim. ; juil. et août : 14 h-16 h mer., jeu., 14 h-17 h sam. et dim.* ***Fermé*** *nov.-mars.* ***Accès payant.***

Les collections de ce musée sont constituées de grands instruments de musique, pianos et orgues mécaniques, ainsi que ce que l'on croit être le seul orgue mécanique Wurlitzer conservé en Europe.

Le salon de Osterley Park House

Osterley House ㉞

Isleworth. *0181-560 3918. Osterley.* ***Ouvert*** *1er avr.-31 oct. : 13 h-17 h merc.-sam., 11 h-17 h dim., jours fériés.* ***Fermé*** *1er nov.-31 mars, Ven. saint.*

Osterley House est considérée comme l'un des chefs-d'œuvre de Robert Adam, en raison notamment de son portique à colonnade et des plafonds peints de sa bibliothèque. Une grande partie du mobilier a été dessinée par Adam lui-même, comme la serre dans le jardin, œuvre de William Chambers, architecte de Somerset House (*voir p. 117*).

Le salon Rouge de Robert Adam, Syon House

Le palais de Hampton Court ㉗

Détail du plafond du salon de la Reine

Le cardinal Wolsey, fastueux archevêque d'York sous Henry VIII, commença la construction de Hampton Court en 1514. En 1525, Wolsey l'offrit au roi dans l'espoir de s'attirer ses faveurs. Devenu palais royal, Hampton Court fut alors reconstruit et agrandi deux fois, par Henry VIII lui-même puis, vers 1690, par Guillaume et Marie qui firent appel à l'architecte Christopher Wren. Il en résulte un étonnant contraste entre les appartements royaux de style classique dus à Wren et les tourelles, les gâbles et les cheminées Tudor du reste du château. Le dessin des jardins que l'on admire aujourd'hui datent de l'époque de Guillaume et Marie, pour qui Wren créa un ensemble paysager ordonné, de style baroque, avec ses avenues de majestueux tilleuls rayonnantes et ses nombreuses plantes exotiques.

★ **Le Labyrinthe**
Pour jouer à se perdre dans un jardin Tudor.

Jeu de paume

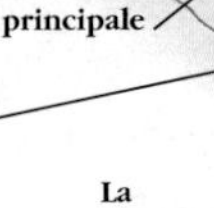

Entrée principale

★ **La Grande Treille**
La vigne, plantée en 1768, produisait, au XIXe siècle, jusqu'à 910 kg de raisin noir.

La Tamise

Le jardin du Bassin
Ce jardin en contrebas fait partie des aménagements conçus par Henry VIII.

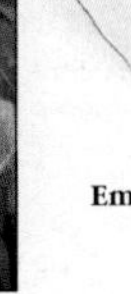

Embarcadère

★ **La galerie Mantegna**
Cette galerie abrite les neuf peintures à la détrempe représentant Le Triomphe de César *par Andrea Mantegna (vers 1490).*

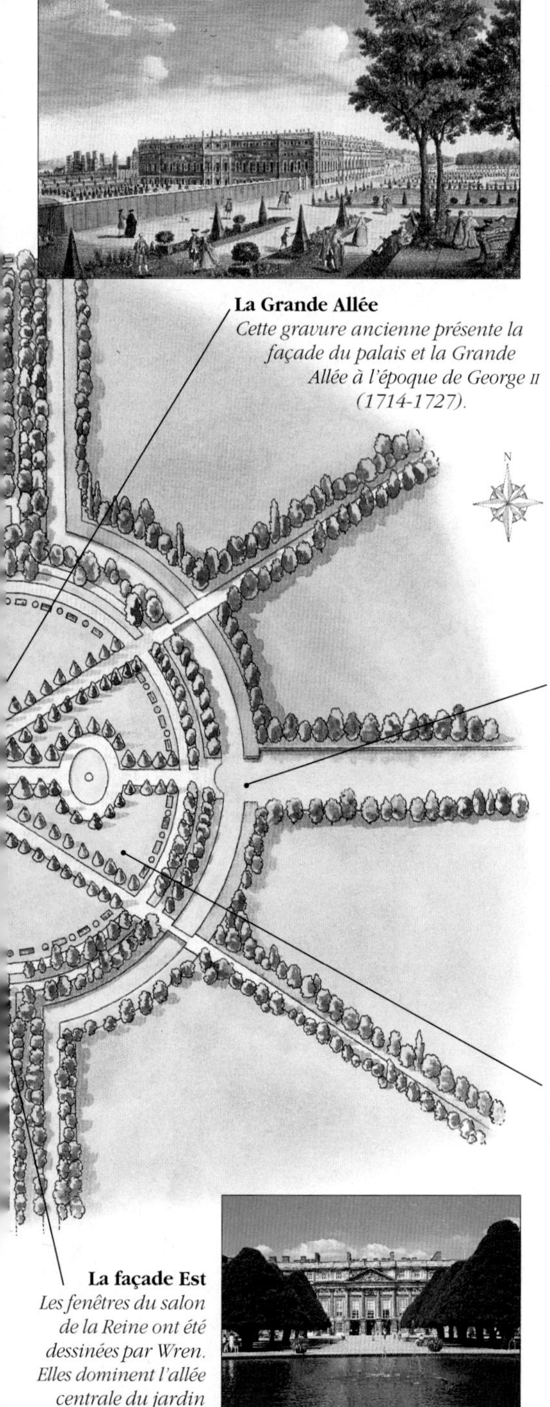

MODE D'EMPLOI

East Molesey, Surrey. *0181-781 9500.* *111, 131, 216, 267.* Hampton Court. Hampton Court pier. ***Ouvert*** *avr.-oct. : 9 h 30-18 h mar.-dim., 10 h 15-18 h lun. ; nov.-mars : 9 h 30-16 h 30 mar.-dim., 10 h 15-16 h 30 lun.* ***Fermé*** *24-26 déc., 1er jan., ven. saint.* ***Accès payant.*** *Voir **Hébergement** p. 274.*

La Grande Allée
Cette gravure ancienne présente la façade du palais et la Grande Allée à l'époque de George II (1714-1727).

Le Grand Canal
Un bassin artificiel, creusé parallèlement à la Tamise, traverse le parc depuis le jardin de la Fontaine.

Jardin de la Fontaine
Quelques uns de ces ifs taillés furent plantés sous le règne de Guillaume et Marie.

La façade Est
Les fenêtres du salon de la Reine ont été dessinées par Wren. Elles dominent l'allée centrale du jardin de la Fontaine

À NE PAS MANQUER :

- ★ **La Grande Treille**
- ★ **La galerie Mantegna**
- ★ **Le Labyrinthe**

A la découverte de Hampton Court

Sculpture du toit de la grande salle

Harmonieux mélange d'architecture Tudor et de baroque anglais, le palais royal de Hampton Court conserve des souvenirs de tous les souverains d'Angleterre, depuis Henry VIII jusqu'à nos jours. À l'intérieur, on visite la grande salle, aménagée sous Henry VIII, ainsi que les appartements royaux ; ceux situés au-dessus de la cour du Jet d'eau, créée par Christopher Wren, conservent du mobilier, des tapisseries et des tableaux anciens appartenant aux collections Royales.

Le salon de la reine
Guillaume III acheta ce lit à garniture de damas rouge à son grand chambellan.

La salle de réception de la reine

La salle des gardes de la reine

La galerie hantée

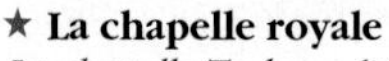

★ La chapelle royale
La chapelle Tudor a été redécorée par Wren à l'exception du plafond sculpté et doré.

★ La grande salle
Le vitrail de la grande salle, de style Tudor, montre Henry VIII encadré par les armoiries de ses six femmes.

À NE PAS MANQUER :

- ★ **La grande salle**
- ★ **La cour du Jet d'eau**
- ★ **La cour de l'Horloge**
- ★ **La chapelle royale**

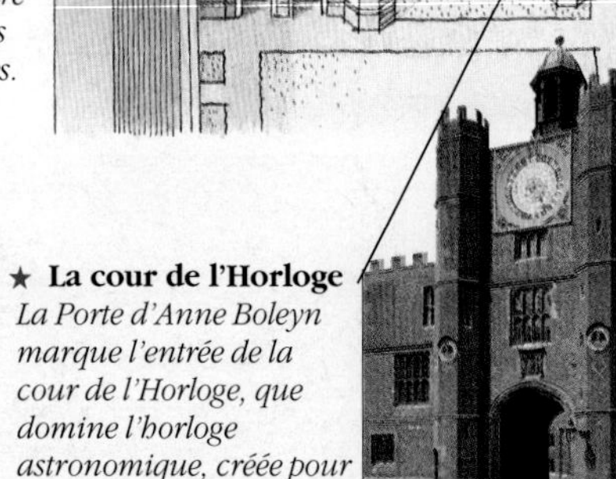

★ La cour de l'Horloge
La Porte d'Anne Boleyn marque l'entrée de la cour de l'Horloge, que domine l'horloge astronomique, créée pour Henry VIII en 1540.

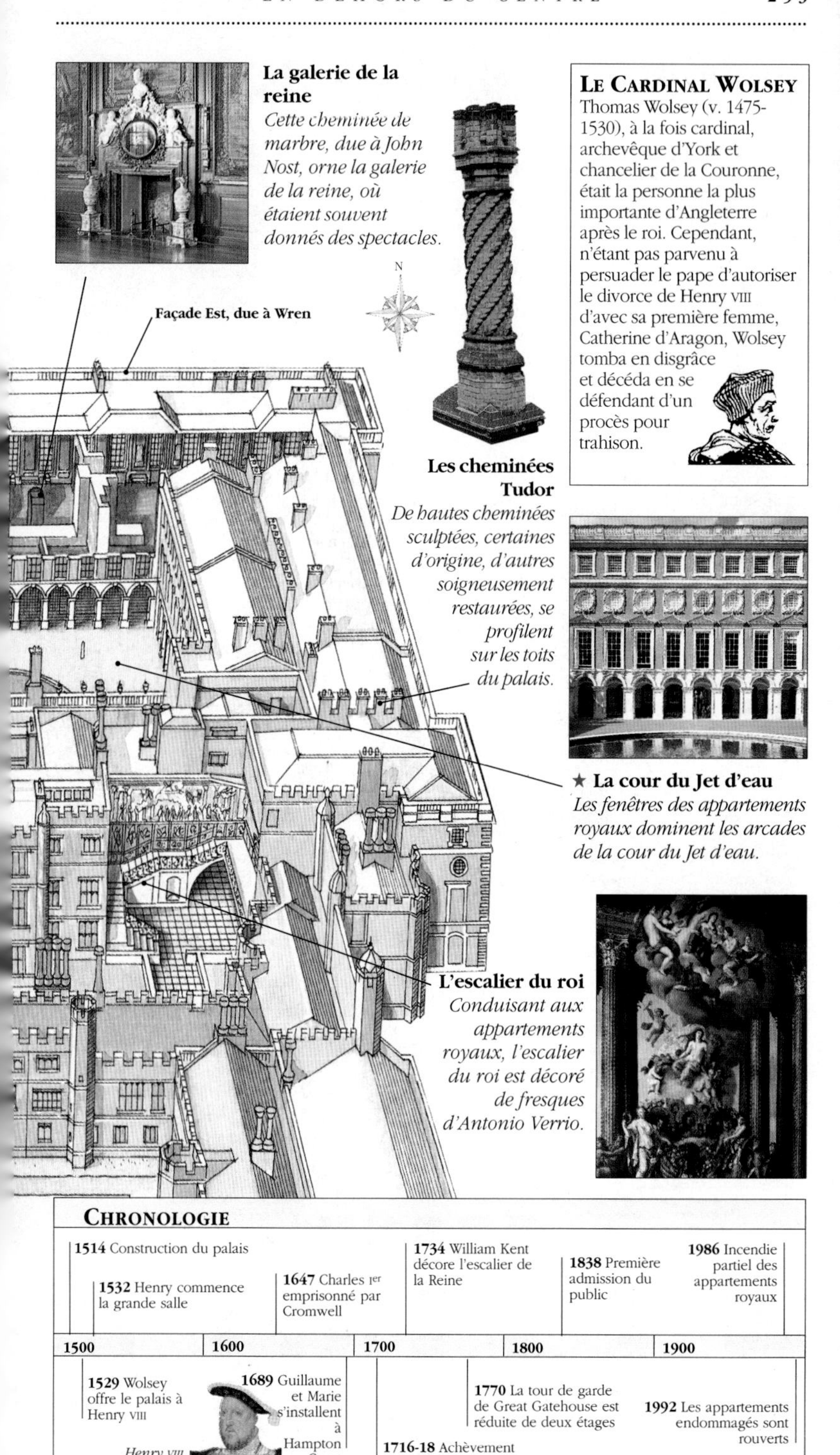

La galerie de la reine
Cette cheminée de marbre, due à John Nost, orne la galerie de la reine, où étaient souvent donnés des spectacles.

Les cheminées Tudor
De hautes cheminées sculptées, certaines d'origine, d'autres soigneusement restaurées, se profilent sur les toits du palais.

LE CARDINAL WOLSEY

Thomas Wolsey (v. 1475-1530), à la fois cardinal, archevêque d'York et chancelier de la Couronne, était la personne la plus importante d'Angleterre après le roi. Cependant, n'étant pas parvenu à persuader le pape d'autoriser le divorce de Henry VIII d'avec sa première femme, Catherine d'Aragon, Wolsey tomba en disgrâce et décéda en se défendant d'un procès pour trahison.

★ La cour du Jet d'eau
Les fenêtres des appartements royaux dominent les arcades de la cour du Jet d'eau.

L'escalier du roi
Conduisant aux appartements royaux, l'escalier du roi est décoré de fresques d'Antonio Verrio.

CHRONOLOGIE

1500 · 1600 · 1700 · 1800 · 1900

- **1514** Construction du palais
- **1529** Wolsey offre le palais à Henry VIII
- **1532** Henry commence la grande salle
- **1647** Charles Ier emprisonné par Cromwell
- **1689** Guillaume et Marie s'installent à Hampton Court
- **1716-18** Achèvement des appartements de la Reine
- **1734** William Kent décore l'escalier de la Reine
- **1770** La tour de garde de Great Gatehouse est réduite de deux étages
- **1838** Première admission du public
- **1986** Incendie partiel des appartements royaux
- **1992** Les appartements endommagés sont rouverts

Henry VIII, par Hans Holbein

Le manoir de Pitshanger 35

Mattock Lane W5. 0181-567 1227. *Ealing Broadway.* **Ouvert** *10 h-17 h mar.-sam.* **Fermé** *certains jours fériés.* **Expositions, concerts, conférences.**

John Soane, l'architecte de la Banque d'Angleterre (*voir p. 147*), dessina les plans de cette maison qui, achevée en 1803, devait devenir sa propre résidence de campagne. On y retrouve à l'évidence des points communs avec son élégante maison de ville de Lincoln's Inn Fields (*voir pp. 136-137*), notamment dans la bibliothèque, décorée de miroirs, dans la couleur noire de la salle du petit déjeuner en face, ainsi que dans le « réfectoire des moines » du sous-sol. Soane conserva le plan classique de deux des principales pièces : le salon et la salle à manger, conçus en 1768 par George Dance le Jeune, avec lequel Soane avait travaillé avant de se forger sa propre réputation. La salle à manger, agrandie, sert de cadre à des concerts et des lectures poétiques. La maison abrite également une petite exposition de faïences émaillées, exécutées à Southall entre 1877 et 1915, très à la mode à la fin de l'époque victorienne. Les jardins du manoir de Pitshanger sont aujourd'hui un agréable jardin public, dont la tranquillité contraste avec la fébrilité du quartier commerçant de Ealing.

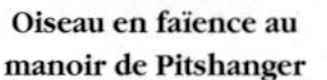
Oiseau en faïence au manoir de Pitshanger

Le musée de la Vapeur de Kew Bridge 36

Green Dragon Lane, Brentford. 0181-568 4757. *Kew Bridge, Gunnersbury puis bus 237 ou 267.* **Ouvert** *t.l.j. 11 h-17 h.* **Fermé** *semaine avant Noël, ven. saint.* **Accès payant.**

Cette station de pompage du XIXe siècle, située un peu au nord du pont de Kew, est aujourd'hui transformée en musée de la Vapeur. Ses pièces maîtresses sont cinq machines à balancier cornouaillaises qui servaient à pomper l'eau du fleuve servant à alimenter Londres. La machine la plus ancienne, qui date de 1820, servait à pomper l'eau des mines d'étain et de cuivre de Cornouailles. L'exposition a pour thème l'alimentation d'eau.

Kew Gardens 37

Voir pp. 256-257.

Le City Barge, à Strand on the Green

Strand on the Green 38

W4. *Gunnersbury puis bus 237 ou 267.*

Cette charmante promenade des bords de la Tamise est bordée par quelques belles demeures du XVIIIe siècle ainsi que par des rangées de cottages plus modestes habités jadis par des pêcheurs. Le City Barge (*voir pp. 308-309*) est un très vieux pub, en partie du XVe siècle, dont le nom est hérité de l'époque où les barges du lord-maire venaient s'amarrer ici.

Chiswick House 39

Burlington Lane W4. 0181-995 0508. *Chiswick.* **Ouverte** *avr.-sept. : t.l.j. 10 h-18 h ; oct.-mars : 10 h-16 h merc.-dim.* **Fermée** *13 h-14 h certains jours.* **Accès payant.**

Achevée en 1729 sur des plans dessinés par le troisième comte de Burlington, qui appréciait à la fois Palladio et son disciple Inigo Jones, cette demeure est un exemple

Chiswick House

intéressant de villa palladienne. Construite autour d'une pièce octogonale centrale, la maison fait référence à la Rome antique et aux canons palladiens, notamment dans la métrique des pièces dont les dimensions déterminent des cubes parfaits. Conçue comme une maison pour le délassement et les plaisirs du spectacle, Chiswick servit d'abord d'annexe à une demeure plus grande et plus ancienne, démolie par la suite. Certaines des peintures du plafond sont dues à William Kent, qui dessina également les jardins. La maison servit d'asile psychiatrique de 1892 à 1928, date à laquelle fut entamée un longue campagne de restauration. Si ses conservateurs recherchent toujours des éléments de son mobilier d'origine, le plan du jardin (aujourd'hui ouvert au public) reprend exactement le dessin de Kent.

Hogarth's House 40

Hogarth Lane, W4. *0181-994 6757.* *Turnham Green.* ***Ouverte*** *avr.-sept. : 11 h-18 h merc.-lun., 14 h-18 h dim. ; oct.-mars : 11 h-16 h merc.-lun., 14 h-16 h dim.* ***Fermée*** *première quinzaine de sept., 3 dernières semaines de déc.* *rez-de-chaussée uniquement.*

Le peintre William Hogarth, qui vécut ici de 1749 à sa mort en 1764 après avoir quitté sa demeure de Leicester Square (*voir p. 103*), disait de cette maison qu'elle était « un îlot de campagne au bord de la Tamise ». Il y peignait les paysages bucoliques qu'il voyait depuis ses fenêtres. Aujourd'hui, on entend malheureusement trop le bruit de la circulation et des embouteillages sur Great West Road, qui dessert l'aéroport de Heathrow. Dans cet environnement, malgré des années d'abandon et les bombardements de la dernière guerre, la maison a pourtant subsisté. Elle abrite un petit musée et une galerie de peinture, qui possède une belle collection des estampes moralistes qui firent la célébrité de Hogarth ; on pourra ainsi admirer les planches de contes moraux tels que *The Rake's Progress* (au musée John Soane, *voir p. 136-137*), *Le Mariage à la Mode*, *An Election Entertainment*, etc.

L'entrée Tudor du palais de Fulham

Plaque sur la Hogarth's House

Fulham Palace 41

Bishops Ave SW6. *0171-736 3233.* *Putney Bridge.* ***Ouvert*** *merc.-dim., jours fériés lun., mars-oct. : 14 h-16 h ; nov.-mars : 13 h-16 h jeu.-dim.* ***Fermé*** *25-26 déc.* ***Parc ouvert*** *de l'aube au crépuscule.* ***Accès payant.*** ***Manifestations, concerts, conférences.***

Résidence des évêques de Londres du VIIIe siècle jusqu'en 1973, la plus ancienne partie du palais de Fulham remonte au XVe siècle. Le reste du bâtiment montre des styles divers, dus aux embellissements réalisés par les évêques successifs. Les jardins s'étendent à l'ouest de Bishop's Park et au nord du pont de Putney, point de départ de la course d'aviron annuelle qui oppose Oxford à Cambridge (*voir p. 56*).

Bicyclette mécanique (vers 1940), musée du Jouet

Chelsea Harbour 42

SW10. *Fulham Broadway.* ***Expositions.***

Ce grand ensemble moderne regroupe des immeubles d'appartements, des boutiques, des bureaux, des restaurants, un hôtel et une marina. Le complexe est dominé par le Belvédère, une tour d'appartements de 20 étages avec un ascenseur extérieur transparent et un toit pyramidal, couronné par une sphère dorée fichée sur un support qui monte et descend en fonction de la marée.

Le musée du Jouet et du modèle réduit 43

21–23 Craven Hill W2. **Plan** 10 E2. *0171-402 5222.* *Paddington.* ***Ouvert*** *10 h-17 h 30 lun.-sam., 11 h-17 h 30 dim. (der. ent. : 16 h 30).* ***Accès payant.*** ***Expositions annuelles.***

Un nombre impressionnant de jouets, de modèles réduits et de poupées, du XVIIIe siècle jusqu'à nos jours, sont rassemblés dans cette maison proche de la gare de Paddington.

Une salle est consacrée aux trains et aux voitures, une autre présente le pique-nique des ours en peluches, une autre encore des maisons de poupée, dont la plus grande fait 2,40 m de longueur et possède 16 pièces. Dans le jardin sont installés un manège et deux chemins de fer.

Kew Gardens 37

Le Jardin botanique de Kew est le plus complet du monde quant au nombre d'espèces, soit près de 40 000 plantes différentes. Sa réputation doit beaucoup à Joseph Banks, le naturaliste et botaniste anglais qui travailla ici à la fin du XVIIIe siècle. En 1841, ces anciens jardins royaux furent donnés à la nation, permettant à Kew de devenir un centre de recherches universitaires en horticulture et en botanique. Les amateurs peuvent facilement y passer une journée complète.

La princesse Augusta, la mère du roi George III aménagea le premier jardin (3,6 ha) en 1759.

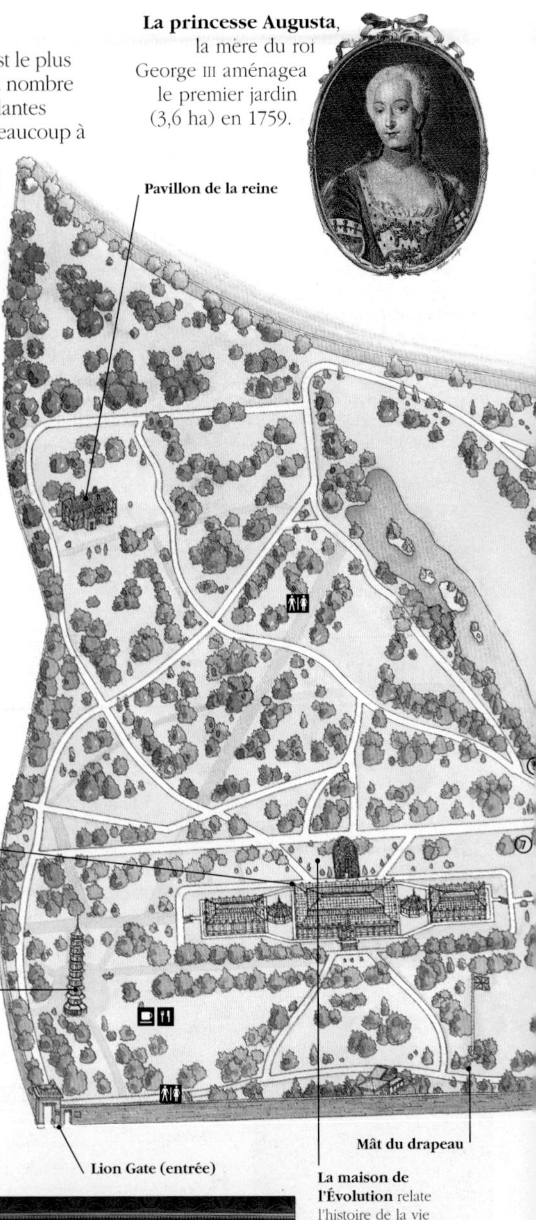

Pavillon de la reine

★ **Le jardin d'hiver**
Le bâtiment, qui date de 1899, abrite de fragiles plants d'arbres disposés en fonction de leur origine.

★ **La pagode**
Inspirée de la fascination de l'Orient sur les Européens. Elevée en 1762 par Williams Chambers.

Lion Gate (entrée)

Mât du drapeau

La maison de l'Évolution relate l'histoire de la vie végétale sur Terre

À NE PAS MANQUER :

Au printemps
Les cerisiers en fleurs ①
Le « tapis » de crocus ②

En été
Les rocailles ③
La roseraie ④

En automne
Les feuillages d'automne ⑤

En hiver
La serre alpine ⑥
Les hamamélis ⑦

La galerie Marianne North
Le peintre de fleurs Marianne North a légué son œuvre à Kew et fit construire cette galerie en 1882.

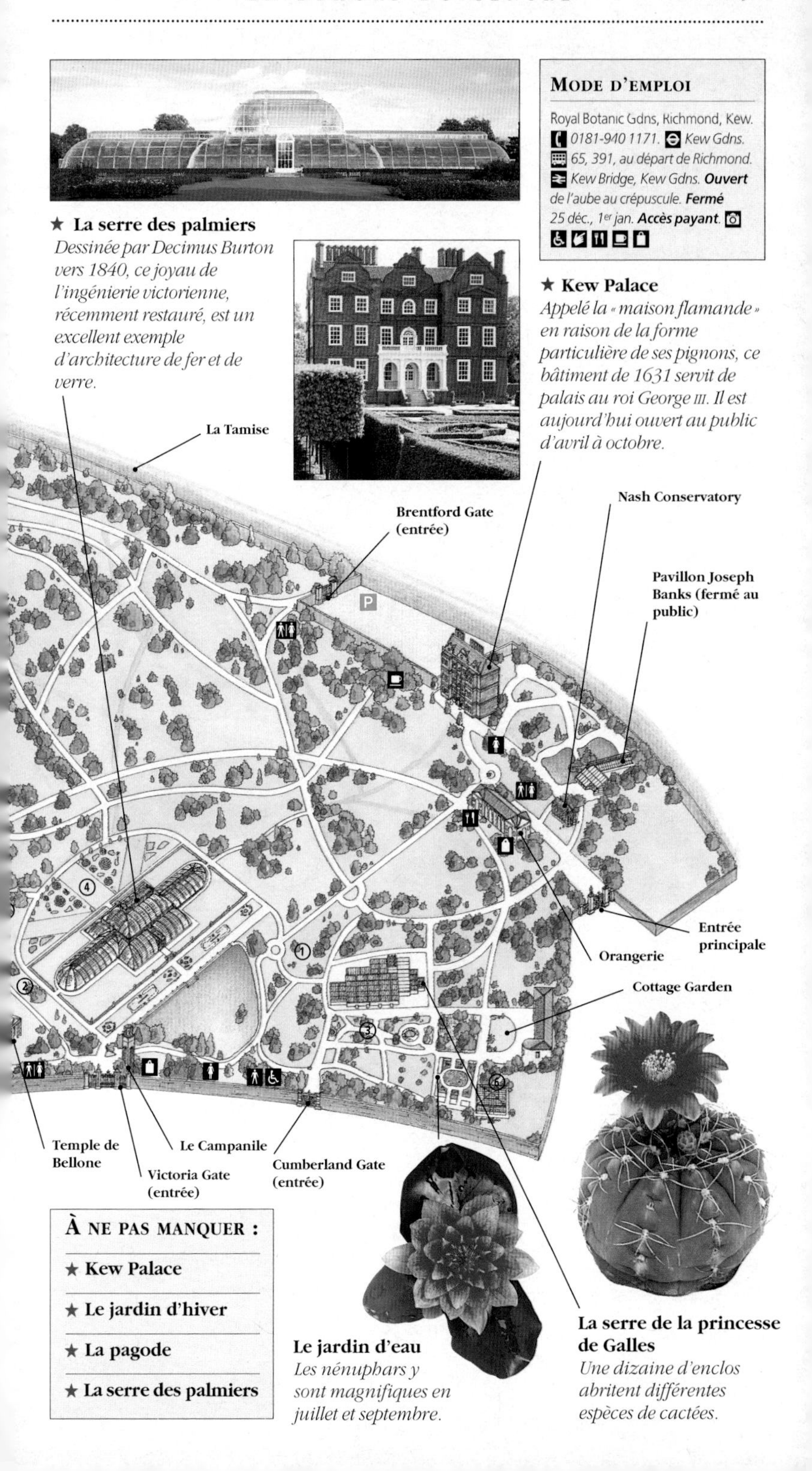

MODE D'EMPLOI

Royal Botanic Gdns, Richmond, Kew. 0181-940 1171. *Kew Gdns.* *65, 391, au départ de Richmond.* *Kew Bridge, Kew Gdns.* ***Ouvert*** *de l'aube au crépuscule.* ***Fermé*** *25 déc., 1er jan.* ***Accès payant.***

★ La serre des palmiers

Dessinée par Decimus Burton vers 1840, ce joyau de l'ingénierie victorienne, récemment restauré, est un excellent exemple d'architecture de fer et de verre.

★ Kew Palace

Appelé la « maison flamande » en raison de la forme particulière de ses pignons, ce bâtiment de 1631 servit de palais au roi George III. Il est aujourd'hui ouvert au public d'avril à octobre.

À NE PAS MANQUER :

- ★ Kew Palace
- ★ Le jardin d'hiver
- ★ La pagode
- ★ La serre des palmiers

Le jardin d'eau

Les nénuphars y sont magnifiques en juillet et septembre.

La serre de la princesse de Galles

Une dizaine d'enclos abritent différentes espèces de cactées.

MACON
MACON

CINQ PROMENADES À PIED

Londres est une ville merveilleuse pour les marcheurs. En effet, même si elle est plus étendue que n'importe quelle autre capitale européenne, la plupart des principaux sites touristiques sont assez proches les uns des autres (*voir pp. 12-13*). Le centre de Londres est largement aéré de parcs et de jardins (*voir pp. 48-51*), et il existe de nombreuses promenades balisées par l'office du tourisme et les sociétés historiques locales, notamment celles aménagées le long des canaux et au bord de la Tamise, ou encore la promenade du Jubilé d'Argent (Silver Jubilee Walk). Cette dernière, préparée en 1977 à l'occasion du jubilée d'argent de la reine, relie le pont de Lambeth à l'Ouest au pont de la Tour à l'Est (19 km) ; l'office du tourisme de Londres (*voir p. 345*) fournit la carte de cet itinéraire, signalé à intervalles réguliers par des plaques argentées sur la chaussée. Chacun des 16 quartiers décrits au chapitre *Londres Quartier par Quartier* propose un court circuit que l'on peut suivre pas à pas sur la carte. Ces balades vous font passer à proximité des sites les plus intéressants. En plus de celles-ci, vous trouverez dans les pages suivantes les itinéraires détaillés de cinq promenades qui vous feront découvrir des quartiers qui ne font l'objet d'aucune visite, comme Mayfair et ses rues animées bordées de maisons du XVIIIe s. (*voir pp. 260-261*) ou les bords de la Tamise à Richmond et Kew (*voir pp. 268-269*). Quelques entreprises proposent des visites guidées, la plupart d'entre elles étant des promenades thématiques (par exemple les maisons hantées, ou le Londres de Shakespeare). Voir dans la presse (*voir p. 324*) les programmes.

Statue de l'Enfant au Dauphin à Regent's Park

Téléphones utiles The Original London Walks
0171-624 3978. City Walks *0171-700 6931*.

COMMENT CHOISIR SA PROMENADE ?

Les cinq promenades

Cette carte indique l'emplacement de l'itinéraire des cinq promenades par rapport aux principaux quartiers de Londres.

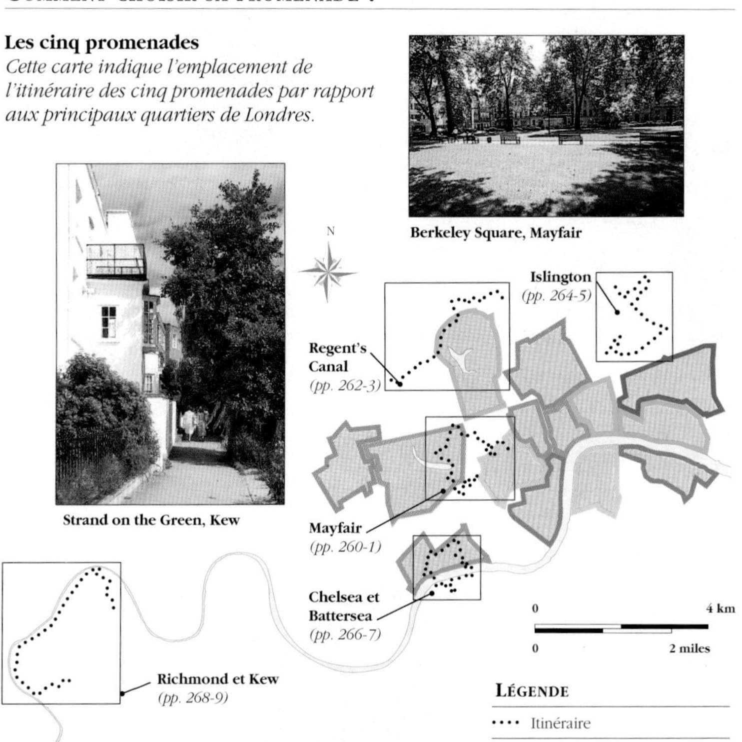

Berkeley Square, Mayfair

Strand on the Green, Kew

Péniches sur le canal du Régent, dans le quartier de la Petite Venise

Deux heures dans le quartier de Mayfair

Cette balade conduit au cœur de Mayfair et de Knightsbridge, les quartiers résidentiels de style georgien les plus élégants de Londres, avec une pause agréable sous les belles frondaisons de Hyde Park où vous pourrez faire du canotage sur les eaux de la Serpentine.

Belles demeures sur Berkeley Square ③

L'Artiste Musclé, Shepherd Market ⑦

De Green Park à Berkeley Square

Sortez de la station de métro Green Park ① en prenant la direction de Picadilly North Side. Laissant Green Park derrière vous, tournez à g. Vous passez devant la Devonshire House ②, un immeuble de bureaux de 1920 édifié à l'emplacement du manoir construit par William Kent au XVIIIe siècle pour les ducs du Devonshire (seules subsistent les grilles dessinées par Kent). Tournez à g. dans Berkeley Street vers Berkeley Square ③. Au sud, Lansdowne House (construite par Robert Adam) est aujourd'hui le siège d'une agence de publicité ④. Il subsiste quelques belles demeures du XVIIIe siècle sur le côté ouest de la rue, notamment au no 45 ⑤, où vécut Robert Clive, gouverneur des Indes.

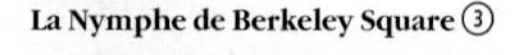

La Nymphe de Berkeley Square ③

Mayfair

Restez au sud du square et tournez dans Charles Street – remarquez les élégantes lanternes des nos 40 et 41 ⑥. Tournez à g. dans Queen Street et entrez au Shepherd Market ⑦ (*voir p. 97*) par le passage de Curzonfield House. En tournant à droite dans la rue piétonne, vous arrivez devant Tiddy Dols Eating House ⑧. Tournez à dr. dans Hertford Street, devant le cinéma Curzon ⑨. Vous êtes alors presque en face de Crewe House ⑩, édifiée en 1730 par Edward Shepherd, auteur du marché qui porte son nom. Tournez à g. dans Curzon Street, puis à dr. dans Chesterfield Street. Prenez encore à g. à nouveau dans Charles Street pour arriver sur Red Lion Yard ⑪, où un pub fait face à l'un des rares immeubles en bois du West End. Tournez à dr. dans Hay's Mews, puis à g. dans Chesterfield Hill. Traversez Hill Street, puis South Street, et prenez légèrement sur la g. une petite allée qui conduit aux paisibles Mount Street Gardens ⑫, auxquels s'adosse l'église de l'Immaculée Conception ⑬. Traversez le jardin et tournez à g. dans Mount Street, à droite dans South Audley Street, puis de nouveau à g., à la hauteur de Grosvenor Square ⑭, dans

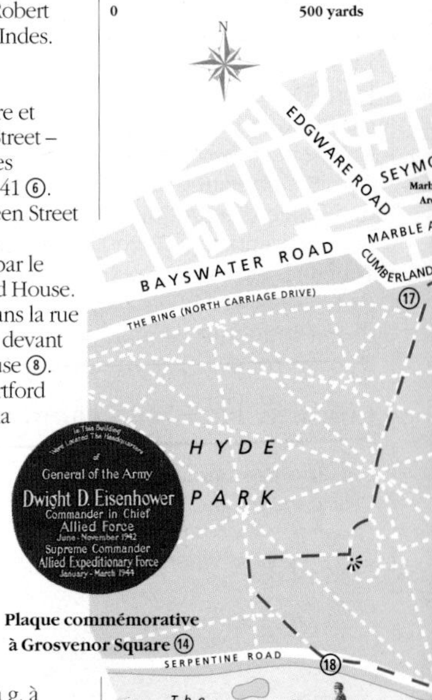

Plaque commémorative à Grosvenor Square ⑭

South Audley Street

> **MODE D'EMPLOI**
>
> ***Départ :*** *station de métro de Green Park.*
>
> ***Longueur :*** *5 km.*
>
> ***Comment y aller ?*** *La promenade passe à proximité des stations de métro de Green Park, Marble Arch, Hyde Park Corner et Knightsbridge. Les lignes d'autobus nos 9, 14, 19, 22, 25 et 38 desservent Green Park.*
>
> ***Où faire une pause ?*** *On trouvera de nombreux pubs, cafés et restaurants dans ce quartier. Le Dell Café, près de la Serpentine, est ouvert de 8 h à 20 h.*

Upper Grosvenor Street, en laissant sur votre g. l'ambassade des Etats-Unis (1961). Tournez à dr. dans Park Lane et passez devant les quelques demeures ⑮ encore conservées qui bordaient ce qui était l'avenue résidentielle la plus recherchée de Londres avant que la circulation ne soit si dense.

Hyde Park

Prenez le passage souterrain ⑯ à la sortie n° 6, et suivez la direction de Park Lane West Side, sortie n° 5, pour déboucher sur Speaker's Corner ⑰ (*voir p. 207*).

Traversez Hyde Park en direction du sud-sud-ouest pour atteindre le hangar à bateaux ⑱ de la Serpentine, un lac artificiel créé par la reine Caroline en 1730. Vous pouvez alors louer une barque, ou tourner à g. et suivre le sentier en direction du Dell Café ⑲. De cet endroit, franchissez un pont de pierre ⑳, et traversez Rotten Row ㉑, où s'entraîne le gratin des cavaliers. Sortez du parc à Edinburgh Gate ㉒, et traversez Bowater House.

Speaker's Corner ⑰

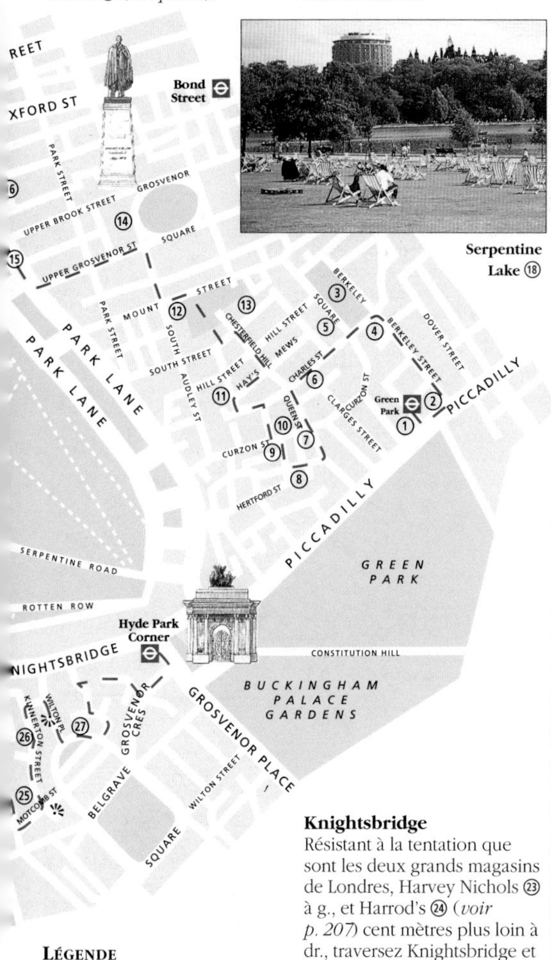

Serpentine Lake ⑱

Légende

—	Itinéraire
⁘	Point de vue
⊖	Station de métro

Knightsbridge

Résistant à la tentation que sont les deux grands magasins de Londres, Harvey Nichols ㉓ à g., et Harrod's ㉔ (*voir p. 207*) cent mètres plus loin à dr., traversez Knightsbridge et dirigez-vous vers Sloane Street pour bifurquer à g. dans Harriet Street. Prenez à dr. à la hauteur de Lowndes Square, que vous traversez et tournez à g. dans Motcomb Street. À votre g. s'élève le Pantechnicon, un édifice excentrique aux colossales colonnes doriques, construit en 1830. Une ruelle vous conduit à Halkin Arcade ㉕, ornée d'une fontaine de Geoffrey Wickham (1971).

Belgravia

Tournez à g. des arcades dans Kinnerton Street, où se trouve l'un des plus petits pubs de Londres, le Nag's Head ㉖. De charmantes ruelles s'enfoncent à g. de la rue à son extrémité nord : jetez un coup d'œil à Ann's Close et Kinnerton Place North. Presque en face de cette dernière, la rue fait un coude à dr. pour déboucher sur Wilton Place, en face de l'église St-Paul (1843). Tournez alors à dr. et suivez Wilton Crescent sur la g. avant de tourner à g. dans Wilton Row ; là, un autre petit pub, le Grenadier ㉗, servait autrefois de mess aux officiers de la Garde et aurait été fréquenté par le duc de Wellington. À dr. de Old Barracks Yard, vous remarquez quelques anciens logements d'officiers ainsi qu'une pierre usée qui aurait été utilisée par le duc pour se mettre en selle. L'allée débouche sur un carrefour en T. Tournez alors à dr. dans Grosvenor Crescent Mews, puis à g. dans Grosvenor Crescent, que vous suivez jusqu'à la station de métro Hyde Park Corner.

Le pub Grenadier ㉗

Deux heures au bord du canal du Régent

L'architecte John Nash aurait préféré que le canal du Régent traverse Regent's Park. Ouvert en 1820, ce canal ne sert plus depuis longtemps pour le transport des marchandises mais offre plutôt un lieu d'agrément et de détente. Cette balade s'écarte brièvement du canal pour profiter du panorama depuis Primrose Hill. Pour plus de détails sur les sites proches du canal du Régent, voir pages 216 à 223.

Péniches sur le canal ③

De la Petite Venise à Lisson Grove

À la station de métro Warwick Avenue ①, enfilez tout droit Blomfield Road à la hauteur des feux de circulation situés près du pont qui franchit le canal. Tournez à dr. et descendez vers la berge en passant une grille en fer ② en face du nº 42, marquée « Lady Rose of Regent ». Le charmant bassin où sont amarrées d'étroites péniches est celui de la Petite Venise (« Little Venice ») ③. Au pied des marches, tournez à g. pour revenir sur vos pas près du pont métallique bleu ④. Vous devrez revenir au niveau de la rue car cette partie est réservée aux péniches. Traversez Edgware Road et descendez Aberdeen Place. Lorsque la rue tourne à g., près du pub Crockers ⑤, suivez les panneaux indiquant Canal Way. Si une petite partie du chemin de halage est fermée vous pouvez marcher en surplombant le canal avant de redescendre sur ses berges par une rampe. Le paysage n'a rien de particulièrement intéressant jusqu'à ce que vous aperceviez de vertes frondaisons sur votre dr., annonçant que vous longez Regent's Park ⑥.

Le Warwick Castle, près de Warwick Avenue

Légende

- Itinéraire
- Point de vue
- Station de métro
- Gare (British rail)

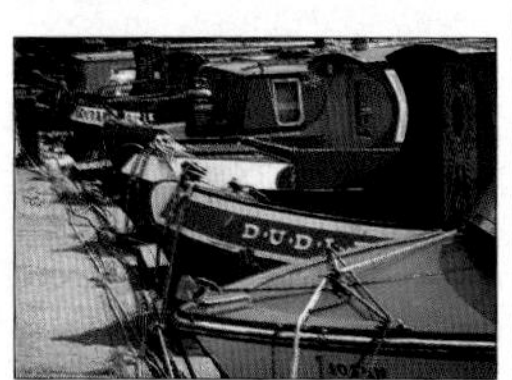

Péniches amarrées à la Petite Venise ③

Mode d'emploi

Point de départ : *station de métro de Warwick Avenue.*
Longueur : *5 km.*
Comment y aller ? *Les stations de métro Warwick Avenue et Camden Town sont situées à chaque extrémité de la promenade. Les lignes d'autobus 16, 16A et 98 desservent Warwick Avenue ; 24, 29 et 31 vont à Camden Town.*
Où faire une pause : *Crockers, Queens et The Princess of Wales (au coin de Fitzroy et de Chalcot Road) sont d'agréables pubs. Le Café de la Ville se trouve au carrefour de Edgware Road et d'Aberdeen Place. On ira aussi à Camden Town.*

Regent's Park

Vous apercevez bientôt la silhouette de quatre manoirs ⑦. Un pont, supporté par de grosses piles et signalé comme étant « Coalbrookdale » ⑧, permet à Avenue Road de pénétrer à l'intérieur du parc. Traversez sur le prochain pont, le zoo de Londres ⑨ étant sur votre dr., puis tournez à g. en direction de la colline. Quelques mètres plus loin, prenez l'embran-

Demeure au bord du canal ⑦

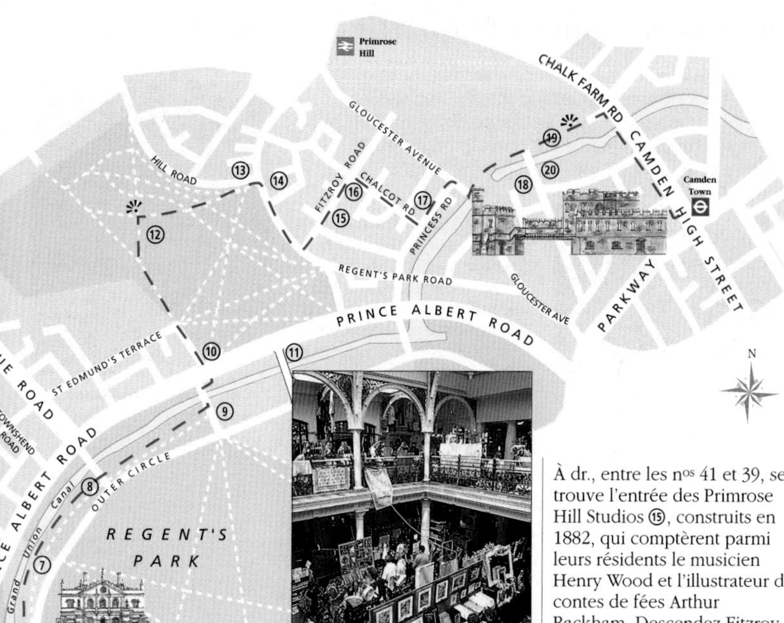

Le marché couvert de Camden Lock ⑲

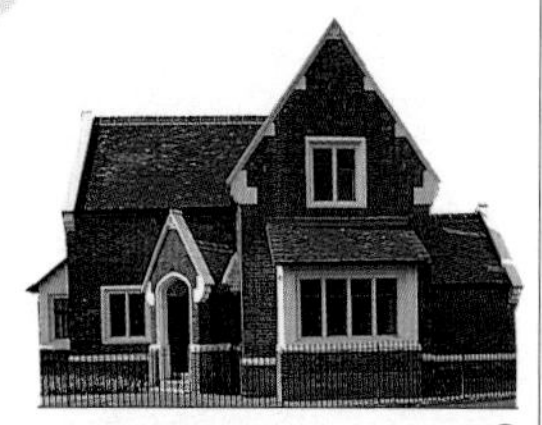

Primrose Lodge, sur Primrose Hill ⑩

chement de dr. et tournez à g. pour traverser Prince Albert Road. Tournez à dr. avant d'entrer dans Primrose Hill par une grille ⑩ sur votre g.

Primrose Hill

On voit d'ici la volière du zoo ⑪ dessinée par lord Snowdon et ouverte en 1965. À l'intérieur du parc, prenez le sentier de g. qui gravit la colline, puis celui de dr. jusqu'au sommet d'où l'on découvre un magnifique panorama sur la ville. Une table d'orientation ⑫ permet d'identifier les différents monuments de Londres.

Descendez par la g. pour sortir du parc au carrefour de Regent's Park Road et de Primrose Hill Road.

Vers Camden

Presque en face de la porte, se trouve le Queens ⑬, un pub victorien, et, juste à g., le 122 Regent's Park Road ⑭, domicile de Friedrich Engels, que venait retrouver son ami Karl Marx. Tournez à dr. et descendez Regent's Park Road, tournez à g. dans Fitzroy Road.

À dr., entre les nos 41 et 39, se trouve l'entrée des Primrose Hill Studios ⑮, construits en 1882, qui comptèrent parmi leurs résidents le musicien Henry Wood et l'illustrateur de contes de fées Arthur Rackham. Descendez Fitzroy Road – le poète W.B. Yeats a habité au no 23 ⑯ –, tournez à dr. dans Chalcot Road, puis à g. dans Princess Road après un pensionnat victorien ⑰. Rejoignez la rive du canal en traversant Gloucester Avenue. Tournez à g. sous le pont du chemin de fer et passez devant le Pirate Castle ⑱. Traversez un pont en dos d'âne et passez par une arche située à votre g. pour entrer au Camden Lock Market ⑲ (*voir p. 322*) où vous pourrez flâner un peu. Pour terminer, prenez un coche d'eau ⑳ pour revenir à la Petite Venise, ou rejoignez la station de métro Camden Town.

Passerelle sur le canal à Camden Lock ⑲

Deux heures dans le quartier d'Islington

Cette promenade commence dans les rues paisibles de Canonbury, puis suit le tracé d'une rivière artificielle creusée au XVIIe siècle, passe devant un pub des bords du canal et aboutit dans le quartier de Londres le plus riche en magasins d'antiquités.

Maisons de Canonbury Grove

Canonbury Square

À la sortie de la station de métro Highbury and Islington ①, dirigez-vous vers le sud-est par Canonbury Road. La rue traverse Canonbury Square ② (1800). Promenez-vous dans le jardin et admirez les parterres de fleurs et les statues. Le romancier Evelyn Waugh vécut au no 17 ③ en 1928, tandis que l'écrivain George Orwell habitait au no 27 ④ en 1945.

Statue dans Canonbury Square

Canonbury

Sortant du square par le coin nord-est, vous vous trouvez devant la Canonbury House ⑤ (fin XVIIIe siècle). D'autres charmantes demeures de la même époque bordent l'impasse à dr. Près de là s'élève Canonbury Tower ⑥, l'essentiel date du XVIe siècle et certaines parties remontent au XIIIe siècle, époque à laquelle la famille Berners fit construire son manoir. Cette demeure reçut par la suite les chanoines (« canons ») de St Bartholomew, d'où son nom de Canonbury. La tour accueille aujourd'hui une troupe de théâtre et servit d'immeuble d'appartements au XVIIIe siècle ; les écrivains Oliver Goldsmith et Washington Irving y résidèrent. Passée la tour, prenez à g. dans Canonbury Park North ⑦. Au carrefour de St Paul's Road, en face du pub New Crown ⑧, tournez à dr. et, après quelques mètres, de nouveau à dr. dans une allée pavée ombragée d'arbres. À 25 m de là, une grille sur la dr. vous mène sur New River Walk ⑨.

New River Walk

La construction de la New River (XVIIe siècle) représentait un véritable tour de force technique : Hugh Myddleton, un bijoutier gallois, décida de creuser un canal d'amenée de 65 km de longueur depuis le Hertfordshire. Aujourd'hui, une partie de son tracé est bordée par un parc paysager. Restez sur le sentier jusqu'au pont de pierre ⑩, et rejoignez Willow Bridge Road. Traversez la rue et franchissez la grille ⑪ dans Canonbury Grove. Vous passez devant un chalet de brique ⑫ juste avant de sortir sur Canonbury Grove. La dernière partie du sentier ⑬

La promenade de Canonbury Grove ⑨-⑫

Vue sur le canal Grand Union depuis le chemin de halage ⑮

se trouve à l'intérieur du parc juste de l'autre côté de Canonbury Road. Descendez les Canonbury Road et New North Road ; tournez à g. 450 m plus loin dans Shepperton Road ⑭. Au carrefour de Baring Street, une grille ouvre sur des escaliers et sur le chemin de halage du canal Grand Union ⑮.

En suivant le canal Grand Union

Au pied de cet escalier, allez tout droit en gardant le canal sur votre g. Cette promenade du bord de l'eau est très différente de celle de la bucolique New River : le canal est bordé par de vieux locaux industriels et d'immeubles d'habitation récents. Vous apercevrez bientôt Sturt's Lock ⑯ et, plus loin, quelques péniches amarrées près de l'entrée du Wenlock Basin ⑰. À dr., le pub Narrow Boat ⑱ est un lieu idéal pour se rafraîchir. Au-delà de City Road Lock and Basin ⑲, vous devez passer sur la rive opposée pour éviter un cul-de-sac. Quittez le chemin de halage à Danbury Street et traversez le pont ⑳ pour redescendre de l'autre côté. Vous abandonnez finalement le canal à l'entrée du tunnel d'Islington (730 m de long) ㉑ pour monter vers Colebrooke Row.

Le pub Narrow Boat ⑱

Légende

- Itinéraire
- Point de vue
- Station de métro
- Gare (British Rail)

Boutique d'antiquités du Camden Passage

Islington

Prenez à dr. – remarquez au passage quelques belles rues georgiennes ㉒ –, puis tournez à g. dans St Peter's Street à la hauteur de Market Tavern, et encore à g. dans Islington Green ㉓, célèbre à l'époque victorienne pour son Collin's Music Hall. Après la station-service à g., vous pouvez pénétrer dans Camden Passage, le cœur d'un quartier d'antiquaires, de marchés couverts et d'excellents restaurants. Après le pub Camden Head ㉔, vous apercevrez, à l'extrémité sud de la pelouse, la statue de Hugh Myddleton ㉕, à l'origine de la rivière que vous avez longée tout à l'heure. Suivez alors Islington High Street vers le sud pour rejoindre la station de métro Angel, qui doit son nom au relais de poste qui se trouvait à proximité.

Statue de Hugh Myddleton ㉕

Mode d'emploi

Départ : *station de métro Highbury and Islington.*
Longueur : *5 km.*
Comment y aller ? *les stations de métro Highbury and Islington et la gare de Canonbury sont les plus proches. Les lignes d'autobus 4, 30 et 43 desservent Highbury ; les lignes 19 et 73 passent à Angel.*
Où faire une pause ? *Il y a des bars à sandwichs et des pubs à Highbury, à l'extrémité de la promenade. Le pub Narrow Boat a une terrasse sur le canal ; il y a un grand nombre de pubs, de cafés et de restaurants autour de la station Angel.*

Trois heures dans le quartier de Chelsea et à Battersea

Cette délicieuse promenade en boucle traverse le parc de l'Hôpital royal et franchit le fleuve pour rejoindre Battersea Park. Elle vous reconduit ensuite à votre point de départ en passant par les étroites rues de Chelsea et les boutiques de créateurs de King's Road. Pour plus de détails sur le quartier de Chelsea, voir pages 188 à 193.

L'Hôpital royal ③

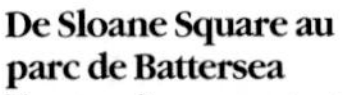

De Sloane Square au parc de Battersea

Tournez à g. en sortant de la station de métro Sloane Square ①, et longez Holbein Place, qui doit son nom au lien d'amitié qui unissait le peintre de la Renaissance et Thomas More qui vivait près de là à Chelsea. En tournant dans Royal Hospital Road, vous passez devant des boutiques d'antiquités ②. Entrez dans le parc de l'Hôpital royal ③, dessiné par Christopher Wren, et tournez à g. dans les jardins du Ranelagh ④. Le pavillon ⑤, dû à John Soane, lieu de villégiature à l'époque du roi George III et lieu de rendez-vous de la « gentry » londonienne, évoque l'histoire des jardins.

Quittez le parc et admirez la statue de bronze de Charles II ⑥, par Grinling Gibbons. L'obélisque ⑦, qui commémore la bataille de Chilianwalla (1849), au Pakistan actuel, marque le centre de la tente de l'exposition florale de Chelsea *(voir p. 56)*.

Statue de Charles II à l'Hôpital royal ⑥

Galion sur le pont de Chelsea

Le parc de Battersea

En traversant le pont de Chelsea ⑧ (1937), regardez au passage les quatre galions dorés qui ornent le sommet des piliers de chaque extrémité. Tournez dans le parc de Battersea ⑨ *(voir p. 247)*, et suivez l'allée principale qui borde le fleuve pour profiter des vues qui ouvrent sur Chelsea. Tournez à g., à la hauteur de la Pagode de la Paix ⑩, pour pénétrer au centre du parc. Après les terrains de jeu de boules, vous verrez *Trois femmes debout*, le groupe sculpté par Henry Moore en 1948 ⑪. À proximité on peut louer des barques sur le lac. Juste après la sculpture, dirigez-vous vers le nord-ouest et, après avoir traversé l'allée centrale, tournez à dr. en direction de la grille en bois qui ouvre sur le vieux jardin anglais ⑫. Sortez du parc par la grille en fer et revenez dans Chelsea par le pont Albert de

***Trois femmes debout*, sculpture de Henry Moore ⑪**

Légende

- Itinéraire
- Point de vue
- Station de métro

Mode d'emploi

Départ : *Sloane Square.*
Longueur : *6,5 km.*
Comment y aller ? *la station de métro Sloane Square est la plus proche. De nombreuses lignes d'autobus (11, 19, 22 et 349) desservent Sloane Square et descendent King's Road.*
Le parc de l'Hôpital Royal est ouvert *de 10 h à 18 h du lun. au sam., de 14 h à 18 h dim.*
Où faire une pause ? *Il y a un café près du lac du parc de Battersea. Le pub King's Head and Eight Bells, sur Cheyne Walk, est très connu. De nombreux autres pubs, restaurants et vendeurs de sandwiches sont installés sur King's Road, et de nombreux cafés animent Chelsea Farmer's Market, dans Sydney Street.*

Le vieux jardin anglais dans le parc de Battersea ⑫

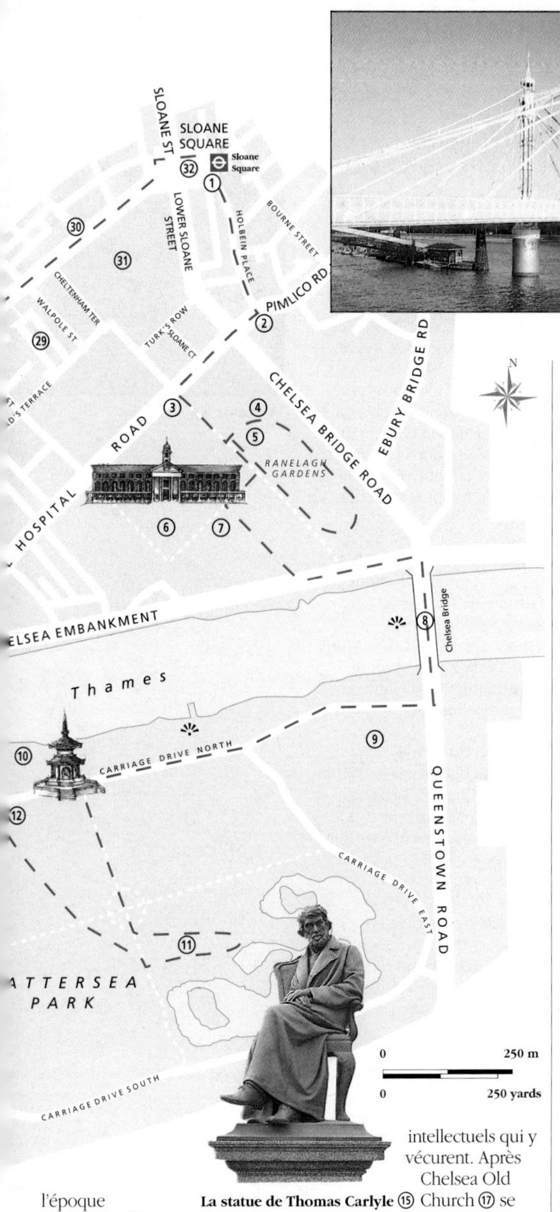

Le pont Albert ⑬

La statue de Thomas Carlyle ⑮

l'époque victorienne ⑬.

Les petites rues de Chelsea
De l'autre côté du pont est érigée une sculpture de David Wynne représentant un garçon et un dauphin ⑭ (1975). Passez devant les résidences cossues de Cheyne Walk, et les statues des historiens Thomas Carlyle ⑮ et Thomas More ⑯. Le quartier est célèbre pour les intellectuels qui y vécurent. Après Chelsea Old Church ⑰ se trouvent les Roper's Gardens ⑱, ornés de sculptures de Jacob Epstein. Juste au-delà s'élève l'ancien Crosby Hall médiéval ⑲. Justice Walk offre de belles vues sur deux anciennes demeures de style georgien : Duke's House et Monmouth House. Tournez à g. pour passer devant l'ancienne manufacture de porcelaine de Chelsea ㉑, où l'on fabriquait des objets très à la mode (et aujourd'hui très recherchés) à la fin du XVIIIe siècle. Glebe Place ㉒ a conservé beaucoup de son caractère original. Au carrefour de Glebe Place et de King's Road, remarquez trois charmantes maisons du début du XVIIIe siècle ㉓. Traversez Dovehouse Green (autrefois un cimetière), en face, pour déboucher sur le Farmer's Market de Chelsea ㉔, un îlot de cafés et d'ateliers d'artisans.

King's Road
Sortez du marché par Sydney Street, et traversez le jardin de l'église Saint-Luc ㉕, où se maria Dickens. Vous suivez alors des ruelles jusqu'à King's Road ㉖ (*voir p. 192*), « la » rue branchée dans les années 60. Sur la g. se trouve The Pheasantry ㉗. Regardez dans les rues latérales à dr. et à g. les placettes : Wellington Square ㉘, puis Royal Avenue ㉙, conduisant à l'Hôpital royal, et Blacklands Terrace ㉚, où les bibliophiles visiteront la boutique de John Sandoe. Le quartier général territorial du duc d'York ㉛ (1803), à dr., marque l'arrivée sur Sloane Square ㉜ et le Royal Court Theatre.

Royal Court Theatre ㉜

Une heure et demie autour de Richmond et Kew

Cette agréable promenade le long de la Tamise commence dans le quartier historique de Richmond, à proximité des vestiges du palais de Henry VII et aboutit à Kew, le premier jardin botanique d'Angleterre. Pour plus de détails sur Richmond et Kew, voir les pages 248 à 254.

La Tamise à marée basse

Richmond Green

Depuis la station de métro Richmond ①, dirigez-vous vers Oriel House ②. Passez en-dessous et tournez à gauche vers le bâtiment de brique rouge orné de céramique du Théâtre de Richmond ③, (1899). L'acteur Edmund Kean, dont la brève carrière au début du XIXe siècle a eu une énorme influence sur la scène anglaise, était lié à l'ancien théâtre. En face s'étend Richmond Green ④, que vous traversez dans sa diagonale pour franchir par l'arche d'entrée ⑤ l'ancien palais Tudor, décoré aux armes de Henry VII.

Sculpture au-dessus de l'entrée de l'Old Palace ⑤

Le Théâtre de Richmond ③

Richmond

Le quartier de Richmond doit son importance – et son nom – à Henry, vainqueur de la Guerre des Deux-Roses et premier monarque Tudor. Devenu roi en 1485, il passa un certain temps à son ancienne résidence de Sheen Palace (XIIe siècle), autrefois située à cet emplacement. Le palais, détruit par un incendie en 1499, fut reconstruit par Henry, qui lui donna le nom de Richmond, ville dont il était le comte. La fille d'Henry, Elizabeth Ire, mourut ici en 1603. Les maisons situées à gauche des arcades ont conservé, en partie, des éléments du XVIe siècle. Quittez Old Palace Yard par le coin situé à votre droite ⑥ en suivant les panneaux indiquant « To the River », et tournez à g. devant le pub White Swan ⑦. Une fois près du fleuve, passez à dr. le long du chemin de halage sous le pont métallique du chemin de fer, puis sous celui en béton de Twickenham ⑧, achevé en 1933, pour atteindre l'écluse de Richmond ⑨, avec sa passerelle en fonte construite en 1894. L'écluse permet de rendre le fleuve constamment navigable en dépit des marées.

Au bord du fleuve

Suivez le fleuve par le chemin ombragé jusqu'à Isleworth Ait ⑩, une grande île aux berges parfois peuplées de hérons. Sur la rive opposée, s'élève l'église de Tous-les-Saints ⑪, dont le clocher (XVe siècle) a survécu à plusieurs reconstructions, la plus récente datant des années 60. Vous apercevez un peu plus loin, sur l'autre rive, les maisons d'Isleworth ⑫, autrefois un petit village au port animé aujourd'hui transformé en cité-dortoir pour Londoniens. Vous pourrez observer ici l'intense activité fluviale : barges, péniches, yachts et, en été, bateaux-mouches qui remontent jusqu'à Hampton Court (*voir pp. 60-61*) ou amateurs de canotage qui s'entraînent à des courses. La plus prestigieuse étant la course Oxford-Cambridge, de Putney à Motlake (*voir p. 56*).

Un héron de la Tamise

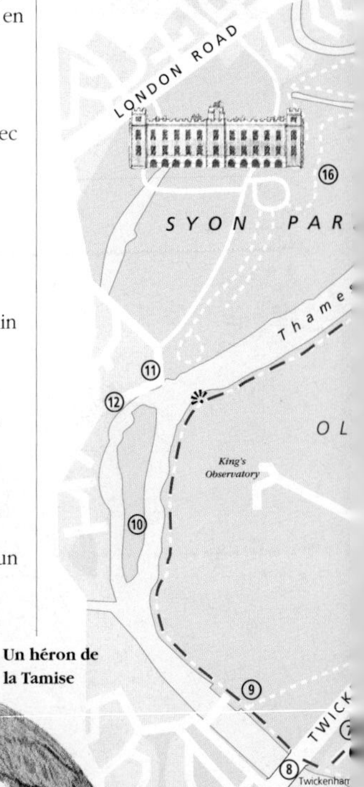

LÉGENDE

- Itinéraire
- Point de vue
- Station de métro
- Gare (British rail)

Kew

Plus loin, à droite, une clôture métallique indique l'endroit où Old Deer Park ⑬ devient Kew Gardens ⑭ (plus exactement les jardins botaniques royaux, *voir p. 256-257*). Il existait une entrée côté fleuve mais cette porte ⑮ est désormais fermée, l'entrée la plus proche se trouve plus au nord, près du parking.

De là, on découvre de magnifiques vues sur Syon House ⑯ sur l'autre rive, propriété des ducs de Northumberland depuis 1594. Si une partie de l'actuelle demeure remonte au XVIe siècle, elle fut largement modifiée par Robert Adam vers 1760. Devant s'étend le jardin aménagé par Capability Brown au XVIIIe siècle.

Le palais de Kew ⑲

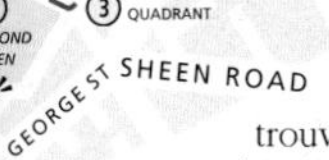

Le musée de la Vapeur ⑱

0 500 m
0 500 yards

En continuant, on découvre les immeubles modernes de Brentford ⑰, à l'origine banlieue industrielle. On distingue les grandes cheminées de l'usine hydraulique ⑱, aujourd'hui musée de la Vapeur. Sur la droite, derrière le parking de Kew Gardens, se trouve le palais de Kew ⑲, un édifice de brique rouge construit dans le style hollandais en 1631. Après le parking, quittez les bords du fleuve en suivant Ferry Lane vers Kew Green ⑳. Vous pouvez passer le reste de la journée au jardin botanique de Kew, ou traverser le pont de Kew et tourner à dr. sur Strand on the Green ㉑, une charmante promenade aménagée en bord de Tamise et bordée de nombreux pubs typiques, dont le plus ancien est le City Barge ㉒ (*voir p. 254*). Dirigez-vous vers le sud par Kew Road si vous préférez revenir en arrière, puis tournez à gauche à Kew Gardens Road pour reprendre le métro à la station de Kew Gardens.

MODE D'EMPLOI

Départ : *Station de métro Richmond.*
Longueur : *5 km.*
Comment y aller ? *Station de métro ou gare de Richmond. La ligne d'autobus 415 vient de Victoria, les 391 et R68 de Kew.*
Où faire une pause ? *De nombreux cafés, pubs et salons de thé sont installés à Richmond. Le célèbre salon de thé Maids of Honour est à Kew, ainsi que l'excellent restaurant de Jasper, Bun in the Oven.*

La Tamise entre Richmond et Kew

Les bonnes adresses

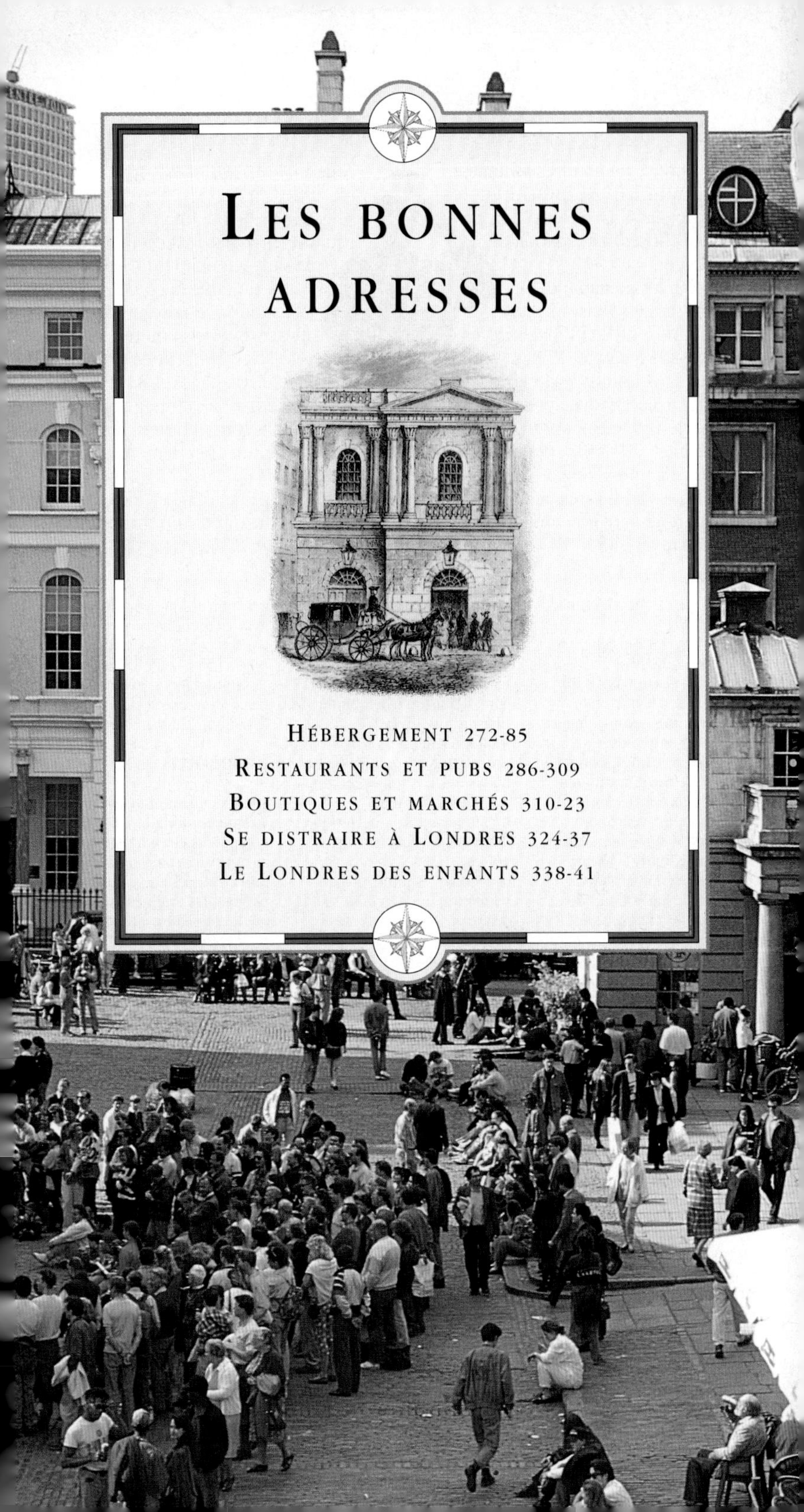

Hébergement 272-85

Restaurants et pubs 286-309

Boutiques et marchés 310-23

Se distraire à Londres 324-37

Le Londres des enfants 338-41

Hébergement

Les hôtels de Londres avaient la réputation de pratiquer les prix les plus élevés d'Europe, mais les choses sont en train de s'améliorer.
Dans le haut de gamme, on trouve les établissements des chaînes internationales et les palaces – le Savoy et le Ritz – qui ont fait la renommée de Londres. Si la plupart des hôtels de catégorie moyenne sont plus abordables, ils sont cependant souvent un peu excentrés. En bas de gamme, les bons hôtels sont rares, et ceux qui sont bon marché sont souvent assez miteux ou en mauvais état.

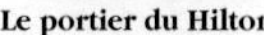

Le portier du Hilton

Sur plus de 200 hôtels testés dans toutes les catégories, nous en avons sélectionné 84 qui offrent un rapport qualité/prix particulièrement intéressant. Au chapitre *Choisir son hôtel*, un tableau (*pp. 276-277*) vous aidera à faire un premier choix d'hébergement, chaque hôtel cité étant décrit plus en détail aux pages 278 à 285.

Il existe d'autres possibilités d'hébergement que l'hôtel. On peut ainsi loger en appartement ou chez l'habitant (*voir pp. 274-275*), ou même faire du camping, résider en maison d'étudiants ou dans une auberge de jeunesse (*voir p. 275*).

Dans quel quartier ?

Les hôtels les plus chers sont généralement situés dans le West End, notamment dans les quartiers de Mayfair et de Belgravia. Ces établissements sont souvent grands et luxueux, avec un personnel en livrée. On trouvera d'autres hôtels, plus petits mais tout aussi luxueux, vers South Kensington et Holland Park. Des établissements moins coûteux occupent les rues proches de Earl's Court Road, ainsi que les environs des grandes gares : par exemple, dans Ebury Street près de Victoria, ou dans Sussex Gardens près de Paddington. De nombreux hôtels modernes, relativement bon marché, sont installés entre la gare de Euston et le quartier de Bloomsbury (évitez les zones insalubres derrière King's Cross). Il existe également des hôtels très économiques aux environs de Londres, notamment à Ealing, Hendon, Wembley ou Harrow. Vous pouvez y laisser votre voiture et prendre les transports en commun pour venir dans le centre (comptez souvent au moins une heure de trajet). Si vous êtes bloqué dans un aéroport ou que vous ayez un avion à prendre tôt le matin, consultez la liste des hôtels aux pages 356-357. Pour obtenir des informations, avoir un conseil ou réserver, contactez le London Tourist Board.

Le salon de thé du Waldorf (*voir p. 284*)

Réductions

Si les prix restent élevés toute l'année, nombre d'hôtels, notamment ceux appartenant aux grandes chaînes hôtelières, proposent des tarifs réduits pendant les week-ends et quelques petites vacances (*voir p. 274*). D'autres pratiquent des rabais étudiés en fonction de leur taux de remplissage ; il est possible de négocier le prix si l'hôtel n'est pas plein. Les hôtels bon marché ont souvent des chambres sans bain ou douche, mais leurs tarifs peuvent être près de 20 % inférieurs au prix normal.

Suppléments surprise

Il arrive souvent que les prix soient indiqués hors taxe (*voir p. 310*), la note finale peut alors réserver des surprises. Lisez attentivement les lignes en petits caractères. La plupart des hôtels indiquent des prix par chambre et non par personne, mais il vaut mieux s'en assurer. Vous devrez également faire attention au montant du service ; il arrive qu'il soit ajouté au total. Attention aux suppléments,

Hôtel Hampshire (*voir p. 283*)

notamment les communications téléphoniques. Dans les hôtels les plus chers, le prix de la chambre inclut rarement le petit déjeuner. Le breakfast anglais – céréales et jus de fruit, accompagnés de bacon, d'œufs et de toasts (*voir p. 288*) – vous permettra de tenir facilement toute une matinée de visite. Un pourboire est attendu dans les hôtels les plus chers mais il est inutile d'en gratifier d'autre personnel que les chasseurs, à l'exception du concierge s'il vous a rendu service (par exemple, en réservant vos places de théâtre). Les personnes seules doivent souvent acquitter un supplément pour leur chambre. Celui-ci peut correspondre à près de 80 % du tarif de la chambre double, quand bien même elles n'occupent qu'une chambre à un lit. Aussi, assurez-vous d'avoir la meilleure chambre possible pour ce prix-là.

Le vestibule du Gore Hotel de Kensington (*voir p. 279*)

AMÉNAGEMENTS

Si les chambres sont plutôt petites (les hôtels disposant de chambres d'une superficie supérieure à la moyenne sont indiqués dans le tableau des pages 276-277), elles disposent pratiquement toutes du téléphone et de la télévision. En général, les hôtels récemment modernisés ont des chambres parfaitement équipées, même si, dans certains petits hôtels très chic, vous payez plus pour l'atmosphère et la qualité du service que pour l'agrément d'un minibar ou de gadgets électroniques.

Quel que soit l'hôtel, il est d'usage de libérer la chambre à midi.

RÉSERVATION

Il est toujours conseillé de réserver. La réservation peut s'effectuer auprès de l'hôtel, soit par courrier, téléphone ou télécopie, et s'accompagne généralement du versement d'arrhes (avec un forfait déductible en cas d'annulation), soit en fournissant un numéro de carte de crédit, soit en déposant une garantie de la valeur d'une nuitée. Le London Tourist Board dispose d'un service gratuit de réservation : écrivez à l'Accommodation Service's Advance Booking Office, en indiquant une fourchette de prix et la durée de votre séjour et confirmez auprès de l'hôtel les réservations que ce bureau aura effectuées pour vous. Si vous effectuez votre demande moins de six semaines à l'avance, une légère taxe sera appliquée et il vous sera demandé un dépôt de garantie. Vous pouvez réserver par téléphone à l'aide de votre carte de crédit, ou vous adresser au Centre d'Information du LTB des gares de Victoria ou de Liverpool Street (dans le hall de la station de métro des terminaux 1, 2 et 3). Le LTB dispose également d'un bureau chez Harrods, à Selfridges et à la Tour de Londres. Le British Travel

Hotel 167 (*voir p. 278*)

Centre de Regent Street offre également un service de réservation ainsi que d'autres agences qui possèdent des guichets dans les principales gares. Il est conseillé d'éviter les racoleurs qui traînent aux abords des gares et des stations de taxi.

ADRESSES UTILES

British Hotel Reservation Centre
10 Buckingham Palace Rd ,
SW1 0QP.
0171-828 2425.

British Travel Centre
4–12 Lower Regent St,
SW1Y 4PQ.
0171-930 0572.

Central London Accommodation System and Service
83 Addison Gdns, W14 0DT.
0171-602 9668.

Concordia Hotel Tourist Bookings Europoint
5–11 Lavington St, SE1 0NZ.
0171-945 6000.

London Accommodation Centre
22 Wardour St, W1V 3HH.
0171-287 6315.

London Tourist Board (LTB)
Accommodation Service's Advance Booking Office
26 Grosvenor Gdns, SW1W 0DU.
0171-824 8844.

Offres spéciales

De nombreuses agences de voyage disposent de brochures indiquant les offres spéciales, certaines particulièrement intéressantes, proposées par les chaînes hôtelières et portant généralement sur des séjours de deux nuits minimum.

Des voyagistes spécialisés et indépendants, ainsi que certains hôtels privés, éditent également leurs propres brochures de tarifs spéciaux. Les compagnies de navigation et les compagnies aériennes proposent aussi des forfaits voyage + hôtel. Il arrive ainsi qu'un même hôtel se retrouve dans plusieurs brochures, à des prix très variables et avec différents avantages. Il peut être intéressant de demander directement à l'hôtel de quelles réductions il peut vous faire profiter.

Affiche pour le Savoy (1920)

Handicapés

Les informations fournies dans ce guide font réponse à un questionnaire ; leur validité ne dépend que de l'application que les hôtels en font. Le **LTB** édite deux brochures utiles : *Accessible Accommodation in London* et *London for All*. Un fascicule, *Access to London*, peut s'obtenir auprès de RADAR, City Forum, 250 City Road EC1V 8AF (0171) 250 3222.

Enfants

Les hôtels de Londres ont longtemps été réputés pour être peu hospitaliers pour les enfants. Aujourd'hui, un certain nombre d'entre eux s'efforcent de satisfaire leurs besoins. Il convient aussi de demander les conditions qui leur sont applicables : réductions particulières, ou lit supplémentaire installé dans la chambre des parents. (Voir le tableau des pages 276-277).

Location d'appartements

Plusieurs agences proposent un hébergement en appartement. Les prix sont aux environs de 300 £ minimum par semaine.

La **Landmark Trust** loue des appartements dans des demeures historiques ou d'un caractère inhabituel, notamment à Hampton Court (*voir pp. 250-253*) ou encore dans de charmantes maisons du XVIIIe siècle dans la City : le poète Sir John Betjeman vécut dans l'une d'entre elles. Une brochure des propriétés gérées par la Landmark Trust est disponible à un prix modique.

Agences de location d'appartements

Ashburn Gardens Apartments
3 Ashburn Gdns, SW7 4DG.
0171-370 2663.

Astons Budget Studios/ Luxury Apartments
39 Rosary Gdns, SW7 4NQ.
0171-370 0737.

Ealing Tourist Flats
94 Gordon Rd, W13 8PT.
0181-566 8187.

The Landmark Trust
Shottesbrooke, Maldenhead, Berkshire, SL6 3SW.
01628-825925.

Service Suites
42 Lower Sloane St, SW1W 8BP.
0171-730 5766.

Séjours chez l'habitant

Certaines agences, dont plusieurs sont référencées par le **LTB**, organisent des séjours chez l'habitant. Les prix dépendent de la situation, et vont de 15 £ à 60 £ par personne et par nuitée. Il arrive que la famille d'accueil soit présente, aussi est-il nécessaire d'indiquer votre préférence au moment de la réservation. Bien qu'il ne s'agisse pas d'une réservation hôtelière, les règles sont les mêmes en ce qui concerne les arrhes et les indemnités d'annulation. Les réservations peuvent s'effectuer par carte bancaire grâce au service de réservation téléphonique du LTB (*voir p. 273*), ou de n'importe lequel des centres de réservation indiqués ci-dessous. Plusieurs agences imposent un séjour minimum d'une semaine.

Wolsey Lodges propose également un mode d'hébergement intéressant.

Agences d'hébergement chez l'habitant

Alma Tourist Services
21 Griffiths Rd, SW19 1SP.
& FAX *0181-540 2733.*

Anglo World Travel
123 Shaftesbury Ave, WC2H 8AD.
0171-379 7477.

L'opulence classique du Claridge (*voir p. 282*)

At Home in London
70 Black Lion Lane, W6 9BE.
0181-748-1943.

Host and Guest Service
Harwood House, 27 Effie Rd, SW6 1EN.
0171-731 5340.

London Home to Home
19 Mount Park Crescent, W5 2RN.
& FAX *0181-567 2998.*

Wolsey Lodges
17 Chapel Street, Bildeston,
Suffolk, IP7 7EP.
01449 741297.

HÉBERGEMENT BON MARCHÉ

Malgré le coût élevé d'un séjour à Londres, il est possible de trouver à se loger relativement peu cher, même si vous n'êtes plus un teenager.

Dortoirs et auberges de jeunesse
Le centre d'information du **LTB** de Victoria (*voir p. 273*) peut s'occuper de vous réserver ce type d'hébergement. Il existe des auberges de jeunesse privées près de Earl's Court, où un lit en dortoir avec petit déjeuner coûte à peine 10 £ par nuit. Ne vous attendez à rien d'extraordinaire pour ce prix-là. Plus chic, le **Central Club**, un bâtiment de Lutyens géré par la YWCA mais ouvert à tous, propose une chambre simple à 30 £ environ en plein cœur du West End. Il existe à Londres sept auberges de jeunesse gérées par la **Youth Hostels Association**. L'une des plus intéressantes est celle de Holland House, un manoir jacobéen situé à Holland Park (*voir p. 214*). Réservez à l'avance car elle est particulièrement appréciée.

ADRESSES D'AUBERGES DE JEUNESSE

Central Club
16-22 Great Russell St, WC1B 3LR.
0171-636 7512.

London Hostel Association
54 Eccleston Sq, SW1V 1PG.
0171-834 1545.

Youth Hostels Association
Trevelyan House, 8 St Stephen's Hill,
St Albans,Herts, AL1 2DY.
0172-785 5215.

L'auberge de jeunesse de la City of London

Terrains de camping
Le terrain de **Tent City** dispose d'installations simples, et peut également accueillir des caravanes. Les terrains de Hackney, Edmonton, Leyton, Chingford, Abbey Wood et Crystal Palace disposent d'infrastructures plus importantes. Une brochure sur les terrains de camping de Londres est disponible auprès du LTB.

TERRAINS DE CAMPING

Tent City
Old Oak Common Lane, W3 7DP.
0181-749 9074.

Maison d'étudiants
Des chambres d'étudiant sont disponibles de juillet à septembre à des prix très raisonnables. Il est préférable de réserver, toutefois le **King's College** et l'**Imperial College** peuvent parfois trouver une place à court terme.

CENTRES DE RÉSERVATION DE CHAMBRES D'ÉTUDIANTS

City University Accommodation and Conference Service
Northampton Sq, EC1V 0HB.
0171-477 8037.

Imperial College Summer Accommodation Centre
Watts Way, Princes Gdns, SW7 1LU.
0171-594 9507.

King's Campus Vacation Bureau
King's College London, 552 King's Rd, SW10 0UA.
0171-351 6011.

LÉGENDE DES TABLEAUX

Les hôtels indiqués aux pages 278 à 285 sont classés par quartier et catégorie de prix. Les symboles suivants résument les services offerts par ces hôtels.

- toutes les chambres avec bain et/ou douche, sauf indication contraire
- 1 tarif chambre individuelle possible
- dispose de chambres pour plus de deux personnes, ou possibilité d'ajouter un lit supplémentaire
- 24 repas servis dans les chambres 24 h/24h
- TV télévision dans les chambres
- minibar dans les chambres
- chambres non-fumeur
- chambres avec vue
- air conditionné dans toutes les chambres
- salle de gymnastique ou de remise en forme
- piscine à l'hôtel
- service bureautique : secrétariat, télécopieur, bureau et téléphone dans chaque chambre, salle de réunion dans l'hôtel
- aménagements pour enfants (*voir p. 277*)
- accessible aux handicapés
- ascenseur
- animaux acceptés dans les chambres (à se faire confirmer par la direction). La plupart des hôtels acceptent les chiens d'aveugle sans restriction. NB : les animaux importés en Grande-Bretagne sont sujets à une quarantaine de 6 mois
- P parking
- jardin ou terrasse
- bar
- restaurant
- point d'information touristique
- cartes de crédit acceptées:
  AE American Express
  DC Diners Club
  MC Mastercard/Access
  V Visa
  JCB Japanese Credit Bureau

Les prix sont indiqués par nuit en chambre double, petit déjeuner, taxes et service compris :

£ moins de 70 £
££ 70 à 100 £
£££ 100 à 140 £
££££ 140 à 190 £
£££££ plus de 190 £

Choisir un hôtel

Les 84 hôtels de cette liste ont tous reçu notre visite. Ce tableau présente une sélection de critères qui peuvent déterminer votre choix. Pour plus d'informations sur chacun d'eux, reportez-vous à sa description (*pp. 278-285*). Les hôtels sont classés par quartier.

	Prix	Nombre de chambres	Grandes chambres	Service bureautique	Aménagements pour enfants	Restaurant recommandé	Proche des boutiques et restaurants	Calme	Service 24 h sur 24
Bayswater, Paddington *(voir p. 278)*									
Byron	££	42		■	●			■	●
Delmere	££	39							
Mornington	££	68			●			■	
Whites	££££	54	●	■	●				●
Kensington, Holland Park, Notting Hill *(voir p. 278)*									
Abbey House	£	15					●	■	●
Abbey Court	£££	22		■				■	●
Copthorne Tara	£££	825		■			●	■	●
Pembridge Court	£££	20			●			■	●
Portobello	£££	22							
Halcyon	£££££	45		■	●	■		■	●
South Kensington, Gloucester Road *(voir pp. 278 - 9)*									
Hotel 167	£	18							
Swiss House	£	16		■					
Aster House	££	12			●			■	
Five Sumner Place	££	13						■	●
Cranley	£££	37						■	●
Number Sixteen	£££	36			●			■	
Pelham	£££	41		■	●				●
Rembrandt	£££	195	●	■	●				●
Gore	££££	54		■		■		■	
Sydney House	££££	21					●	■	●
Blakes	£££££	51	●	■		■	●	■	●
Knightsbridge, Brompton, Belgravia *(voir pp. 279 - 81)*									
Executive	££	27					●		
Knightsbridge Green	£££	25			●		●		
Basil Street	££££	89		■	●		●		●
Beaufort	££££	28		■	●		●	■	
Draycott	££££	25		■	●		●	■	●
Egerton House	££££	28		■			●	■	●
Eleven Cadogan Gardens	££££	60					●	■	●
Fenja	££££	13		■	●		●		●
Berkeley	£££££	160	●	■			●		●
Capital	£££££	48			●	■		■	●
Halkin	£££££	41	●	■		■		■	●
Hyatt Carlton Tower	£££££	223	●	■	●	■	●		●
Lowndes	£££££	78		■			●	■	●
Westminster, Victoria *(voir p. 281)*									
Collin House	£	13							
Elizabeth	£	40			●			■	
Windermere	£	23							●
Woodville House	£	12							
Ebury Court	£££	42		■					●
Royal Horseguards	£££	375		■				■	●
Stakis London St Ermin's	£££	290		■	●			■	●
Goring	££££	80	●					■	●
Scandic Crown	££££	210	●		●				●

Les prix sont indiqués par nuit en chambre double, petit déjeuner, taxe et service compris :
£ moins de 70 £
££ 70 à 100 £
£££ 100 à 140 £
££££ 140 190 £
£££££ plus de 190 £

Proche des boutiques et des restaurants
À cinq minutes à pied d'un quartier de boutiques et de restaurants

Aménagements pour enfants
Chambres pour famille et/ou lit supplémentaire dans une chambre double, lit d'enfant, service de baby-sitting, menu enfant et chaises hautes dans la salle de petit déjeuner ou au restaurant.

Service bureautique
Secrétariat, télécopieur à disposition, bureau et téléphone dans chaque chambre, salle de réunion dans l'hôtel.

Hôtel	Prix	Nombre de chambres	Grandes chambres	Service bureautique	Aménagements pour enfants	Restaurant recommandé	Proche des boutiques et restaurants	Calme	Service 24 h sur 24
Piccadilly, Mayfair *(voir pp. 281-2)*									
Athenaeum	££££	111	●	■	●		●		●
The Four Season	££££	227		■	●		●		●
Twenty-two Jermyn St	££££	19	●	■	●		●	■	●
Brown's	£££££	120	●	■			●		●
Claridge's	£££££	190	●	■	●		●		●
Connaught	£££££	90	●			■	●		●
Dorchester	£££££	252	●	■	●	■			●
Dukes	£££££	64	●	■	●		●	■	●
Fortyseven Park Street	£££££	52	●	■		■	●	■	●
Grosvenor House	£££££	454	●	■	●	■	●		●
Ritz	£££££	129	●	■	●		●		●
Soho, Leicester Square, Oxford Street *(voir p. 283)*									
Concorde	£	26			●		●		●
Edward Lear	£	30			●		●		
Parkwood	£	18					●	■	●
Bryanston Court	££	56		■			●		●
Durrants	£££	96		■	●			■	●
Hazlitt's	£££	20					●		
Marble Arch Marriott	££££	240	●	■	●				●
Hampshire	£££££	125	●	■	●		●		●
Regent's Park, Marylebone *(voir pp. 283-4)*									
Blandford	££	33						■	
La Place	££	24		■	●			■	●
Dorset Square	£££	37	●	■	●			■	●
White House	£££	576		■	●			■	●
Langham Hilton	£££££	387	●	■	●		●		●
Bloomsbury, Fitzrovia, Covent Garden, Strand *(voir pp. 284-5)*									
Mabledon Court	£	30							
Academy	££	30			●				●
Fielding	££	25		■			●	■	●
Bonnington	£££	215			●				●
Russell	£££	328	●	■	●				●
Mountbatten	££££	125	●	■	●		●		●
Waldorf	££££	292		■	●		●		●
Howard	£££££	135	●	■	●				●
Savoy	£££££	200	●	■	●	■	●		●
La City *(voir p. 285)*									
Great Eastern	£££	161		■					●
Tower Thistle	££££	808		■				■	●
En dehors du centre *(voir p. 285)*									
Chase Lodge	£	10			●			■	
La Reserve	££	41		■					
Swiss Cottage	££	75		■	●			■	●
Cannizaro House	£££	46	●	■				■	
Kingston Lodge	£££	62		■	●				
Sheraton Skyline	££££	354	●	■	●				●

Bayswater Paddington

Byron

36–38 Queensborough Terrace, W2 3SH. **Plan** 10 E2. *0171-243 0987.* FAX *0171-792 1957.* TX *263431 BYRON G.* ***42*** *ch.* *AE, DC, MC, V.* ££

Un hôtel paisible au décor assez plaisant : atmosphère de manoir campagnard dans le confortable petit salon et simplicité des chambres. Le personnel est jeune et agréable. Quelques fausses notes sont pardonnables dans un hôtel aussi accueillant et sans prétention.

Delmere

130 Sussex Gdns, W2 1UB. **Plan** 11 A2. *0171-706 3344.* FAX *0171-262 1863.* TX *8953857.* ***39*** *ch.* *DC, MC, V, JCB.* ££

Ce bâtiment bien conservé tranche sur son voisinage sans attrait. Le mobilier semble parfois prétentieux, certaines chambres sont ridiculement petites et biscornues, mais l'hôtel est agréable et bien tenu. Le confortable salon du rez-de-chaussée, bien chauffé, est particulièrement accueillant.

Mornington

12 Lancaster Gate, W2 3LG. **Plan** 10 F2. *0171-262 7361.* FAX *0171-706 1028.* TX *24281.* ***68*** *ch.* *AE, DC, MC, V.* ££

Ce paisible hôtel est dirigé avec une efficace courtoisie. Le caractère intime et chaleureux du salon, tapissé de livres, contraste avec la simplicité scandinave des chambres. Le sauna et le buffet suédois du petit déjeuner renforcent l'atmosphère nordique de la maison.

Whites

90-92 Lancaster Gate, W2 3NR. **Plan** 10 F2. *0171-262 2711.* FAX *0171-262 2147.* TX *24771.* ***54*** *ch.* *AE, DC, MC, V.* ££££

La façade de ce grand hôtel du XIXe siècle, qui domine Kensington Gardens, rappelle le style tarabiscoté des villas balnéaires. De jolis lustres donnent un air de fête à d'accueillants salons. Le décor des chambres, qui associe styles orientaux, Louis XV et Belle Epoque, ne sacrifie rien au modernisme : la télévision, dissimulée dans un meuble, surgit comme par magie, en appuyant sur un bouton.

Kensington Holland Park Notting Hill

Abbey House

11 Vicarage Gate, W8 4AG. **Plan** 10 D4. *0171-727 2594.* ***15*** *ch.* £

Située dans un cadre attrayant, cette charmante maison victorienne doit sa noblesse aux amples proportions de sa cage d'escalier, décorée de plantes. Mais Abbey House n'offre rien de plus qu'un simple bed & breakfast, avec une salle de petit déjeuner claire et gaie en sous-sol. Les chambres, bien que spacieuses, sont très simplement meublées et ne disposent pas de salle de bains.

Portobello

22 Stanley Gdns, W11 2NG. **Plan** 9 B2. *0171-727 2777.* FAX *0171-792 9641.* ***22*** *ch.* *AE, DC, MC, V.* £££

Cet hôtel au caractère un peu bohème, situé au coin de Portobello Road, possède un décor sophistiqué où se mélangent les styles gothique victorien et édouardien. Certaines des plus simples (et des plus petites) chambres ont des lits-boîtes et des salles de bains pour le moins spartiates ; parmi les grandes chambres, l'originale Round Room dispose d'un lit rond surmonté de tentures. Un restaurant assez chic occupe le rez-de-chaussée.

Abbey Court

20 Pembridge Gdns, W2 4DU. **Plan** 9 C3. *0171-221 7518.* FAX *0171-727 8166.* TX *262167 ABBYCT.* ***22*** *ch.* *AE, DC, MC, V.* £££

Cet hôtel particulier, somptueusement décoré, n'est qu'un luxueux bed & breakfast, disposant d'un élégant salon de réception et d'une salle de petit déjeuner en jardin d'hiver. Les chambres, toutes différentes, disposent d'une magnifique robinetterie de salle de bains de style victorien et de meubles anciens. Les chambres simples sont particulièrement nombreuses, ce qui en fait un hôtel pratique pour les personnes seules. Les enfants de plus de 12 ans sont acceptés.

Copthorne Tara

Scarsdale Pl, Wright's Lane, W8 5SR. **Plan** 8 D1. *0171-937 7211.* FAX *0171-937 7100.* TX *918834 TARAHL G.* ***825*** *ch.* *AE, DC, MC, V, JCB.* £££

Sa situation – dans une paisible petite rue près de Kensington High Street – fait tout l'intérêt de cet hôtel. À l'intérieur, l'aménagement est très confortable mais impersonnel. Plusieurs bars à thème.

Pembridge Court

34 Pembridge Gdns, W2 4DX. **Plan** 9 C3. *0171-229 9977.* FAX *0171-727 4982.* TX *298363.* ***20*** *ch.* *AE, DC, MC, V, JCB.* £££

Cet élégant établissement, aménagé dans un hôtel particulier d'une rue chic et tranquille proche de Notting Hill Gate, est fort confortable et décoré avec goût. Des accessoires de mode – gants, éventails, sacs, etc. – sont exposés dans toutes les chambres.
Le Caps Restaurant, au rez-de-chaussée, est un bar à vin ouvert uniquement le soir.

Halcyon

81 Holland Park, W11 3RZ. **Plan** 9 A4. *0171-727 7288.* FAX *0171-229 8516.* TX *266721.* ***45*** *ch.* *AE, DC, MC, V.* £££££

Ce luxueux hôtel, situé au cœur de Holland Park, dissimule derrière sa splendide façade Belle Epoque des pièces de réception aux proportions magnifiques qui ont conservé tout leur caractère. Les chambres, ornées de baldaquins, de tentures et de fanfreluches, ressemblent à des décors de théâtre. Les salles de bains disposent de baignoires à remous et de bidets. Si les tarifs pratiqués sont quelque peu exagérés, l'hôtel donne cependant un sentiment de confortable opulence.

South Kensington Gloucester Road

Hotel 167

167 Old Brompton Rd, SW5 0AN. **Plan** 18 E3. *0171-373 0672.* FAX *0171-373 3360.* ***18*** *ch.* *AE, DC, MC, V.* £

Simple et tranquille, ce petit bijou est un modèle de bed & breakfast. De grands tableaux modernes décorent la salle de petit déjeuner et le hall de réception, où l'on peut faire salon dans de grands sofas bourrés de coussins. Les chambres sont jolies et pratiques (avec de petits réfrigérateurs), mobilier plaisant et agréables salles de bains.

Swiss House

171 Old Brompton Rd, SW5 0AN. **Plan** 18 E3. *0171-373 2769.* FAX *0171-373 4983.* ***16*** *ch.* *11.* *MC, V.* £

Les plantes grimpantes de l'entrée donnent un aspect très accueillant à cette grande pension de famille en terrasse. Cette impression se confirme à l'intérieur grâce à une agréable salle de petit déjeuner – vaisselier en pin orné de bouquets de fleurs séchées – et des chambres proprettes, certaines étonnamment spacieuses.

Aster House

3 Sumner Pl, SW7 3EE. **Plan** 19 A2. *0171-581 5888.* FAX *0171-584 4925.* ***12*** *ch.* *AE, DC, MC, V, JCB.* ££

Plusieurs maisons de cette place élégante du quartier de South Kensington sont de discrets hôtels haut de gamme, dont peu pratiquent des tarifs raisonnables. L'Orangerie, le restaurant stylé de l'hôtel, sert de copieux petits déjeuners. Les chambres, pour non-fumeurs, sont décorées toutes différemment et plus ou moins luxueusement. Les enfants de plus de 12 ans sont acceptés.

Five Sumner Place

5 Sumner Pl, SW7 3EE. **Plan** 19 A2. *0171-584 7586.* FAX *0171-823 9962.* ***13*** *ch.* *AE, DC, MC, V.* ££

Suffisamment plaisant pour remporter en 1991 le prix du meilleur bed & breakfast décerné par la British Tourist Association, cet hôtel occupe une élégante demeure victorienne. La serre qui abrite les tables du petit déjeuner, avec une jolie vaisselle et des bouquets de fleurs, domine un charmant patio de jardin. À l'étage, les 13 chambres, toutes différentes, à l'écart des bruits du centre de Londres, sont très tranquilles.

Number Sixteen

16 Sumner Pl, SW7 3EG. **Plan** 19 A2. *0171-589 5232.* FAX *0171-584 8615.* TX *266638.* ***36*** *ch.* *34.* *AE, DC, MC, V.* £££

L'entrée discrète de cette maison est caractéristique des petits hôtels chic qui occupent cette élégante rue victorienne aux façades blanches. Le Number Sixteen dispose cependant de meilleurs aménagements et de salons plus nombreux que ses voisins, notamment un jardin d'hiver conduisant à un charmant parc orné de fontaines. Les chambres, étonnamment spacieuses, sont décorées avec imagination (les salles de bain sont en cours de modernisation). Les enfants de plus de 12 ans sont acceptés.

Cranley

10–12 Bina Gdns, SW5 0LA. **Plan** 18 E2. *0171-373 0123.* FAX *0171-373 9497.* TX *991503.* ***37*** *ch.* *AE, DC, MC, V, JCB.* £££

Meubles anciens et beaux tissus ornent ce grand hôtel particulier géré par des Américains. Les chambres, malheureusement assez petites, disposent d'une discrète kitchenette (avec réfrigérateur et four à micro-ondes). Le salon est très agréable.

Gore

189 Queen's Gate, SW7 5EX. **Plan** 10 F5. *0171-584 6601.* FAX *0171-589 8127.* TX *296244.* ***54*** *ch.* *AE, DC, MC, V, JCB.* ££££

Cet hôtel victorien, jumeau du Hazlitt's (*voir p. 283*), attire la clientèle branchée de Kensington, qui se bouscule pour avoir une table au Bistrot 190 ou au Restaurant 190, dirigés par Antony Worrall-Thompson, l'un des plus grands chefs de Londres. Les chambres peuvent être de minuscules placards simplement meublés d'une table de toilette en pin, ou d'extraordinaires fantaisies Tudor. Certaines salles de bains ont même conservé leur mobilier victorien et édouardien. Le personnel est sympathique sans être obséquieux. Les prix ne sont pas choquants.

Pelham

15 Cromwell Pl, SW7 2LA. **Plan** 19 A1. *0171-589 8288.* FAX *0171-584 8444.* TX *881 4714 TUDOR G.* ***41*** *ch.* *AE, MC, V.* £££

Situé à quelques centaines de mètres de la station de métro de South Kensington, le Pelham semble sorti tout droit des pages d'un magazine de décoration. Depuis les lambris XVIIIe siècle du salon jusqu'aux fleurs fraîches dans les chambres, tout témoigne d'un goût parfait et exquis, même assez luxueux. Le restaurant, qui fait également office de salon et de bar, est particulièrement confortable.

Rembrandt

11 Thurloe Pl, SW7 2RS. **Plan** 19 A1. *0171-589 8100.* FAX *0171-225 3363.* TX *295828.* ***195*** *ch.* *AE, DC, MC, V, JCB.* £££

L'extérieur sans attrait de ce grand hôtel, situé en face du Victoria & Albert Museum, ne laisse rien deviner de l'atmosphère tranquille de l'intérieur, entièrement rénové. Une piscine est aménagée au rez-de-chaussée.

Sydney House

9–11 Sydney St, SW3 6PU. **Plan** 19 A1. *0171-376 7711.* FAX *0171-376 4233.* ***21*** *ch.* *AE, DC, MC, V, JCB.* ££££

Murs décorés à la manière d'un palais florentin, mobilier Bugatti, et lustres de Baccarat dans le hall d'entrée composent le cadre de cet hôtel, qui pratique des tarifs fort raisonnables. Chaque chambre est un monde en soi : Biedermeier ici, tissus de Paris là. La salle à manger, en plein soleil, évoque le style bateau.

Blakes

33 Roland Gdns, SW7 3PF. **Plan** 18 F3. *0171-370 6701.* FAX *0171-373 0442.* TX *8813500.* ***51*** *ch.* *AE, DC, MC, V, JCB.* £££££

Cet étonnant établissement au décor branché dû à Anouska Hempel est un des hauts lieux de Londres. Si sa façade vert vif le fait immédiatement repérer, son intérieur exotique confirme qu'il ne s'agit pas là d'un hôtel ordinaire. Chaque chambre est unique et décorée avec une débauche de couleurs vives, de riches soieries, et de meubles luxueux (lits à colonnes couverts de brocart, commodes anciennes laquées…).

Knightsbridge
Brompton
Belgravia

Executive

57 Pont St, SW1X 0BD. **Plan** 19 C1. *0171-581 2424.* FAX *0171-589 9456.* TX *9413498 EXECUT G.* ***27*** *ch.* *AE, DC, MC, V.* ££

Ce discret hôtel particulier, à l'élégant hall d'entrée, se trouve à quelques pas de quelques-uns des magasins les plus luxueux de Londres. Les chambres sont modernes et agréablement

Pour les symboles utilisés, *voir p. 275*

meublées, mais toutefois sans grande personnalité. Le petit déjeuner (buffet) est servi au rez-de-chaussée dans une pièce rose de style Chippendale chinois.

Knightsbridge Green

159 Knightsbridge, SW1X 7PD. **Plan** 11 C5. *0171-584 6274.* FAX *0171-225 1635.* ***Fermé*** *24-27 déc.* ***25*** *ch.* AE, MC, V. £££

Sa proximité avec Harrod's et son atmosphère rassurante favorisent cet ancien bed & breakfast auprès de la clientèle féminine. Thé et café sont servis toute la journée au Club Room, dont la grande table centrale est encombrée de magazines. La plupart des chambres disposent de salons où l'on sert le petit déjeuner. Le décor est reposant, et les détails pratiques d'éclairage, d'insonorisation et de rangement sont bien étudiés.

Beaufort

33 Beaufort Gdns, SW3 1PP. **Plan** 19 B1. *0171-584 5252.* FAX *0171-589 2834.* TX *929200.* ***28*** *ch.* AE, DC, MC, V, JCB. ££££

La sobre élégance de cet hôtel, niché au fond d'une impasse près de Harrod's, ainsi que la qualité du service justifie au moins en partie ses tarifs élevés. Fleurs fraîches, magnifiques tentures et pastels floraux décorent délicieusement les chambres. Il arrive que Harry, le chat de la maison, monopolise l'un des luxueux canapés du rez-de-chaussée. Les enfants de plus de 10 ans sont acceptés.

Basil Street

Basil St, SW3 1AH. **Plan** 11 C5. *0171-581 3311.* FAX *0171-581 3693.* TX *28379.* ***89*** *ch.* *72.* AE, DC, MC, V. £££

L'atmosphère feutrée mais sans prétention de cet hôtel un peu démodé par son cachet édouardien explique sa popularité. Le confortable bar-salon est l'endroit idéal pour se détendre et boire un thé, et son bar à vin est d'un abord très raisonnable pour le quartier. Le Parrot Club, strictement réservé aux femmes et où les hommes ne peuvent pénétrer que sur invitation, est le pendant des bastions masculins des autres hôtels londoniens. Une grande partie de la clientèle attitrée du Basil est d'ailleurs uniquement composée de femmes.

Draycott

24–26 Cadogan Gdns, SW3 2RP. **Plan** 19 C2. *0171-730 6466.* FAX *0171-730 0236.* ***25*** *ch.* AE, DC, MC, V. ££££

Cette discrète demeure de Knightsbridge est plus une résidence-club qu'un hôtel. Au rez-de-chaussée, près de l'entrée, s'ouvre un petit fumoir orné de lambris où l'on peut lire à loisir les quotidiens et où l'on fait du feu en hiver, comme dans toute bonne maison de campagne. Plantes, mobilier ancien, affiches et baignoires en marbre agrémentent les chambres, dont plusieurs jouissent de vue sur jardin.

Egerton House

17-19 Egerton Terrace, SW3 2BX. **Plan** 19 B1. *0171-589 2412.* FAX *0171-584 6540.* ***28*** *ch.* AE, DC, MC, V. ££££

Cet élégant hôtel particulier, récemment décoré dans un style sobre et rigoureux, est d'excellente qualité quant au service et au confort. Si une grande partie du mobilier n'a pas encore acquis la patine de l'âge, les meubles sont assez beaux pour être pris pour de l'ancien.

Eleven Cadogan Gardens

11 Cadogan Gdns, SW3 2RJ. **Plan** 19 C2. *0171-730 3426.* FAX *0171-730 5217.* TX *8813318.* ***60*** *ch.* AE, MC, V. ££££

Depuis la rue, on ne pourrait se douter que ce manoir de brique rouge soit un hôtel. Cela explique pourquoi autant de célébrités viennent y trouver paix et intimité lorsqu'elles sont fatiguées du public. Cette atmosphère de bon goût paisible et de service discret se retrouve dans les lambris, le linge et le mobilier, dignes et élégants, fort éloignés de l'apparat tapageur d'autres établissements.

Fenja

69 Cadogan Gdns, SW3 2RB. **Plan** 19 C2. *0171-589 7333.* FAX *0171-581 4958.* ***13*** *ch.* AE, DC, MC, V. ££££

Caché par un labyrinthe de demeures victoriennes, ce paisible et grand bed & breakfast a des allures d'hôtel particulier. Les tableaux, bustes antiques et vases de Chine qui garnissent la maison s'harmonisent avec les éléments décoratifs d'origine : cheminées, corniches, et grandes fenêtres. Le petit déjeuner est servi dans des chambres paisibles et confortables, où l'on peut également prendre des plats légers dans la journée.

Berkeley

Wilton Pl, SW1X 7RL. **Plan** 12 D5. *0171-235 6000.* FAX *0171-235 4330.* TX *919252.* ***160*** *ch.* AE, DC, MC, V, JCB. £££££

La discrète entrée de cet auguste membre du groupe Savoy ouvre sur un hall respectable, orné de marbre et de lambris de Lutyens. Au rez-de-chaussée, le Buttery et le Bar sont cependant légèrement moins guindés, tandis que les chambres montrent une distinction inhabituelle.

Capital

22–24 Basil St, SW3 1AT. **Plan** 11 C5. *0171-589 5171.* FAX *0171-225 0011.* ***48*** *ch.* AE, DC, MC, V. £££££

Le Capital est un petit hôtel somptueux dont le restaurant est remarquable. Le mobilier, imaginatif, joue sur le mode fin de siècle français. L'Hôtel (0171-589 6286), son jumeau et voisin au n° 28, tout aussi stylé, propose des chambres moins chères mais avec moins d'aménagements et aucun service dans les chambres.

Halkin

5 Halkin St, SW1X 7DJ. **Plan** 12 D5. *0171-333 1000.* FAX *0171-333 1100.* ***41*** *ch.* AE, DC, MC, V, JCB. £££££

Pour ceux que le charme artificiel de l'époque fatigue, le minimalisme du Halkin fera comme un souffle d'air pur. Une palette limitée aux gris, bleu, blanc et noir crée une ambiance à la fois contemporaine, sophistiquée mais décontractée. Les chambres sont luxueusement décorées de marbre fauve, de superbes consoles et de meubles aux placages cuivrés.

Hyatt Carlton Tower

Cadogan Pl, SW1X 9PY. **Plan** 19 C1. *0171-235 1234.* FAX *0171-245 6570.* TX *21944.* ***223*** *ch.* AE, DC, MC, V, JCB. £££££

Ce grand hôtel de chaîne n'est pas sans âme, contrairement à l'habitude, et le personnel se montre très professionnel et chaleureux. Si le mobilier est sans surprise, le Chinoiserie Lounge, où officie un harpiste, est un merveilleux endroit pour se reposer de la fatigue des visites du shopping ou des musées. Après avoir goûté à d'excellentes pâtisseries, on peut retrouver sa ligne au club de remise en forme à l'étage.

Lowndes

Lowndes St, SW1X 9ES. **Plan** 20 D1. *0171-823 1234.* FAX *0171-235 1154.* TX *919065.* ***78** ch.* *AE, DC, MC, V, JCB.* ££££

Ce petit frère du Hyatt Carlton Tower (dont les facilités sont ouvertes aux clients de l'hôtel sans supplément), juste au coin, témoigne d'un certain bon goût. Le salon de réception, dans le style maison de campagne, est un agréable endroit où se détendre en prenant le café. Les chambres, décorées dans le style contemporain, disposent d'excellents aménagements. La luxueuse Biedermeier Suite possède un beau mobilier ancien.

WESTMINSTER VICTORIA

Collin House

104 Ebury St, SW1W 9QD. **Plan** 20 E2. *0171-730 8031.* ***Fermé** 2 semaines à Noël.* ***13** ch.* *8.* £

Cette petite pension de famille se distingue de ses nombreuses voisines par la chaleur de son accueil et, bien que la décoration soit un peu vieillotte, ses chambres fraîches et propres. La salle de petit déjeuner en rez-de-chaussée a de jolies photos de paysage.

Elizabeth

37 Eccleston Sq, SW1V 1PB. **Plan** 20 F2. *0171-828 6814.* FAX *0171-828 6814.* ***40** ch.* *36.* £

Cet hôtel respectable est un peu fatigué. Au rez-de-chaussée, un salon meublé de fauteuils et de canapés ouvre près de la réception, comme la salle de petit déjeuner, assez obscure. En revanche, les chambres sont claires, certaines étant meublées en pin. Les prix pratiqués sont étonnamment bas pour le quartier.

Windermere

142–144 Warwick Way, SW1V 4JE. **Plan** 20 E2. *0171-834 5163.* FAX *0171-630 8831.* TX *94017182 WIRE G.* ***23** ch.* *19.* *AE, MC, V, JCB.* £

La façade victorienne, bien conservée, de cet hôtel accueillant et pas trop cher, donne sur une rue assez passante. L'intérieur est très élégant, avec une agréable salle de petit déjeuner en rez-de-chaussée, qui sert également pour le café, et où l'on peut se faire servir toute la journée sandwichs et boissons. Les chambres, claires et proprettes, sont décorées de lourds rideaux de chintz glacé et pourvues d'accessoires modernes et pratiques.

Woodville House

107 Ebury St, SW1W 9QU. **Plan** 20 E2. *0171-730 1048.* FAX *01717-730 2574.* ***12** ch.* £

Ni spacieuse ni luxueuse, cette pension de famille qui occupe une maison de style georgien est appréciée et très fréquentée par une clientèle soucieuse de son budget. La salle de petit déjeuner est divisée en plusieurs espaces intimes ; les chambres sont meublées de minuscules fauteuils et autres charmants accessoires.

Ebury Court

28 Ebury St, SW1W 0LU. **Plan** 20 E1. *0171-730 8147.* FAX *0171-823 5966.* ***42** ch.* *21.* *AE, DC, MC, V.* £££

Le voisinage de plusieurs hôtels particuliers agrémente la situation de cet établissement distingué, où meubles et tableaux de famille décorent d'agréables salons. Un labyrinthe de couloirs et d'escaliers dessert les chambres, la plupart petites et claires. Les prix pratiqués sont très compétitifs pour le quartier.

Royal Horseguards Thistle

2 Whitehall Court, SW1A 2EJ. **Plan** 13 C4. *0171-839 3400.* FAX *0171-925 2263.* TX *917096.* ***375** ch.* *AE, DC, MC, V, JCB.* £££

Le hall de ce grand hôtel XIXe siècle qui domine la Tamise, à proximité du Parlement, est décoré de palmiers en pot, de lustres et de moulures. En dehors de confortables salons, le Granby's est un restaurant chic et classique au mobilier de cuir vert, fréquenté par des personnalités célèbres du monde politique. Le style des chambres varie de l'opulence classique au chic contemporain.

Stakis London St Ermin's

Caxton St, SW1H 0QW. **Plan** 13 A5. *0171-222 7888.* FAX *0171-222 6914.* TX *917731.* ***290** ch.* *AE, DC, MC, V, JCB.* £££

Cet hôtel, datant de la fin de l'époque victorienne et d'allure stricte, est assez proche de Westminster pour avoir été relié autrefois par un souterrain avec la Chambre des communes. L'intérieur impressionne par son grand escalier baroque à balustrades ouvragées, qui s'élève depuis le grand salon dont le plafond porte des lustres magnifiques. Les chambres sont confortablement meublées dans un style moins pompeux que le reste de l'hôtel.

Goring

Beeston Pl, Grosvenor Gdns, SW1W 0JW. **Plan** 20 E1. *0171-396 9000.* FAX *0171-834 4393.* TX *919166.* ***80** ch.* *AE, DC, MC, V.* ££££

Cet imposant bâtiment édouardien, situé au cœur de Londres, est une rareté en ce qu'il est un grand hôtel dirigé par la même famille depuis trois générations. Les Goring lui ont conservé une qualité irréprochable, montrant un soin méticuleux pour le moindre détail, tout en lui donnant une atmosphère élégante. Le salon-bar et un délicieux jardin à la française, dont on ne peut hélas profiter que du regard, sont exceptionnels.

Scandic Crown

2 Bridge Pl, SW1V 1QA. **Plan** 20 F2. *0171-834 8123.* FAX *0171-828 1099.* TX *914973.* ***210** ch.* *AE, DC, MC, V, JCB.* ££££

Cet immeuble moderne, qui domine les voies de la gare de Victoria, est dirigé par des Suédois. La légère raideur du salon de café, décoré de chromes, de verre et de plastique, contraste avec l'efficacité et l'amabilité de l'accueil suédois et le style des chambres, fort bien équipées. L'un des attraits de l'hôtel est le nombre d'installations de remise en forme accessibles aux résidents.

PICCADILLY MAYFAIR

Athenaeum

116 Piccadilly, W1V 0BJ. **Plan** 12 E4. *0171-499 3464.* FAX *0171-493 1860.* TX *261589.* ***111** ch.* *AE, DC, MC, V, JCB.* £££££

Malgré la situation prestigieuse de cet élégant hôtel de Mayfair, l'accueil reste amical et personnalisé. Prendre un thé ou un café dans l'agréable salon Windsor est un de ses avantages, de même que l'éventail de whiskies de malt écossais proposé au bar. Si certaines chambres sont sans attrait, toutes sont extrêmement confortables et bien meublées.

Pour les symboles utilisés, *voir p. 275*

The Four Seasons

Hamilton Pl, Park Lane, W1A 1AZ. **Plan** 12 D4. *0171-499 0888.* FAX *0171-493 6629.* TX *227711.* ***227*** *ch.* *AE, DC, MC, V, JCB.* ££££

Cet hôtel se démarque par son service personnalisé et son luxe discret, l'effet obtenu étant très agréable. Dans les chambres, somptueuses et bien équipées, une décoration plus sage remplace les oiseaux orientaux et les lourdes tentures de chintz du hall d'entrée et du salon qui resplendissent de cristaux de Venise. En haut du grand escalier, l'élégant restaurant Four Seasons et le Lanes – au buffet moins guindé – sont des endroits où l'on mange merveilleusement bien.

Twenty-Two Jermyn Street

22 Jermyn St, St-James's, SW1Y 6HL. **Plan** 12 F3. *0171-734 2353.* FAX *0171-734 0750.* ***19*** *ch.* *AE, DC, MC, V, JCB.* ££££

Une entrée discrète ouvre sur un enchevêtrement de suites luxueuses et de studios, parfaitement équipés et très confortables, somptueusement décorés et superbement entretenus. Le service de restauration en chambre 24 h sur 24 h, l'accès à un club de remise en forme voisin et l'accent porté sur la sécurité et l'intimité de la clientèle justifient les tarifs apparemment élevés que pratique cet hôtel. Beaucoup d'hommes d'affaires.

Brown's

Albemarle and Dover Sts, W1A 4SW. **Plan** 12 F3. *0171-493 6020.* FAX *0171-493 9381.* TX *28686.* ***120*** *ch.* *AE, DC, MC, V, JCB.* £££££ *Voir* ***Restaurants et Pubs*** *pp. 306-7.*

Le charme de Mr. Brown (qui fut sans doute le gentleman parmi les gentlemen) se retrouve ici, dans un des plus anciens et des plus traditionnels hôtels de Londres, où les légendaires thés de l'après-midi sont toujours servis dans le salon de chintz. Les chambres sont généralement grandes, décorées de manière charmante et quelque peu démodée.

Claridge's

Brook St, W1A 2JQ. **Plan** 12 E2. *0171-629 8860.* FAX *0171-499 2210.* TX *218762 CLRDGS G.* ***190*** *ch.* *AE, DC, MC, V, JCB.* £££££

Cet hôtel, tellement intégré par l'establishment qu'il fonctionne pratiquement comme une annexe du palais de Buckingham, se montre parfaitement respectueux des traditions – encore que l'atmosphère soit étonnamment décontractée. Le style Art déco s'harmonise à la grandiloquence classique des mosaïques de marbre, des lustres et d'un escalier assez large pour que deux femmes en ample robe de bal puissent s'y croiser sans se gêner. Des musiciens hongrois animent le hall, tandis qu'une ribambelle de maîtres d'hôtel, de valets et de femmes de chambre peuvent être appelés dans les immenses chambres grâce à un simple bouton.

Connaught

16 Carlos Pl, W1Y 6AL. **Plan** 12 E3. *0171-499 7070.* FAX *0171-495 3262.* ***90*** *ch.* *MC, V.* £££££

Ce célèbre hôtel se montre si sûr de lui qu'il ne fournit ni brochure ni tarifs (les prix – pas les plus élevés des hôtels de Mayfair – étant indiqués « sur demande »). L'hôtel n'est pas grand et sa décoration est sans prétention. La plus grande discrétion est la règle : l'intimité des hôtes est jalousement préservée et tout caprice est soigneusement noté pour servir à l'avenir. On peut se sentir exclu du club très fermé des résidents du Connaught, et beaucoup sont aimablement informés que l'hôtel est presque, presque plein… Pour réserver, ne vous contentez pas de téléphoner et de venir ! Ecrivez, courtoisement, bien à l'avance.

Dorchester

53 Park Lane, W1A 2HJ. **Plan** 12 D3. *0171-629 8888.* FAX *0171-495 7342.* TX *887704 DORCH G.* ***252*** *ch.* *AE, DC, MC, V, JCB.* £££££

De pâles et doux reflets dorés animent les colonnes de marbre et les coupoles des plafonds tandis que de grands bouquets de fleurs agrémentent la Promenade où est servi le thé. Tout dans ce vieil hôtel est d'une majesté flamboyante et ostensible. Pour les repas, on a le choix entre le célèbre Grill Room, le paisible Terrace, et les différents restaurants orientaux. Les suites et les chambres, qui disposent d'un triple vitrage du côté de Park Lane, sont, inutile de le dire, somptueuses.

Dukes

35 St James's Pl, SW1A 1NY. **Plan** 12 F4. *0171-491 4840.* FAX *0171-493 1264.* TX *28283.* ***64*** *ch.* *AE, DC, MC, V.* £££££

Ce bel édifice édouardien est coincé dans une petite cour où l'on allume toujours à la main les réverbères à gaz. Bien que cher et de caractère exclusif, le Dukes est remarquablement accueillant. Au bar, de caractère plutôt masculin, des cognacs prodigieux sont servis sous le regard sévère des trois portraits des ducs de Wellington, de Marlborough et de Norfolk. Les enfants de plus de 5 ans sont acceptés.

Fortyseven Park Street

47 Park St, W1Y 4EB. **Plan** 12 D2. *0171-491 7282.* FAX *0171-491 7281.* TX *22116 LUXURY.* ***52*** *ch.* *AE, DC, MC, V, JCB.* £££££

Beaucoup ont entendu parler du célèbre restaurant de Roux, le Gavroche. Peu savent qu'il est possible d'aller récupérer de ses excès juste à côté, dans l'une des 52 suites luxueuses de cet établissement, décorées de bronzes de cheminées, de meubles magnifiques et pourvues de linge moelleux. Un service de restauration en chambre est également disponible.

Grosvenor House

86-90 Park Lane, W1A 3AA. **Plan** 12 D3. *0171-499 6363.* FAX *0171-493 3341.* TX *24871.* ***454*** *ch.* *AE, DC, MC, V, JCB.* £££££

Cet établissement est probablement plus célèbre pour les grandes réceptions que l'on y donne que comme hôtel. En effet, la Great Room est la plus grande salle de banquet d'Europe, pouvant accueillir 2 000 convives. Derrière la façade de Lutyens qui domine Hyde Park, cet hôtel luxueux mais un peu froid se montre très confortable. Parmi ses restaurants, tous très différents, on compte l'élégant Nico at 90 (*voir p. 296*).

Ritz

Piccadilly, W1V 9DG. **Plan** 12 F3. *0171-493 8181.* FAX *0171-493 2687.* TX *267200.* ***129*** *ch.* *AE, DC, MC, V.* £££££ *Voir p. 91.*

Le navire amiral de Cunard attire toujours les foules, notamment à l'heure du thé, dans la Palm Court : sans doute l'endroit le plus commode pour avoir un avant-goût du très grand luxe. Les salons de marbre du Ritz, dans le style français, sont prodigieusement grands. Ainsi la salle du restaurant où des lustres dorés sont suspendus à un plafond décoré d'une fresque de nuages. À l'arrière-plan se profilent les vertes frondaisons de Green Park.

SOHO
LEICESTER SQUARE
OXFORD STREET

Concorde

50 Great Cumberland Pl, W1H 7FD. **Plan** 11 C1. *0171-402 6169.* FAX *0171-724 1184.* TX *262076.* ***26*** *ch.* *AE, DC, MC, V.* £

Cet hôtel possède la même atmosphère un peu démodée, et soigneusement conservée, que les hôtels voisins (*voir Bryanston Court*). Les aménagements y sont cependant plus simples, et les prix plus bas, ce qui est remarquable, aussi près d'Oxford Street.

Edward Lear

28–30 Seymour St, W1H 5WD. **Plan** 11 C2. *0171-402 5401.* FAX *0171-706 3766.* ***30*** *ch.* *4.* *MC, V.* £

Ancienne demeure de l'humoriste Edward Lear, ce simple et propre bed & breakfast n'est pas trop éloigné d'Oxford Street. Il convient aussi bien aux personnes seules, aux familles et aux couples plus âgés, avec ses deux petits salons (l'un d'entre eux abrite les œuvres d'Edward Lear) et une salle de petit déjeuner assez claire. Les chambres situées à l'arrière n'ont pas l'inconvénient des bruits de la circulation.

Parkwood

4 Stanhope Pl, W2 2HB. **Plan** 11 B2. *0171-402 2241.* FAX *0171-402 1574.* ***18*** *ch.* *12.* *MC, V.* £

Cet accueillant bed & breakfast occupe une maison familiale bien entretenue, avec portiques de style classique, à un pâté de maisons de Marble Arch. Si le salon de réception est charmant, les chambres sont rien moins que luxueuses et montrent quelques signes de fatigue. Une petite salle de petit déjeuner accueillante occupe le rez-de-chaussée.

Bryanston Court

56-60 Great Cumberland Pl, W1H 7FD. **Plan** 11 C1. *0171-262 3141.* FAX *0171-262 7248.* ***56*** *ch.* *AE, DC, MC, V.* ££

Des stores bleus donnent un air décontracté et un cachet continental à cet hôtel. À l'intérieur, une douce lumière se reflète sur des portraits à l'huile et des fauteuils de cuir brun légèrement patinés. L'atmosphère est distinguée et vieillotte, mais très personnelle, à la différence de nombreux hôtels du West End. Les chambres sont simples, petites et fonctionnelles.

Durrants

George St, W1H 6BJ. **Plan** 11 B1. *0171-935 8131.* FAX *0171-487 3510.* ***96*** *ch.* *86* *AE, MC, V.* £££

Cet hôtel de style georgien, assez fréquenté, a conservé l'allure de l'ancien relais de poste qu'il était autrefois. Le restaurant est un lieu où prédominent les tissus froncés et les soupières d'argent. Les bars et les salons, cuir et lambris de chêne, renforcent l'atmosphère démodée et masculine. Les chambres, simples et petites, donnent sur l'arrière.

Hazlitt's

6 Frith St, W1V 5TZ. **Plan** 13 A2. *0171-434 1771.* FAX *0171-439 1524.* ***Fermé*** *24–26 déc.* ***20*** *ch.* *AE, DC, MC, V.* £££

Cet hôtel, l'un des plus séduisants et des plus typiques de Londres, occupe trois maisons du XVIIIe siècle, dont une fut habitée par le critique et essayiste William Hazlitt (1778-1830). Sans être vraiment luxueux, il est extrêmement distingué : tous les murs de l'hôtel sont couverts de tableaux, et le petit salon avec cheminée, située derrière la réception, est fort tranquille. Les chambres sont décorées en vert et beige, et disposent d'un mobilier ancien et rare ; palmiers et fougères, parfois un buste classique, dominent des baignoires victoriennes aux grands pieds griffus.

Marble Arch Marriott

134 George St, W1H 6DN. **Plan** 11 B1. *0171-723 1277.* FAX *0171-402 0666.* TX *27983.* ***240*** *ch.* *AE, DC, MC, V, JCB.* ££££

Situé près de Edgware Road, ce bâtiment moderne et remarquablement aménagé offre une atmosphère reposante. Les chambres disposent d'un ou deux grands lits de style américain. L'hôtel possède également un club de remise en forme avec salle de gymnastique et piscine, et un parking gratuit assez exceptionnel pour le centre-ville.

Hampshire

Leicester Sq, WC2H 7LH. **Plan** 13 B3. *0171-839 9399.* FAX *0171-930 8122.* TX *814848 HAMPS G.* ***125*** *ch.* *AE, DC, MC, V, JCB.* ££££

Peu de gens soupçonnent qu'un tel luxe puisse exister à proximité d'un des squares les plus modestes de Londres et dans le décor invraisemblable de l'ancien Dental Hospital. L'intérieur de cet imposant bâtiment de brique est en effet assez somptueux pour satisfaire les P.-D. G. américains les plus exigeants qui constituent la base de sa clientèle. Cet hôtel du groupe de l'Edward, d'une classe impeccable, prend des airs coloniaux avec ses ventilateurs de plafond et ses grands vases de Chine.

REGENT'S PARK
MARYLEBONE

Blandford

80 Chiltern Street, W1M 1PS. **Plan** 4 D5. *0171-486 3103.* FAX *0171-487 2786.* TX *262594 BLANFD G.* ***33*** *ch.* *AE, DC, MC, V.* ££

Le Blandford, situé dans une paisible petite rue proche de la station de Baker Street, a obtenu de nombreuses récompenses pour la qualité de son accueil. Bed & breakfast bon marché, cet établissement familial offre un hébergement sans prétention et un copieux petit déjeuner.

La Place

17 Nottingham Pl, W1M 3FB. **Plan** 4 D5. *0171-486 2323.* FAX *0171-486 4335.* ***24*** *ch.* *DC, MC, V.* ££

Ce bed & breakfast plaisant et abordable est d'une rare commodité, non seulement parce qu'il n'est situé qu'à un jet de pierre de Madame Tussaud's, au centre de Londres, mais aussi parce qu'on peut y prendre des repas simples dans son restaurant du sous-sol, ou encore se détendre au bar. Les chambres sont étonnamment bien équipées pour ce prix. L'attention portée à la sécurité en fait un hôtel sans souci pour les femmes seules.

Dorset Square

39–40 Dorset Sq, NW1 6QN. **Plan** 3 C5. *0171-723 7874.* FAX *0171-724 3328.* TX *263964.* ***37*** *ch.* *AE, MC, V.* £££

Ce bâtiment Regency, superbement restauré, est harmonieusement décoré : mobilier ancien, beaux tissus, objets d'art et intéressants tableaux meublent chaque pièce, de styles différents. Au rez-de-chaussée, un restaurant et un bar, où l'on peut jouer notamment au jacquet, permettent de se détendre en toute tranquillité, tout comme dans les confortables salons.

Pour les symboles utilisés, *voir p. 275*

White House

Albany St, NW1 3UP. **Plan** 4 E4. *0171-387 1200.* FAX *0171-388 0091.* TX *24111.* ***576*** *ch.* AE, DC, MC, V, JCB. ££££

Autrefois éclaboussé par le scandale Profumo (une affaire de mœurs dans les années 1960), ce grand ensemble de suites et d'appartements offre aujourd'hui un hébergement de grande qualité et des salons nombreux et variés. Il dispose également d'un restaurant élégant et chic, d'un confortable salon de cocktail, d'un bar à vin en sous-sol avec poutres apparentes et bibelots de cuivre, ainsi que du spacieux Garden Café. Autre avantage de cet hôtel, sa proximité de la gare de Euston (*voir pp. 358-359*).

Langham Hilton

1 Portland Pl, W1N 3AA. **Plan** 4 E5. *0171-636 1000.* FAX *0171-323 2340.* ***387*** *ch.* AE, DC, MC, V, JCB. £££££ *Voir p. 221.*

Réouvert comme hôtel en 1991 après avoir longtemps abrité des studios de la BBC, le Langham semble être une recréation somptueuse, dans le style Hilton, de son ancienne splendeur victorienne, auquel s'ajoute tout le confort moderne que l'on est en droit d'attendre. Les salons reflètent la nostalgie actuelle pour l'époque de l'Empire britannique. Les spacieuses chambres sont magnifiques, tout comme la salle de bal, ornée avec faste de lustres italiens et de moulures.

Bloomsbury
Fitzrovia
Covent Garden
Le Strand

Mabledon Court

10–11 Mabledon Pl, WC1H 9A2. **Plan** 5 B3. *0171-388 3866.* FAX *0171-387 5686.* ***30*** *ch.* MC, V. £

S'il n'y a rien de fantaisiste dans cet établissement plutôt simple, aux petites chambres proprettes et bien tenues, commodément placé à proximité des gares de King's Cross et de St Pancras, ses prix sont en proportion. Un minuscule salon et une moderne salle de petit déjeuner occupent le sous-sol.

Academy

17–21 Gower St, WC1E 6HG. **Plan** 5 A5. *0171-631 4115.* FAX *0171-636 3442.* ***30*** *ch.* 25. AE, DC, MC, V, JCB. ££

Des lauriers signalent ces trois hôtels particuliers de style georgien, situés à proximité de l'université de Londres. À l'intérieur, l'ambiance est sophistiquée mais sans excès. Des porte-fenêtres, qui ouvrent près des rayonnages de bibliothèque d'un agréable salon, conduisent à un accueillant jardin. Le restaurant au sous-sol, où jouent parfois des musiciens, propose une cuisine inventive dans un cadre discret.

Fielding

4 Broad Court, Bow St, WC2B 5QZ. **Plan** 13 C2. *0171-836 8305.* FAX *0171-497 0064.* ***25*** *ch.* 24. AE, DC, MC, V. ££

Le Fielding est sans doute un des Bed & Breakfast les moins chers de ce quartier de Londres. Smoky le perroquet, qui hante le luxueux petit bar rose, vous saluera aimablement. Les chambres, à l'étage, toutes petites et aucune luxueuse, s'étendent confusément dans toutes les directions : certaines sont aménagées en duplex et bizarrement configurées, d'autres disposent de bureaux pour les hommes d'affaires, d'autres encore ont des douches minuscules, adroitement ménagées dans des recoins impossibles.

Bonnington

92 Southampton Row, WC1B 4BH. **Plan** 5 C5. *0171-242 2828.* FAX *0171-831 9170.* TX *261591.* ***215*** *ch.* AE, DC, MC, V. £££

Cet hôtel est l'un des plus pratiques du quartier de Bloomsbury. Si le mobilier est sans grand intérêt, la direction et le personnel sont efficaces et discrets. Avec leur décoration contemporaine, le salon-bar et le restaurant sont fort agréables. Les tarifs week-end sont d'un excellent rapport pour les familles.

Russell

Russell Sq, WC1B 5BE. **Plan** 5 B5. *0171-837 6470.* FAX *0171-837 2857.* TX *24615.* ***328*** *ch.* AE, DC, MC, V, JCB. £££

La solennité de la façade de ce grand édifice victorien se retrouve dans le hall, un labyrinthe de marbre fauve d'où part un imposant escalier. Lambris, profonds canapés de cuir, riches tissus sombres et lustres donnent le ton partout ailleurs. Les plus belles pièces donnent sur le jardin. La brasserie Virginia Woolf sert des soupers d'après-théâtre.

Mountbatten

20 Monmouth St, WC2H 9HD. **Plan** 13 B2. *0171-836 4300.* FAX *0171-240 3540.* TX *298087.* ***125*** *ch.* AE, MC, V, JCB. ££££

Bien situé dans le quartier des théâtres et de Covent Garden, l'hôtel est rempli de souvenirs de Lord Mountbatten, le vétéran de la Seconde Guerre mondiale. Les confortables salons sont plaisamment décorés dans le style colonial : ventilateurs au plafond, tapis, grands palmiers en pot. Le bar à vin du rez-de-chaussée sert une grande variété de snacks dans un cadre agréable. Il est possible d'y souper après le théâtre.

Waldorf

Aldwych, WC2B 4DD. **Plan** 14 D2. *0171-836 2400.* FAX *0171-836 7244.* TX *24574.* ***292*** *ch.* AE, DC, MC, V, JCB. ££££

Toujours élégant, cet hôtel de luxe n'est plus tout à fait le repaire distingué qu'il fut à ses beaux jours. Cependant, les thés dansants qui ont fait sa réputation ont toujours lieu le week-end, et il reste de bon ton de venir y prendre le thé sous le célèbre balcon à volutes où joue l'orchestre. La Aldwych Brasserie offre un cadre moins formel pour souper après le théâtre. Certaines des chambres, un peu tristes, sont en cours de rénovation.

Howard

Temple Pl, Strand, WC2R 2PR. **Plan** 14 D2. *0171-836 3555.* FAX *0171-379 4547.* TX *268047.* ***135*** *ch.* AE, DC, MC, V, JCB. £££££

Si le bâtiment est moderne, la discrétion policée du personnel ramène à une époque révolue. Le hall d'entrée, pastiche classique, est décoré de lustres diamantés et de moulures tapageuses peintes dans des couleurs de bonbonnière. On appréciera cependant le jardin d'hiver paysager, visible depuis le restaurant et le bar, et les magnifiques vues sur la Tamise que l'on découvre depuis un grand nombre de chambres, agréables et meublées dans un style traditionnel.

Savoy

Strand, WC2R 0EU. **Plan** 13 C2. *0171-836 4343.* FAX *0171-240 6040.* TX *24234.* **200** *ch.* AE, DC, MC, V, JCB. ££££ *Voir p. 116.*

Depuis sa terrasse dominant la Tamise, l'hôtel de rêve de Richard D'Oyly Carte en impose encore sur ce quartier de Londres. À l'intérieur, le Savoy Grill est devenu une institution où hommes politiques et journalistes se rencontrent en tête-à-tête, et il reste de mise de prendre le thé au son du piano dans le charmant Thames Foyer. Le décor Art déco donne au Savoy toute son élégante distinction. Plusieurs chambres disposent de salles de bains à l'ancienne mode, avec d'énormes réservoirs d'eau pour la douche. Certaines chambres simples particulièrement séduisantes possèdent un balcon d'où l'on découvre la Tamise. Mais ce sont les petits détails qui donnent au Savoy son excellente réputation : matelas à 836 ressorts, clochette (et non bouton) pour appeler le personnel, et la ferme conviction de la direction que « standardiser n'est pas gérer ». La piscine sur le toit et le centre de remise en forme sont également stylés, le contraire surprendrait…

LA CITY

Great Eastern

Liverpool St, EC2M 7QN. **Plan** 15 C1. *0171-283 4363.* FAX *0171-283 4897.* TX *886812.* **161** *ch.* *126.* AE, DC, MC, V. £££

Cet ancien hôtel victorien, proche de la gare de Liverpool Street est, de manière assez surprenante, le seul hôtel du quartier de l'ancienne City. Il a l'avantage de posséder plusieurs restaurants : le Café Pierre, une brasserie de style français ; l'Entrecôte, un sanctuaire sans fenêtres où se rencontrent les hommes d'affaires ; et le Bowlers in the City, orné de colonnes classiques et couvert d'une coupole de vitraux. La cuisine y est traditionnelle, et les chambres sans surprise.

Tower Thistle

St Katherine's Way, E1 9LD. **Plan** 16 E3. *0171-481 2575.* FAX *0171-481 3799.* TX *885934.* **808** *ch.* AE, DC, MC, V, JCB. ££££

Cette ziggourat de béton des années 1970 commande une magnifique façade sur le fleuve, juste en aval de Tower Bridge, donnant sur Butler's Wharf. À l'intérieur, le spacieux hall d'entrée, avec jets d'eau et plantes vertes, a un style assez décontracté. Si les chambres ne sont pas très grandes, elles jouissent toutes d'une belle vue, d'un décor moderne et d'excellents aménagements. L'hôtel abrite plusieurs restaurants : le Princes, plutôt cher, le Carvery, plus chaleureux, et le Which Way West, très chic, qui se transforme le soir en boîte de nuit.

EN DEHORS DU CENTRE

Chase Lodge

10 Park Rd, Hampton Wick, KT1 4AS. *0181-943 1862.* FAX *0181-943 9363.* **10** *ch.* *7.* AE, DC, MC, V. £

Cette modeste maison victorienne possède une serre bien aérée où sont servis d'excellents dîners et petits déjeuners, ainsi qu'un élégant petit bar et un salon. Les chambres, bien que petites, sont arrangées de manière charmante dans un style rustique, les salles de bains étant aménagées au hasard des possibilités.

La Reserve

422–428 Fulham Rd, SW6 1DU. **Plan** 18 D5. *0171-385 8561.* FAX *0171-385 7662.* **41** *ch.* AE, DC, MC, V. ££

Bien que la façade soit de style classique, l'intérieur de l'hôtel présente un mobilier ultramoderne et sobre qui peut ne pas plaire à tout le monde. En revanche, les chambres minimalistes ont de coquets dessus-de-lit et de belles salles de bains. Le restaurant propose une carte de spécialités assez restreinte, mais inventive.

Swiss Cottage

4 Adamson Rd, NW3 3HP. *0171-722 2281.* FAX *0171-483 4588.* TX *297232 SWISSCO G.* **80** *ch.* *75.* AE, DC, MC, V. ££

Cette coquette maison victorienne, située dans une rue paisible à proximité de la station de métro Swiss Cottage, offre un style d'hébergement un peu vieillot, où se mélangent harmonieusement meubles anciens et copies, un piano à queue, et une étonnante collection de tableaux et de vieux papiers peints. Les chambres sont spacieuses et confortables, les plus chères disposent de canapés de velour et de chaises longues. La petite carte du restaurant peut se compléter par des sandwichs et de simples snacks servis au bar et au salon.

Cannizaro House

West Side, Wimbledon Common, SW19 4UF. *0181-879 1464.* FAX *0181-879 7338.* TX *941 3837.* **46** *ch.* AE, DC, MC, V, JCB. £££

Comme le roi George III (qui régna de 1760 à 1820) a pris autrefois un petit déjeuner dans cette maison de commerce datant de 1705, l'hôtel a un style pompeux approprié à cette ancienne fréquentation royale : plafonds à moulures, imposantes cheminées, gigantesques bouquets de fleurs fraîches, rideaux bouillonnants… Ce luxe se retrouve dans les chambres à l'étage. Mais Cannizaro House a surtout de splendides jardins clos qui lui confèrent des allures de maison de campagne.

Kingston Lodge

Kingston Hill, Kingston-upon-Thames, KT2 7NP. *0181-541 4481.* FAX *0181-547 1013.* TX *936034.* **62** *ch.* AE, DC, MC, V. £££

Ce petit hôtel de banlieue, appartenant à la chaîne Forte, est clair et accueillant. Bien que situé dans une rue assez passante, la plupart de ses chambres donnent sur l'arrière. Les salons, qui occupent plusieurs niveaux, ouvrent sur le hall de réception mais conservent une atmosphère feutrée : une cheminée (à gaz) brûle agréablement dans un décor néo-classique de style Adam. Au restaurant, largement vitré, des stores protègent les dîneurs du soleil. Si l'hôtel présente quelques signes de fatigue, il reste cependant très confortable.

Sheraton Skyline, Heathrow Airport

Bath Rd, Hayes, Middlesex, UB3 5BP. *0181-759 2535.* FAX *0181-750 9150.* TX *934254.* **354** *ch.* AE, DC, MC, V, JCB. ££££

Si vous cherchez une chambre à proximité de l'aéroport de Heathrow qui soit un peu mieux qu'un placard insonorisé avec l'air conditionné, allez au Sheraton Skyline. L'un de ses principaux attraits est le Patio Caribe, une extraordinaire pièce d'eau au milieu d'une jungle de plantes sert de toile de fond pour des cocktails ou un repas sur le pouce. L'hôtel dispose d'un service de navette vers l'aéroport et d'un parking, tous deux gratuits.
Pour connaître la liste des hôtels proches des aéroports de Gatwick et de Heathrow, voir pp. 356-357.

Restaurants et pubs

Manger au restaurant à Londres revient à faire le tour du monde dans son assiette. En l'espace de quelques jours, vous pouvez ainsi voyager de l'Amérique à l'Afrique, visiter tous les pays européens et parcourir le Proche, le Moyen et l'Extrême-Orient. Londres est devenue le siège des nations unies de la cuisine.

Menu pré-théâtre

Choisir votre table

Les restaurants mentionnés dans ce guide, situés dans les principaux quartiers touristiques de la capitale, offrent tous une très bonne qualité de cuisine dans un cadre agréable et présentent une grande diversité de styles et de prix. Ceux qui, installés dans les environs de Londres, méritent un détour ont également été indiqués. Les restaurants du tableau *Choisir un Restaurant* (*pp. 292-294*), qui résume leurs caractéristiques principales, y sont classés par quartier ce qui vous permet de les localiser facilement. Pour plus de détails, reportez-vous à leur description aux pages 295 à 305, où ils sont regroupés par type de cuisine.

Ces dernières années, les cafés londoniens ont adopté un nouveau style. Ils sont désormais parmi les endroits les plus animés de la capitale. À l'instar des pubs, qui ont fait la renommée de la Grande-Bretagne, nombreux sont ceux qui servent aujourd'hui de bons repas, allant des simples canapés aux principaux plats nationaux. D'autres lieux plus décontractés pour manger et boire un verre, sont indiqués aux pages 306 à 309.

Restaurants londoniens

Covent Garden, Piccadilly, Soho et Leicester Square sont les quartiers où vous trouverez le plus grand choix d'établissements. Kensington et Chelsea possèdent également un bon éventail de restaurants, tandis que Butler's Wharf sur la rive sud de la Tamise a été regénéré avec quelques excellents restaurants au bord de l'eau. S'il est toujours possible de goûter au roast beef et aux puddings traditionnels comme ceux que propose le Simpson's (*voir p. 295*), la tendance actuelle de la cuisine anglaise est à un nouveau style de gastronomie, plus légère et associant diverses influences culturelles, dont des chefs comme Sally Clarke (du Clarke's, *voir p. 298*), Gary Rhodes (The Greenhouse, *voir p. 295*) et Marco-Pierre White (Harvey's, *voir p. 299*) sont les représentants. Londres est un véritable paradis pour les amateurs de cuisine indienne (maisons *tandoori* et *bhel poori*). Les cuisines italienne et thaïlandaise sont en plein essor ; plusieurs des meilleurs restaurants thaïs sont installés à Soho, ainsi que des japonais, des indonésiens, des chinois et des malais. Certains restaurants italiens, comme le Cibo (*voir p. 300*) et le River Café (*voir p. 299*), offrent une cuisine plus inventive et légere que les *trattoria* traditionnelles du West End. La cuisine française est représentée dans la majorité des établissements de luxe du quartier de Mayfair. La plupart des restaurants proposent des plats végétariens et de plus en plus de restaurants végétariens pratiquent une cuisine imaginative – The Place Below – (*voir p. 302*). De nombreux restaurants de poisson accommodent les produits de la mer, spécialité londonienne.

Commissionaire at the Hard Rock Café (*voir p. 302*)

Coast (*voir p. 298*)

Autres établissements

De nombreux hôtels londoniens disposent d'excellents restaurants ouverts aux non-résidents. Si certains de ces restaurants sont vieillots et surestimés, d'autres offrent une cuisine de grande qualité préparée par de grands chefs.

Les chaînes de pizzerias et de restaurants de pâtes ont également proliféré, et quelques pubs concurrencent aujourd'hui les bars à vin en servant à manger des plats variés. Les café-brasseries de style français ont également du succès, et nombre de pâtisseries-salons de thé méritent une visite. Vous pouvez aussi grignoter rapidement un sandwich dans un bar, une pizza sur un stand ou un bagel dans une boulangerie ouverte la nuit.

Le Bibendum (*voir p. 297*)

Aller au restaurant

La plupart des restaurants londoniens servent à déjeuner entre 12 h 30 et 14 h 30, et à dîner de 19 h à 23 h. Les dernières commandes sont généralement acceptées jusqu'à 23 h. Les restaurants de spécialités étrangères ont tendance à rester ouverts plus tardivement. Les café-brasseries sont autorisées à servir de l'alcool à certaines heures seulement. Beaucoup de restaurants ferment dimanche et lundi. Mais le traditionnel repas dominical (*British Sunday lunch, voir p. 289*) est servi dans presque tous les pubs et de nombreux restaurants. Renseignez-vous si vous désirez déjeuner autrement. Seuls les établissements les plus chic, et les plus chers, obligent au port d'une chemise et d'une cravate. Il est préférable de réserver, notamment dans des établissements comme le Connaught (*voir p. 296*) et le Bibendum (*voir p. 301*).

Prix et service

Un vrai repas composé de trois plats, vin compris, coûte entre 25 £ et 35 £ par personne dans un restaurant moyen. Des prix plus faibles (de 5 à 15 £ par personne) sont pratiqués dans les petits cafés étrangers et végétariens, les bars à vin et les pubs. Certains restaurants possèdent des menus à prix fixe souvent plus intéressants que les prix à la carte. Dans le centre de Londres, on peut trouver des menus prévus pour avant ou après une soirée au théâtre, devenus populaires et au service rapide. Avant de commander, vérifiez les petits caractères en bas du menu. Les prix doivent comprendre la TVA mais pas nécessairement le service (entre 10 et 15 %). Quelques restaurants font payer le couvert (1 à 2 £ par personne), d'autres pratiquent un prix minimum pendant les périodes les plus chargées, et certains n'acceptent pas les cartes de crédit. Attention au vieux stratagème où, bien que le service soit compris, le personnel laisse en blanc la case montant de la facturette de carte de crédit dans l'espoir que vous rajoutiez 10 % au total. Le style de service varie selon les types de restaurants : désinvolte dans les fast-foods, discret et attentif dans les établissements de luxe.

Manger avec des enfants

A l'exception des restaurants italiens, des fast-foods et de quelques autres endroits, les enfants sont plus tolérés que chaleureusement accueillis dans les établissements londoniens. Certains ont cependant un menu spécial, préparent des portions réduites et disposent de chaises hautes (*voir pp. 292-294*), voire distraient les enfants et les adolescents par des spectacles, de la musique et diverses activités. Vous trouverez page 339 la liste des restaurants.

Légende des tableaux

Symboles des tableaux des pages 295 à 305.

- menu à prix fixe
- *R* Repas
- *D* Dîner
- zone non-fumeur
- spécialités végétariennes
- portions enfant et chaises hautes
- accessible aux handicapés
- veste et cravate obligatoires
- musique *live*
- tables en terrasse
- bonne carte des vins
- ★ fortement recommandé
- cartes de crédit acceptées
- *AE* American Express
- *DC* Diners Club
- *MC* Mastercard/Access
- *V* Visa
- *JCB* Japanese Credit Bureau

Les catégories de prix sont indiquées pour un dîner composé de trois plats principaux, une demi-bouteille de vin, taxes (ex. couvert et service) comprises :

- £ moins de 15 £
- ££ 15 à 20 £
- £££ 20 à 30 £
- ££££ 30 à 40 £
- £££££ plus de 40 £

Le restaurant Clarke's (*voir p. 298*)

Le plus grand restaurant hongrois de Londres (*voir p. 301*)

Que manger à Londres ?

Le traditionnel repas dominical (de bons produits frais préparés simplement) est l'occasion de vous réconcilier avec la cuisine anglaise, si décriée. Le plat principal est une tranche de rôti (de l'agneau ou du bœuf), servie avec un accompagnement (sauce à la menthe ou gelée de groseilles pour l'agneau, moutarde ou raifort à la crème pour le bœuf) ; le dessert consiste immanquablement en un délicieux pudding et du fromage anglais, servis avec des biscuits. Ce repas du dimanche, une institution pour les Londoniens, est proposé dans toute la capitale par de nombreux restaurants, cafés, hôtels et pubs. Le légendaire *English breakfast*, s'il est moins copieux aujourd'hui que le festin de cinq plats des Victoriens, reste un repas complet, idéal pour entamer une journée de visites chargée. L'*afternoon tea* (qui se boit généralement vers 16 h) est un autre plaisir des Anglais, qui associe leur goût pour les gâteaux et leur penchant pour le thé. Vous reconnaîtrez souvent l'odeur des *fish and chips* en vous promenant dans la ville ; ce plat typiquement anglais se mange en plein air, à même le papier.

Fish and Chips
Poisson pané (haddock ou cabillaud) et frites avec un filet de vinaigre.

Petit déjeuner anglais
Ce vrai repas se compose de bacon, d'œufs, de tomate, de pain poêlé et de différentes variétés de saucisses.

Toasts et marmelade
Le petit déjeuner se termine généralement par des toasts tartinés de marmelade d'orange.

Ploughman's Lunch
Pain, fromage et pickles doux sont la base de cet en-cas rustique servi dans les pubs.

Fromages
Les fromages anglais sont étuvés, ou demi-étuvés, comme le Cheshire, le Leicester et, le plus célèbre d'entre eux, le Cheddar.

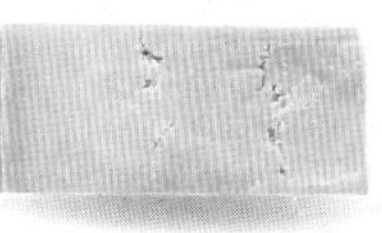

Cheddar

Sage Derby

Cheshire

Stilton

Red Leicester

Bread and Butter Pudding
Une tranche de pain garnie de fruits secs, cuite à la crème et servie chaude.

Fraises à la crème
Un grand classique, toujours apprécié à la belle saison.

Le pudding aux fruits rouges
La pâte est imbibée du jus des fruits qui ont cuit à l'intérieur.

Sandwichs au concombre
Garnis de fines rondelles de concombre, ils accompagnent traditionnellement le thé.

Les scones
Petits pains aux raisins que l'on sert avec de la crème et de la confiture.

Thé
Avec un nuage de lait ou une rondelle de citron, c'est LA boisson nationale britannique.

Rosbif et Yorkshire Pudding
Le Yorkshire pudding, une sorte de pâte à chou cuite au four, est la garniture traditionnelle du rôti de bœuf, accompagnée d'une sauce au raifort et de pommes de terre sautées.

Steak and Kidney Pie
C'est un pâté en croûte au bœuf et aux rognons de porc dans une sauce épaisse.

Shepherd's Pie
C'est un ragoût de bœuf et de légumes recouvert de purée de pommes de terre.

Les boissons
*La bière (*voir p. 308*), boisson anglaise par excellence, existe en différentes sortes : de la light lager à la stout et à la bitter. Le gin est originaire de Londres. Le Pimms, généralement mélangé à de la limonade ou des jus de fruits, est particulièrement rafraîchissant l'été.*

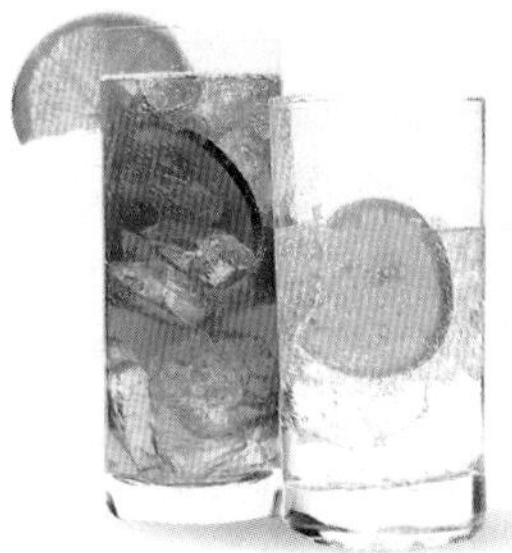

Les meilleurs restaurants et pubs de Londres

Les endroits où l'on peut manger et boire à Londres sont innombrables. Il y en a pour tous les goûts et toutes les bourses, depuis les élégants et luxueux restaurants proposant de la très grande cuisine jusqu'aux *fish and chips*, en passant par les restaurants de spécialités étrangères, les cafés bon marché et accueillants et les nombreux pubs de quartier. Voir la liste des restaurants sélectionnés (*pages 295 à 305*), des endroits moins formels (*pages 306 et 307*), et des pubs (*pages 308 et 309*).

L'Odéon
Voici un grand restaurant réputé pour ses mélanges inhabituels d'ingrédients et de saveurs (voir p. 296).

Sea Shell
On vient de loin pour déjeuner dans ce restaurant, l'un des meilleurs fish and chips *de Londres qui fait également de la vente à emporter* (voir pp. 306-307).

The Chapel
Pub moderne à la clientèle de goût, The Chapel propose des plats délicieux et une excellente carte des vins (voir pp. 308-309).

Tamarind
Ce restaurant indien sert des caris méticuleusement préparés par des chefs hors-pairs (voir p. 304).

Brown's
Cet hôtel traditionnel devient, l'après-midi, un des hauts lieux de l'afternoon tea (voir p. 306-307).

Aubergine
Ce restaurant français de charme propose des plats où se combinent avec délicatesse de riches saveurs (voir p. 296).

Wagamama
Ce restaurant japonais animé sert de copieuses soupes, et des plats de riz et de nouilles. Il est très fréquenté car très abordable (voir p. 305).

Pâtisserie Valerie
Le monde de l'art vient se gaver de gâteaux, dans cette pâtisserie aux allures vieillottes et démodées (voir pp. 306-307).

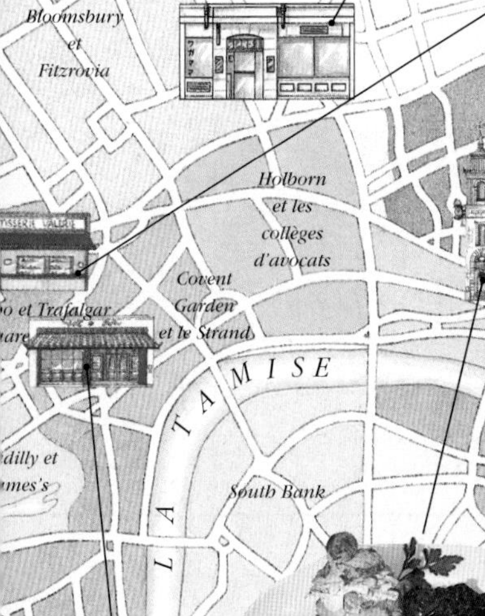

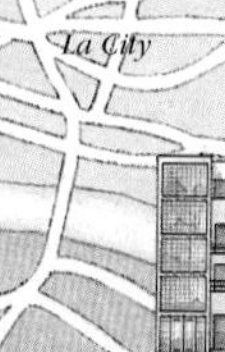

The Place Below
Une cuisine végétarienne délicieusement préparée est servie dans la crypte de St Mary-le-Bow (voir p. 302).

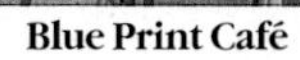

Blue Print Café
Ce restaurant stylé et cependant sans prétention propose une cuisine moderne et soignée. Les puddings sont délicieux et bien présentés (voir p. 297).

New World
Les clients de ce grand restaurant bon marché de Chinatown doivent se servir au passage des tables roulantes chargées de dim sum (voir p. 305).

Choisir un restaurant

Les restaurants et les pubs décrits dans ce chapitre ont été sélectionnés pour leur bon rapport qualité/prix ou la qualité de leur cuisine. Le tableau ci-dessous présente une sélection de facteurs déterminants concernant les restaurants. Pour plus de détails reportez-vous aux pages 295 à 309.

Restaurant	Prix	Numéro de page	Repas à prix fixe	Dîners à prix fixe	Ouvert tard le soir	Menu enfant	Tables en terrasse	Tables non-fumeurs	Spécialités végétariennes
Bayswater, Paddington									
Magic Wok *(Chinois)*	££	305	●						●
L'Accento *(Italien)*	£££	299	●	■		■	●		●
Veronica's *(Anglais)*	£££	295	●	■	●	■	●		●
Kensington, Holland Park, Notting Hill									
Malabar *(Indien)*	££	303		■	●	■			●
The Abingdon *(Français)*	£££	296	●		●	■	●		
L'Altro *(Italien)*	£££	299	●			■	●		
Kensington Place *(Moderne/International)* ★	£££	298	●		●	■			●
Wódka *(Polonais)*	£££	301	●						
Clarke's *(Moderne/International)*	££££	298	●	■					
South Kensington, Gloucester Road									
Hilaire *(Moderne/International)*	££££	298	●	■	●	■			
Bibendum *(Moderne/International)*	£££££	297	●		●				
Knightsbridge, Brompton, Belgravia									
Caravela *(Portugais)*	£££	301	●		●				
Khun Akorn *(Thaïlandais)*	£££	304	●			■			●
Le Suquet *(Poisson et fruits de mer)*	£££	301	●		●				
Bombay Brasserie *(Indien)*	££££	303		■	●				●
L'Incontro *(Italien)*	££££	299			●	■		■	●
Memories of China *(Chinois)*	££££	305	●	■					●
Salloos *(Indien)*	££££	304	●	■					●
The Restaurant *(Moderne/International)*	£££££	299	●	■					
Chelsea, Fulham									
Café O *(Grec)*	££	300	●			■	●		●
Chutney Mary *(Indien)*	£££	303	●		●			■	●
Albero & Grana *(Espagnol)*	££££	300			●	■			●
Nikita's *(Russe)*	££££	301		■	●				
La Tante Claire *(Français)*	£££££	297	●	■					
Aubergine *(Français)* ★	£££££	296	●	■					
Piccadilly, Mayfair, Baker Street									
Down Mexico Way *(Mexicain)*	££	302			●	■			●
Hard Rock Café *(Américain)*	££	302			●	■	●	■	●
Sofra *(Turc)*	££	300	●	■	●				●
Delicious Blue *(Moderne/International)*	£££	298	●						
Stephen Bull *(Moderne/International)*	£££	299	●	■		■			
Al Hamra *(Libanais)*	£££	300			●	■	●		●
Singapore Garden *(Asie du Sud Est)*	£££	304	●	■					●
The Avenue *(Moderne/International)*	££££	297	●		●	■			●
Le Caprice *(Moderne/International)*	££££	297			●				●
Coast *(Moderne/International)* ★	££££	298				■			
Criterion Brasserie *(Français)* ★	££££	296	●		●	■			
The Greenhouse *(Anglais)*	££££	295							
Mulligan's of Mayfair *(Irlandais)*	££££	298							
Miyama *(Japonais)*	££££	305	●	■		■			●
L'Odéon *(Français)* ★	££££	296	●		●	■			
Quaglino's *(Moderne/International)*	££££	298	●	■	●	■			●

Les prix sont indiqués couverts, service et taxes compris pour un repas de trois plats accompagné d'une demie bouteille de vin :
£ moins de 15 £
££ 15 à 20 £
£££ 20 à 30 £
££££ 30 à 40 £
£££££ plus de 40 £.

★ fortement recommandé

MENUS POUR REPAS OU DÎNERS
Les restaurants proposent des menus à prix fixe pour le repas, le dîner ou les deux. C'est en général le plus économique.
OUVERT TARD LE SOIR
Sauf le dimanche, commandes jusquau moins 23 h 30.
MENU ENFANT
Menus pour enfants et/ou chaises hautes.
SPÉCIALITÉS VÉGÉTARIENNES
Restaurant végétarien ou proposant au moins un plat principal végétarien.

Restaurant	Prix	Numéro de page	Repas à prix fixe	Dîners à prix fixe	Ouvert tard le soir	Menu enfant	Tables en terrasse	Tables non-fumeurs	Spécialités végétariennes
Tamarind *(Indien)* ★	££££	304	●	■	●				●
Chez Nico *(Français)*	£££££	296	●	■					
The Connaught *(Anglais)*	£££££	295	●	■					
Le Gavroche *(Français)*	£££££	296	●	■					
The Oriental *(Chinois)*	£££££	305	●	■		■			●
Suntory *(Japonais)*	£££££	305	●	■					
SOHO									
Mildred's *(Végétarien)*	£	301					●	■	●
Tokyo Diner *(Japonais)*	£	305			●	■		■	●
Deal's *(Américain)*	££	302				■	●		●
Fung Shing *(Chinois)*	££	305	●	■	●				
Harbour City *(Chinois)* ★	££	305	●			■			
Melati *(Indonésien)*	££	304	●	■	●	■			●
New World *(Chinois)*	££	305	●	■	●	■			
Jade Garden *(Chinois)*	££	305	●	■	●	■		■	
Bahn Thai *(Thaïlandais)*	£££	304	●	■		■			●
Bistrot Bruno *(Moderne/International)*	£££	297	●	■	●				
Café Fish *(Poisson et fruits de mer)*	£££	301			●		●	■	
The Gay Hussar *(Hongrois)*	£££	301	●						
Mezzo *(Moderne/International)* ★	£££	298	●		●				●
Sri Siam *(Thaïlandais)*	£££	304	●	■					●
Alastair Little *(Moderne/International)*	££££	297	●	■	●				
COVENT GARDEN, THE STRAND									
Food for Thought *(Végétarien)*	£	301					●	■	●
Calabash *(Africain)*	££	302			●	■			●
Oriental Gourmet *(Asie du sud-Est)*	££	304				■			●
Plummers *(Anglais)*	££	295	●	■	●				●
Alfred *(Anglais)* ★	£££	295	●		●	■	●		●
Belgo Centraal *(Belge)* ★	£££	300	●	■	●				
Bertorelli's *(Italien)*	£££	299			●			■	●
Café des Amis du Vin *(Français)*	£££	296	●	■	●	■	●		
Christopher's *(Américain)*	£££	302				■			
Mon Plaisir *(Français)*	£££	296	●	■					
Orso *(Italien)*	£££	299			●			■	●
Rules *(Anglais)*	£££	295			●				●
Simpson's *(Anglais)*	£££	295	●	■					●
World Food Café *(Végétraien)* ★	£££	302						■	●
The Ivy *(Moderne/International)* ★	££££	298			●				●
Neal Street Restaurant *(Italien)*	£££££	299							●
BLOOMSBURY, FITZROVIA									
Chutneys *(Indien)*	£	303	●		●			■	●
Wagamama *(Japonais)* ★	£	305	●	■				■	●
Mandeer *(Indien)*	££	303	●	■				■	●
Museum Street Café *(Moderne/International)*	£££	298	●	■				■	
CAMDEN TOWN, HAMPSTEAD									
Cottons Rhum Shop *(Caraïbes)*	££	303						■	
Daphne *(Grec)*	££	300	●		●	■	●		●
Lemonia *(Grec)*	££	300	●		●	■			●

Les prix sont indiqués couverts, service et taxes compris pour un repas de trois plats accompagné d'une demie bouteille de vin :
£ moins de 15 £
££ 15 à 20 £
£££ 20 à 30 £
££££ 30 à 40 £
£££££ plus de 40 £.

★ fortement recommandé

MENUS POUR REPAS OU DÎNERS
Les restaurants proposent des menus à prix fixe pour le repas, le dîner ou les deux. C'est en général le plus économique.
OUVERT TARD LE SOIR
Sauf le dimanche, commandes jusquau moins 23 h 30.
MENU ENFANT
Menus pour enfants et/ou chaises hautes.
SPÉCIALITÉS VÉGÉTARIENNES
Restaurant végétarien ou proposant au moins un plat principal végétarien.

	Prix	Numéro de page	Repas à prix fixe	Dîners à prix fixe	Ouvert tard le soir	Menu enfant	Tables en terrasse	Tables non-fumeurs	Spécialités végétariennes
ISLINGTON									
Anna's Place *(Suédois)*	£££	300				■	●		
SPITALFIELDS, CLERKENWELL									
Nazrul *(Indien)*	£	303			●				●
The Peasant *(Italien)*	£££	299				■			●
Quality Chop House *(Anglais)*	£££	295			●	■			●
THE CITY, SOUTH BANK									
Moshi Moshi Sushi *(Japonais)*	£	305			●	■			●
The Place Below *(Végétarien)* ★	££	302		■				■	●
Café Spice Namaste *(Indien)*	£££	303							●
Livebait *(Poisson et fruits de mer)*	£££	301						■	
The People's Palace *(Moderne/International)*	£££	298	●			■		■	
RSJ *(Français)*	£££	297	●	■					●
Sweetings *(Poisson et fruits de mer)*	£££	301			●				
Blue Print Café, SE1 *(Moderne/International)*	££££	297					●		●
Le Pont de la Tour *(Français)*	£££££	297	●		●		●		●
EN DEHORS DU CENTRE									
Istanbul Iskembecisi, N16 *(Turc)*	££	300			●	■			
Madhu's Brilliant, Southall *(Indien)*	££	303	●	■	●	■		■	●
Osteria Antica Bologna, SW11 *(Italien)*	££	299	●			■	●		●
Rani, Richmond *(Indien)*	££	303	●	■		■		■	●
Rasa, N16 *(Indien)* ★	£££	303				■		■	●
The Brixtonian, SW9 *(Caraïbes)*	£££	302		■				■	●
Montana, SW6 *(Américain)*	£££	302				■			●
Riva, SW13 *(Italien)*	£££	300		■		■			●
Spread Eagle, SE10 *(Français)*	£££	297	●	■		■			●
Wilson's, W14 *(Écossais)*	£££	295		■		■			
Chez Bruce, SW17 *(Français)*	££££	296	●	■					
River Café, W6 *(Italien)* ★	££££	299				■	●		

La cuisine anglaise

La réputation de la cuisine anglaise n'est pas très bonne, bien qu'elle n'ait rien à voir avec ce que les Anglais mangent tous les jours. Leur alimentation serait plutôt un mélange d'ingrédients et de styles venant des quatre coins du monde. Cependant, certains restaurants proposent fièrement des plats anglais authentiques dans ce qu'ils ont de meilleur, et ceux-ci ont une clientèle très fidèle.

Alfred

245 Shaftesbury Avenue WC2. **Plan** 13 B1. *0171-240 2566.* ***Ouvert*** *12 h-15 h 30, 18 h-23 h 30 lun.-sam.* ***Fermé*** *24 déc.-2 jan.* *R.* ★ *AE, DC, MC, V.* £££

Ouvert en 1994, c'est un restaurant de cette nouvelle génération qui évite la formule traditionnelle « pommes de terre et deux légumes ». Le décor sobre – Bakélite et Formica – qui rappelle les cafés d'après-guerre, fait preuve de beaucoup de goût. Le menu change à chaque saison pour tirer pleinement parti des produits du marché. On y prépare aussi bien des plats traditionnels que des plats modernes et inventifs présentés avec grand soin. Le personnel est très aimable et professionnel et la sélection de bières, de cidres et de vins anglais de pays est excellente.

The Connaught

Carlos Pl W1. **Plan** 12 E3. *0171-499 7070.* ***Ouvert*** *12 h 30-14 h 30, 18 h-22 h 45 t.l.j.* ***Grill ouvert*** *12 h 30-14 h 30, 18 h-22 h 45 lun.-ven.* ***Grill fermé*** *jours fériés.* *R & D.* *AE, MC.* £££££

Le Connaught hôtel possède la salle à manger ancienne la plus grandiose de Londres. Ici, le raffinement français et la formalité anglaise ne font qu'un, dans la cuisine comme dans le décor. Un personnel irréprochable sert des spécialités comme le filet de steak, l'assortiment de grillades et le pudding au pain beurré, ou des délices français comme le feuilleté d'œufs brouillés aux truffes, le homard grillé aux herbes (grilled lobster with herbs) et la crème brûlée. Le même menu est servi dans le grill-room les jours de semaine et il faut réserver bien à l'avance pour ces deux restaurants.

The Greenhouse

27a Hay's Mews W1. **Plan** 12 E3. *0171-499 3331.* ***Ouvert*** *12 h 30-15 h, 19 h-22 h dim., 19 h-23 h lun.-sam.* *AE, DC, MC, V.* ££££

Cela vaut la peine d'aller dénicher cet élégant restaurant dans une petite mews tranquille de Mayfair qui propose avec assurance de la cuisine anglaise. Des plats simples tels que le petit salé aux lentilles, les flageolets en sauce (faggots in gravy) sont devenus gastronomiques et *smart* grâce au talent du célèbre chef Gary Rhodes. L'atmosphère est vivante, la lumière rougeoyante et le gâteau au raisin, au gingembre et au sirop est d'un étonnement sans fin.

Plummers

33 King St WC2. **Plan** 13 C2. *0171-240 2534.* ***Ouvert*** *12 h-14 h 30, 17 h 30-23 h 30 lun.-sam., 18 h-23 h dim.* ***Fermé*** *jours fériés.* *R & D.* *AE, DC, MC, V.* ££

Dans un quartier où restaurants éphémères sont légion, Plummers se maintient grâce à ses plats copieux de qualité et son menu qui propose des formules à prix fixes. Les clients peuvent choisir dans le menu qui n'a guère changé depuis quinze ans de la cuisine anglaise telle que la quiche de bœuf et de rognons (steak and kidney pie), le ragoût de pommes et de porc (pork and apple casserole) ainsi que de la cuisine américaine comme la soupe épaisse de palourdes (clam chowder), le pain de viande cajun (Cajun meatloaf) et des hamburgers avec un choix de sauces.

Quality Chop House

94 Farringdon Road EC1. **Plan** 6 E4. *0171-837 5093.* ***Ouvert*** *12 h-15 h, 18 h 30-23 h 30 lun.-sam., 12 h-16 h, 19 h-23 h 30 dim.* ***Fermé*** *semaine de Noël.* £££

« Restaurant de la classe ouvrière progressiste », c'est ce qu'affirme l'inscription gravée sur la vitrine de ce magnifique restaurant victorien dont les aménagements intérieurs de 1869 sont demeurés intacts. Si le menu propose toujours les saucisses-purée, celles-ci sont faites avec de la viande de veau et la purée est parfaitement légère et crémeuse. Les croquettes de poisson à l'oseille (salmon fish cakes with sorrel sauce), l'œuf brouillé au saumon fumé (scramble egg and smoked salmon), et bien sûr les côtelettes sont les autres plats traditionnels en vogue. Si vous êtes en petit nombre, il se peut que vous partagiez l'un des six box ; si la fumée vous ennuie, cela peut-être un problème.

Rules

35 Maiden La WC2. **Plan** 13 C2. *0171-836 5314.* ***Ouvert*** *12 h-minuit t.l.j.* ***Fermé*** *24-25 déc.* *AE, DC, MC.* £££

Depuis 1798, le plus vieux restaurant de Londres sert loyalement de la cuisine traditionnelle anglaise. S'il fut longtemps un repère de comédiens et d'aristocrates (des dessins historiques et des photos dédicacées par les grands noms du théâtre couvrent les murs), il attire maintenant des touristes et des businessmen. Parmi les spécialités de la maison, on notera le bœuf, la venaison et le gibier à plumes (coq de bruyère, bécasse et perdreaux) (*p. 112*).

Simpson's

110 Strand WC2. **Plan** 13 C2. *0171-836 9112.* ***Ouvert*** *7 h-12 h (petit déjeuner), 12 h-14 h 30, 17 h 30-23 h lun.-sam., 12 h-14 h 30, 18 h-21 h dim.* ***Fermé*** *jours fériés.* *R.* *AE, DC, MC, V, JCB.* £££

C'est une grande salle à manger ouverte qui a une atmosphère très « Public school » anglaise (costume et cravate exigés à l'entrée). Allez-y pour le roast-beef coupé en fines tranches. Les œufs de caille accompagnés d'une sauce au haddock et au fromage (quail's eggs in haddock and cheese sauce) est une entrée à recommander. Et si vous voulez finir votre repas british en beauté, choisissez le pudding au pain beurré (bread and butter pudding) ou le pudding aux raisins secs (spotted dick).

Veronica's

3 Hereford Rd W2. **Plan** 10 D2. *0171-229 5079.* ***Ouvert*** *12 h-15 h lun.-ven., 18 h 30-minuit lun.-sam.* ***Fermé*** *jours fériés.* *R & D.* *AE, DC, MC, V.* £££

L'originalité de ce restaurant tient au style de cuisine anglaise régionale et historique que l'on ne trouve nulle part ailleurs à Londres : plats historiques comme l'agneau à la chair de crabe du XIXe siècle (spring lamb with crabmeat), le poulet à la moutarde de 1664 (Hannah Wooley chicken and mustard). Tous les deux mois, Veronica Shaw, la patronne, change en même temps le décor et le menu pour introduire un nouveau thème comme la nourriture en Écosse, en Irlande, à l'époque Tudor, au Moyen Âge ou pendant la Deuxième Guerre mondiale.

Wilson's

236 Blythe Road, W14. **Plan** 17 A1. *0171-603 7267.* ***Ouvert*** *12 h 30-14 h 30 dim.-ven., 19 h 30-22 h 30 lun.-sam.* ***Fermé*** *semaine de Noël, jours fériés.* *MC, V.* £££

Bob Wilson tient le meilleur restaurant écossais de Londres. Bien que la plupart des plats du jour soient anglo-français, il sert quelques spécialités écossaises comme le *haggis* (panse de brebis farcie), l'*athol brose* (dessert crémeux à l'avoine, au whisky et au miel). Au choix, une demie douzaine de whiskies. Si vous le souhaitez, après le dîner, Monsieur Wilson jouera de la cornemuse.

Légende des symboles *p. 287*

La cuisine française

Si les restaurants français furent les premiers établissements étrangers à investir Londres, ils sont aujourd'hui nombreux et certains excellents. La Tante Claire, Chez Nico et Le Gavroche sont des tables londoniennes légendaires mais très coûteuses. On y sert tous les types de cuisines françaises, de la grande cuisine aux cuisines nouvelles en passant par les plats traditionnels et régionaux.

The Abingdon

54 Abingdon Rd W8. **Plan** 17 C1. *0171-937 3339.* ***Ouvert*** *12 h-14 h 30, 18 h 30-23 h lun.-ven., 12 h-15 h, 18 h 30-23 h 30 sam.-dim.* *R.* *AE, MC, V, JCB.* £££

Restaurant-bar chic et décontracté près de Kensington High Street. Le « beau monde » du quartier vient ici siroter du vin tout en se délectant à la lecture du menu européen. Le filet de bar cuit à la vapeur accompagné de poivrons rouges grillés est l'une de leurs plats les plus réussis. Les serveurs sont accueillants et sympathiques.

Aubergine

11 Park Walk SW10. **Plan** 18 F4. ***Ouvert*** *12 h 15-14 h, 19 h-23 h lun.-sam.* ***Fermé*** *25 déc., 1er jan., lun. et ven. de Pâques., 3 sem. en août.* *0171-352 3449.* *seulement.* ★ *AE, DC, MC, V, JCB.* £££££

La salle du restaurant moderne de Gordon Ramsay est confortable et bien aménagée et, par dessus tout, la cuisine est impeccable. On y sert des Cappucinos (soupes) aux haricots blancs avec de l'huile de truffes ou des langoustines grillées, dont la légèreté est savamment associée à des parfums riches et intenses. Les plats principaux vont du ravioli géant de fruits de mer ou du poisson cuit aux quelques plats de viande ou à base d'abats. Tout est superbement bien présenté. Deux inconvénients à considérer : le prix des plats et la nécessité de réserver.

Café des Amis du Vin

11-14 Hanover Place WC2. **Plan** 13 C2. *0171-379 3444.* ***Ouvert*** *11 h 30-14 h 30, 18 h-23 h 30 lun.-sam., 12 h-22 h 30 dim.* *R & D.* *AE, DC, MC, V, JCB.* £££

Cette brasserie à la mode située juste en face du Royal Opera House est en général bondée. On peut se contenter d'une simple omelette ou de saucisses de Toulouse servies au bar ou choisir des plats plus raffinés en salle qui vont de la truite farcie aux épinards à la brochette de dinde. Dans la salle du restaurant, on déguste la terrine de poisson, le foie de veau poêlé au citron vert, ou les steaks grillés sauce piquante.

Chez Bruce

2 Bellevue Rd SW17. 0181-672 0114. ***Ouvert*** *12 h-14 h, 19 h-22 h 15 lun.-ven.* ***Fermé*** *25 déc., 1er jan., ven. saint, lun. de Pâques.* *R & D.* *AE, DC, MC, V, JCB.* ££££

On peut être surpris du sérieux et du savoir-faire du chef Bruce Poole dans ce restaurant chic de banlieue, à Wandworth Common (sur le pré communal). La plupart des plats sont des classiques français avec un grand choix d'abats et de gibier, comme le foie de poulet et la terrine de foie gras ou le lapin à l'oignon confit. On vous propose des desserts traditionnels comme la tarte Tatin. Tous les détails comme l'impressionnant plateau de fromages et la qualité du service en font un établissement haut de gamme.

Chez Nico

90 Park Lane W1. **Plan** 12 D3. *0171-409 1290.* ***Ouvert*** *12 h-14 h, 19 h-23 h lun.-ven., 19 h-23 h sam.* ***Fermé*** *soir des jours fériés, 10 jours à Noël.* *seulement.* *AE, DC, MC, V.* £££££

Ce restaurant, au décor spacieux est tenu par le cuisinier vedette Nico Laddenis. Déployant tout son art, il mêle savamment des saveurs délicates au foie gras riche et parfumé omniprésent dans le menu. Des plats tels que le bar grillé à la purée de céleris et au fenouil poché sont délicieux. Vous pouvez goûter des créations plus simples dans ses autres restaurants : le Nico Central sur Great Portland Street (0171-436 8846) et le Simply Nico près de Victoria Station (0171 630 8061).

Criterion Brasserie

Piccadilly Circus W1. **Plan** 13 A3. *0171-930 0488.* ***Ouvert*** *12 h-14 h 30, 18 h-minuit lun.-sam., 12 h-16 h, 18 h-22 h dim.* *R.* ★ *AE, DC, MC, V, JCB.* ££££

Le nouveau défi de Marco Pierre White est d'essayer de proposer sa cuisine haut de gamme aux plus petites bourses. Sa situation à Picadilly et sa décoration – une salle extraordinaire au plafond voûté recouvert de mosaïques – sont des « must ». La cuisine est bonne bien qu'elle ne soit pas toujours à la hauteur de la réputation de Marco. Éviter les formules du menu qui sont bon marché mais décevantes. Le Cappucino (soupe) de poulet est divin, le plat de langoustines décortiquées et sautées superbe, et la tarte au citron est parfaitement moelleuse et savoureuse.

Le Gavroche

43 Upper Brook St W1. **Plan** 12 D2. *0171-408 0881 ou 0171-499 1826.* ***Ouvert*** *12 h-14 h, 19 h-23 h lun.-ven.* ***Fermé*** *jours fériés.* *R & D.* *AE, DC, MC, V.* £££££

Voici le temple de la grande cuisine tenu par Michel et Albert Roux et les prix sont à la hauteur du menu. La philosophie des frères Roux est de créer une harmonie parfaite entre ingrédients, méthodes de cuisson et épices – par exemple le sauté de coquilles Saint-Jacques à la sauce de soja et d'épices, servi avec des chips et sa friture de bâtonnets de légumes. Le décor est de bon goût et bien traditionnel. Le service est implacablement protocolaire, le menu entièrement écrit en français et la carte des vins interminable et intimidante (800 bouteilles). Si vous avez envie de vous offrir le Gavroche sans vous ruiner, choisissez les menus qui vous coûteront moitié moins que la carte ; avec un peu de chance, et à deux, on vous rendra peut-être de la monnaie sur votre billet de 100 livres.

Mon Plaisir

21 Monmouth St WC2. **Plan** 13 B2. *0171-836 7243.* ***Ouvert*** *12 h-14 h 15, 17 h 50-23 h 15 t.l.j.* *R & D.* *AE, DC, MC, V, JCB.* £££

Grande figure du quartier des théâtres de Covent Garden, Mon Plaisir a conservé la réputation de proposer une cuisine sérieuse, régionale et sans prétention, présentée et servie avec soin et amabilité. La carte change mais vous trouverez les classiques soupes de poisson, salades au fromage de chèvre (goat's cheese salad), escargots, coq au vin, daube de bœuf et un extraordinaire plateau de fromage. Préférez les menus pré-théâtre.

L'Odéon

65 Regent St W1. **Plan** 12 F2. *0171-287 1400.* ***Ouvert*** *12 h-15 h, 17 h 30-minuit, lun.-sam., 12 h-15 h 30, 17 h 30-22 h dim.* ***Fermé*** *1er jan., lun. de Pâques.* *R.* ★ *AE, DC, MC, V.* ££££

Un grand restaurant métropolitain où la cuisine est reine. Le chef et patron Bruno Loubet est réputé pour ses associations originales d'ingrédients et de saveurs : une terrine de crevettes sur un lit de beurre d'herbes, servie sur une brioche grillée et recouverte de fins morceaux d'endives et de haricots verts. Quelques touches délicates de parfums d'Asie ; des pieds de cochons farcis et laqués d'une sauce barbecue, du bar cuit à la vapeur et accompagné d'une sauce savoureuse aux haricots noirs et à l'ail.

Le Pont de la Tour

Butlers Wharf SE1. **Plan** 16 E4. *0171-403 8403.* ***Bar et grill ouvert*** *12 h-23 h 30 t.l.j.* ***Restaurant ouvert*** *12 h-15 h t.l.j., 18 h-minuit lun.-sam., 18 h-23 h dim.* *R.* *AE, MC, V.* £££££

Le grand maître du design Terence Conran a aménagé dans un entrepôt désaffecté du bord de la Tamise cette salle à manger chic de paquebot d'où l'on a une vue superbe sur Tower Bridge. La cuisine est audacieuse : Risotto de pois à la menthe, coquilles Saint-Jacques au beurre d'ail, foie de veau aux oignons rouges, thon grillé au coriandre. Le bar et le grill room attenants servent des fruits de mer, des steaks et des salades.

RSJ

13a Coin St SE1. **Plan** 14 E3. *0171-928 4554.* ***Ouvert*** *12 h-14 h lun.-ven., 17 h 45-23 h lun.-sam.* ***Fermé*** *jours fériés.* *R & D.* *AE, MC, V.* £££

Le RSJ propose des plats classiques mais bien cuisinés. Saumon, agneau, canard et poulet, au naturel ou en sauce composent le gros de la carte. Les vins de la Loire sont à l'honneur sur l'extraordinaire carte des vins.

Spread Eagle

1-2 Stockwell St SE10. **Plan** 23 B2. *0181-853 2333.* ***Ouvert*** *18 h 30-22 h 30 lun.-sam., 12 h-15 h 30 dim.* *R & D.* *AE, DC, MC, V.* £££

Le Spread Eagle est l'un des rares restaurants de Greenwich à la fois de qualité et abordables. Des menus copieux et sobres sont servis dans cet ancien relais de poste du XVIIe siècle : une généreuse soupe de moules, des saucisses de fruits de mer, des rognons de veau à la sauce aux moules et l'excellent agneau aux tomates et aux olives noires raviront vos papilles.

La Tante Claire

68 Royal Hospital Rd SW3. **Plan** 19 C3. *0171-351 0227 ou 0171-352 6045.* ***Ouvert*** *12 h 30-14 h, 19 h-23 h lun.-ven.* ***Fermé*** *jours fériés.* *R.* *AE, DC, MC, V, JCB.* £££££

Il faut réserver longtemps à l'avance dans ce petit restaurant chic et cher. Le patron et chef gascon Pierre Kofman ne lésine pas sur la graisse d'oie et le foie gras. Des pieds de cochon farcis, des tournedos Rossini et du chevreau au chocolat et au vinaigre de framboise sont quelques exemples des plats extraordinaires proposés.

La cuisine moderne internationale

Apparue depuis une dizaine d'années, et évoluant sans cesse, cette démarche culinaire différente s'inspire de cuisines étrangères et assembler ingrédients et styles de manière originale : ainsi, on peut avoir sur un même plat un morceau d'agneau, des épices orientales et des tomates séchées d'Italie. La subtilité et l'utilisation inventive d'ingrédients frais prend tout son sens entre les mains de nouveaux chefs audacieux comme Sally Clark et Alastair Little.

Alastair Little

49 Frith St W1. **Plan** 13 A2. *0171-734 5183.* ***Ouvert*** *12 h-15 h lun.-ven., 18 h-23 h 30 lun.-sam.* ***Fermé*** *jours fériés.* *seulement.* *AE, MC, V.* ££££

Le brillant Alastair est l'un des premiers à avoir développé cette cuisine. Juliet Preston, sa protégée, est maintenant aux fourneaux, proposant des plats aussi inventifs qu'un carpaccio de pancetta (porc) accompagné de salade et parmesan, du bar grillé avec des pickled « samphire », du beurre au safran et de la ciboulette. La décoration intérieure est minimaliste et le service un peu juste. Alastair vient de s'installer dans un nouvel établissement sur Lancaster Road, au 136 W11 (0171-243 2220).

The Avenue

7-9 St James's St SW1. **Plan** 12 F3. *0171-321 2111.* ***Ouvert*** *12 h-15 h, 18 h-minuit lun.-sam., 12 h-16 h, 19 h-22 h dim.* *R.* *AE, DC, MC, V, JCB.* ££££

Cette immense pièce blanche, aux murs recouverts d'écrans télé ressemble plus à une galerie d'art moderne qu'à un bar et à un restaurant. Toute la longueur du bar est occupée en début de soirée par les hommes d'affaires.
Le prix des plats est élevé mais la cuisine est parfaite. On y trouve des entrées comme une tarte d'endives caramélisée à la perfection, en plat principal de la barbue mijotée dans du bouillon de bacon avec des haricots blancs. La carte des vins est belle mais onéreuse.

Bibendum

Michelin House, 81 Fulham Rd, SW3. **Plan** 19 A2. *0171-581 5817.* ***Ouvert*** *12 h 30-14 h 30 lun.-ven., 19 h-23 h 30 lun.-sam., 12 h 30-15 h sam.-dim., 19 h-22 h 30 dim.* ***Fermé*** *lun. de Pâques, 4 jours à Noël.* *R.* *MC, V.* £££££

Les gens chic viennent festoyer dans le superbe entrepôt Michelin restauré et décoré de vitraux Art déco. La cuisine est bonne, ce qui semble aller de soi puisque le dîner coûte environ cent livres pour deux personnes. On y sert du lapin rôti aux tomates, aux olives noires et à la pancetta, ou du homard froid avec une salade de fenouil et une sauce à l'estragon.

Bistrot Bruno

63 Frith St W1. **Plan** 13 A2. *0171-734 4545.* ***Ouvert*** *12 h 15-14 h 30 lun.-ven., 18 h 30-23 h 30 lun.-sam.* *R & D.* *AE, DC, MC, V.* £££

Bruno Loubet sert une cuisine éclectique et très prisée dans cette cantine dénudée mais confortable. On peut trouver des plats principaux comme le confit de canard aux marrons et au céleri avec une sauce aux oignons rouges, ou un civet de lièvre aux raviolis de pois cassés. Les entrées et les desserts sont déroutants mais le résultat vaut la peine.

Blue Print Café

Design Museum, Butlers Wharf, SE1. **Plan** 16 E4. *0171-378 7031.* ***Ouvert*** *12 h-15 h, 18 h 30-23 h lun.-sam., 12 h-15 h 30 dim.* ***Fermé*** *25 déc., 1er jan.* *AE, DC, MC, V, JCB.* ££££

Une des plus raisonnables mais parmi les meilleures créations de Terence Conran dans son complexe de Butler's Wharf. L'intérieur est aussi soigné et simple que le service. Le menu succinct propose une pancetta croustillante accompagnée d'une salade de pommes de terre, ou un falafel avec une salade de concombre et de tomates et une sauce au yaourt. On trouve, dans les plats principaux, des fettucine aux champignons sauvages et au parmesan ou de la lotte aux tomates rôties au romarin. Les desserts comme la panacotta aux myrtilles et au cassis ou le cheesecake à l'orange sont chers mais délicieux.

Le Caprice

Arlington House, Arlington St, SW1. **Plan** 12 F3. *0171-629 2239.* ***Ouvert*** *12 h-15 h, 18 h-minuit t.l.j.* ***Fermé*** *24 déc.-2 jan.* *AE, DC, MC, V.* ££££

Tout aussi chic que son cadet le Ivy (*p. 298*), le Caprice attire la même clientèle d'élégants et de gens célèbres. La cuisine simple et moderne utilise des saveurs et des ingrédients des quatre coins du monde, avec une préférence pour la cuisine au grill (thon, lapin et calamars). Les sauces sont tabouées. Réserver longtemps à l'avance.

Légende des symboles *p. 287*

Clarke's

124 Kensington Church St W8. **Plan** 10 D4. *0171-221 9225.* ***Ouvert*** *12 h 30-14 h, 19 h-22 h lun.-ven.* ***Fermé*** *2 sem. en été, à Noël, Pâques, jours fériés.* *R & D.* *MC, V.* ££££

L'Angleterre, la Californie et l'Italie se retrouvent au grill de Sally Clarke, le chef et patron. Il n'y a qu'un menu du jour mais toujours superbe. La cuisine est légère mais savoureuse ; elle fait un large usage de légumes méditerranéens, de poulets élevés au grain, de saumon, brèmes, herbes fraîches et plantes sauvages comme le pissenlit et la fleur de sureau.

Coast

26B Albemarle St W1. **Plan** 12 F3. *0171-495 5999.* ***Ouvert*** *12 h-15 h, 18 h-23 h lun.-sam., 12 h-15 h 30, 18 h-23 h dim.* ***Fermé*** *vérifiez lors des jours fériés.* ★ *AE, MC, V, JCB.* ££££

C'est sans doute le restaurant le plus extraordinaire de Londres, pas seulement pour son incroyable décor d'aquarium, mais aussi pour la cuisine de Stephen Terry. Des plats comme le pavé de risotto de tomates à l'avocat, cœur d'artichaut au fromage de chèvre et à l'huile de tomate donne une nouvelle dimension au risotto. Encore mieux, un gâteau surmonté de crème vanille avec un confit de tomates caramélisées. Les vins sont bons, variés mais coûteux.

Delicious Blue

75 Beak St W1. **Plan** 12 F2. *0171-287 1840.* ***Ouvert*** *12 h 30-15 h 30 lun.-ven., 18 h 30-23 h lun.-sam.* ***Fermé*** *jours fériés.* *R.* *AE, DC, MC, V, JCB.* £££

De tendance australienne, ce restaurant minuscule a été décoré de couleurs vives et de meubles bricolés. La cuisine est agréablement moderne et puise ses inspirations dans le Pacifique. On peut même manger de la viande de kangourou ; on la sert soit dans une préparation thaïlandaise sur une salade tiède, soit saisie et servie sur des légumes grillés accompagnée d'une sauce à l'abricot et au romarin.

Hilaire

68 Old Brompton Rd SW7. **Plan** 18 F2. *0171-584 8993.* ***Ouvert*** *12 h 30-14 h 30, 18 h 30-23 h 30 lun.-ven., 18 h 30-23 h 30 sam.* *R & D.* *AE, DC, MC, V.* ££££

La somptueuse devanture vitrée accueille les convives dans ce joli restaurant qui sert une cuisine également délicieuse. Plutôt que d'utiliser des sauces conventionnelles, le chef et patron Brian Webb parfume viandes et poissons de pesto, de chutney, de foie gras ou de lentilles aux herbes ou épicées. Ses menus pré et post-théâtre (18 h 30-19 h 30, 22 h-23 h) sont financièrement le meilleur choix pour profiter de cet endroit original.

The Ivy

1 West St WC2. **Plan** 13 B2. *0171-836 4751.* ***Ouvert*** *12 h-14 h 30, 17 h 30-minuit t.l.j.* V ★ *AE, DC, MC, V.* ££££

Le Ivy est depuis longtemps le repère des gens du théâtre et le lieu privilégié des soirées de grandes premières. Les stars du show-bizz se retrouvent dans la salle décorée de boiseries en chêne pour un dîner de croquettes de poisson à l'oseille, de raviolis à la tomate et au basilic saupoudrés de pecorinos, ou même de corned beef avec des œufs au plat.

Kensington Place

201-205 Kensington Church St W8. **Plan** 9 C3. *0171-727 3184.* ***Ouvert*** *12 h-15 h 30, 18 h 30-23 h 45 t.l.j.* ***Fermé*** *Noël, jours fériés d'août.* *R.* V ★ *MC.* £££

Ce restaurant au décor austère attire une foule bruyante et animée. Sa cuisine est proche de la cuisine moderne internationale ; du chou frisé de mer avec des œufs pochés et des truffes ou la soupe à l'ail peuvent précéder des cailles épicées et grillées avec des courges, ou des truites de mer sauvages aux lentilles et à la sauce au champagne. La carte des vins est assez onéreuse.

Mezzo

100 Wardour St W1. **Plan** 13 A2. *0171-314 4000.* ***Ouvert*** *12 h-14 h 30, 18 h-1 h du matin lun.-jeu. et dim., 12 h-14 h, 18 h-3 h du matin ven. et sam.* *R.* V ★ *AE, DC, MC, V JCB.* ££££ *(*Mezzonine £££*).*

Le dernier restaurant de Terence Conran, le plus grand de la capitale avec ses 700 places. En fait, il y a deux restaurants : la mezzanine en haut, est un réfectoire qui tourne vite et pour lequel il faut faire la queue, tandis qu'on sert en bas des plats plus sophistiqués et plus chers. Sur la mezzanine la cuisine est orientale, alors qu'en bas les plats sont européens avec quelques touches de cuisine moderne. Avec son large escalier, son immense bar et une armée d'employés, Mezzo a pris la place de Quaglino en devenant le meilleur des restaurants de Conran. Allez-y pour l'expérience.

Mulligan's of Mayfair

13-14 Cork St W1. **Plan** 12 F3. *0171-409 1370.* ***Ouvert*** *12 h-14 h 15 lun.-ven., 18 h 30-22 h 30 lun.-sam.* ***Fermé*** *jours fériés.* *AE, DC, MC, V.* ££££

Ce restaurant irlandais propose des plats copieux comme de la soupe de navets au pain noir, du boudin noir, de la langue de bœuf et un grand choix de plats de poissons. La purée de choux et de pommes de terre (colcannon) et la crêpe de pommes de terre (boxty) sont les spécialités auxquelles il faut goûter.

Museum Street Café

47 Museum St WC1. **Plan** 13 B1. *0171-405 3211.* ***Ouvert*** *12 h 30-14 h 15, 18 h 30-21 h 30 lun.-ven.* *R & D.* *seulement.* £££

Le décor simple est plus que compensé par une cuisine excellente. On y sert des plats « branchés », tels que le thon grillé sur charbon de bois avec du romarin et de la mayonnaise aux anchois, du poulet élevé au grain avec du pesto. On peut amener sa bouteille de vin mais on vous facture chèrement un droit de bouchon.

The People's Palace

Level 3, Royal Festival Hall, South Bank Centre, SE1. **Plan** 14 D4. *0171-928 9999.* ***Ouvert*** *12 h-15 h, 17 h 30-23 h t.l.j.* ***fermé*** *25 déc., 1er jan.* *R.* *AE, DC, MC, V.* £££

Cette salle à manger des années 50 située à l'intérieur du Royal Festival Hall offre une superbe vue de la Tamise. Les menus du jour sont d'un prix très raisonnable ainsi que les plats à la carte tels que des escalopes de pigeon rôties avec de la choucroute et du chorizo, de la brème aux courgettes, à l'ail, au citron et au thym. Réserver longtemps à l'avance et éviter les heures d'affluence avant et après le spectacle.

Quaglino's

16 Bury St SW1. **Plan** 12 F3. *0171-930 6767.* ***Ouvert*** *12 h-15 h t.l.j., 17 h 30-minuit lun.-jeu., 17 h 30-1 h du matin ven.-dim.* ***Fermé*** *25 déc., 1er jan.* *R.* V *AE, DC, MC, V.* ££££

Bien qu'étant moins à la mode qu'à son ouverture en 1993, Quaglino's est toujours un endroit élégant pour dîner. Ce n'est pas un restaurant pour un repas intime et relax, surtout lorsque les 200 têtes des convives se tournent pour vous observer descendre son immense escalier. Les fruits de mer sont vivement recommandés mais le service peut être brusque.

The Restaurant

Hyde Park Hotel, 66 Knightsbridge, SW1. **Plan** 11 C5. *0171-259 5380.* ***Ouvert*** *12 h-14 h 15 lun.-ven., 19 h-23 h lun.-sam.* ***Fermé*** *jours fériés, de Noël au jour de l'an.* *R & D.* *AE, DC, MC, V.* £££££

Les critiques gastronomiques ont couvert d'éloges et de prix le grand cuisinier au caractère difficile Marco Pierre White (qui a quitté en 1994 Harvey's à Wandsworth). Ses sauces sublimes parfois à base de sauterne ou de sauce de soja accompagnent divinement un foie gras aux truffes. Poissons et fruits de mers sont particulièrement délicieux et ses desserts sont fantastiques. Le menu du midi avec ses trois plats vous coûtera environ 30 £ et le dîner plus du double.

Stephen Bull

5-7 Blandford St W1. **Plan** 12 D1. *0171-486 9696.* ***Ouvert*** *12 h 15-14 h 30 lun.-ven., 18 h 30-22 h 30 lun.-sam.* *MC, V.* £££

Ce restaurant moderne, chic et immaculé propose une cuisine originale : soufflé de fromage de chèvre, tortellini de crabe au gingembre et aux agrumes, truite laquée à la sauce de soja avec un assaisonnement à l'oseille et à l'orange. Les plats de poisson sont particulièrement bien cuisinés et la carte des vins est intéressante et raisonnable. On peut manger pour moins cher dans un bistrot près de Smithfield Market (*p. 164*) dans un cadre saisissant (0171-490 1750) ou encore un autre excellent mais plus cher dans la banlieue ouest de Londres, Fulham Road (0171-351 7823).

La cuisine italienne

La cuisine italienne est en train de trouver un second souffle. Les dîneurs se sont désintéressés des pizzas, pâtes et traditionnel veau pour se tourner vers un style qui associe cuisine traditionnelle familiale et cuisine légère moderne. Fruits de mer, salades mixtes, légumes grillés au charbon de bois et les viandes poêlées, les pains maison, la polenta et les champignons sauvages sont à l'honneur.

L'Accento

16 Garway Rd W2. **Plan** 10 D2. *0171-243 2201.* ***Ouvert*** *12 h 30-14 h 30, 18 h 30-23 h 15 t.l.j.* *R & D.* *MC, V.* £££

Ce restaurant à la mode propose une cuisine raffinée et nouvelle vague, avec des menus simples et raisonnables (deux plats). On y sert des mets copieux comme le foie de veau au vinaigre de balsam, la salade Cæsar, les raviolis géants, ou le riz-saucisses au safran. S'il vous reste de la place, essayez un des riches gâteaux. Les vins sont italiens et variés.

L'Altro

210 Kensington Park Rd W11. **Plan** 9 B2. *0171-792 1066 ou 0171-792 1077.* ***Ouvert*** *12 h-15 h, 19 h-23 h lun.-jeu., 12 h-14 h 30, 19 h-23 h 30 ven.-sam., 12 h-15 h dim.* *R.* *AE, DC, MC.* £££

Mannequins et personnes branchées de Notting Hill descendent dans cet endroit décoré de fresques qui s'avance jusque sur le trottoir. Raviolis aux épinards, antipasti (entrées), petits artichauts au parmesan, et toutes les pâtes sont comme chez la mamma. Le menu se lit comme un annuaire d'ingrédients à la mode : crostini, pignes, pancetta et radicchio.

Bertorelli's

44a Floral St WC2. **Plan** 13 C2. *0171-836 3969.* ***Ouvert*** *12 h-15 h, 15 h 30-23 h 30 lun.-sam.* *seulement pour le restaurant.* *AE, DC, MC, V, JCB.* £££

Situé près de l'Opera House à Covent Garden, dans ce restaurant aux allures de ruche, on sait servir les gens pressés qui vont au théâtre. À l'étage supérieur, il y a un grand restaurant alors qu'en bas un bistrot plus simple se contente de servir de bonnes pâtes et des pizzas.

L'Incontro

87 Pimlico Rd SW1. **Plan** 20 D2. *0171-730 6327 ou 0171-730 3663.* ***Ouvert*** *12 h 30-23 h 30 lun.-ven., 19 h-23 h 30 sam.-dim.* *R.* *AE, DC, MC, V, JCB.* ££££

Dans ce restaurant au décor saisissant, on manifeste nettement sa prédilection pour la cuisine vénitienne – le poisson notamment. Essayez la morue à l'huile d'olive et au lait ou le poulpe dans son encre. Les pâtes fraîches sont légendaires ainsi que leur prix.

Neal Street Restaurant

26 Neal St WC2. **Plan** 13 B1. *0171-836 8368.* ***Ouvert*** *12 h 30-14 h 30, 19 h 30-23 h lun.-sam.* ***Fermé*** *jours fériés, 1 sem. à Noël, jour de l'an.* *AE, DC, MC, V* £££££

Célèbre pour sa passion des champignons sauvages, le patron de ce restaurant, Antonio Carluccio s'assure que le client puisse en manger « à toutes les sauces » : soupe de champignons sauvages, salade de bacon et de champignons tièdes, venaison aux morilles et médaillons de bœuf aux champignons sauvages. Avant de commander la spécialité de champignons du jour demandez le prix : l'addition peut être astronomique.

Orso

27 Wellington St WC2. **Plan** 13 C2. *0171-240 5269.* ***Ouvert*** *12 h-minuit t.l.j.* ***Fermé*** *Noël, jours fériés.* £££

Rendez-vous des personnalités des médias et du théâtre, l'Orso propose une cuisine moderne et renouvelée, réputée pour ses plats créatifs de pâtes, de viande et de poisson en sauce. La salle est agréable mais bruyante ; le service peut être brusque.

Osteria Antica Bologna

23 Northcote Rd SW11. *0171-978 4771.* ***Ouvert*** *18 h-23 h lun.-mar., 12 h-23 h mer.-sam., 12 h 30-23 h dim.* *R.* *AE, MC, V.* ££

Voici un lieu idéal pour des petites soirées entre amis peu coûteuses. On y partage des assagi (petits plats de légumes et poissons). Si vous préférez, il y a une sélection impressionnante de salades composées originales, des pâtes, du poisson et de la viande.

The Peasant

240 St John Street EC1. **Plan** 6 F3. *0171-336 7726.* ***Ouvert*** *12 h 30-14 h 30 lun.-ven., 18 h 30-22 h 45 lun.-sam.* ***Fermé*** *jours fériés, 24 déc.-3 jan.* *MC, V.* £££

Ce pub converti sert des repas italiens modernes à faire rougir de plus prestigieux concurrents. Des ingrédients d'une grande fraîcheur sans crème fraîche et alcool donnent des plats légers et simples mais copieux, le choix des bières est lui aussi intéressant. Les prix sont élevés pour un pub mais c'est un endroit unique.

River Café

Thames Wharf Studios, Rainville Rd W6. *0171-381 8824.* ***Ouvert*** *12 h 30-14 h 45, 19 h 30-23 h lun.-ven., 13 h-14 h 30, 19 h 30-23 h sam., 13 h-14 h 45 dim.* ***Fermé*** *jours fériés.* ★ *MC, V.* ££££

Temple de la nouvelle vague culinaire italienne et couvert d'éloges, le Riverside Café est un endroit impeccable et lumineux. Mozzarella, sauge, tomates séchées, parmesan, pignons, basilic, thym et ail sont les ingrédients parfumés qui accompagnent le plus fréquemment de savoureuses grillades de poisson et de viande.

Légende des symboles *p. 287*

Riva

169 Church Rd SW13. ☎ *0181-748 0434.* **Ouvert** *12 h 30-14 h 30 dim.-ven., 19 h-23 h lun.-sam., 19 h-21 h 30 dim.* *MC, V.* £££

Les habitants du sud-ouest de Londres affectionnent cette cuisine italienne régionale qui propose des produits d'une grande qualité et les assemble de manière très inventive. Renouvelé régulièrement, le menu fait une large place aux fruits de mer et aux poissons. Agréable et d'un bon rapport qualité-prix.

La cuisine grecque et du Moyen-Orient

Les cuisines du Moyen et du Proche Orient (Grèce, Turquie, Liban et Afrique du Nord) se ressemblent en ce sens qu'elles sont plutôt peu pimentées faites de viandes grillées, de ragoûts aux herbes, de salades, de préparations à base de légumes comme le taramasalata (œufs de cabillaud), de houmous (purée de pois chiches) et de taboulé (semoule avec des tomates, du persil et des oignons hachés). Le meilleur moyen et le plus économique pour les novices de goûter à cette cuisine, est de choisir le mezze (menu-assortiments).

Café O

163 Draycott Ave SW3. **Plan** 19 B2. ☎ *0171-584 5950.* **Ouvert** *12 h-15 h, 18 h 30-23 h lun.-sam., 13 h-16 h dim.* **Fermé** *jours fériés.* *R.* *AE, MC, V, JCB.* ££

Un intérieur blanc et bleu accueillant, un personnel jeune et un menu qui revendique une cuisine grecque moderne donne à ce nouveau restaurant un look plus méditerranéen qu'égéen. Le menu court mais appétissant n'utilise que les ingrédients originaux avec le savoureux pain moelleux aux herbes et aux olives. On sert beaucoup de fruits de mer comme ce mélange créatif de souvlaki de crevettes, cabillaud et saumon.

Daphne

83 Bayham St NW1. **Plan** 4 F1. ☎ *0171-267 7322.* **Ouvert** *12 h-14 h 30, 18 h-23 h 30 t.l.j.* **Fermé** *25-26 déc., 1er jan.* *R.* *MC, V.* ££

Chaleureux et accueillant, le Daphne offre à un prix raisonnable le meilleur de la cuisine grecque : ingrédients simples et frais parfumés aux herbes. Outre les excellents poissons et viandes, on y sert des spécialités renouvelées de plats végétariens et un mezze d'un bon rapport qualité-prix.

Al Hamra

31-33 Shepherd Market W1. **Plan** 12 E4. ☎ *0171-493 1954.* **Ouvert** *12 h-minuit t.l.j.* *AE, DC, MC, V.* £££

En arrivant dans ce restaurant libanais chic, on vous servira du pain pitta, des olives et des légumes crus pour accompagner le mezze qui peut aller jusqu'au nombre astronomique de 40 plats. Essayez le Moutabal à l'aubergine et au sésame, ou le houmous kawarmah (purée tiède de pois chiches avec agneau et pignons). Service brusque et sans charme.

Istanbul Iskembecisi

9 Stoke Newington Rd N16. ☎ *0171-254 7291.* **Ouvert** *17 h-5 h du matin, lun.-sam., 14 h-5 h du matin dim.* *MC, V.* ££

L'un des nombreux restaurants turcs bons marchés du quartier. On y sert des tripes d'agneau grillées et des cervelles au court bouillon avec salades et des viandes cuites au charbon de bois. Le personnel est charmant, les prix sont bas et cet endroit animé a l'avantage d'être ouvert jusqu'à cinq heures du matin.

Lemonia

89 Regent's Park Rd NW1. **Plan** 3 C1. ☎ *0171-586 7454.* **Ouvert** *12 h-15 h, dim.-ven., 18 h-23 h 30 lun.-sam.* *R.* ££

Ce restaurant grec à l'extraordinaire popularité propose, dans une ambiance affairée, une cuisine d'une grande finesse dont de bons plats végétariens comme les légumes farcis et les plats de haricots et de lentilles, des mezze avec un bon taboulé et une sauce délicieuse à l'aubergine. Réserver longtemps à l'avance. Si vous n'avez pas de succès, essayez en face le Limani (0171-483 4492).

Sofra

18 Shepherd St W1. **Plan** 12 E4. ☎ *0171-493 3320.* **Ouvert** *12 h-minuit t.l.j.* *R & D.* *AE, DC, MC.* £££

Voici un des restaurants turcs les plus connus et les plus chers de Londres. Les viandes grillées sont bonnes mais ce sont les portions petites et délicieuses du mezze qui remportent le plus de succès : kisir (salade de froment concassé), imam biyaldi (aubergine farcie), böreks (feuilletés), etc.
Il y a aussi deux autres branches, l'une, très animée, à Covent Garden, au 36 Tavistock Street, WC2 (0171-240 3773), l'autre Soho Café, au 33 Old Compton Street, W1 (0171-494 022).

Autres pays d'Europe

Presque toutes les cuisines du monde sont représentées à Londres mais certaines uniquement à travers un ou deux établissements dignes d'être mentionnés. Si les Anglais préfèrent en général des nourritures méridionales et exotiques, quelques restaurants du nord et de l'est de l'Europe valent le détour.

Albero & Grana

89 Sloane Ave SW3. **Plan** 20 D2. ☎ *0171-225 1048.* ***Bar à tapas ouvert*** *17 h 30-minuit t.l.j.* ***Restaurant ouvert*** *19 h 30-23 h t.l.j.* **Fermé** *jours fériés.* *AE, DC, MC, V, JCB.* ££££

Ce bar-restaurant à tapas est le rendez-vous de tous les riches expatriés espagnols. Le décor rutilant est complété par la beauté des serveurs et la clientèle plutôt glamour. Si vous n'avez qu'une petite faim, vous pouvez faire un bon repas de tapas au bar (pour 20 £ par personne) avec des plats comme l'Escalivada (ragoût de poivrons et d'aubergines grillés) ou du chorizo aux pois chiches. Dans la salle du restaurant, plus protocolaire, il faut s'attendre à payer le double pour cette bonne cuisine nouvelle espagnole.

Anna's Place

90 Mildmay Pk N1. ☎ *0171-249 9379.* **Ouvert** *12 h 15-14 h 15, 19 h 30-22 h 30 mar.-sam.* **Fermé** *Noël, Pâques, août.* £££

Presque tout ce que vous mangerez dans ce restaurant suédois à la salle aérée est fait maison, y compris pain et sorbets. L'attention du personnel et d'Anna la patronne qui s'arrête aux tables des clients, donnent l'impression de dîner dans la cuisine d'un ami. Assez court, le menu propose surtout des poissons marinés, des viandes, mais aussi des plats simples comme le feuilleté d'agneau grillé aux herbes, du poisson grillé et d'autres spécialités suédoises. Ne pas rater les desserts. Réserver à l'avance, surtout si vous voulez dîner sur la jolie terrasse.

Belgo Centraal

50 Earlham St WC2. **Plan** 13 B2. ☎ *0171-813 2233.* **Ouvert** *12 h-23 h 30 lun.-sam., 12 h-22 h 30 dim.* **Fermé** *25 déc., 1er jan.* *R & D.* ★ *AE, DC, MC, V, JCB.* £££

Descendez avec son ascenseur industriel dans ce donjon moderne et monastique. Les jeunes serveurs sont habillés en robe de moine. Cette cantine souterraine est chic et étonnante, la nourriture belge et l'extraordinaire sélection de bières (bouteilles de bières belges blanches et lambic) valent vraiment le détour. Les plats copieux tournent autour des moules-frites.

Caravela

39 Beauchamp Place SW3. **Plan** 19 B1. *0171-581 2366.* ***Ouvert*** *12 h-15 h lun.-sam., 19 h-0 h 30 t.l.j.* *R.* *AE, DC, MC, V.* £££

Le soir, un guitariste et un chanteur de fado donnent un plus à l'ambiance vacances de ce restaurant portugais. La cuisine, dominée par le poisson, puise ses racines dans les traditions culinaires simples des paysans. On y mange de la morue, du poisson grillé, des coquillages, des soupes variées, des viandes marinées, des légumes frais et des salades.

The Gay Hussar

2 Greek St W1. **Plan** 13 B2. *0171-437 0973.* ***Ouvert*** *12 h 30-14 h 30, 17 h 30-23 h lun.-sam.* ***Fermé*** *jours fériés.* *R.* *AE.* £££

Depuis des années, hommes politiques et personnalités du monde littéraire se retrouvent dans l'unique restaurant hongrois de la ville. Dans ce décor de boiseries et de velours, on se régale avec des spécialités telles que la fameuse soupe glacée aux cerises (wild cherry soup), le chou farci (stuffed cabbage), le schnitzel à la saucisse fumée, le brochet froid, et bien sûr le copieux goulasch aux boulettes aux œufs, rehaussé de paprika.

Nikita's

65 Ifield Rd SW10. **Plan** 18 E4. *0171-352 6326.* ***Ouvert*** *19 h 30-23 h 30 lun.-sam.* ***Fermé*** *jours fériés.* *D.* *AE, MC, V.* ££££

Ce restaurant exotique propose une excellente cuisine russe : borscht (soupe de betteraves), pirozhki (feuilleté à la viande), blinis au saumon fumé et à la crème aigre-douce, poulet kiev, bœuf stroganoff et saumon coulibiac (friand à base de riz et d'œufs). Le clou du spectacle réside dans le large assortiment de vodkas aux 17 parfums, comme piment, citron et estragon.

Wódka

12 St Alban's Gro W8. **Plan** 10 E5. *0171-937 6513.* ***Ouvert*** *12 h 30-14 h 30, 19 h-23 h 15 lun.-ven., 19 h-23 h sam.* *R.* *AE, MC, V.* £££

Dans ce petit restaurant amical, on sert un mélange de cuisine traditionnelle copieuse et de cuisine nouvelle polonaise : le classique golabki (chou farci), le zrazy (bœuf farci aux olives), mais aussi les poivrons marinés aux fromages, la salade tiède aux anguilles fumées servie avec des pommes de terre nouvelles, des câpres et du pain de seigle, ou encore le shashlik de filet d'agneau aux casza (sarrasin grillé).

POISSONS ET FRUITS DE MER

Londres possède quelques restaurants de fruits de mer et poissons qui s'approvisionnent de produits frais tous les matins au marché. La plupart des vieux et protocolaires restaurants de poisson ont été remplacés par des restaurants de cuisine moderne internationale qui sert d'excellents poissons à des prix bien plus raisonnables que leurs anciens concurrents spécialistes de la mer.

Café Fish

39 Panton St SW1. **Plan** 13 A3. *0171-930 3999.* ***Ouvert*** *12 h-15 h lun.-ven., 17 h 45-23 h 30 lun.-sam.* ***Bar à vin ouvert*** *11 h 30-23 h lun.-sam.* *AE, DC, MC, JCB.* £££

Ce grand restaurant animé et décoré en vert d'eau et le bar à vin sont à deux minutes de Picadilly. Les entrées sont en général « nature » (huîtres, petite friture, saumon fumé, soupe de poissons), tandis que les plats sont plutôt en sauce à base de crème fraîche et de beurre.

Livebait

43 The Cut SE1. **Plan** 14 D4. *0171-928 7211.* ***Ouvert*** *12 h-15 h lun.-ven., 17 h 30-23 h lun.-mer., 17 h 30-23 h 30 jeu.-sam.* ***Fermé*** *25-26 déc., 1er jan.* *MC, V, JCB.* £££

Ce petit restaurant qui s'est fait refaire une beauté tout en gardant le style victorien d'époque est sans doute l'endroit le plus prisé pour dîner sur la rive sud. Le service est relax et amical et la qualité des poissons et des fruits de mer est exceptionnelle. Un étalage de poissons sur un lit de glace vous permet de choisir la pêche du jour. Faites-vous « la totale » en choisissant le plateau de fruits de mer (huîtres, coquillages, crevettes, coques, bulot et un énorme crabe).

Le Suquet

104 Draycott Ave SW3. **Plan** 19 B2. *0171-581 1785.* ***Ouvert*** *12 h-15 h, 19 h-23 h 30 t.l.j.* *R.* *AE, DC, MC, V.* £££

Voici un restaurant français animé et décontracté. Les grandes spécialités sont la brème de mer en papillote, les coquilles Saint-Jacques à l'ail et l'extraordinaire plateau de fruits de mer – une corne d'abondance du monde marin sur un lit d'algues.

Sweetings

30 Queen Victoria St EC4. **Plan** 14 F2. *0171-248 3062.* ***Ouvert*** *11 h 30-15 h, 18 h-23 h 30 lun.-sam., 18 h-22 h dim.* ***Fermé*** *25-26 déc., 1er jan.* £££

Un vieux restaurant dans la City avec un merveilleux intérieur victorien. On y sert de vieux classiques comme la terrine de crevettes ou le cocktail de crevettes et même de la vraie soupe de tortue, et comme plats principaux des poissons grillés, pochés ou frits. Les desserts comme le pudding cuit à la vapeur arrosé généreusement de crème est typiquement anglais et traditionnel.

LA CUISINE VÉGÉTARIENNE

On peut faire de bons repas dans les restaurants végétariens de Londres, mais peu d'entre eux offrent un menu complètement végétarien. Voici donc une liste de restaurants qui proposent une carte sans viande ou poisson, bien que Mildred's y glisse parfois quelques plats de poisson. Les menus indiquent souvent les plats végétariens.

Food for Thought

31 Neal St WC2. **Plan** 13 B2. *0171-836 0239 or 9072.* ***Ouvert*** *9 h 30-11 h 30, 12 h-20 h lun.-ven., 12 h-20 h sam., 12 h-16 h dim.* *seulement.* £

La carte, succincte mais inventive, propose des plats japonais au tofu, des légumes sautés, des légumes en sauce, des soupes, plus d'originales quiches et comme desserts, des gâteaux tentants : croquant aux framboises (rasberry scrunch), scones à l'orange et à la noix de coco avec de la crème fouettée. C'est un endroit très bon marché pour Covent Garden, ce qui explique en partie la queue à l'heure du déjeuner.

Mildred's

58 Greek St W1. **Plan** 13 B2. *0171-494 1634.* ***Ouvert*** *12 h 30-23 h lun.-sam.* *seulement.* £

Voici un des rares restaurants végétariens qui propose une cuisine tellement bonne qu'elle peut concurrencer « les restaurants de viande ». On y sert des soupes miso japonaises et des plats principaux comme le ragoût brésilien de légumes à la noix de coco ou les nouilles chinoises aux légumes à la sauce de haricots noirs accompagnées d'ananas frais. Il se peut que vous ayez à partager une table s'il y a trop de monde.

Légende des symboles *p. 287*

The Place Below

St Mary-le-Bow Church EC2. **Plan** 15 A2. *0171-329 0789.* **Ouvert** *7 h 30-14 h 30 lun.-ven., 18 h 30-21 h 30 jeu.-ven. seulement.* ★ ££

À l'heure du déjeuner, les employés de la City se pressent dans la crypte de St-Mary-le-Bow (*p. 147*) pour y prendre des soupes savoureuses et des quiches. Après le pain aux olives, vous pourriez avoir à choisir entre la soupe aux poivrons rouges et aux amandes et une salade d'avocats et de minuscules tomates. En dessert, des fruits de saison, des glaces maison ou une irrésistible ganache au chocolat blanc et noir. On peut apporter sa bouteille de vin (pas de frais de bouchon) ou goûter la délicieuse limonade faite maison.

World Food Café

First floor, 14 Neal's Yard, WC2. **Plan** 13 B1. *0171-379 0298.* **Ouvert** *11 h-15 h, 18 h-23 h lun.-sam., 12 h-15 h, 18 h-22 h 30 dim.* **Fermé** *jours fériés. seulement.* ★ £££

Ce centre branché abrite un des meilleurs restaurants végétariens de Londres. L'atmosphère douce et aérée en fait l'endroit idéal pour goûter des nourritures du monde entier (Mexique, Afrique de l'Ouest, Turquie) préparées avec soin et servies copieusement. Les cocktails de jus de fruits frais et les desserts sont chers mais superbes. Pas d'alcool.

LES CUISINES AMÉRICAINES ET MEXICAINES

Si les burgers bars (*p. 306-307*) existent depuis longtemps à Londres, l'implantation de bons restaurants américains y est récente. Des endroits comme le Hard Rock Café font des concessions en veillant à la clientèle branchée et à la nourriture saine et naturelle, mais en général l'énormité des plats et la carte abonde dans l'autre sens : hamburgers, poulet frit, spare ribs et le BLT (sandwich bacon, laitue et tomates) sur des montagnes de frites et pour finir de lourds gâteaux et des sundaes. La plupart de ces restaurants ajoutent dans le menu quelques plats du Mexique et de la Louisiane.

Christopher's

18 Wellington St WC2. **Plan** 13 C2. *0171-240 4222.* **Ouvert** *11 h 30-23 h lun.-sam., 12 h-15 h 30 dim.* **Fermé** *jours fériés. AE, DC, MC, V, JCB.* ££££ *ou* £££ *menu pré-théâtre (18 h-19 h).*

Du rez-de-chaussée, on emprunte une cage d'escalier recouverte de fresques qui vous amène dans l'élégante et grandiose salle à manger. On y sert d'énormes assiettes comme la salade Caesar avec ses cœurs de laitues généreusement saupoudrés de parmesan et de gros croûtons, et en plat principal, du saumon grillé aux herbes et à la sauce à l'huile d'olive, simple et délicieux. Parmi les desserts, servis aussi copieusement, la meringue au citron est délicieuse et merveilleusement légère.

Deal's

14-16 Fouberts Pl W1. **Plan** 12 F2. *0171-287 1001.* **Ouvert** *12 h-23 h lun.-sam., 12 h-16 h dim. AE, MC, V.* ££

Une clientèle jeune fréquente ce restaurant animé près de Regent Street et peut y manger une cuisine typiquement américaine (burgers, spare ribs, entrecôte) avec une forte influence orientale (des curry thaï, steak teriyaki et de délicieux rouleaux de printemps aux fruits de mer). L'autre branche à Chelsea Harbour (0171-352 5887) vaut aussi le détour.

Down Mexico Way

25 Swallow St W1. **Plan** 12 F3. *0171-437 9895.* **Ouvert** *12 h-minuit lun.-sam., 12 h-22 h 30 dim.* **Fermé** *25-26 déc. AE, DC, MC, V, JCB.* ££

Le restaurant mexicain de Londres le plus attrayant et le moins orienté « fast food » propose les classiques nachos (galettes de maïs garnies), les empanaditas (friands garnis de maïs ou de viande épicée), ou des mets plus sophistiqués comme le poisson au piment et aux amandes, le poulet au citron vert, les courgettes farcies et le requin au beurre de tabasco.

Hard Rock Café

150 Old Park Lane W1. **Plan** 12 E4. *0171-629 0382.* **Ouvert** *11 h 30-0 h 30 dim.-jeu., 11 h 30-1 h du matin ven.-sam.* **Fermé** *25-26 déc. AE, MC, V.* ££

C'est le seul restaurant de Londres où la queue soit permanente. Les fans de rock du monde entier viennent ici manger des hamburgers sous la vieille guitare de Jimmy Hendrix ou à côté des chaussures blanches de Ozzie Osborne. Un musée du rock, un endroit de pèlerinage et une opération de marketing font définitivement de ce restaurant un endroit à adorer ou à détester. On y sert – et c'est surprenant –, un bon choix de plats végétariens (issus des recettes de Linda McCartney, bien sur).

Montana

125-129 Dawes Rd SW6. **Plan** 17 A5. *0171-385 9500.* **Ouvert** *19 h-23 h lun.-jeu., 18 h-minuit ven.-sam., 12 h-15 h, 19 h-22 h 30 dim.* **Fermé** *25-26 déc., lun. de Pâques. AE, MC, V.* £££

Les nouveaux restaurants américains de Londres tentent d'éviter les grands thèmes de l'Amérique du Nord pour s'intéresser plutôt à la richesse et la diversité d'ingrédients et de styles des deux Amériques, nord et sud. On y sert de croustillantes salades de crabe sauté avec du citron vert et de la mayonnaise à l'anchois, des galettes de maïs au piment rouge grillés avec du saumon fumé, et des cailles pueblo farcies au poulet et à la pomme au hachis de carottes laqué au cidre.

LA CUISINE AFRO-ANTILLAISE

Malgré sa population bigarrée, Londres compte peu de restaurants africains ou antillais, ces derniers n'ayant pas rencontré le succès des cuisines chinoises et indiennes. Pourtant l'Afrique et les Antilles ont en commun les ingrédients de base tels que les patates douces, le manioc, le riz et les pains plats, le potiron, les pois et les haricots, ainsi que des fruits juteux et doux comme la goyave et la mangue. Les classiques sont la banane plantain frite à la sauce pimentée, les ragoûts épicés, les soupes et le curry de chevreau.

The Brixtonian

11 Dorrell Place SW9. *0171-978 8870.* **Ouvert** *19 h-23 h mar.-sam., 18 h-minuit lun. D. seulement. MC, V.* £££

Ce restaurant antillais sophistiqué propose de nouveaux plats de chaque île tous les mois. Sa cuisine est soignée mais assez onéreuse. L'atmosphère vivante est accentuée par le son du jazz live qui se joue au bar du sous-sol. Il est également célèbre pour son immense choix de rhums unique à Londres.

Calabash

The Africa Centre, 38 King St WC2. **Plan** 13 C2. *0171-836 1976.* **Ouvert** *12 h 30-15 h lun.-ven., 18 h-23 h 30 lun.-sam.* **Fermé** *jours fériés. AE, DC, MC, V.* ££

Le plus authentique des restaurants africains que l'on puisse trouver à Covent Garden, Calabash avec son personnel amical propose un menu varié des quatre coins du continent. Allez-y pour goûter aux yams, aux couscous, aux vins algériens, à la bière Rhino de Namibie. Le club, un des meilleurs et des plus animés de Londres, accueille à l'étage d'excellents groupes de musique africaine.

Cottons Rhum Shop, Bar and Restaurant

55 Chalk Farm Rd NW1. 0171-482 1096. ***Ouvert*** *12 h-23 h t.l.j.* ***Fermé*** *25-26 déc.* *MC, V.* £££

La musique reggae qui annonce bruyamment le Cotton ne dérange en rien la foule jeune et chic qui se presse le soir dans ce restaurant. Sur le menu humoristique, des plats comme « rasta pasta » (pâtes rasta) et « ragga prawns » (crevettes reggae) côtoient les classiques de la cuisine jamaïcaine comme le curry de chevreau (curried goat) et le poulet frit.

La cuisine indienne

Londres est célèbre pour avoir de nombreux et excellents restaurants indiens où c'est un plaisir de dîner. Beaucoup d'entre eux se spécialisent dans un type de nourriture qui va du korma (épices douces) au bhuna, dansak, dopiaza (épicés) jusqu'aux très épicés madras et vindaloo. Les repas indiens en Occident se composent d'une soupe ou d'une entrée puis d'un plat (avec du riz ou des galettes de pain comme le chapati ou les nan). Les « Balti », des plats vite cuits servis dans des petites poêles, ont été récemment importés des Midlands.

Café Spice Namaste

16 Prescott St E1. **Plan** 16 E2. 0171-488 9242. ***Ouvert*** *12 h-15 h, 18 h 15-22 h 30 lun.-ven., 12 h-14 h 30, 18 h 30-22 h sam.* ***Fermé*** *jours fériés.* V *AE, DC, MC, V, JCB.* £££

Ce restaurant indien de haute gamme, en bordure de la City, propose une cuisine originale et audacieuse. Goûtez à l'emu tikka masala. La cuisine magistrale de Cyrus Todiwala est souvent alléchante et inventive et ne se contente pas, comme c'est souvent le cas, des acquisitions du passé. Des plats traditionnels, ceux de Parsi et de Goa comme le dansak (agneau épicé et purée de lentilles) ou le sorpotel (abats de porc) sont les meilleurs.

Bombay Brasserie

Courtfield Cl, Courtfield Rd SW7. **Plan** 18 E2. 0171-370 4040. ***Ouvert*** *12 h-15 h, 19 h-minuit t.l.j.* ***Fermé*** *25-26 déc.* *D.* V *DC, MC, V.* ££££

Voici l'un des restaurants indiens les plus réputés en dehors d'Asie. Dans une atmosphère évocatrice de l'empire britannique, on vous sert un menu de l'Inde du Nord avec des spécialités régionales inattendues savamment réussies (des plats parsi et de la région de Goa). Au déjeuner, on vous propose un buffet moins onéreux.

Chutney Mary

Plaza 535, Kings Rd SW10. **Plan** 18 E5. 0171-351 3113. ***Ouvert*** *12 h 30-14 h 30, 19 h-23 h 30 lun.-sam., 12 h 30-15 h 30 (buffet), 19 h-22 h 30 dim.* *R.* V *AE, DC, MC, V.* £££

« Chutney Mary » est un terme indien utilisé pour décrire les femmes qui possèdent les deux cultures indienne et britannique. Cela résume à merveille le style culinaire de ce restaurant chic. On y déguste des mets traditionnels tels que le roghan josh (agneau cuit à l'étouffé dans du yaourt) et le chikken tikka (dés de poulet marinés et cuits au four).

Chutneys

124 Drummond St NW1. **Plan** 4 F4. 0171-388 0604. ***Ouvert*** *12 h-14 h 45, 18 h-23 h 30 t.l.j.* ***Fermé*** *Noël.* *R.* V *MC.* £

Ce restaurant frais et pastel est le plus chic de la lignée des restaurants bon marché sur Drummond Street. Au déjeuner, un buffet garni de dals (lentilles), de curry (légumes), riz, chutney (sauce), nan (pain) et d'un dessert, permet de se servir à volonté pour environ 5 £.

Madhu's Brilliant

39 South Rd, Southall, Middx UB1. 0181-574 1897 ou 0181-571 6380. ***Ouvert*** *12 h 30-15 h, 18 h-23 h 30 lun.-ven., 18 h-23 h 30 sam., dim.* ***Fermé*** *mar.* *R & D.* V *AE, DC, MC, V.* ££

Voici une cuisine authentique et d'un rapport qualité prix incroyable – l'addition se montera à la moitié de ce que vous pourriez attendre. Cette cuisine met l'accent sur les plats de viande indiens et pakistanais fortement parfumés. Cela vaut un détour par le quartier excentré où il se trouve.

Malabar

27 Uxbridge St W8. **Plan** 9 C3. 0171-727 8800. ***Ouvert*** *12 h-14 h 45, 18 h-23 h 30 t.l.j.* ***Fermé*** *1 sem. en août, 4 jours à Noël.* *D.* V *MC, V.* ££

Ce petit restaurant est l'un des rares du quartier à proposer d'extraordinaires spécialités du nord de l'Inde et du Pakistan. Goûtez, par exemple, au gibier (venaison) ou au foie de poulet grillé au charbon de bois.

Mandeer

21 Hanway Place W1. **Plan** 13 A1. 0171-323 0660 ou 0171-580 3470. ***Ouvert*** *12 h-15 h, 17 h 30-22 h lun.-sam.* ***Fermé*** *jours fériés.* *R & D.* *seulement.* V *AE, DC, MC, V.* ££

Le plus élégant des restaurants végétariens de Londres et aussi le plus cher, Mandeer vous propose un bon choix de classiques du sud de l'Inde et de plats plus originaux d'inspiration Gujarati (graines de lotus soufflées, dal de lentilles jaunes et même un curry au toffu).

Nazrul

130 Brick Lane E1. **Plan** 8 E5. 0171-247 2505. ***Ouvert*** *12 h-15 h, 17 h 30-minuit lun.-jeu., 12 h-15 h, 17 h 30-1 h du matin ven.-sam., 12 h-minuit dim.* *R & D.* V £

Ce restaurant, tenu par des Bengladeshis est l'un des moins chers du quartier de Brick Lane. On y sert, dans une atmosphère amicale, de copieux plats (pensez-y en commandant). Pas d'alcool au menu, mais vous pouvez apporter votre bouteille.

Rani

3 Hill St, Richmond. **Plan** 12 E3. 0181-332 2322. ***Ouvert*** *12 h 15-14 h 30, 18 h-23 h lun.-jeu., 12 h 15-23 h ven.-dim.* ***Fermé*** *25-26 déc., 1er jan.* *R & D.* *seulement.* V *AE, MC, V, JCB.* £££

Une salle moderne à Richmond (ouvert tard) où l'on sert des plats Gujarati et végétariens. On y trouve des classiques du sud de l'Inde comme le masala dosa (une galette de pain fourrée de pommes de terre épicées et servie avec de la chutney à la noix de coco et un curry de légumes) ainsi que des plats afro-asiatiques plus originaux comme le maïs et la banane plantain.

Rasa

55 Stoke Newington Church St N16. 0171-249 0344. ***Ouvert*** *18 h-23 h lun., 12 h-14 h 30, 18 h-23 h mar.-jeu., dim., 12 h-14 h 30, 18 h-minuit ven.-sam.* ***Fermé*** *25-26 déc.* *seulement.* V ★ *AE, DC, MC, V, JCB.* ££

Voici le seul restaurant – en dehors de l'Inde –, qui serve la cuisine végétarienne de la région de Kerala. Les plats colorés sont subtilement parfumés et aromatisés avec les nombreuses épices originaires de cette région (cardamome, poivre, feuilles de curry, safran et clous de girofle). Le riz de Keralan, la noix de coco, le plantain et les racines de tapioca sont à la base de la plupart des plats. La cuisine est de grande classe, soignée et le service est charmant.

Légende des symboles *p. 287*

Salloos

62-64 Kinnerton St SW1. **Plan** 11 C5. *0171-235 4444.* ***Ouvert*** *12 h-14 h 30, 19 h-23 h 15 lun.-sam.* ***Fermé*** *jours fériés. R & D.* *AE, DC, MC, V.* ££££

Le meilleur restaurant indien de Londres est en fait pakistanais. Grillée, cuite au four tandoori ou épicée au curry, la viande (agneau, poulet et cailles) prédomine la carte. La carte des vins est impressionnante. La cuisine est pointue et d'une grande fraîcheur mais l'addition le soir est « salée ». Le menu du midi est bon marché. L'atmosphère est guindée et le service irréprochable.

Tamarind

20 Queen St W1. **Plan** 12 E4. *0171-629 3561.* ***Ouvert*** *12 h-15 h, 18 h-23 h t.l.j. R & D.* ★ *AE, DC, MC, V, JCB.* ££££

D'une entrée discrète, on emprunte un escalier qui vous conduit dans une salle en sous-sol somptueuse, dorée et qui ressemble à un paquebot. Le menu n'est guère différent de ce qu'on trouve dans les centaines de restaurants indiens de Londres, mais la qualité des plats méticuleusement préparés par un excellent chef d'Inde est bien supérieure. Mayfair est un des seuls quartiers où des restaurants osent apporter une telle addition. Ne vous découragez pas si vous voulez découvrir la saveur d'un biriani ou un roghan josh.

LA CUISINE D'ASIE DU SUD-EST

Les restaurants asiatiques, particulièrement thaïlandais, ont su trouver leur place à Londres. La plupart des établissements mentionnés ici se concentrent sur la cuisine thaïlandaise, de Singapour, de Malaisie ou d'Indonésie et peuvent parfois tout mêler habilement. Un parfum vif vient du jus de citron vert, du cafre, de la citronnelle, de l'ail et du gingembre ; une saveur aigre-douce, du tamarin ; une sélection de piments épicent les plats tandis que le lait de coco les adoucit. Le riz et les nouilles constituent la base de cette cuisine et les plats, cuisinés à la vapeur ou sautés à la poêle sont servis très chaud.

Bahn Thai

21a Frith St W1. **Plan** 13 A2. *0171-437 8504.* ***Ouvert*** *12 h-14 h 45, 18 h-23 h 15 lun.-sam., 11 h-13 h 30, 18 h 30-22 h 30 dim.* ***Fermé*** *jours fériés. R & D.* *AE, DC, MC, V.* £££

Ce restaurant sert une cuisine thaïlandaise authentique et rare en Europe (pied de porc, cuisses de grenouille et foie de poulet). Goûtez aux excellents mets comme le tom yum (soupe épicée à la citronnelle) ou le kwaitiew pad thaï (nouilles sautées). Les plats végétariens et ceux très épicés sont clairement indiqués sur le menu. Malgré une carte des vins inhabituellement riche, la bière singha est ce qui accompagne le mieux cette cuisine.

Khun Akorn

136 Brompton Rd SW3. **Plan** 11 C5. *0171-225 2688.* ***Ouvert*** *12 h-15 h t.l.j., 18 h 30-23 h lun.-sam. R.* *AE, DC, MC, V.* £££

Juste en face du magasin Harrods, voici une salle de restaurant chic, calme et confortable où l'on sert des classiques thaï (curry aromatiques, nouilles craquantes sautées, beaucoup de fruits de mer, du poulet et du bœuf). Les épices et parfums comme la citronnelle, le basilic, la noix de coco, le coriandre, le piment et le nuoc-mâm sont omniprésents. Tout est cuisiné et présenté avec soin et les menus du déjeuner sont en général d'un prix très raisonnable.

Melati

21 Gt Windmill St W1. **Plan** 13 A2. *0171-437 2745.* ***Ouvert*** *12 h-minuit dim.-jeu., 12 h-0 h 30 ven., sam.* ***Fermé*** *Noël. R & D.* *AE, DC, MC, V, JCB.* ££

Il est recommandé de réserver si vous ne voulez pas faire la queue dans ce restaurant animé et parfois bondé. Le service est poli et rapide, parfois même un peu brusque. Ne ratez pas le délicieux laksa de Singapour (une soupe de vermicelles très parfumée), les savoureux satés (petites brochettes épicées), et le sublime dessert kue dadar (crêpe verte à la noix de coco).

Oriental Gourmet

32 Great Queen St WC2. **Plan** 13 C1. *0171-404 6383.* ***Ouvert*** *12 h-15 h, 17 h 30-23 h lun.-ven., 17 h 30-23 h sam.* ***Fermé*** *jours fériés.* *AE, DC, MC, V, JCB.* ££

Le menu couvre toute l'Asie du sud-est de manière audacieuse et inhabituelle. Divisée par nationalité, la carte propose des plats comme le laksa qui est un bon exemple de mariage d'épices des îles et de méthodes chinoises de cuisson qu'on trouve autour de l'archipel malais. Ne ratez pas le hor mok, une délicieuse mousse de poisson épicée délicatement cuite à la vapeur dans une feuille de bananier.

Singapore Garden

154-156 Gloucester Place NW1. **Plan** 3 C4. *0171-723 8233.* ***Ouvert*** *12 h-14 h 45, 18 h-22 h 45 t.l.j.* ***Fermé*** *24-26 déc. R & D.* *AE, DC, MC, V, JCB.* £££

Cet excellent restaurant sert la meilleure cuisine de Singapour au cœur de Londres. Cette salle à manger d'hôtel permet d'apprécier pleinement les plats Nonya superbement préparés (un mélange d'épices malais et des méthodes de cuisson chinoises). On sert des plats typiques dont le crabe pimenté, les nouilles sautées comme le kway teow (crevettes, œufs, porc et croquettes de poisson), les poissons du jour, du crabe, du poulet à la citronnelle, ou du bœuf rendang.

Sri Siam

14 Old Compton St W1. **Plan** 13 A2. *0171-628 5772.* ***Ouvert*** *12 h-15 h, 18 h-23 h 15 lun.-sam., 18 h-22 h 30 dim.* ***Fermé*** *24-26 déc., 1er jan. R & D.* *AE, DC, MC, V.* £££

Cet élégant restaurant est l'endroit idéal pour un premier contact avec la cuisine thaïlandaise : pas trop épicée mais parfumée. Goûtez aux hors-d'œuvres variés et à n'importe quel poisson. Une bonne carte végétarienne propose d'exquises soupes aigres-douces et des salades ainsi que des satés, des curry, du soja sauté, et plus encore. Le menu du déjeuner est raisonnable.

LA CUISINE JAPONAISE

Les restaurants japonais ont la réputation d'être sobres et chic. Dans certains établissements, on mange à des tables teppan-yaki (les convives entourent le chef qui cuisine sous leurs yeux sur une grille chauffante) ou au comptoir, des sushis (morceaux de riz coiffés par de petites tranches de poissons crus) ou encore, plus chic et plus cher, en tailleur sur des tatamis dans de petits compartiments privés.

Arisugawa

27 Percy Street, W1. **Plan** 13 A1. *0171-636 8913.* ***Ouvert*** *12 h 30-14 h 30 lun.-sam., 18 h-22 h lun.-ven.* ***Fermé*** *jours fériés. R & D.* *AE, DC, MC, V, JCB.* £££££

Un restaurant de catégorie moyenne qui sert avec succès une cuisine pour tous les goûts. Au rez-de-chaussée, un teppan yakki qui n'ouvre que le soir, tandis qu'au sous-sol, vous pouvez déguster dans la journée des sushis, des yakitoris (viandes grillées), et des tempura (petits beignets légers). Le Bento (plateau) est financièrement la meilleure formule.

Miyama

38 Clarges St W1. **Plan** 12 E3. *0171-499 2443.* **Ouvert** *12 h-14 h 30 lun.-ven., 18 h-23 h t.l.j. R & D. AE, DC, MC, V, JCB.* ££££

Près de Piccadilly, le Miyama est un endroit chic qui sert une cuisine méticuleusement préparée et présentée. Outre sushis et sashimis (poisson cru et riz), le teppan-yakki est apprécié pour les viandes et les poissons grillés préparés sous vos yeux.

Moshi Moshi Sushi

Unit 24, Liverpool Street Station, EC2. **Plan** 7 C5. *0171-247 3227.* **Ouvert** *12 h-15 h lun.-ven., 18 h-23 h 30 lun.-sam., 18 h-22 h 30 dim.* **Fermé** *jours fériés. AE, DC, MC, V, JCB.* £

Ce sushi bar est installé dans une galerie marchande austère qui domine Liverpool Street Station. Un tapis roulant circule autour du comptoir avec un choix d'en-cas de poisson et de riz. C'est l'endroit idéal pour goûter aux œufs de saumon, au mulet, et aux oursins. Une autre branche de ce restaurant se tient au 7-8 Limeburner Lane, EC4 (0171-248 1808).

Suntory

72-73 St James's St SW1. **Plan** 12 F3. *0171-409 0201.* **Ouvert** *12 h-14 h, 18 h-21 h 30 lun.-sam.* **Fermé** *jours fériés. R & D. ★ AE, DC, MC, V, JCB.* £££££

Le meilleur restaurant japonais de Grande-Bretagne est à la hauteur de toute attente. On vous reçoit dans plusieurs salles, sur des tatamis privés, ou à table teppan-yakki, ou encore dans la salle à manger. Le protocole n'est pas trop pesant et la présentation des plats irréprochable.

Tokyo Diner

2 Newport Place, WC1. **Plan** 13 B2. *0171-287 8777.* **Ouvert** *12 h-minuit t.l.j. MC, V.* £

Son emplacement central et ses prix modérés font de ce restaurant une adresse pratique. Comme au Japon, la porte est électrique et les pourboires ne sont pas acceptés. La carte, riche et clairement annotée, propose sushis, sashimis, soupes de nouilles et curry, le tout à accompagner d'une bière japonaise. Ce n'est peut-être pas de la haute gastronomie mais l'addition est une bonne surprise.

Wagamama

4 Streatham St WC1. **Plan** 13 B1. *0171-323 9223.* **Ouvert** *12 h-14 h 30, 17 h 45-23 h lun.-sam., 12 h 30-15 h, 18 h-22 h dim. R & D. seulement. ★* £

Ce bar à nouilles de style minimaliste près de Coptic Street jouit d'une incroyable popularité. Les plats sont bon-marchés, copieux et intéressants ; de grands bols de soupe, des nouilles sautées, ou du riz aux fruits de mer et aux légumes. Des serveurs prennent les commandes sur des ordinateurs portables. La queue semble interminable mais on n'attend pas longtemps. Une nouvelle branche vient de s'ouvrir au 10a Lexington Street, W1 (0171-292 0990). Il y a moins d'attente.

La cuisine chinoise

La cuisine la plus répandue dans les restaurants chinois de Londres est cantonnaise, c'est-à-dire à base de riz, parfumée et cuite à la vapeur ou légèrement sautée à la poêle. Cependant, beaucoup proposent aussi de la cuisine pékinoise, à base de fritures légères et croquantes et remplacent le riz par du pain. Les plats très épicés Szechuan ou Hunan remportent aussi beaucoup de succès. De nombreux établissements cantonnais servent au déjeuner des dim sum, assortiments de petits en-cas cuits à la vapeur ou frits.

Fung Shing

15 Lisle St WC2. **Plan** 13 A2. *0171-437 1539.* **Ouvert** *12 h-23 h 30 t.l.j.* **Fermé** *24-25 déc. R & D. AE, DC, MC, V.* ££

Beaucoup considèrent le Fung Shing, au nouveau décor plus élégant que celui de ses voisins, comme le meilleur restaurant de Chinatown. La carte propose un très large choix de plats cantonais. Copieux, les ragoûts cuits dans un délicieux bouillon, sont particulièrement recommandés.

Harbour City

46 Gerrard Street W1. **Plan** 13 A2. *0171-439 7859.* **Ouvert** *12 h-23 h 15 lun.-jeu., 12 h-minuit ven., sam., 11 h-22 h 30 dim. R. ★ AE, DC, MC, V.* ££

De tous les restaurants de Gerrard Street qui servent le large assortiments de dim sum, Harbour City se distingue par la gentillesse de ses serveurs. Les plats végétariens sont rares dans la cuisine chinoise mais on en sert ici quelques-uns qui sont délicieux.

Jade Garden

15 Wardour St W1. **Plan** 13 A2. *0171-437 5065.* **Ouvert** *12 h-23 h 30 lun.-sam., 11 h 30-22 h 45 dim.* **Fermé** *Noël. R & D. AE, MC, V.* ££

Ses excellents dim sum (œufs de cailles aux boulettes de crevettes) font depuis longtemps du Jade Garden un restaurant très apprécié des Cantonais de Londres. Vous mangerez sur de grandes tables rondes communes dans une salle aérée. Le personnel est patient. Ne ratez pas les plats de poisson à la carte.

Magic Wok

100 Queensway W2. **Plan** 10 D2. *0171-792 9767 ou 0171-221 9953.* **Ouvert** *11 h-23 h t.l.j. R. ★ AE, DC, MC, V.* ££

Ce restaurant de Queensway change régulièrement ses spécialités mais propose par contre invariablement le meilleur des plats cantonnais. Le crabe frit à l'ail et au piment fait une excellente entrée.

Memories of China

67-69 Ebury St SW1. **Plan** 20 E1. *0171-730 7734.* **Ouvert** *12 h-14 h 30, 19 h-22 h 45 lun.-sam.* **Fermé** *jourss fériés. R & D. AE, DC, MC, V, JCB.* £££

Cet établissement décoré dans un style minimaliste se propose, au fil d'une carte assez chère (ou de menus), d'initier les dîneurs occidentaux, en tenant compte de leurs goûts, aux grandes cuisines régionales chinoises.

New World

1 Gerrard Pl W1. **Plan** 13 B2. *0171-734 0396.* **Ouvert** *11 h-12 h 30 t.l.j., 11 h-23 h dim.* **Fermé** *25-26 déc. R & D. AE, DC, MC, V, JCB.* ££

Difficile de trouver à Chinatown des dim sum plus authentiques. Faites venir la table roulante et choisissez. La carte qui est aussi longue que la grande muraille de Chine concilie clients timides et audacieux

The Oriental

The Dorchester Hotel, Park La W1. **Plan** 12 D4. *0171-317 6328.* **Ouvert** *12 h-14 h 30 lun.-ven., 19 h-23 h lun.-sam. AE, DC, MC, V, JCB.* £££££

Le Dorchester Hotel dévoila à grand fracas son restaurant chinois en 1991, en faisant débarquer de Chine des bataillons de grands cuisiniers pour servir la cuisine cantonnaise. Des ingrédients chers et la présentation superbe des plats obtiennent la faveur de l'élite londonienne qui fréquente ce grand hôtel. Ne ratez pas le thé chinois complet. Pour une soirée privée de 12 personnes (maximum), vous pouvez louer une salle privée somptueuse.

Légende des symboles *p. 287*

Repas légers et snacks

Il arrive parfois que l'on n'ait ni le temps ni les moyens de faire un repas complet. Par chance, le touriste pressé trouve à Londres un large choix d'établissements servant rapidement une nourriture simple et le plus souvent bon marché.

Le petit déjeuner

La plupart des hôtels servent le petit déjeuner au non-résidents. Offrez-vous le luxe d'un English breakfast (*p. 288-289*) dans ces salles à manger « Vieille Angleterre » comme au **Simpson's-on-the-Strand** ; on vous y sert des curiosités comme du nez de cochon persillé avec une sauce à l'oignon. Si vous ne pouvez oublier vos habitudes continentales, vous trouverez toujours un café où tremper un *doughnut* (beignet) dans un cappuccino, « *shocking* » activité qui a toujours ébahi les Anglais. Pour les couche-tard, ou les lève-tôt, le **Harry's** est ouvert de 23 h à 6 h. et plusieurs pubs autour du marché de Smithfield, notamment le **Cock Tavern**, servent des en-cas dès 5 h 30.

Thé et café

Les amateurs de café italien trouveront leur bonheur au très élégant et moderne **Emporio Armani Express**, ou au **Bar Italia** ouvert le week-end, et pourront l'accompagner, s'ils le désirent, d'une douceur à la française acquise à la **Pâtisserie Valérie** ou à la **Maison Bertaux**. On n'a pas visité Londres si l'on a pas sacrifié au moins une fois au rituel si britannique de l'*afternoon tea*. De grands hôtels comme le **Ritz** ou le **Brown's** (*voir p. 282*) remettent cette cérémonie de à l'honneur mais c'est le salon de thé de **Fortnum and Mason** (*voir p. 311*) qui demeure le véritable temple de la tradition. Thés, *scones* (petits pains au lait) et sandwichs y sont délicieux, et l'atmosphère inimitable. On peut aussi se régaler de gâteaux (et de café) au **Coffee Galery** près du British Museum ou au **Maids of Honour** à Richmond. Le **Seattle Coffee Company** sert des boissons typiques de cette capitale de l'industrie américaine.

Les cafés des musées et des théâtres

La plupart des musées possèdent leurs propres cafés et ceux-ci ont chacun leur personnalité, qu'il s'agisse du **Café de Colombia**, au Museum of Mankind (*voir p. 91*), de celui de la **Tate Gallery** (*voir p. 82-85*), ou de celui du British Museum (*voir pp.126-129*) qui sert des plats végétariens. Si vous allez au Young Vic Theatre, **Konditor & Cook** sert de superbes gâteaux consistants. On mange aussi très bien au **Arts Theatre Café**.

Hamburgers

Les *burger bars* londoniens ne correspondent pas toujours à ce que nous appelons des fast-foods. Le **Fatboy's Diner** est installé dans une caravane des années 40 ramenée des Etats-Unis ; au **Rock Island Diner**, les serveurs sautent sur les tables pour y danser le rock' n roll, et les **Ed's Easy Diner** proposent viande goûteuse et ambiance animée et amusante.

Pizzas et pâtes

La meilleure chaîne de pizzerias, **Pizza Express**, possède une succursale dans une ancienne laiterie (*voir p. 122*) et une dans le distingué **Kettners**. Pour les pâtes, mieux vaut privilégier les trattorias familiales comme **Centrale**, **Lorelei** et **Pollo**.

Les « Fish and Chips »

Le *fish and chips* (poisson et frites) est une tradition anglaise nourrissante et souvent savoureuse. Sa version la plus populaire (beignet de colin ou de cabillaud aspergé de vinaigre et accompagné d'un cornet de frites bien épaisses) se mange debout dans la rue ou au comptoir mais on peut trouver un choix plus large dans des restaurants comme le **Sea Shell Faulkner's** ou le **Upper Street Fish Shop**.

Les bars

Partout dans Londres, des pubs (*voir pp. 308-9*) permettent d'étancher sa soif. Une solution plus luxueuse consiste à se rendre dans un grand hôtel comme le **Claridge's**, s'enfoncer dans les fauteuils moelleux du salon et attendre que le serveur apporte les drinks. Pour un snack, un repas ou juste un verre de vin, allez dans les bars à vin comme le **Cork and Bottle**, très à la mode et constamment bondé.

Old Compton Street est un bar à clientèle homosexuelle, où les hétérosexuels sont tout aussi bien accueillis. Les tables s'avancent jusque sur le trottoir et une foule de gens branchés entretient une atmosphère animée. On trouve du monde et une assemblée plus bigarrée chez Freedom et Mondo, où l'on peut écouter de la House musique bien forte et boire des boissons chères. Il y a aussi une nouvelle génération de bars chic et hétérosexuels, les meilleurs d'entre eux étant le **Ny-lon** et **Detroit** et le **R Bar**. Si vous avez une passion particulière pour le rhum, allez faire votre choix dans les bars Afro-antillais le **Cottons** (*p. 303*) et le **Brixtonian** (*p. 302*).

Brasseries

À Londres l'habitude de grignoter toute la journée est venue remplacer progressivement les repas traditionnels à heure fixe. Il y a des chaînes de brasseries comme le **Dôme** et le **Café Rouge** très chic, mais aussi des brasseries indépendantes comme le **Boulevard** qui est une des meilleures.

Cybers cafés

Les Cybers cafés sont des lieux sympathiques où prendre un café, manger un morceau et surfer sur Internet. Il en existe deux : **Cyberia Cyber Café** à Fitzrovia et **Café Internet** près de Victoria.

Manger dans la rue

Outre des marchands de marrons grillés en hiver, vous trouverez sur tous les marchés londoniens des vendeurs de fruits de mer qui vous serviront crevettes grillées et crabe. À Camden Lock et Spitalfields, vous aurez le choix entre falafels, poulet satay, et nouilles chinoises. Si vous êtes dans l'East End, des pâtisseries juives comme la **Brick Lane Beigel Bake** et la **Ridley Bagel Bakery** (ouvertes 24 h sur 24) sont très amusantes et bon marché. Durant les étés chauds de Londres, n'hésitez pas à déguster les crèmes glacées de **Marine Ices**.

Les « Pie and Mash »

Vous ne trouverez pas de *pie and mash* (litt. tourte et purée) dans les quartiers chic mais si l'occasion se présente, chez **F Cooke and Sons** notamment, essayez un plat d'anguille au pommes de terre (*eels and potatoes*), ou un meat pie. Selon la tradition cockney, ils s'accompagnent de thé.

Carnet d'adresses

Le petit déjeuner

Cock Tavern
East Poultry Market, Smithfield Market EC1.
Plan 6 F5.

Harry's Bar
19 Kingly St W1.
Plan 12 F2.

Simpson's
100 Strand WC2.
Plan 13 C2.

Thé et café

Brown's Hotel
Albermarle St W1.
Plan 12 F3.

Coffee Gallery
23 Museum St WC1.
Plan 13 B1.

Emporio Armani Express
191 Brompton Rd SW3.
Plan 19 B1.

Fortnum and Mason
181 Piccadilly W1.
Plan 12 F3.

Maids of Honour
288 Kew Rd, Richmond.

Maison Bertaux
28 Greek St W1.
Plan 13 A1.

Patisserie Valerie
215 Brompton Rd SW3.
Plan 19 B1.

Ritz
Piccadilly W1.
Palm Court. Ritz Bar.
Plan 12 F3.

Seattle Coffee Co.
51-54 Long Acre WC2.
Plan 13B2.

Les cafés des musées et des théâtres

Arts Theatre Café
6 Great Newport St WC2.
Plan 13 B2.

British Museum
Great Russel St WC1.
Plan 5 B5.

Café de Colombia
Museum of Mankind, 6 Burlington Gardens W1.
Plan 12 F3.

Konditor & Cook
Young Vic Theatre, 66 The Cut SE1 **Plan** 14 E4.

Hamburgers

Ed's Easy Diner
12 Moor St W1. **Plan** 13 B2.
plusieurs succursales

Fatboy's Diner
21-22 Maiden La WC2.
Plan 13 C2.

Rock Island Diner
2nd Floor, London Pavilion, Piccadilly Circus W1.
Plan 13 A3.

Pizzas et pâtes

Centrale
16 Moor St W1.
Plan 13 B2.

Kettners
(Pizza Express) 29 Romilly St W1. **Plan** 13 A2.

Lorelei
21 Bateman St W1.
Plan 13 A2.

Pizza Express
30 Coptic St WC1.
Plan 13 B1.
Plusieurs succursales

Pollo
20 Old Compton St W1.
Plan 13 A2.

Bars à sandwich

Aroma
1b Dean St W1. **Plan** 13 A1.
Plusieurs succursales

Prêt à Manger
421 Strand WC2.
Plan 13 C3.
Plusieurs succursales

Les « Fish and Chips »

Faulkner's
424-426 Kingsland Rd E8.

Sea Shell
49-51 Lisson Grove NW1.
Plan 3 B5.

Upper St Fish Shop
324 Upper St N1. **Plan** 6 F1.

Les bars

Claridge's
Brook St W1.
Plan 12 E2.

Cork and Bottle
44–46 Cranbourn St WC2. **Plan** 13 B2.

Detroit
35 Earlham St WC2.
Plan 13 B2.

Freedom
60-66 Wardour St W1.
Plan 13 A2.

Mondo
12-13 Greek St W1.
Plan 13 A2.

Ny-lon
84-86 Sloane Ave SW3.
Plan 19 B2.

R Bar
4 Sydney St SW3
Plan 19 A3.

Les brasseries

Boulevard
38-40 Wellington St WC2.
Plan 13 C2.

Café Rouge
27 Basil St SW3.
Plan 11 C5.

Dôme
34 Wellington St WC2.
Plan 13 C2.

Les Cybers cafés

Café Internet
22-24 Buckingham Palace Rd SW1.
Plan 20 E2.

Cyberia Cyber Café
39 Whitfield St W1.
Plan 4 F4.

Manger dans la rue

Brick Lane Beigel Bake
159 Brick La E1.
Plan 8 E5.

Marine Ices
8 Haverstock Hill NW3.

Ridley Bagel Bakery
13–15 Ridley Rd E8.

Les « Pie and Mash »

F Cooke and Sons
41 Kingsland High St E8.

Les pubs de Londres

Les pubs, ou *public houses*, sont les descendants des auberges médiévales où l'on pouvait indifféremment manger, boire ou dormir, comme le **George Inn** (*voir p. 176*), un ancien relais de poste. On vend ainsi de la bière depuis des siècles là où se dressent certains pubs actuels tels le **Ship**, le **Lamb and Flag** (*voir p. 116*) et le **City Barge** (*voir p. 254*), mais les plus beaux datent en majorité du début du XIXe siècle et des *gin palaces* où les Londoniens venaient oublier la misère des taudis dans les intérieurs somptueux d'établissements comme le **Salisbury**, le **Tottenham** et le **Princess Louise**. Près de Little Venice (*voir p. 262-263*), le **Crockers** est probablement le plus beau des « palais du gin » qui subsistent à Londres.

LES RÈGLES ET CONVENTIONS

En théorie, les pubs peuvent désormais être ouverts de 11 h du matin à 23 h, du lundi au samedi et de midi à 22 h 30 le dimanche, bien que certains d'entre eux ferment l'après-midi ou en début de soirée et le week-end. Vous devez avoir au moins 18 ans pour acheter ou boire de l'alcool, et au moins 14 ans pour entrer dans un pub sans un adulte. On ne peut emmener des enfants que dans les pubs qui servent à manger ou ont une terrasse. Vous commandez au bar et vous payez quand on vous sert. Pas de pourboire sauf en cas de service à table. Après l'annonce de la fermeture : « *time* », il vous reste 10 minutes pour finir votre verre.

LA BIÈRE ANGLAISE

Les véritables bières britanniques sont plates et se boivent à peine fraîches. En bouteille, leur hiérarchie s'étend de la « *light ale* » (blonde) à la « *pale* », la « *brown* », la « *old* », la « *stout* » (très sombre) jusqu'à la « *barley wine* », particulièrement alcoolisée. Un panaché s'appelle un shandy.

Les Anglais ont su préserver de nombreuses méthodes anciennes pour brasser la bière et les établissements vendant de la « *real ale* » sont les dépositaires de ces traditions. Les grands amateurs de bière doivent aller dans les « Free Houses » (pubs indépendants et qui proposent un grand choix de bières – les autres pubs étant rattachés généralement à une fabrique de bière). Les principales brasseries londoniennes sont **Young's** (goûtez à la bière forte « Winter Warmer ») et **Fuller's**. Les petites brasseries sont rares mais la **Orange Brewery** sert non seulement de bonnes pintes et une excellente cuisine mais vous propose aussi de visiter la brasserie.

LES AUTRES BOISSONS

Tous les pubs de Londres servent du cidre, plus ou moins sec et plus ou moins alcoolisé. Le gin, eau-de-vie typiquement londonienne, se boit généralement mélangé avec du soda (*gin and tonic*). En hiver, vin chaud ou « *hot toddy* » (espèce de grog au brandy ou au whisky) réconfortent les enrhumés. Bien entendu, des boissons sans alcool, comme les eaux minérales ou jus de fruits sont partout disponibles.

MANGER AU PUB

La majorité des pubs servent encore une cuisine traditionnelle comme le Ploughman's Lunch (fromage, pain, salade et pickles), le Shepherd's pie (friand) ou le roast beef lunch du dimanche (*p. 288-289*), alors que d'autres s'aventurent à servir des dîners plus branchés. **The Chapel, Cow, Eagle, Engineer, Crown and Goose, Fire Station, Lansdozne** et **Prince Bonaparte** sont les meilleurs de ces pubs nouvelle vague. On y sert des repas originaux à un prix raisonnable. Il faut absolument réserver.

LES PUBS HISTORIQUES

Tous les pubs londoniens, ou presque, ont un passé fascinant. On peut ainsi y découvrir une arrière-salle médiévale, d'extravagantes fantaisies victoriennes, ou un intérieur Arts and Crafts comme au **Black Friar**. Le bar du **Bunch of Grapes** (SW3) a conservé ses « *snobscreens* », écrans qui permettaient aux classes supérieures de boire sans côtoyer leurs serviteurs. Le **King's Head and Eight Bells**, du XVIe siècle, abrite une exposition d'antiquités. Beaucoup de pubs sont liés à l'histoire littéraire, comme le **Fitzroy Tavern** (*voir p. 131*), le **Ye Olde Cheshire Cheese** (associé au Dr Johnson, *voir p. 140*) ou le **Trafalgar Tavern** (*voir p. 238*), qui avait Charles Dickens parmi ses habitués. Sur un plan moins littéraire, le **Bull and Bush**, situé au nord de Londres, est le sujet d'une vieille chanson de music-hall.

Un passé plus violent a marqué certains pubs : on retrouva les victimes de Jack l'Eventreur près du **Roebuck** et du **Ten Bells** ; Dick Turpin, voleur de grands chemins du XVIIIe siècle, venait boire au **Spaniards Inn** (*voir p. 231*) entre deux larcins, et le **French House** (*voir p. 109*), à Soho, servait de lieu de rendez-vous londonien aux résistants français pendant la Seconde Guerre mondiale.

LES PUBS À THÈME

Une dernière mode est apparue récemment : les pubs à thèmes. Les pubs irlandais excentriques, comme le **Filthy McNasty's** et le sombre **Waxy O'Connor's** n'attirent pas beaucoup d'Irlandais, mais débitent suffisamment de boissons pour se faire remarquer. Les bars australiens comme le **Sheila's** sont du même esprit. Les « sports bars » n'ont pas eu autant de succès. Le **Sports Café**, près de Picadilly propose trois bars, une piste de danse et 120 télévisions diffusant les chaînes sur satellites.

Terrasses et jardins

Peu de pubs du centre de Londres disposant d'un espace adapté, c'est en périphérie que l'on peut le plus aisément prendre une consommation en plein air. Le **Freemason's Arms** possède un jardin sympathique. Du **Grapes**, à Limehouse, au **White Cross**, à Richmond, de nombreux pubs installés au bord de la Tamise permettent de contempler le fleuve.

Les spectacles dans les pubs

Beaucoup de pubs proposent des spectacles à leur clientèle, de la musique, généralement (*voir pp. 333-335*) – musique traditionnelle anglaise au **Archway Tavern**, jazz moderne au **Bulls Head** et de tous styles au **Mean Fiddler** –, mais aussi du théâtre comme au **King's Head**, au **Bush**, au **Latchmere** et au **Prince Albert**.

Les noms des pubs

En 1393, le roi Richard II décida que des enseignes remplaceraient les buissons traditionnellement utilisés pour marquer l'entrée des pubs. L'immense majorité de leurs clients étant illettrés, les tenanciers choisirent des noms faciles à illustrer : armoiries (Freemason's Arms), personnages historiques (Princess Louise) ou animaux héraldiques (White Lion).

Carnet d'adresses

Légende des symboles :
scène dans la salle du bar ou salle de spectacle (téléphoner)
offre plus que de simples en-cas
concerts réguliers (téléphoner)
terrasse ou jardin

Soho, Trafalgar Square

French House
49 Dean St W1.
Plan 13 A2.

Sports Café
80 Haymarket SW1.
Plan 13 A3.

Tottenham
6 Oxford St W1.
Plan 13 A1.

Waxy O'Connor's
14-16 Rupert StW1.
Plan 13 A1.

Covent Garden, Strand

Lamb and Flag
33 Rose St WC2.
Plan 13 B2.

Salisbury
90 St Martin's Lane WC2.
Plan 13 B2.

Sheila's
14 King St WC2.
Plan 13 B2.

Bloomsbury, Fitzrovia

Fitzroy Tavern
16 Charlotte St W1.
Plan 13 A1.

Holborn

Ye Olde Cheshire Cheese
145 Fleet St EC4.
Plan 14 E1.

La City, Clerkenwell

Black Friar
174 Queen Victoria St EC4. **Plan** 14 F2.

Eagle
159 Farringdon Rd EC1.
Plan 6 E4.

Filthy McNasty's
68 Amwell St EC1.
Plan 6 E3.

Ship
23 Lime St EC3.
Plan 15 C2.

Ten Bells
84 Commercial St E1.
Plan 16 E1.

Southwark et South Bank

Bunch of Grapes
St Thomas St SE1.
Plan 15 C4.

Fire Station
150 Waterloo Rd SE1.
Plan 14 E4.

George Inn
77 Borough High St SE1.
Plan 15 B4.

Chelsea, South Kensington

Chapel
48 Chapel St NW1.
Plan 3 B5.

King's Head and Eight Bells
50 Cheyne Walk SW3.
Plan 19 A5.

Orange Brewery
37 Pimlico Rd SW1.
Plan 20 D2.

Camden Town, Hampstead

Bull and Bush
North End Way NW3.
Plan 1 A3.

Crown and Goose
100 Arlington Rd NW1.
Plan 4 F1.

Engineer
65 Gloucester Ave NW1.
Plan 4 D1.

Freemasons Arms
32 Downshire Hill NW3.
Plan 1 C5.

Landsdowne
90 Gloucester Ave NW1.
Plan 4 D1.

Spaniards Inn
Spaniards Rd NW3.
Plan 1 A3.

Notting Hill, Maida Vale

Crockers
24 Aberdeen Pl NW8.

Cow
89 Westbourne Park Rd W11. **Plan** 23 C1.

Prince Albert
11 Pembridge Rd W11.
Plan 9 C3. Gate Theatre : *0171-229 0706.*

Prince Bonaparte
80 Chepstow Rd W2.
Plan 9 C1.

En dehors du centre

Archway Tavern
1 Archway Close N19.

Bull's Head
373 Lonsdale Rd SW13.

Bush
Shepherd's Bush Green W12. Théâtre : *0181-743 3388.*

City Barge
27 Strand-on-the-Green W4.

Grapes
76 Narrow St E14.

King's Head
115 Upper St N1. **Plan** 6 F1. Théâtre : *0171-226 1916.*

Latchmere
503 Battersea Park Rd SW11. Grace Theatre *0171-228 2620.*

Mean Fiddler
28a High St NW10.

Roebuck
27 Brady St E1.

Trafalgar Tavern
Park Row SE 10.
Plan 23 C1.

White Cross
Cholmondeley Walk, Richmond.

Boutiques et marchés

Londres demeure l'une des grandes capitales mondiales du shopping où l'on trouve à quelques minutes à pied les unes des autres les vitrines somptueuses de grands magasins et celles de boutiques si exiguës qu'un seul client suffit presque à les remplir. Si Knightsbridge ou Regent Street sont renommés pour leurs articles de luxe (et leurs prix élevés), les magasins qui bordent Oxford Street, offrant un large éventail de qualités et de prix, méritent aussi une visite. Les amateurs de disques y trouveront le Virgin Megastore. Partout dans la ville, bouquinistes, antiquaires ou galeries d'art se nichent dans des petites rues, et les marchés proposent aussi bien artisanat ou brocante que produits d'alimentation. On trouve de tout à Londres mais l'Angleterre est particulièrement réputée pour ses lainages – notamment ses tweeds – et ses vêtements pour hommes ; ses savons et parfums fleuris ; ses marchés d'art et d'antiquités.

Sacs de deux boutiques célèbres du West End

Horaires d'ouverture

La plupart des boutiques du centre de Londres ouvrent vers 9 h ou 10 h et ferment entre 17 h et 18 h en semaine, parfois plus tôt le samedi. Certaines restent ouvertes en « nocturne » (« *late night shopping* ») jusqu'à 19 h ou 20 h : le jeudi à Oxford Street et dans le West End, le mercredi à Knightsbridge et Chelsea, et toute la semaine, dimanche compris, dans les quartiers touristiques comme Covent Garden (*voir pp. 110-19*) et le Trocadero. Quelques marchés (*voir pp. 322-3*) se tiennent également le dimanche et parfois seulement ce jour-là.

Comment payer ?

La plupart des commerçants acceptent le règlement par carte de crédit (Mastercard, American Express, Diners Club et Visa), à l'exception prévisible des étals des marchés, et de celle plus curieuse des magasins John Lewis et Marks & Spencer. Les chèques de voyage, surtout s'ils sont établis en livres (attention, sinon, au taux de change proposé), sont normalement pris partout sur présentation du passeport. Très rares sont les établissements qui acceptent les chèques tirés sur une banque étrangère en dehors des eurochèques.

Le département alimentation du Harrod's

Droits et services

En dehors, souvent, de ceux vendus en solde, les objets défectueux sont normalement repris sur présentation d'une preuve d'achat. La plupart des grands magasins, et certaines boutiques, se chargent de l'emballage et de l'expédition de vos acquisitions dans n'importe quelle partie du globe.

Exemption de taxe

Cet article ne concerne que les visiteurs étrangers à la Communauté européenne résidant moins de trois mois en Grande-Bretagne. Ils peuvent en effet se faire rembourser la taxe à la valeur ajoutée (*VAT*) de 17,5 % appliquée sur quasiment tous les produits vendus en Angleterre à l'exception des livres, de l'alimentation et des vêtements pour enfants. Cette taxe est généralement incluse dans le prix affiché.

Pour obtenir ce remboursement, il faut présenter son passeport lors de l'achat et remplir un formulaire dont on remettra le double à la douane en quittant le pays (dans la mesure où elles risquent d'être contrôlées, rangez vos acquisitions à part dans vos bagages). Le règlement s'effectuera par chèque ou par virement, mais dans ce dernier cas, la plupart des établissements prélèvent des frais de dossier et demandent un achat minimum de 50 à 75 £. Si vous faites expédier vos acquisitions chez vous par le magasin, celui-ci doit déduire directement la taxe de votre paiement.

Les soldes

Les périodes traditionnelles de soldes s'étendent de janvier à février et de juin à juillet. Ce sont les grands magasins qui offrent souvent les réductions les plus importantes, notamment Harrod's (*voir p. 207*), dont les soldes ont une telle réputation qu'une queue se forme à l'entrée bien avant l'ouverture.

Les plus beaux grands magasins

Avec 300 rayons et 4 000 employés, **Harrod's** demeure le roi des grands magasins de luxe londoniens et mérite la visite pour le seul plaisir des yeux. Outre un spectaculaire département alimentation de style édouardien, on trouve de tout chez Harrod's, jusqu'aux animaux. Valeur sûre auprès des Londoniens fortunés, il subit toutefois la concurrence du **Harvey Nichols** voisin, particulièrement réputé pour l'habillement (les grandes griffes européennes et américaines y sont représentées) mais dont le rayon alimentaire, ouvert en 1992, est l'un des plus chic de la capitale.

Sur Oxford Street, **Selfridge's**, propose un très large éventail : des sacs Gucci et foulards Hermès jusqu'aux appareils ménagers et le linge de maison. Il abrite également une succursale de sa filiale, **Miss Selfridge**, populaire chaîne de boutiques de mode.

Fondé par un drapier, le **John Lewis** continue de présenter une magnifique sélection de tissus et d'articles de mercerie. Tout comme le **Peter Jones**, sur Sloane Square, il est également apprécié des Londoniens pour ses porcelaines, sa verrerie et sa vaisselle.

Vous trouverez chez **Liberty** (*voir p. 109*), dernier grand magasin à direction privée de Londres, les soieries imprimées à la main et autres produits orientaux qui le rendirent célèbre dès sa création en 1875 et lui permirent d'imposer au monde le style... Liberty. Ne pas manquer le rayon des foulards.

Le rez-de-chaussée du très classique magasin **Fortnum and Mason's** (*voir p. 306*) abrite un extraordinaire rayon d'alimentation plus luxueux encore que chez Fauchon, à Paris.

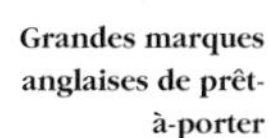

Grandes marques anglaises de prêt-à-porter

Les grands magasins

Fortnum and Mason
181 Piccadilly W1. **Plan** 12 F3.
0171-734 8040.

Harrod's
87–135 Brompton Rd SW1.
Plan 11 C5.
0171-730 1234.

Harvey Nichols
109–125 Knightsbridge SW1.
Plan 11 C5.
0171-235 5000.

John Lewis
278–306 Oxford St W1. **Plan** 12 E1.
0171-629 7711.

Liberty
210–220 Regent St W1. **Plan** 12 F2.
0171-734 1234.

Selfridge's
400 Oxford St W1. **Plan** 12 D2.
0171-629 1234.

Portier au Fortnum and Mason

Marks and Spencer

A peine plus d'un siècle sépare l'étal tenu sur le marché de Kirkgate à Leeds par un émigré russe, Michael Marks, dont l'enseigne portait comme devise : « Inutile de demander le prix, c'est un penny ! », des 680 magasins qui vendent aujourd'hui (et ne vendent que) les produits étiquetés Marks and Spencer, réputés pour leur qualité et leur solidité (une garde-robe anglaise ne saurait se passer de sous-vêtements Marks and Spencer).Vous trouverez sur Oxford Street, au Pantheon (près d'Oxford Circus) et à Marble Arch, les succursales les mieux fournies.

La parfumerie Penhaligon's (*p. 318*)

Les marchés et rues commerçantes les plus intéressants

De Knightsbridge, où porcelaine, bijoux et haute couture peuvent atteindre des prix faramineux, aux marchés comme ceux de Brick Lane ou de Portobello Road, reflets colorés des nombreuses cultures qui se mêlent à Londres et merveilleux endroits où chiner, les quartiers commerçants de la capitale proposent un éventail pouvant satisfaire tous les goûts et toutes les bourses. Les amateurs plus spécialisés trouveront en outre des rues bordées d'antiquaires, bouquinistes, galeries d'art, etc. Les pages 316 à 323 recensent ces commerces par catégories.

Kensington Church Street
Les librairies et petits magasins de cette rue sinueuse vous servent toujours à l'ancienne (voir p. 321).

The Royal Borough of Kensington and Chelsea
PORTOBELLO ROAD, W.11.

Marché de Portobello Road
Plus de 2 000 étals vendent fruits et légumes ou bijoux, argenterie, médailles et tableaux (voir p. 323).

N

Regent's Park et Marylebone

Voir plan détaillé

Kensington et Holland Park

South Kensington et Knightsbridge

Piccadilly et St James's

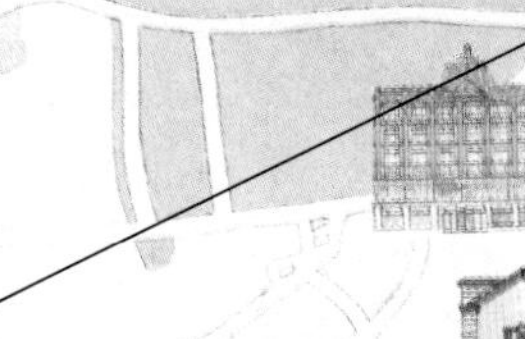

Chelsea

Knightsbridge
Outre à Harrod's, le prêt-à-porter de luxe s'affiche dans d'élégantes petites boutiques (voir p. 207).

King's Road
À l'avant-garde de la mode dans les années 60 et 70, cette rue aux boutiques assez chères abrite un intéressant marché d'antiquités (voir p. 192).

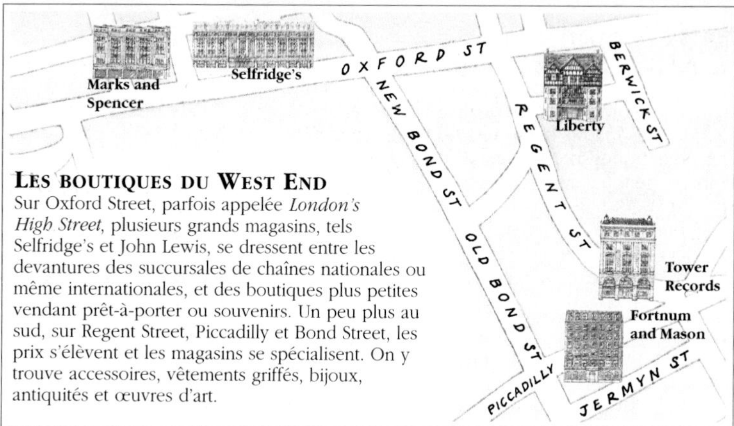

LES BOUTIQUES DU WEST END

Sur Oxford Street, parfois appelée *London's High Street*, plusieurs grands magasins, tels Selfridge's et John Lewis, se dressent entre les devantures des succursales de chaînes nationales ou même internationales, et des boutiques plus petites vendant prêt-à-porter ou souvenirs. Un peu plus au sud, sur Regent Street, Piccadilly et Bond Street, les prix s'élèvent et les magasins se spécialisent. On y trouve accessoires, vêtements griffés, bijoux, antiquités et œuvres d'art.

Brick Lane Market
*Des vieux livres aux vêtements, on trouve de tout dans cette rue de l'East End (*voir p. 322*).*

Gabriel's Wharf
*De petites boutiques d'art et d'artisanat se sont installées sur ce quai (*voir p. 187*).*

Petticoat Lane
*Jouets, montres ou cuirs, tout se vend au plus célèbre marché de Londres (*voir p. 323*).*

Charing Cross Road
*Une longue rue où chercher livres neufs ou d'occasion (*voir p. 316*).*

Covent Garden et Neal Street
*Des artistes de rue animent ce marché historique près duquel se trouvent les boutiques spécialisées de Neal Street (*voir p. 115*).*

Les vêtements

En matière de vêtements, Londres offre l'embarras du choix aussi bien en prix qu'en styles et qualités. Les boutiques des grands couturiers du monde entier, et celles de marques internationales plus populaires comme Benetton, se serrent autour de Knightsbridge, Bond Street et Chelsea mais il serait dommage de ne pas profiter de ce que les Anglais ont de mieux à offrir en matière d'habillement : des vêtements très classiques ou, au contraire, extravagants.

La confection classique

Le style « campagne » inimitable des Britanniques s'affiche dans de nombreuses vitrines du secteur Regent Street/ Piccadilly. Vêtements et accessoires d'équitation se trouvent chez **Swaine Adeney**, les pulls de cricket chez **Kent and Curwen** et les vareuses en jersey et les cirés chez **Captain Watts**. **The Scotch House** à Knightsbridge vous fournira en tartans écossais traditionnels, cachemires, jerseys d'Aran et châles en Shetland.

Dans le même quartier, vous trouverez **Burberry**, véritable institution de l'imperméable, et **Hackett**, le tailleur de l'homme classique. Si vous cherchez des chemises, essayez Jermyn Street, vous pourrez même, pour une petite fortune, les faire couper sur mesure. Plusieurs fabricants vendent aussi désormais des chemisiers.

Liberty (*voir p. 109*) propose les imprimés qui ont fait sa réputation aussi bien sur des foulards ou des cravates, que sur des chemisiers, des jupes et même en garniture de vestes en jean. Les robes fleuries et les chemisiers à ruchés de **Laura Ashley** ont également su conquérir une clientèle mondiale.

Savile Row abrite les tailleurs les plus huppés, notamment **Gieves and Hawkes**.

La mode et l'avant-garde

Jean-Paul Gaultier adore Londres parce que la rue, contrairement à Paris, n'y subit pas la contrainte du bon goût. C'est d'ailleurs la ville de stylistes étonnants, comme **Vivienne Westwood**, ou ceux dont **Browns** propose les créations. Si vous préférez quelque chose de plus facile à porter, essayez les alentours de Newburgh Street, dans West Soho, où sont installés **The Duffer of St George** (pour hommes). Tenues excentriques ou insolites se trouvent également à l'**Hyper Hyper** ou au **Kensington Market**. Actuellement, des boutiques d'Oxford Street comme **Top Shop** et **Mash** excellent à suivre les dernières tendances de la mode. En haute couture, les boutiques de **Paul Smith**, pour les messieurs et, pour les dames, **Browns**, **Whistles**, **Katherine Hammett** et **Caroline Charles** s'imposent.

Les lainages

Les magasins offrant les plus beaux choix de lainages classiques se trouvent à Piccadilly, comme **N Peal**, Regent Street et Knightsbridge. De grands stylistes comme **Patricia Roberts** et **Joseph Tricot**, et de petites boutiques comme **Jane and Dada**, proposent des modèles insolites et novateurs, qu'ils soient tricotés à la main ou à la machine.

Les vêtements pour enfants

Classiques ou nostalgiques robes à dentelle, barboteuses à fronces brodées et manteaux de tweed à col de

Tableau de correspondance des tailles

Vêtements pour enfants									
Angleterre	2–3	4–5	6–7	8–9	10–11	12	14	14+ (années)	
Canada	2–3	4–5	6–6X	7–8	10	12	14	16 (taille)	
France	2–3	4–5	6–7	8–9	10–11	12	14	14+ (années)	
Chaussures pour enfants									
Angleterre	7½	8	9	10	11	12	13	1	2
Canada	7½	8½	9½	10½	11½	12½	13½	1½	2½
France	24	25½	27	28	29	30	32	33	34
Robes, jupes et manteaux pour femmes									
Angleterre	6	8	10	12	14	16	18	20	
Canada	4	6	8	10	12	14	16	18	
France	38	40	42	44	46	48	50	52	
Chemisiers et pull-overs pour femmes									
Angleterre	30	32	34	36	38	40	42		
Canada	6	8	10	12	14	16	18		
France	40	42	44	46	48	50	52		
Chaussures pour femmes									
Angleterre	3	4	5	6	7	8			
Canada	5	6	7	8	9	10			
France	36	37	38	39	40	41			
Complets pour hommes									
Angleterre	34	36	38	40	42	44	46	48	
Canada	34	36	38	40	42	44	46	48	
France	44	46	48	50	52	54	56	58	
Chemises pour hommes									
Angleterre	14	15	15½	16	16½	17	17½	18	
Canada	14	15	15½	16	16½	17	17½	18	
France	36	38	39	41	42	43	44	45	
Chaussures pour hommes									
Angleterre	7	7½	8	9	10	11	12		
Canada	7½	8	8½	9½	10½	11	11½		
France	40	41	42	43	44	45	46		

velours se trouvent à Liberty, **Young England** et **The White House. Trotters**, juste derrière Sloane Square, équipe les enfants des chaussures jusqu'à la coupe de cheveux.

Les chaussures

En matière de chaussures, c'est encore dans le traditionnel que les Anglais excellent. Si vous avez les moyens, mais pas assez pour vous offrir les souliers faits main de **John Lobb**, chausseur de la famille royale, **Church's Shoes** propose souliers de ville ou de golf de très belle qualité. Beaucoup moins cher, **Shelly** vend les célèbres et inusables Dr Martens conçues à l'origine pour offrir confort et sécurité aux ouvriers et devenues objets de mode.

Red or Dead ne recule devant aucune extravagance et si vous, vous reculez, vous pouvez encore essayer **Johnny Moke**, sur King's Road, ou **Emma Hope** à East London. **Manolo Blahnik** chausse les élégantes de modèles vraiment raffinés mais **Hobbs** et **Pied à Terre**, souvent aussi originaux, pratiquent des prix plus abordables.

Carnet d'adresses

La confection classique

Burberry
18-22 Haymarket SW1. **Plan** 13 A3. *0171-930 3343. Deux succursales.*

Captain Watts
7 Dover St W1. **Plan** 12 E3. *0171-493 4633.*

Gieves & Hawkes
1 Savile Row W1. **Plan** 12 E3. *0171-434 2001.*

Hackett
87 Jermyn St W1. **Plan** 13 A3. *0171-930 1300. Plusieurs succursales.*

Kent and Curwen
39 St James's St SW1. **Plan** 12 F3. *0171-409 1955.*

Laura Ashley
256-258 Regent St W1. **Plan** 12 F1. *0171-437 9760. Plusieurs succursales.*

The Scotch House
2 Brompton Rd SW1. **Plan** 11 C5. *0171-581 2151. Plusieurs succursales.*

Swaine Adeney
185 Piccadilly W1. **Plan** 12 F3. *0171-409 7277.*

La mode et l'avant-garde

Browns
23-27 South Molton St W1. **Plan** 12 E2. *0171-491 7833. Plusieurs succursales.*

Caroline Charles
56-57 Beauchamp Pl SW3. **Plan** 19 B1. *0171-589 5850.*

The Duffer of St George
27 D'Arblay St W1. **Plan** 13 A2. *0171-439 0996.*

Hyper Hyper
26-40 Kensington High St W8. **Plan** 10 D5. *0171-938 4343. Deux succursales.*

Jean-Paul Gaultier
171-5 Draycott Ave SW3. **Plan** 19 B2. *0171-584 4648.*

Katherine Hamnett
20 Sloane St SW1. **Plan** 11 C5. *0171-823 1002.*

Kensington Market
49-53 Kensington High St W8. **Plan** 10 D5. *0171-938 4343.*

Mash
73 Oxford St W1. **Plan** 13 A1. *0171-434 9609.*

Koh Samui
50 Monmouth St WC2. **Plan** 13 B2. *0171-240 4280.*

Nicole Farhi
158 New Bond St W1. **Plan** 12 E2. *0171-499 8368.*

Paul Smith
41-44 Floral St WC2. **Plan** 13 B2. *0171-379 7133.*

Top Shop
Oxford Circus W1. **Plan** 12 F1. *0171-636 7700. Plusieurs succursales.*

Vivienne Westwood
6 Davies St W1. **Plan** 12 E2. *0171-629 3757.*

Whistles
12-14 St Christopher's Pl W1. **Plan** 12 D1 *0171-487 4484.*

Les lainages

Jane and Dada
20-21 St Christopher's Pl W1. **Plan** 12 D1. *0171-486 0977.*

Joseph Tricot
28 Brook St W1. **Plan** 12 E2. *0171-629 6077.*

N Peal
Burlington Arcade, Piccadilly, W1. **Plan** 12 F3. *0171-493 9220. Plusieurs succursales.*

Patricia Roberts
60 Kinnerton St SW1. **Plan** 11 C5. *0171-235 4742.*

Vêtements enfants

Trotters
34 King's Rd SW3. **Plan** 19 C2. *0171-259 9620.*

The White House
51-52 New Bond St W1. **Plan** 12 E2. *0171-629 3521.*

Young England
47 Elizabeth St SW1. **Plan** 20 E2. *0171-259 9003.*

Les chaussures

Church's Shoes
163 New Bond St W1. **Plan** 12 E2. *0171-499 9449. Plusieurs succursales.*

Emma Hope
33 Amwell St EC1. **Plan** 6 E3. *0171-833 2367.*

Hobbs
47 South Molton St W1. **Plan** 12 E2 *0171-629 0750. Plusieurs succursales.*

Johnny Moke
396 King's Rd SW10. **Plan** 18 F4. *0171-351 2232.*

John Lobb
9 St James's St SW1. **Plan** 12 F4. *0171-930 3664.*

Manolo Blahnik
49-51 Old Church St, Kings Road SW3. **Plan** 19 A4. *0171-352 8622.*

Pied à Terre
19 South Molton St W1 **Plan** 12 E2. *0171-629 1362. Plusieurs succursales.*

Red or Dead
33 Neal St WC2. **Plan** 13 B2. *0171-379 7571. Plusieurs succursales.*

Shelly's
19-21 Foubert's Pl, Carnaby St, W1. **Plan** 12 F2. *0171-287 0593. Plusieurs succursales.*

Les magasins spécialisés

Si la réputation des grands magasins londoniens comme Harrod's n'est plus à faire, la capitale abrite également de nombreuses boutiques plus qu'intéressantes à visiter. Certaines possèdent une expérience accumulée pendant plus d'un siècle.

Alimentation

Contrairement aux idées reçues, de nombreuses spécialités culinaires britanniques méritent d'être goûtées : thés, bien entendu, mais aussi fromages, chocolats, biscuits et confitures (*voir pp. 288-9*) que vous trouverez somptueusement présentés au Fortnum and Mason, au Harrod's ou au Selfridge's. Essayez aussi **Paxton and Whitfield**, une délicieuse boutique datant de 1830 qui propose, outres pâtés en croûte, biscuits ou marmelades, plus de 300 sortes de fromages.

Les amateurs de chocolat ne doivent pas manquer **Charbonnel et Walker**, maison 100 % anglaise malgré son nom, dont les produits sont fabriqués artisanalement, à l'instar des chocolats noirs ou des succulents chocolats à la menthe de **Bendicks**, sur Curzon Street.

Thés

Délicats thés verts infusés presque en poudre, riches thés noirs du petit déjeuner, ou thés parfumés aux fruits, aux fleurs de lotus ou à la bergamote, chaque Britannique consomme en moyenne chaque année cinq kilos de feuilles séchées. Vous en trouverez un vaste assortiment, ainsi que de jolies théières, au **Tea House** de Covent Garden. Malgré son nom, et sa belle sélection de cafés, l'**Algerian Coffee Stores** vend surtout des thés, parfumés notamment.

Les boutiques d'une spécialité

Des centaines de boutiques londoniennes sont spécialisées dans une seule catégorie d'objets : **The Bead Shop** propose ainsi un incroyable choix de perles, **The Candle Shop** fournit des bougies de toutes formes et de toutes tailles, des bougeoirs et des accessoires de fabrication et **Halcyon Days** de petites boîtes en cuivre émaillées selon une technique héritée du XVIIIe siècle.

Les fumeurs ne trouveront pas de tabac chez **Astleys** mais probablement la pipe de leur rêve. Des simples pipes droites, aux courbes les plus sophistiquées, de la racine de bruyère à l'écume, le choix laisse ébahi. Les collectionneurs d'instruments scientifiques anciens fouineront parmi les sextants et les vieux microscopes d'**Arthur Middleton** tandis que ceux qui s'intéressent aux maisons de poupée regretteront sans doute de ne pouvoir vider **Singing Tree** de toutes ses merveilles miniatures, en particulier les meubles de différents styles et époques fidèlement reproduits à l'échelle.

Enfin, il n'existe probablement rien au monde qui ressemble à **Anything Left-Handed**, à Soho, qui ne propose que des objets conçus pour les gauchers. Ciseaux, coutellerie, stylos, ustensiles de cuisine et outils de jardinage constituent ses meilleures ventes.

Livres et journaux

Charing Cross Road (*voir p. 108*) est l'artère londonienne où les amateurs de livres neufs, anciens ou d'occasion trouveront le plus de librairies intéressantes : **Foyle's**, célèbre pour son stock gigantesque et particulièrement désordonné, ou les grandes succursales de **Books Etc** et **Waterstone's**. Plus spécialisées : **Murder One** et ses romans policiers, **Silver Moon** pour la littérature féministe, **Books for a Change** pour l'écologie politique et **Zwemmer** pour les livres d'art. **Stanford's** (*voir p. 112*) renferme le monde entier sous forme de guides et de carte. Ce qui pourrait lui manquer se trouve à **Travel Bookshop**. Non loin, **Books for Cooks** s'adresse aux gourmets tandis que sur Neal Street, **Comic Showcase** propose des bandes dessinées et **Forbidden Planet** des romans fantastiques et de science fiction. L'homosexualité, avec **Gay's the Word** près de Russell Square, a également ses librairies spécialisées. Comme le septième art avec notamment **Cinema Bookshop**. **PC Bookshop** vend des milliers de livres sur l'informatique et son annexe des programmes multimédias. **Hatchard's** sur Piccadilly et **Dillons**, dans Gower Street, très bien approvisionnées, font partie des meilleures librairies généralistes avec **Compendium**, près de Camden Market, aux riches rayons sur les techniques alternatives. Les livres de poche les plus récents se trouvent à **Penguin Bookshop** et sa filiale pour enfants **Puffin Bookshop**.

C'est également dans ce quartier de Charing Cross Road que les bibliophiles auront le plus de chances de dénicher livres rares ou anciens. De nombreuses librairies disposent d'un service de recherche si le titre désiré n'est plus publié.

En ce qui concerne la presse, **Capital Newsagents** et **Gray's Inn News** (*voir p. 352*) vendent journaux et magazines du monde entier, le rez-de-chaussée de **Tower Records** propose probablement le plus riche rayon de publications américaines et l'on peut se procurer *Le Monde* et, moins souvent, *Libération* dans de nombreux kiosques à travers la ville.

Disques

Londres renferme d'extraordinaires magasins de disques proposant un choix immense dans tous les styles musicaux. Si **Music Discount Centre** offre la sélection classique probablement la plus riches, celles des « mégastores » comme **HVM**, **Virgin** et **Tower Records**, qui privilégient pourtant le rock et la variété, ne manquent pas d'intérêt. Les amateurs de jazz auront plus de chance de trouver leur bonheur dans des boutiques spécialisées comme **Ray's Jazz** et **Honest Jon's**, et pour ceux de reggae, un saut chez **Daddy Kool** s'impose. Malgré l'important rayon de disques étrangers de **HMV**, **Stern's** est sans concurrence en ce qui concerne la musique africaine. Les dernières nouveautés en « dance music » s'achètent, entre autres, chez **Trax** et **Black Market**.

CARNET D'ADRESSES

ALIMENTATION

Bendicks of Mayfair
7 Aldwych WC2. **Plan** 13 C2. *0171-836 1846.*

Charbonnel et Walker
1 Royal Arcade, 28 Old Bond St W1. **Plan** 12 F3. *0171-491 0939.*

Paxton and Whitfield
93 Jermyn St SW1. **Plan** 12 F3. *0171-930 0250.*

THÉS

Algerian Coffee Stores
52 Old Compton St W1. **Plan** 13 A2. *0171-437 2480.*

The Tea House
15 Neal St WC2. **Plan** 13 B2. *0171-240 7539.*

LES BOUTIQUES D'UNE SPÉCIALITÉ

Anything Left-Handed
57 Brewer St W1. **Plan** 13 A2. *0171-437 3910.*

Arthur Middleton
12 New Row, Covent Garden WC2. **Plan** 13 B2. *0171-836 7042.*

Astleys
16 Picadilly Arcade SW1. **Plan** 13 A3. *0171-499 9950.*

The Bead Shop
43 Neal Street WC2. **Plan** 13 B1. *0171-240 0931.*

The Candle Shop
30 The Market, Covent Garden Piazza WC2. **Plan** 13 C2. *0171-836 9815.*

Halcyon Days
14 Brook St W1. **Plan** 12 E2. *0171-629 8811.*

The Singing Tree
69 New King's Rd SW6. *0171-736 4527.*

LIVRES ET JOURNAUX

Books Etc
120 Charing Cross Rd WC2. **Plan** 13 B1. *0171-379 6838.*

Books for a Change
52 Charing Cross Rd WC2. **Plan** 13 B2. *0171-836 2315.*

Books for Cooks
4 Blenheim Crescent W11. **Plan** 9 B2. *0171-221 1992.*

Capital Newsagents
48 Old Compton St W1. **Plan** 13 A2. *0171-437 2479.*

Cinema Bookshop
13-14 Great Russell St WC1. **Plan** 13 B1. *0171-637 0206.*

Comic Showcase
76 Neal St WC2. **Plan** 13 B1. *0171-240 3664.*

Compendium
234 Camden High St NW1. *0171-485 8944.*

Dillons
82 Gower St WC1. **Plan** 5 A5. *0171-636 1577.*

Forbidden Planet
71 New Oxford St WC1. **Plan** 13 B1. *0171-836 4179*

Foyle's
113-119 Charing Cross Rd WC2. **Plan** 13 B1. *0171-437 5660.*

Gay's The Word
66 Marchmont St WC1. **Plan** 5 B4. *0171-278 7654.*

Gray's Inn News
50 Theobald's Rd WC1. **Plan** 6 D5. *0171-405 5241.*

Hatchard's
187 Piccadilly W1. **Plan** 12 F3. *0171-439 9921.*

Murder One
71-73 Charing Cross Rd WC2. **Plan** 13 B2. *0171-734 3485.*

PC Bookshop
11 Sicilian Ave WC1. **Plan** 13 C1. *0171-831 0022.*

Penguin/Puffin Bookshop
10 The Market, Covent Garden Piazza WC2. **Plan** 13 C2. *0171-379 7650.*

Silver Moon
64-68 Charing Cross Rd WC2. **Plan** 13 B2. *0171-836 7906.*

Stanford's
12-14 Long Acre WC2. **Plan** 13 B2. *0171-836 1321.*

Tower Records
(voir à Disques)

Travel Bookshop
13 Blenheim Crescent W11. **Plan** 9 B2. *0171-229 5260.*

Waterstone's
121-125 Charing Cross Rd WC2. **Plan** 13 B1. *0171-434 4291.*

The Women's Book club
34 Great Sutton St EC1. **Plan** 6 F4. *0171-251 3007.*

Zwemmer
26 Litchfield St WC2. **Plan** 13 B2. *0171-379 7886.*

DISQUES

Black Market
25 D'Arblay St W1. **Plan** 13 A2. *0171-437 0478.*

Daddy Kool Music
12 Berwick St W1. **Plan** 13 A2. *0171-437 3535.*

HMV
150 Oxford St W1. **Plan** 13 A1. *0171-631 3423.*

Honest Jon's Records
278 Portobello Rd W10. **Plan** 9 A1. *0181-969 9822.*

The Music Discount Centre
33-34 Rathbone Pl W1. **Plan** 13 A1. *0171-637 4700.*

Ray's Jazz
180 Shaftesbury Ave WC2. **Plan** 13 B1. *0171-240 3969.*

Rough Trade
130 Talbot Rd W11. **Plan** 9C1. *0171-229 8541.*

Stern's
293 Euston Rd NW1. **Plan** 5 A4. *0171-387 5550.*

Tower Records
1 Piccadilly Circus W1. **Plan** 13 A3. *0171-439 2500.*

Trax
55 Greek St W1. **Plan** 13 A2. *0171-734 0795.*

Virgin Megastore
14-30 Oxford St W1. **Plan** 13 A1. *0171-631 1234.*

Cadeaux et souvenirs

Pour vos cadeaux, vous trouverez le monde entier à Londres. Les productions des îles britanniques, bien entendu, notamment en verrerie, joaillerie, porcelaine ou parfumerie, mais aussi des bijoux d'Inde ou d'Afrique, des bibelots d'Extrême-Orient ou de la vaisselle italienne. Si vous cherchez des articles de luxe, essayez les magasins de Burlington Arcade (*voir p. 91*) qui proposent dans un cadre Regency vêtements et objets d'art ou d'artisanat, pour la plupart fabriqués en Grande-Bretagne.

Mais vous pourrez aussi découvrir un cadeau ou un souvenir original dans la boutique d'un grand musée comme le Victoria and Albert Museum (*voir pp. 198-201*), le Natural History Museum (*voir pp. 204-205*) ou le Science Museum (*voir pp. 208-209*). **Contemporary Applied Arts**, le centre commercial Thomas Neal's, et le marché de Covent Garden Piazza (*voir p. 114*) présentent un large éventail d'artisanat anglais, en particulier poteries, lainages et bijoux.

Les bijoux

Outre les établissements traditionnels, Londres abrite de minuscules bijouteries, parfois de simples étals, spécialisées dans les articles inhabituels. Vous en trouverez un grand nombre autour de Covent Garden (*voir pp. 110-19*), Gabriel's Wharf (*voir p. 187*), et Camden Lock (*voir p. 322*). Pour des bijoux fantaisie originaux, essayez **Butler and Wilson** ou **Electrum**, juste à côté.

Past Times, et les boutiques du British Museum (*voir pp. 126-9*) et du Victoria and Albert Museum, vendent des reproductions de bijoux anciens, notamment celtes, romains et Tudors. La **Leslie Craze Gallery** et **Contemporary Applied Arts** proposent des créations modernes, quoique de styles différents, et les pièces uniques en lapis-lazuli, ambre, corail, or ou argent de **Manquette** méritent une visite. Les amateurs de joaillerie gothique ne doivent pas manquer **The Great Frog** sur Carnaby Street.

Chapeaux et accessoires

De la casquette au melon ou au casque colonial, les hommes trouveront la coiffure qui s'accorde à leur style chez **Edward Bates** et **Herbert Johnson**. Les dames essaieront **Herald and Heart Hatters** pour l'élégance classique, ou **Stephen Jones** dont les modèles vont du passe-partout à l'extravagant. Chez ce dernier, elles pourront même, à condition de fournir le tissu, commander un chapeau assorti à une tenue.

Les boutiques de Jermyn Street ou des arcades de Piccadilly proposent une large gamme d'accessoires de luxe. **James Smith & Sons** demeure néanmoins le spécialiste du parapluie et Swaine Adeney (*voir p. 315*) celui des cannes, badines et cravaches.

Si vous décidez de rentrer avec de splendides bagages anglais, essayez la **Mulberry Company**. Sacs, maroquinerie, bijoux ou chapeaux, vous disposerez d'un large choix chez **Janet Fitch**.

Accessorize vend toutes sortes de perles et de babioles présentées par couleur.

Parfums et articles de toilette

Nombre de parfumeries anglaises restent fidèles à des recettes séculaires. **Floris**, **Penhaligon's** et **Czech and Speake**, par exemple, vendaient déjà au XIXe siècle les parfums et articles de toilette qu'ils fabriquent aujourd'hui. Il en va de même pour des spécialistes des produits pour hommes comme **Truefitt and Hill** et **George F Trumper** (ce dernier propose également de superbes reproductions de nécessaires de rasage anciens), ou encore pour **Culpeper** et **Neal's Yard Remedies**, qui emploient des préparations traditionnelles à base de plantes et de fleurs pour leurs sels de bain ou savons à vocation médicinale.

D'autres sociétés font preuve d'une démarche plus contemporaine. **Body Shop**, par exemple, utilise un plastique recyclable pour emballer ses cosmétiques à base d'ingrédients naturels. **Molton Brown** commercialise également des produits de beauté « naturels », entre autres dans ses boutiques de South Molton Street et Hampstead.

Papeterie

Tessa Fantoni dessine sans doute les plus intéressants papiers d'emballage de Londres, et elle en couvre boîtes, cadres et albums de photo vendus en papeteries, dans des magasins de souvenirs, au Conran Shop et dans sa propre boutique située à Clapham. **Falkiner Fine Papers** offre un bon choix de papiers décoratifs et artisanaux. Leur papier marbré fait un formidable papier cadeau. Si vous préférez le grand luxe classique, vous trouverez tout le nécessaire pour le bureau sur Bond Street, chez **Smythson**, fournisseur de la reine, et de splendides sous-mains ou porte-stylos en cuir chez Fortnum and Mason (*voir p. 311*).

Le temple de l'agenda (à couverture en vinyle ou en peau d'iguane) demeure le **Filofax Centre** même si **Lefax** est plus original. MontBlanc, Waterman, Parker ou Sheaffer, la minuscule boutique **Pencraft** s'adresse aux amoureux des stylos. Enfin, les magasins **Paperchase** méritent une visite ainsi que le rayon spécialisé de Liberty (*voir p. 311*).

Décoration d'intérieur

Waterford Wedgwood, sur Piccadilly, vend toujours la célèbre porcelaine jaspée bleu pâle créée par Josiah Wedgwood au XVIIIe siècle ainsi que le cristal irlandais de Waterford, mais si vous préférez quelque chose de plus moderne, **Anta** propose de la vaisselle et de l'argenterie contemporaines. Vous trouverez les plus belles pièces de verrerie moderne anglaise à Glasshouse, près de Covent Garden, et les créations originales de potiers britanniques au siège de la **Craftsmen Potters Association** de Grande-Bretagne et au **Contemporary Applied Arts**. **Heal's**, **Gore Booker**, **Conran Shop** et **Freud's** offrent un choix remarquable d'objets utilitaires aussi esthétiques que bien conçus et **David Mellor** et **Divertimenti** s'imposent pour les ustensiles de cuisine et les appareils ménagers simples mais de bonne qualité. **Mildred Pearce** est spécialiste de la céramique originale depuis le bougeoir jusqu'à la montre.

Carnet d'adresses

Les bijoux

Butler & Wilson
20 South Molton St W1. **Plan** 12 E2.
0171-409 2955.

Contemporary Applied Arts
2 Percy St WC1. **Plan** 13 A1.
0171-436 2344.

Electrum Gallery
21 South Molton St W1. **Plan** 12 E2.
0171-629 6325.

The Great Frog
51 Carnaby St W1. **Plan** 12 F2. *0171-734 1900.*

Leslie Craze Gallery
34 Clerkenwell Green EC1. **Plan** 6 E4. *0171-608 0393.*

Manquette
20a Kensington Church Walk W8. **Plan** 10 D5.
0171-937 2897.

Past Times
146 Brompton Rd SW3. **Plan** 11 C5.
0171-581 7616.

Thomas Neal's
Earlham St WC2. **Plan** 13 B2.

Chapeaux et accessoires

Accesorize
42 Carnaby St W1. **Plan** 12 F2. *0171-581 1408.*

Edward Bates
21a Jermyn St SW1. **Plan** 13 A3. *0171-734 2722.*

Herald & Heart Hatters
131 St Philip St SW8.
0171-627 2414.

Herbert Johnson
30 New Bond St W1. **Plan** 12 F2. *0171-408 1174.*

James Smith & Sons
53 New Oxford St WC1. **Plan** 13 C1.
0171-836 4731.

Janet Fitch
188a King's Rd. **Plan** 19 B3.
0171-352 4070.

Mulberry Company
11-12 Gees Court, St Christopher's Pl W1. **Plan** 12 D1. *0171-493 2546.*

Stephen Jones
36 Great Queen St WC2. **Plan** 13 C1.
0171-242 0770.

Parfums et articles de toilettes

The Body Shop
32-34 Great Marlborough St W1. **Plan** 12 F2.
Plusieurs succursales.
0171-437 5137.

Culpeper Ltd
21 Bruton St W1. **Plan** 12 E3. *0171-629 4559.*

Czech & Speake
39c Jermyn St SW1. **Plan** 13 A3. *0171-439 0216.*

Floris
89 Jermyn St SW1. **Plan** 13 A3. *0171-930 2885.*

Molton Brown
58 South Molton St W1. **Plan** 12 E2.
0171-629 1872.

Neal's Yard Remedies
15 Neal's Yard WC2. **Plan** 13 B1. *0171-379 7222.*

Penhaligon's
41 Wellington St WC2. **Plan** 13 C2.
0171-836 2150.

Truefitt & Hill
71 St James St W1. **Plan** 12 F3.
0171-493 2961.

George F Trumper
9 Curzon St W1. **Plan** 12 E3.
0171-499 1850.

Papeterie

Falkiner Fine Papers
76 Southampton Row. WC1. **Plan** 5 C5.
0171-831 1151.

The Filofax Centre
21 Conduit St W1. **Plan** 12 F2. *0171-499 0457.*

Lefax
69 Neal St WC2. **Plan** 13 B2. *0171-836 1977.*

Paperchase
213 Tottenham Court Rd W1. **Plan** 5 A5.
0171-580 8496.

Pencraft
91 Kingsway WC2. **Plan** 13 C1.
0171-405 3639.

Smythson of Bond Street
44 New Bond St W1. **Plan** 12 E2.
0171-629 8558.

Tessa Fantoni
77 Abbeville Rd SW4.
0181-673 1253.

Décoration d'intérieur

Conran Shop
Michelin House, 81 Fulham Rd SW3. **Plan** 19 A2.
0171-589 7401.

Craftsmen Potters Association of Great Britain
7 Marshall St W1. **Plan** 12 F2.
0171-437 7605.

David Mellor
4 Sloane Sq SW1. **Plan** 20 D2.
0171-730 4259.

Divertimenti
45-47 Wigmore St W1. **Plan** 12 E1.
0171-935 0689.

Freud's
198 Shaftesbury Ave WC2. **Plan** 13 B1.
0171-831 1071.

The Glasshouse
21 St Albans Place N1. **Plan** 6 E2.
0171-398 8162.

Heal's
196 Tottenham Court Rd W1. **Plan** 5 A5.
0171-636 1666.

Mildread Pearce
33 Erham St WC2. **Plan** 13 B2.
0171-738 0055.

Waterford Wedgwood
173-174 Piccadilly W1. **Plan** 12 F3.
0171-629 2614.

Œuvres d'art et antiquités

Que vous préfériez les petits maîtres du XIXème ou l'art contemporain, Boulle ou le Bauhaus, vous devriez trouver à Londres tableau, meuble ou bibelot à votre goût et dans vos moyens. Si les galeries d'art et magasins d'antiquités les plus réputés (et les plus chers) sont concentrés dans un secteur relativement limité entre Mayfair et St James's, on trouve, éparpillées dans toute la cité, des boutiques accessibles à des budgets plus modestes.

Mayfair

Cork Street est le centre londonien de l'art contemporain britannique. Remontez cette rue, en venant de Piccadilly, vous passerez devant la **Piccadilly Gallery**, à gauche, première d'une série de galeries, comprenant notamment **Raab** et **Salama-Caro**, qui défendent toutes différents courants plus ou moins d'avant-garde. **Waddington** est celle à ne pas manquer si vous voulez connaître la dernière tendance en vogue. Acheter reste néanmoins réservé au collectionneur averti (et fortuné). **Le Chat Noir** près de Albemarle Street propose des réalisations contemporaines à des prix abordables. Avant de descendre la rue, jetez un coup d'œil dans Clifford Street chez **Jeremy Maas**, spécialisé dans les maîtres victoriens. L'autre trottoir de Cork Street vous entraînera des scènes de chasse de **Tyon and Morland** aux toiles inspirées par l'Ecosse de **William Jackson** puis aux tableaux surréalistes de **Mayor's** et ceux plus classiques de **Redfern**.

Si vous cherchez une aquarelle de Turner ou une commode Louis XV, prenez Old Bond Street depuis Piccadilly. Les somptueux portails de **Richard Green** et de la **Fine Art Society**, entre autres galeries d'art extrêmement chic, la dominent. Pour le mobilier et les arts décoratifs, visitez **Bond Street Antiques Centre** et **Asprey** ; pour l'argenterie, allez chez **S J Phillips** ; et pour l'art victorien, ne manquez pas la galerie **Christopher Wood's**. Même si ce que proposent ces magasins dépasse très largement vos moyens, ne craignez pas d'y entrer, vous pouvez apprendre plus en flânant une heure dans ces endroits fascinants qu'en passant des jours à étudier dans les livres. C'est également dans Old Bond Street que se trouvent deux des quatre grandes salles des ventes londoniennes : **Phillips** et **Sotheby's**. Le grand monde fréquente, à Bury Street les galeries **Malcom Innes**.

St James's

Au sud de Piccadilly s'étend un labyrinthe de rues datant du XVIIIe siècle. Ce quartier a une vieille tradition aristocratique que reflètent les galeries qui y sont installées. C'est dans Duke Street, située au cœur de ce carré chic, que tiennent boutique **Johnny van Haeften** et **Harari and Johns**, marchands d'art internationaux spécialisés dans les grands maîtres de la peinture. À mi-chemin, prenez le minuscule Mason's Yard qui cache un avant-poste de l'abstraction : **Belgrave**. Plus bas, dans King Street, la maison **Spink**, référence du marché des antiquités, ne se trouve qu'à quelques portes de la célèbre salle des ventes **Christie's**.

Passez voir, dans Ryder Street, les œuvres d'illustrateurs et de caricaturistes de la galerie **Chris Beetle's**.

Belgravia

Ce quartier, et en particulier la galerie **Michael Parkin's** située en plein centre sur Motcomb Street, réjouira ceux qui recherchent de beaux tableaux anglais à un prix raisonnable. Dans la même rue, les amoureux du Proche-Orient pousseront jusqu'à la **Mathaf Gallery** et ses peintures du monde arabe par des artistes européens et britanniques du XIXe siècle.

Pimlico Road

Les antiquaires qui bordent cette rue satisfont principalement aux exigences des décorateurs d'intérieur. C'est l'endroit où trouver un masque de *commedia dell'arte* ou un crâne de bélier incrusté d'un filigrane en argent. **Westenholz** et **Henry Sotheran** (belles gravures) ne manquent pas d'intérêt.

Walton Street

Les marchands d'art et les boutiques d'antiquités qui bordent cette élégante petite rue alignent leurs tarifs sur ceux pratiqués dans le quartier voisin, chic et cher de Knightsbridge. À quelques mètres de là, dans Montpelier Street, se trouve la dernière des quatre grandes salle des ventes londoniennes : **Bonham's,** récemment redécorée. Avec beaucoup de chance, vous y ferez une affaire.

Œuvres d'art abordables

On peut acheter des toiles à partir de 100 £ lors de la vente annuelle extrêmement populaire organisée chaque automne par la Contemporary Art Society aux **Smith's Galleries**, dans Covent Garden. Ces trois galeries exposent (et vendent) également des œuvres de grande qualité tout au long de l'année. Outre la réputée **Flowers East**, on trouve désormais dans l'East End de nombreuses petites galeries d'art contemporain qui défendent les jeunes artistes. **East West Gallery** vend aussi des œuvres contemporaines à des prix raisonnables.

Photographie

La **Photographer's Gallery** propose la plus vaste collection de tirages originaux du Royaume-Uni et la **Special Photographer's Company** est réputée pour ses photos de qualité. **Hamilton** est également réputé pour ses grandes expositions.

Brocante et objets de collection

Pour des objets de moindre importance, et moindre valeur, essayez les marchés, notamment ceux de Camden Lock (*voir p. 322*), Camden Passage (*voir p. 322*) ou Bermondsey (*voir p. 322*). Hors du centre de la ville, de nombreuses artères ont également des marchés couverts aux étals spécialisés. Enfin, les petits magasins qui se serrent le long de Kensington Church Street, dans l'ouest de Londres, vendent à peu près tout, des meubles rustiques aux chiens du Staffordshire.

Les salles des ventes

Si vous décidez de participer à une vente aux enchères, mieux vaut lire attentivement les petits caractères dans le catalogue (vendu généralement 15 £ environ). Vous recevrez un numéro en vous faisant enregistrer et il vous suffira, pour enchérir, de lever la main lorsque le lot que vous désirez est mis en vente. Les principales salles des ventes sont Christie's, Sotheby's, Phillips et Bonham's mais ne négligez pas l'annexe de Christie's dans South Kensington, spécialisée dans les objets à portée de budgets plus modestes.

Carnet d'adresses

Mayfair

Asprey
165-169 New Bond St W1. **Plan** 12 E2.
0171-493 6767.

Bond Street Antiques Centre
124 New Bond St W1.
Plan 12 F3.
0171-351 5353.

Chat noir
35 Albermale St W1.
Plan 12 F3.
0171-495 6710.

Christopher Wood Gallery
141 New Bond St W1.
Plan 12 E2.
0171-499 7411.

Fine Art Society
148 New Bond St W1.
Plan 12 E2.
0171-629 5116.

Jeremy Maas & Son
15a Clifford St W1.
Plan 12 F3.
0171-734 2302.

Malcom Innes Gallery
7 Bury St SW1. **Plan** 12 F3.
0171-839 8083.

Mayor Gallery
22a Cork St W1.
Plan 12 F3.
0171-734 3558.

Piccadilly Gallery
16 Cork Street W1.
Plan 12 F3.
0171-629 2875.

Raab Gallery
9 Cork St W1.
Plan 12 F3.
0171-734 6444.

Redfern Art Gallery
20 Cork St W1.
Plan 12 F3.
0171-734 1732.

Richard Green
4 New Bond St W1.
Plan 12 E2.
0171-493 3939.

Salama-Caro Gallery
5-6 Cork St W1.
Plan 12 F3.
0171-734 9179.

S J Phillips
139 New Bond St W1.
Plan 12 E2.
0171-629 6261.

Tryon and Morland
23 Cork St W1.
Plan 12 F3.
0171-734 6961.

Waddington Galleries
11, 12, 34 Cork St W1.
Plan 12 F3.
0171-437 8611.

William Jackson Gallery
4 New Burlington St W1.
Plan 12 F3.
0171-287 2121.

St James's

Chris Beetle
8 & 10 Ryder St SW1.
Plan 12 F3.
0171-839 7429.

Harari and Johns
12 Duke St SW1. **Plan** 12 F3. *0171-839 7671.*

Johnny van Haeften
13 Duke St SW1.
Plan 12 F3.
0171-930 3062.

Spink & Son
5 King St SW1.
Plan 12 F4.
0171-930 7888.

Belgravia

Mathaf Gallery
24 Motcomb St SW1.
Plan 12 D5.
0171-235 0010.

Michael Parkin Gallery
11 Motcomb St SW1.
Plan 12 D5.
0171-235 8144.

Pimlico Road

Henry Sotheran Ltd
80 Pimlico Rd SW1.
Plan 20 D3.
0171-730 8756.

Westenholz
16 Pimlico Rd SW1.
Plan 20 D2.
0171-824 8090.

Œuvres d'art abordables

East-West Gallery
8 Blennheim Cres W11.
Plan 9 A2.
0171-229 7981.

Flowers East
199-205 Richmond Rd E8.
0181-985 3333.

Smith's Galleries
56 Earlham St WC2.
Plan 13 B2.0
0171-836 9701.

Photographie

Hamiltons
13 Carlos place W1. **Plan** 12 E3. *0171-499 9493.*

Photographers' Gallery
5 & 8 Great Newport St WC2. **Plan** 13 B2.
0171-831 1772.

Special Photographers Company
21 Kensington Park Rd W11. **Plan** 9 B2.
0171-221 3489.

Les salles des ventes

Bonhams, W & F C, Auctioneers
Montpelier Galleries, Montpelier St SW7. **Plan** 11 B5. *0171-584 9161*
Aussi : Chelsea Galleries, 65-69 Lots Road SW10.
Plan 18 F5.
0171-351 7111.

Christie's Fine Art Auctioneers
8 King St SW1. **Plan** 12 F4.
0171-839 9060.
Aussi : Christie's (South Kensington) Ltd, 85 Old Brompton Road SW7. **Plan** 18 F2. *0171-581 7611.*

Sotheby's Auctioneers
34-35 New Bond St W1.
Plan 12 E2.
0171-493 8080.

Phillips Auctioneers & Valuers
101 New Bond St W1.
Plan 12 E2.
0171-629 6602.

Les marchés

Les marchés de Londres sont d'une telle exubérance que l'ambiance justifierait à elle seule le déplacement s'ils ne proposaient pas en prime des prix vraiment intéressants. Prenez toutefois garde à votre sac ou votre portefeuille en vous mêlant à la foule.

Le marché de Bermondsey (New Caledonian Market)

Long Lane and Bermondsey St SE1. **Plan** 15 C5. ⊖ *London Bridge, Borough.* ***Ouvert*** *5 h-14 h ven.* ***Starts closing*** *midday. Voir p. 179.*

Si les plus beaux bijoux anciens ou pièces d'argenterie proposés le vendredi matin à Bermondsey partent généralement avant 9 h (souvent achetés par des antiquaires), le fouineur plus tardif garde tout de même ses chances de découvrir une curiosité intéressante.

Le marché de Berwick Street

Berwick St W1. **Plan** 13 A1. ⊖ *Piccadilly Circus, Leicester Sq.* ***Ouvert*** *9 h-18 h lun.-sam. Voir p. 108.*

Les marchands des quatre saisons de Berwick Street, à Soho, vendent les fruits et légumes les moins chers et les plus alléchants du West End. Vous y trouverez aussi bien radis noir espagnols que tomates olivettes italiennes. Dennis propose sur son étal à la présentation impeccable un grand choix de champignons. Ce marché est également intéressant pour le cuir, l'épicerie, les tissus et les appareils ménagers bon marché. Situé à une ruelle de Berwick Street, le marché de Rupert Street propose dans une ambiance moins animée des produits en général un peu plus chers.

Le marché de Brick Lane

Brick Lane E1. **Plan** 8 E5. ⊖ *Shoreditch, Liverpool St, Aldgate East.* ***Ouvert*** *de l'aube à 13 h dim. Voir pp. 170-1.*

Ce sont plutôt les abords de ce marché très fréquenté de l'East End qui valent qu'on s'y promène : vous découvrirez ainsi les appentis de Cheshire Street où s'entassent meubles bancals et vieux livres, ou vous fouillerez les étals croulant de camelote sur Bethnal Green Road. Sur Bacon Street, des vendeurs à la sauvette vous proposeront montres ou anneaux en or, et vous plongerez dans des tonnes de fripes sous les arcades en brique du carrefour de Slater Street et de Brick Lane. Dans cette dernière rue, le marché, et ses étals proposant essentiellement des articles neufs tels que sacs à main, chaussures de sport et jeans, risquent alors de vous paraître bien prosaïques, mais ne négligez pas les odorantes boutiques d'épices de cette artère au cœur de la communauté bengali de Londres.

Le marché de Brixton

Electric Ave SW9. ⊖ *Brixton.* ***Ouvert*** *8 h 30-17 h 30 lun., mar., jeu.-sam. ; 8 h 30-13 h merc.*

Sur les rythmes entêtants des morceaux de reggae diffusés par les haut-parleurs des marchands de disques, ce marché propose un choix extraordinaire de produits africains et antillais, depuis la queue de porc jusqu'aux bananes plantain et les fruits de l'arbre à pain. C'est sous les vieilles arcades de Granville et de Market Row que l'on trouve les meilleurs produits (beaucoup de poissons). Tout autour, d'autres étals proposent perruques afro, étranges herbes et potions et, sur Brixton Station Road, fripes.

Le marché de Camden Lock

Buck St NW1. ⊖ *Camden Town.* ***Ouvert*** *9 h-17 h jeu. et ven., 10 h-18 h sam. et dim.*

Ce marché s'est considérablement agrandi depuis sa création en 1974 et il attire chaque week-end des milliers de jeunes qui s'y rendent autant pour l'ambiance que pour l'artisanat, les vêtements branchés – neufs et d'occasion –, la nourriture bio, les livres, les disques et les antiquités des étals. Musiciens ambulants et comédiens de rue se produisent en outre dans le charmant secteur pavé proche du canal.

Le marché de Camden Passage

Camden Passage N1. **Plan** 6 F1. ⊖ *Angel.* ***Ouvert*** *10 h-14 h merc., 10 h-17 h sam.*

Camden Passage est une paisible allée que bouquinistes et restaurants partagent avec de coquets magasins d'antiquités. Estampes, pièces d'argenterie, journaux du XIXe siècle, bijoux et jouets font partie des objets que ces boutiques proposent. N'espérez pas faire l'affaire de l'année, les marchands sont des spécialistes, mais le cadre se prête merveilleusement à la flânerie.

Le marché de Chapel

Chapel Market N1. **Plan** 6 E2. ⊖ *Angel.* ***Ouvert*** *9 h-15 h 30 mar., merc., ven., sam. ; 9 h-13 h jeu., dim.*

Fruits et légumes variés et bon marché, vêtements et articles ménagers à des prix de braderie, les plus beaux étals de poissons du quartier, ce marché est l'un des plus traditionnels et des plus animés de Londres, surtout le samedi et le dimanche.

Les marchés de Church Street et de Bell Street

Church St NW8 and Bell St NW1. **Plan** 3 A5. ⊖ *Edgware Rd.* ***Ouvert*** *8 h 30-16 h lun.-jeu., 8 h 30-17 h ven., sam.*

Comme beaucoup de marchés à Londres, celui de Church Street s'anime réellement en fin de semaine. Dès le vendredi, des étals de vêtements bon marché, de meubles, de poissons, de fromage et d'antiquités s'installent à côté de ceux de fruits et légumes présents tous les jours. L'Alfie's Antique Market, aux numéros 13-25, abrite plus de 300 petits stands vendant de tout, des bijoux jusqu'au gramophone. Sur Bell Street, une rue parallèle, on brade tous les samedis vêtements, disques et vieux appareils électriques.

Le marché de Columbia Road

Columbia Rd E2. **Plan** 8 D3. ⊖ *Shoreditch, Old St.* ***Ouvert*** *8 h-12 h 30 dim. voir p. 171.*

Tous les dimanches matins, dans cette charmante rue victorienne, fleurs coupées, plantes vertes, arbustes, semis ou pots sont vendus environ la moitié du prix qu'ils coûtent dans le reste de Londres. On peut aussi n'y venir que pour les odeurs et le plaisir des yeux.

Le marché de East Street

East St SE17. ⊖ *Elephant and Castle.* ***Ouvert*** *8 h-17 h mar., merc., ven., sam. ; 8 h-14 h jeu., dim.*

Plus de 250 étals se serrent le dimanche dans l'étroite East Street et vendeurs de vêtements (surtout neufs), d'appareils électriques et de meubles l'emportent alors en nombre sur les marchands de fruits et légumes. Çà et là, de furtifs camelots aux valises usagées proposent lacets ou lames de rasoir à des passants qui, pour beaucoup, viennent ici plus pour le spectacle que pour acheter, à l'instar du jeune Charlie Chaplin (*voir p. 37*) au début de ce siècle. Un petit marché aux fleurs s'installe également sur Blackwood Street.

Les marchés de Gabriel's Wharf et de Riverside Walk

56 Upper Ground and Riverside Walk SE1. **Plan** 14 E3. *Waterloo.* ***Gabriel's Wharf ouvert*** *9 h 30-18 h ven.-dim. ;* ***Riverside Walk ouvert*** *10 h-17 h sam., dim. et certains jours.* *Voir p. 187.*

De petites boutiques pleines de porcelaines, de tableaux et de bijoux cernent le kiosque à musique de Gabriel's Wharf où des groupes de jazz se produisent parfois l'été. Quelques étals se dressent autour de la cour, proposant vêtements exotiques, ou poteries et bijoux artisanaux. On trouvera à la bourse aux livres, située à proximité, sous Waterloo Bridge, aussi bien livres de poche que brochés, neufs ou d'occasion.

Le marché de Greenwich

College Approach SE10. **Plan** 23 B2. *Greenwich.* ***Ouvert*** *9 h-18 h sam., dim.*

Tous les week-ends, le secteur qui s'étend à l'ouest de l'hôtel Ibis est envahi par des douzaines de tables pliantes croulant sous un extraordinaire bric-à-brac d'où émergent médailles ou livres d'occasion. Réservé à l'artisanat, le marché couvert propose jouets en bois, vêtements de jeunes stylistes et accessoires de mode.

Les marchés de Jubilee et d'Apple

Covent Gdn Piazza WC2. **Plan** 13 C2. *Covent Gdn.* ***Ouvert*** *9 h-17 h t.l.j.*

Certains des meilleurs musiciens de rue de Londres se produisent à Covent Garden, centre très animé de la capitale. L'Apple Market, à l'intérieur de la Piazza qu'occupait jadis le célèbre marché de fruits et légumes (*voir p. 114*), propose notamment tricots faits main, maroquinerie, livres et objets d'art. On trouve en outre surplus militaires, gravures et bijoux dans la partie en plein air. Dans Jubilee Hall, on vend des antiquités le lundi, de l'artisanat le week-end, et des vêtements, des sacs, des produits de beauté et des souvenirs sans intérêt le reste de la semaine.

Le marché de Leadenhall

Whittington Ave EC3. **Plan** 15 C2. *Bank, Monument.* ***Ouvert*** *7 h-16 h lun.-ven.* *Voir p. 159.*

Oasis culinaire au milieu de la City, le marché de Leadenhall, qui comprend certaines des meilleures boutiques d'alimentation de la capitale, a su entretenir sa réputation en matière de gibier à plumes et canards sauvages, sarcelles, perdrix et bécasses pendent de ses étals en saison. Il propose également un très beau choix de produits de la mer, notamment d'excellentes huîtres chez Ashdown. On y trouvera en outre charcuterie, alléchants fromages et chocolats délicieux. Malgré les prix, difficile de résister.

Marché de Leather Lane

Leather Lane EC1. **Plan** 6 E5. *Chancery Lane.* ***Ouvert*** *10 h 30-14 h lun.-ven.*

Cette très vieille rue de Londres accueille un marché depuis plus de 300 ans. Si le *leather* de son nom n'a pas de rapport avec le cuir (la rue s'appelait à l'origine Le Vrune Lane), c'est pourtant l'un des articles les plus intéressants qu'on y vend aujourd'hui. Les étals d'appareils électriques de vêtements ou de cassettes et disques compacts bon marché méritent aussi un coup d'œil.

Le marché de Petticoat Lane

Middlesex St E1. **Plan** 16 D1. *Liverpool St, Aldgate, Aldgate East.* ***Ouvert*** *9 h-14 h dim. (Wentworth St 10 h-14 h 30 lun.-ven.).* *Voir p. 169.*

Le plus connu des marchés de Londres attire toujours visiteurs et habitants du quartier par milliers chaque dimanche. Si les prix pratiqués le rendent souvent moins intéressant que d'autres, le choix d'articles en cuir, de vêtements (traditionnel point fort de Petticoat Lane), de bijoux bon marché et de jouets est tellement vaste qu'il compense largement. En cas de petit creux, une nuée de marchands ambulants proposent toutes sortes d'en-cas.

Le marché artisanal de Piccadilly

St James's Church, Piccadilly W1. **Plan** 13 A3. *Piccadilly Circus, Green Park.* ***Ouvert*** *10 h-17 h jeu.-sam.*

Au Moyen Age, la plupart des marchés se tenaient dans la cour d'une église et le Piccadilly Crafts Market, installé dans l'ombre de St James's Church, superbe sanctuaire édifié par Wren (*voir p. 90*), ranime cette tradition. Visant les touristes plutôt que les Londoniens, il propose pêle-mêle T-shirts de mauvaise qualité, véritables gravures du XIXe siècle, chauds lainages d'Aran, cartes de vœux faites à la main et, sur quelques étals, antiquités.

Le marché de Portobello Road

Portobello Rd W10. **Plan** 9 C3. *Notting Hill Gate, Ladbroke Grove.* ***Ouvert*** *antiquités et junk : 7 h-17 h 30 sam. Marché généraliste : 9 h-17 h lun.-merc., ven., sam. ; 9 h-13 h jeu.* *Voir p. 215.*

Trois ou quatre marchés se mêlent pour former celui de Portobello Road. Vers le sommet de Notting Hill, plus de 2 000 étals présentent objets d'art, bijoux, médailles, tableaux ou argenterie. Tenus par des experts, ils n'offrent guère d'espoir de dénicher une affaire. Ils laissent la place plus bas aux marchands de fruits et légumes, eux-mêmes remplacés par des vendeurs de vêtements pas chers et de bric-à-brac sans valeur au niveau du carrefour de Westway. Le marché devient ensuite de plus en plus miteux.

Le marché de Ridley Road

Ridley Rd E8. *Dalston.* ***Ouvert*** *9 h-15 h lun.-merc. ; 9 h-12 h jeu. ; 9 h-17 h ven., sam.*

Au début du siècle, Ridley Road était un des centres de la communauté juive, mais Asiatiques, Grecs, Turcs et Antillais se sont installés depuis dans le quartier. Le marché célèbre gaiement ce mélange culturel. Une boulangerie juive ouverte 24 h sur 24 y côtoie les étals colorés de vendeurs de tissus et des cahutes tôlées proposant bananes vertes, ignames ou disques de reggae.

Le marché de St Martin-in-the-Fields

St Martin-in-the-Fields Churchyard WC2. **Plan** 13 B3. *Charing Cross.* ***Ouvert*** *11 h-17 h lun.-sam. ; 12 h-17 h dim.* *Voir p. 102.*

Ce marché d'artisanat n'existe que depuis la fin des années 80. Si les T-shirts et écharpes aux couleurs des clubs de football ne font pas de grands souvenirs de Londres, les poupées russes et les lainages et objets décoratifs d'Amérique du Sud sont plus intéressants.

Le marché de Shepherd's Bush

Goldhawk Rd W12. *Goldhawk Road, Shepherd's Bush.* ***Ouvert*** *9 h 30-17 h lun.-merc., ven., sam. 9 h 30-14 h 30 jeu.*

Comme ceux de Ridley Road et de Brixton, le marché de Shepherd's Bush sert de point de ralliement aux communautés étrangères du quartier. On y trouve aussi bien nourriture antillaise qu'épices asiatiques.

Se distraire à Londres

Enfants comme adultes trouveront à Londres, dans un cadre et une atmosphère marqués par l'histoire, tout l'éventail de distractions que procurent les grandes capitales. Vous pourrez aussi bien passer la nuit sur la piste de danse d'une discothèque bondée comme le Stringfellows ou le Heaven, qu'applaudir les légendes vivantes dont le talent s'exprime sur les très vieilles planches des théâtres du West End, ou encore admirer un ballet ou un opéra dans des salles aussi prestigieuses que celles du Sadler's Wells, du Royal Opera House ou du Coliseum. A moins que vous ne préfériez assister à une pièce ou une chorégraphie d'avant-garde. Londres est en outre la ville européenne où se donne chaque soir le plus de concerts.

Concerts gratuits dans un café

Classique, jazz, rock ou rythm'n blues, vous n'aurez que l'embarras du choix. Pour les passionnés de cinéma, vastes complexes multisalles ou petits cinémas indépendants proposent chaque soir plusieurs centaines de films, et les amateurs de sport ne rateront sans doute pas l'occasion de s'adonner à des plaisirs aussi typiquement britanniques qu'assister à un match de cricket au Lords, encourager des rameurs sur la Tamise, ou manger des framboises à la crème en regardant une rencontre de tennis à Wimbledon. Et si le temps le permet, pourquoi ne pas se promener à cheval à Hyde Park ? Quoique vous cherchiez, vous trouverez de quoi vous satisfaire à Londres. A condition de savoir où vous renseigner.

Soirées classiques : concert au Kenwood House (*en haut*) ; théâtre en plein air à Regent's Park (*à gauche*) ; *Le Mikado* au Coliseum (*à droite*)

Sources d'information

Chaque mercredi paraissent les magazines *Time Out* et *What's On and Where to Go In London,* vendus par la plupart des marchands de journaux et dans de nombreuses librairies, qui vous donneront le programme complet des spectacles à l'affiche. Parmi les quotidiens, l'*Evening Standard* et l'*Independent* proposent également tous les jours un programme (moins exhaustif cependant), ce que le *Guardian* ne fait que dans son édition du samedi bien qu'il ait une intéressante rubrique critique quotidienne.

Salles de concert, cinémas et centres culturels, comme le South Bank et le Barbican, distribuent gratuitement brochures d'informations et programmes des manifestations à venir. Ces publications sont en général disponibles sur les lieux mêmes et aux comptoirs des hôtels et des bureaux d'information touristique. Rien n'interdit également de lire les affiches qui égaient partout la ville.

Les amateurs de théâtre se voient particulièrement choyés. Le National Theatre, la Royal Shakespeare Company et la Society of West End Theatres (SWET) publient régulièrement des bulletins d'information gratuits détaillant les pièces de la saison. Si ceux-ci laissent malheureusement de côté les spectacles les plus novateurs, proposés par les « *Fringe Theatres* », ils donnent néanmoins de précieux renseignements sur ce qui se passe à Londres.

Toutes les salles affiliées à la SWET disposent d'une ligne téléphonique spéciale où connaître le détail au jour le jour des places disponibles.

Notez qu'un appel coûte de trois à cinq fois le prix d'une communication standard. Le service d'informations de la SWET (0171-836 0971) vous indiquera aussi les places disponibles dans tous les théâtres membres de l'association.

Danseuses du Royal Ballet à Covent Garden

Acheter sa place

Certains des spectacles les plus populaires du West End – la dernière comédie musicale de Lloyd Webber, par exemple – peuvent afficher complet des semaines, voire des mois à l'avance. Ce cas ne constitue toutefois pas la norme et il est presque toujours possible d'obtenir des billets pour le soir même, surtout si l'on se tient prêt à faire la queue devant le théâtre afin d'attendre la mise en vente des réservations décommandées. Si vous préférez mieux occuper vos vacances, réserver demeure cependant préférable. Pour prendre vos places à l'avance, vous pouvez soit vous déplacer, soit téléphoner ou écrire, soit, si votre hôtel en offre la possibilité, laisser un chasseur se charger de la démarche.

Les billetteries des salles de spectacles sont généralement ouvertes de 10 h à 20 h et acceptent les règlements en liquide, par carte de crédit, ou en chèques de voyage. La plupart revendent les billets non réclamés ou retournés juste avant le début du spectacle ; renseignez-vous au guichet pour savoir à partir de quelle heure se présenter. Si vous réservez par téléphone, le plus simple sera de régler à votre arrivée au théâtre. Certains établissements ont une ligne particulière pour les réservations payées par carte bancaire, d'autres, enfin, n'acceptent pas ces dernières. Le guichet principal vous renseignera.

Plaque du Palace Theatre

Spectateurs handicapés

Si de nombreuses salles de spectacles londoniennes occupent des bâtiments anciens conçus à l'origine sans souci des personnes handicapées, plusieurs se sont récemment dotées de places accessibles en fauteuil roulant et de systèmes adaptés aux malentendants.

Mieux vaut cependant réserver à l'avance ces places ou ce matériel. Profitez-en pour demander si des réductions s'appliquent aux handicapés et à leurs accompagnateurs.

Les transports publics

Les noctambules londoniens apprécient particulièrement l'autobus mais vous pouvez également commander un taxi par téléphone. En périphérie, tard le soir, il est difficile d'en trouver un dans la rue. Le métro circule en général jusque peu après minuit mais l'heure de la dernière rame varie selon les lignes ; vérifiez les horaires dans les stations (*voir p. 362-363*).

Les agences de location

Mieux vaut toujours commencer par essayer d'acheter ses billets au guichet de la salle. Si vraiment il n'en a plus, demandez leurs prix avant de vous rendre dans une agence. La plupart, mais pas toutes, sont des maisons sérieuses qui disposent réellement des places qu'elles prétendent fournir et pratiquent la commission normale de 22 %. Si vous commandez par téléphone, vous pourrez soit recevoir le billet soit le retirer au théâtre. Certains d'entre eux acquittent eux-mêmes la commission, ce qui est normalement précisé, et vous ne devriez alors payer que les frais habituels de réservation. Comparez toujours les prix et évitez les agences installées dans des bureaux de change.

Les magazines de programme

Agence de location sur Shaftesbury Avenue

Les théâtres londoniens

Londres est une des grandes capitales mondiales du théâtre et les meilleurs spectacles y sont d'une qualité exceptionnelle. En dépit de la réserve dont ils ont la réputation, les Anglais éprouvent une véritable passion pour l'art de la scène et les salles s'efforcent de répondre à toutes les nuances de cet engouement. En vous promenant dans le West End, vous verrez ainsi à l'affiche aussi bien des drames de Beckett, Brecht ou Tcheckhov qu'une farce intitulée « Pas de sexe, je vous prie, nous sommes Britanniques » !

Les théâtres du West End

Les théâtres du West End possèdent un charme particulier. Peut-être vient-il des lustres de leurs halls d'entrée, de la richesse de leur décoration ou d'une réputation acquise au fil des siècles. Il leur permet, en tout cas, de garder à l'affiche des vedettes comme Judi Dench, Vanessa Redgrave, John Malkovich, Richard Harris et Peter O'Toole.

Les principales salles privées sont regroupées sur Shaftesbury Avenue et Haymarket, et aux alentours de Covent Garden et de Charing Cross Road. Contrairement aux théâtres nationaux, la plupart de ces établissements ne reçoivent aucune subvention et survivent uniquement des recettes des spectacles et des avances de financiers prêts à prendre le risque de coproduire leurs créations.

Nombre de ces théâtres appartiennent à l'histoire, comme le classique **Theatre Royal Drury Lane**, fondé en 1663 (*voir p. 115*), ou l'élégant **Theatre Royal Haymarket** – tous deux installés dans de superbes bâtiments du début du XIXe siècle –, sans oublier le **Palace** (*voir p. 108*) dont la superbe façade de terre cuite domine Cambridge Circus.

Les théâtres nationaux

Installé dans le South Bank Centre (*voir p. 330*), le **Royal National Theatre**, dispose de trois salles : la grande salle Olivier équipée d'un immense plateau, la salle Lyttelton dotée d'une importante avant-scène et la petite salle Cottesloe, très adaptable, qui permettent à la compagnie de présenter les mises en scène les plus grandioses comme les plus intimistes, les plus classiques comme les plus modernes. Avant la représentation, prenez le temps de boire un verre au café de ce centre culturel animé, de regarder couler le fleuve et la foule, de visiter les expositions gratuites ou d'explorer la librairie.

Le Barbican Centre, à Smithfiel (*voir p. 165*), abrite le siège londonien de la **Royal Shakespeare Company**, compagnie théâtrale nationale de Grande-Bretagne. Malgré son nom, cette troupe ne se cantonne pas aux œuvres du génial Shakespeare mais possède aussi à son répertoire des tragédies grecques, des joyaux du théâtre de la Restauration et de très nombreuses pièces modernes. Selon leur importance, les productions sont présentées dans le magnifique Barbican Theatre ou dans une salle plus petite : The Pit. L'agencement du centre culturel étant un peu déroutant mieux vaut arriver en avance aux représentations : l'occasion de profiter des expositions organisées dans le hall d'entrée, souvent en rapport avec le spectacle, et de l'animation musicale gratuite qui pourra être aussi bien un ensemble de musique de chambre qu'un orchestre de samba. Vous trouverez également des informations sur les créations de la RSC dans ses théâtres de Stratford-upon-Avon.

Adresses des théâtres nationaux

Royal National Theatre
(Lyttelton, Cottesloe, Olivier) South Bank SE1. **Plan** 14 D3.
☎ *0171-928 2252.*

Royal Shakespeare Company
Barbican Centre, Silk St EC2.
Plan 7 A5.
☎ *0171-638 8891.*

La pantomime

Si vous vous trouvez à Londres entre décembre et février, ne manquez pas d'aller en famille assister à un spectacle de pantomime. Marquée par le goût pour l'absurde des Britanniques, la « *panto* » fait partie de l'éducation de presque tous les jeunes Anglais. Les rôles masculins y sont tenus par des femmes, et vice versa, et le public se doit de crier encouragements et instructions aux acteurs. Les adultes trouvent parfois l'expérience bizarre mais les enfants adorent.

Le théâtre en plein air

Les pièces les plus légères de Shakespeare telles *Comme il vous plaira* ou le *Songe d'une nuit d'été* prennent une dimension particulière sous les frondaisons de Regent's Park (*voir p. 220*) ou de Holland Park (*voir p. 214*). N'oubliez pas de prendre une couverture et, pour plus de sûreté, un parapluie.

Vous trouverez sur place des rafraîchissements mais pouvez apporter un pique-nique.

Adresses des théâtres en plein air

Holland Park Theatre
Holland Park. **Plan** 9 B4.
☎ *0171-602 7856.*
Ouvert *juin-août.*

Open-Air Theatre
Inner Circle, Regent's Park NW1.
Plan 4 D3.
☎ *0171-935 5756.*
0171-486 1933.
Ouvert *mai-sept.*

Les théâtres du West End

Adelphi 13
Strand WC2.
☎ *0171-344 0055.*

Albery 1
St Martin's Lane WC2.
☎ *0171-867 1113.*

Aldwych 17
Aldwych WC2.
☎ *0171-426 6003.*

Ambassadors 24
West St WC2.
☎ *0171-836 1171.*

Apollo 30
Shaftesbury Ave W1.
☎ *0171-494 5070.*

Cambridge 22
Earlham St WC2.
☎ *0171-494 5040.*

Comedy 8
Panton St SW1.
☎ *0171-369 1731.*

Criterion 7
Piccadilly Circus W1.
☎ *0171-369 1737.*

Duchess 15
Catherine St WC2.
☎ *0171-494 5075.*

Duke of York's 4
St Martin's Lane WC2.
☎ *0171-836 5122.*

Fortune 19
Russell St WC2.
☎ *0171-836 2238.*

Garrick 5
Charing Cross Rd WC2.
☎ *0171-494 5085.*

Globe 29
Shaftesbury Ave W1.
☎ *0171-401 9919.*

Her Majesty's 10
Haymarket SW1.
☎ *0171-494 5400.*

Lyric 31
Shaftesbury Ave W1.
☎ *0171-494 5045.*

New London 20
Drury Lane WC2.
☎ *0171-405 0072.*

Palace 26
Shaftesbury Ave W1.
☎ *0171-434 0909.*

Phoenix 25
Charing Cross Rd WC2.
☎ *0171-867 1044 .*

Piccadilly 32
Denman St W1.
☎ *0171-369 1734.*

Playhouse 12
Northumberland Ave WC2.
☎ *0171-839 4401.*

Prince Edward 27
Old Compton St W1.
☎ *0171-734 8951.*

Prince of Wales 6
Coventry St W1.
☎ *0171-839 5972.*

Queen's 28
Shaftesbury Ave W1.
☎ *0171-494 5040.*

Shaftesbury 21
Shaftesbury Ave WC2.
☎ *0171-379 5399.*

Strand 16
Aldwych WC2.
☎ *0171-930 8800.*

St Martin's 23
West St WC2.
☎ *0171-836 1443.*

Theatre Royal :
– Drury Lane 18
Catherine St WC2.
☎ *0171-494 5000.*
– Haymarket 9
Haymarket SW1.
☎ *0171-930 8800.*

Vaudeville 14
Strand WC2.
☎ *0171-836 9987.*

Whitehall 11
Whitehall SW1.
☎ *0171-369 1735.*

Wyndham's 3
Charing Cross Rd WC2.
☎ *0171-867 1113.*

Les théâtres du West End

Kiosque de Leicester Square (billets demi-tarifs, *voir p. 328*)

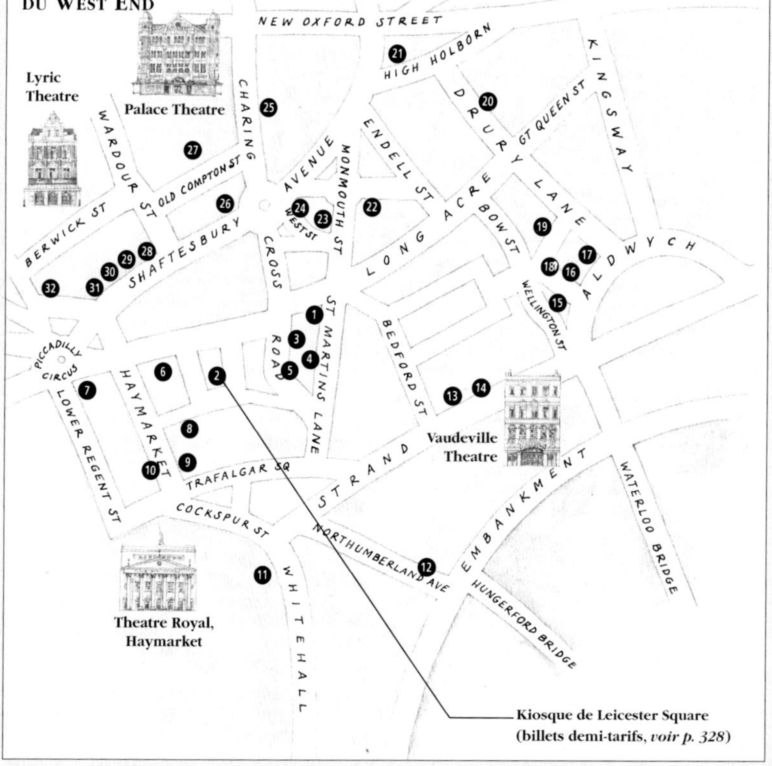

Les « Fringe Theatres »

Parce qu'ils sont souvent situés à la limite de la ville, les Londoniens appellent « fringe theatres » ce que l'on nommerait théâtres « off » à New York ou au festival d'Avignon. C'est là que sont montées les pièces féministes ou « gay », et celles d'auteurs peu connus, notamment irlandais, antillais et latino-américains.

Ces théâtres n'occupent parfois que des salles minuscules dans des pubs – comme le **Gate Theatre** au dessus du Prince Albert, le **King's Head** à Islington et le **Grace** au Latchmere – ou un espace vacant dans un établissement plus important, tel le **Donmar Warehouse** et le **Studio** au Lyric.

Le **Bush**, l'**Almeida** et le **Theatre Upstairs** se sont forgés une réputation de découvreurs de talents et certaines des pièces qu'ils montèrent passèrent dans le West End. Si Molière n'a plus besoin d'être découvert, vous ne pouvez toutefois espérer l'entendre en version originale qu'au **French Institute**. Le **Goethe Institute** programme aussi parfois des spectacles en allemand.

Si vous préférez l'insolence du café-théâtre ou des spectacles satiriques, essayez le **Comedy Store**, berceau de la comédie dite « alternative », le **Hackney Empire** (un ancien music-hall victorien dont l'intérieur justifie à lui seul le déplacement) ou le **Canal Café Theatre**, à Little Venice.

Les tarifs réduits

Les prix des places varient énormément selon les théâtres. Les billets les moins chers dans le West End ne dépassent pas 10 £, alors que les meilleures places pour une comédie musicale tournent autour de 30 £. Il est cependant possible d'obtenir des billets moins chers.

Le kiosque de Leicester Square (*voir p. 327*) vend ainsi des billets à demi-tarif pour des représentations du jour même. On peut les retirer du lundi au samedi à partir de 12 h pour les matinées, et de 14 h 30 à 18 h 30 pour les spectacles en soirée. Le paiement s'effectue en liquide et un acheteur ne peut prendre plus de quatre places.

Les guichets des théâtres proposent aussi parfois des tarifs réduits pour des matinée, des représentations de presse ou des générales.

Choisir ses places

Si vous réservez vos places au théâtre même, vous pourrez consulter le plan de la salle et choisir celles qui vous conviennent en fonction de vos moyens. Si vous téléphonez, voici, en ordre de visibilité et de prix décroissants, les types de places : *boxes* (baignoires, dispendieuses), *stalls*, (premiers rangs), *back stalls* (juste derrière), *dress circle* (corbeille), *grand* et *royal circles* (premiers balcons), *upper circles* ou *balcony* (seconde galerie) et enfin les *slips* qui sont les fauteuils à l'extrême bord de la salle.

N'oubliez pas que certaines des places les moins chères n'offrent pas une vue complète de la scène.

Activités liées au théâtre

Si le théâtre vous passionne, vous aimerez sans doute visiter les coulisses. Le National Theatre et la RSC organisent tous deux ce genre de visites (se renseigner auprès du service de réservation, *voir p. 326*). Le circuit des London Theatre Walks (0171-839 7438) peut également vous intéresser, ainsi que le musée du Théâtre (*voir p. 115*).

Fantômes irascibles

Si de nombreux théâtres londoniens se prétendent hantés, les deux plus célèbres revenants se manifestent au Garrick et au Duke of York's (*voir p. 327*). Directeur du premier au début du siècle, Arthur Bourchier continue d'y faire des apparitions régulières quoique spectrales dans le but, estiment les experts, de continuer à traumatiser les critiques qu'il détestait. Quant au Duke of York, il reçoit les visites de Violet Melnotte, actrice de la fin du XIXe siècle réputée pour son caractère emporté.

Les « Fringe Theatres »

Almeida
Almeida St N1.
☎ 0171-359 4404.

Bush
Shepherds Bush Green W12.
☎ 0181-743 3388.

Comedy Store
28a Leicester Sq WC2.
Plan 13 B3.
☎ 0171-839 6642.

Donmar Warehouse
Earlham St WC2.
Plan 13 B2.
☎ 0171-369 1732.

French Institute
17 Queensberry Pl SW7.
Plan 18 F2.
☎ 0171-589 6211.

Gate Theatre
The Prince Albert,
11 Pembridge Rd W11.
Plan 9 C3.
☎ 0171-229 0706.

Goethe Institute
50 Prince's Gate, Exhibition Rd SW7. **Plan** 11 A5.
☎ 0171-411 3400.

Grace
503 Battersea Park Rd SW11.
☎ 0171-228 2620.

Hackney Empire
291 Mare St E8.
☎ 0181-985 2424.

King's Head
115 Upper St N1.
Plan 6 F1.
☎ 0171-226 8561.
☎ 0171-226 1916.

Studio
Lyric, Hammersmith,
King St W6.
☎ 0181-741 8701.
☎ 0171-836 3464.

Theatre Upstairs
Royal Court,
Sloane Sq SW1.
Plan
☎ 0171-730 2554.
☎ 0171-836 2428.

Les cinémas

Si vous ne parvenez pas à trouver un film qui vous séduise parmi les 250 projetés chaque jour à Londres, c'est que vous n'aimez pas le cinéma. Œuvres britanniques, américaines, étrangères (en version originale), récentes, classiques, populaires, le choix est immense. Il existe près de 50 cinémas dans le seul centre de la ville, dont plusieurs complexes multisalles proposant toutes les nouveautés. La cité renferme également beaucoup de cinémas indépendants dont les programmes peuvent satisfaire tous les goûts des cinéphiles. Les magazines spécialisés vous donneront adresses et programmes.

Les cinémas du West End

Les londoniens englobent sous l'appellation « cinémas du West End » toutes les grandes salles présentant les nouveautés en exclusivité, qu'elles se trouvent dans ce quartier proprement dit, comme l'**Odeon Leicester Square** et le **MGM** de Shaftesbury Avenue, ou dans les secteurs voisins de Chelsea, Fulham et Notting Hill.

Les séances commencent normalement vers midi et se succèdent toutes les deux ou trois heures jusqu'à la dernière vers 20 h 30, les nocturnes étant réservées aux vendredis et samedis. Les places sont chères, jusqu'à deux fois plus onéreuses, pour le même film, que dans un cinéma de quartier, mais certaines salles pratiquent un tarif réduit les après-midi de semaine ou le lundi. Les vendredis et samedis soirs, ainsi que les dimanches après-midi, mieux vaut réserver. La plupart des grands cinémas acceptent maintenant les réservations par téléphone et le règlement par cartes de crédit.

Les cinémas de répertoire

La programmation de ces salles inclut souvent des films étrangers en version originale sous-titrée. Certaines d'entres elles proposent deux ou trois films, généralement liés par un thème, pour le prix d'un seul billet.

Il s'agit notamment du **Prince Charles** (dans le centre, près de Leicester Square), de l'**Everyman** (nord de Londres), de l'ICA sur le Mall, de l'**Electric** à l'ouest de Londres, du **Ritzy** et du National Film Theatre.

Le National Film Theatre

Le National Film Theatre (NFT) (*voir p. 182*) et le Museum of the Moving Image (MOMI) (*voir p. 184*) sont tous deux installés au South Bank Arts Complex, près de Waterloo Station. Le NFT dispose de deux salles où il présente des films très variés, notamment des œuvres rares ou restaurées, ainsi que des programmes de télévision de la National Film Archive. A ne pas manquer par les cinéphiles.

Les films en langues étrangères

Souvent en français, ils sont projetés dans les salles indépendantes ou les cinémas de répertoire, dont le **Renoir**, le **Prince Charles**, le **Lumière**, le Curzon sur Shaftsbury Avenue, le **Minema**, et les cinémas de la chaîne **Screen**. Ils sont sous-titrés en anglais.

Les âges requis

Les enfants peuvent aller seuls voir un film ayant reçu le visa de censure U (pour tous) ou PG (présences des parents conseillée).

Pour les autres films, les chiffres 12, 15 ou 18 indiquent tout simplement l'âge minimum requis pour avoir droit d'entrer dans la salle. Ces classifications sont toujours clairement précisées sur les affiches et dans les programmes.

Le festival de Londres

Le plus important événement cinématographique de Grande-Bretagne se déroule chaque année en novembre. Plus de 100 films de différents pays sont alors projetés en séance spéciale au NFT, dans plusieurs cinémas de répertoire et dans certaines des grandes salles du West End. Les magazines spécialisés en donnent le programme. Si les billets s'avèrent assez difficiles à obtenir, quelques places sont généralement proposées au public 30 minutes avant le début de la projection.

Adresses des cinémas

Electric
191 Portobello Road W11.
0171-792 2020.
0171-792 0328.

Everyman
Hollybush Vale NW3.
Plan 1 A5.
0171-435 1525.

Lumière
49 St Martin's Lane WC2.
Plan 13 B2.
0171-836 0691.
0171-379 3014.

MGM
135 Shaftesbury Ave WC2.
Plan 13 B2.
0171-836 6279.

Minema
45 Knightsbridge SW1.
Plan 12 D5.
0171-235 4225.

Odeon Leicester Sq
Leicester Sq WC2.
Plan 13 B2.
0171-930 3232.
0426-915 683.

Prince Charles
Leicester Pl WC2.
Plan 13 B2
0171-437 8181.

Renoir
Brunswick Sq WC1.
Plan 5 C4.
0171-837 8402.

Ritzy
Brixton Rd SW2.
0171-737 2121.

Screen Cinemas
96 Baker St NW1
Plan 3 C5.
0171-935 2772.

L'opéra et les musiques classique ou contemporaine

Grand centre mondial de l'industrie du disque, y compris dans le domaine de la musique classique, Londres entretient cinq orchestres philharmoniques de classe internationale et une véritable nuée d'ensembles plus réduits, notamment contemporains. Y résident également en permanence trois compagnies d'opéra ainsi que de nombreux groupes vocaux. Ils s'adressent à un public de plus en plus large et populaire, conquis, entre autres, par les concerts gratuits organisés à Hyde Park, Covent Garden et dans la Piazza. Que vous désiriez assister à un opéra ou un concert de musique symphonique, de chambre, baroque ou dodécaphonique, c'est dans le magazine *Time Out* (*voir p. 324*) que vous trouverez le programme le plus complet.

Le Royal Opera House

Floral Street WC2. **Plan** 13 C2.
☎ *0171-240 1066. Voir p. 115.*

Ce bâtiment au somptueux décor intérieur est le siège du prestigieux Royal Opera mais accueille les créations d'autres compagnies ou corps de ballet. De nombreuses œuvres étant produites en collaboration avec l'étranger, vérifiez que vous n'avez pas déjà vu chez vous le spectacle à l'affiche.

Les places, chères (de 5 £ à parfois plus de 200 £), sont généralement réservées longtemps à l'avance, surtout si des vedettes comme Luciano Pavarotti ou Kiri Te Kanawa se produisent, les moins onéreuses partant en premier bien qu'un certain nombre ne soient vendues que le jour même. Sachez toutefois que beaucoup de ces places bon marché n'offrent qu'une vue extrêmement réduite de la scène. Si vous en avez les moyens, les fauteuils d'orchestre, au centre de la salle, jouissent de la meilleure acoustique. En désespoir de cause, il reste toujours la possibilité de faire la queue dans l'espoir que des sièges réservés se libéreront, ou même de prendre une place debout (elles sont vendues jusqu'au tout début de la représentation). Au 0171 836 6903, on vous renseignera sur les places disponibles le jour même, certaines pouvant donner lieu à réduction.

Le London Coliseum

St Martin's Lane WC2. **Plan** 13 B3.
☎ *0171-836 3161.*
✉ *0171-240 5258. Voir p. 119.*

Malgré son décor un peu fané, le Coliseum, siège de l'English National Opera (ENO), compagnie qui forme ses propres chanteurs, ne programme que des spectacles d'un très haut niveau musical. Pratiquement toutes les créations par l'ENO d'œuvres classiques (aux mises en scène souvent si audacieuses que des critiques se plaignent parfois que la clarté du livret s'en ressent) sont interprétées en anglais. Un public plus jeune que celui du Royal Opera fréquente le Coliseum aux places bien meilleur marché. Les moins chères ont toutefois acquis une solide réputation d'inconfort.

Le Sadler's Wells

Rosebery Ave EC1. **Plan** 6 E3.
☎ *0171-278 8916.*

Moins prestigieux, moins cher et moins central que les autres salles d'opéra, le Sadler's Wells accueille des compagnies extérieures. Trois d'entre elles y font une saison régulière, présentant chacune deux œuvres : la compagnie D'Oyly Carte, créée en 1875 pour monter les œuvres de Gilbert et Sullivan, se produit en avril et mai ; Opera 80, 22 chanteurs accompagnés par 27 musiciens, propose des opéras en anglais à un tarif raisonnable les deux dernières semaines de mai ; enfin, on peut assister aux spectacles du British Youth Opera au début du mois de septembre.

Le South Bank Centre

South Bank Centre SE1. **Plan** 14 D4.
☎ *0171-928 8800. Voir p. 182.*

Le South Bank Centre dispose de trois salles de spectacle, toutes d'une excellente acoustique : le Royal Festival Hall (RFH), le Queen Elizabeth Hall et le Purcell Room. La plus grande, le RFH, accueille principalement les grands orchestres nationaux et internationaux et œuvres chorales d'importance. La plus petite, le Purcell Room, offre un espace idéal pour quatuors à corde, ensembles de musique contemporaine ou récitals de jeunes artistes. De dimensions intermédiaires, le Queen Elizabeth Hall reçoit de préférence des ensembles de taille moyenne dont le public, trop nombreux pour la Purcell Room, ne remplirait cependant pas le Festival Hall. On y donne également des concerts de jazz et de musique traditionnelle, et les créations de l'Opera Factory, compagnie novatrice dont les interprétations modernes d'opéras classiques, ou les mises en scène d'œuvres contemporaines sont souvent controversées.

Le London Philharmonic Orchestra réside au South Bank et le Royal Philharmonic, le Philharmonia et le BBC Symphony Orchestra y donnent fréquemment des concerts, de même que des ensembles et des solistes de réputation internationale tels Shura Cherkassky, Stephen Kovacevich, ou Anne-Sofie von Otter.

L'Academy of St Martin-in-the-Fields, le London Festival Orchestra, le London Classical Players et le London Mozart Players y ont tous une saison régulière.

Des concerts gratuits ont souvent lieu dans le foyer, notamment

Les festivals de musique à Londres

Artistes lyriques et compagnies du monde entier se retrouvent à Londres en juin pour le London Opera Festival qui se déroule dans plusieurs lieux de spectacles : le Place Theatre, le Lilian Baylis Theatre (Sadler's Wells), le Purcell Room, le Royalty Theatre et St John's Smith Square. Renseignements et locations auprès des différentes salles.

Le City of London Festival donne lieu chaque année en juillet à l'organisation d'événements musicaux variés dans des églises et bâtiments publics de la City tels que la Tour de Londres (*voir p. 154*) ou le Goldsmith's Hall. Pour plus de détails, contactez le bureau de location (0171-248 4260) à partir de mai.

avant les représentations du Royal National Theatre (*voir p. 326*), et, tout au long de l'été, une visite au centre se voit généralement récompensée par les événements musicaux organisés sur les terrasses quand le temps le permet.

Le Barbican Concert Hall

Silk Street EC2. **Plan** 7 A5.
0171-638 8891. Voir p. 165.

Ce sévère bâtiment de béton est le siège du London Symphony Orchestra (LSO), dont l'originalité est d'articuler chacune de ses saisons autour des œuvres d'un seul compositeur. Le Royal Philharmonic Orchestra y présente une saison de printemps et l'English National Opera y donne régulièrement des représentations.

Le Barbican est également réputé pour sa programmation de musique contemporaine : le London Sinfonietta, spécialisé dans les compositeurs du XXe siècle, y donne la majorité de ses concerts londoniens et le BBC Symphony Orchestra propose chaque année un festival d'œuvres modernes.

Manifestation d'un abord plus facile, le LSO Summer Pops s'appuie sur une affiche impressionnante où se côtoient vedettes du théâtre, de la télévision, du cinéma et du disque.

Le Royal Albert Hall

Kensington Gore SW7. **Plan** 10 F5.
0171-589 8212. Voir p. 203.

Le cadre somptueux du Royal Albert Hall accueille des événements aussi divers que des matchs de catch, des concerts de variétés ou des défilés de mode pendant toute l'année sauf de la mi-juillet à la mi-septembre, période réservée aux Henry Wood Promenade Concerts (les « *Proms* » pour tous les Londoniens), organisés par la BBC. Outre les interprétations d'œuvres symphoniques modernes ou classiques par le BBC Philharmonic Orchestra, le programme, très varié, propose des orchestres du monde entier tels le City of Birmingham Orchestra, le Chicago Symphony Orchestra et le Boston Symphony Orchestra. S'il est toujours possible d'acheter des billets le jour du spectacle, les files d'attente sont telles que les habitués apportent des coussins. Réserver pour le dernier soir du festival, « *the last night of the Proms* », impose de s'y prendre des semaines, voire des mois, à l'avance. La ferveur du public, agitant des drapeaux et reprenant en chœur des chants patriotiques, en fait une soirée terriblement exotique pour les étrangers.

CONCERTS EN PLEIN AIR

A Kenwood House, sur Hampstead Heath (*voir p. 230*), une petite colline herbeuse domine l'étang derrière lequel se trouve la scène. Mieux vaut arriver tôt car ces concerts sont très populaires, surtout s'ils s'accompagnent de feux d'artifice. Chandail et pique-nique recommandés. Que les puristes se méfient : les orchestres sont sonorisés et le public se promène, mange et bavarde pendant la représentation. Pas de remboursement en cas de pluie, aucun concert n'ayant encore été interrompu pour une telle vétille !

Marble Hill House, Twickenham (*voir p. 248*), le Crystal Palace Park et le Holland Park accueillent également des manifestations de ce genre.

Le Wigmore Hall

36 Wigmore St W1. **Plan** 12 E1.
0171-935 2141. Voir p. 222.

En raison de son excellente acoustique, le Wigmore Hall, au programme extrêmement varié, attire des artistes internationaux aussi célèbres que Jessye Norman ou Julian Bream. Chaque semaine, le Wigmore Hall propose sept concerts en soirée, et un le dimanche matin de septembre à juillet.

St Martin-in-the-Fields

Trafalgar Sq WC2. **Plan** 13 B3.
0171-930 1862. Voir p. 102.

Cette élégante église édifiée par Gibbs abrite l'Academy of St Martin-in-the-Fields et sa chorale. Ces deux ensembles, ainsi que des orchestres aussi variés que le Henry Wood Chamber Orchestra, le Penguin Café Orchestra ou le St Martin in-the-Fields Sinfonia y donnent des concerts en soirée. Jusqu'à un certain point, le programme suit le calendrier religieux (*Passion selon St Jean* de Bach à l'Ascension, et *Messie* de Haendel à Noël, par exemple)

De jeunes artistes se produisent gratuitement les lundis, mardis et vendredis midi.

St John's, Smith Square

Smith Sq SW1. **Plan** 21 B1.
0171-222 1061. Voir p. 81.

Cette salle de concert aménagée dans une ancienne église baroque jouit d'une bonne acoustique et de sièges confortables. La BBC retransmet dans le cadre d'une émission quotidienne les concerts et récitals qu'y donnent des ensembles aussi variés que le Wren Orchestra, le Venbrugh String Quartet ou le London Sonata Group.

Le Broadgate Arena

3 Broadgate EC2. **Plan** 7 C5.
0171-588 6565. Voir p. 169.

Cette nouvelle salle de la City propose une saison estivale de concerts à l'heure du déjeuner. L'occasion, souvent, de découvrir les vedettes de demain.

LIEUX DE CONCERT

Grands orchestres
Barbican Concert Hall
Broadgate Arena
Queen Elizabeth Hall
Royal Albert Hall
Royal Festival Hall
St Martin-in-the-Fields
St John's, Smith Square

Musique de chambre
Barbican Concert Hall
Broadgate Arena
Purcell Room
Foye du Royal Festival Hall
St Martin-in-the-Fields
St John's, Smith Square
Wigmore Hall

Solistes et récitals
Barbican Concert Hall
Purcell Room
Royal Albert Hall
St Martin-in-the-Fields
St John's, Smith Square
Wigmore Hall

Enfants
Barbican Concert Hall
Royal Festival Hall

Concerts gratuits
Barbican Concert Hall
Foyer du National Theatre (*voir p. 326*)
Foyer du Royal Festival Hall
St-Martin-in-The-Fields (midi)

Avant midi
Purcell Room
Wigmore Hall

Musique contemporaine
Barbican Concert Hall
South Bank Complex

La danse

Des compagnies pratiquant des arts aussi différents que le ballet classique, le jazz ou la danse expérimentale résident à demeure à Londres mais les salles de la ville, notamment le **Royal Opera House**, le **London Coliseum**, le **Sadler's Wells**, **The Place Theatre** et le **South Bank Centre**, accueillent en outre de nombreuses troupes étrangères souvent prestigieuses. Ces dernières, contrairement aux ballets londoniens, se produisent rarement plus d'une quinzaine de jours, souvent moins d'une semaine, et il est conseillé de consulter les magazines de programmes (*voir p. 324*) pour connaître tous les détails de leur passage.

Le ballet classique

La troupe du Royal Ballet, réputée notamment pour les danseurs étoiles du monde entier qu'elle accueille en résidence, a son siège au **Royal Opera House** (*voir p. 115*). Si son répertoire inclut des valeurs sûres comme *Le Lac des cygnes* ou *Giselle*, il comprend également des chorégraphies modernes. Un abonnement valable pour trois spectacles propose généralement un panachage des deux.

L'English National Ballet, au répertoire très similaire à celui du Royal Ballet, fait quant à lui sa saison estivale au **London Coliseum**. Ces deux établissements sont ceux proposant la plus prestigieuse programmation étrangère mais certaines compagnies se produisent également au **Sadler's Wells** (*voir p. 243*), où le London City Ballet, au répertoire essentiellement classique, présente chaque année sa saison en décembre et janvier.

La danse contemporaine

Parmi la multitude de jeunes compagnies installées à Londres, qui possèdent toutes un style propre, la plus reconnue, le London Contemporary Dance Theatre, a son siège au **Place Theatre** dont le programme comprend chorégraphies contemporaines et spectacles de danses traditionnelles.

Autre établissement important, le **Sadler's Wells** présente aussi bien des troupes locales que de passage. Sa petite salle, le Lilian Baylis Studio, accueille des créations souvent plus expérimentales.

Conçu à l'origine pour une programmation cinématographique et théâtrale, l'**Island Theatre** ne propose de la danse que depuis peu. En été, la troupe du Rambert Dance y présente des œuvres dirigées par des chorégraphes de renom international. Rambert Dance se produit également pour une brève période en avril au **Riverside Studios** où il organise une semaine d'ateliers.

D'autres établissements reçoivent également de temps en temps des ballets contemporains, notamment l'**Institute of Contemporary Arts (ICA)** (*voir p. 92*) et le **Shaw Theatre**. Dans l'East End, le **Chisenhale Dance Space** offre à de petites compagnies indépendantes un lieu où présenter leur travail expérimental.

Les danses traditionnelles

Des groupes du monde entier viennent présenter à Londres la richesse de leur culture, en particulier au **Sadler's Wells** et au **Riverside Studios**. De grandes compagnies classiques, notamment d'Inde et d'Extrême-Orient, se produisent pour de longues périodes au South Bank Centre, souvent dans le **Queen Elizabeth Hall**.

Les festivals de danse

Deux grands festivals de danse contemporaine, Spring Loaded de février à avril, et Dance Umbrellas du début octobre au début novembre, se déroulent chaque année à Londres. Les magazines spécialisés vous en donneront le programme.

Parmi plusieurs festivals de moindre importance, on peut noter l'Almeida Dance (fin avril-première semaine de mai), à l'**Almeida Theatre**, et le Turning World (avril-mai), qui offre l'occasion d'admirer des danseurs venus du monde entier.

Salles de danse

Almeida Theatre
Almeida St N1.
0171-359 4404.

Chisenhale Dance Space
64 Chisenhale Rd E3.
0181-981 6617.

ICA
Nash House, Carlton House Terrace, The Mall SW1.
Plan 13 A4.
0171-930 3647.

Island Theatre
Portugal St WC2.
Plan 14 D1.
0171-494 5090.

London Coliseum
St Martin's Lane WC2.
Plan 13 B3.
0171-836 3161.
0171-240 5258.

The Place Theatre
17 Duke's Rd WC1.
Plan 5 B3.
0171-387 0031.

Riverside Studios
Crisp Rd W6.
0181-741 2255.

Queen Elizabeth Hall
South Bank Centre SE1.
Plan 14 D4.
0171-928 8800.

Royal Opera House
Floral St WC2. **Plan** 13 C2.
0171-240 1066 ou 0171-240 1911.

Sadler's Wells
Rosebery Ave EC1. **Plan** 6 E3.
0171-278 8916.

Shaw Theatre
The Brix, Brixton Hill SW IJF. **Plan** 5 B3.
0171-733 4443.

Jazz, rock, variétés et musiques traditionnelles

Partout à Londres, on fredonne, on hurle ou on expérimente toutes les formes de musique populaire. Chaque soir de semaine peut donner lieu à 80 concerts de rock, reggae, soul, folk, country, musique d'Amérique latine, jazz, ou *world music*. Des festivals se tiennent en outre tout l'été dans les parcs, les pubs, les grandes salles et les stades de la capitale (*voir p. 335*). Affiches et magazines vous en donneront tous les détails (*voir p. 324*).

Les grands lieux

En été, lorsque la saison de football est terminée, les stars internationales, groupes ou chanteurs, attirent au **Wembley Stadium** des dizaines de milliers de spectateurs. En hiver, elles se replient sur le **Wembley Arena**, le **Hammersmith Odeon** ou, si elles se prennent au sérieux, sur le **Royal Albert Hall**.

Beaucoup de Londoniens estiment que le **Brixton Academy** et le **Town and Country Club** constituent les deux meilleures salles de concert de la ville. Anciens cinémas pouvant accueillir plus de mille personnes, ils proposent tous deux places assises en balcons, vaste pistes de danses devant la scène et bars aisément accessibles.

Les salles de rock

De nouvelles tendances ou modes musicales naissent presque tous les ans à Londres. Comme le « rock gothique » dont les temples (le **Bull and Gate** à Kentish Town's et le **Powerhaus** d'Islington) s'emplissent à la nuit tombée de fans blafards vêtus de noir. Populaire auprès des nostalgiques de la période psychédélique, le « Manchester Sound » fait les soirées de nombreuses salles, notamment l'**Astoria**, dans le West End, et le **National Ballroom Kilburn**. La réputation du **Marquee**, sur Charing Cross Road, a depuis longtemps franchi la Manche mais le **Mean Fiddler**, à Harlesden, est une autre des très bonnes salles de moyenne importance. Sa direction gère également le **Grand**, à Clapham, un ancien music-hall récemment réaménagé.

Mélange de rythm and blues, de heavy metal et de punk, le « pub-rock » se développe dans les pubs de Londres depuis les années 60. Quelques-uns des meilleurs groupes passent au **Station Tavern**, à West London, mais le **Sir George Robey**, près de Finsbury Park, et des douzaines d'autres partout dans la ville en programment également d'excellents.

Le **Rock Garden**, à Covent Garden, offre presque tous les soirs une vitrine à des groupes encore peu connus, le **Borderline**, près de Leicester Square, a la réputation d'être fréquenté par les découvreurs de talents des maisons de disques, et le **Subterania**, à Ladbroke Grove, donne sa chance à de jeunes auteurs-compositeurs lors de soirées spéciales. Les plateaux du **Camden Palace**, en particulier le mardi soir, permettent de découvrir les valeurs qui montent de la scène londonienne.

Les salles de jazz

Le nombre de salles de jazz a augmenté à Londres ces dernières années. Le **Ronnie Scott's**, dans le West End, et le **100 Club**, sur Oxford Street, demeurent cependant le lieu de rendez-vous favori des passionnés de longue date.

La création dans les années 80 du **Bass Clef**, à Hoxton, fut un grand succès et l'on s'y presse le week-end. Dans le même bâtiment, le **Tenor Clef** programme des jazzmen latino-américains et africains dans un cadre plus intime et plus chic. On peut manger dans de nombreux clubs de jazz londoniens. Parmi les meilleurs, citons le **Palookaville**, dans Covent Garden, le **Dover Street Wine Bar** et le **Jazz Café** (plutôt végétarien). Le **Pizza Express** de Dean Street, ainsi que le **Pizza on the Park**, à proximité de Hyde Park Corner, proposent également cette formule.

Des concerts gratuits, y compris de free jazz, animent souvent les foyers du **South Bank Centre** (*voir p. 182*) et du **Barbican** (*voir p. 165*).

Les salles de reggae

L'importance de sa communauté antillaise a fait de Londres la capitale européenne du reggae. A la fin du mois d'août, de nombreux groupes animent gratuitement le **Notting Hill Carnival** (*voir p. 57*).

Ils se produisent également tout au long de l'année dans les salles de rock de la ville.

World music

La popularité acquise par des musiques originaires d'autres continents a redonné vigueur aux musiques traditionnelles britannique et irlandaise. **Cecil Sharp House** organise ainsi régulièrement des concerts destinés aux puristes du folk, tandis que l'**ICA** (*voir p. 92*) présente des groupes plus novateurs. De nombreux pubs de Kilburn et de Willesden, ainsi que l'Acoustic Room du **Mean Fiddler**, proposent fréquemment des soirées irlandaises.

Rythmes cajuns, africains et sud-américains résonnent au **Weavers Arms**, près de Newington Green, et les nuits sont chaudes au **Down Mexico Way**, près de Piccadilly, et au **Cuba Libre**, à Islington. C'est au **Café de Piaf**, dans Waterloo Station, que se produisent les artistes de l'Afrique et des Antilles francophones et à l'**Africa Centre** de Covent Garden que l'on découvrira le plus large éventail de sonorités et de saveurs exotiques.

Les boîtes de nuit

L'Europe s'est longtemps moquée des Londoniens qui rentraient se coucher à 23 h, moment où la nuit commençait à peine à Paris, Madrid et Rome. La capitale britannique ne s'éteint plus aujourd'hui avec ses pubs et vous pourrez, si vous le désirez, vous y amuser toute la nuit quels que soient vos goûts, vos moyens et même le quartier où vous résidez car les meilleures boîtes de nuit ne se trouvent pas toutes dans le centre de la ville.

Les usages

Les modes changent très vite et les boîtes de nuit les plus en vogue sont aussi celles qui disparaissent le plus vite. Avant de vous déplacer, mieux vaut vous assurer dans les magazines de programmes (*voir p. 324*) que l'établissement qui vous intéresse existe toujours. Vérifiez également s'il n'exige pas une carte de membre (à prendre 48 h à l'avance) et si un type d'habillement est requis. Attention, les obligations vestimentaires imposées par certains clubs changent selon les jours de la semaine.

Si vous n'êtes qu'entre amis, sachez que les groupes d'hommes reçoivent parfois mauvais accueil et qu'il vaut donc mieux se présenter séparément et, si possible, accompagné.

Les boîtes de nuit sont habituellement ouvertes de 22 h à 3 h du matin du lundi au samedi. Beaucoup poussent jusqu'à 6 h le week-end, et certaines ouvrent de 20 h à minuit le dimanche.

Les classiques

Elégant et cher, le **Stringfellows**, célèbre dans le monde entier, fait désormais partie des circuits touristiques au même titre que le musée de Personnages de cire de Madame Tussaud. N'essayez pas de vous y présenter en jean, pas plus qu'à l'**Hippodrome** voisin, immense établissement qui compte plusieurs bars et sert à manger.

Il vous faudra de sérieuses relations pour connaître les boîtes les plus chic de Londres, comme **Annabel's**, qui pratiquent une sévère politique de club privé. On ne peut adhérer que sur cooptation des membres actuels et les listes d'attente sont longues.

En revanche, vous ne devriez pas rencontrer de problème pour entrer au **Limelight** et au **Legends** et danser valses ou charlestons au **Café de Paris**.

Plus au nord, le **Forum** regroupe des boîtes de nuit très populaires, spécialisées dans la soul, le funk et le rythm and blues. L'**Equinox** sur Leicester Square et **Tattershall Castle**, un bateau sur la Tamise, proposent la même musique.

Les boîtes en vogue

C'est depuis Londres que la « house music », pourtant née à Chicago, a conquis le monde. Les adeptes trouveront au **Heaven's** une immense piste de danse et des systèmes de sonorisation et d'effets de lumière de première qualité. L'endroit connaît un tel succès que mieux vaut y venir tôt. De création récente, le **Ministry of Sound** a introduit en Grande Bretagne le style new yorkais. Il ne possède cependant pas de licence de vente d'alcool et il est difficile d'y entrer. Si vous vous sentez plein d'énergie, le **Gardening Club**, **Woodys**, hardcore dans un garage et le **Wag Club**, jeune et très à la mode actuellement, proposent également des nuits « house ». **LA2** est le lieu alternatif pour la musique « indie ».

C'est au **Fridge** que l'on peut découvrir le funky jazz le plus intéressant du moment, ainsi qu'au **Turnmills**, le premier club de Londres ouvert 24 h sur 24. Bon marché, ce dernier abrite en outre un restaurant de bonne qualité. Pour les nostalgiques des années 70, Le **Scandale** ressuscite la disco la plus kitch et la plus ludique, et offre une réduction à ceux qui se présentent en costume d'époque. Tout aussi rétro le **79 Club** dans Oxford Street. Curieusement, en dehors du **Gossips** le samedi (ska, soul et rythm and blues le jeudi), peu de clubs organisent des soirées reggae.

Les clubs gay

Le Heaven, avec son immense piste de danse en rez-de-chaussée et bar et salon vidéo à l'étage, est le plus populaire des clubs gay de Londres. On trouve au **Paradise**, à Islington, des salles de jeu et deux discothèques mais on peut n'y aller que pour les spectacles de travestis ou les soirées cuir et latex. Ambiance décontractée au **Club Copa**, sur Earl's Court, et soirées mixtes au **Gardening Club** et au **Fridge**. Ce dernier organise également des nuits strictement féminines.

Les spectacles de travestis

Surveillez dans les magazines de programmes les occasionnelles soirées « Kinky Gerlinky », extraordinairement kitch. La revue de **Madame Jojo's**, à Soho, est un tourbillon de couleurs et de paillettes.

Les casinos

Pour jouer à Londres, vous devez être membre, ou au moins invité par un membre, d'un cercle jouissant d'une licence spéciale. La plupart ne feront pas de difficulté pour vous accueillir mais vous devez adhérer 48 h à l'avance. Le plus souvent, vous pourrez tout de même profiter des services proposés autres que les tables de jeu. Les restaurants sont en général excellents et les « hôtesses » charmantes, mais attention au prix que coûte leur compagnie.

CARNET D'ADRESSES

LES GRANDS LIEUX

Brixton Academy
211 Stockwell Rd SW9.
0171-924 9999.

Hammersmith Odeon
Queen Caroline St W6.
0181-741 4868.

Royal Albert Hall
Voir p. 203.

Forum
9-17 Highgate Rd NW5.
0171-284 1001.
0171-284 2200.

Wembley Arena and Stadium
Empire Way, Wembley, Middlesex.
0181-900 1234.

LES SALLES DE ROCK ET DE POP

Astoria
157 Charing Cross Rd WC2. **Plan** 13 B1.
0171-434 0403.

Borderline
Orange Yard, Manette St WC2. **Plan** 13 B1.
0171-734 2095.

Bull and Gate
389 Kentish Town Rd NW5.
0171-485 5358.

Camden Palace
1a Camden High St NW1. **Plan** 4 F2.
0171-387 0428.

Grand
Clapham Junction, St John's Hill SW11.
0171-738 9000.

LA2
157 Charing Cross Rd WC2. **Plan** 13 B2.
0171-734 6963.

Limelight
136 Shaftesbury Ave WC2. **Plan** 13 B2.
0171-434 0572.

Marquee
105 Charing Cross Rd WC2.
Plan 13 B2.
0171-437 6603.

Mean Fiddler
24-28a High St NW10.
0181-961 5490.
0181-963 0940.

National Ballroom Kilburn
234 Kilburn High Rd NW6.
0171-328 3141.

Rock Garden
6-7 The Piazza, Covent Garden WC2.
Plan 13 C2.
0171-240 3961.

Station Tavern
41 Bramley Rd W10.
0171-727 4053.

Subterania
12 Acklam Rd W10.
0181-960 4590.
0181-284 2200.

Woody's
41-43 Woodfield Rd W9.
0171-286 5574.

LES SALLES DE JAZZ

100 Club
100 Oxford St W1. **Plan** 13 A1.
0171-636 0933.

Barbican Hall
Voir p. 165.

Bass Clef
35 Coronet St N1.
Plan 7 C3.
0171-729 2476.

Dover Street Wine Bar
8 Dover St W1. **Plan** 12 F3.
0171-629 9813.

Jazz Café
5 Parkway NW1.
Plan 4 E1.
0171-916 6060.

Pizza Express
10 Dean St W1. **Plan** 13 A1.
0171-437 9595.

Pizza on the Park
11 Knightsbridge SW1.
Plan 12 D5.
0171-235 5550.

Ronnie Scott's
47 Frith St W1. **Plan** 13 A2.
0171-439 0747

Royal Festival Hall
Voir p. 184.

Vortex
Stoke Newinghton Church St N16.
0171-254 6516.

WORLD MUSIC

Africa Centre
38 King St WC2. **Plan** 13 C2.
0171-836 1973.

Cecil Sharp House
2 Regent's Park Rd NW1.
Plan 4 D1.
0171-485 2206.

Cuba Libre
72 Upper St N1.
Plan 6 F1.
0171-354 9998.

Down Mexico Way
25 Swallow St W1.
Plan 12 F3.
0171-437 9895.

ICA
Voir p. 92.

Mean Fiddler
24-28A High St NW10.
0181-961 5490.
0181 963 0940.

Weavers Arms
98 Newington Green Rd N1.
0171-226 6911.

LES BOÎTES DE NUIT

Annabel's
44 Berkeley Sq W1.
Plan 12 E3.
0171-629 1096.

Café de Paris
3 Coventry St W1.
Plan 13 A3.
0171-287 3481.

Club Copa
180 Earl's Court Rd SW5.
Plan 18 D2.
0171-373 3407.

Equinox
Leicester Sq WC2.
Plan 13 B2
0171-437 1446

Fridge
Town Hall Parade, Brixton Hill SW2.
0171-326 5100.

Gardening Club
4 The Piazza, Covent Garden WC2. **Plan** 13 C2.
0171-497 3154.

Gossips
69 Dean St W1. **Plan** 13 A2.
0171-434 4480.

Heaven
Under the Arches, Villiers St WC2. **Plan** 13 C3.
0171-839 3852.

Hippodrome
Cranbourn St WC2.
Plan 13 B2.
0171-437 4311.

Legends
29 Old Burlington St W1.
Plan 12 F3.
0171-437 9933.

Madame Jojo
8-10 Brewer St W1.
Plan 13 A2.
0171-634 2473.

Ministry of Sound
103 Gaunt St SE1.
0171-378 6528.

Paradise Club
1-5 Parkfield St N1.
Plan 6 E2.
0171-354 9993.

Scandale
53-54 Berwick St W1.
Plan 13 A1.
0171-437 6830.

Stringfellows
16 Upper St Martin's Lane WC2. **Plan** 13 B2.
0171-240 5534.

Tattershall Castle
Victoria Embankment, SW1. **Plan** 13 C3.
0171-839 6548.

Turnmills
63 Clerkenwell Road EC1
Plan 6 E5.
0171-250 3409.

Wag Club
35 Wardour St W1. **Plan** 13 A2.
0171-437 5534.

Les sports

Londres offre un choix extraordinaire de sports à voir ou à pratiquer. On peut aussi bien y assister à une rencontre de jeu de paume que faire de la plongée sous-marine au cœur de la ville. Vous préférerez plus probablement vous rendre à un match de football ou de rugby, ou jouer au tennis dans un parc. Vous vous apercevrez que les équipements publics sont aussi nombreux que bon marché.

Football américain

C'est à **Wembley** que l'équipe des London Monarchs rencontre ses adversaires européens et américains, en mars et avril, et que deux grandes équipes d'outre-atlantique s'affrontent en août pour la NFL Bowl, un match-exhibition.

Athlétisme

Pour s'entraîner, les athlètes disposeront des installations du **West London Stadium**, du stade de **Regent's Park**, gratuit, et de celui de **Parliament Hill Fields**. Pour pratiquer le jogging en société, retrouvez les Bow Street Runners au Jubilee Hall tous les mardis à 18 h.

Cricket

Le **Lord's** (*voir p. 242*) et l'**Oval** sont en été les temples londoniens de ce rituel complexe que les Britanniques appellent cricket. Si vous voulez vous initier, réservez à l'avance pour les rencontres internationales. Les matchs des premières divisions du Middlesex et du Surrey sont plus accessibles.

Football

La saison de football dure en Angleterre d'août à mai ; les matchs commencent à 15 h le samedi. Hormis pour la finale de la FA Cup, disputée à **Wembley**, qui joue à guichets fermés, il est presque toujours possible de prendre ses billets au stade le jour même, y compris pour les rencontres internationales ou celles auxquelles participent les deux grands clubs londoniens : **Arsenal** et **Tottenham Hotspur**.

Golf

Il n'y a pas de terrain de golf dans le centre de Londres mais plusieurs dans la périphérie immédiate. Les plus accessibles sont ceux de **Hounslow Heath**, **Chessington** (neuf trous, train depuis Waterloo) et de **Richmond Park** (deux circuits, salle d'entraînement). On peut y louer des clubs à un prix raisonnable.

Courses de lévriers

Belles courses lors des soirées « *down the dogs* » du **Walthamstow Stadium** et du **Wimbledon Stadium**. Si vous voulez les regarder du restaurant plutôt que du bord de la piste, réservez une table à l'avance.

Equitation

Pendant des siècles, il était de bon ton pour les cavaliers d'entraîner leurs coursiers dans Hyde Park ; vous pourrez les imiter en louant un cheval chez Ross Nye.

Patinage

Si la patinoire de **Queens** est la plus connue de Londres, les amateurs trouveront sans doute plus agréable celle du **Broadgate**, au cœur de la City. Cette dernière n'est ouverte qu'en hiver.

Rugby

De septembre à avril, les matchs du championnat de la Rugby League (rugby à 13, professionnel) se déroulent à **Wembley**, et les rencontres internationales de la Rugby Union (rugby à 15, amateur) au **Twickenham Rugby Football Ground**. Les grandes équipes londoniennes : les **Saracens** et **Rosslyn Park** jouent sur leurs propres terrains en dehors du centre de la ville. Les week-ends donnent lieu à d'innombrables rencontres amicales entre équipes locales.

Squash

De nombreux complexes sportifs, notamment le **Swiss Cottage Sports Centre** et le **Saddlers Sports Centre**, disposent de courts de squash et louent l'équipement. Mieux vaut réserver au moins deux jours à l'avance.

Courses de stock-car

Les courses de stock-car se déroulent au **Wimbledon Stadium**. Si vous vous lassez des vapeurs d'essence et du vacarme des moteurs et des tôles froissées, réfugiez-vous au restaurant.

Natation

Essayez les piscines couvertes du **Chelsea Sports Centre** et de **Porchester Baths**, et celles en plein air de **Highgate** (hommes), **Kenwood** (femmes) et **Hampstead** (mixte).

Tennis

Les parcs de Londres, notamment **Holland Park**, **Parliament Hill** et **Swiss Cottage**, renferment des centaines de courts bon marché et faciles à réserver. En été, mieux vaut prendre néanmoins la précaution de retenir deux ou trois jours à l'avance. Ni raquettes ni balles ne sont fournies.

Ceux que séduiraient l'idée de jouer sur le court central du **All England Lawn Tennis Club** de Wimbledon doivent savoir qu'il est plus facile de participer au tournoi que d'y louer le court. On peut toujours tenter de faire la queue toute la nuit, ou espérer profiter d'une réservation annulée après le déjeuner. Le musée (*voir p. 247*) permettra de se consoler.

Sports traditionnels

Le marathon, qui se court de Greenwich à Big Ben (*voir p. 56*) en avril, est devenu aussi traditionnel que la University Boat Race qui oppose les rameurs d'Oxford à ceux de Cambridge entre Putney et Mortlake (*voir p. 56*).

Les rencontres de cricket se déroulent au **Hurlingham Club**, celles de polo au **Guards Polo Club** et les matchs de jeu de paume au **Queen's Club**.

Sports nautiques

Planches à voile, dériveurs, bateaux à moteur, ski nautique et canoës se trouvent aux **Docklands Sailing and Water Sports Centre**, au **Peter Chilvers Windsurfing School** et au **Royal Docks Waterski Club**. Pour une promenade romantique, on peut également louer une barque à **Hyde Park** ou **Regent's Park Lane** et canoter sur les eaux de la Serpentine.

Gymnastique

La plupart des centres sportifs proposent gymnases et salles de musculation. Les membres du YMCA pourront profiter des installations du **Central YMCA**. Les autres trouveront au **Jubilee Hall** et au **Swiss Cottage Sports Centre** séances d'aérobic ou de culture physique. En cas de besoin, le **Chelsea Sports Centre** comprend une clinique spécialisée dans les blessures sportives.

Carnet d'adresses

Renseignements sur les sports
0171-222 8000.

Greater London Sports Council
0181-778 8600.

All England Lawn Tennis and Croquet Club
Church Rd, Wimbledon SW19.
0181-946 2244.

Arsenal
Avenell Rd, Highbury N5.
0171-359 0131.

Broadgate Ice Rink
Broadgate Circle EC2.
Plan 7 C5.
0171-505 4608.

Central YMCA
112 Great Russell St WC1.
Plan 13 B1.
0171-637 8131.

Chelsea Sports Centre
Chelsea Manor St SW3.
Plan 19 B3.
0171-352 6985.

Chessington Golf Course
Garrison Lane, Chessington, Surrey.
0181-391 0948.

Docklands Sailing and Watersports Centre
235a Westferry Rd, Millwall Docks E14.
0171-537 2626.

Docklands Water Sports Club
King George V Dock, Woolwich Manor Way E16.
0171-511 5000.

Guards Polo Club
Windsor Great Park, Englefield Green, Egham, Surrey.
0784-43412.

Hampstead Ponds
off East Heath Rd NW3.
Plan 1 C4.
0171-435 2366.

Holland Park Lawn Tennis Courts
Kensington High St W8.
Plan 9 B5.
0171-602 2226.

Hounslow Heath Golf
Staines Rd, Hounslow, Middlesex.
0181-570 5271.

Hurlingham Club
Ranelagh Gdns SW6.
0171-736 3148.

Jubilee Hall Sports Centre
30 The Piazza, Covent Garden WC2. **Plan** 13 C2.
0171-836 4835.

Kenwood and Highgate Ponds
off Millfield Lane N6. **Plan** 2 E3. 0181-340 4044.

Lord's Cricket Ground
St John's Wood NW8.
Plan 3 A3.
0171-289 1611.

Oval Cricket Ground
Kennington Oval SE11.
Plan 22 D4.
0171-582 6660.

Parliament Hill
Highgate Rd NW5. **Plan** 2 E4.
0171-435 8998 (athlétisme).
0171-485 4491 (tennis).

Peter Chilvers Windsurfing Centre
Gate 6, Tidal Basin, Royal Victoria Docks E16.
0171-474 2500.

Porchester Centre
Queensway W2. **Plan** 10 D1.
0171-792 2919.

Queen's Club Real Tennis
Palliser Rd W14. **Plan** 17 A3.
0171-385 3421.

Queens Ice Skating Club
17 Queensway W2.
Plan 10 E2.
0171-229 0172.

Regent's Park Lake
Regent's Park NW1.
Plan 3 C3.
0171-486 4759.

Richmond Park Golf
Roehampton Gate, Priory Lane SW15.
0181-876 3205.

Rosslyn Park Rugby
Priory Lane, Upper Richmond Rd SW15.
0181-876 1879.

Ross Nye
8 Bathurst Mews W2.
Plan 11 A2.
0171-262 3791.

Royal Docks Waterski Club
Gate 16, King George V Dock, Woolwich Manor Way E16.
0171-511 2000.

Saddlers Sports Centre
Goswell Rd EC1. **Plan** 6 F3.
0171-253 9285.

Saracens Rugby
Dale Green Rd N14.
0181-449 3770.

Serpentine
Hyde Park W2. **Plan** 11 B4.
0171-262 3751.

Swiss Cottage Sports Centre
Winchester Rd NW3.
0171-413 6490.

Tottenham Hotspur
White Hart Lane, 748 High Rd N17.
0171-396 4567.

Twickenham Rugby Ground
Whitton Rd, Twickenham, Middlesex.
0181-892 8161.

Walthamstow Stadium
Chingford Rd E4.
0181-531 4255.

Wembley Stadium
Wembley, Middlesex.
0181-900 1234.

Linford Christie Stadium
Du Cane Rd W12.
0181-749 5505.

Wimbledon Stadium
Plough Lane SW19.
0181-946 5361.

LE LONDRES DES ENFANTS

Londres offre aux enfants une mine d'or d'amusements. De nouvelles attractions ouvrent tous les ans et les enfants bénéficient d'une large gamme de plaisirs et de distractions. S'ils se lassent des cérémonies (*voir pp. 52-5*) ou de la visite des bâtiments célèbres (*voir p. 35*), zoos, parcs et terrains d'aventure, en plein air, mais aussi ateliers, centres d'activité et musées proposent jeux éducatifs ou expositions interactives qui leur fourniront un cadre où se dépenser, s'amuser et s'enrichir. Et une journée de sortie n'a aucune raison de se révéler dispendieuse : les enfants bénéficient de tarifs réduits dans les transports publics et les musées londoniens. Certains des grands plaisirs de Londres, comme les cérémonies, sont gratuits.

Humpty Dumpty

CONSEILS PRATIQUES

Préparer votre sortie vous aidera à la réussir. Par exemple, vérifiez par téléphone les horaires d'ouverture et planifiez soigneusement votre itinéraire grâce au plan du métro reproduit à la fin de ce guide. Si vous voyagez avec de très jeunes enfants, pensez que l'on fait souvent la queue, et parfois longtemps, aux stations de métro et arrêts d'autobus situés près des monuments les plus visités. Mieux vaut acheter vos billets ou votre *Travelcard* à l'avance (*voir p. 360*).

Les enfants de moins de 5 ans voyagent gratuitement dans les transports publics et ceux de 5 à 15 ans bénéficient d'une réduction (les plus âgés doivent pouvoir présenter une pièce d'identité). Les enfants aiment souvent emprunter les transports en commun, songez à changer de moyen de déplacement entre l'aller et le retour. Bus, métro, taxis, train et même bateau (*voir pp. 360-367*) desservent Londres et ses environs.

Guignol anglais dans la Piazza de Covent Garden

La visite des musées en famille ne revient pas aussi cher que l'on pourrait le supposer. La plupart des musées proposent un abonnement familial valable toute l'année (*annual season ticket*) qui coûte souvent à peine plus que la première visite, ou donne libre accès à plusieurs musées ; par exemple le Science Museum, le Natural History Museum et le Victoria and Albert Museum à South Kensington. En vous y prenant en plusieurs fois, vous pourrez ainsi visiter l'exposition qui vous passionne sans dégoûter à jamais votre descendance de la culture.

Si vos enfants se lassent des visites, des prospectus édités par les conseils municipaux fournissent des informations sur les activités proposées dans la commune (centres aérés, ateliers théâtraux, fêtes foraines...). Vous les trouverez en mairie mais également dans les bibliothèques et les centres de loisir. Partout dans Londres, ces activités sont particulièrement nombreuses pendant les vacances d'été (de juillet à début septembre).

Clowns à Covent Garden

LES ENFANTS ET LA LOI

Les enfants de moins de 14 ans n'ont pas le droit d'entrer dans les pubs ou les bars à vin (sauf ceux disposant d'une salle réservée aux familles ou d'un jardin), et ceux de moins de 18 ans ne peuvent ni acheter ni consommer d'alcool. Il faut avoir au moins 16 ans pour

Les enfants au restaurant

Vous trouverez indiqués dans le tableau figurant au début du chapitre Restaurants de ce guide (*voir pp. 292-294*) les établissements qui accueillent plus volontiers les enfants. En règle générale, cependant, tant que la jeune génération se comporte convenablement, la plupart des établissement londoniens accueillent avec plaisir les familles. Certains fournissent même des sièges adaptés aux plus petits, des crayons de couleur pour les faire patienter ou des menus spéciaux, généralement d'une grande banalité mais qui réduisent le coût des repas. Le week-end, quelques restaurants (le **Smollensky's Balloon** et le **Sweeny Todds** notamment) agrémentent la sortie de spectacles de clowns, de conteurs ou de magiciens. Certains acceptent d'organiser des réceptions tels que goûters d'anniversaire. Pour tous, mieux vaut essayer de réserver (surtout le dimanche midi) si vous voulez éviter de devoir patienter en compagnie de jeunes monstres affamés.

Les plus grands apprécieront à Londres des endroits comme le Rock Island Diner (*voir p. 306*) et le **Hard Rock Café**, sur Old Park Lane. Pour un repas économique, essayez le Café in the Crypt, à St Martin-in-the-Fields (*voir p. 102*).

Service coloré au Rock Island Diner

Au Smollensky's Balloon

Adresses utiles

Haagen-Dazs
14 Leicester Square WC2. **Plan** 13 B2.
0171-287 9577.

Hard Rock Café
150 Old Park Lane W1. **Plan** 12 E4.
0171-629 0382.

Smollensky's Balloon
1 Dover St W1. **Plan** 12 F3.
0171-491 1199.

Sweeny Todds
3-5 Tooley St SE1. **Plan** 15 C3.
0171-407 5267.

boire du vin ou de la bière dans les restaurants (18 ans pour les alcools).

Certains films sont interdits aux enfants (*voir p. 329*).

En voiture, ils doivent mettre une ceinture de sécurité, et les bébés prendre place dans un siège adapté. En cas de doute, renseignez-vous dans un poste de police.

Comment s'en débarrasser

Plusieurs grands musées (*voir pp. 40-43*), théâtres (*voir pp. 326-328*) et centres sportifs (*voir pp. 336-337*) londoniens proposent pendant les week-ends, les vacances ou après l'école des ateliers ou activités qui occuperont vos enfants quelques heures, voire toute la journée. Les théâtres pour enfants constituent également un bon moyen de passer un après-midi pluvieux. La fête foraine ayant toujours du succès, essayez celle de Hampstead (vacances d'été).

De 16 h à 18 h, la Kids Line (0171-222 8070) donne le programme des événements intéressant les enfants.

Pour une soirée (ou plus) de totale liberté, contactez **Chilminders**, **Babysitters Unlimited**, **Universal Aunts** ou **Pippa Pop-Ins**, l'hôtel londonien des voyageurs de 2 à 12 ans.

Gardes d'enfants

Babysitters Unlimited
2 Napoleon Road, Twickenham.
0181-892 8888.

Childminders
9 Paddington Street W1.
Plan 4 D5.
0171-487 5040.

Pippa Pop-Ins
430 Fulham Road SW6.
Plan 18 D5.
0171-385 2458.

Universal Aunts
PO Box 304, SW4.
0171-738 8937.

A la foire de Hampstead

L'heure du bain au Pippa Pop-Ins

Shopping

Plus grand magasin de jouets du monde, **Hamleys** est un rêve d'enfant devenu réalité mais ils devraient prendre également plaisir à fouiner à **Davenport's Magic Shop** ou **The Doll's House**, plus petits et plus spécialisés, ou au rayon jouets d'Harrod's (*voir p. 311*). Et si papa ou maman tombent en panne d'histoires à raconter, le **Early Learning Centre**, le **Children's Book Centre** et le **Puffin Book Shop** en proposent un large choix.

Numéros utiles Children's Book Centre ☎ *0171-937 7497 ;* Davenport's Magic Shop ☎ *0171-836 0408 ;* The Doll's House ☎ *0171-736 4527 ;* Early Learning Centre ☎ *0171-937 0419 ;* Hamleys ☎ *0171-734 3161 ;* Puffin Book Shop ☎ *0171-416 3000.*

Ours en peluche chez Hamleys

Les musées

Parmi les très nombreux et très variés musées de Londres (vous trouverez plus d'informations sur ceux indiqués ici *pp. 40-43*), les jeunes enfants apprécieront tous particulièrement le Bethnal Green Museum of Childhood (le département spécialement conçu pour eux du Victoria and Albert Museum), le London Toy and Model Museum, avec ses jardins et son chemin de fer à vapeur, et les collections de jouets du Pollock's Toy Museum.

Emmenez les plus grands découvrir l'un des Brass Rubbing Centre : celui de la crypte de St Martin in-the-Fields (*p. 102*), de Westminster Abbey (*pp. 76-79*) ou de St James's Church à Piccadilly (*p. 90*). Et laissez-les vous entraîner au Guinness World of Records Exhibitions (*p. 100*) du Trocadero, et chez Madame Tussaud's (*p. 220*). Le Museum of the Moving Image (*p. 184*), et celui du Tower Bridge (*p. 153*) ont également beaucoup de succès.

Les trésors du monde entier réunis au British Museum, au Commonwealth Institute, à l'Horniman Museum et au Museum of Mankind feront rêver ceux qui aiment les voyages, et le Science Museum propose à tous plus de 600 objets en fonctionnement. Sa Launch Pad Gallery les amusera pendant des heures. Juste à côté, le Natural History Museum vient de compléter ses expositions traditionnelles sur la nature de reconstitutions animées et sonores de dinosaures.

Les petits soldats pourront s'imaginer bataillant revêtus des armures rutilantes qu'abrite la Tour de Londres, ou s'intéresser à l'armement plus moderne (y compris un avion) du National Army Museum et de l'Imperial War Museum. Les passionnés visiteront aussi le Guard's Museum sur Birdcage Walk.

L'histoire prend vie au Museum of London, et encore plus dans sa succursale de Tower Hill Pageant dont les reconstitutions grandeur nature, sonorisées et même odorantes, retracent les 2 000 ans de l'histoire de la capitale.

Poupée Shirley Temple au Bethnal Green Museum

Les activités de plein air

Où que vous résidiez à Londres, il y a un grand parc pas loin (*voir pp. 48-51*) où enfants comme adultes peuvent flâner, se rouler dans l'herbe, courir et faire du vélo (attention aux piétons), ou même du cheval. Pour ne citer qu'eux, Hyde Park se trouve dans le centre de la ville, Hampstead Heath au nord, Wimbledon Common au sud-ouest, et Gunnersbury Park à l'ouest. Presque tous disposent

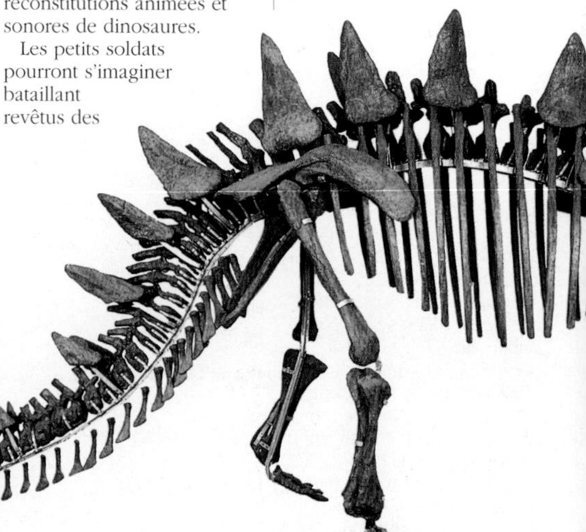

Spectacle du Little Angel Marionette Theatre d'Highbury

Aire de jeu au Gunnersbury Park

d'aires de jeu pour les plus jeunes dotées d'équipements modernes et sûrs, et certains d'un One O'Clock Club (enclos pour les moins de 5 ans animé par du personnel spécialisé), de terrains d'aventure, de sentiers de nature, d'étangs où canoter et de pistes d'athlétisme.

Se joindre un après-midi aux passionnés de cerf-volant de Blackheath (*p. 239*), Hampstead Heath ou Parliament Hill, ou louer une barque à Regent's Park, amusera toute la famille. Se promener à Primrose Hill (*pp. 262-263*), donnera l'occasion de visiter le zoo de Londres et de longer Regent's Canal (*p. 223*).

Le zoo de Battersea Park est tout spécialement destiné aux enfants, tout comme la ferme de Crystal Palace Park (Thicket Rd, Penge SE20). Des troupeaux de daims peuplent les parcs de Greenwich et Richmond, et les canards du lac de St James's Park attendent que vous veniez les nourrir.

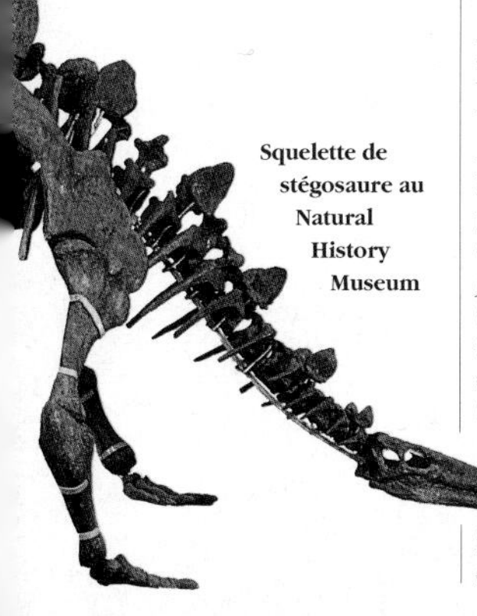
Squelette de stégosaure au Natural History Museum

Théâtre pour enfants

Que vous emmeniez les plus jeunes au Little Angel Marionette Theatre ou au Puppet Theatre Barge, une péniche à Little Venice, ou que vous accompagniez ceux de tous âges au Unicorn Theatre, justement réputé, ou au Polka Children's Theatre, vous prendrez probablement presque autant de plaisir qu'eux aux spectacles.

Numéros utiles Little Angel Marionette Theatre *0171-226 1787 ;* Polka Children's Theatre *0181-543 4888 ;* Puppet Theatre Barge *0171-249 6876 ;* The Unicorn Theatre *0171-836 3334.*

Daim de Richmond Park

Les visites

Pour faire le tour des monuments, rien ne peut battre, ni en prix ni en plaisir pour les enfants, l'impériale d'un bus londonien (*voir pp. 364-365*). Et s'ils commencent à ne plus tenir en place, il vous suffit de descendre au premier arrêt. Outre les cérémonies détaillées aux pages 52-55, les enfants apprécieront les fêtes foraines installées dans les parcs en été, les feux d'artifice de la

Le lac de Regent's Park, près de Winfield House

Guy Fawkes Night (5 novembre) et les décorations de Noël de Regent Street et Trafalgar Square.

L'envers du décor

Ces visites concernent plus particulièrement les enfants plus âgés mais s'ils aiment le sport, explorer le Wembley Stadium, le Twickenham Rugby Football Ground (*voir p. 337*), le Lord's Cricket Ground (*p. 242*) ou le Wimbledon Lawn Tennis Museum (*p. 247*) devrait les fasciner à tout âge.

Pour les amateurs de théâtre, le Royal National Theatre (*p. 184*), le Royal Opera House (*p. 115*) et le Sadler's Wells (*p. 243*), organisent tous trois des visites guidées.

Plus sérieux, la Tour de Londres (*pp. 154-157*), le palais de justice de Old Bailey (*p. 147*) et le Parlement (*pp. 72-73*) ne manquent pas d'intérêt, mais ce seront probablement les pompiers de la London Fire Brigade (0171-587 4063) ou les diamants du London Diamond Centre (0171-629 5511) qui remporteront le plus grand succès.

RENSEIGNEMENTS PRATIQUES

LONDRES MODE D'EMPLOI 344-53
ALLER À LONDRES 354-9
CIRCULER À LONDRES 360-7

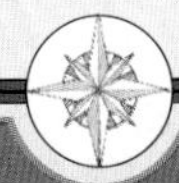

LONDRES MODE D'EMPLOI

De la multiplication des distributeurs de billets, aux transports en commun circulant de nuit, en passant par les soins médicaux, Londres a su répondre ces dernières années aux besoins des touristes étrangers.

Selon la parité entre leur monnaie et la livre, certains y trouveront la vie chère mais même dans le cas des hôtels, réputés pour leurs prix élevés, il est possible d'obtenir des réductions (*voir pp. 272-275*). Rien n'oblige, non plus, à dépenser des fortunes pour se nourrir. Pour le prix d'un repas à Mayfair, vous pouvez manger plusieurs jours en faisant attention (*voir pp. 306-7*). Les renseignements ci-dessous vous aideront à tirer le meilleur de votre séjour.

Visite à pied de la City

EVITER LA FOULE

Des groupes d'écoliers visitent souvent les musées, notamment en fin de trimestre, vous préférerez peut-être commencer vos visites après 14 h 30 en période scolaire. Le reste du temps, évitez les week-ends si vous le pouvez.

Les cars de touristes suivent en majorité un itinéraire prévisible. Pour leur échapper tenez vous loin de Westminster Abbey le matin et de St Paul's l'après-midi. Il y a toujours du monde à la Tour de Londres.

En vous promenant à pied, surveillez les panneaux bruns, qui indiquent les monuments et équipements intéressant les touristes, et les plaques bleues (*voir p. 39*), qui signalent les immeubles jadis habités par des personnages célèbres.

LES VISITES GUIDÉES

Si le temps le permet, rien n'égale pour visiter Londres l'impériale d'un bus. Les circuits de **London Transport Sightseeing Tour** durent 90 mn, départs toutes les demi-heures de 10 h à 18 h de plusieurs endroits du centre. Les visites proposées par les entreprises concurrentes, telles **Frames Rickards** et **Harrod's**, peuvent durer d'une heure à la journée entière. Les tickets s'achètent juste avant de prendre place ou à l'avance dans les centres d'information touristique. Certaines compagnies, comme **Tour Guides Ltd** ou **British Tours**, organisent à la demande des visites privées. Le London Tourist Board attribue aux meilleurs guides un badge bleu.

Les croisières sur la Tamise (*voir pp. 60-5*) et les promenades à thème (la tournée des pubs, par exemple, ou le Londres de Dickens, *voir p. 259*) constituent également d'excellents moyens de découvrir la capitale (consulter les magazines de programmes).

Numéros utiles British Tours ☎ *0171-629 5267*; Frames Rickards ☎ *0171-837 3111* ; Harrod's ☎ *0171-581 3603* ; London Transport Sightseeing Tour ☎ *0171-828 7395* ; Tour Guides Ltd ☎ *0171-495 5504* ; informations pour les handicapés : ☎ *0171-495 5504*.

LES HEURES D'OUVERTURE

Les musées et monuments ouvrent normalement de 10 h à 17 h mais ces horaires peuvent varier, notamment l'été (le British Museum, par exemple, ferme plus tard certains soirs). En particulier, les heures d'ouverture le week-end diffèrent souvent de celles de la semaine et certains musées ferment le lundi. Vous en trouverez le détail dans la section *Londres quartier par quartier* de ce guide.

Bus panoramique à impériale découverte

File d'attente à un arrêt de bus

Prix d'entrée

Depuis peu, un droit d'entrée ou une contribution volontaire est demandé dans la plupart des principaux monuments, y compris les cathédrales et quelques églises. De la gratuité du British Museum (*voir pp. 126-9*) aux 6 £ (*voir pp. 154-157*) de la Tour de Londres, les tarifs varient grandement. La section *Londres quartier par quartier* indique les musées payants. Certains monuments proposent des réductions (étudiants, heures creuses, etc.), téléphonez pour en connaître les conditions.

Panneau d'information pour les touristes

Les usages

Fumer est désormais interdit dans la plupart des lieux publics de Londres : autobus et métro, taxis, certaines gares, tous les théâtres et la plupart des cinémas. De nombreux restaurants proposent une section non-fumeurs. En revanche, les pubs continuent de résister à cette vague anti-tabac. L'ASH (Action on Smoking and Health, 0171-935 3519) vous indiquera les établissements où l'air reste pur. Consultez également la liste des hôtels et restaurants des pages 278-285 et 295-305.

Les Londoniens font souvent la queue, dans les magasins et les bureaux de poste, pour prendre l'autobus ou un taxi, au guichet des théâtres ou à l'entrée des boîtes de nuit. Il est très mal vu d'essayer de resquiller. Il n'y a que dans le métro et les trains de banlieue aux heures de pointe que prévaut la loi de la jungle.

Les mots « please », « thank you » et « sorry » s'entendent très fréquemment en Angleterre et s'il vous paraît superflu de remercier un barman qui fait son travail, il ne vous en coûtera pourtant que d'être mieux servi. Comme toutes les grandes capitales, Londres peut sembler intimidante au premier contact mais ses habitants se montreront presque toujours serviables et disposés à vous renseigner, à commencer par les fameux bobbies de la police (*voir p. 246*).

Les équipements pour handicapés

La section *Londres quartier par quartier* du guide indique si un monument est accessible en fauteuil roulant mais mieux vaut vérifier par téléphone que les installations répondent à vos besoins. Entre autres publications utiles : *Access in London*, édité par Nicholson, *London for All*, du London Tourist Board, et une brochure du London Transport appelée *Access to the Underground*, disponible dans les plupart des stations de métro. Les services suivants vous renseigneront gratuitement par téléphone : **Artsline** (salles de spectacles et manifestations culturelles), **Holiday Care Service** (hôtels) et **Tripscope** (moyens de transport).

Numéros utiles Artsline ☎ *0171-388 2227* ; Holiday Care Service ☎ *0293 774535* ; Tripscope ☎ *0181-994 9294.*

Urne destinée aux contributions volontaires

Centres d'information touristique

On vous y renseignera aussi bien sur les visites guidées que sur les tarifs hôteliers.

Sigle des offices de tourisme

Vous y disposerez également de brochures gratuites sur les manifestations du moment. Vous trouverez ces bureaux, signalés par un grand i, aux endroits suivants :

Heathrow Airport
Situation Station de métro.
⊖ *Heathrow, 1, 2, 3.* ***Ouvert*** *8 h-18 h t.l.j.*

Liverpool Street Station
EC2. **Plan** 7 C5.
Situation Station de métro.
⊖ *Liverpool Street.* ***Ouvert*** *8 h 15-19 h lun., 8 h 15-18 h mar.-sam., 8 h 15-16 h 45 dim.*

Selfridge's
400 Oxford St W1. **Plan** 12 D2.
Situation Sous-sol. ⊖ *Bond Street.* ***Ouvert*** *9 h 30-19 h ven.-merc., 9 h 30-20 h jeu.*

Victoria Station
SW1. **Plan** 20 F1.
Situation devant la gare.
⊖ *Victoria.* ***Ouvert*** *8 h-19 h t.l.j.*

Numéro de téléphone du London Tourist Board : ☎ *0171-730 3450.*

Un autre service de renseignements existe qui ne concerne que la City (voir pp. 143-59) :

City of London Information Centre
St Paul's Churchyard EC4.
Plan 15 A1. ☎ *0171-606 3030.*
⊖ *St Paul's.* ***Ouvert*** *avr.-oct. : 9 h 30-17 h t.l.j. ; nov.-mars : 9 h 30-0 h 30 sam. uniquement.*

Santé et sécurité

Londres connaît les problèmes de toutes les grandes capitales, celui de la délinquance notamment, mais s'y ajoute celui du terrorisme. La quasi-totalité des alertes à la bombe se révèlent injustifiées mais elles doivent toutes être prises au sérieux. N'hésitez jamais à demander assistance à un agent de police : ils reçoivent une formation spéciale pour pouvoir aider leurs concitoyens en toutes circonstances.

Précautions conseillées

Ce n'est pas dans les quartiers les plus pauvres et délabrés de la ville que vous courez le plus de risques de vous faire voler votre portefeuille ou arracher votre sac mais au cœur de la foule qui se presse dans des endroits comme Oxford Street, Camden Lock, les marchés ou certains quais de métro.

Par sécurité, ne quittez jamais des yeux vos sacs ou valises – en particulier aux restaurants, théâtres et cinémas où ils disparaissent parfois d'entre les pieds de leur propriétaire – et évitez les portefeuilles dans la poche arrière du pantalon. Les quelques sans-abri que compte Londres ne présentent pas de danger. La pire gêne qu'ils vous causeront consistera peut-être à vous demander l'aumône.

On dénombre malheureusement chaque année des agressions dans la capitale britannique. Détrousseurs et violeurs préfèrent toutefois les lieux mal éclairés ou isolés (ruelles, parcs et gares désertes). A condition de ne pas vous y risquer la nuit, ou alors en groupe, vous n'avez pas grand-chose à redouter d'eux.

Les femmes voyageant seules

Contrairement à certaines autres villes européennes, il est tout à fait normal pour une femme de manger seule au restaurant ou de sortir uniquement avec des amies.

La prudence demeure cependant de mise. Mieux vaut s'en tenir aux rues bien éclairées et fréquentées. Beaucoup de Londoniennes

Membre de la police montée

évitent le métro tard le soir et si vous devez prendre le train, choisissez une voiture occupée, et de préférence par plusieurs groupes de personnes. L'idéal reste le taxi *(voir p. 367)*.

Nombre de dispositifs d'autodéfense sont illégaux en Grande-Bretagne et le port de couteaux, matraques, pistolets et bombes lacrymogènes est strictement interdit dans les lieux publics. Les systèmes d'alarme sont en revanche autorisés.

Les objets de valeur

La première précaution à prendre consiste à assurer vos possessions avant votre départ, cette démarche s'avérant beaucoup plus difficile une fois arrivé en Grande-Bretagne.

En règle générale, contentez-vous d'emporter l'argent liquide dont vous avez besoin et laissez le reste, ainsi que bijoux et objets de valeur, dans le coffre de l'hôtel ou dans votre valise si elle ferme à clé. Les chèques de voyage *(voir p. 349)* restent la forme de paiement la plus sûre. Ne laissez jamais un bagage sans surveillance dans une gare ou une station de métro : s'il n'est pas dérobé, il provoquera une alerte à la bombe.

En cas de vol, déclarez-le au poste de police le plus proche (pensez aux papiers qu'exigera votre assurance). Les grandes gares disposent toutes d'un service des objets trouvés (Lost Property). Mieux vaut se rendre sur place que téléphoner.

Lost Property

Bureaux des objets trouvés

London Transport Lost Property Office, 200 Baker Street W1.
***Ouvert** matins de semaine seul.*
0171-486 2496, se déplacer ;
Black Cab Lost Property Office.
0171-833 0996.

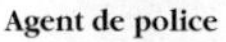

Agent de police **Agent de la circulation** **Agent de police**

Voiture de police londonienne

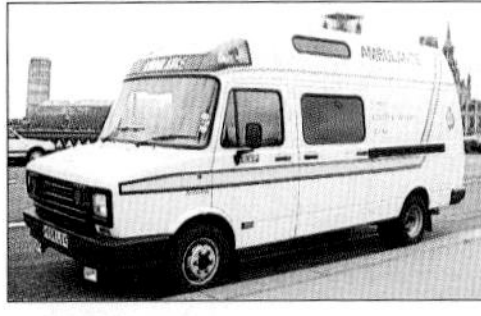

Ambulance

Camion de pompiers

Les urgences

Des services de police, d'ambulances et de lutte contre l'incendie restent en alerte 24 h sur 24. Tout comme les services d'urgence des hôpitaux, ils sont réservés aux véritables urgences.

D'autres services dispensent une aide plus spécialisée. Si vous ne trouvez pas leur téléphone dans l'encadré *Numéros d'urgence* ci-contre, les Renseignements (composez le 142 ou le 192) vous le fourniront. Les postes de police et les hôpitaux sont indiqués sur les plans de ce guide (*voir p. 352*).

Les soins médicaux

Tous les habitants de la Communauté européenne ont droit, comme les Anglais, à des soins gratuits dans le cadre du National Health Service (NHS). Il en va de même pour les citoyens de certains autres pays d'Europe ou du Commonwealth signataires avec la Grande-Bretagne d'un accord de réciprocité. Renseignez-vous avant de partir et, si possible, procurez-vous un document attestant que cet accord existe.

Dans tous les autres cas, mieux vaut prendre une assurance médicale. Les soins dans les services d'urgences des hôpitaux sont gratuits mais pas les autres, et les honoraires de spécialistes, ou les frais de rapatriement, peuvent s'avérer très chers.

Si vous allez chez un dentiste pendant votre séjour, vous devrez payer, que ce soit une faible somme si vous avez droit au National Health Service – et si vous réussissez à trouver un dentiste NHS –, ou un montant beaucoup plus élevé si vous consultez une praticien indépendant. Différentes institutions proposent des soins dentaires 24 h sur 24 (*voir adresses dans l'encadré*). Vous trouverez les coordonnées des cabinets privés dans les Yellow Pages (*voir p. 352*).

Les médicaments

Outre les pharmacies, des rayons spéciaux dans les supermarchés vendent les médicaments, même ceux qui ne sont délivrés que sur ordonnance. Le plus simple, si vous devez continuer ou entamer un traitement pendant votre voyage, consistera à emporter vos médicaments. Sinon, demandez à votre médecin de vous en donner le nom générique (et non de marque). Si vous n'avez pas droit au NHS, vous les paierez intégralement. Demandez un reçu si vous avez une assurance.

Pharmacie de la chaîne Boots

Numéros d'urgence

Police, pompiers, ambulances
999 ou 112. Appel gratuit.

Urgences dentaires
0171-837 3646 (24 h/24).

London Rape Crisis Centre (SOS Viol)
0171-837 1600 (24 h/24).

Samaritans
0171-734 2800 (24 h/24). Pour tous problèmes affectifs : cherchez dans l'annuaire le centre le plus proche.

Chelsea and Westminster Hospital
369 Fulham Rd SW10. **Plan** 18 F4.
0181-746 8999.

St Thomas's Hospital
Lambeth Palace Rd SE1.
Plan 13 C5. *0171-928 9292.*

University College Hospital
Gower St WC1. **Plan** 5 A4.
0171-387 9300.

Medical Express (clinique d'urgence privée)
117A Harley St W1.
Plan 4 E5. *0171-499 1991. Soins garantis en 30 mn ; consultations et examens payants.*

Eastman Dental School
256 Gray's Inn Rd WC1.
Plan 6 D4. *0171-837 3646. Dentistes privés et NHS.*

Guy's Hospital Dental School
St Thomas's St SE1. **Plan** 15 B4.
0171-915 1000.

Pharmacies de garde
Contactez un commissariat pour une liste complète.

Bliss Chemist
5 Marble Arch W1. **Plan** 11 C2.
0171-723 6116.
***Ouvert** t.l.j. jusqu'à minuit.*

Boots the Chemist
Piccadilly Circus W1. **Map** 13 A3.
*0171-734 6126. **Open***
***Ouvert** 8 h 30-20 h lun.-ven., 9 h-20 h sam., 12 h-18 h dim.*

Banques et monnaie

Les banques proposent en général de meilleurs cours que les bureaux de change privés. Ceux-ci appliquent en outre des taux très variables et, avant d'effectuer toute transaction, mieux vaut faire attention aux petits caractères indiquant commissions et frais prélevés. Ces établissements présentent néanmoins un avantage sur les banques : leurs horaires d'ouverture.

Distributeur de billets

Changer ou retirer de l'argent

Les banques ouvrent au minimum de 9 h 30 à 15 h 30 du lundi au vendredi mais nombre d'elles, notamment dans le centre, restent ouvertes plus tard ou proposent leurs services le samedi matin. Toutes, en revanche, ferment les jours fériés (*voir p. 59*), et même, pour certaines, plus tôt la veille. Les plus grandes agences disposent de distributeurs automatiques de billets qui vous permettront d'obtenir du liquide avec votre carte de crédit si vous indiquez votre *PIN (personal identification number,* votre numéro de code). Les détenteurs de cartes American Express pourront utiliser les distributeurs de la Lloyds Bank et de la Royal Bank of Scotland à condition d'avoir fait enregistrer leur code avant leur départ. Une commission forfaitaire de 2 % sera prélevée sur leurs transactions.

Les agences **Thomas Cook** et **American Express**, ou les bureaux de change gérés par des banques que vous trouverez dans les aéroports et les principales gares, sont de bons endroits où changer des chèques de voyage. N'oubliez pas de prendre votre passeport.

Vous pourrez également changer de l'argent dans certains bureaux d'information touristique ainsi que dans la plupart des grands magasins. Dans la mesure où aucune association de consommateurs n'existe à Londres pour surveiller les activités des bureaux de change privés, mieux vaut examiner leurs tarifs avec la plus grande attention. Parmi les établissement sérieux : **Chequepoint**, l'un des plus grands bureaux de change en Grande-Bretagne, et les succursales d'**Exchange International**, ouvertes souvent tard le soir.

Bureaux de change

American Express
6 Haymarket SW1. **Plan** 13 A3.
☎ *0171-930 4411.*

Chequepoint
13–15 Davies St W1.
Plan 12 E2. ☎ *0171-409 1122.*

Exchange International
Victoria Station SW1.
Plan 20 E1. ☎ *0171-630 1107.*

Thomas Cook
45 Berkeley St W1. **Plan** 12 F3.
☎ *0171-408 4179.*

Modes de paiement acceptés pour le change

Les principales banques de Londres

Barclays, Lloyds, Midland et National Westminter Bank (NatWest) constituent les quatre grands groupes bancaires de l'Angleterre. Chacune de leur agence est clairement identifiable à son enseigne. La Royal Bank of Scotland dispose également de succursales à Londres effectuant des opérations de change. Les commissions prélevées variant selon les banques, vérifiez les taux avant toute transaction.

Les cartes de crédit

Une carte de crédit internationale s'avère très pratique pour régler hôtels et restaurants, achats et locations de voiture, ou pour réserver des places de spectacles par téléphone. Le réseau Visa est le mieux implanté, suivi de Mastercard (appelé Access en Angleterre), d'American Express, et Diners Club.

Vous pourrez tirer de l'argent à découvert (dans les limites de votre crédit) dans tout établissement bancaire portant le sigle correspondant à votre carte. Les intérêts prélevés figureront sur le récépissé.

Argent liquide et chèques de voyages

L'unité monétaire anglaise est la livre sterling, ou *pound* (£), qui correspond à 100 pence (p). Il n'existe pas de contrôle des changes en Grande-Bretagne limitant la quantité de devises que vous pouvez importer ou exporter.

En échange d'une commission se montant en général à 1 %, les chèques de voyage constituent le moyen le plus sûr d'emporter de l'argent. Conservez à part le reçu et les adresses des agences où vous faire rembourser en cas de perte ou de vol.

Si possible, ayez au moins quelques livres avant votre arrivée dans le pays, les queues devant les bureaux de change des aéroports ou des ports pouvant s'avérer fort longues. Et prenez de petites coupures, les commerçants n'ont pas toujours la monnaie d'un billet de 20 £.

L'effigie de la reine figure sur tous les billets de banque anglais

Les billets de banque

Les billets anglais sont de 5 £, 10 £, 20 £ et 50 £. L'Ecosse a ses propres coupures, légales dans tout le pays mais qui ne sont pas toujours acceptées.

Billet de 50 £

Billet de 20 £

Billet de 10 £

Billet de 5 £

Les pièces de monnaie

Il existe des pièces de 1 £, 50 p, 20 p, 10 p, 5 p, 2 p et 1 p (montrées ici grandeur nature). Elles portent toutes l'effigie de la reine sur le côté face.

1 livre (1 £)

50 pence (50 p)

20 pence (20 p)

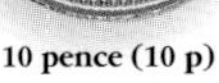

10 pence (10 p)

5 pence (5 p)

2 pence (2 p)

1 penny (1 p)

Le téléphone à Londres

Vous trouverez des cabines dans le centre de Londres et dans toutes les gares du British Rail. C'est en semaine, de 9 h à 13 h que les communications sont les plus coûteuses. Les tarifs réduits s'appliquent avant 8 h et après 18 h en semaine, et toute la journée en week-end, les communications avec l'étranger sont aussi moins couteuses en soirée et le week-end. Plutôt que d'avoir toujours un peu de monnaie en poche afin de passer un coup de fil, achetez une carte téléphonique. Celles des British Telecom (BT) existent en 2£, 4£ et 10£ ; elles sont vendues dans les bureaux de poste et par quelques marchands de journaux.

Cabines téléphoniques

Il y a deux types de cabines téléphoniques à Londres : les cabines BT ancien et nouveau modèles. Elles acceptent soit des pièces soit des cartes. Certaines cabines BT acceptent les cartes BT et les cartes de crédit, d'autres uniquement les cartes BT, et d'autres seulement les pièces. Un panonceau sur la porte des cabines modernes précise quelles sont les cartes ou les pièces à utiliser. Le mode d'emploi des cabines vous est expliqué ci-dessous.

Ancienne cabine BT

Nouvelle cabine BT

Obtenir le bon numéro

- Pour le centre de Londres, composez l'indicatif 0171.
- Pour les autres zones, composez le 0181.
- En cas de problème, composez le 100. Un standardiste vous aidera.
- Le numéro de téléphone des renseignements (local) est le 192.
- Pour appeler l'international, composez le 00 suivi par le code du pays demandé (33 pour la France, 32 pour la Belgique, 41 pour la Suisse, 352 pour le Luxembourg, 1 pour le Canada), suivi du numéro de votre correspondant.
- **Pour une urgence, composez le 999 ou le 112.**

Comment utiliser un téléphone à carte ?

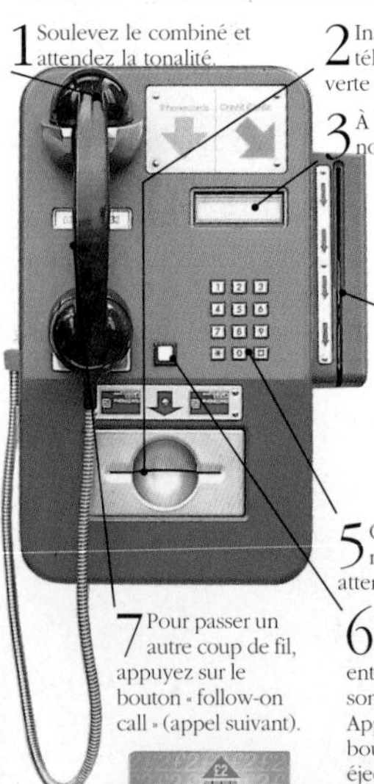

1 Soulevez le combiné et attendez la tonalité.

2 Insérez votre carte téléphonique face verte sur le dessus.

3 À l'écran s'affiche le nombre d'unités disponibles. La taxation minimum pour une communication est d'une unité

4 Certains téléphones acceptent également les cartes de crédit. Il suffit de l'insérer dans la fente prévue à cet effet, la bande magnétique tournée vers la droite

5 Composez le numéro et attendez la sonnerie.

6 Si votre carte est vide, vous entendez un bip sonore rapide. Appuyez sur le bouton pour éjecter l'ancienne carte et en insérer une neuve.

7 Pour passer un autre coup de fil, appuyez sur le bouton « follow-on call » (appel suivant).

On trouve les cartes BT dans les boutiques ayant ce panonceau

Comment utiliser un téléphone à pièces

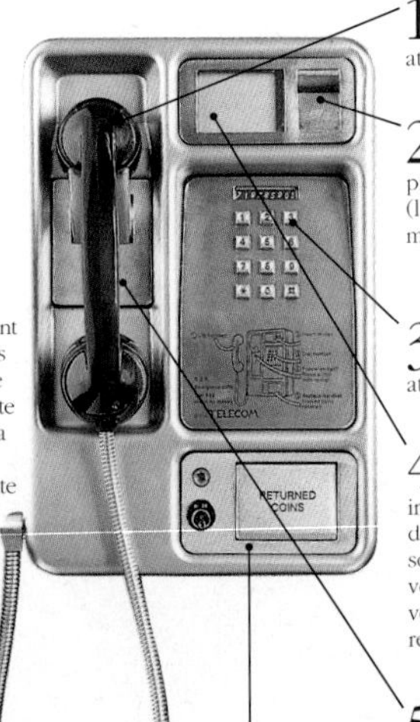

1 Soulevez le combiné et attendez la tonalité.

2 Insérez le nombre de pièces nécessaires (l'écran indique le montant minimum).

3 Composez le numéro et attendez la sonnerie.

4 L'écran indique la somme insérée et le crédit disponible. Une sonnerie rapide vous indique quand vous devez remettre des pièces.

5 Pour passer un autre coup de fil, appuyez sur le bouton « follow-on call » (appel suivant).

6 Lorsque vous avez terminé votre conversation, raccrochez le combiné. L'appareil vous rendra la somme d'argent non utilisée. Les téléphones à pièces ne faisant pas la monnaie, utilisez de préférence des pièces de 10p et 20p.

Envoyer une lettre

Enseigne de bureau de poste

En plus des bureaux de poste principaux, vous trouverez à Londres de petits bureaux qui font aussi office de marchands de journaux. Ils sont ouverts de 9 h à 17 h 30 en semaine et de 9 h à 12 h 30 le samedi. Les timbres s'achètent soit à l'unité soit par carnet de dix. On utilise les timbres « first class » pour le courrier destiné aux pays de l'Union Européenne. Des boîtes à lettres de taille et de forme différente - mais toujours rouges - sont repérables dans toute la ville.

Boîte aux lettres ancien modèle

Le service postal

Les timbres s'achètent dans les kiosques affichant « stamps sold here ». La réception des hôtels possède souvent une boîte aux lettres. N'oubliez pas le code postal lorsque vous rédigez une adresse en Grande-Bretagne. Les lettres peuvent être expédiées en « first class » ou en « second class » à l'intérieur de la Grande-Bretagne. La « first class » est plus chère mais plus rapide ; la plupart des lettres ainsi affranchies arrivent le lendemain, tandis que les autres mettront deux jours ou plus.

Aérogramme

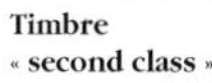

Timbre « second class »

Timbre « first class »

Carnet de 10 timbres

Poste restante

Il est possible d'adresser du courrier poste restante à Londres. Il suffit d'indiquer sur le pli « poste restante » et l'adresse du bureau de poste. Pour récupérer un courrier que l'on vous a ainsi adressé, il faut montrer une pièce d'identité. La poste conserve le pli pendant un mois. Le bureau principal de Londres se situe dans William IV Street, WC2. American Express offre un service de poste restante à ses clients au 6 Haymarket.

Les boîtes aux lettres

Boîtes-pilliers ou encastrées dans un mur, toutes sont peintes en rouge… Le plus souvent deux fentes séparent courrier « first class » et à destination de l'étranger et plis « second class ». Sur les anciennes boîtes, des initiales rappellent sous quel roi la boîte a été posée.

Souvent, les boîtes sont encastrées dans le mur des bureaux de poste. La levée du courrier est faite plusieurs fois par jour en semaine (moins souvent le samedi, jamais le dimanche) ; les horaires en sont inscrits sur la boîte.

Les Pages jaunes

Les pages jaunes et les annuaires locaux, comme *The Thomson Local*, donnent une liste exhaustive des adresses professionnelles et privées, suivies du code postal. On les trouve dans les bureaux de poste, les bibliothèques et souvent dans les hôtels.

Logo des Pages jaunes

Boîte aux lettres nouveau modèle

Le courrier pour l'étranger

Le courrier aérien est rapide et rentable. Les aérogrammes sont affranchis en « first class » et et coûtent le même prix quelle que soit la destination. Ils mettent environ quatre jour pour parvenir dans les villes d'Europe et sept pour des destinations plus lointaines. L'envoi de lettres et de paquets à l'intérieur de l'Union Européenne coûte le même prix qu'en Grande-Bretagne.

La poste offre aussi un service de livraison express appelé Parcelforce International. Ses prix sont comparables à ceux de sociétés privées comme DHL, Crossflight ou Expressair.

Crossflight
01753 687100.

Expressair
0181-897 6568.

DHL
0345 100300.

Parcelforce International
0800 224466.

INFORMATIONS SUPPLÉMENTAIRES

Si vous avez besoin d'un service qui n'est pas indiqué dans ce guide, consultez l'annuaire téléphonique. Vous en trouverez normalement un à votre hôtel. Les Yellow Pages recensent tous les prestataires de Londres, classés de manière claire. British Telecom propose en outre l'équivalent téléphonique, **Talking Pages**, pour toute partie de la capitale ou de la Grande-Bretagne que vous spécifierez.

Les renseignements (composez le 192), gratuits depuis une cabine téléphonique, vous communiqueront n'importe quel numéro de téléphone de l'annuaire si vous indiquez le nom et l'adresse de la personne ou de la société.

DOUANES ET IMMIGRATION

Les ressortissants de la Communauté européenne ont besoin d'une carte d'identité ou d'un passeport en cours de validité pour entrer au Royaume-Uni. Pour leurs enfants de moins de sept ans, aucun autre document n'est requis qu'un livret de famille. Ils jouissent des même droits à exercer un emploi qu'un Britannique.

Les citoyens helvétiques et canadiens n'ont pas besoin de visa pour pénétrer en Grande-Bretagne mais les enfants doivent obligatoirement posséder un passeport ou être inscrits sur ceux de leurs parents. Mieux vaut renoncer à emporter un animal : d'où qu'ils viennent, ils doivent subir une quarantaine de six mois.

Dans les ports et les aéroports, les voyageurs en provenance de la C.E.E. n'ont plus de déclaration à faire à la douane. Les services de sécurité effectuent néanmoins quelques vérifications de bagages au hasard dans le cadre de la lutte contre les trafics de drogue ou d'armes. Les touristes ne résidant pas dans la C.E.E. peuvent se faire rembourser la T.V.A. (*VAT*) sur les marchandises achetées en Grande-Bretagne s'ils quittent le territoire moins de trois mois après leur achat (*voir p. 310*).

ETUDIANTS

La carte internationale d'étudiant (ou *ISIC, International Student Identity Card*) donne droit à des réductions dans les transports en commun, les théâtres, les stades, etc. Si vous avez omis de la prendre avant votre départ, vous pouvez l'obtenir (en prouvant votre statut d'étudiant) auprès de l'**University of London Union** (ULU) ou dans les bureaux de **STA Travel**. Appartenir à la fédération internationale des auberges de la jeunesse (*International Youth Hostel Federation*) permet en outre de bénéficier d'un logement bon marché à Londres.

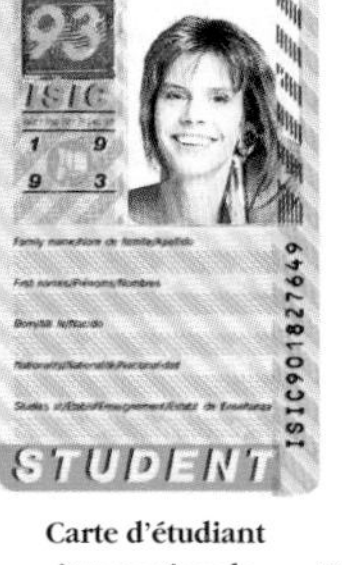

Carte d'étudiant internationale

Les ressortissants de la C.E.E. jouissent du même droit à travailler que les Britanniques, ceux du Canada âgés de moins de 27 ans peuvent occuper un emploi à temps partiel au maximum pendant deux ans. Les citoyens helvétiques ont besoin d'un permis de travail. L'association **BUNAC** organise des programmes d'échange, entre autres avec le Canada.

ADRESSES ET NUMÉROS DE TÉLÉPHONE UTILES

BUNAC
16 Bowling Green Lane EC1.
Plan 6 E4. ☎ *0171-251 3472.*

International Youth Hostel Federation
☎ *0707-332 487.*

STA Travel
74 et 86 Old Brompton Rd SW7.
Plan 18 F2. ☎ *0171-937 9962.*

Talking Pages
☎ *0800-600 9000.*

University of London Union
Malet St WC1. **Plan** 5 A5.
☎ *0171-580 9551.*

JOURNAUX, TÉLÉVISION ET RADIO

Principal quotidien londonien, l'*Evening Standard* arrive sur les points de vente vers midi, du lundi

LES TOILETTES PUBLIQUES

Partout à Londres, les toilettes à l'ancienne mode et leurs dames pipi disparaissent au profit des sanisettes Decaux dont l'utilisation peut paraître surprenante à de nombreuses personnes. Rappelons qu'il ne faut pas laisser les jeunes enfants y pénétrer seuls.

1 Si le voyant vert est allumé, insérez le montant demandé. La porte située à votre gauche s'ouvre.

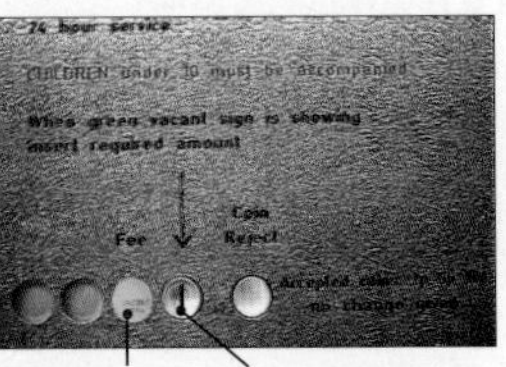

Voyant

Insertion des pièces

2 Elle se referme automatiquement quand vous entrez.

3 Pour sortir, poussez la poignée vers le bas.

Kiosque à journaux

au vendredi. L'édition du vendredi comprend une importante rubrique de critiques et programmes. On trouve les grands journaux étrangers dans la plupart des kiosques des gares ou des quartiers touristiques.

Il existe en Angleterre quatre chaînes de télévision hertzienne : BBC1 et BBC2 forment le service public, ITV et Channel 4 sont indépendantes. Certains hôtels proposent en outre à leur clientèle les programmes transmis par satellite ou par câble.

Autre moyen de vous informer : les bulletins radiophoniques de la BBC, de réputation internationale. Des stations privées comme Capital Radio (95,8 mHz en modulation de fréquence) diffusent rock et variétés.

Ambassades et consulats

Ambassade de France
58 Knightsbridge, SW1.
Plan 12 C5
☎ *0171-201 0000.*

Ambassade de Belgique
103 Eaton Square, SW1.
Plan 20 D1
☎ *0171-235 5422.*

Canada High Commission
Haut Commissariat du Canada, Macdonald House, 1 Grosvenor Square W1.
Plan 12 D2.
☎ *0171-258 6600.*

Ambassade de Suisse
Montagu Place, W1.
Plan 11 C1
☎ *0171-723 0701.*

Marchands de journaux internationaux

Gray's Inn News
50 Theobald's Rd WC1. **Plan** 5 C5.
☎ *0171-405 5241.*

A Moroni and Son
68 Old Compton Street W1.
Plan 13 A2. ☎ *0171-437 2847.*

D S Radford
61 Fleet St EC4. **Plan** 14 E1.
☎ *0171-583 7166.*

Appareils électriques

Le courant est en Grande-Bretagne de 240 volts et les prises ne permettent pas d'utiliser directement les appareils du continent (hormis les rasoirs dans certains hôtels). Mieux vaut acheter un adaptateur avant son départ. On en trouve également dans les aéroports.

Prise britannique

Heure locale

L'Angleterre vit selon la saison en heure d'été ou d'hiver. Pour obtenir l'horloge parlante, composez le 123.

Poids et mesures

Le système impérial est encore souvent préféré au système métrique officiel.

De l'imperial au métrique
1 inch (pouce) = 2,5 cm
1 foot (pied) = 30 cm
1 mile = 1,6 km
1 ounce (once) = 28 g
1 pound (livre) = 454 g
1 pint (pinte) = 0,6 litre
1 gallon = 4,6 litres

Du métrique à l'imperial
1 millimètre = 0,04 inch
1 centimètre = 0,4 inch
1 mètre = 3 feet 3 inches
1 kilomètre = 0,6 mile
1 gramme = 0,04 ounce
1 kilogramme = 2,2 pounds

Services religieux

Les organisations suivantes peuvent vous aider à trouver un lieu où pratiquer votre culte.

Eglise d'Angleterre
St Paul's Cathedral EC4.
Plan 15 A2. ☎ *0171-248 2705.*

Eglise catholique romaine
Westminster Cathedral, Victoria St SW1. **Plan** 20 F1.
☎ *0171-834 7452.*

Rite juif
Liberal Jewish Synagogue, 28 St John's Wood Rd NW8. **Plan** 3 A3. ☎ *0171-286 5181.*
United Synagogue (Orthodoxe) Woburn House, Tavistock Square WC1. **Plan** 5 B4. ☎ *0171-387 4300.*

Rite musulman
Islamic Cultural Centre, 146 Park Rd NW8. **Plan** 3 B3.
☎ *0171-724 3363.*

Rite baptiste
London Baptist Association, 1 Merchant St E3.
☎ *0181-980 6818.*

Quakers
Religious Society of Friends, 173–7 Euston Rd NW1.
Plan 5 A4. ☎ *0171-387 3601.*

Rite évangéliste
Whitefield House, 186 Kennington Park Rd SE11.
Plan 22 E4. ☎ *0171-582 0228.*

Bouddhisme
The Buddhist Society, 58 Eccleston Sq SW1.
Plan 20 F2. ☎ *0171-834 5858.*

St Martin-in-the-Fields, Trafalgar Square (*voir p. 102*)

ALLER À LONDRES

De nombreuses compagnies aériennes proposent des vols vers Londres au départ de toutes les grandes villes du monde et notamment d'Europe et d'Amérique du Nord. A moins de vouloir voyager en première classe, rien ne justifie aujourd'hui de payer plein tarif. La compétition qui règne à l'heure actuelle permet partout de bénéficier de prix avantageux, surtout si l'on prépare son voyage quelques temps à l'avance ou si l'on part en saison creuse.

Le bateau est l'autre grand moyen de gagner les îles britanniques, du moins depuis l'Europe car les lignes transatlantiques ferment toutes une à une. Que vous soyez à pied, en train ou en automobile, car-ferries, ferry-boats et aéroglisseurs vous feront franchir la Manche ou la mer du Nord au départ de la France, de la Belgique, de la Hollande ou des pays nordiques.

Le tunnel sous la Manche permet enfin de se rendre de Paris à Londres en un temps record par trains à grande vitesse. Des wagons spéciaux transportent les voitures de tourisme.

Le Concorde

LES TRANSPORTS AÉRIENS

Le marché aérien restant encore très protégé en Europe, **British Airways** est la seule des grandes compagnies nationales à proposer des vols directs entre Londres et toutes les autres capitales d'Europe ou les grandes villes du Canada, contrairement à **Air France** (pas de ligne directe Bruxelles-Londres ou Genève-Londres, par exemple), la **Sabena**, **Swissair** ou **Air Canada**. Ces dernières offrent en revanche un plus large choix de vols au départ des villes de province de leurs pays respectifs. Les billets se prennent directement auprès de leurs succursales ou dans les agences de voyage moyennant une petite commission. Toutes pratiquent un certain nombre de tarifs spéciaux pour les enfants, les jeunes, les personnes âgés ou à certaines périodes de l'année, ou encore pour des séjours respectant certaines conditions. En Europe, elles ne vendent cependant pas directement de places à prix sacrifiés mais passent pour ce faire par l'intermédiaire d'agences spécialisées ou de tour-opérateurs. La situation est différente en Amérique du Nord où de grandes sociétés comme **Air Canada** proposent directement des voyages à prix charter pour rester concurrentielles.

Arrivée à Heathrow

Les tarifs spéciaux

Sur toutes les lignes régulières, transatlantiques ou non, les enfants de moins de deux ans paient 10 % du tarif normal (mais ne disposent pas de leur propre siège) et ceux de moins de 12 ans 50 %. Quel que soit votre âge, vous pouvez profiter d'un tarif APEX si au moins une nuit d'un samedi au dimanche (une semaine pour le Canada) sépare votre aller du retour et si vous réservez 14 jours à l'avance. Il s'agit toutefois de réservations fermes (vous ne pouvez plus changer vos dates).

Encore moins chers

Les tour-opérateurs proposent des séjours parfois très intéressants incluant généralement trajet et chambre d'hôtel, et souvent visites organisées ou animations particulières. Pour éviter de mauvaises surprises, vérifiez toujours où se trouve l'hôtel par rapport au centre-ville.

Les tarifs extrêmement avantageux que proposent certaines agences spécialisées correspondent à deux types de billets : des places « bradées » par de grandes compagnies sur des avions où vous jouirez des services qu'elles offrent à tous leurs voyageurs, et des places sur des avions charter au confort souvent plus spartiate. Dans les deux cas, il s'agit presque toujours de réservations fermes.

LES NUMÉROS À LONDRES DES COMPAGNIES AÉRIENNES

Air Canada
☎ *0181-759 2636*

Air France
☎ *0181-759 2311*

British Airways
☎ *0181-897 4000*

Sabena
☎ *0181-780 1444*

Swissair
☎ *0171-434 7200*

Agences de billets discount
L'ATAB (Air Travel Advisory Bureau)
Cet organisme de régulation vous conseillera une agence de discount.
☎ *0171-636 5000.*

LE CHEMIN DE FER

Huit gares tout autour du centre de Londres (*voir pp. 358-9*) assurent la liaison ferroviaire entre la capitale et le reste du pays (pour tous renseignements, appeler le 0171-928 5100). La gare de Paddington dessert l'ouest, le Pays de Galles (Wales) et le South Midlands, et celle de Liverpool Street, dans la City, l'East Anglia et l'Essex. Les lignes arrivant du nord et du centre de la Grande-Bretagne aboutissent à Euston, St Pancras et King's Cross tandis que celles venant du sud ont leur terminus à Charing Cross, Victoria et Waterloo. C'est dans une de ces dernières que vous déposera votre train si vous débarquez du continent.

Vous y trouverez bureaux de change et librairies papeteries. Les bars et buffets, comme ceux de certains trains, sont parfois très chers. Un bureau d'information vous fournira toutes indications sur les destinations, prix ou horaires, et de grands panneaux d'affichage, des moniteurs ou des tableaux au début des quais vous renseigneront sur les trains en instance de départ ou d'arrivée. Les employés de British Railways (BR) se montrent en outre généralement serviables et courtois.

Si votre billet de car-ferry ne comprend pas le trajet en train jusqu'au centre de Londres, vous pourrez acheter vos titres de transport soit aux guichets soit dans les distributeurs automatiques (*voir p. 366*). Vous ferez probablement des économies en prenant la carte Travelcard dès votre arrivée dans la capitale (*voir p. 360*).

Le hall de la gare de Liverpool Street

Guichet d'information de BR (*p. 345*)

LES AUTOCARS

Depuis de nombreuses villes d'Europe, l'autocar est le moyen le plus économique de rejoindre Londres, le prix du billet comprenant en général la traversée de la Manche. Il en est de même à l'intérieur du Royaume-Uni où une compagnie comme **National Express Rapide** dessert près de 1 000 destinations à des tarifs inférieurs à ceux du train. Les trajets s'avèrent cependant plus longs et les heures d'arrivée tributaires des conditions de circulation. La principale gare routière de Londres se trouve sur Buckingham Palace Road (à 10 minutes à pied environ de la gare Victoria). Les autobus de la **Green Line** desservent la périphérie de Londres dans un rayon de 60 km.

Numéros utiles
Green Line ☎ *0181-668 7261* ;
Rapide ☎ *0171-730 0202*.

TRAVERSER LA MANCHE

Depuis mai 1994, le tunnel sous la Manche complète les liaisons aériennes et maritimes entre la Grande-Bretagne et l'Europe, mettant Londres à 3 heures de Paris en TGV. L'impact que son ouverture a eu sur les compagnies maritimes dont les car-ferries (la plupart modernisés et réarmés) relient 13 ports britanniques à 20 ports du continent est difficile à estimer mais il semble probable que **Sealink Stena**, **P&O European Ferries**, **Sally Line**, **Olau Line** et **Brittany Ferries** ne pourront plus assumer autant de navettes qu'aujourd'hui. Outre ces grandes sociétés, **Hoverspeed** propose des traversées par hydroglisseur entre Douvres et Calais ou Boulogne sur Mer et **Seacat** relie Folkestone à Boulogne (*voir pp. 358-359*). Depuis 1995, une autre ligne relie Newhaven et Dieppe. Les traversées les plus courtes ne sont pas toujours les moins chères. Si vous emportez votre voiture, vérifiez les clauses de votre assurance.

Car-ferry sur la Manche

Numéros utiles Brittany Ferries ☎ *0170-582 7701* ; Hoverspeed ☎ *0130-424 0241* ; P&O European Ferries ☎ *0181-575 8555* ; Sally Line ☎ *0184-359 5522* ; Seacat ☎ *0130-424 0241* ; Sealink Stenna ☎ *0123-364 7047*.

Les aéroports londoniens

Atterrissage

Cinq aéroports desservent Londres : Luton, Stansted, le London City Airport, Heathrow et Gatwick (*voir pp. 358-9*). Les deux derniers, les plus importants, disposent de banques, d'hôtels et de restaurants. Renseignez-vous avant votre départ sur votre lieu d'atterrissage afin de prévoir quel moyen de transport vous prendrez pour rejoindre le centre.

HEATHROW (LHR)

Situé à l'ouest de Londres (service de renseignements : 0181-759 4321), c'est l'aéroport international le plus actif du monde. Les principaux vols long courrier des lignes régulières atterrissent ici, et un cinquième terminal devrait bientôt absorber l'augmentation du trafic intérieur.

Les quatre terminaux actuels disposent tous de guichets de change et sont reliés au métro (Picadilly line) par un réseau de couloirs et d'ascenseurs clairement fléchés. Le trajet jusqu'au centre de Londres prend environ 40 minutes (ajoutez 10 minutes au départ du Terminal 4).

Des navettes régulières en autobus – Airbus –, desservant les quatre terminaux, relient également Heathrow au cœur de la ville.

Panneaux à Heathrow

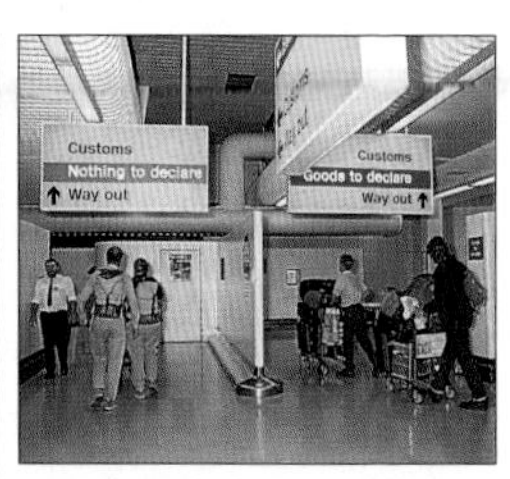

Couloir de passage en douane

Si le trajet coûte plus cher qu'en métro, ce mode de transport réduit grandement les portages et manipulations de bagages. Un taxi vous emmènera dans Londres en à peu près trois quarts d'heure pour environ 25 £.

LES HÔTELS DE L'AÉROPORT

Forte Crest
☎ *0181-759 2323.*

Holiday Inn
☎ *0895-445555.*

Sheraton Skyline
Voir p. 285.

London Heathrow Hilton
☎ *0181-759 7755.*

PLAN DE L'AÉROPORT D'HEATHROW

Sachez en quittant Londres d'où part votre avion. Situé loin des trois autres, le terminal 4 a sa propre station de métro.

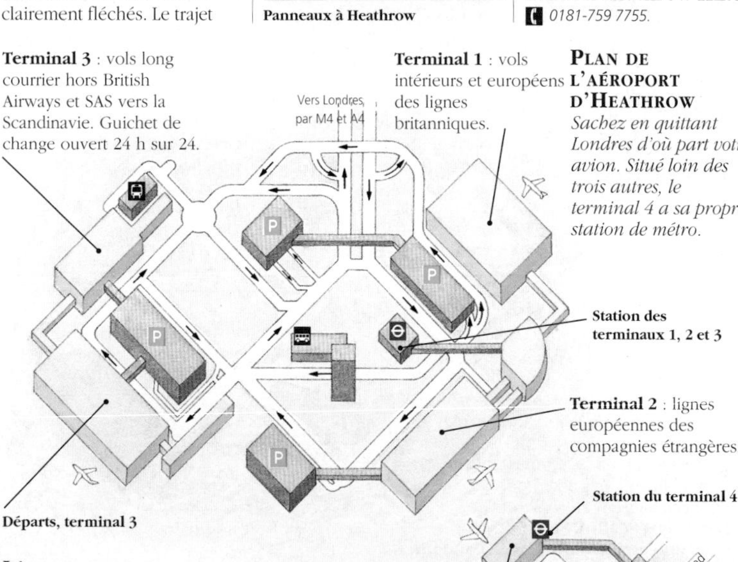

Terminal 3 : vols long courrier hors British Airways et SAS vers la Scandinavie. Guichet de change ouvert 24 h sur 24.

Terminal 1 : vols intérieurs et européens des lignes britanniques.

Station des terminaux 1, 2 et 3

Terminal 2 : lignes européennes des compagnies étrangères.

Station du terminal 4

Départs, terminal 3

Terminal 4 : Concorde, lignes intercontinentales de la British Airways, certains vols pour Paris, Athènes et Amsterdam.

Hôtel Sterling

LÉGENDE

- Station de métro
- Gare routière (desserte locale)
- Gare routière
- Parking courte durée
- Sens de la circulation

Gatwick (LGW)

Situé au sud de Londres, à la frontière entre le Surrey et le Sussex, Gatwick (service de renseignements : 0293-53 5353), contrairement à Heathrow, accueille aussi bien des charters que des vols réguliers.

Beaucoup d'avions affrétés par des agences de voyage atterrissent ici, provoquant parfois l'engorgement des services d'immigration et de sécurité, aussi, lors de votre retour, évitez d'attendre la

Gatwick Express
Trains to London
Services to Victoria Station every 15 minutes; hourly throughout the night

Panneau signalant les quais de l'express pour Londres

dernière minute pour effectuer vos formalités d'enregistrement. Assurez-vous en outre que vous savez de quel terminal votre vol décolle. Tous deux proposent restaurants, banques et boutiques duty-free ouverts 24 h sur 24.

C'est par le train qu'il est le plus facile de rejoindre la capitale, que l'on prenne la Thameslink ou le Gatwick Express jusqu'à Victoria. Comptez environ une demi-heure de trajet, mais vérifiez (*voir p. 366*) les fréquences aux heures creuses.

Rejoindre Londres en voiture peut prendre deux heures. La course en taxi vous coûtera entre 50 £ et 60 £.

Plan de l'aéroport de Gatwick

Il existe deux terminaux à Gatwick : celui du Nord et celui du Sud, reliés par un monorail gratuit (trajet de quelques minutes). Près de l'entrée de la gare de chemin de fer (clairement signalée si vous n'arrivez pas en train), des panneaux vous indiqueront de quel terminal part votre avion.

Légende

- Gare de chemin de fer
- Gare routière
- Parking courte durée
- Poste de police
- Sens de la circulation

Les hôtels de l'aéroport

Chequers Thistle
0293-786992.

Forte Crest
0293-567070.

Hilton International
0293-518080.

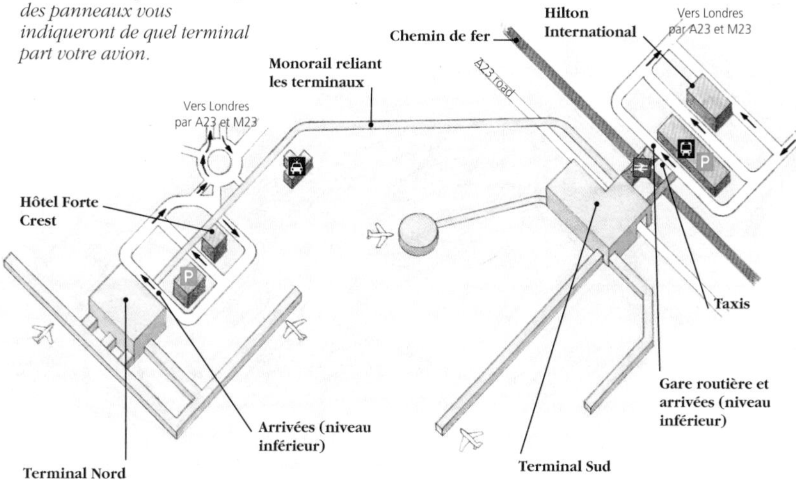

Les autres aéroports de Londres

Les aéroports de Luton et de Stansted, tous deux situés au nord de Londres, accueillent principalement des vols charters. Pour rejoindre le centre depuis Luton, il faut prendre un bus jusqu'à la gare, et de là un train jusqu'à King's Cross, ou un car jusqu'à Victoria Station. Le Stansted Express relie toutes les demi-heures l'aéroport de Stansted à la gare de Liverpool Street, d'où il existe une navette régulière jusqu'à Victoria.

Construit récemment à Docklands, le London City Airport vise principalement une clientèle de voyageurs d'affaires et les avions qui s'y posent viennent tous d'Europe. Il présente l'avantage de ne se trouver qu'à courte distance en taxi (ou hélicoptère) du centre.

L'un des grands hôtels de Gatwick

Arriver à Londres

Outre les liaisons par autobus, train et métro entre les aéroports et les principales gares de Londres, ce plan signale les villes du reste du Royaume-Uni, en particulier les ports du sud-est, que desservent ces gares. Des encadrés indiquent les itinéraires routiers à suivre pour rejoindre la capitale depuis ces ports et les temps de trajet selon les différents types de transport.

East Midlands
Liaisons avec la gare St Pancras
Leicester *(1 h 10),*
Nottingham *(1 h 45),*
Sheffield *(2 h 20).*

West Midlands, Nord-Ouest et ouest de l'Ecosse
Liaisons avec la gare de Euston
Birmingham *(1 h 40),*
Glasgow *(5 h),*
Liverpool *(2 h 40),*
Manchester *(2 h 30).*

LÉGENDE

- Aéroport *voir pp. 356-7*
- Port *voir p. 355*
- Gare ferroviaire *voir p. 366*
- Liaison par autocar *voir p. 355*
- Liaison par bus *voir pp. 364-5*
- Liaison par métro *voir pp. 362-3*
- Ligne British Rail *voir p. 355*
- Ligne Thameslink *voir p. 366*
- Piccadilly line *voir p. 356*
- Ligne d'autobus *voir p. 355*

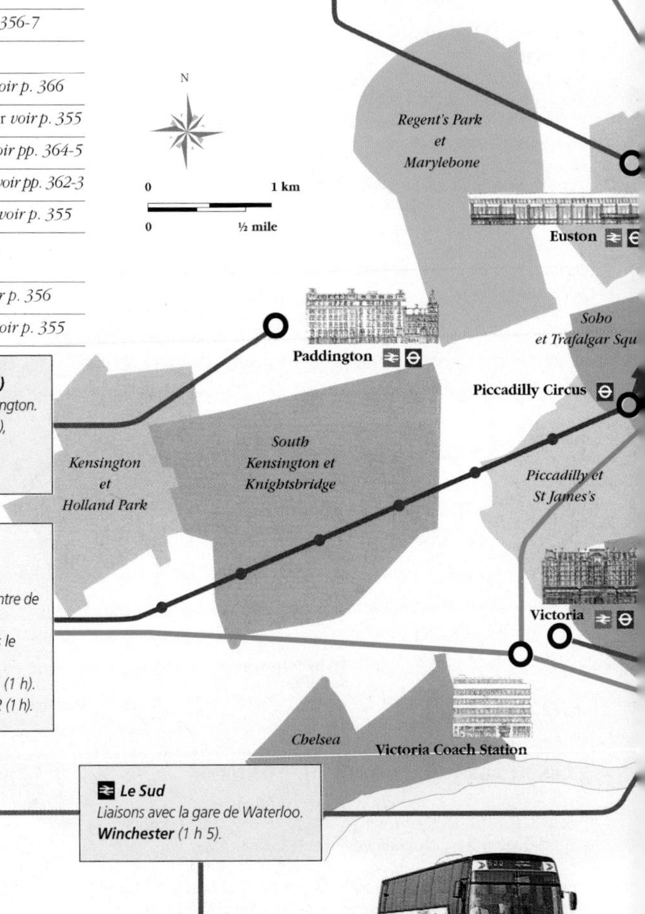

N

0 1 km

0 ½ mile

Regent's Park et Marylebone

Euston

Paddington

Soho et Trafalgar Squ

Piccadilly Circus

Pays de Galles (Wales)
Liaisons avec la gare de Paddington.
Bristol *(1 h 45),* ***Cardiff*** *(2 h),*
Oxford *(55 mn),*
Plymouth *(3 h 30).*

Kensington et Holland Park

South Kensington et Knightsbridge

Piccadilly et St James's

HEATHROW
Métro toutes les 5 minutes.
Services d'autobus vers le centre de Londres
Piccadilly line *à travers le centre-ville (40 mn).*
Victoria *par* ***Airbus*** *A1 (1 h).*
Russell Sq *par* ***Airbus*** *A2 (1 h).*

Victoria

Chelsea

Victoria Coach Station

Le Sud
Liaisons avec la gare de Waterloo.
Winchester *(1 h 5).*

SOUTHAMPTON
Liaisons par ferries avec ***Cherbourg****. Pour Londres, prendre l'autoroute M3.*

PORTSMOUTH
Liaisons par ferries avec ***Caen****,* ***St-Malo****,* ***Le Havre*** *et* ***Cherbourg****.*
Pour Londres, prendre la route A3.

Les cars de National Express sillonnent tout le Royaume-Uni

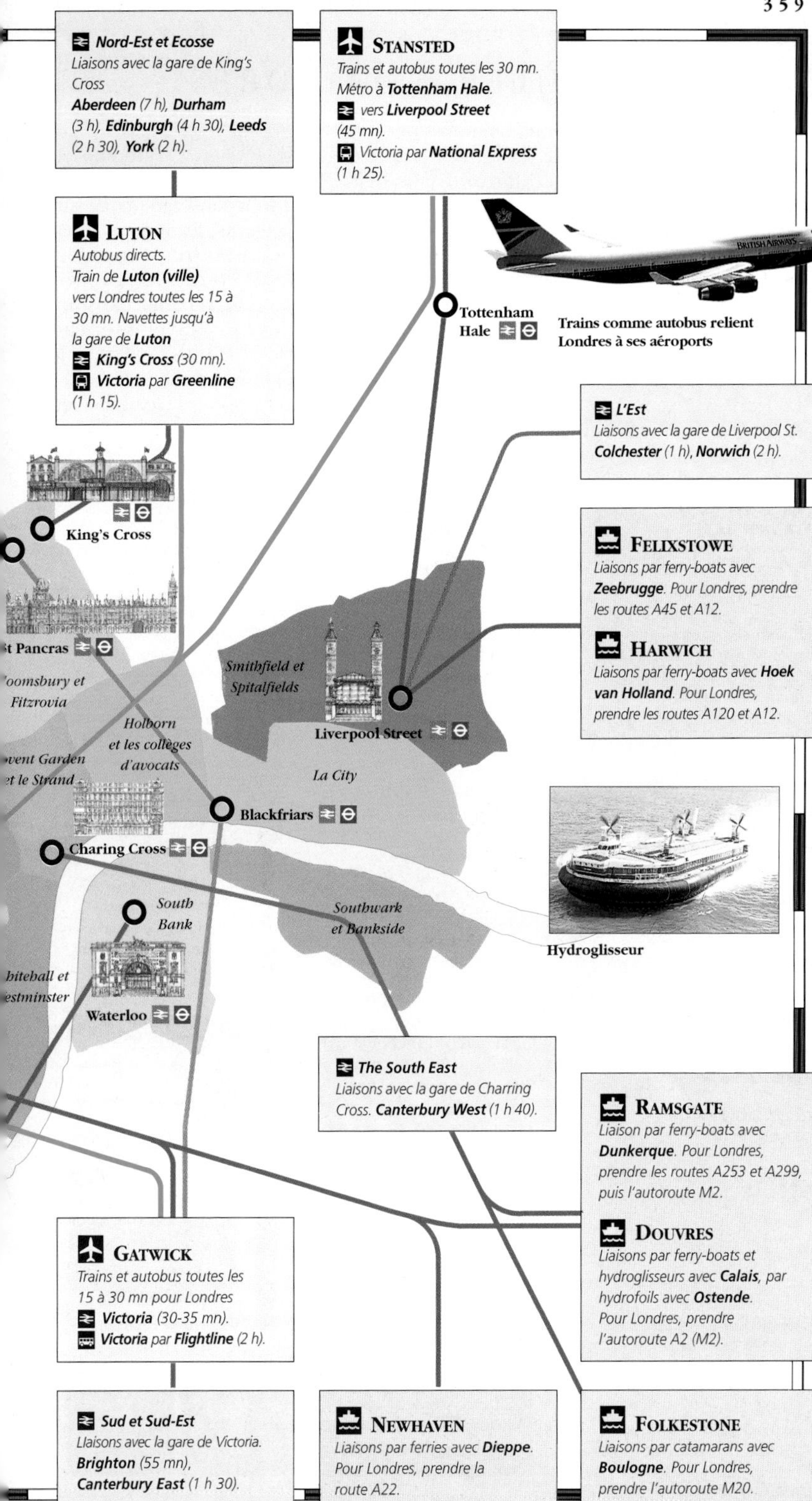
Nord-Est et Ecosse
Liaisons avec la gare de King's Cross
Aberdeen (7 h), Durham (3 h), Edinburgh (4 h 30), Leeds (2 h 30), York (2 h).
Stansted
Trains et autobus toutes les 30 mn.
Métro à Tottenham Hale.
vers Liverpool Street (45 mn).
Victoria par National Express (1 h 25).
Luton
Autobus directs.
Train de Luton (ville) vers Londres toutes les 15 à 30 mn. Navettes jusqu'à la gare de Luton
King's Cross (30 mn).
Victoria par Greenline (1 h 15).
Tottenham Hale
Trains comme autobus relient Londres à ses aéroports
L'Est
Liaisons avec la gare de Liverpool St.
Colchester (1 h), Norwich (2 h).
King's Cross
Felixstowe
Liaisons par ferry-boats avec Zeebrugge. Pour Londres, prendre les routes A45 et A12.
Harwich
Liaisons par ferry-boats avec Hoek van Holland. Pour Londres, prendre les routes A120 et A12.
St Pancras
Smithfield et Spitalfields
Fitzrovia
Holborn et les collèges d'avocats
Liverpool Street
La City
Blackfriars
Charing Cross
South Bank
Southwark et Bankside
Hydroglisseur
Waterloo
The South East
Liaisons avec la gare de Charring Cross. Canterbury West (1 h 40).
Ramsgate
Liaison par ferry-boats avec Dunkerque. Pour Londres, prendre les routes A253 et A299, puis l'autoroute M2.
Douvres
Liaisons par ferry-boats et hydroglisseurs avec Calais, par hydrofoils avec Ostende.
Pour Londres, prendre l'autoroute A2 (M2).
Gatwick
Trains et autobus toutes les 15 à 30 mn pour Londres
Victoria (30-35 mn).
Victoria par Flightline (2 h).
Sud et Sud-Est
Liaisons avec la gare de Victoria.
Brighton (55 mn), Canterbury East (1 h 30).
Newhaven
Liaisons par ferries avec Dieppe. Pour Londres, prendre la route A22.
Folkestone
Liaisons par catamarans avec Boulogne. Pour Londres, prendre l'autoroute M20.

Circuler à Londres

Le réseau de transports en commun londonien, l'un des plus chargés et des plus importants d'Europe, doit faire face à tous les problèmes de circulation qui se posent à une grande capitale. Les heures de pointe, les plus difficiles pour circuler, s'étendent de 8 h à 9 h 30 environ (voire plus tard), et de 16 h 30 à 18 h 30. C'est le London Regional Transport (LRT) qui gère le Network SouthEast (service ferroviaire assuré par British Rail), ainsi que la majeure partie des multiples lignes d'autobus et de métro desservant la capitale et sa banlieue. Pour tout renseignement sur les tarifs, les itinéraires et les horaires, appelez le 0171-222 1234 (*voir p. 345*), ou allez dans un des LRT Travel Information Centre situés à Oxford Circus et à Piccadilly Circus, à l'aéroport d'Heathrow et dans les gares d'Euston, de King's Cross et de Victoria.

Autobus à impériale

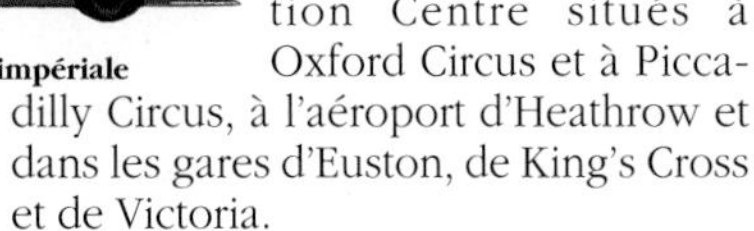

Le système de transports

Le métro (le « *tube* ») est de loin le moyen de transport le plus rapide dans Londres. Rames bondées et retards n'y sont toutefois pas rares et il ne dessert pas certains quartiers (surtout dans le sud). Les changements de lignes, dans quelques stations, imposent de longues marches.

Dans une ville aussi étendue, la distance entre un monument et la plus proche station de métro justifie parfois de prendre un bus.

Travelcard hebdomadaire

Les cartes de transport

Peu subventionnés, les transports en commun londoniens s'avèrent chers comparés à ceux de nombreuses villes d'Europe... A moins de disposer d'une carte de transport. Ces *Travelcards* – valable une journée, une semaine ou un mois – donnent le droit d'emprunter tout type de transport public dans l'une des six zones concentriques couvrant le centre de Londres et la banlieue éloignée. Les principaux monuments de la capitale se trouvent presque tous dans la zone 1.

Ces *Travelcards* s'achètent dans les gares, les stations de métro et chez certains marchands de journaux affichant le sigle des transports londoniens. Pour un abonnement hebdomadaire ou mensuel, vous devrez fournir une photo d'identité. Les *Travelcards* d'une journée ne sont valables qu'à partir de 9 h 30 en semaine. Prendre une carte hebdomadaire de une ou deux zones se justifie pour un séjour de quatre jours. Très économique mais pas vendue en Angleterre, la *Visitor Travelcard* (3, 4, ou 7 jours) doit être achetée avant le départ. Se renseigner auprès des ambassades et consulats.

Londres à pied

Rappelez-vous, en vous promenant dans Londres, que les Anglais roulent à gauche. Des instructions écrites sur la chaussée indiquent en général le sens de la circulation (et donc l'origine du danger) aux passages protégés. Ces derniers sont de deux types : ceux marqués par des bandes blanches et une balise jaune où les piétons engagés jouissent d'une priorité absolue, et ceux commandés par un bouton où les voitures ne s'arrêteront pas avant que le petit homme vert s'allume.

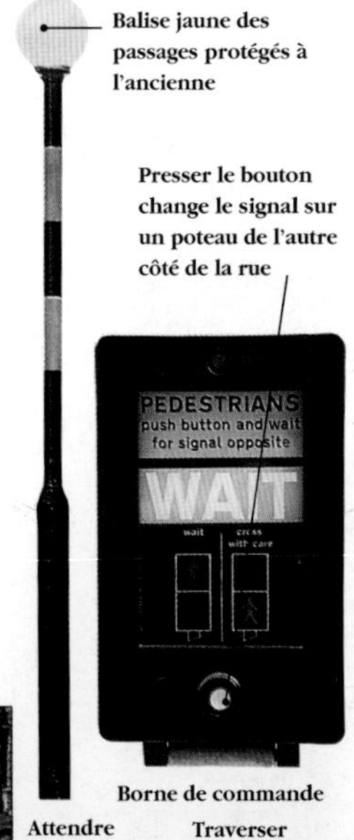

Balise jaune des passages protégés à l'ancienne

Presser le bouton change le signal sur un poteau de l'autre côté de la rue

Borne de commande

Passage protégé

Attendre

Traverser

Conduire à Londres

Panneau signalant un parking

Avant de vous lancer en voiture dans le centre de Londres, sachez que la vitesse moyenne pendant les heures de pointe y est 18 km/h et le stationnement rare et cher. En règle générale, les Londoniens préfèrent ne prendre leur voiture que pendant les week-ends et après 18 h 30, lorsque se garer devient plus facile. Gardez toujours à l'esprit que vous devez rouler à gauche.

Les règles de stationnement

Il est strictement interdit de stationner à tout moment sur les voies bordées de rouge, les doubles lignes jaunes et les passages cloutés. Surveillez les panneaux indiquant éventuellement d'autres restrictions. A condition de ne causer aucune gêne, on a le droit de se garer sur les lignes jaunes simples hors des heures de bureau (8 h-18 h 30 du lundi au samedi). C'est également la période où les parcmètres deviennent gratuits. Ces derniers s'avèrent chers dans le centre-ville et imposent de se munir de monnaie (*voir p. 349*). Les Anglais appellent *Pay-and-Display* le système consistant à acheter un ticket à poser en évidence sur le tableau de bord. Le NCP (National Car Park) publie un guide gratuit indiquant les parkings gérés par cet organisme (plusieurs dans le centre, aisés à trouver) : écrire au 21 Bryanston Street W1A 4NH ou appeler le 0171-499 7050.

Les zones exigeant un permis de résident sont libres hors des heures de bureaux (songez à partir avant 8 h) mais tenez-vous à l'écart des aires de stationnement marquées « *card-holders only* ».

Sabots et fourrières

En cas de stationnement interdit, y compris sur une place à parcmètre, vous risquez de retrouver votre véhicule immobilisé par un sabot. Un autocollant sur votre pare-brise vous indiquera l'endroit où payer votre amende (salée) afin d'obtenir sa libération. Si vous ne retrouvez pas votre voiture, c'est sans doute que le redouté et haï service de fourrière londonien a de nouveau fait preuve de sa remarquable efficacité en vous gâchant une journée de vacances. Les principales fourrières se trouvent à Hyde Park, Kensington et Camden Town. Appelez le 0171-747 7474 pour savoir si votre véhicule a bien été enlevé et où le récupérer.

Parcmètre

Panneaux de signalisation

*La prudence recommande de lire le code de la route britannique (*Highway code*), disponible en librairie.*

Une double ligne jaune interdit tout stationnement

Véhicule immobilisé par un sabot

Agences de location de voitures

Avis
0171-917 6700.

Eurodollar
0171-278 2273.

Europcar
0171-387 2276.

Hertz
0171-278 1588.

Arrêt interdit

Vitesse limitée à 30 mph (48 km/h)

Sens interdit

Laisser le passage

Sens unique

Interdiction de tourner à droite

Londres à vélo

Circuler en bicyclette s'avère très agréable dans les parcs et les quartiers les plus calmes de la ville. Munissez-vous d'un solide cadenas et de vêtements étanches. Les casques ne sont pas obligatoires mais fortement conseillés. Vous pouvez louer un vélo à **On Your Bike**, **Portobello Cycles**, et **Yellow Jersey Cycles**.

Téléphones et adresses des loueurs On Your Bike, 22 Duke Street Hill SE1. *0171-357 6958.* Portobello Cycles, 69 Golborne Rd W10. *0181-960 0444.*

Londres en métro

Panneau signalant une station

Le réseau du métro de Londres, l'*Underground* ou « *tube* », comporte 273 stations, toutes clairement signalées par un sigle (*voir ci-contre*) indiquant leur nom. Les rames circulent tous les jours, sauf celui de Noël, de 5 h 30 à minuit. Quelques lignes, ou sections de ligne, ayant un horaire irrégulier, vérifiez l'heure de passage du dernier train si vous prévoyez de vous déplacer après 23 h 30. Et songez que prendre le métro tard le soir peut se révéler désagréable. Moins de rames circulent le dimanche.

Métro londonien

Lire le plan du métro

Les 11 lignes du métro londonien possèdent chacune leur couleur sur les plans (voir couverture intérieure) *affichés dans toutes les stations et, en version plus succincte, dans les rames. Ces plans indiquent notamment les stations permettant les changements de lignes. Certaines de celles-ci, comme Victoria line, sont à branche unique, d'autres, comme Northern line, desservent plusieurs directions. La destination de la rame est signalée à l'avant du train et sur le quai. La Circle line forme une boucle autour du centre de la ville. Attention, les distances sur les plans ne sont pas à l'échelle.*

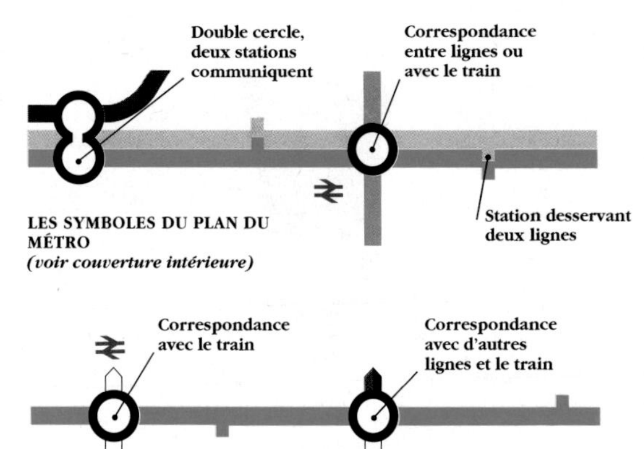

LES SYMBOLES DU PLAN DU MÉTRO
(voir couverture intérieure)

LES SYMBOLES DES PLANS DANS LES WAGONS

ACHETER UN TICKET

Si vous prévoyez d'effectuer plus de deux trajets par jour en métro, vous avez tout intérêt à prendre une *Travelcard* (*voir p. 360*). Vous pouvez sinon acheter des tickets aller/retour ou aller simple, soit au guichet situé dans chaque station soit à l'un des deux types de distributeurs automatiques. Les grands distributeurs (*ci-dessous*) acceptent les pièces ainsi que les billets de 5 £ et 10 £, et rendent normalement la monnaie. Vous choisissez le type de billet que vous désirez, puis vous indiquez votre station de destination, et le prix du trajet s'affiche automatiquement. Les machines plus petites ne présentent qu'une gamme de tarifs parmi lesquels vous sélectionnez celui qui convient à votre trajet. Ces appareils n'acceptent pas les billets, rendent rarement la monnaie, et ne servent en général qu'aux habitués du métro.

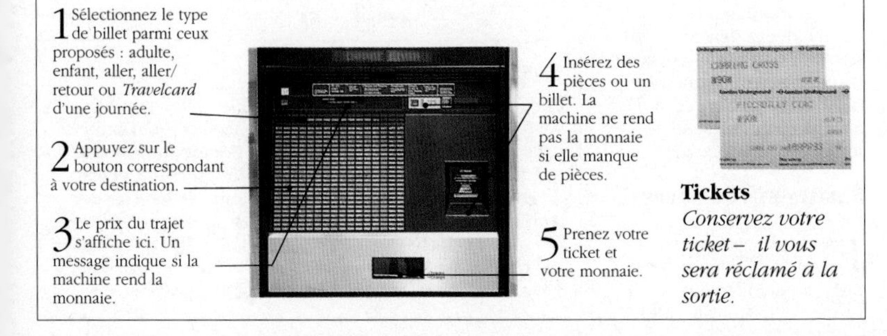

Tickets
Conservez votre ticket – il vous sera réclamé à la sortie.

PRENDRE LE MÉTRO

1 Lorsque vous entrez dans la station, vérifiez quelle(s) ligne(s) vous devez emprunter. Demandez éventuellement à l'employé du guichet de vous aider.

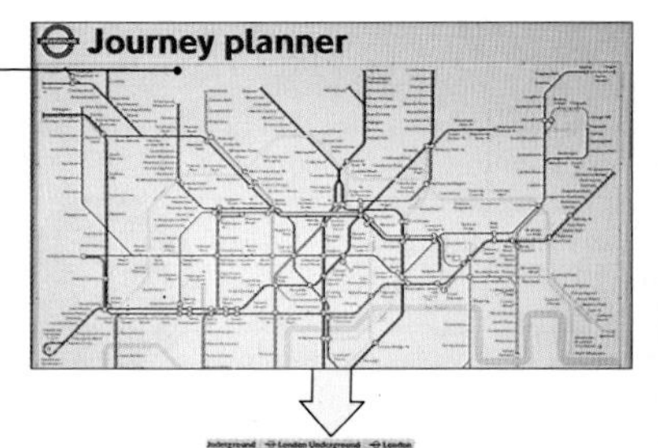

Glissez votre ticket ou *Travelcard* dans la fente à l'avant de la machine.

Prenez le quand il ressort, le portillon s'ouvrira.

2 Achetez votre ticket ou votre Travelcard à l'un des distributeurs automatiques (*voir p. 362*) ou au guichet. Pensez à conserver votre billet s'il est aller/retour.

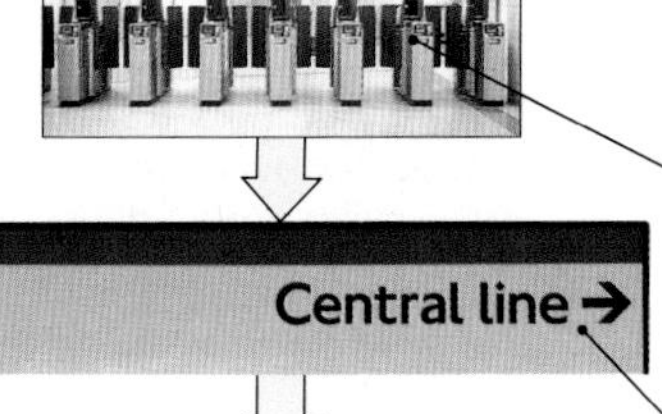

3 Vous devez franchir les portillons pour accéder aux quais (*voir ci-dessus*).

Le guichet se trouve généralement près des portillons.

4 Suivez les flèches jusqu'à votre ligne. C'est parfois compliqué, restez vigilant.

5 Si vous n'êtes pas sûr du quai où prendre votre rame, regardez la liste des stations qu'il dessert.

6 Des panneaux d'affichage électroniques indiquant la destination des prochains trains et le délai d'attente équipent la plupart des quais.

7 Une fois dans le wagon, vous pouvez vérifiez votre progression à l'aide du plan de la ligne affiché dans chaque voiture. De nombreux panneaux signalent le nom des stations.

Dans certains trains, vous pressez un bouton pour ouvrir les portes.

8 Une fois descendu, cherchez les panneaux indiquant la sortie ou le quai de votre correspondance.

Londres en bus

Sigle du LRT (London Regional Transport)

Ce symbole de Londres qu'est l'autobus rouge à impériale commence à disparaître. Du fait de la dérégulation des transports et de la privatisation d'une partie du réseau, des véhicules modernes plus petits, parfois sans impériale, et parfois même pas rouges, le remplacent de plus en plus. Tous ces bus, surtout les vieux, offrent un moyen peu coûteux et agréable de visiter Londres si l'on jouit d'une place assise. En cas de rendez-vous ou d'urgence, la circulation régulièrement embouteillée de la capitale risque en revanche de les rendre extrêmement frustrants, en particulier aux heures de pointe (8 h-9 h 30 et 16 h 30-18 h 30).

Arrêts d'autobus
En principe, vous n'avez besoin de lever le bras pour faire signe au conducteur qu'aux arrêts marqués « REQUEST » (ci-dessous). En pratique, mieux vaut le faire à tous.

PRENDRE LE BON BUS

A chaque arrêt de bus vous trouverez la liste des principales destinations et des lignes y menant, parfois aussi un plan du quartier indiquant les autres arrêts proches. Assurez-vous que vous prenez la ligne dans le bon sens ; en cas de doute, demandez au conducteur.

DANS LE BUS

Les autobus s'arrêtent, même si personne ne désire monter ou descendre, aux arrêts signalés par le sigle du LRT (*voir ci-dessus*) à moins qu'il ne soit précisé « *REQUEST* », auquel cas il faut demander l'arrêt en sonnant (dans le bus) ou en faisant signe (à l'arrêt). Le numéro de ligne et les destinations sont affichés à l'avant et à l'arrière du véhicule. Les plus récents n'ont qu'un conducteur et les passagers payent leur billet en montant. Dans les *Routemasters* traditionnels, c'est un receveur qui encaissera le prix du parcours après vous avoir laissé le temps de vous installer. Conducteur ou receveur vous rendra la monnaie mais évitez les grosses coupures. Gardez votre ticket jusqu'à l'arrivée en cas de contrôle mais il ne donne droit qu'à un trajet, vous devrez payer à nouveau si vous changez de bus. Une *Travelcard* s'avèrera nettement plus pratique, surtout si vous effectuez de nombreux déplacements. En cas de doute sur l'arrêt où vous devez descendre, n'hésitez pas à demander au chauffeur ou au receveur.

Receveur
Les receveurs vendent les tickets sur les bus traditionnels.

Tickets dans les bus traditionnels
Le receveur vous délivre votre billet. Evitez les grosses coupures.

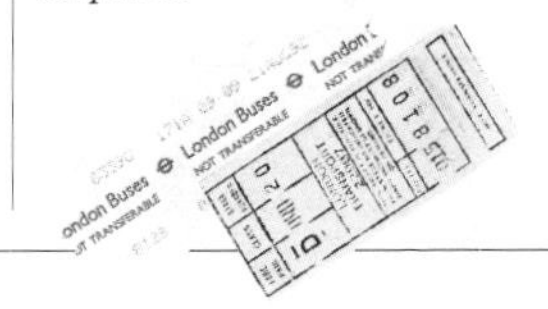

QUELQUES LIGNES TRÈS PRATIQUES

Y compris pour rejoindre quartiers ou monuments que le métro ne dessert pas comme le Royal Albert Hall (*voir p. 203*), Chelsea (*voir pp. 188-193*) et Clerkenwell (*voir p. 243*), prendre l'autobus pour faire des courses ou découvrir la ville peut se révéler très agréable. Surtout si vous n'êtes pas pressé et disposez d'une Travelcard. Et aucune société de visites guidées ne pourra vous proposer tarif plus bas, il ne manquera que le commentaire (*voir p. 344*). Quelques lignes se révèlent particulièrement pratiques dans le centre de Londres.

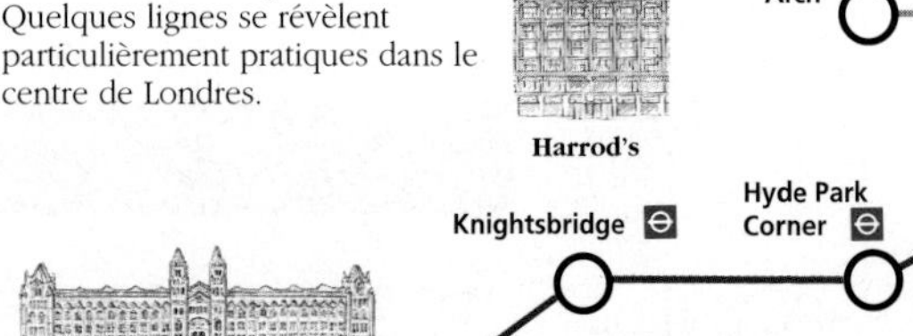

Pour demander l'arrêt, presser une fois le bouton situé près des portes suffit

Les destinations sont indiquées à l'avant et à l'arrière de l'autobus.

Pour acheter un ticket, préparez votre monnaie.

Bus traditionnels
La montée se fait à l'arrière. Le receveur vous laisse vous asseoir avant de délivrer le ticket.

Service de nuit
Les arrêts desservis la nuit portent ce logo. Les Travelcards *d'un jour ne sont pas valables sur ces bus.*

Autobus modernes
Ces autobus n'ont pas de receveur. Le conducteur délivre les billets à la montée des passagers.

BUS DE NUIT

Quelques grandes lignes desservant la banlieue assurent un service de nuit de 23 h à 6 h du matin (un bus toutes les heures environ). Un « N » devant leur numéro, bleu ou jaune, permet de les reconnaître. Que vous ayez prévu de les emprunter ou que vous vous soyez juste laissé surprendre par l'heure, ne les prenez pas au hasard. Londres est si vaste que même en ne vous trompant pas de direction, vous risquez de vous perdre ou de vous retrouver très loin de votre destination. Les centres d'information du LRT vous fourniront les itinéraires et horaires de ces lignes (également indiqués aux arrêts). Comme toujours la nuit, restez prudent. Evitez, par exemple, de vous installer seul sur l'impériale. Les bus de nuit n'ont jamais de receveur.

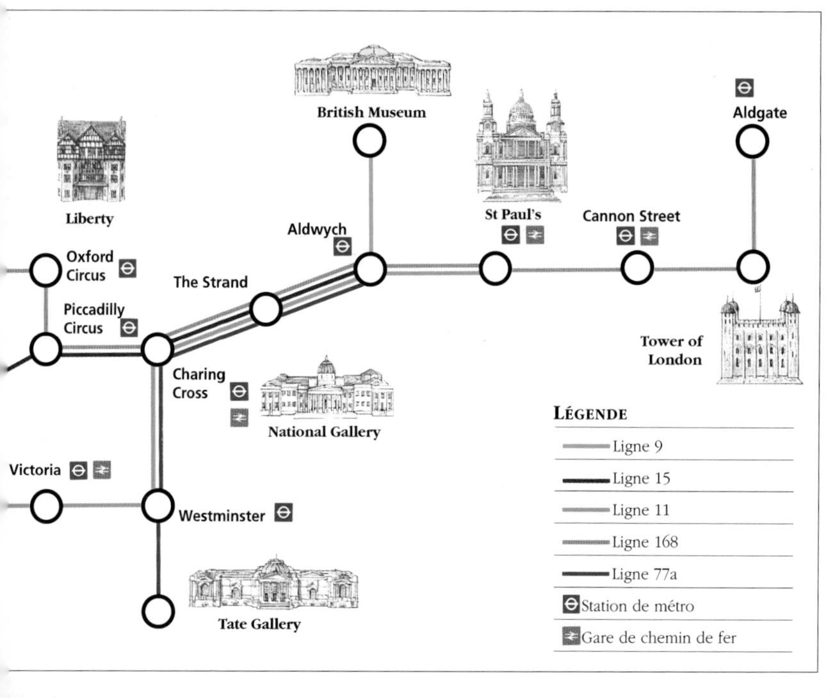

Londres en train

Sigle du British Rail

Des centaines de milliers de banlieusards utilisent chaque jours les services de British Railways mais le train sert surtout aux touristes à se rendre à la périphérie de la capitale, en particulier au sud de la Tamise mal desservi par le métro, ou à partir visiter d'autres régions de la Grande-Bretagne (*voir pp. 358-359*).

Les lignes les plus utiles

Les visiteurs empruntent surtout la ligne qui part des gares de Charing Cross et de Cannon Street (uniquement en semaine pour cette dernière) et rejoint Greenwich (*voir pp. 232-239*) par le London Bridge.

La Thameslink dessert l'aéroport de Luton, le sud de Londres, l'aéroport de Gatwsick et Brighton via Hampstead et Blackfriars.

Prendre le train

Huit gares desservent au départ de Londres l'ensemble de la Grande-Bretagne (*voir pp. 358-359*).

Des trains omnibus, express ou *Intercity* (les plus rapides) assurent les liaisons. Consultez les panneaux d'information pour prendre celui qui vous amènera le plus vite à votre destination. Dans les voitures les plus anciennes, il faut baisser la vitre et actionner la poignée extérieure pour ouvrir la portière.

British Railways propose des forfaits touristiques à kilométrage illimité (*Britrail Pass, Flexi Pass...*) mais ils doivent être pris hors du pays. Renseignements dans les grandes gares ou aux 42 61 85 40 (Paris), 646 21 51 (Bruxelles) et 272 14 04 (Bâle).

Les billets

Les billets s'achètent dans une agence de voyage ou une gare. La plupart des cartes de crédit sont acceptées. En cas de longues files d'attente aux guichets, utilisez les distributeurs automatiques, identiques dans leur fonctionnement à ceux du métro (*voir p. 362*).

Deux types de billets sont plus particulièrement intéressants pour les visiteurs : la *Travelcard* (*voir p. 360*) pour les déplacements dans l'agglomération londonienne, et le *Cheap Day Return* (qui ne s'utilise qu'après 9 h 30) pour de plus longs trajets.

Billets Cheap Day Return

Excursions d'une journée

Le Sud-Est de l'Angleterre offre de nombreux sites ou monuments à découvrir au terme d'un court voyage en train. Pour plus d'informations, appelez l'English Tourist Board (*voir p. 345*) et les renseignements de British Railways (071-928 5100).

Canotage au pied du palais de Windsor

Audley End
Village à l'étonnant manoir du XVIIe siècle.
de Liverpool Street. 64 km (40 miles) ; 1 h.

Bath
Cette ville ancienne bien conservée renferme des vestiges romains.
de Paddington. 172 km (107 miles) ; 1 h 25.

Brighton
Station balnéaire animée. A voir : le Royal Pavilion.
de Victoria. 85 km (53 miles) ; 1 h.

Cambridge
Belles galeries d'art et collèges anciens.
de Liverpool Street ou King's Cross. 86 km (54 miles) ; 1 h.

Canterbury
Superbe et impressionnante cathédrale.
de Victoria. 98 km (84 miles) ; 1 h 25.

Hatfield House
Palais élisabéthain au mobilier remarquable.
de King's Cross ou Moorgate. 33 km (21 miles) ; 20 mn.

Oxford
Célèbre, comme Cambridge, pour sa vieille université.
de Paddington. 86 km (56 miles) ; 1 h.

Salisbury
Célèbre pour sa cathédrale, et proche, en voiture, de Stonehenge.
de Waterloo. 135 km (84 miles) ; 1 h 40.

St Albans
Grande cité romaine jadis.
de King's Cross ou Moorgate. 40 km (25 miles) ; 30 mn.

Windsor
Le palais royal a partiellement brûlé en 1992.
de Paddington, changer à Slough. 32 km (20 miles) ; 30 mn.

Londres en taxi

Institution londonienne tout aussi vénérable que les bus, les taxis subissent également les affronts de la modernisation et vous en verrez certains qui non seulement ne sont pas noirs mais vont jusqu'à s'adonner à la réclame. Pour obtenir leur licence, leurs chauffeurs continuent de passer un examen exigeant une parfaite connaissance de la ville et des itinéraires les plus rapides pour la traverser. Ils conduisent prudemment : tout taxi à la carrosserie endommagée doit rester au garage.

Taxis en attente

Trouver un taxi

Les taxis agréés portent un signal jaune sur le toit qu'ils allument lorsqu'ils sont libres. Vous pouvez les appeler, les trouver aux stations de taxi ou les arrêter dans la rue en agitant vigoureusement le bras. Ils ne peuvent refuser de vous emmener à votre destination si elle se trouve dans un rayon de 9 km et dans le district de la police métropolitaine (la majeure partie du Grand Londres et l'aéroport d'Heathrow).

Concurrents des « *black cabs* », les « *mini-cabs* » sont des voitures normales que vous pouvez prendre en téléphonant à une société ou en passant à son siège ouvert souvent 24 h sur 24. Si l'un d'eux s'arrête dans la rue, sachez que beaucoup opèrent illégalement et peuvent être dangereux. Vous trouverez les numéros des compagnies de *mini-cabs* dans le Yellow Pages (*voir p. 352*). Négociez votre trajet avant le démarrage.

Les tarifs

Dans les taxis agréés, un compteur vous indique l'évolution du prix de la course. Il augmente toutes les minutes ou tous les 311 m (340 yards). La prise en charge est d'environ 1 £ et bagages, passagers supplémentaires et heures particulières (la nuit notamment) donnent lieu à des suppléments.

Les couleurs modernes des taxis traditionnels

Numéros utiles

Computer Cabs (agréés)
☎ *0171-286 0286.*

Radio Taxis (agréés)
☎ *0171-272 0272.*

Ladycabs (femmes seulement) ☎ *0171-254 3501.*

My Fare Lady (femmes seulement) ☎ *0181-458 9200.*

Lost property (objets trouvés)
☎ *0171-833 0996.*
Ouvert *: 9 h-16 h lun.-ven.*

Réclamations
☎ *0171-230 1631 Vous devrez connaître le numéro du taxi*

Allumé, ce signal indique que le taxi est libre et s'il est équipé pour les fauteuils roulants.

Le compteur indique au fur et à mesure le prix de la course, et le montant des suppléments. Les tarifs sont identiques dans tous les taxis agréés.

Course **Suppléments**

Les taxis agréés
Les taxis traditionnels offrent un moyen sûr de se déplacer dans la capitale. Ils peuvent prendre jusqu'à cinq passagers et disposent d'un vaste coffre à bagages.

ATLAS DES RUES

Les références données pour chaque site, monument, hôtel, restaurant, magasin ou salle de spectacle décrits dans ce guide se rapportent aux plans de l'atlas (*voir ci-contre* Mode d'emploi des plans). Vous trouverez aux pages 370-81 un répertoire complet des rues et lieux indiqués sur ces plans qui couvrent tout le centre de Londres comme le montre la carte ci-dessous. Elle signale également les limites et codes postaux de chaque district. Outre les quartiers d'intérêt touristiques repérés par leurs codes de couleur, cette zone comprend tous ceux abritant les restaurants, hôtels et salles de spectacle importants.

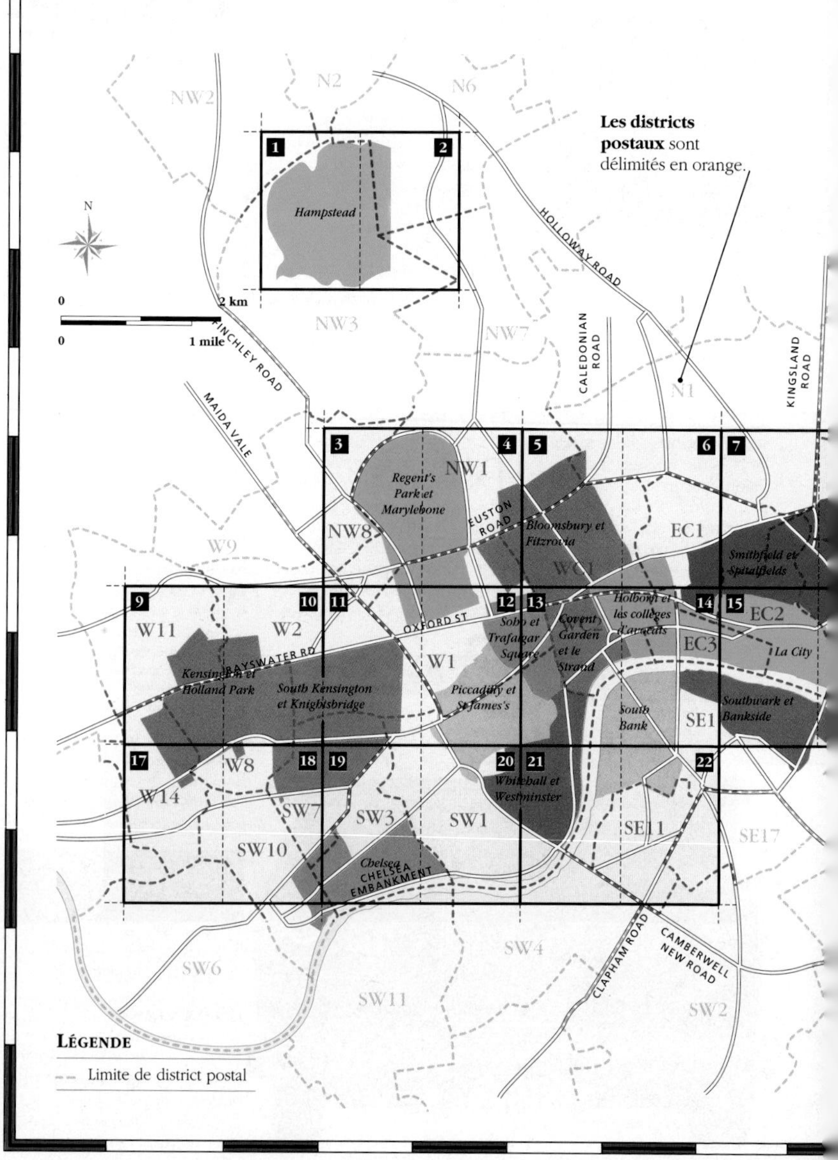

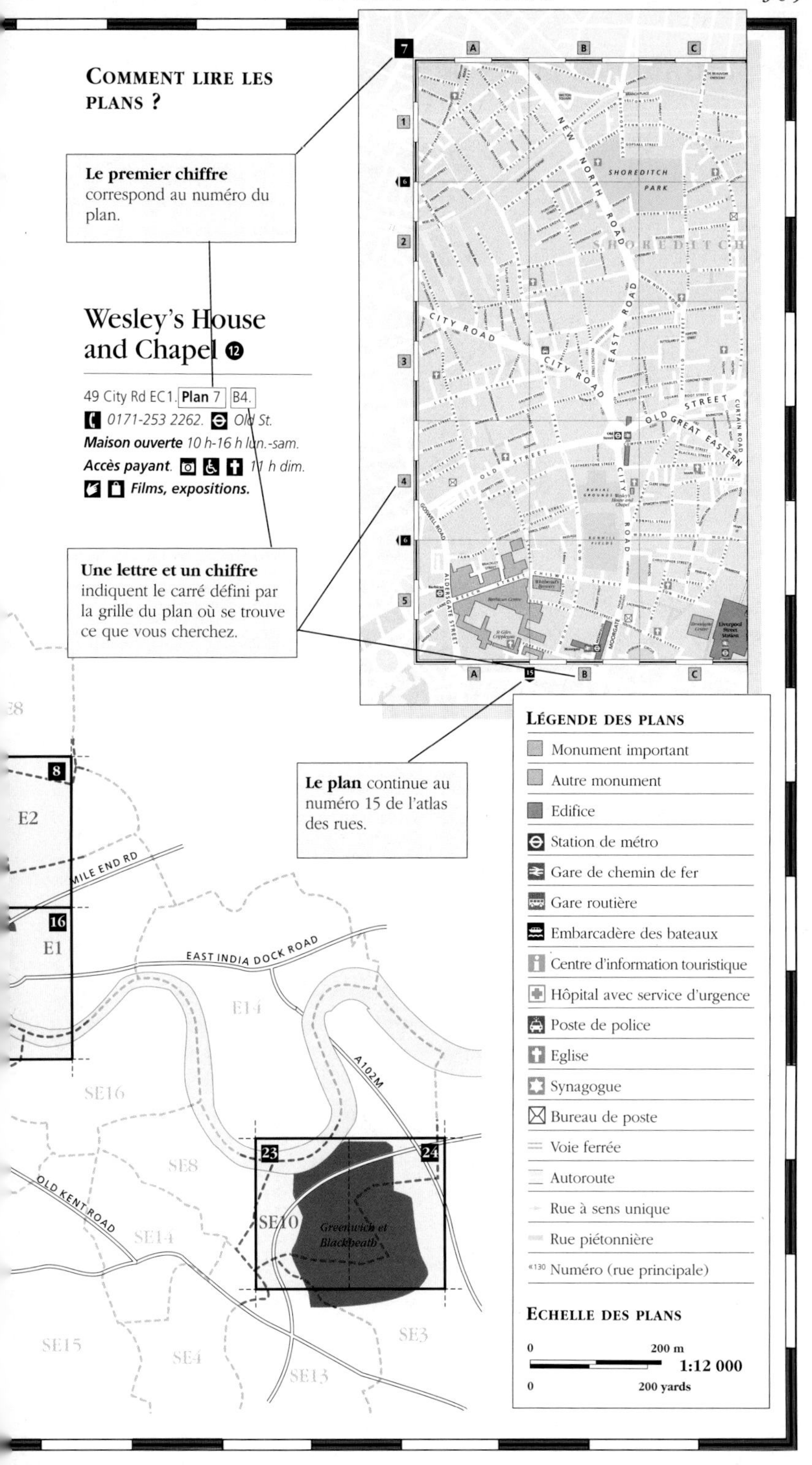
COMMENT LIRE LES PLANS ?
Le premier chiffre correspond au numéro du plan.
Wesley's House and Chapel ⓬
49 City Rd EC1. Plan 7 B4.
0171-253 2262. Old St.
Maison ouverte 10 h-16 h lun.-sam.
Accès payant. 11 h dim.
Films, expositions.
Une lettre et un chiffre indiquent le carré défini par la grille du plan où se trouve ce que vous cherchez.
Le plan continue au numéro 15 de l'atlas des rues.
LÉGENDE DES PLANS
Monument important
Autre monument
Edifice
Station de métro
Gare de chemin de fer
Gare routière
Embarcadère des bateaux
Centre d'information touristique
Hôpital avec service d'urgence
Poste de police
Eglise
Synagogue
Bureau de poste
Voie ferrée
Autoroute
Rue à sens unique
Rue piétonnière
«130 Numéro (rue principale)
ECHELLE DES PLANS
0 200 m
1:12 000
0 200 yards
SHOREDITCH PARK
SHOREDITCH
NEW NORTH ROAD
CITY ROAD
EAST ROAD
OLD STREET
GREAT EASTERN STREET
CURTAIN ROAD
GOSWELL ROAD
ALDERSGATE STREET
MOORGATE
BUNHILL FIELDS
MILE END RD
EAST INDIA DOCK ROAD
OLD KENT ROAD
A102M
E2
E1
E14
SE16
SE8
SE14
SE10
SE15
SE4
SE13
SE3
Greenwich et Blackheath

Répertoire des noms de rues

A

A102 (M) SE10 **24 F1**
A40 (M) Flyover W2 **3 A5**
Abbey Gdns W6 **17 A4**
Abbey Orchard St SW1 **13 B5**
Abbey St SE1 **16 D5**
Abbot's La SE1 **15 C4**
Abbotsbury Clo W14 **9 B5**
Abbotsbury Rd W14 **9 B5**
Abchurch La EC4 **15 B2**
Aberdeen Ter SE3 **23 C5**
Abingdon Rd W8 **17 C1**
Abingdon St SW1 **21 B1**
Abingdon Vlls W8 **17 C1**, **18 D1**
Acacia Rd NW8 **3 A1**
Acklam Rd W10 **9 A1**
Acton Ms E8 **8 D1**
Acton St WC1 **5 C3**, **6 D3**
Ada Pl E2 **8 F1**
Ada St E8 **8 F1**
Adam St WC2 **13 C3**
Adam's Row W1 **12 D3**
Addington St SE1 **14 D5**
Addison Ave W11 **9 A4**
Addison Cres W14 **9 A5**
Addison Rd W14 **9 A5**
Adelphi Theatre WC2 **13 C3**
Adler St E1 **16 E1**
Admiral's Wlk NW3 **1 A4**
Admiralty Arch SW1 **13 B3**
Admiralty, The SW1 **13 B4**
Agincourt Rd NW3 **2 D5**
Aintree St SW6 **17 A5**
Airlie Gdns W8 **9 C4**
Air St W1 **13 A2**
Aisgill Ave W14 **17 C3**
Albany Courtyard W1 **12 F3**
Albany St NW1 **4 E2**
Albemarle St W1 **12 F3**
Albert Bridge SW3 **19 B4**
Albert Bridge SW11 **19 B5**
Albert Bridge Rd SW11 **19 B5**
Albert Ct SW7 **10 F5**
Albert Embankment SE1 **13 C5**
Albert Embankment SE1 **21C2**
Albert Memorial SW7 **10 F5**
Albert St NW1 **4 E1**
Alberta St SE17 **22 F3**
Albion Pl EC1 **6 F5**
Albion St W2 **11 B2**
Aldenham St NW1 **5 A2**
Aldermanbury EC2 **15 A1**
Aldermanbury Sq EC2 **15 A1**
Alderney St SW1 **20 E2**
Aldersgate St EC1 **7 A5**
Aldersgate St EC1 **15 A1**
Aldford St W1 **12 D3**
Aldgate EC3 **16 D2**
Aldgate High St EC3 **16 D1**
Aldridge Rd Vlls W11 **9 B1**
Aldwych WC2 **14 D2**
Alexander Pl SW7 **19 A1**
Alexander Sq SW3 **19 B1**
Alexander St W2 **10 D1**
Alfred Pl WC1 **5 A5**
Alie St E1 **16 E1**
All Hallows by the Tower EC3 **16 D3**
All Saint's Dri SE3 **24 E5**
All Saint's Rd W11 **9 B1**
All Saint's St N1 **5 C2**
All Souls Church W1 **12 F1**
Allen St W8 **18 D1**
Allestree Rd SW6 **17 A5**
Allhallows La EC4 **15 B3**
Allingham St N1 **7 A1**
Allington St SW1 **20 F1**
Allitsen Rd NW8 **3 A2**
Allsop Pl NW1 **3 C4**
Alpha Pl SW3 **19 B4**
Ambergate St SE17 **22 F3**
Ambrosden Ave SW1 **20 F1**
Ampton St WC1 **6 D3**
Amwell St EC1 **6 E3**
Anderson St SW3 **19 C2**
Andrew's Rd E8 **8 F1**
Angel Ct EC2 **15 B1**
Angel Pas EC4 **15 B3**
Angel St EC1 **15 A1**
Angerstein La SE3 **24 F4**
Anhalt Rd SW11 **19 B5**
Ann La SW10 **18 F5**
Annandale Rd SE10 **24 E1**
Anselm Rd SW6 **17 C4**
Apothecaries' Hall EC4 **14 F2**
Appleby St E2 **8 D2**
Appold St EC2 **7 C5**
Apsley House W1 **12 D4**
Aquinas St SE1 **14 E4**
Archbishop's Pk SE1 **22 D1**
Archel Rd W14 **17 B4**
Argyle Sq WC1 **5 C3**
Argyle St WC1 **5 C3**
Argyll Rd W8 **9 C5**
Argyll St W1 **12 F2**
Arlington Ave N1 **7 A1**
Arlington Rd NW1 **4 E1**
Arlington Sq N1 **7 A1**
Arlington St SW1 **12 F3**
Armadale Rd SW6 **17 C5**
Armitage Rd SE10 **24 E1**
Arnold Circus E2 **8 D3**
Artesian Rd W2 **9 C2**
Arthur St EC4 **15 B2**
Artillery La E1 **8 D5**
Artillery Row SW1 **21 A1**
Arundel Gdns W11 **9 B2**
Arundel St WC2 **14 D2**
Ashbridge St NW8 **3 A4**
Ashburn Gdns SW7 **18 E2**
Ashburn Pl SW7 **18 E2**
Ashburnham Gro SE10 **23 A4**
Ashburnham Pl SE10 **23 A3**
Ashburnham Rd SW10 **18 F5**
Ashby St EC1 **6 F3**
Asher Way E1 **16 F3**
Ashford St N1 **7 C3**
Ashley Pl SW1 **20 F1**
Ashmill St NW1 **3 B5**
Astell St SW3 **19 B3**
Atherstone Ms SW7 **18 F1**
Atterbury St SW1 **21 B2**
Attneave St WC1 **6 D4**
Aubrey Rd W8 **9 B4**
Aubrey Wlk W8 **9 B4**
Audley Sq W1 **12 D3**
Audrey St E2 **8 F2**
Augustus St NW1 **4 F2**
Auriol Rd W14 **17 A2**
Austin St E2 **8 D3**
Australia House WC2 **14 D2**
Austral St SE11 **22 F1**
Aveline St SE11 **22 D3**
Avenue Rd NW8 **3 A1**
Avenue, The SE10 **23 C3**
Avery Row W1 **12 E2**
Avonmore Rd W14 **17 A1**
Aybrook St W1 **12 D1**
Aylesbury St EC1 **6 F4**
Aylesford St SW1 **21 A3**
Ayres St SE1 **15 A4**

B

Babmaes St SW1 **13 A3**
Bache's St N1 **7 C3**
Back Church La E1 **16 F2**
Back Hill EC1 **6 E4**
Back La NW3 **1 B5**
Bacon St E1, E2 **8 E4**
Bainbridge St WC1 **13 B1**
Baker St NW1, W1 **3 C5**, **12 D1**
Balcombe St NW1 **3 B4**
Balderton St W1 **12 D2**
Baldwin St EC1 **7 B3**
Baldwin's Gdns EC1 **6 E5**
Balfe St N1 **5 C2**
Ballast Quay SE10 **23 C1**
Ballast Quay SE10 **24 D1**
Balniel Gate SW1 **21 B3**
Baltic St EC1 **7 A4**
Bank of England EC2 **15 B1**
Bankside SE1 **15 A3**
Bankside Gallery SE1 **14 F3**
Bankside Power Station SE1 **14 F3**, **15 A3**
Banner St EC1 **7 A4**
Banning St SE10 **24 D1**
Banqueting House SW1 **13 B4**
Barbican Centre EC2 **7 A5**
Barclay Rd SW6 **17 C5**
Bardsley La SE10 **23 A2**
Barford St N1 **6 E1**
Barge House St SE1 **14 E3**
Baring St N1 **7 B1**
Bark Pl W2 **10 D2**
Barkston Gdns SW5 **18 D2**
Barnby St NW1 **5 A2**
Barnet Gro E2 **8 E3**
Barnham St E1 **16 D4**
Barnsbury Rd N1 **6 E1**
Baron St N1 **6 E2**
Baroness Rd E2 **8 E3**
Baron's Ct Rd W14 **17 A3**
Baron's Keep W14 **17 A2**
Baron's Pl SE1 **14 E5**
Barrow Hill Rd NW8 **3 A2**
Barter St WC1 **13 C1**
Bartholomew Clo EC1 **7 A5**
Bartholomew La EC2 **15 B1**
Bartholomew Sq EC1 **7 A4**
Barton Rd W14 **17 A3**
Basil St SW3 **11 C5**
Basing St W11 **9 B1**
Basinghall Ave EC2 **15 B1**
Basinghall St EC2 **15 B1**
Basire St N1 **7 A1**
Bassett Rd W10 **9 A1**
Bastwick St EC1 **7 A4**
Batchelor St N1 **6 E1**
Bateman's Row EC2 **8 D4**
Bath St EC1 **7 B3**
Bathurst Ms W2 **11 A2**
Bathurst St W2 **11 A2**
Battersea Bridge SW3, SW11 **19 A5**
Battersea Bridge Rd SW11 **19 A5**
Battersea Park SW11 **19 C5**, **20 D5**
Battersea Pk Rd SW8, SW11 **20 F5**
Battersea Power Station SW8 **20 F4**
Battle Bridge La SE1 **15 C4**
Battle Bridge Rd NW1 **5 B2**
Batty St E1 **16 F1**
Baxendale St E2 **8 E3**
Bayham St NW1 **4 F1**
Baylis Rd SE1 **14 E5**
Bayswater Rd W2 **10 E3**
Bayswater Rd W2 **11 A2**
Beaconsfield Clo SE3 **24 F2**
Beaconsfield Rd SE3 **24 F2**
Beak St W1 **12 F2**
Bear Gdns SE1 **15 A3**
Bear La SE1 **14 F4**
Beauchamp Pl SW3 **19 B1**
Beaufort Gdns SW3 **19 B1**
Beaufort St SW3 **18 F3**, **19 A4**
Beaufoy Wlk SE11 **22 D2**
Beaumont Ave W14 **17 B3**
Beaumont Cres W14 **17 B3**
Beaumont Pl W1 **5 A4**
Beaumont St W1 **4 D5**
Beck Clo SE13 **23 A5**
Bedale St SE1 **15 B4**
Bedford Ave WC1 **13 B1**
Bedford Gdns W8 **9 C4**
Bedford Pl WC1 **5 B5**
Bedford Row WC1 **6 D5**
Bedford Sq WC1 **5 B5**
Bedford St WC2 **13 C3**
Bedford Way WC1 **5 B4**
Bedfordbury WC2 **13 B2**
Beech St EC2 **7 A5**
Belfast Gdns SE3 **24 E2**
Belgrave Ms North SW1 **12 D5**
Belgrave Ms West SW1 **20 D1**
Belgrave Pl SW1 **20 D1**
Belgrave Rd SW1 **20 F2**, **21 A3**
Belgrave Sq SW1 **12 D5**
Belgrove St WC1 **5 C3**
Bell La E1 **16 D1**
Bell St NW1 **3 A5**
Bell Wharf La EC4 **15 B2**
Bell Yd WC2 **14 D1**
Bellot St SE10 **24 D1**
Belvedere Rd SE1 **14 D4**
Bemerton St N1 **5 C1**
Bennett Gro SE13 **23 A5**
Bentinck St W1 **12 D1**
Berkeley Sq W1 **12 E3**
Berkeley St W1 **12 E3**
Bermondesy Antiques Mkt SE1 **15 C5**
Bermondsey St SE1 **15 C4**
Bermondsey Wall East SE16 **16 F5**
Bermondsey Wall West SE16 **16 E4**
Bernard St WC1 **5 C4**
Berners St W1 **12 F1**, **13 A1**
Berry St EC1 **6 F4**
Berwick St W1 **13 A1**
Bessborough Pl SW1 **21 A3**
Bessborough St SW1 **21 A3**
Bethnal Grn Rd E1 **8 D4**
Bethnal Grn Rd E2 **8 F3**
Bethwin Rd SE5 **22 F5**
Bevan St N1 **7 A1**
Bevenden St N1 **7 C3**
Bevington St SE16 **16 F5**
Bevis Marks EC3 **16 D1**
Bickenhall St W1 **3 C5**
Bidborough St WC1 **5 B3**
Big Ben SW1 **13 C5**
Billing Rd SW10 **18 E5**
Billingsgate EC3 **15 C3**
Bina Gdns SW5 **18 E2**
Binney St W1 **12 D2**
Birdcage Wlk SW1 **12 F5**, **13 A5**
Birkenhead St WC1 **5 C3**
Bisham Gdns N6 **2 F1**
Bishop King's Rd W14 **17 A2**
Bishop St N1 **7 A1**
Bishops Ave, The NW2 **1 B1**
Bishop's Bridge Rd W2 **10 E1**
Bishop's Rd SW11 **19 B5**
Bishopsgate EC2 **8 D5**, **15 C1**
Bishopsgate Church Yard EC2 **15 C1**
Bishopswood Rd N6 **2 D1**
Black Prince Rd SE1 **21 C2**
Black Prince Rd SE11 **22 D2**

Blackall St EC2 **7 C4**
Blackfriars Bridge EC4 **14 F2**
Blackfriars La EC4 **14 F2**
Blackfriars Rd SE1 **14 F3**
Blackfriars Underpass EC4 **14 F2**
Blackheath SE3 **24 D5**
Blackheath Ave SE10 **24 D3**
Blackheath Hill SE10 **23 B4**
Blackheath Rise SE13 **23 B5**
Blackheath Rd SE10 **23 A4**
Blackheath Vale SE3 **24 D5**
Blackwall La SE10 **24 E1**
Blagrove Rd W10 **9 A1**
Blandford Sq NW1 **3 B5**
Blandford St W1 **12 D1**
Blantyre St SW10 **18 F5**
Blenheim Cres W11 **9 A2**
Bletchley St N1 **7 B2**
Blewcoat School SW1 **13 A5**
Bliss Cres SE13 **23 A5**
Blisset St SE10 **23 A4**
Blomfield St EC2 **15 C1**
Bloomfield Terr SW1 **20 D3**
Bloomsbury Pl WC1 **5 C5**
Bloomsbury Sq WC1 **5 C5**
Bloomsbury St WC1 **13 B1**
Bloomsbury Way WC1 **13 C1**
Blue Anchor Yrd E1 **16 E2**
Blythe Rd W14 **17 A1**
Boadicea St N1 **5 C1**
Boating Lake NW1 **3 C3**
Boating Lake SW11 **20 D5**
Bolney St SW8 **21 C5**
Bolsover St W1 **4 F5**
Bolton Gdns SW5 **18 D3**
Bolton St W1 **12 E3**
Boltons, The SW10 **18 E3**
Bond Way SW8 **21 C4**
Bonhill St EC2 **7 C4**
Bonnington Sq SW8 **21 C4**
Boot St N1 **7 C3**
Borough High St SE1 **15 B4**
Borough Mkt SE1 **15 B4**
Borough Rd SE1 **14 F5**
Borough Rd SE1 **15 A5**
Boscobel St NW8 **3 A5**
Boston Pl NW1 **3 B4**
Boswell St WC1 **5 C5**
Boundary St E2 **8 D4**
Bourdon St W1 **12 E2**
Bourne St SW1 **20 D2**
Bouverie Pl W2 **11 A1**
Bouverie St EC4 **14 E2**
Bow La EC4 **15 A2**
Bow St WC2 **13 C2**
Bower Ave SE10 **24 D3**
Bowling Grn La EC1 **6 E4**
Bowling Grn St SE11 **22 E4**
Boyfield St SE1 **14 F5**
Brackley St EC1 **7 A5**
Brad St SE1 **14 E4**
Braganza St SE17 **22 F3**
Braham St E1 **16 E1**
Braidwood St SE1 **15 C4**
Bramber Rd W14 **17 B4**
Bramerton St SW3 **19 A4**
Bramham Gdns SW5 **18 D2**
Branch Hill NW3 **1 A4**
Branch Pl N1 **7 B1**
Brand St SE10 **23 B3**
Bray Pl SW3 **19 C2**
Bread St EC4 **15 A2**
Bream's Bldgs EC4 **14 E1**
Brechin Pl SW7 **18 F2**
Brecon Rd W6 **17 A4**
Bremner Rd SW7 **10 F5**
Brendon St W1 **11 B1**
Bressenden Pl SW1 **20 F1**
Brewer St W1 **13 A2**
Brick La E1, E2 **8 E5**
8 E3
Brick St W1 **12 E4**
Bridge Pl SW1 **20 F2**
Bridge St SW1 **13 C5**
Bridgefoot SE1 **21 C3**
Bridgeman St NW8 **3 A2**
Bridgeway St NW1 **5 A2**
Bridport Pl N1 **7 B1**
Bridstow Pl W2 **9 C1**
Brill Pl NW1 **5 B2**
Britannia Row N1 **7 A1**
Britannia St WC1 **5 C3**
Britannia Wlk N1 **7 B3**
British Museum WC1 **5 B5**
British Telecom Tower W1 **4 F5**
Brittania Rd SW6 **18 D5**
Britten St SW3 **19 A3**
Britton St EC1 **6 F5**
Brixton Rd SW9 **22 E5**
Broad Sanctuary SW1 **13 B5**
Broad Wlk NW1 **4 D2**
Broad Wlk, The W8 **10 E4**
Broadbridge Clo SE3 **24 F3**
Broadcasting House W1 **12 E1**
Broadgate Centre EC2 **7 C5**
Broadley St NW8 **3 A5**
Broadley Terr NW1 **3 B4**
Broadwall SE1 **14 E3**
Broadway SW1 **13 A5**
Broadway Mkt E8 **8 F1**
Broadwick St W1 **12 F2**
13 A2
Broken Wharf EC4 **15 A2**
Brompton Cemetery SW10 **18 D4**
Brompton Oratory SW7 **19 A1**
Brompton Pk Cres SW6 **18 D4**
Brompton Pl SW3 **19 B1**
Brompton Rd SW3 **11 B5**
19 B1
Brompton Sq SW3 **19 B1**
Bromwich Ave N6 **2 F3**
Bronsart Rd SW6 **17 A5**
Brook Dri SE11 **22 E1**
Brook Gate W1 **11 C3**
Brook Ms North W2 **10 F2**
Brook St W1 **12 E2**
Brook St W2 **11 A2**
Brooke St EC1 **6 E5**
Brookmill Rd SE8 **23 A5**
Brook's Ms W1 **12 E2**
Brookville Rd SW6 **17 B5**
Brougham Rd E8 **8 F1**
Brown St W1 **11 B1**
Brownlow Ms WC1 **6 D4**
Brownlow St WC1 **6 D5**
Brunswick Ct SE1 **16 D5**
Brunswick Gdns W8 **10 D4**
Brunswick Pl N1 **7 B3**
Brunswick Sq WC1 **5 C4**
Brushfield St E1 **8 D5**
Bruton La W1 **12 E3**
Bruton Pl W1 **12 E3**
Bruton St W1 **12 E3**
Bryanston Ms East W1 **11 C1**
Bryanston Pl W1 **11 B1**
Bryanston Sq W1 **11 C1**
Bryanston St W1 **11 C2**
Buck Hill Wlk W2 **11 A3**
Buckingham Gate SW1 **12 F5**
Buckingham Gate SW1 **13 A5**
Buckingham Palace SW1 **12 F5**
Buckingham Palace Gardens SW1 **12 E5**
Buckingham Palace Rd SW1 **20 E2**
Buckingham St WC2 **13 C3**
Buckland St N1 **7 C2**
Bull Wharf La EC4 **15 A2**
Bulls Gdns SW3 **19 B2**
Bulmer Pl W11 **9 C3**
Bunhill Fields EC1 **7 B4**
Bunhill Row EC1 **7 B4**
Burdett Ms W2 **10 D1**
Burgh House NW3 **1 B4**
Burgh St N1 **6 F2**
Burial Grounds EC1 **7 B4**
Burlington Arcade W1 **12 F3**
Burlington Gdns W1 **12 F3**
Burnaby St SW10 **18 F5**
Burney St SE10 **23 B3**
Burnsall St SW3 **19 B3**
Burnthwaite Rd SW6 **17 C5**
Burrell St SE1 **14 F3**
Burslem St E1 **16 F2**
Burton St WC1 **5 B4**
Burton's Ct SW3 **19 C3**
Bury Pl WC1 **13 C1**
Bury St EC3 **16 D1**
Bury St SW1 **12 F3**
Bush House WC2 **14 D2**
Buttesland St N1 **7 C3**
Buxton St E1 **8 E4**
Byward St EC3 **16 D2**

C

Cabinet War Rooms SW1 **13 B4**
Cable St E1 **16 F2**
Cade Rd SE10 **23 C4**
Cadogan Gate SW1 **19 C2**
Cadogan Gdns SW3 **19 C2**
Cadogan La SW1 **20 D1**
Cadogan Pier SW3 **19 B4**
Cadogan Pl SW1 **19 C1**
Cadogan Sq SW1 **19 C1**
Cadogan St SW3 **19 C2**
Cale St SW3 **19 A3**
Caledonian Rd N1 **5 C2**
6 D1
Callender Rd SW7 **10 F5**
Callow St SW3 **18 F4**
Calshot St N1 **6 D2**
Calthorpe St WC1 **6 D4**
Calvert Ave E2 **8 D3**
Calvert Rd SE10 **24 E1**
Calvin St E1 **8 D5**
Camberwell New Rd SE5 **22 E5**
Cambridge Circus WC2 **13 B2**
Cambridge Gdns W10 **9 A1**
Cambridge Pl W8 **10 E5**
Cambridge Sq W2 **11 A1**
Cambridge St SW1 **20 F3**
Camden High St NW1 **4 F1**
Camden St NW1 **4 F1**
5 A1
Camden Wlk N1 **6 F1**
Camera Pl SW10 **18 F4**
Camlet St E2 **8 D4**
Camley St NW1 **5 A1**
Campden Gro W8 **9 C4**
Campden Hill W8 **9 C4**
Campden Hill Rd W11 **9 C4**
Campden Hill Sq W8 **9 B4**
Campden St W8 **9 C4**
Canadian Embassy SW1 **13 B3**
Canal Wlk N1 **7 B1**
Canning Pl W8 **10 E5**
Cannon La NW3 **1 B4**
Cannon Pl NW3 **1 B4**
Cannon Row SW1 **13 B5**
Cannon St EC4 **15 A2**
Cannon St Rd E1 **16 F1**
Canon St N1 **7 A1**
Canrobert St E2 **8 F2**
Canterbury Pl SE17 **22 F2**
Capland St NW8 **3 A4**
Caradoc Clo W2 **9 C1**
Caradoc St SE10 **24 D1**
Cardigan St SE11 **22 D3**
Cardinal's Wharf SE1 **15 A3**
Cardington St NW1 **5 A3**
Carey St WC2 **14 D1**
Carlingford Rd NW3 **1 B5**
Carlisle La SE1 **14 D5**
22 D1
Carlisle Pl SW1 **20 F1**
Carlos Pl W1 **12 E3**
Carlow St NW1 **4 F1**
Carlton House Terr SW1 **13 A4**
Carlyle Sq SW3 **19 A3**
Carlyle's House SW3 **19 B4**
Carmelite St EC4 **14 E2**
Carnaby St W1 **12 F2**
Carnegie St N1 **6 D1**
Carol St NW1 **4 F1**
Caroline Gdns E2 **8 D3**
Caroline Pl W2 **10 D2**
Caroline Terr SW1 **20 D2**
Carriage Dri East SW11 **20 D5**
Carriage Dri North SW11 **19 C5**
20 D4
Carriage Dri West SW11 **19 C5**
Carroun Rd SW8 **22 D5**
Carter La EC4 **14 F2**
Cartwright Gdns WC1 **5 B3**
Cartwright St E1 **16 E2**
Casson St E1 **8 E5**
Castle Baynard St EC4 **14 F2**
15 A2
Castle La SW1 **12 F5**
Castletown Rd W14 **17 A3**
Cathcart Rd SW10 **18 E4**
Cathedral St SE1 **15 B3**
Catherine Gro SE10 **23 A4**
Catherine St WC2 **13 C2**
Catton St WC1 **13 C1**
Causton St SW1 **21 B2**
Cavendish Ave NW8 **3 A2**
Cavendish Pl W1 **12 E1**
Cavendish Sq W1 **12 E1**
Cavendish St N1 **7 B2**
Caversham St SW3 **19 C4**
Caxton St SW1 **13 A5**
Cedarne Rd SW6 **18 D5**
Cenotaph SW1 **13 B4**
Central Criminal Court EC4 **14 F1**
Central Mkt WC2 **13 C2**
Central St EC1 **7 A3**
Chadwell St EC1 **6 E3**
Chadwick St SW1 **21 A1**
Chagford St NW1 **3 C4**
Chaldon Rd SW6 **17 A5**
Challoner St W14 **17 B3**
Chalton St NW1 **5 A2**
Chamber St E1 **16 E2**
Chambers St SE16 **16 F5**
Chambord St E2 **8 E3**
Chance St E1,E2 **8 D4**
Chancel St SE1 **14 F4**
Chancery La WC2 **14 D1**
Chandos Pl WC2 **13 B3**
Chandos St W1 **12 E1**
Chapel Mkt N1 **6 E2**
Chapel Side W2 **10 D2**
Chapel St NW1 **3 B5**
Chapel St SW1 **12 D5**
Chapter Rd SE17 **22 F3**
Chapter St SW1 **21 A2**
Charing Cross Pier WC2 **13 C3**
Charing Cross Rd WC2 **13 B1**
Charlbert St NW8 **3 A2**
Charles La NW8 **3 A2**
Charles Sq N1 **7 C3**
Charles St W1 **12 E3**
Charles II St SW1 **13 A3**
Charleville Rd W14 **17 A3**
Charlotte Rd EC2 **7 C3**
Charlotte St W1 **4 F5**
5 A5
13 A1
Charlotte Terr N1 **6 D1**
Charlton Pl N1 **6 F1**
Charlton Way SE3 **24 D4**

Charlwood St SW1 **20 F3**, **21 A2**
Charrington St NW1 **5 A2**
Chart St N1 **7 C3**
Charterhouse Sq EC1 **6 F5**
Charterhouse St EC1 **6 F5**
Cheapside EC2 **15 A1**
Chelsea Bridge SW1 **20 E4**
Chelsea Bridge Rd SW1, SW8 **20 D3**
Chelsea Embankment SW3 **19 B4**, **20 D4**
Chelsea Manor St SW3 **19 B3**
Chelsea Old Church SW3 **19 A4**
Chelsea Physic Garden SW3 **19 C4**
Chelsea Pk Gdns SW3 **18 F4**
Chelsea Royal Hospital SW3 **20 D3**
Chelsea Sq SW3 **19 A3**
Cheltenham Terr SW3 **19 C3**
Chenies Ms WC1 **5 A4**
Chenies St WC1 **5 A5**
Cheniston Gdns W8 **18 D1**
Chepstow Cres W11 **9 C2**
Chepstow Pl W2 **9 C2**
Chepstow Rd W2 **9 C1**
Chepstow Vlls W11 **9 C2**
Chequer St EC1 **7 B4**
Cherbury St N1 **7 C2**
Chesham Pl SW1 **20 D1**
Chesham St SW1 **20 D1**
Cheshire St E2 **8 E4**
Chesson Rd W14 **17 B4**
Chester Gate NW1 **4 E3**
Chester Ms SW1 **12 E5**
Chester Rd NW1 **4 D3**
Chester Row SW1 **20 D2**
Chester Sq SW1 **20 E1**
Chester St SW1 **12 E5**
Chester Terr NW1 **4 E3**
Chester Way SE11 **22 E2**
Chesterfield Wlk SE10 **23 C4**
Cheval Pl SW7 **19 B1**
Chevening Rd SE10 **24 F1**
Cheyne Gdns SW3 **19 B4**
Cheyne Wlk SW3, SW10 **19 A5**
Chicheley St SE1 **14 D4**
Chichester St SW1 **21 A3**
Chicksand St E1 **8 E5**
Chiltern St W1 **4 D5**, **12 D1**
Chilton St E2 **8 E4**
Chilver St SE10 **24 F1**
Chilworth Ms W2 **10 F1**
Chilworth St W2 **10 F2**
Chiswell St EC1 **7 B5**
Christ Church, Spitalfields E1 **8 E5**
Christchurch Hill NW3 **1 B4**
Christchurch St SW3 **19 C4**
Christchurch Way SE10 **24 D1**
Christian St E1 **16 F1**
Christopher St EC2 **7 C5**
Chryssell Rd SW9 **22 E5**
Church Row NW3 **1 A5**
Church St NW8 **3 A5**
Churchill Gardens SW1 **20 F3**
Churchill Gardens Rd SW1 **20 F3**
Churchway NW1 **5 A3**
Churchyard Row SE11 **22 F2**
Churton St SW1 **20 F2**
Circus St SE10 **23 B3**
City Garden Row N1 **6 F2**, **7 A2**
City Rd EC1 **6 F2**, **7 B3**
City Rd Basin N1 **7 A2**
Clabon Ms SW1 **19 C1**
Clanricarde Gdns W2 **10 D3**
Clapham Rd SW9 **22 D5**
Claredale St E2 **8 F2**
Claremont Clo N1 **6 E2**
Claremont Sq N1 **6 E2**
Claremont St SE10 **23 A2**
Clarence Gdns NW1 **4 F3**
Clarence House SW1 **12 F4**
Clarendon Pl W2 **11 A2**
Clarendon Rd W11 **9 A2**
Clarendon St SW1 **20 F3**
Clareville Gro SW7 **18 F2**
Clareville St SW7 **18 F2**
Clarges St W1 **12 E3**
Clarissa St E8 **8 D1**
Claverton St SW1 **21 A3**
Claylands Rd SW8 **22 D4**
Clayton St SE11 **22 E4**
Cleaver Sq SE11 **22 E3**
Cleaver St SE11 **22 E3**
Clem Attlee Ct SW6 **17 B4**
Clement's La EC4 **15 C2**
Cleopatra's Needle WC2 **13 C3**
Clere St EC2 **7 C4**
Clerkenwell Green EC1 **6 E4**
Clerkenwell Rd EC1 **6 E5**
Cleveland Gdns W2 **10 E2**
Cleveland Sq W2 **10 E2**
Cleveland St W1 **4 F5**
Cleveland Terr W2 **10 F1**
Clifford St W1 **12 F2**
Clifton St EC2 **7 C4**
Clink Exhibition SE1 **15 B3**
Clink St EC1 **15 B3**
Clipstone St W1 **4 F5**
Cliveden Pl SW1 **20 D2**
Cloth Fair EC1 **6 F5**
Cloudesley Pl N1 **6 E1**
Cloudesley Rd N1 **6 E1**
Cloudesley Sq N1 **6 E1**
Cloudesley St N1 **6 E1**
Club Row E1,E2 **8 D4**
Cluny Ms SW5 **17 C2**
Coate St E2 **8 F2**
Cochrane St NW8 **3 A2**
Cock La EC1 **14 F1**
Cockspur St SW1 **13 B3**
Coin St SE1 **14 E3**
Colbeck Ms SW7 **18 E2**
Coldbath St SE13 **23 A5**
Cole St SE1 **15 B5**
Colebrooke Row N1 **6 F2**
Coleherne Ct SW5 **18 E3**
Coleherne Rd SW10 **18 D3**
Coleman Fields N1 **7 A1**
Coleman St EC2 **15 B1**
Coleraine Rd SE3 **24 E2**
Coley St WC1 **6 D4**
College Pl NW1 **5 A1**
College St EC4 **15 B2**
Collier St N1 **5 C2**, **6 D2**
Collingham Gdns SW5 **18 E2**
Collingham Pl SW5 **18 D2**
Collingham Rd SW5 **18 E2**
Colnbrook St SE1 **22 F1**
Colomb St SE10 **24 E1**
Colonnade WC1 **5 C4**
Columbia Rd E2 **8 D3**
Colville Gdns W11 **9 B2**
Colville Ms W11 **9 B2**
Colville Rd W11 **9 B2**
Colville Terr W11 **9 B2**
Combe Ave SE3 **24 E3**
Combe Ms SE3 **24 E3**
Combedale Rd SE10 **24 F1**
Comeragh Rd W14 **17 A3**
Commercial Rd E1 **16 E1**
Commercial St E1 **8 D5**
Commerell St SE10 **24 D1**
Commonwealth Institute W8 **9 C5**
Compton Ave N6 **1 C1**
Compton St EC1 **6 F4**
Concert Hall Approach SE1 **14 D4**
Conduit Ms W2 **10 F2**
Conduit St W1 **12 F2**
Conington Rd SE13 **23 A5**
Conley St SE10 **24 E1**
Connaught Pl W2 **11 C2**
Connaught Sq W2 **11 B2**
Connaught St W2 **11 B2**
Constantine Rd NW3 **2 D5**
Constitution Hill SW1 **12 E5**
Cook's Rd SE17 **22 F4**
Coomer Pl SW6 **17 C4**
Coopers La NW1 **5 B2**
Cooper's Row EC3 **16 D2**
Cope Pl W8 **17 C1**
Copenhagen St N1 **5 C1**
Copenhagen St N1 **6 D1**
Copperas St SE8 **23 A2**
Copperfield St SE1 **14 F4**, **15 A4**
Copthall Ave EC2 **15 B1**
Coptic St WC1 **13 B1**
Coral St SE1 **14 E5**
Coram Foundation WC1 **5 C4**
Corams' Fields WC1 **5 C4**
Cork St W1 **12 F3**
Cornhill EC3 **15 C2**
Cornwall Cres W11 **9 A2**
Cornwall Gdns SW7 **18 E1**
Cornwall Rd SE1 **14 E4**
Cornwall Terr NW1 **3 C4**
Coronet St N1 **7 C3**
Corporation Row EC1 **6 E4**
Corsham St N1 **7 B3**
Cosmo Pl WC1 **5 C5**
Cosser St SE1 **22 D1**
Cosway St NW1 **3 B5**
Cottage Pl SW3 **19 A1**
Cottesmore Gdns W8 **18 E1**
Cottington Clo SE11 **22 F2**
Cottington St SE11 **22 E2**
Coulson St SW3 **19 C2**
Counter St SE1 **15 C4**
County Hall SE1 **13 C4**
Courtauld Institute Galleries WC2 **14 D2**
Courtenay St SE11 **22 D3**
Courtfield Gdns SW5 **18 E2**
Courtfield Rd SW7 **18 E2**
Courthope Rd NW3 **2 E5**
Courtnell St W2 **9 C1**
Cousin La EC4 **15 B3**
Coutt's Cres NW5 **2 F3**
Covent Garden WC2 **13 C2**
Coventry St WC1 **13 A3**
Cowcross St EC1 **6 F5**
Cowper St EC2 **7 B4**
Cramer St W1 **4 D5**
Crane St SE10 **23 C1**
Cranleigh St NW1 **5 A2**
Cranley Gdns SW7 **18 F3**
Cranley Ms SW7 **18 F3**
Cranley Pl SW7 **18 F2**
Cranmer Rd SW9 **22 E5**
Cranwood St EC1 **7 B3**
Craven Hill W2 **10 F2**
Craven Hill Gdns W2 **10 E2**
Craven Rd W2 **10 F2**
Craven St WC2 **13 B3**
Craven Terr W2 **10 F2**
Crawford Pas EC1 **6 E4**
Crawford Pl W1 **11 B1**
Crawford St W1 **3 C5**
Creechurch La EC3 **16 D1**
Creed St EC4 **14 F2**
Creek Rd SE8 **23 A2**
Cremer St E2 **8 D2**
Cremorne Rd SW10 **18 F5**
Cresswell Gdns SW5 **18 E3**
Cresswell Pl SW10 **18 E3**
Cressy Rd NW3 **2 D5**
Crestfield St WC1 **5 C3**
Crewdson Rd SW9 **22 D5**
Crimsworth Rd SW8 **21 B5**
Crinan St N1 **5 C2**
Cringle St SW8 **20 F5**
Crispin St E1 **8 D5**
Croftdown Rd NW5 **2 F4**
Cromer St WC1 **5 C3**
Cromwell Cres SW5 **17 C2**
Cromwell Gdns SW7 **19 A1**
Cromwell Pl SW7 **19 A1**
Cromwell Rd SW5, SW7 **18 D2**, **18 F1**
Crondall St N1 **7 C2**
Croom's Hill SE10 **23 C3**
Croom's Hill Gro SE10 **23 B3**
Cropley St N1 **7 B2**
Crosby Row SE1 **15 B5**
Croston St E8 **8 F1**
Crown Office Row EC4 **14 E2**
Crowndale Rd NW1 **4 F2**, **5 A1**
Crucifix La SE1 **15 C4**
Cruden St N1 **6 F1**
Crutched Friars EC3 **16 D2**
Cubitt St WC1 **6 D3**
Culford Gdns SW3 **19 C2**
Culross St W1 **12 D3**
Culworth St NW8 **3 B2**
Cumberland Cres W14 **17 A2**
Cumberland Gate W1 **11 C2**
Cumberland Mkt NW1 **4 F3**
Cumberland Place NW1 **11 C2**
Cumberland St SW1 **20 F3**
Cumberland Terr NW1 **4 E2**
Cumberland Terr Ms NW1 **4 E2**
Cumming St N1 **6 D2**
Cundy St SW1 **20 D2**
Cureton St SW1 **21 B2**
Curlew St SE1 **16 E4**
Cursitor St EC4 **14 E1**
Curtain Rd EC2 **7 C3**
Curzon St W1 **12 D4**
Cut, The SE1 **14 E4**
Cutlers Gdns E1 **16 D1**
Cutty Sark SE10 **23 B2**
Cynthia St N1 **6 D2**
Cyrus St EC1 **6 F4**

D

D'Arblay St W1 **13 A2**
Dabin Cres SE10 **23 A4**
Dacre St SW1 **13 A5**
Dallington St EC1 **6 F4**
Dame St N1 **7 A2**
Danbury St N1 **6 F2**
Dante Rd SE11 **22 F2**
Danube St SW3 **19 B3**
Danvers St SW3 **19 A4**
Dartmouth Clo W11 **9 C1**
Dartmouth Gro SE10 **23 B5**
Dartmouth Hill SE10 **23 B4**
Dartmouth Row SE10 **23 B5**
Dartmouth St SW1 **13 A5**
Davidson Gdns SW8 **21 B5**
Davies St W1 **12 E2**
Dawes Rd SW6 **17 A5**
Dawson Pl W2 **9 C2**
Dawson St E2 **8 E2**
De Beauvoir Cres N1 **7 C1**
De Laune St SE17 **22 F3**
De Vere Gdns W8 **10 E5**
Deal St E1 **8 5F**
Dean Ryle St SW1 **21 B1**
Dean St W1 **13 A1**
Dean's Yd SW1 **13 B5**
Decima St SE1 **15 C5**
Delaford St SW6 **17 A5**
Delancey St NW1 **4 E1**
Delverton Rd SE17 **22 F3**
Denbigh Pl SW1 **20 F3**
Denbigh Rd W11 **9 B2**
Denbigh St SW1 **20 F2**

Denbigh Terr W11 **9 B2**
Denham St SE10 **24 F1**
Denman St W1 **13 A2**
Denning Rd NW3 **1 B5**
Dennis Severs House E1 **8 D5**
Denny St SE11 **22 E2**
Denyer St SW3 **19 B2**
Derbyshire St E2 **8 F3**
Dereham Pl EC2 **8 D4**
Dericote St E8 **8 F1**
Derry St W8 **10 D5**
Design Centre SW1 **13 A3**
Design Museum SE1 **16 E4**
Devonshire Clo W1 **4 E5**
Devonshire Dri SE10 **23 A4**
Devonshire Pl W1 **4 D5**
Devonshire Sq EC2 **16 D1**
Devonshire St W1 **4 E5**
Devonshire Terr W2 **10 F2**
Dewey Rd N1 **6 E1**
Diamond Terr SE10 **23 B4**
Dickens House Museum WC1 **6 D4**
Dilke St SW3 **19 C4**
Dingley Rd EC1 **7 A3**
Dinsdale Rd SE3 **24 E2**
Disbrowe Rd W6 **17 A4**
Disney Pl SE1 **15 A4**
Diss St E2 **8 E2**
Ditch Alley SE10 **23 A4**
Dock St E1 **16 E2**
Dockhead SE1 **16 E5**
Dr Johnson's House EC4 **14 E1**
Doddington Gro SE17 **22 F3**
Doddington Pl SE17 **22 F4**
Dodson St SE1 **14 E5**
Dolben St SE1 **14 F4**
Dolphin Sq SW1 **21 A3**
Dombey St WC1 **5 C5**
Donegal St N1 **6 D2**
Donne Pl SW3 **19 B2**
Doon St SE1 **14 E3**
Doric Way NW1 **5 A3**
Dorset Rd SW8 **21 C5** **22 D5**
Dorset St NW1, W1 **3 C5** **3 C5**
Doughty Ms WC1 **6 D4**
Doughty St WC1 **6 D4**
Douglas St SW1 **21 A2**
Douro Pl W8 **10 E5**
Dove House St SW3 **19 A3**
Dove Row E2 **8 F1**
Dover St W1 **12 F3**
Down St W1 **12 E4**
Downing St SW1 **13 B4**
Downshire Hill NW3 **1 C5**
Draycott Ave SW3 **19 B2**
Draycott Pl SW3 **19 C2**
Draycott Terr SW3 **19 C2**
Drayton Gdns SW10 **18 F3**
Druid St SE1 **16 D4**
Drummond Cres NW1 **5 A3**
Drummond Gate SW1 **21 B3**
Drummond St NW1 **4 F4** **5 A3**
Drury La WC2 **13 C1**
Drysdale St N1 **8 D3**
Duchess of Bedford's Wlk W8 **9 C5**
Duchess St W1 **4 E5**
Duchy St SE1 **14 E3**
Dufferin St EC1 **7 B4**
Duke Humphery Rd SE3 **24 D5**
Duke of Wellington Pl SW1 **12 D5**
Duke of York St SW1 **13 A3**
Duke St SW1 **12 F3**
Duke St W1 **12 D2**
Duke St Hill SE1 **15 B3**
Duke's La W8 **10 D4**
Duke's Rd WC1 **5 B3**
Duke's Pl EC3 **16 D1**
Dunbridge St E2 **8 F4**
Duncan Rd E8 **8 F1**
Duncan St N1 **6 F2**
Duncan Terr N1 **6 F2**
Dunloe St E2 **8 E2**
Dunraven St W1 **11 C2**
Dunston Rd E8 **8 D1**
Dunston St E8 **8 D1**
Durant St E2 **8 F2**
Durham St SE11 **22 D3**
Durham Terr W2 **10 D1**
Durward St E1 **8 F5**
Dutton St SE10 **23 B4**
Dyott St WC1 **13 B1**

E

Eagle Ct EC1 **6 F5**
Eagle St WC1 **13 C1**
Eagle Wharf Rd N1 **7 A2**
Eamont St NW8 **3 B2**
Earl St EC2 **7 C5**
Earlham St WC2 **13 B2**
Earl's Court Exhibition Centre SW5 **17 C3**
Earl's Court Gdns SW5 **18 D2**
Earl's Court Rd SW5, W8 **18 D2** **17 C1**
Earl's Court Sq SW5 **18 D3**
Earl's Terr W8 **17 B1**
Earl's Wlk W8 **17 C1**
Earlswood St SE10 **24 D1**
Earsby St W14 **17 A2**
East Ferry Rd E14 **23 A1**
East Heath NW3 **1 B3**
East Heath Rd NW3 **1 B4**
East Pier E1 **16 F4**
East Rd N1 **7 B3**
East Smithfield E1 **16 E3**
East Tenter St E1 **16 E2**
Eastbourne Ms W2 **10 F1**
Eastbourne Terr W2 **10 F1**
Eastcastle St W1 **12 F1** **13 A1**
Eastcheap EC3 **15 C2**
Eastney St SE10 **23 C1**
Eaton Gate SW1 **20 D2**
Eaton La SW1 **20 E1**
Eaton Ms SW1 **20 D1** **20 E1**
Eaton Ms North SW1 **20 D1**
Eaton Ms West SW1 **20 D2**
Eaton Pl SW1 **20 D1**
Eaton Sq SW1 **20 D1**
Eaton Terr SW1 **20 D2**
Ebbisham Dri SW8 **22 D4**
Ebor St E1 **8 D4**
Ebury Bridge SW1 **20 E2**
Ebury Bridge Rd SW1 **20 E3**
Ebury Ms SW1 **20 E1**
Ebury Sq SW1 **20 E2**
Ebury St SW1 **20 E2**
Eccleston Bridge SW1 **20 E2**
Eccleston Ms SW1 **20 D1**
Eccleston Pl SW1 **20 E2**
Eccleston Sq SW1 **20 F2**
Eccleston St SW1 **20 E1**
Edge St W8 **9 C4**
Edgware Rd W2 **3 A5** **11 B1**
Edith Gro SW10 **18 E4**
Edith Rd W14 **17 A2**
Edith Terr SW10 **18 E5**
Edith Vlls W14 **17 B2**
Edwardes Sq W8 **17 C1**
Effie Rd SW6 **17 C5**
Egerton Cres SW3 **19 B1**
Egerton Dri SE10 **23 A4**
Egerton Gdns SW3 **19 B1**
Egerton Pl SW3 **19 B1**
Egerton Terr SW3 **19 B1**
Elaine Gro NW5 **2 E5**
Elcho St SW11 **19 B5**
Elder St E1 **8 D5**
Eldon Gro NW3 **1 B5**
Eldon Rd W8 **18 E1**
Eldon St EC2 **7 C5**
Elgin Cres W11 **9 A2**
Elia St N1 **6 F2**
Eliot Hill SE13 **23 B5**
Eliot Pl SE3 **24 D5**
Eliot Vale SE3 **23 C5**
Elizabeth Bridge SW1 **20 E2**
Elizabeth St SW1 **20 E2**
Ellen St E1 **16 F2**
Ellerdale Clo NW3 **1 A5**
Ellerdale Rd NW3 **1 A5**
Elliott's Row SE11 **22 F1**
Elm Pk Gdns SW10 **18 F3** **19 A3**
Elm Pk Rd SW3 **18 F4** **19 A3**
Elm Pl SW7 **18 F3**
Elm St WC1 **6 D4**
Elsham Rd W14 **9 A5**
Elvaston Pl SW7 **18 E1**
Elverson Rd SE8 **23 A5**
Elverton St SW1 **21 A1**
Elwin St E2 **8 E3**
Elystan Pl SW3 **19 B2**
Elystan St SW3 **19 B2**
Emba St SE16 **16 F5**
Embankment Gdns SW3 **19 C4**
Emerald St WC1 **6 D5**
Emerson St SE1 **15 A3**
Emma St E2 **8 F2**
Emperor's Gate SW7 **18 E1**
Endell St WC2 **13 B1**
Enderby St SE10 **24 D1**
Endsleigh Gdns WC1 **5 A4**
Endsleigh St WC1 **5 A4**
Enford St W1 **3 B5**
English Grounds SE1 **15 C4**
Enid St SE16 **16 E5**
Ennismore Gdns SW7 **11 A5**
Ennismore Gdns Ms SW7 **11 A5**
Ensign St E1 **16 F2**
Epirus Rd SW6 **17 C5**
Epworth St EC2 **7 C4**
Erasmus St SW1 **21 B2**
Errol St EC1 **7 B4**
Essex Rd N1 **6 F1**
Essex St WC2 **14 D2**
Essex Vlls W8 **9 C5**
Estcourt Rd SW6 **17 B5**
Estelle Rd NW3 **2 E5**
Esterbrooke St SW1 **21 A2**
Eustace Rd SW6 **17 C5**
Euston Rd NW1 **4 F4** **5 A4**
Euston Sq NW1 **5 A3**
Euston St NW1 **5 A4**
Evelyn Gdns SW7 **18 F3**
Evelyn Wlk N1 **7 B2**
Eversholt St NW1 **4 F2**
Eversholt St NW1 **5 A3**
Ewer St SE1 **15 A4**
Exeter St WC2 **13 C2**
Exhibition Rd SW7 **11 A5** **19 A1**
Exton St SE1 **14 E4**
Eyre St Hill EC1 **6 E4**
Ezra St E2 **8 E3**

F

Fabian Rd SW6 **17 B5**
Fair St SE1 **16 D4**
Fairclough St E1 **16 F1**
Fairholme Rd W14 **17 A3**
Fakruddin St E1 **8 F4**
Falconwood Ct SE3 **24 E5**
Falkirk St N1 **8 D2**
Fan Museum SE10 **23 B3**
Fane St W14 **17 B4**
Fann St EC1 **7 A5**
Fanshaw St N1 **7 C3**
Faraday Museum W1 **12 F3**
Farm La SW6 **17 C5**
Farm St W1 **12 E3**
Farmer's Rd SE5 **22 F5**
Farncombe St SE16 **16 F5**
Farnham Royal SE11 **22 D3**
Farringdon La EC1 **6 E4**
Farringdon Rd EC1 **6 E4**
Farringdon St EC4 **14 F1**
Fashion St E1 **8 E5**
Faunce St SE17 **22 F3**
Fawcett St SW10 **18 E4**
Feathers Pl SE10 **23 C2**
Featherstone St EC1 **7 B4**
Felton St N1 **7 B1**
Fenchurch Ave EC3 **15 C2**
Fenchurch Bldgs EC3 **16 D2**
Fenchurch St EC3 **15 C2** **16 D2**
Fentiman Rd SW8 **21 C4** **22 D5**
Fenton House NW3 **1 A4**
Fernshaw Rd SW10 **18 E4**
Ferry St E14 **23 B1**
Festival/South Bank Pier SE1 **14 D3**
Fetter La EC4 **14 E1**
Field Rd W6 **17 A4**
Fieldgate St E1 **16 F1**
Filmer Rd SW6 **17 B5**
Finborough Rd SW10 **18 E4**
Fingal St SE10 **24 F1**
Finsbury Circus EC2 **7 B5** **15 B1**
Finsbury Mkt EC2 **7 C5**
Finsbury Pavement EC2 **7 B5**
Finsbury Sq EC2 **7 B5**
Finsbury St EC2 **7 B5**
First St SW3 **19 B1**
Fisherton St NW8 **3 A4**
Fishmongers' Hall EC3 **15 B2**
Fitzalan St SE11 **22 D2**
Fitzgeorge Ave W14 **17 A2**
Fitzjames Ave W14 **17 A2**
Fitzjohn's Ave NW3 **1 B5**
Fitzroy Pk N6 **2 E1**
Fitzroy Sq W1 **4 F4**
Fitzroy St W1 **4 F5**
Flask Wlk NW3 **1 B5**
Flaxman Terr WC1 **5 B3**
Fleet Rd NW3 **2 D5**
Fleet St EC4 **14 E1**
Fleming Rd SE17 **22 F4**
Fleur de Lis St E1 **8 D5**
Flitcroft St WC2 **13 B1**
Flood St SW3 **19 B3**
Flood Wlk SW3 **19 B3**
Floral St WC2 **13 C2**
Florence Nightingale Museum SE1 **14 D5**
Florida St E2 **8 F3**
Flower Wlk, The SW7 **10 F5**
Foley St W1 **4 F5**
Folgate St E1 **8 D5**
Forbes St E1 **16 F2**
Fordham St E1 **16 F1**
Fore St EC2 **7 B5**
Foreign & Commonwealth Office SW1 **13 B4**
Forset St W1 **11 B1**
Forston St N1 **7 B2**
Forsyth Gdns SE17 **22 F4**
Fortune St EC1 **7 A4**
Foster La EC2 **15 A1**
Foubert's Pl W1 **12 F2**
Foulis Terr SW7 **19 A2**
Fount St SW8 **21 B5**
Fountains, The W2 **10 F3**
Fournier St E1 **8 E5**
Foxley Rd SW9 **22 E5**
Foyle Rd SE3 **24 E2**
Frampton St NW8 **3 A4**
Francis St SW1 **20 F1** **21 A1**
Franklins Row SW3 **19 C3**
Frazier St SE1 **14 E5**

Rue	Plan
Frederick St WC1	**6 D3**
Friend St EC1	**6 F3**
Frith St W1	**13 A2**
Frognal NW3	**1 A5**
Frognal Gdns NW3	**1 A5**
Frognal La NW3	**1 A5**
Frognal Rise NW3	**1 A4**
Frognal Way NW3	**1 A5**
Frome St N1	**7 A2**
Fulham Broadway SW6	**17 C5**
Fulham Rd SW6	**17 C5**
Fulham Rd SW10	**18 F4**
Fulham Rd SW3	**19 A2**
Fulthorp Rd SE3	**24 F5**
Fulwood Pl WC1	**6 D5**
Furnival St EC4	**14 E1**

G

Rue	Plan
Gabriel's Wharf SE1	**14 E3**
Gainsborough Gdns NW3	**1 B4**
Gainsford St SE1	**16 D4**
Galway St EC1	**7 A3**
Gambia St SE1	**14 F4**
Ganton St W1	**12 F2**
Garden History, Museum of SE1	**21 C1**
Garden Ms W2	**11 A2**
Garden Row SE1	**22 F1**
Garden Wlk EC2	**7 C4**
Gardners La EC4	**15 A2**
Garlick Hill EC4	**15 A2**
Garrett St EC1	**7 A4**
Garrick St WC2	**13 B2**
Garway Rd W2	**10 D2**
Gascoigne Pl E2	**8 D3**
Gasholder Pl SE11	**22 D3**
Gaskin St N1	**6 F1**
Gatliff Rd SW1	**20 E3**
Gayfere St SW1	**21 B1**
Gayton Cres NW3	**1 B5**
Gayton Rd NW3	**1 B5**
Gaza St SE17	**22 F3**
Gee St EC1	**7 A4**
Geffrye Museum E2	**8 D2**
Geffrye St E2	**8 D2**
General Wolfe Rd SE10	**23 C4**
George Row SE16	**16 E5**
George St W1	**12 D1**
Georgette Pl SE10	**23 B3**
Gerald Rd SW1	**20 D2**
Geraldine Mary Harmsworth Park SE11	**22 E1**
Geraldine St SE11	**22 F1**
Gerrard Pl WC2	**13 B2**
Gerrard Rd N1	**6 F2**
Gerrard St W1	**13 A2**
Gerridge St SE1	**14 E5**
Gertrude St SW10	**18 F4**
Gibbs Grn W14	**17 B3**
Gibson Rd SE11	**22 D2**
Gibson Sq N1	**6 E1**
Gibson St SE10	**24 D1**
Gilbert Rd SE11	**22 E2**
Gilbert St W1	**12 D2**
Gillingham St SW1	**20 F2**
Gilston Rd SW10	**18 F3**
Giltspur St EC1	**14 F1**
Gipsy Moth IV SE10	**23 B2**
Gladstone St SE1	**22 F1**
Glasgow Terr SW1	**20 F3**
Glasshill St SE1	**14 F4**
Glasshouse St W1	**13 A3**
Glasshouse Wlk SE11	**21 C3**
Glaz'bury Rd W14	**17 A2**
Glebe Pl SW3	**19 B4**
Gledhow Gdns SW5	**18 E2**
Gledstanes Rd W14	**17 A3**
Glenhurst Ave NW5	**2 F5**
Glenister Rd SE10	**24 E1**
Glentworth St NW1	**3 C4**
Gliddon Rd W14	**17 A2**
Globe St SE1	**15 B5**
Gloucester Ave NW1	**4 D1**
Gloucester Circus SE10	**23 B3**
Gloucester Cres NW1	**4 E1**
Gloucester Gate NW1	**4 E2**
Gloucester Ms W2	**10 F2**
Gloucester Ms West W2	**10 E1**
Gloucester Pl NW1	**3 C4**
Gloucester Pl W1	**11 C1**
Gloucester Pl Ms W1	**11 C1**
Gloucester Rd SW7	**18 E1**
Gloucester Sq W2	**11 A2**
Gloucester St SW1	**20 F3**
Gloucester Terr W2	**10 E1**
Gloucester Wlk W8	**9 C4**
Godfrey St SW3	**19 B3**
Goding St SE11	**21 C3**
Godson St N1	**6 E2**
Goffers Rd SE3	**24 D5**
Golden La EC1	**7 A4**
Goldington Cres NW1	**5 A1**
Goldington St NW1	**5 A2**
Goldsmith's Row E2	**8 F2**
Goldsmith's Sq E2	**8 F2**
Goodge Pl W1	**5 A5**
Goodge St W1	**5 A5**
Goodmans Yd E1	**16 E2**
Goods Way NW1	**5 B2**
Gopsall St N1	**7 B1**
Gordon House Rd NW5	**2 F5**
Gordon Sq WC1	**5 A4**
Gordon St WC1	**5 A4**
Gorleston St W14	**17 A2**
Gorsuch St E2	**8 D2**
Gosfield St W1	**4 F5**
Gosset St E2	**8 E3**
Goswell Rd EC1	**6 F3**
	7 A4
Gough St WC1	**6 D4**
Goulston St E1	**16 D1**
Gower Pl WC1	**5 A4**
Gower St WC1	**5 A4**
Gower's Wlk E1	**16 E1**
Gracechurch St EC3	**15 C2**
Grafton Pl NW1	**5 A3**
Grafton St W1	**12 F3**
Grafton Way W1	**4 F4**
Grafton Way WC1	**5 A4**
Graham St N1	**6 F2**
	7 A2
Graham Terr SW1	**20 D2**
Granary St NW1	**5 A1**
Granby St E2	**8 E4**
Granby Terr NW1	**4 F2**
Grand Union Canal N1	**7 A1**
Grand Union Canal NW1	
Grant St N1	**6 E2**
Grantbridge St N1	**6 F1**
Granville Pk SE13	**23 C5**
Granville Sq WC1	**6 D3**
Gratton Rd W14	**17 A1**
Gravel La E1	**16 D1**
Gray St SE1	**14 E5**
Gray's Inn WC1	**6 D5**
Gray's Inn Gardens WC1	**6 D5**
Gray's Inn Rd WC1	**5 C3**
	6 D4
Great Castle St W1	**12 F1**
Great College St SW1	**21 B1**
Great Cumberland Pl W1	**11 C2**
Great Dover St SE1	**15 B5**
Great Eastern St EC2	**7 C4**
Great George St SW1	**13 B5**
Great Guildford St SE1	**15 A4**
Great James St WC1	**6 D5**
Great Malborough St W1	**12 F2**
Great Maze Pond SE1	**15 B4**
Great Newport St WC2	**13 B2**
Great Ormond St WC1	**5 C5**
Great Percy St WC1	**6 D3**
Great Peter St SW1	**21 B1**
Great Portland St W1	**4 F5**
	12 F1
Great Pulteney St W1	**13 A2**
Great Queen St WC2	**13 C1**
Great Russell St WC1	**13 B1**
Great Scotland Yd SW1	**13 B3**
Great Smith St SW1	**13 B5**
	21 B1
Great St Helen's EC3	**15 C1**
Great Suffolk St SE1	**14 F4**
	15 A5
Great Sutton St EC1	**6 F4**
Great Titchfield St W1	**4 F5**
	12 F1
Great Tower St EC3	**15 C2**
Great Western Rd W11	**9 C1**
Great Winchester St EC2	**15 C1**
Great Windmill St W1	**13 A2**
Greatorex St E1	**8 E5**
Greek St W1	**13 A2**
Green Hill NW3	**1 B5**
Green Park SW1	**12 E4**
Green St W1	**12 D2**
Greencoat Pl SW1	**21 A1**
Greenfield Rd E1	**16 F1**
Greenwell St W1	**4 F5**
Greenwich Church St SE10	**23 B2**
Greenwich District Hospital SE10	**24 E1**
Greenwich Foot Tunnel E14, SE10	**23 B1**
Greenwich High Rd SE10	**23 A3**
Greenwich Park SE10	**23 C3**
	24 D3
Greenwich Pier SE10	**23 B1**
Greenwich South St SE10	**23 A4**
Greet St SE1	**14 E4**
Grendon St NW8	**3 A4**
Grenville Pl SW7	**18 E1**
Grenville St WC1	**5 C4**
Gresham St EC2	**15 A1**
Greville St EC1	**6 E5**
Grey Eagle St E1	**8 D5**
Greycoat Pl SW1	**21 A1**
Greycoat St SW1	**21 A1**
Greyhound Rd W14	**17 A4**
Grosvenor Cres SW1	**12 D5**
Grosvenor Cres Ms SW1	**12 D5**
Grosvenor Gdns SW1	**20 E1**
Grosvenor Gate W1	**11 C3**
Grosvenor Pl SW1	**12 D5**
Grosvenor Rd SW1	**20 E4**
	21 A4
Grosvenor Sq W1	**12 D2**
Grosvenor St W1	**12 E2**
Grote's Pl SE3	**24 D5**
Grove Terr NW5	**2 F4**
Grove, The N6	**2 F1**
Guards' Museum SW1	**13 A5**
Guildford Gro SE10	**23 A4**
Guildhall EC2	**15 B1**
Guildhouse St SW1	**20 F2**
Guilford St WC1	**5 C4**
Gunter Gro SW10	**18 E4**
Gunterstone Rd W14	**17 A2**
Gunthorpe St E1	**16 E1**
Gutter La EC2	**15 A1**
Guy St SE1	**15 C4**
Guy's Hospital EC1	**15 B4**
Gwendwr Rd W14	**17 A3**

H

Rue	Plan
Haberdasher St N1	**7 B3**
Hackford Rd SW9	**22 D5**
Hackney Rd E2	**8 E2**
Haddo St SE10	**23 A2**
Hadrian St SE10	**24 D1**
Haggerston Park E2	**8 E2**
Haggerston Rd E8	**8 E1**
Halcome St N1	**7 C1**
Haldane Rd SW6	**17 B5**
Half Moon St W1	**12 E4**
Halfmoon Cres N1	**6 D1**
Halford Rd SW6	**17 C4**
Halkin St SW1	**12 D5**
Hall Pl W2	**3 A5**
Hall St EC1	**6 F3**
Hallam St W1	**4 E5**
Hallfield Estate W2	**10 E1**
Halsey St SW3	**19 C2**
Halstow Rd SE10	**24 F1**
Hamilton Pl W1	**12 D4**
Hammersmith Rd W14	**17 A2**
Hampstead Gro NW3	**1 A4**
Hampstead Heath N6	**1 C2**
Hampstead High St NW3	**1 B5**
Hampstead Hill Gdns NW3	**1 C5**
Hampstead La NW3	**1 B1**
Hampstead La N6	**2 D1**
Hampstead Ponds NW3	**1 C4**
Hampstead Rd NW1	**4 F2**
Hampstead Way NW11	**1 A1**
Hanbury St E1	**8 E5**
Handel St WC1	**5 C4**
Handforth Rd SW9	**22 D5**
Hankey Pl EC1	**15 B5**
Hannell Rd SW6	**17 A5**
Hanover Gate NW1	**3 B3**
Hanover Pl WC2	**13 C2**
Hanover Sq W1	**12 E2**
Hanover St W1	**12 F2**
Hanover Terr NW1	**3 B3**
Hans Cres SW1	**11 C5**
Hans Pl SW1	**19 C1**
Hans Rd SW3	**11 C5**
	19 C1
Hans St SW1	**19 C1**
Hanson St W1	**4 F5**
Hanway Pl W1	**13 A1**
Hanway St W1	**13 A1**
Harcourt St W1	**3 B5**
Harcourt Ter SW10	**18 E3**
Hardwick St EC1	**6 E3**
Hardwidge St SE1	**15 C4**
Hardy Rd SE3	**24 F2**
Hare & Billet Rd SE3	**23 C5**
	24 D5
Hare Wlk N1	**8 D2**
Harewood Ave NW1	**3 B4**
Harley Gdns SW10	**18 F3**
Harley Pl W1	**12 E1**
Harley St W1	**4 E5**
	12 E1
Harleyford Rd SE11	**21 C3**
	22 D4
Harmsworth St SE17	**22 F3**
Harper Rd SE1	**15 A5**
Harpur St WC1	**5 C5**
Harriet Wlk SW1	**11 C5**
Harrington Gdns SW7	**18 E2**
Harrington Rd SW7	**18 F2**
	19 A2
Harrington Sq NW1	**4 F2**
Harrington St NW1	**4 F3**
Harrison St WC1	**5 C3**
Harrow Rd W2	**3 A5**
Harrowby St W1	**11 B1**
Hart St EC3	**16 D2**
Hartington Rd SW8	**21 B5**
Hartismere Rd SW6	**17 B5**
Harvey St N1	**7 C1**
Harwood Rd SW6	**18 D5**
Hasker St SW3	**19 B1**
Hastings St WC1	**5 B3**
Hatfields SE1	**14 E3**
Hatton Pl EC1	**6 E5**
Havelock St N1	**5 C1**
Hay Hill W1	**12 F3**

Hay St E2 **8 F1**
Haydon St EC3 **16 D2**
Hayles St SE11 **22 F1**
Haymarket SW1 **13 A3**
Hay's Galleria SE1 **15 C3**
Hay's La SE1 **15 C3**
Hay's Ms W1 **12 E3**
Hayward Gallery SE1 **14 D3**
Hazlitt Rd W14 **17 A1**
Headfort Pl SW1 **12 D5**
Hearn St EC2 **7 C4**
Heath Brow NW3 **1 A3**
Heath Hurst Rd NW3 **1 C5**
Heath Side NW3 **1 C4**
Heath St NW3 **1 A4**
Heath Way SE3 **24 F3**
Heathcote St WC1 **5 C4**
Heddon St W1 **12 F2**
Helmet Row EC1 **7 A4**
Hemans St SW8 **21 B5**
Hemingford Rd N1 **6 D1**
Hemming St E1 **8 F4**
Hemsworth St N1 **7 C2**
Heneage St E1 **8 E5**
Henrietta Pl W1 **12 E1**
Henrietta St WC2 **13 C2**
Henriques St E1 **16 F1**
Herbal Hill EC1 **6 E5**
Herbrand St WC1 **5 B4**
Hercules Rd SE1 **14 D5**
Hercules Rd SE1 **22 D1**
Hereford Rd W2 **9 C1** **10 D2**
Hereford St E2 **8 F4**
Hermit St EC1 **6 F3**
Herrick St SW1 **21 B2**
Hertford St W1 **12 E4**
Hesper Ms SW5 **18 D2**
Hessel St E1 **16 F1**
Hester Rd SW11 **19 B5**
Hewett St EC2 **8 D4**
Hexagon, The N6 **2 E2**
Heyford Ave SW8 **21 C5**
Heysham La NW3 **1 A4**
Hide Pl SW1 **21 A2**
High Bridge SE10 **23 C1**
High Holborn WC1 **6 D5** **13 B1** **14 D1**
High Timber St EC4 **15 A2**
Highfields Grn N6 **2 E2**
Highgate Cemetery N6 **2 F2**
Highgate Clo N6 **2 E1**
Highgate High St N6 **2 F1**
Highgate Ponds N6 **2 E3**
Highgate Rd NW5 **2 F4**
Highgate West Hill N6 **2 E2**
Highmore Rd SE3 **24 E3**
Highway, The E1 **16 F2**
Hilary Clo SW6 **18 D5**
Hill St W1 **12 E3**
Hill, The NW3 **1 A2**
Hillgate Pl W8 **9 C3**
Hillgate St W8 **9 C3**
Hillingdon St SE5 **22 F5**
Hillsleigh Rd W8 **9 B4**
Hillway N6 **2 F2**
Hindmarsh Clo E1 **16 F2**
HMS *Belfast* SE1 **16 D3**
Hobart Pl SW1 **20 E1**
Hobury St SW10 **18 F4**
Hogarth Rd SW5 **18 D2**
Holbein Pl SW1 **20 D2**
Holborn EC1 **14 E1**
Holborn Circus E4 **14 E1**
Holburn Viaduct EC1 **14 F1**
Holford Rd NW3 **1 B4**
Holford St WC1 **6 D3**
Holland Gdns W14 **17 A1**
Holland Gro SW9 **22 E5**
Holland House W8 **9 B5**
Holland Park W8 **9 B4**
Holland Pk W11 **9 A4**
Holland Pk Ave W11 **9 A4**
Holland Pk Gdns W14 **9 A4**
Holland Pk Ms W11 **9 B4**
Holland Pk Rd W14 **17 B1**
Holland Rd W14 **9 A5** **17 A1**
Holland St SE1 **14 F3**
Holland St W8 **10 D5**
Holland Vlls Rd W14 **9 A5**
Holland Wlk W8 **9 B4**
Holles St W1 **12 E1**
Holly Bush Vale NW3 **1 A5**
Holly Hill NW3 **1 A4**
Holly Lodge Gdns N6 **2 E2**
Holly Wlk NW3 **1 A5**
Hollymount Clo SE10 **23 B4**
Hollywood Rd SW10 **18 E4**
Holmead Rd SW6 **18 E5**
Holywell La EC2 **8 D4**
Holyoak Rd SE11 **22 F2**
Holyrood St SE1 **15 C4**
Homer Row W1 **11 B1**
Homestead Rd SW6 **17 B5**
Hooper St E1 **16 E2**
Hop Exchange EC1 **15 B4**
Hopetown St E1 **8 E5**
Hopton St SE1 **14 F3**
Horatio St E2 **8 E2**
Horbury Cres W11 **9 C3**
Hornton St W8 **10 D5**
Horse Guards SW1 **13 B4**
Horse Guards Rd SW1 **13 B4**
Horseferry Pl SE10 **23 A2**
Horseferry Rd SW1 **21 B1**
Horseguards Ave SW1 **13 B4**
Hortensia Rd SW10 **18 E5**
Hosier La EC1 **14 F1**
Hoskins St SE10 **23 C1**
Houghton St WC2 **14 D2**
Houndsditch EC3 **16 D1**
Houses of Parliament SW1 **13 C5**
Howick Pl SW1 **21 A1**
Howie St SW11 **19 B5**
Howland St W1 **4 F5**
Hows St E2 **8 D2**
Hoxton Sq N1 **7 C3**
Hoxton St N1 **7 C1**
Hugh St SW1 **20 E2**
Humber Rd SE3 **24 E2**
Humbolt Rd W6 **17 A4**
Hungerford Foot Bridge SE1 **13 C3**
Hunter St WC1 **5 C4**
Huntley St WC1 **5 A4**
Hunton St E1 **8 E5**
Hyde Park W2 **11 B3**
Hyde Pk Corner W1 **12 D4**
Hyde Pk Cres W2 **11 A1**
Hyde Pk Gate SW7 **10 E5**
Hyde Pk Gdns W2 **11 A2**
Hyde Pk Sq W2 **11 A2**
Hyde Pk St W2 **11 B2**
Hyde Rd N1 **7 C1**
Hyde Vale SE10 **23 C4**

I

Ifield Rd SW10 **18 E4**
Ilchester Gdns W2 **10 D2**
Ilchester Pl W14 **9 B5**
Imperial College Rd SW7 **18 F1**
Imperial War Museum SE11 **22 E1**
Inglebert St EC1 **6 E3**
Ingleside Gro SE3 **24 F2**
Ingram Ave NW11 **1 B1**
Inner Circle NW1 **4 D3**
Inner Temple Gdns EC4 **14 E2**
Institute of Contemporary Arts SW1 **13 B3**
Instruments, Museum of SW7 **10 F5**
Inverforth Clo NW3 **1 A3**
Inverness Ms W2 **10 E2**
Inverness Pl W2 **10 E2**
Inverness Terr W2 **10 E2**
Ironmonger La EC2 **15 B1**
Ironmonger Row EC1 **7 A3**
Island Gardens E14 **23 B1**
Islington Grn Gdns N1 **6 F1**
Islington High St N1 **6 E2**
Iverna Ct W8 **10 D5**
Iverna Gdns W8 **18 D1**
Ives St SW3 **19 B2**
Ivor Pl NW1 **3 B4**
Ivy St N1 **7 C2**
Ixworth Pl SW3 **19 B2**

J

Jackman St E8 **8 F1**
Jacob St SE1 **16 E5**
Jamaica Rd SE1 **16 E5**
Jamaica Rd SE16 **16 F5**
James St W1 **12 D1**
James St WC2 **13 C2**
Jameson St W8 **9 C3**
Jamme Masjid E1 **8 E5**
Janeway St SE16 **16 F5**
Jay Ms SW7 **10 F5**
Jermyn St SW1 **12 F3** **13 A3**
Jewel Tower SW1 **13 B5**
Jewish Museum WC1 **5 B4**
Jewry St EC3 **16 D2**
Joan St SE1 **14 F4**
Jockey's Fields WC1 **6 D5**
John Adam St WC2 **13 C3**
John Carpenter St EC4 **14 E2**
John Fisher St E1 **16 E2**
John Islip St SW1 **21 B2**
John Penn St SE13 **23 A4**
John Ruskin St SE5 **22 F5**
John's Ms WC1 **6 D5**
John's St WC1 **6 D5**
Johnson's Pl SW1 **20 F3**
Jonathan St SE11 **22 D2**
Jubilee Gardens SE1 **14 D4**
Jubilee Pl SW3 **19 B3**
Judd St WC1 **5 B3**
Judges Wlk NW3 **1 A4**
Juer St SW11 **19 B5**
Juxon St SE11 **22 D1**

K

Kathleen & May SE1 **15 B4**
Kay St E2 **8 F2**
Kean St WC2 **13 C2**
Keat's Gro NW3 **1 C5**
Keat's House NW3 **1 C5**
Keep, The SE3 **24 F5**
Keeton's Rd SE16 **16 F5**
Kelsey St E2 **8 F4**
Kelso Pl W8 **18 D1**
Kemble St WC2 **13 C2**
Kemplay Rd NW3 **1 B5**
Kempsford Gdns SW5 **18 D3**
Kempsford Rd SE11 **22 E2**
Kemsing Rd SE10 **24 F1**
Kenchester Clo SW8 **21 C5**
Kendal Clo SW9 **22 F5**
Kendal St W2 **11 B2**
Kenley Wlk W11 **9 A3**
Kennet St E1 **16 F3**
Kennington Gro SE11 **22 D4**
Kennington La SE11 **22 D3**
Kennington Oval SE11 **22 D4**
Kennington Park SE11 **22 E4**
Kennington Pk Gdns SE11 **22 F4**
Kennington Pk Rd SE11 **22 E4**
Kennington Rd SE1 **22 E1**
Kensington Church St W8 **10 D4**
Kensington Ct Pl W8 **10 E5**
Kensington Ct W8 **10 E5**
Kensington Gardens W2 **10 E4**
Kensington Gdns Sq W2 **10 D2**
Kensington Gate W8 **10 E5**
Kensington Gore SW7 **10 F5**
Kensington High St W8 **9 C5** **10 D5**
Kensington High St W14 **17 B1**
Kensington Palace W8 **10 D4**
Kensington Palace Gdns W8 **10 D3**
Kensington Pk Gdns W11 **9 B3**
Kensington Pk Rd W11 **9 B2**
Kensington Pl W8 **9 C4**
Kensington Rd W7, W8 **10 E5**
Kensington Rd SW7 **11 A5**
Kensington Sq W8 **10 D5**
Kent Pas NW1 **3 B4**
Kent St E2 **8 E2**
Kentish Bldgs SE1 **15 B4**
Kenton St WC1 **5 B4**
Kenway Rd SW5 **18 D2**
Kenwood Clo NW3 **1 B1**
Kenwood House N6 **1 C1**
Keyworth St SE1 **14 F5**
Kidbrooke Gdns SE3 **24 F5**
Kildare Gdns W2 **10 D1**
Kildare Terr W2 **10 D1**
Killick St N1 **5 C2**
Kiln Pl NW5 **2 F5**
King St EC2 **15 B1**
King St SW1 **12 F4** **13 A3**
King St WC2 **13 B2**
King Charles St SW1 **13 B5**
King Edward St EC1 **15 A1**
King Edward Wlk SE1 **22 E1**
King George St SE10 **23 B3**
King James St SE1 **14 F5**
King William St EC4 **15 B2**
King William Wlk SE10 **23 B2**
Kingly St W1 **12 F2**
King's Bench Wlk EC4 **14 E2**
King's Head Yd SE1 **15 B4**
Kings Rd SW3 **19 A4**
King's Rd SW6,SW10 **18 E5**
King's Scholars Pas SW1 **20 F1**
King's Terr NW1 **4 F1**
King's Cross Rd WC1 **5 C2** **6 D3**
Kingsland Basin N1 **8 D1**
Kingsland Rd E2 **8 D1**
Kingsmill Ter NW8 **3 A2**
Kingstown St NW1 **4 D1**
Kingsway WC2 **13 C1**
Kinnerton St SW1 **11 C5**
Kinnoul Rd W6 **17 A4**
Kipling St SE1 **15 C5**
Kirby Gro SE1 **15 C4**
Kirby St EC1 **6 E5**
Kirtling St SW8 **20 F4**
Kirton Gdns E2 **8 E3**
Knaresborough Pl SW5 **18 D2**
Knighten St E1 **16 F4**
Knightrider St EC4 **14 F2**
Knightsbridge SW1 **12 D5**
Knivet Rd SW6 **17 C4**
Knox St W1 **3 C5**
Kynance Pl SW7 **18 E1**

L

Laburnum St E2 **8 D1**
Lackington St EC2 **7 B5**
Ladbroke Cres W11 **9 A1**
Ladbroke Gdns W11 **9 B2**

Ladbroke Gro W11 **9 A1**
Ladbroke Rd W11 **9 B3**
Ladbroke Sq W1 **19 B3**
Ladbroke Terr W11 **9 B3**
Ladbroke Wlk W11 **9 B3**
Lafone St SE1 **16 D4**
Lamb St E1 **8 D5**
Lamb Wlk SE1 **15 C5**
Lamb's Conduit St WC1 **5 C4**
Lamb's Pas EC1 **7 B5**
Lambeth Bridge SE1 **21 C1**
Lambeth High St SE1 **21 C2**
Lambeth Palace Rd SE1 **14 D5**, **21 C1**
Lambeth Palace SE1 **21 C1**
Lambeth Rd SE1 **22 D1**
Lambeth Wlk SE11 **22 D1**
Lamble St NW5 **2 F5**
Lamlash St SE11 **22 F1**
Lamont Rd SW10 **18 F4**
Lancaster Ct SW6 **17 C5**
Lancaster Gate W2 **10 F2**
Lancaster House SW1 **12 F4**
Lancaster Ms W2 **10 F2**
Lancaster Pl WC2 **13 C2**
Lancaster Rd W11 **9 A1**
Lancaster St SE1 **14 F5**
Lancaster Terr W2 **10 F2**
Lancaster Wlk W2 **10 F3**
Lancelot Pl SW7 **11 B5**
Langbourne Ave N6 **2 F3**
Langdale Rd SE10 **23 A3**
Langham Hilton Hotel W1 **12 E1**
Langham Pl W1 **12 E1**
Langham St W1 **12 F1**
Langley La SW8 **21 C4**
Langley St WC2 **13 B2**
Langton Rd SW9 **22 F5**
Langton St SW10 **18 F4**
Langton Way SE3 **24 F4**
Lansdowne Cres W11 **9 A3**
Lansdowne Rd W11 **9 A2**
Lansdowne Rise W11 **9 A3**
Lansdowne Terr WC1 **5 C4**
Lansdowne Wlk W11 **9 B3**
Lant St SE1 **15 A5**
Lassell St SE10 **23 C1**, **24 D1**
Launceston Pl W8 **18 E1**
Laundry Rd W6 **17 A4**
Laurence Poutney La EC4 **15 B2**
Laverton Pl SW5 **18 D2**
Lavington St SE1 **14 F4**
Lawn La SW8 **21 C4**
Lawrence St SW3 **19 A4**
Laystall St EC1 **6 D4**
Leadenhall Mkt EC3 **15 C2**
Leadenhall St EC3 **15 C2**, **16 D2**
Leake St SE1 **14 D4**
Leamington Rd Vlls W11 **9 B1**
Leather La EC1 **6 E5**
Leathermarket St SE1 **15 C5**
Leathwell Rd SE13 **23 A5**
Ledbury Rd W11 **9 C2**
Leeke St WC1 **5 C3**
Lees Pl W1 **12 D2**
Leicester Pl WC2 **13 B2**
Leicester Sq WC2 **13 B3**
Leicester St WC2 **13 A2**
Leigh St WC1 **5 B4**
Leighton House W14 **17 B1**
Leinster Gdns W2 **10 E2**
Leinster Pl W2 **10 E2**
Leinster Sq W2 **10 D2**
Leinster Terr W2 **10 E2**
Leman St E1 **16 E1**
Lennox Gdns Ms SW1 **19 B1**
Lennox Gdns SW1 **19 C1**
Leonard St EC2 **7 C4**
Lethbridge Clo SE13 **23 B5**
Letterstone Rd SW6 **17 B5**
Lever St EC1 **7 A3**
Lewisham Hill SE13 **23 B5**
Lewisham Rd SE13 **23 A4**
Lexham Gdns W8 **18 D1**
Lexington St W1 **13 A2**
Leyden St E1 **16 D1**
Library St SE1 **14 F5**
Lidlington Pl NW1 **4 F2**
Lilestone St NW8 **3 B4**
Lillie Rd SW6 **17 A5**
Lime St EC3 **15 C2**
Limerston St SW10 **18 F4**
Lincoln's Inn Fields WC2 **14 D1**
Lincoln's Inn WC2 **14 D1**
Linden Gdns W2 **9 C3**
Linhope St NW1 **3 B4**
Linley Sambourne House W8 **9 C5**
Linton St N1 **7 A1**
Lisburne Rd NW3 **2 E5**
Lisgar Terr W14 **17 B2**
Lisle St WC2 **13 A2**
Lissenden Gdns NW5 **2 F5**
Lisson Gro NW1 **3 B5**
Lisson Gro NW8 **3 A4**
Lisson St NW1 **3 A5**
Little Boltons, The SW10 **18 E3**
Little Britain EC1 **15 A1**
Little Chester St SW1 **12 E5**
Little College St SW1 **21 B1**
Little Dorrit Ct SE1 **15 A4**
Little Portland St W1 **12 F1**
Liverpool Rd N1 **6 E1**
Liverpool St EC2 **15 C1**
Lizard St EC1 **7 A3**
Lloyd Baker St WC1 **6 D3**
Lloyd St WC1 **6 D3**
Lloyd's of London EC3 **15 C2**
Lloyd's Ave EC3 **16 D2**
Lloyd's Row EC1 **6 E3**
Lodge Rd NW8 **3 A3**
Logan Ms W8 **17 C2**
Logan Pl W8 **17 C2**
Lollard St SE11 **22 D2**
Loman St SE1 14 F4
Lombard St EC3 **15 B2**
London Bridge SE1 **15 B3**
London Bridge City Pier SE1 **15 C3**
London Bridge St EC1 **15 B4**
London Central Mosque NW1 **3 B3**
London Coliseum WC2 **13 B3**
London Dungeon SE1 **15 C3**
London Rd SE1 **14 F5**, **22 F1**
London St W2 **10 F1**, **11 A1**
London Toy & Model Museum W2 **10 E2**
London Transport Museum WC2 **13 C2**
London Wall EC2 **15 A1**
London Zoo NW1 **4 D2**
London, Museum of EC2 **15 A1**
Long Acre WC1 **13 B2**
Long La EC1 **6 F5**, **7 A5**
Long La SE1 **15 B5**
Long Pond Rd SE3 **24 D4**
Long St E2 **8 D3**
Longford St NW1 **4 E4**
Longridge Rd SW5 **17 C2**
Longville Rd SE11 **22 F2**
Lonsdale Rd W11 **9 B2**
Lord Hill Bridge W2 **10 D1**
Lord's Cricket Ground NW8 **3 A3**
Lorrimore Rd SE17 **22 F4**
Lorrimore Sq SE17 **22 F4**
Lot's Rd SW10 **18 E5**
Lothbury EC2 **15 B1**
Loughborough St SE11 **22 D3**
Lovat La EC3 **15 C2**
Love La EC2 **15 A1**
Lower Addison Gdns W14 **9 A5**
Lower Belgrave St SW1 **20 E1**
Lower Grosvenor Pl SW1 **20 E1**
Lower Marsh SE1 **14 D5**
Lower Sloane St SW1 **20 D3**
Lower Terr NW3 **1 A4**
Lower Thames St EC3 **15 C3**, **16 D3**
Lowndes Pl SW1 **20 D1**
Lowndes Sq SW1 **11 C5**
Lowndes St SW1 **20 D1**
Lucan Pl SW3 **19 B2**
Ludgate Circus EC4 **14 F1**
Ludgate Hill EC4 **14 F1**
Luke St EC2 **7 C4**
Lupus St SW1 **20 F3**, **21 A3**
Luscombe Way SW8 **21 B5**
Luton Pl SE10 **23 B3**
Luton St NW8 **3 A4**
Luxborough St W1 **4 D5**
Lyall St SW1 **20 D1**
Lyndale Clo SE3 **24 E2**

M

Mabledon Pl WC1 **5 B3**
Mablethorpe Rd SW6 **17 A5**
Macclesfield Rd EC1 **7 A3**
McGregor Rd W11 **9 B1**
Mackennal St NW8 **3 B2**
Mackeson Rd NW3 **2 D5**
Macklin St WC2 **13 C1**
Mackworth St NW1 **4F3**
McLeod's Ms SW7 **18 E1**
Maclise Rd W14 **17 A1**
Madame Tussauds' NW1 **4 D5**
Maddox St W1 **12 F2**
Maiden La WC2 **13 C2**
Maidenstone Hill SE10 **23 B4**
Makepeace Ave N6 **2 F3**
Malet St WC1 **5 A5**
Mall, The SW1 **12 F4**, **13 A4**
Mallord St SW3 **19 A4**
Mallow St EC1 **7 B4**
Malta St EC1 **6 F4**
Maltby St SE1 **16 D5**
Malton Rd W10 **9 A1**
Manchester Rd E14 **23 B1**
Manchester Sq W1 **12 D1**
Manchester St W1 **12 D1**
Manciple St SE1 **15 B5**
Mandela St NW1 **4 F1**
Mandela St SW9 **22 E5**
Mandeville Clo SE3 **24 F3**
Mandeville Pl W1 **12 D1**
Manette St W1 **13 B1**
Mankind, Museum of W1 **12 F3**
Manor Pl SE17 **22 F3**
Manresa Rd SW3 **19 A3**
Mansell St E1 **16 E2**
Mansfield Rd NW3 **2 E5**
Mansford St E2 **8 F2**
Mansion House EC4 **15 B2**
Manson Pl SW7 **18 F2**
Maple St E2 **8 F4**
Maple St W1 **4 F5**
Marble Arch W1 **11 C2**
Marchbank Rd W14 **17 B4**
Marchmont St WC1 **5 B4**
Margaret St W1 **12 F1**
Margaretta Terr SW3 **19 B4**
Margery St WC1 **6 D3**
Marigold St SE16 **16 F5**
Marine St SE16 **16 E5**
Mark St EC2 **7 C4**
Market Entrance SW8 **21 A5**
Market Ms W1 **12 E4**
Markham Sq SW3 **19 B3**
Markham St SW3 **19 B3**
Marlborough Bldgs SW3 **19 B2**
Marlborough House SW1 **13 A4**
Marlborough Rd SW1 **13 A4**
Marlborough St SW3 **19 B2**
Marloes Rd W8 **18 D1**
Marshall St W1 **12 F2**
Marshalsea Rd SE1 **15 A4**
Marsham St SW1 **21 B1**
Mary Pl W11 **9 A3**
Mary St N1 **7 A1**
Marylebone High St W1 **4 D5**
Marylebone La W1 **12 E1**
Marylebone Rd NW1 **3 B5**, **4 D5**
Marylebone St W1 **4 D5**
Marylee Way SE11 **22 D2**
Maryon Ms NW3 **1 C5**
Mason's Pl EC1 **7 A3**
Matheson Rd W14 **17 B2**
Matilda St N1 **6 D1**
Maunsel St SW1 **21 A1**
Mawbey St SW8 **21 B5**
Maxwell Rd SW6 **18 D5**
Maygood St N1 **6 D2**
Maze Hill SE10 **24 D2**
Meadow Rd SW8 **21 C5**, **22 D4**
Mecklenburgh Gardens WC1 **5 C4**
Medway St SW1 **21 A1**
Melbury Rd W14 **17 B1**
Mendora Rd SW6 **17 A5**
Mercer St WC2 **13 B2**
Meredith St EC1 **6 F3**
Mermaid Ct SE1 **15 B4**
Merryfield SE3 **24 F5**
Merton La N6 **2 E2**
Methley St SE11 **22 E3**
Mews St E1 **16 E3**
Meymott St SE1 **14 E4**
Micawber St N1 **7 A3**
Middle St EC1 **7 A5**
Middle Temple La EC4 **14 E2**
Middlesex St E1 **16 D1**
Midland Pl E14 **23 B1**
Midland Rd NW1 **5 B2**
Milborne Gro SW10 **18 F3**
Miles St SW8 **21 B4**
Milford La WC2 **14 D2**
Milk St EC2 **15 A1**
Mill Row N1 **8 D1**
Mill St SE1 **16 E5**
Millbank SW1 **21 B1**
Millfield La N6 **1 C1**
Millfield La N6 **2 D1**
Millifield Pl N6 **2 E3**
Millman St WC1 **5 C4**
Milmans St SW10 **19 A4**
Milner St SW3 **19 C1**
Milson Rd W14 **17 A1**
Milton St EC2 **7 B5**
Milverton St SE11 **22 E3**
Mincing La EC3 **15 C2**
Minera Ms SW1 **20 D2**
Ministry of Defence SW1 **13 C4**
Minories EC3 **16 D2**
Minories Hill EC3 **16 D2**
Mint St SE1 **15 A4**
Mintern St N1 **7 C2**
Mirabel Rd SW6 **17 B5**
Mitchell St EC1 **7 A4**
Mitre Rd SE1 **14 E4**
Mitre St EC3 **16 D2**
Molyneux St W1 **11 B1**
Monck St SW1 **21 B1**

Monkton St SE11 **22 E2**
Monmouth Rd W2 **10 D2**
Monmouth St WC2 **13 B2**
Montpelier St SW7 **11 B1**
Montagu Mansions W1 **3 C5**
Montagu Pl W1 **4 D5**, **11 C1**
Montagu Sq W1 **11 C1**
Montagu St W1 **11 C1**
Montague Pl WC1 **5 B5**
Montague St WC1 **5 B5**
Montclare St E2 **8 D4**
Montford Pl SE11 **22 D3**
Montpelier Pl SW7 **11 B5**
Montpelier Row SE3 **24 E5**
Montpelier Sq SW7 **11 B5**
Montpelier Wlk SW7 **11 B5**
Montrose Ct SW7 **11 A5**
Montrose Pl SW1 **12 D5**
Monument EC3 **15 C2**
Monument St EC3 **15 C2**
Moorhouse Rd W2 **9 C1**
Moor La EC2 **7 B5**
Moore Pk Rd SW6 **18 D5**
Moore St SW3 **19 C2**
Moorfields EC2 **7 B5**
Moorgate EC2 **7 B5**, **15 B1**
Mora St EC1 **7 A3**
Moravian Pl SW10 **19 A4**
Morden Clo SE13 **23 B5**
Morden Hill SE13 **23 B5**
Morden Rd SE3 **24 F5**
Morden Rd Ms SE3 **24 F5**
Morden St SE13 **23 A4**
Moreland St EC1 **6 F3**, **7 A3**
Moreton Pl SW1 **21 A3**
Moreton St SW1 **21 A3**
Morgan's La SE1 **15 C4**
Morley St SE1 **14 E5**
Mornington Ave W14 **17 B2**
Mornington Cres NW1 **4 F2**
Mornington St NW1 **4 F2**
Mornington Terr NW1 **4 E1**
Morocco St SE1 **15 C5**
Morpeth Terr SW1 **20 F1**
Mortimer St W1 **12 F1**
Morwell St WC1 **13 A1**
Moscow Rd W2 **10 D2**
Mossop St SW3 **19 B2**
Motcomb St SW1 **12 D5**
Mount Pleasant WC1 **6 D4**
Mount Row W1 **12 E3**
Mount St W1 **12 D3**
Mount, The NW3 **1 A4**
Mounts Pond Rd SE3 **23 C5**, **24 D5**
Moving Image, Museum of the SE1 **14 D3**
Mowll St SW9 **22 D5**
Moylan Rd W6 **17 A4**
Mulberry St E1 **16 F1**
Mulberry Wlk SW3 **19 A4**
Mulgrave Rd SW6 **17 B4**
Mulvaney Way SE1 **15 C5**
Mund St W14 **17 B3**
Munden St W14 **17 A2**
Munster Rd SW6 **17 A5**
Munster Sq NW1 **4 F4**
Muriel St N1 **6 D1**
Murphy St SE1 **14 E5**
Murray Gro N1 **7 B2**
Musard Rd W6 **17 A4**
Museum St WC1 **13 B1**
Mycenae Rd SE3 **24 F2**
Myddelton Pas EC1 **6 E3**
Myddelton Sq EC1 **6 E3**
Myddelton St EC1 **6 E4**
Myrdle St E1 **16 F1**

N

Napier Gro N1 **7 B2**
Napier Pl W14 **17 B1**
Napier Rd W14 **17 A1**
Nash St NW1 **4 E3**
Nassington Rd NW3 **2 D5**
National Army Museum SW3 **19 C4**
National Film Theatre SE1 **14 D3**
National Gallery WC2 **13 B3**
National Maritime Museum SE10 **23 C2**
National Portrait Gallery WC2 **13 B3**
National Postal Museum EC1 **15 A1**
National Sound Archive SW7 **11 A5**
National Theatre SE1 **14 D3**
Natural History Museum SW7 **18 F1**, **19 A1**
Navarre St E2 **8 D4**
Nazrul St E2 **8 D2**
Neal St WC2 **13 B1**
Neal's Yd WC2 **13 B1**
Neckinger St SE1 **16 E5**
Nectarine Way SE13 **23 A5**
Needham Rd W11 **9 C2**
Nelson Gdns E2 **8 F3**
Nelson Pl N1 **6 F2**
Nelson Rd SE10 **23 B2**
Nelson Sq SE1 **14 F4**
Nelson's Column WC2 **13 B3**
Nesham St E1 **16 F3**
Netherton Gro SW10 **18 F4**
Nevada St SE10 **23 B3**
Nevern Pl SW5 **17 C2**
Nevern Rd SW5 **17 C2**
Nevern Sq SW5 **17 C2**
Neville St SW7 **19 A3**
New Bond St W1 **12 E2**
New Bridge St EC4 **14 F2**
New British Library NW1 **5 B3**
New Broad St EC2 **15 C1**
New Cavendish St W1 **4 E5**
New Change EC4 **15 A2**
New Compton St WC2 **13 B1**
New Covent Garden Mkt SW8 **21 A5**
New End NW3 **1 B4**
New End Sq NW3 **1 B4**
New Fetter La EC4 **14 E1**
New Inn Yd EC2 **8 D4**
New North Rd N1 **7 B1**
New North St WC1 **5 C5**
New Oxford St WC1 **13 B1**
New Palace Yd SW1 **13 B5**
New Rd E1 **8 F5**, **16 F1**
New Row WC2 **13 B2**
New Scotland Yd SW1 **13 A5**
New Sq WC2 **14 D1**
New St EC2 **16 D1**
New Wharf Rd N1 **5 C2**
New Zealand House SW1 **13 A3**
Newburn St SE11 **22 D3**
Newcomen St SE1 **15 B4**
Newcourt St NW8 **3 A2**
Newgate St EC1 **14 F1**, **15 A1**
Newington Butts SE11 **22 F2**
Newington Causeway SE1 **15 A5**
Newman St W1 **13 A1**
Newport St SE11 **22 D2**
Newton Rd W2 **10 D1**
Newton St WC2 **13 C1**
Nicholas La EC4 **15 B2**
Nile St N1 **7 B3**
Nine Elms La SW8 **21 A4**
Noble St EC2 **15 A1**
Noel Rd N1 **6 F2**, **7 A2**
Noel St W1 **13 A1**
Norfolk Cres W2 **11 B1**
Norfolk Pl W2 **11 A1**
Norfolk Rd NW8 **3 A1**
Norfolk Sq W2 **11 A1**
Norland Sq W11 **9 A4**
Norman Rd SE10 **23 A3**
Norman St EC1 **7 A4**
Normand Rd W14 **17 B4**
North Audley St W1 **12 D2**
North East Pier E1 **16 F4**
North End Ave NW3 **1 A2**
North End NW3 **1 A2**
North End Rd SW6 **17 C3**
North End Rd W14 **17 A2**
North End Way NW3 **1 A2**
North Gower St NW1 **4 F3**
North Gro N6 **2 F1**
North Rd N6 **2 F1**
North Row W1 **11 C2**
North Tenter St E1 **16 E2**
North Terr SW3 **19 A1**
North West Pier E1 **16 F4**
North Wharf Rd W2 **10 F1**
Northampton Rd EC1 **6 E4**
Northampton Sq EC1 **6 F3**
Northburgh St EC1 **6 F4**
Northdown St N1 **5 C2**
Northington St WC1 **6 D5**
Northumberland Ave WC2 **13 B3**
Northumberland Pl W2 **9 C1**
Norton Folgate E1 **8 D5**
Norway St SE10 **23 A2**
Notting Hill Gate W11 **9 C3**, **10 D3**
Nottingham Pl W1 **4 D5**
Nottingham St W1 **4 D5**
Nutford Pl W1 **11 B1**
Nuttall St N1 **7 C1**, **8 D1**

O

Oak Hill Pk NW3 **1 A5**
Oak Hill Way NW3 **1 A4**
Oak Tree Rd NW8 **3 A3**
Oak Village NW5 **2 F5**
Oakcroft Rd SE13 **23 C5**
Oakden St SE11 **22 E2**
Oakeshott Ave N6 **2 F2**
Oakley Gdns SW3 **19 B4**
Oakley Sq NW1 **5 A2**
Oakley St SW3 **19 B4**
Oakwood Ct W14 **9 B5**
Oat La EC2 **15 A1**
Observatory Gdns W8 **9 C4**
Offley Rd SW9 **22 E5**
Old Bailey EC4 **14 F1**
Old Bethnal Grn Rd E2 **8 F3**
Old Bond St W1 **12 F3**
Old Brewery Ms NW3 **1 B5**
Old Broad St EC2 **15 C1**
Old Brompton Rd SW5 **18 D3**
Old Brompton Rd SW7 **19 A2**
Old Castle St E1 **16 D1**
Old Cavendish St W1 **12 E1**
Old Church St SW3 **19 A3**
Old Compton St W1 **13 A2**
Old Ct Pl W8 **10 D5**
Old Gloucester St WC1 **5 C5**
Old Jamaica Rd SE16 **16 E5**
Old Jewry EC2 **15 B1**
Old Marylebone Rd NW1 **3 B5**, **11 B1**
Old Montague St E1 **8 E5**
Old Nichol St E2 **8 D4**
Old Orchard, The NW3 **2 D5**
Old Palace Yd SW1 **13 B5**
Old Paradise St SE11 **22 D2**
Old Pk La W1 **12 E4**
Old Pye St SW1 **21 A1**
Old Quebec St W1 **11 C2**
Old Queen St SW1 **13 B5**
Old Royal Observatory SE10 **23 C3**
Old St EC1 **7 A4**
Old St Thomas's Operating Theatre EC1 **15 B4**
Old Vic SE1 **14 E5**
Old Woolwich Rd SE10 **23 C1**, **24 D1**
Olympia W14 **17 A1**
Olympia Way W14 **17 A1**
Ongar Rd SW6 **17 C4**
Onslow Gdns SW7 **18 F2**
Onslow Sq SW7 **19 A2**
Ontario St SE1 **22 F1**
Opal St SE11 **22 F2**
Orange St WC2 **13 B3**
Orbain Rd SW6 **17 A5**
Orchard Dri SE3 **24 D5**
Orchard Hill SE13 **23 A5**
Orchard Rd SE3 **24 D5**
Orchard St W1 **12 D2**
Orchard, The SE3 **23 C5**
Orchardson St NW8 **3 A4**
Orde Hall St WC1 **5 C5**
Ordnance Hill NW8 **3 A1**
Orlop St SE10 **24 D1**
Orme Ct W2 **10 D3**
Orme La W2 **10 D3**
Ormiston Rd SE10 **24 F1**
Ormonde Gate SW3 **19 C3**
Ormonde Terr NW8 **3 C1**
Ormsby St E2 **8 D2**
Orsett St SE11 **22 D3**
Orsett Terr W2 **10 E1**
Orsman Rd N1 **7 C1**, **8 D1**
Osborn St E1 **16 E1**
Osnaburgh St NW1 **4 E4**
Ossington St W2 **10 D3**
Ossulston St NW1 **5 A2**
Oswin St SE11 **22 F1**
Otto St SE17 **22 F4**
Outer Circle NW1 **3 B2**, **4 D2**
Oval Pl SW8 **22 D5**
Oval Rd NW1 **4 E1**
Oval, The SE11 **22 D4**
Oval Way SE11 **22 D3**
Ovington Gdns SW3 **19 B1**
Ovington Sq SW3 **19 B1**
Ovington St SW3 **19 B1**
Owen St EC1 **6 E2**
Oxford Gdns W10 **9 A1**
Oxford Sq W2 **11 B1**
Oxford St W1 **12 D2**, **13 A1**

P

Pakenham St WC1 **6 D4**
Packington Sq N1 **7 A1**
Packington St N1 **6 F1**, **7 A1**
Paddington Basin W2 **11 A1**
Paddington Garden W2 **3 A5**
Paddington St W1 **4 D5**
Page St SW1 **21 B2**
Paget St EC1 **6 F3**
Pagoda Gdns SE3 **23 C5**
Palace Ave W8 **10 D4**
Palace Ct W2 **10 D3**
Palace Gate W8 **10 E5**
Palace Gdns Ms W8 **10 D3**
Palace Gdns Terr W8 **10 D3**

Chaque nom est suivi par son code postal et son report au plan

Palace Grn W8 **10 D4**
Palace St SW1 **12 F5**
Palace Theatre WC2 **13 B2**
Palfrey Pl SW8 **22 D5**
Pall Mall SW1 **13 A3**
Pall Mall East SW1 **13 B3**
Palliser Rd W14 **17 A3**
Palmer St SW1 **13 A5**
Pancras Rd NW1 **5 B2**
Panton St SW1 **13 A3**
Parade, The SW11 **19 C5**
Paradise Wlk SW3 **19 C4**
Paragon Pl SE3 **24 E5**
Paragon, The SE3 **24 F5**
Pardoner St SE1 **15 B5**
Paris Garden SE1 **14 E3**
Park Cres W1 **4 E5**
Park La W1 **11 C2**, **12 D3**
Park Pl SW1 **12 F4**
Park Rd NW1, NW8 **3 B3**
Park Row SE10 **23 C1**
Park Sq East NW1 **4 E4**
Park Sq Gdns NW1 **4 E4**
Park Sq West NW1 **4 E4**
Park St SE1 **15 A3**
Park St W1 **12 D2**
Park Village East NW1 **4 E2**
Park Vista SE10 **23 C2**, **24 D2**
Park West Pl W2 **11 B1**
Park Wlk SW10 **18 F4**
Parker St WC2 **13 C1**
Parkfield St N1 **6 E2**
Parkgate Rd SW11 **19 B5**
Parkville Rd SW6 **17 B5**
Parkway NW1 **4 E1**
Parliament Hill N6 **2 D4**, **2 E4**
Parliament Sq SW1 **13 B5**
Parliament St SW1 **13 B4**
Parr St N1 **7 B2**
Parry St SW8 **21 C4**
Pascal St SW8 **21 B5**
Pater St W8 **17 C1**
Paul St EC2 **7 C4**
Paultons Sq SW3 **19 A4**
Paultons St SW3 **19 A4**
Paveley Dri SW11 **19 A5**
Paveley St NW8 **3 B4**
Pavilion Rd SW1 **11 C5**, **19 C1**
Peabody Ave SW1 **20 E3**
Peace Pagoda SW11 **19 C5**
Peachum Rd SE3 **24 F2**
Pear Tree St EC1 **7 A4**
Pearman St SE1 **14 E5**
Pearson St E2 **8 D2**
Pedley St E1 **8 E4**
Peel St W8 **9 C4**
Peerless St EC1 **7 B3**
Pelham Cres SW7 **19 A2**
Pelham Pl SW7 **19 A2**
Pelham St SW7 **19 A2**
Pellant Rd SW6 **17 A5**
Pelter St E2 **8 D3**
Pelton Rd SE10 **24 D1**
Pembridge Cres W11 **9 C2**
Pembridge Gdns W2 **9 C3**
Pembridge Pl W2 **9 C2**
Pembridge Rd W11 **9 C3**
Pembridge Sq W2 **9 C3**
Pembridge Vlls W11 **9 C2**
Pembroke Gdns W8 **17 C1**
Pembroke Gdns Clo W8 **17 C1**
Pembroke Rd W8 **17 C1**
Pembroke Sq W8 **17 C1**
Pembroke Vlls W8 **17 C1**
Penfold St NW1, NW8 **3 A4**
Penn St N1 **7 B1**
Pennant Ms W8 **18 D1**
Pennington St E1 **16 F3**
Penryn St NW1 **5 A2**
Penton Pl SE17 **22 F2**
Penton Rise WC1 **6 D3**
Penton St N1 **6 D2**
Pentonville Rd N1 **6 D2**
Penywern Rd SW5 **18 D3**
Penzance Pl W11 **9 A3**
Penzance St W11 **9 A3**
Pepper St SE1 **15 A4**
Pepys St EC3 **16 D2**
Percival David Foundation WC1 **5 B4**
Percival St EC1 **6 F4**
Percy Circus WC1 **6 D3**
Percy St W1 **13 A1**
Perham Rd W14 **17 A3**
Perrin's La NW3 **1 B5**
Perrin's Wlk NW3 **1 A5**
Peter Jones SW3 **19 C2**
Peter Pan Statue W2 **10 F3**
Petersham La SW7 **18 E1**
Petersham Pl SW7 **18 E1**
Peto Pl NW1 **4 E4**
Petticoat La E1 **16 D1**
Petticoat Sq E1 **16 D1**
Petty France SW1 **13 A5**
Petyward SW3 **19 B2**
Phene St SW3 **19 B4**
Philbeach Gdns SW5 **17 C2**
Phillimore Gdns W8 **9 C5**
Phillimore Pl W8 **9 C5**
Phillimore Wlk W8 **9 C5**
Phillipp St N1 **7 C1**, **8 D1**
Philpot La EC3 **15 C2**
Phoenix Pl WC1 **6 D4**
Phoenix Rd NW1 **5 A3**
Photographer's Gallery WC2 **13 B2**
Piccadilly Circus W1 **13 A3**
Piccadilly W1 **12 E4**, **13 A3**
Pickard St EC1 **7 A3**
Pilgrim St EC4 **14 F2**
Pilgrim's La NW3 **1 C5**
Pilgrimage St EC1 **15 B5**
Pimlico Rd SW1 **20 D2**
Pinchin St E1 **16 F2**
Pindar St EC2 **7 C5**
Pitfield St N1 **7 C2**
Pitt St W8 **10 D4**
Pitt's Head Ms W1 **12 E4**
Planetarium NW1 **4 D5**
Platt St NW1 **5 A2**
Playing Fields SE11 **22 F2**
Plender St NW1 **4 F1**, **5 A1**
Plough Yd EC2 **8 D4**
Plumber's Row E1 **16 F1**
Pocock St SE1 **14 F4**
Point Hill SE10 **23 B4**
Pointers Clo E14 **23 A1**
Poland St W1 **12 F1**
Poland St W1 **13 A2**
Pollard Row E2 **8 F3**
Pollock's Toy Museum W1 **5 A5**
Polygon Rd NW1 **5 A2**
Pond Pl SW3 **19 A2**
Pond Rd SE3 **24 F5**
Pond St NW3 **1 C5**
Ponler St E1 **16 F2**
Ponsonby Pl SW1 **21 B3**
Ponsonby Terr SW1 **21 B3**
Pont St SW1 **19 C1**, **20 D1**
Ponton Rd SW8 **21 A4**
Poole St N1 **7 B1**
Pope Rd SE1 **16 D5**
Popham Rd N1 **7 A1**
Popham St N1 **7 A1**
Porchester Gdns W2 **10 D2**
Porchester Pl W2 **11 B1**
Porchester Rd W2 **10 D1**
Porchester Sq W2 **10 D1**
Porchester Terr W2 **10 E2**
Porlock St SE1 **15 B5**
Portland Pl W1 **4 E5**
Portland Rd W11 **9 A3**
Portman Clo W1 **11 C1**
Portman Ms South W1 **12 D2**
Portman Sq W1 **12 D1**
Portobello Rd W10 **9 A1**
Portobello Rd W11 **9 B2**
Portpool La EC1 **6 D5**
Portsmouth St WC2 **14 D1**
Portsoken St E1 **16 D2**
Portugal St WC2 **14 D1**
Pottery La W11 **9 A3**
Poultry EC2 **15 B2**
Powis Gdns W11 **9 B1**
Powis Sq W11 **9 B1**
Powis Terr W11 **9 B1**
Pownall Rd E8 **8 E1**
Praed St W2 **10 F1**, **11 A1**
Pratt St NW1 **4 F1**
Pratt Wlk SE11 **22 D1**
Prebend St N1 **7 A1**
Prescot St E1 **16 E2**
Price's Yd N1 **6 D1**
Prideaux Pl WC1 **6 D3**
Prima Rd SW9 **22 E5**
Primrose Hill NW3, NW8 **3 B1**
Primrose St EC2 **7 C5**
Prince Albert Rd NW1, NW8 **3 B2**, **4 D1**
Prince Arthur Rd NW3 **1 B5**
Prince Charles Rd SE3 **24 E4**
Prince Consort Rd SW7 **10 F5**
Prince of Wales Rd SE3 **24 F4**
Prince's Gate SW7 **11 A5**
Prince's Gate Ms SW7 **19 A1**
Prince's Gdns SW7 **11 A5**
Prince's Rise SE13 **23 B5**
Prince's Sq W2 **10 D2**
Prince's St EC2 **15 B1**
Princedale Rd W11 **9 A3**
Princelet St E1 **8 E5**
Princes Pl W11 **9 A3**
Princes St W1 **12 F2**
Princess Rd NW1 **4 D1**
Princeton St WC1 **6 D5**
Printer Sq EC4 **14 E1**
Prior St SE10 **23 B3**
Priory Wlk SW10 **18 F3**
Pritchard's Rd E2 **8 F1**
Protheroe Rd SW6 **17 A5**
Provence St N1 **7 A2**
Provost St N1 **7 B3**
Public Gardens W1 **4 D5**
Public Records Office WC2 **14 E1**
Puddle Dock EC4 **14 F2**
Purbrook St SE1 **16 D5**
Purcell St N1 **7 C2**
Purchese St NW1 **5 A2**

Q

Quaker St E1 **8 D4**
Queen Anne St W1 **12 E1**
Queen Anne's Gate SW1 **13 A5**
Queen Elizabeth St SE1 **16 D4**
Queen Mary's Gardens NW1 **4 D3**
Queen Sq WC1 **5 C5**
Queen St EC4 **15 B2**
Queen St Pl EC4 **15 A2**
Queen Victoria St EC4 **14 F2**, **15 A2**
Queen's Chapel SW1 **13 A4**
Queen's Club Gdns W14 **17 A4**
Queen's Gallery SW1 **12 F5**
Queen's Gdns SW1 **12 F5**
Queen's Gdns W2 **10 E2**
Queen's Gate SW7 **10 F5**, **18 F1**
Queen's Gate Gdns SW7 **18 F1**
Queen's Gate Ms SW7 **10 F5**
Queen's Gate Pl SW7 **18 F1**
Queen's Gate Pl Ms SW7 **18 F1**
Queen's Gate Terr SW7 **18 E1**
Queen's Gro NW8 **3 A1**
Queen's House SE10 **23 C2**
Queen's Wlk SW1 **12 F4**
Queenhithe EC4 **15 A2**
Queensberry Pl SW7 **18 F1**
Queensborough Ms W2 **10 E2**
Queensborough Terr W2 **10 E2**
Queensbridge Rd E2, E8 **8 E1**
Queensdale Rd W11 **9 A4**
Queenstown Rd SW8 **20 E4**
Queensway W2 **10 D2**
Quilter St E2 **8 E3**

R

Racton Rd SW6 **17 C4**
Radnor Ms W2 **11 A2**
Radnor Pl W2 **11 A1**
Radnor St EC1 **7 A3**
Radnor Terr W14 **17 B1**
Radnor Wlk SW3 **19 B3**
Radstock St SW11 **19 B5**
Railway Approach SE1 **15 B3**
Railway St N1 **5 C2**
Raleigh St N1 **6 F1**
Rampayne St SW1 **21 A3**
Randall Pl SE10 **23 A3**
Randall Rd SE11 **21 C2**
Ranelagh Gardens SW3 **20 D3**
Ranelagh Gro SW1 **20 D3**
Ranger's House SE10 **23 C4**
Raphael St SW7 **11 B5**
Rathbone Pl W1 **13 A1**
Rathbone St W1 **13 A1**
Ravensbourne Pl SE13 **23 A5**
Ravenscroft St E2 **8 E2**
Ravensdon St SE11 **22 E3**
Ravent Rd SE11 **22 D2**
Rawlings St SW3 **19 B2**
Rawstorne St EC1 6 F3
Ray St EC1 **6 E4**
Raymond Bldgs WC1 **6 D5**
Rector St N1 **7 A1**
Red Lion Sq WC1 **5 C5**
Red Lion St WC1 **6 D5**
Redan Pl W2 **10 D2**
Redburn St SW3 **19 B4**
Redchurch St E2 **8 D4**
Redcliffe Gdns SW10 **18 E3**
Redcliffe Ms SW10 **18 E3**
Redcliffe Pl SW10 **18 E4**
Redcliffe Rd SW10 **18 4F**
Redcliffe Sq SW10 **18 D3**
Redcross Way SE1 **15 A4**
Redesdale St SW3 **19 B3**
Redfield La SW5 **18 D2**
Redhill St NW1 **4 E3**
Redington Rd NW3 **1 A5**
Redvers St N1 **8 D2**
Reedworth St SE11 **22 E2**
Rees St N1 **7 B1**
Reeves Ms W1 **12 D3**
Regan Way N1 **7 C2**
Regency St SW1 **21 A2**
Regent Sq WC1 **5 C3**
Regent St W1, SW1 **12 F1**, **13 A3**
Regent's Park NW1 **3 C2**, **4 D2**
Regent's Pk Terr NW1 **4 E1**
Regent's Pl SE3 **24 F5**

Regent's Pk Rd NW1 **3 C1** **4 D1**
Regent's Row E8 **8 E1**
Renfrew Rd SE11 **22 F2**
Rennie St SE1 **14 F3**
Restell Clo SE3 **24 E2**
Rheidol Terr N1 **7 A1**
Richard's Pl SW3 **19 B2**
Richborne Terr SW8 **22 D5**
Richmond Terr SW1 **13 B4**
Rick La SW5 **18 D3**
Rickett St SW6 **17 C4**
Ridgmount Gdns WC1 **5 A5**
Ridgmount St WC1 **5 A5**
Riding House St W1 **12 F1**
Riley Rd SE1 **16 D5**
Ring, The W2 **11 A3**
Risinghill St N1 **6 D2**
Rita Rd SW8 **21 C5**
Ritz Hotel SW1 **12 F3**
River St EC1 **6 E3**
Rivington St EC2 **7 C3**
Roan St SE10 **23 A2**
Robert St NW1 **4 F3**
Robert Adam St W1 **12 D1**
Roberta St E2 **8 F3**
Robin Gro N6 **2 F2**
Rochester Row SW1 **21 A2**
Roderick Rd NW3 **2 E5**
Rodmarton St W1 **11 C1**
Rodmere St SE10 **24 E1**
Rodney St N1 **6 D2**
Roger St WC1 **6 D4**
Roland Gdns SW7 **18 F3**
Roland Way SW7 **18 F3**
Romilly St W1 **13 A2**
Romney Clo NW11 **1 A1**
Romney Rd SE10 **23 B2**
Romney St SW1 **21 B1**
Rona Rd NW3 **2 E5**
Rood La EC3 **15 C2**
Ropemaker St EC2 **7 B5**
Roper's Garden SW3 **19 A4**
Rosaline Rd SW6 **17 A5**
Rosary Gdns SW7 **18 E2**
Rosaville Rd SW6 **17 B5**
Rose Alley SE1 **15 A3**
Rose St WC2 **13 B2**
Rosebery Ave EC1 **6 E4**
Rosemoor St SW3 **19 B2**
Rosewood Gdns SE13 **23 A5**
Rosmead Rd W11 **9 A2**
Rosslyn Hill NW3 **1 C5**
Rossmore Rd NW1 **3 B4**
Rotary St SE1 **14 F5**
Rotten Row SW7 **11 A4**
Roupell St SE1 **14 E4**
Rowallan Rd SW6 **17 A5**
Royal Academy of Arts W1 **12 F3**
Royal Academy of Music NW1 **4 D4**
Royal Albert Hall SW7 **10 F5**
Royal Ave SW3 **19 C3**
Royal College of Art SW7 **10 F5**
Royal College of Music SW7 **10 F5**
Royal College St NW1 **5 A1**
Royal Courts of Justice WC2 **14 D2**
Royal Exchange EC4 **15 C2**
Royal Festival Hall SE1 **14 D4**
Royal Free Hospital NW3 **2 D5**
Royal Hill SE10 **23 B3**
Royal Hospital Cemetery SE10 **24 F1**
Royal Hospital Rd SW3 **19 C3**
Royal Hospital Rd SW3 **20 D3**
Royal Mint St E1 **16 E2**
Royal Ms SW1 **12 E5**
Royal Naval College SE10 **23 C2**
Royal Opera House WC2 **13 C2**
Royal Parade SE3 **24 E5**
Royal Rd SE17 **22 F4**
Royal St SE1 **14 D5**
Rudall Cres NW3 **1 B5**
Rumbold Rd SW6 **18 E5**
Rupert St W1 **13 A2**
Rushton St N1 **7 B2**
Rushworth St SE1 **14 F4**
Russell Gdns W14 **9 A5**
Russell Gdns Ms W14 **9 A5**
Russell Rd W14 **17 A1**
Russell Sq WC1 **5 B5**
Russell St WC2 **13 C2**
Russett Way SE13 **23 A5**
Ruston Ms W11 **9 A1**
Rutherford St SW1 **21 A2**
Ruthin Rd SE3 **24 F2**
Rutland Gdns SW7 **11 B5**
Rutland Gate SW7 **11 B5**
Ryculf Sq SE3 **24 F5**
Ryder St SW1 **12 F4**
Rylston Rd SW6 **17 B4**

S

St Agnes Pl SE11 **22 E4**
St Alban's Rd NW5 **2 F3**
St Alban's St SW1 **13 A3**
St Alfege Passage SE10 **23 B2**
St Andrew's EC4 **14 E1**
St Andrew's Gdns WC1 **6 D4**
St Andrew's Pl NW1 **4 E4**
St Andrews St EC4 **14 E1**
St Anne's Clo N6 **2 F3**
St Ann's St SW1 **21 B1**
St Ann's Terr NW8 **3 A2**
St Austell Rd SE13 **23 B5**
St Barnabas St SW1 **20 D2**
St Bartholomew's Hospital EC1 **14 F1**
St Bartholomews-the-Great EC1 **6 F5**
St Botolph Church EC1 **15 A1**
St Botolph St EC3 **16 D1**
St Bride St EC4 **14 E1**
St Bride's EC4 **14 F2**
St Chad's Pl WC1 **5 C3**
St Chad's St WC1 **5 C3**
St Clements Danes WC2 **14 D2**
St Crispin Clo NW3 **2 D5**
St Cross St EC1 **6 E5**
St Edmund's Terr NW8 **3 B1**
St Ethelreda's EC1 **6 E5**
St George's Blooms-bury WC1 **13 B1**
St George's Cathedral SE1 **14 E5**
St George's Circus SE1 **14 F5**
St George's Dri SW1 **20 F2**
St George's Fields W2 **11 B2**
St George's Gdn W1 **12 D3**
St George's Gdns WC1 **5 C4**
St George's Rd SE1 **22 F1**
St George's Sq SW1 **21 A3**
St German's Pl SE3 **24 F4**
St Giles EC2 **7 A5**
St Giles, Cripplegate High St WC2 **13 B1**
St Helen's Bishops-gate EC3 **15 C1**
St James's Church SW1 **13 A3**
St James's Palace SW1 **12 F4**
St James's Park SW1 **13 A4**
St James's Pk Lake SW1 **13 A4**
St James's Pl SW1 **12 F4**
St James's Rd SE16 **16 F5**
St James's Sq SW1 **13 A3**
St James's St SW1 **12 F3**
St John St EC1 **6 E2**
St John's SE1 **14 E4**
St John's Gdns SW1 **21 B1**
St John's Gdns W11 **9 A3**
St John's High St NW8 **3 A2**
St John's La EC1 **6 F5**
St John's Pk SE3 **24 F3**
St John's Smith Sq SW1 **21 B1**
St John's Sq EC1 **6 F4**
St John's Wood Church Gdns NW8 **3 A3**
St John's Wood High St NW8 **3 A2**
St John's Wood Rd NW8 **3 A3**
St John's Wood Terr NW8 **3 A2**
St Katherines Dock E1 **16 E3**
St Katherines Pier E1 **16 E3**
St Katharine's Way E1 **16 E3**
St Lawrence Terr W10 **9 A1**
St Leonard's Terr SW3 **19 C3**
St Loo Ave SW3 **19 B4**
St Luke's Ms W11 **9 B1**
St Luke's Rd W11 **9 B1**
St Luke's St SW3 **19 B3**
St Magnus the Martyr EC3 **15 C3**
St Margaret Pattens EC3 **15 C2**
St Margaret's Church SW1 **13 B5**
St Margaret St SW1 **13 B5**
St Mark St E1 **16 E2**
St Mark's Cres NW1 **4 D1**
St Mark's Rd W11 **9 A2**
St Martin's La WC2 **13 B2**
St Martin's Le Grand EC1 **15 A1**
St Martin's Pl WC2 **13 B3**
St Martin's St WC2 **13 B3**
St Martin-in-the-Fields WC2 **13 B3**
St Mary Abbots Terr W14 **17 B1**
St Mary at Hill EC3 **15 C2**
St Mary Axe EC3 **15 C1**
St Mary's Hospital W2 **11 A1**
St Mary Le Strand WC2 **14 D2**
St Mary's Path N1 **6 F1**
St Mary's Wlk SE11 **22 E2**
St Mary-le-Bow EC4 **15 A2**
St Marylebone Parish Church W1 **4 D5**
St Matthew's Row E2 **8 E4**
St Michael's St W2 **11 A1**
St Olaf's House SE1 **15 C3**
St Olaf's Rd SW6 **17 A5**
St Oswald's Pl SE11 **22 D3**
St Pancras Church WC1 **5 B3**
St Pancras Way NW1 **5 A1**
St Paul St N1 **7 A1**
St Paul's Cathedral EC4 **15 A2**
St Paul's Church WC2 **13 C2**
St Paul's Churchyard EC4 **15 A1**
St Peter's Clo E2 **8 F2**
St Peter's St N1 **6 F1** **7 A2**
St Petersburgh Pl W2 **10 D3**
St Stephen Walbrook EC4 **15 B2**
St Stephen's Gdns W2 **9 C1**
St Stephen's Terr SW8 **21 C5**
St Swithin's La EC4 **15 B2**
St Thomas St SE1 **15 B4**
St Thomas' Hospital SE1 **13 C5**
St Thomas' Way SW6 **17 B5**
Sackville St W1 **12 F3**
Saffron Hill EC1 **6 E5**
Sail St SE11 **22 D1**
Salamanca St SE1, SE11 **21 C2**
Sale Pl W2 **11 A1**
Salem Rd W2 **10 D2**
Salisbury Ct EC4 **14 E2**
Salisbury St NW8 **3 A4**
Sampson St E1 **16 F4**
Sancroft St SE11 **22 D2**
Sandwich St WC1 **5 B3**
Sandys Row E1 **8 D5**
Sans Wlk EC1 **6 E4**
Saunders Ness Rd E14 **23 B1**
Savernake Rd NW3 **2 E5**
Savile Row W1 **12 F2**
Savona St SW8 **20 F5**
Savoy Chapel WC2 **13 C2**
Savoy Hill WC2 **13 C3**
Savoy Pl WC2 **13 C3**
Savoy Row WC2 **13 C3**
Savoy St WC2 **13 C2**
Savoy, The WC2 **13 C2**
Scala St W1 **5 A5**
Scarborough St E1 **16 E2**
Scarsdale Vlls W8 **17 C1** **18 D1**
Science Museum SW7 **18 F1** **19 A1**
Sclater St E1 **8 E4**
Scott Lidgett Cres SE16 **16 F5**
Scott St E1 **8 F4**
Scovell Cresent SE1 **15 A5**
Scrutton St EC2 **7 C4**
Seagrave Rd SW6 **17 C4** **18 D4**
Sebastian St EC1 **6 F3**
Sedlescombe Rd SW6 **17 C4**
Seething La EC3 **16 D2**
Selby St E1 **8 F4**
Selfridge's W1 **12 D2**
Selwood Pl SW7 **18 F3**
Selwood Terr SW7 **18 F3**
Semley Pl SW1 **20 E2**
Serle St WC2 **14 D1**
Serpentine Gallery W2 **11 A4**
Serpentine Rd W2 **11 C4** **12 D4**
Serpentine, The W2 **11 B4**
Settles St E1 **16 F1**
Seven Dials WC2 **13 B2**
Seville St SW1 **11 C5**
Seward St EC1 **7 A4**
Seymour Ms W1 **12 D1**
Seymour Pl W1 **3 B5** **11 B1**
Seymour St W1,W2 **11 C2**
Seymour Wlk SW10 **18 E4**
Shad Thames SE1 **16 E4**
Shaftesbury Ave W1 **13 A2**
Shaftesbury Ave WC2 **13 B1**
Shaftesbury St N1 **7 B2**
Shafto Ms SW1 **19 C1**
Shafts Ct EC3 **15 C1**
Shakespeare's Globe Museum SE1 **15 A3**
Shalcomb St SW10 **18 F4**
Sharsted St SE17 **22 F3**
Shawfield St SW3 **19 B3**
Sheffield Ter W8 **9 C4**
Sheldon Ave N6 **2 D1**
Sheldrake Pl W8 **9 C5**
Shelton St WC2 **13 B2**
Shenfield St N1 **8 D2**
Shepherd Mkt W1 **12 E4**

Shepherd St W1 **12 E4**
Shepherdess Wlk N1 **7 A2**
Shepherd's Wlk NW3 **1 B5**
Shepperton Rd N1 **7 B1**
Sherbourne La EC4 **15 B2**
Sherbrooke Rd SW6 **18 D5**
Sherlock Holmes Museum W1 **3 C5**
Sherwood St W1 **13 A2**
Shipton St E2 **8 E2**
Shirlock Rd NW3 **2 E5**
Shoe La EC4 **14 E1**
Shooters Hill Rd SE3 **24 D4**
Shooters Hill Rd SE18 **23 C4**
Shoreditch High St EC2, SE3 **8 D3**
Shoreditch Park E2 **7 B1**
Shorrold's Rd SW6 **17 C5**
Short St SE1 **14 E4**
Shouldham St W1 **11 B1**
Shroton St NW1 **3 B5**
Sidmouth St WC1 **5 C3**
Silk St EC2 **7 B5**
Sinclair Rd W14 **17 A1**
Singer St EC2 **7 C4**
Sir John Soane's Museum WC2 **14 D1**
Skinner St EC1 **6 E4**
Slaidburn St SW10 **18 F4**
Sleaford St SW8 **20 F5**
Sloane Ave SW3 **19 B2**
Sloane Ct East SW3 **20 D3**
Sloane Gdns SW1 **20 D2**
Sloane Sq SW1 **19 C2**
20 D2
Sloane St SW1 **11 C5**
19 C1
Smith Sq SW1 **21 B1**
Smith St SW3 **19 C3**
Smith Terr SW3 **19 C3**
Smithfield Mkt EC1 **6 F5**
Snow Hill EC1 **14 F1**
Snowfields SE1 **15 B4**
Soho Sq W1 **13 A1**
Soho St W1 **13 A1**
Somers Cres W2 **11 A1**
South Audley St W1 **12 D3**
South Eaton Pl SW1 **20 D2**
South Edwardes Sq W8 **17 C1**
South End Clo NW3 **2 D5**
South End Rd NW3 **1 C5**
South Gro N6 **2 F1**
South Hill Pk NW3 **2 D5**
South Hill Pk Gdns NW3 **2 D4**
South Island Pl SW9 **22 D5**
South Lambeth Pl SW8 **21 C4**
South Lambeth Rd SW8 **21 C4**
South Molton La W1 **12 E2**
South Molton St W1 **12 E2**
South Parade SW3 **19 A3**
South Pl EC2 **7 B5**
South Row SE3 **24 E5**
South St W1 **12 D3**
South Tenter St E1 **16 E2**
South Terr SW7 **19 A2**
South Wharf Rd W2 **11 A1**
Southampton Pl WC1 **13 C1**
Southampton Row WC1 **5 C5**
Southampton St WC2 **13 C2**
Southern St N1 **5 C2**
Southwark Bridge SE1 **15 A3**
Southwark Bridge Rd SE1 **15 A4**
Southwark Cathedral EC1 **15 B3**
Southwark St SE1 **14 F3**
15 A4
Southwell Gdns SW7 **18 E1**
Southwick St W2 **11 A1**
Southwood La N6 **2 F1**
Spa Fields EC1 **6 E4**
Spaniards Clo NW11 **1 B1**
Spaniards End NW3 **1 B1**
Spaniards Rd NW3 **1 A3**
Sparta St SE10 **23 A4**
Speakers' Corner W2 **11 C2**
Spedan Clo NW3 **1 A4**
Spelman St E1 **8 E5**
Spencer House SW1 **12 F4**
Spencer St EC1 **6 F3**
Spenser St SW1 **20 F1**
Spital Sq E1 **8 D5**
Spital St E1 **8 E5**
Spitalfields Heritage Centre E1 **8 E5**
Spring St W2 **10 F2**
Spur Rd SW1 **12 F5**
Squires Mount NW3 **1 B4**
Squirries St E2 **8 F3**
Stable Yd Rd SW1 **12 F4**
Stafford Terr W8 **9 C5**
Stag Pl SW1 **20 F1**
Stamford St SE1 **14 E3**
Stanford Rd W8 **18 E1**
Stanhope Gdns SW7 **18 F2**
Stanhope Gate W1 **12 D4**
Stanhope Ms East SW7 **18 F2**
Stanhope Ms West SW7 **18 F2**
Stanhope Pl W2 **11 B2**
Stanhope St NW1 **4 F3**
Stanhope Terr W2 **11 A2**
Stanley Cres W11 **9 B2**
Stanley Gdns W11 **9 B2**
Stannary St SE11 **22 E3**
Stanway St N1 **8 D2**
Stanwick Rd W14 **17 B2**
Staple Inn WC1 **14 E1**
Staple St SE1 **15 B5**
Star Rd W14 **17 B4**
Star St W2 **11 A1**
Starcross St NW1 **4 F3**
Stean St E8 **8 D1**
Stephen St W1 **13 A1**
Stephenson Way NW1 **5 A4**
Steward St E1 **8 D5**
Stewart's Rd SW8 **20 F5**
Stock Exchange EC2 **15 B1**
Stockwell St SE10 **23 B2**
Stone Bldgs WC2 **14 D1**
Stonefield St N1 **6 E1**
Stones End St SE1 **15 A5**
Stoney La E1 **16 D1**
Stoney St SE1 **15 B3**
Stonor Rd W14 **17 B2**
Store St WC1 **5 A5**
Storey's Gate SW1 **13 B5**
Stormont Rd N6 **2 D1**
Stowage SE8 **23 A2**
Straightsmouth St SE10 **23 B3**
Strand WC2 **13 B3**
Strand La WC2 **14 D2**
Stratford Rd W8 **18 D1**
Stratheden Rd SE3 **24 F4**
Stratton St W1 **12 E3**
Streatham St WC1 **13 B1**
Streatley Pl NW3 **1 B4**
Strode Rd SW6 **17 A5**
Strutton Ground SW1 **21 A1**
Sturt St N1 **7 A2**
Stutfield St E1 **16 F2**
Sudeley St N1 **6 F2**
Suffolk La EC4 **15 B2**
Suffolk Pl SW1 **13 A3**
Suffolk St WC1 **13 B3**
Sumner Pl SW7 **19 A2**
Sumner St SE1 **15 A3**
Sun Rd W14 **17 B3**
Sun St EC2 **7 C5**
Sunderland Terr W2 **10 D1**
Surrey Row SE1 **14 F4**
Surrey St WC2 **14 D2**
Sussex Gdns W2 **11 A1**
Sussex Pl NW1 **3 C4**
Sussex Pl W2 **11 A2**
Sussex Sq W2 **11 A2**
Sussex St SW1 **20 F3**
Sutherland Pl W2 **9 C1**
Sutherland St SW1 **20 E3**
Sutton Row W1 **13 A1**
Swain's La N6 **2 F1**
Swallow St W1 **12 F3**
Swan La EC4 **15 B3**
Swan La Pier SE1 **15 B3**
Swan St SE1 **15 A5**
Swan Wlk SW3 **19 C4**
Swanfield St E2 **8 E3**
Swinton St WC1 **5 C3**
Sydney Pl SW3 **19 A2**
Sydney St SW3 **19 A3**
Symons St SW3 **19 C2**

T

Tabard St SE1 **15 B5**
Tabernacle St EC2 **7 C4**
Tachbrook St SW1 **21 A2**
Tadema Rd SW10 **18 F5**
Talbot Pl SE3 **24 D5**
Talbot Rd W2,W11 **9 C1**
Talbot Sq W2 **11 A2**
Talgarth Rd W6,W14 **17 A3**
Tallis St EC4 **14 E2**
Tanner St SE1 **16 D5**
Tamworth St SW6 **17 C4**
Tanza Rd NW3 **2 D4**
Taplow St N1 **7 A2**
Tarves Way SE10 **23 A3**
Tasso Rd W6 **17 A4**
Tate Gallery SW1 **21 B2**
Tavistock Cres W11 **9 B1**
Tavistock Pl WC1 **5 B4**
Tavistock Rd W11 **9 B1**
Tavistock Sq WC1 **5 B4**
Tavistock St WC2 **13 C2**
Taviton St WC1 **5 A4**
Teale St E2 **8 F2**
Tedworth Sq SW3 **19 C3**
Teesdale Clo E2 **8 F2**
Teesdale St E2 **8 F2**
Telegraph St EC2 **15 B1**
Temple EC4 **14 E2**
Temple Ave EC4 **14 E2**
Temple Bar Memorial WC2 **14 D2**
Temple La EC4 **14 E2**
Temple Pl WC2 **14 D2**
Temple St E2 **8 F2**
Templeton Pl SW5 **17 C2**
Tent St E1 **8 F4**
Tenterden St W1 **12 E2**
Terminus Pl SW1 **20 F1**
Tetcott Rd SW10 **18 E5**
Thames St SE10 **23 A2**
Thanet St WC1 **5 B3**
Thaxton Rd W14 **17 B4**
Thayer St W1 **12 D1**
Theatre Museum WC2 **13 C2**
Theatre Royal WC2 **13 C2**
Theberton St N1 **6 E1**
Theed St SE1 **14 E4**
Theobald's Rd WC1 **5 C5**
6 D5
Thessaly Rd SW8 **20 F5**
Thirleby Rd SW1 **20 F1**
Thistle Gro SW7 **18 F3**
Thomas More St E1 **16 E3**
Thoresby St N1 **7 A3**
Thorncroft St SW8 **21 B5**
Thorney St SW1 **21 B1**
Thornham St SE10 **23 A2**
Thornhaugh St WC1 **5 B5**
Thrale St SE1 **15 A4**
Thrawl St E1 **8 E5**
Threadneedle St EC4 **15 B2**
Throgmorton Ave EC2 **15 C1**
Throgmorton St EC2 **15 B1**
Thurloe Pl SW7 **19 A1**
Thurloe Sq SW7 **19 A1**
Thurloe St SW7 **19 A2**
Thurlow Rd NW3 **1 B5**
Tiber Gdns N1 **5 C1**
Tilney St W1 **12 D3**
Tilton St SW6 **17 B4**
Tinworth St SE11 **21 C3**
Titchborne Row W2 **11 B2**
Titchfield Rd NW8 **3 B1**
Tite St SW3 **19 C4**
Tolpuddle St N1 **6 E2**
Tom Smith Clo SE3 **24 D2**
Tomlinson Clo E2 **8 E3**
Tompion St EC1 **6 F3**
Tonbridge St WC1 **5 B3**
Tooley St EC1 **15 B3**
Tooley St SE1 **16 D4**
Tor Gdns W8 **9 C4**
Torrington Pl WC1 **5 A5**
Torrington Sq WC1 **5 A4**
Tothill St SW1 **13 B5**
Tottenham Ct Rd W1 **4 F4**
5 A5
13 A1
Tottenham St W1 **5 A5**
Toulmin St SE1 **15 A5**
Tournay Rd SW6 **17 C5**
Tower Bridge E1 **16 D3**
Tower Bridge SE1 **16 D4**
Tower Bridge Approach E1 **16 E3**
Tower Bridge Rd SE1 **16 D4**
Tower Clo NW3 **1 C5**
Tower Hill EC3 **16 D2**
Tower of London EC3 **16 D3**
Townshend Rd NW8 **3 B1**
Toynbee St E1 **16 D1**
Tradescant Rd SW8 **21 C5**
Trafalgar Rd SE10 **24 D1**
Trafalgar Sq SW1 **13 B3**
Trafalgar Sq WC2 **13 B3**
Tranquil Vale SE3 **24 D5**
Treasury, The SW1 **13 B5**
Treaty St N1 **5 C1**
Trebovir Rd SW5 **17 C3**
Tregunter Rd SW10 **18 E4**
Trevanion Rd W14 **17 A2**
Trevor Pl SW7 **11 B5**
Trevor Sq SW7 **11 B5**
Trevor St SW7 **11 B5**
Trinity Church Sq SE1 **15 A5**
Trinity Sq EC3 **16 D2**
Trinity St SE1 **15 A5**
Triton Sq NW1 **4 F4**
Trocadero Centre W1 **13 A2**
Tudor St EC4 **14 E2**
Tufton St SW1 **21 B1**
Turin St E2 **8 E3**
Turk's Row SW3 **19 C3**
20 D3
Turners Wood NW11 **1 A1**
Turneville Rd W14 **17 B4**
Turnmill St EC1 **6 E5**
Turpentine La SW1 **20 E3**
Thurtle Rd E2 **8 E1**
Tuskar St SE10 **24 D1**
Twyford St N1 **5 C1**
Tyers Gate SE1 **15 C5**
Tyers St SE11 **22 D2**
Tyers Terr SE11 **22 D3**
Tyler St SE10 **24 E**

U

Ufford St SE1 **14 E4**
Ulundi Rd SE3 **24 E2**
Underwood Rd E1 **8 F5**
Underwood St N1 **7 B3**
Unicorn Pass SE1 **16 D3**
Union Sq N1 **7 A1**
Union St SE1 **14 F4**
15 A4
Union Wlk E2 **8 D3**
University St WC1 **5 A4**
University College WC1 **5 A4**
University College Hospital WC1 **5 A4**
Upcerne Rd SW10 **18 E5**
Upper St N1 **6 F1**

Upper Terr NW3 **1 A4**
Upper Belgrave Street SW1 **20 E1**
Upper Berkeley St W1 **11 C1**
Upper Brook St W1 **12 D2**
Upper Cheyne Row SW3 **19 B4**
Upper Grosvenor St W1 **12 D3**
Upper Ground SE1 **14 E3**
Upper Marsh SE1 **14 D5**
Upper Montagu St W1 **3 C5**
Upper Phillimore Gdns W8 **9 C5**
Upper St Martin's La WC2 **13 B2**
Upper Thames St EC4 **15 A2**
Upper Wimpole St W1 **4 D5**
Upper Woburn Pl WC1 **5 B4**
US Embassy W1 **12 D2**
Uxbridge St W8 **9 C3**

V

Vale,The SW3 **19 A4**
Vale of Health NW3 **1 B3**
Valentine Pl SE1 **14 F5**
Vallance Rd E1,E2 **8 F4**
Vanbrugh Fields SE3 **24 E3**
Vanbrugh Hill SE3 **24 E2**
Vanbrugh Hill SE10 **24 E1**
Vanbrugh Pk SE3 **24 E3**
Vanbrugh Pk Rd SE3 **24 F3**
Vanbrugh Pk Rd West SE3 **24 E3**
Vanbrugh Terr SE3 **24 F4**
Vane Clo NW3 **1 B5**
Vanston Pl SW6 **17 C5**
Varndell St NW1 **4 F3**
Vassall Rd SW9 **22 E5**
Vaughan Way E1 **16 F3**
Vauxhall Bridge SW1 **21 B3**
Vauxhall Bridge Rd SW1, SE1 **20 F1**
21 A2
Vauxhall Gro SW8 **21 C4**
Vauxhall Park SW8 **21 C4**
Vauxhall St SE11 **22 D3**
Vauxhall Wlk SE11 **21 C3**
Vere St W1 **12 E1**
Vereker Rd W14 **17 A3**
Vernon Rise WC1 **6 D3**
Vernon St W14 **17 A2**
Vestry St N1 **7 B3**
Vicarage Gate W8 **10 D4**
Victoria & Albert Museum SW7 **19 A1**
Victoria Embankment EC4 **14 E2**
Victoria Embankment SW1 **13 C4**
Victoria Embankment WC2 **13 C3**
Victoria Embankment Gdns WC2 **13 C3**
Victoria Gro W8 **18 E1**
Victoria Rd W8 **10 E5**
18 E1
Victoria St SW1 **13 B5**
20 F1
21 A1
Victoria Tower Gardens SW1 **21 C1**
Villiers St WC2 **13 C3**
Vince St EC1 **7 C3**
Vincent Sq SW1 **21 A2**
Vincent St SW1 **21 A2**
Vincent Terr N1 **6 F2**
Vine La SE1 **16 D4**
Vine St EC3 **16 D2**
Vintner's Pl EC4 **15 A2**
Virginia Rd E2 **8 D3**
Voss St E2 **8 F3**

W

Wakefield St WC1 **5 C4**
Wakley St EC1 **6 F3**
Walbrook EC4 **15 B2**
Walcot Sq SE11 **22 E1**
Waldorf Hotel WC2 **13 C2**
Walham Gro SW6 **17 C5**
Wallace Collection W1 **12 D1**
Walmer Rd W11 **9 A3**
Walnut Tree Rd SE10 **24 E1**
Walnut Tree Wlk SE11 **22 D1**
Walpole St SW3 **19 C3**
Walton Pl SW3 **19 C1**
Walton St SW3 **19 B2**
Wandon Rd SW6 **18 E5**
Wandsworth Rd SW8 **21 B5**
Wansdown Pl SW6 **18 D5**
Wapping High St E1 **16 F4**
Wardour St W1 **13 A2**
Warham St SE5 **22 F5**
Warner Pl E2 **8 F2**
Warner St EC1 **6 E4**
Warren St W1 **4 F4**
Warwick Gdns W14 **17 B1**
Warwick La EC4 **14 F1**
Warwick Rd SW5 **18 D3**
Warwick Rd W14 **17 B1**
Warwick Sq SW1 **20 F2**
Warwick St W1 **12 F2**
Warwick Way SW1 **20 F2**
Wat Tyler Rd SE10 **23 B5**
Waterford Rd SW6 **18 D5**
Waterloo Bridge SE1,WC2 **14 D3**
Waterloo Pl SW1 **13 A3**
Waterloo Rd SE1 **14 E4**
Waterson St E2 **8 D3**
Watling St EC4 **15 A2**
Weaver St E1 **8 E4**
Weavers La SE1 **16 D4**
Webb Rd SE3 **24 E2**
Webber Row SE1 **14 E5**
Webber St SE1 **14 E4**
15 A5
Weighouse St W1 **12 D2**
Welbeck St W1 **12 D1**
Well Rd NW3 **1 B4**
Well Wlk NW3 **1 B4**
Welland St SE10 **23 B2**
Weller St SE1 **15 A5**
Wellesley Terr N1 **7 A3**
Wellington Arch W1 **12 D4**
Wellington Bldgs SW1 **20 E3**
Wellington Pl NW8 **3 A3**
Wellington Rd NW8 **3 A2**
Wellington Row E2 **8 E3**
Wellington Sq SW3 **19 C3**
Wellington St WC2 **13 C2**
Wells Rise NW8 **3 C1**
Wells St W1 **12 F1**
Wenlock Basin N1 **7 A2**
Wenlock Rd N1 **7 A2**
Wenlock St N1 **7 B2**
Wentworth St E1 **16 D1**
Werrington St NW1 **5 A2**
Wesley's House & Chapel EC1 **7 B4**
West Sq SE11 **22 F1**
West St WC2 **13 B2**
West Cromwell Rd SW5,W14 **17 B3**
West Eaton Pl SW1 **20 D1**
West Ferry Rd E14 **23 A1**
West Gro SE10 **23 B4**
West Harding St EC4 **14 E1**
West Heath NW3 **1 A3**
West Heath Rd NW3 **1 A4**
West Hill Ct N6 **2 E3**
West Hill Pk N6 **2 E2**
West Pier E1 **16 F4**
West Smithfield EC1 **14 F1**
West Tenter St E1 **16 E2**
Westbourne Cres W2 **10 F2**
Westbourne Gdns W2 **10 D1**
Westbourne Gro W2 **10 D2**
Westbourne Gro W11 **9 B2**
Westbourne Pk Rd W2 **10 D1**
Westbourne Pk Rd W11 **9 B1**
Westbourne Pk Vlls W2 **10 D1**
Westbourne St W2 **11 A2**
Westbourne Terr W2 **10 E1**
Westcombe Hill SE10 **24 F1**
Westcombe Pk Rd SE3 **24 E2**
Westcott Rd SE17 **22 F4**
Westerdale Rd SE10 **24 F1**
Westgate Terr SW10 **18 D3**
Westgrove La SE10 **23 B4**
Westland Pl N1 **7 B3**
Westminster Abbey SW1 **13 B5**
Westminster Bridge SE1, SW1 **13 C5**
Westminster Bridge Rd SE1 **14 D5**
Westminster Cathedral SW1 **20 F1**
Westminster Hospital SW1 **21 B1**
Westminster School Playing Fields SW1 **21 A2**
Westmoreland Pl SW1 **20 E3**
Westmoreland St W1 **4 D5**
Westmoreland Terr SW1 **20 E3**
Weston Rise WC1 **6 D3**
Weston St SE1 **15 C4**
Westway A40(M) W10 **9 A1**
Wetherby Gdns SW5 **18 E2**
Wetherby Pl SW7 **18 E2**
Weymouth Ms W1 **4 E5**
Weymouth St W1 **4 E5**
Weymouth Terr E2 **8 E2**
Wharf Pl E2 **8 F1**
Wharf Rd N1 **7 A2**
Wharfdale Rd N1 **5 C2**
Wharton St WC1 **6 D3**
Wheatsheaf La SW8 **21 C5**
Wheler St E1 **8 D4**
Whetstone Pk WC2 **14 D1**
Whiston Rd E2 **8 D1**
Whitbread Brewery EC2 **7 B5**
Whitcomb St WC2 **13 A3**
White Lion St N1 **6 E2**
White's Row E1 **8 D5**
Whitechapel Art Gallery E1 **16 E1**
Whitechapel High St E1 **16 E1**
Whitechapel Rd E1 **8 F5**
16 E1
Whitechurch La E1 **16 E1**
Whitecross St EC1,EC2 **7 A4**
Whitfield St W1 **4 F4**
Whitefriars St EC4 **14 E2**
Whitehall SW1 **13 B3**
Whitehall Ct SW1 **13 C4**
Whitehall Pl SW1 **13 B4**
Whitehall Theatre SW1 **13 B3**
Whitehead's Gro SW3 **19 B2**
White's Grounds SE1 **16 D4**
Whitfield Rd SE3 **23 C5**
Whitfield St W1 **5 A5**
Whitgift St SE11 **21 C2**
Whitmore Rd N1 **7 C1**
Whitworth St SE10 **24 D1**
Wicker St E1 **16 F2**
Wickham St SE11 **22 D3**
Wicklow St WC1 **5 C3**
Wigmore Hall W1 **12 E1**
Wigmore St W1 **12 D1**
Wilcox Rd SW8 **21 B5**
Wild Ct WC2 **13 C1**
Wild St WC2 **13 C1**
Wild's Rents SE1 **15 C5**
Wildwood Gro NW3 **1 A2**
Wildwood Rise NW11 **1 A1**
Wildwood Rd NW11 **1 A1**
Wilfred St SW1 **12 F5**
Wilkinson St SW8 **21 C5**
William St SW1 **11 C5**
William IV St WC2 **13 B3**
William Rd NW1 **4 F3**
Willoughby Rd NW3 **1 B5**
Willow Pl SW1 **20 F2**
Willow Rd NW3 **1 C4**
Willow St EC2 **7 C4**
Wilmer Gdns N1 **7 C1**
Wilmer Gdns N1 **8 D1**
Wilmington Ms SW1 **11 C5**
Wilmington Sq WC1 **6 E3**
Wilsham St W11 **9 A3**
Wilkes St E1 **8 E5**
Wilson Gro SE16 **16 F5**
Wilson St EC2 **7 C5**
Wilton Cres SW1 **12 D5**
Wilton Pl SW1 **12 D5**
Wilton Rd SW1 **20 F1**
Wilton Row SW1 **12 D5**
Wilton Sq N1 **7 B1**
Wiltshire Row N1 **7 B1**
Wimborne St N1 **7 B2**
Wimpole Ms W1 **4 E5**
Wimpole St W1 **4 E5**
12 E1
Winchester Clo SE17 **22 F2**
Winchester St SW1 **20 E3**
Wincott St SE11 **22 E2**
Windmill Hill NW3 **1 A4**
Windmill Wlk SE1 **14 E4**
Windsor Terr N1 **7 A3**
Winfield House NW1 **3 B3**
Winforton St SE10 **23 B4**
Winnington Rd N2 **1 B1**
Winsland St W2 **10 F1**
11 A1
Woburn Pl WC1 **5 B4**
Woburn Sq WC1 **5 B4**
Woburn Wlk WC1 **5 B4**
Wolseley St SE1 **16 E5**
Wood Clo E2 **8 F4**
Wood St EC2 **15 A1**
Woodbridge St EC1 **6 F4**
Woodland Gro SE10 **24 D1**
Woodlands Pk Rd SE10 **24 D2**
Woods Ms W1 **12 D2**
Woodseer St E1 **8 E5**
Woodsford Sq W14 **9 A4**
Woodsome Rd NW5 **2 F4**
Woodstock St W1 **12 E2**
Woolwich Rd SE10 **24 E1**
Wootton St SE1 **14 E4**
Worfield St SW11 **19 B5**
World's End Pas SW10 **18 F5**
Wormwood St EC2 **15 C1**
Woronzow Rd NW8 **3 A1**
Worship St EC2 **7 C4**
Wren St WC1 **6 D4**
Wright's La W8 **10 D5**
Wycherley Clo SE3 **24 E3**
Wyclif St EC1 **6 F3**
Wyldes Clo NW11 **1 A2**
Wynan Rd E14 **23 A1**
Wyndham Rd SE5 **22 F5**
Wyndham St W1 **3 C5**
Wynford Rd N1 **6 D2**
Wynyatt St EC1 **6 F3**
Wyvil Rd SW8 **21 B5**

Y

Yardley St WC1 **6 E4**
Yeoman's Row SW3 **19 B1**
York Gate NW1 **4 D4**
York House Pl W8 **10 D4**
York Rd SE1 **14 D4**
York St W1 **3 B5**
York Ter East NW1 **4 D4**
York Ter West NW1 **4 D4**
York Way N1 **5 C1**
Yorkton St E2 **8 E2**
Young St W8 **10 D5**

Chaque nom est suivi par son code postal et son report au plan

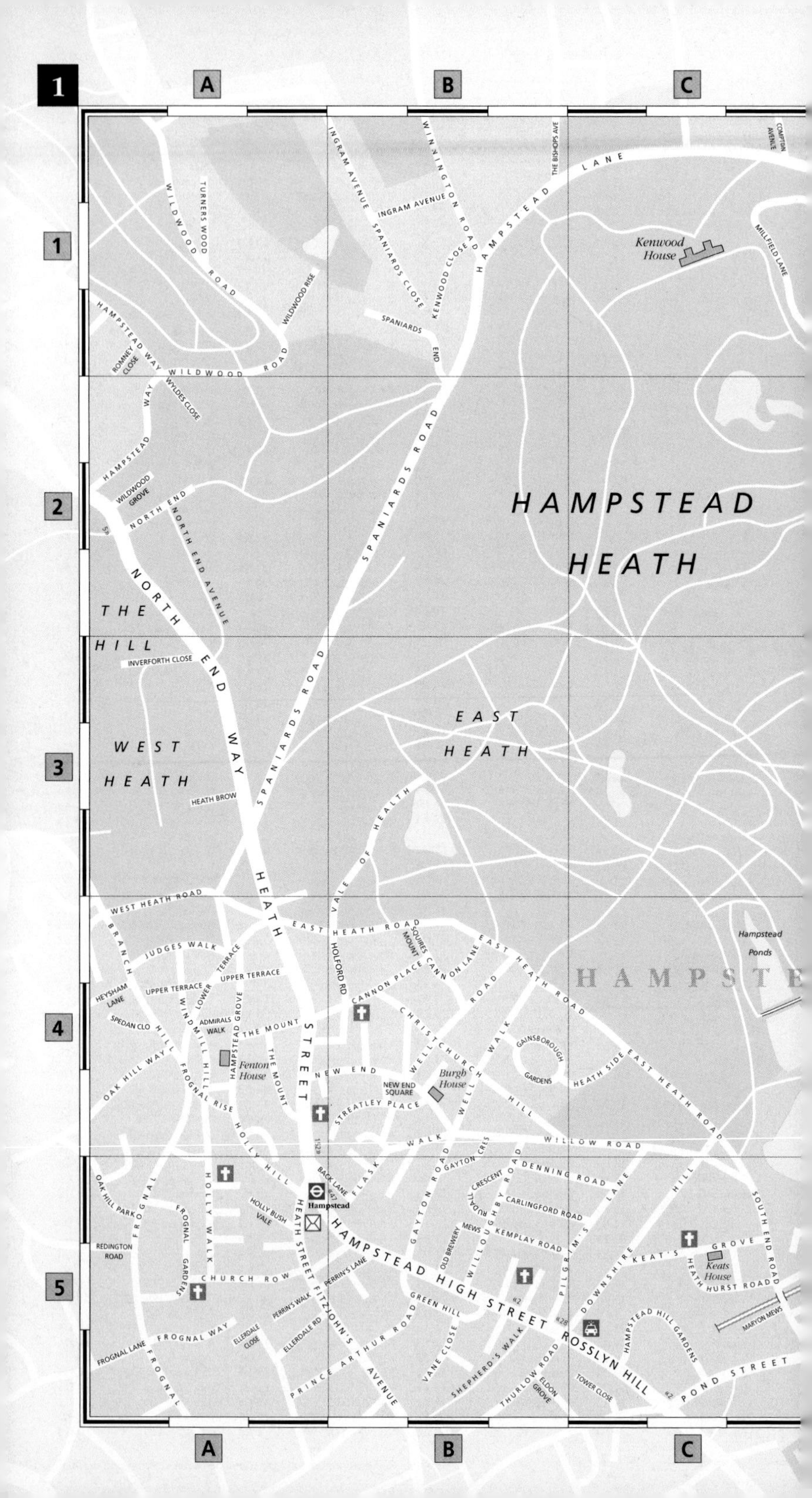
1
A
B
C
1
2
3
4
5
HAMPSTEAD HEATH
THE HILL
WEST HEATH
EAST HEATH
HAMPSTE
Kenwood House
Fenton House
Burgh House
Keats House
Hampstead Ponds
Hampstead
HAMPSTEAD LANE
SPANIARDS ROAD
NORTH END WAY
HEATH STREET
EAST HEATH ROAD
HAMPSTEAD HIGH STREET
ROSSLYN HILL
WILLOW ROAD
WILDWOOD ROAD
HAMPSTEAD WAY
INGRAM AVENUE
WINNINGTON ROAD
SPANIARDS END
SPANIARDS CLOSE
KENWOOD CLOSE
WILDWOOD RISE
TURNERS WOOD
MILLFIELD LANE
THE BISHOPS AVE
COMPTON AVENUE
NORTH END AVENUE
NORTH END
WILDWOOD GROVE
WYLDES CLOSE
ROMNEY CLOSE
INVERFORTH CLOSE
HEATH BROW
VALE OF HEATH
WEST HEATH ROAD
BRANCH HILL
JUDGES WALK
UPPER TERRACE
LOWER TERRACE
HEYSHAM LANE
SPEDAN CLO
ADMIRALS WALK
HAMPSTEAD GROVE
THE MOUNT
WINDMILL HILL
OAK HILL WAY
FROGNAL RISE
HOLLY HILL
HOLFORD RD
CANNON PLACE
SQUIRES MOUNT
CANNON LANE
CHRISTCHURCH HILL
WELL WALK
NEW END
NEW END SQUARE
STREATLEY PLACE
GAINSBOROUGH GARDENS
HEATH SIDE
FLASK WALK
BACK LANE
GAYTON ROAD
GAYTON CRES
DENNING ROAD
WILLOUGHBY ROAD
CARLINGFORD ROAD
RUDALL CRESCENT
KEMPLAY ROAD
OLD BREWERY MEWS
PILGRIM'S LANE
DOWNSHIRE HILL
KEAT'S GROVE
HEATHHURST ROAD
SOUTH END ROAD
MARYON MEWS
HAMPSTEAD HILL GARDENS
POND STREET
TOWER CLOSE
ELDON GROVE
THURLOW ROAD
SHEPHERD'S WALK
VANE CLOSE
GREEN HILL
PRINCE ARTHUR ROAD
FITZJOHN'S AVENUE
PERRIN'S LANE
PERRIN'S WALK
ELLERDALE RD
ELLERDALE CLOSE
HOLLY BUSH VALE
HOLLY WALK
CHURCH ROW
FROGNAL GARDENS
FROGNAL
FROGNAL WAY
FROGNAL LANE
OAK HILL PARK
REDINGTON ROAD

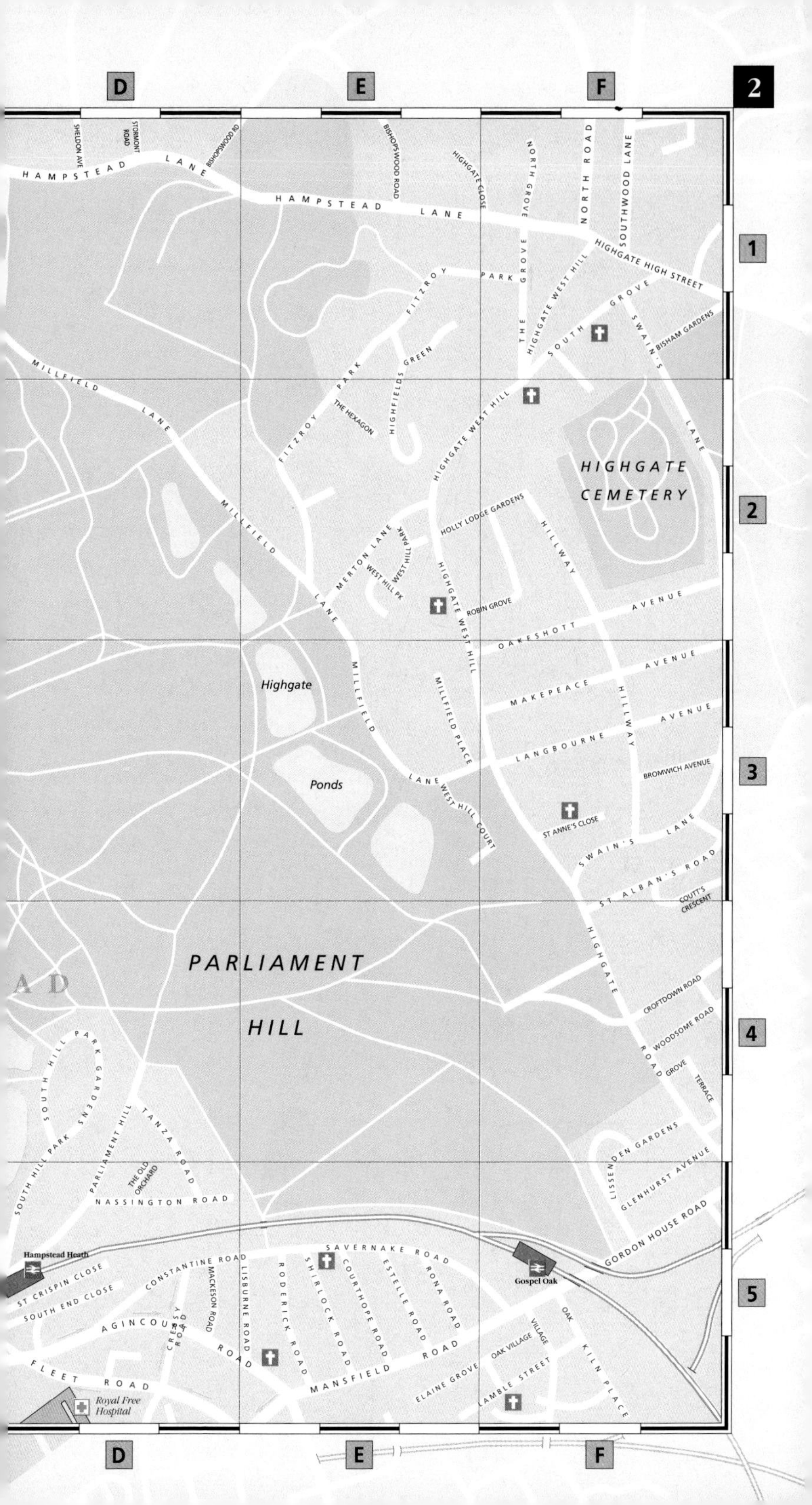
2
D
E
F
HAMPSTEAD LANE
SHELDON AVE
STORMONT ROAD
BISHOPSWOOD RD
BISHOPSWOOD ROAD
HIGHGATE CLOSE
NORTH GROVE
NORTH ROAD
SOUTHWOOD LANE
HIGHGATE HIGH STREET
HIGHGATE WEST HILL
FITZROY PARK
THE GROVE
SOUTH GROVE
SWAIN'S LANE
BISHAM GARDENS
HIGHFIELDS GREEN
THE HEXAGON
MILLFIELD LANE
HIGHGATE CEMETERY
HOLLY LODGE GARDENS
MERTON LANE
WEST HILL PARK
WEST HILL PK
HILLWAY
ROBIN GROVE
OAKESHOTT AVENUE
MAKEPEACE AVENUE
LANGBOURNE AVENUE
MILLFIELD PLACE
BROMWICH AVENUE
WEST HILL COURT
ST ANNE'S CLOSE
ST ALBAN'S ROAD
COUTT'S CRESCENT
Highgate
Ponds
PARLIAMENT HILL
HIGHGATE ROAD
CROFTDOWN ROAD
WOODSOME ROAD
GROVE TERRACE
SOUTH HILL PARK GARDENS
SOUTH HILL PARK
PARLIAMENT HILL
TANZA ROAD
THE OLD ORCHARD
NASSINGTON ROAD
LISSENDEN GARDENS
GLENHURST AVENUE
GORDON HOUSE ROAD
Hampstead Heath
ST CRISPIN CLOSE
SOUTH END CLOSE
CONSTANTINE ROAD
MACKESON ROAD
LISBURNE ROAD
RODERICK ROAD
SAVERNAKE ROAD
SHIRLOCK ROAD
COURTHOPE ROAD
ESTELLE ROAD
RONA ROAD
Gospel Oak
AGINCOURT ROAD
CRESSY ROAD
MANSFIELD ROAD
ELAINE GROVE
OAK VILLAGE
KILN PLACE
LAMBLE STREET
FLEET ROAD
Royal Free Hospital
1
2
3
4
5

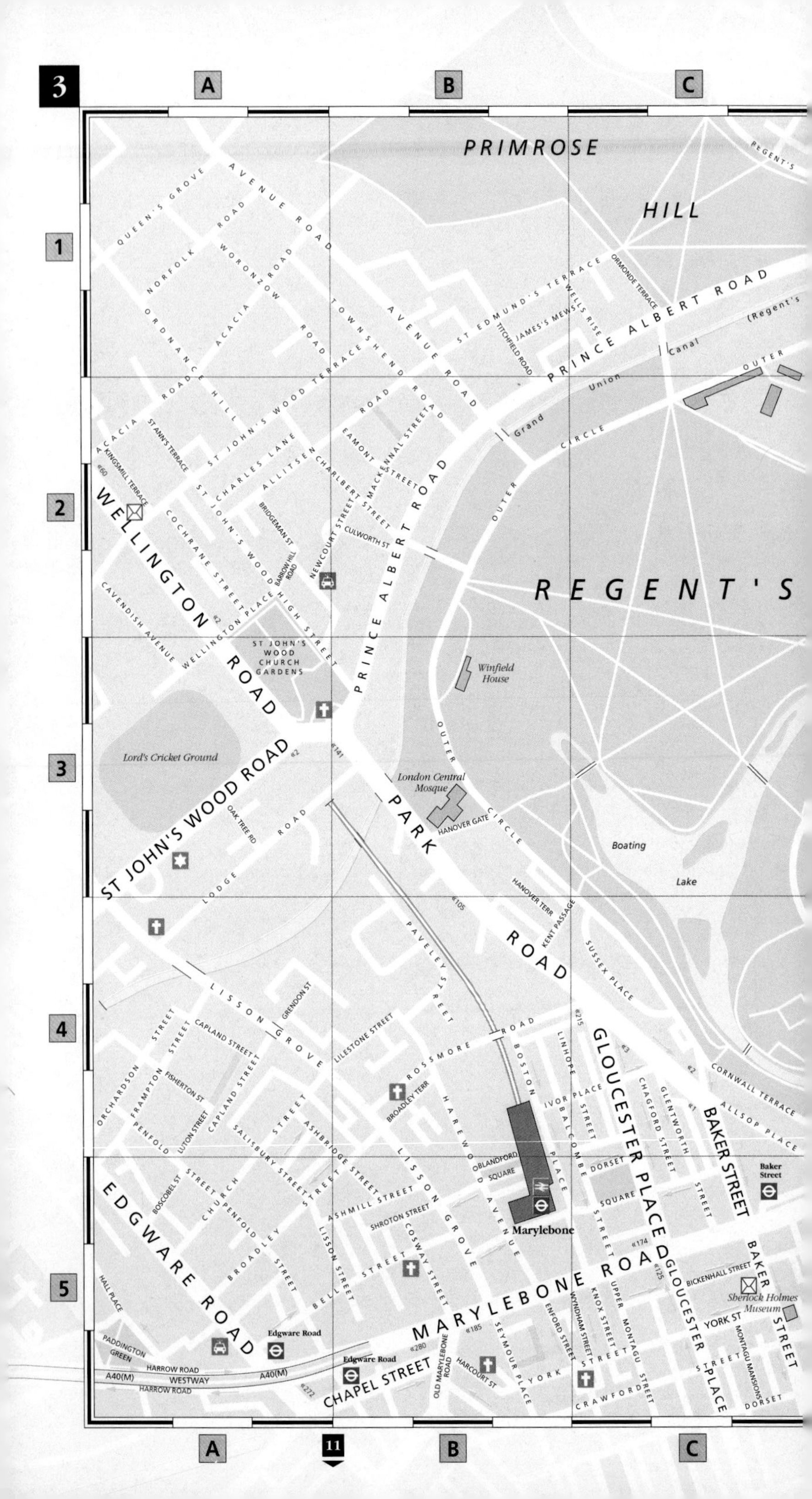

3
A
B
C
1
2
3
4
5
PRIMROSE
HILL
REGENT'S
QUEEN'S GROVE
AVENUE ROAD
NORFOLK ROAD
WORONZOW ROAD
ORDNANCE HILL
ACACIA ROAD
TOWNSHEND ROAD
ST EDMUND'S TERRACE
ORMONDE TERRACE
WELLS RISE
JAMES'S MEWS
TITCHFIELD ROAD
PRINCE ALBERT ROAD
(Regent's
Canal
Grand
Union
OUTER
CIRCLE
ST JOHN'S WOOD TERRACE
ST ANN'S TERRACE
KINGSMILL TERRACE
ST JOHN'S WOOD
CHARLES LANE
ALLITSEN ROAD
EAMONT STREET
MACKENNAL STREET
CHARLBERT STREET
CULWORTH ST
NEWCOURT STREET
BRIDGEMAN ST
BARROW HILL ROAD
COCHRANE STREET
ST JOHN'S WOOD HIGH STREET
WELLINGTON ROAD
WELLINGTON PLACE
CAVENDISH AVENUE
ST JOHN'S WOOD CHURCH GARDENS
Winfield House
Lord's Cricket Ground
ST JOHN'S WOOD ROAD
OAK TREE RD
LODGE ROAD
London Central Mosque
HANOVER GATE
PARK ROAD
Boating
Lake
HANOVER TERR
KENT PASSAGE
SUSSEX PLACE
PAVELEY STREET
LISSON GROVE
GRENDON ST
LILESTONE STREET
ROSSMORE ROAD
BOSTON PLACE
LINHOPE STREET
GLOUCESTER PLACE
CORNWALL TERRACE
ALLSOP PLACE
CHAGFORD STREET
GLENTWORTH STREET
BAKER STREET
IVOR PLACE
BALCOMBE STREET
ORCHARDSON STREET
FRAMPTON STREET
CAPLAND STREET
FISHERTON ST
PENFOLD STREET
LUTON STREET
SALISBURY STREET
ASHBRIDGE STREET
BROADLEY TERR
HAREWOOD AVENUE
BLANDFORD SQUARE
DORSET SQUARE
Baker Street
Marylebone
EDGWARE ROAD
BOSCOBEL ST
CHURCH STREET
BROADLEY STREET
ASHMILL STREET
SHROTON STREET
COSWAY STREET
LISSON STREET
BELL STREET
MARYLEBONE ROAD
BICKENHALL STREET
Sherlock Holmes Museum
YORK ST
MONTAGU MANSIONS
UPPER MONTAGU STREET
KNOX STREET
WYNDHAM STREET
ENFORD STREET
SEYMOUR PLACE
YORK STREET
CRAWFORD STREET
DORSET
HALL PLACE
PADDINGTON GREEN
Edgware Road
HARROW ROAD
A40(M)
WESTWAY
CHAPEL STREET
OLD MARYLEBONE ROAD
HARCOURT ST
11

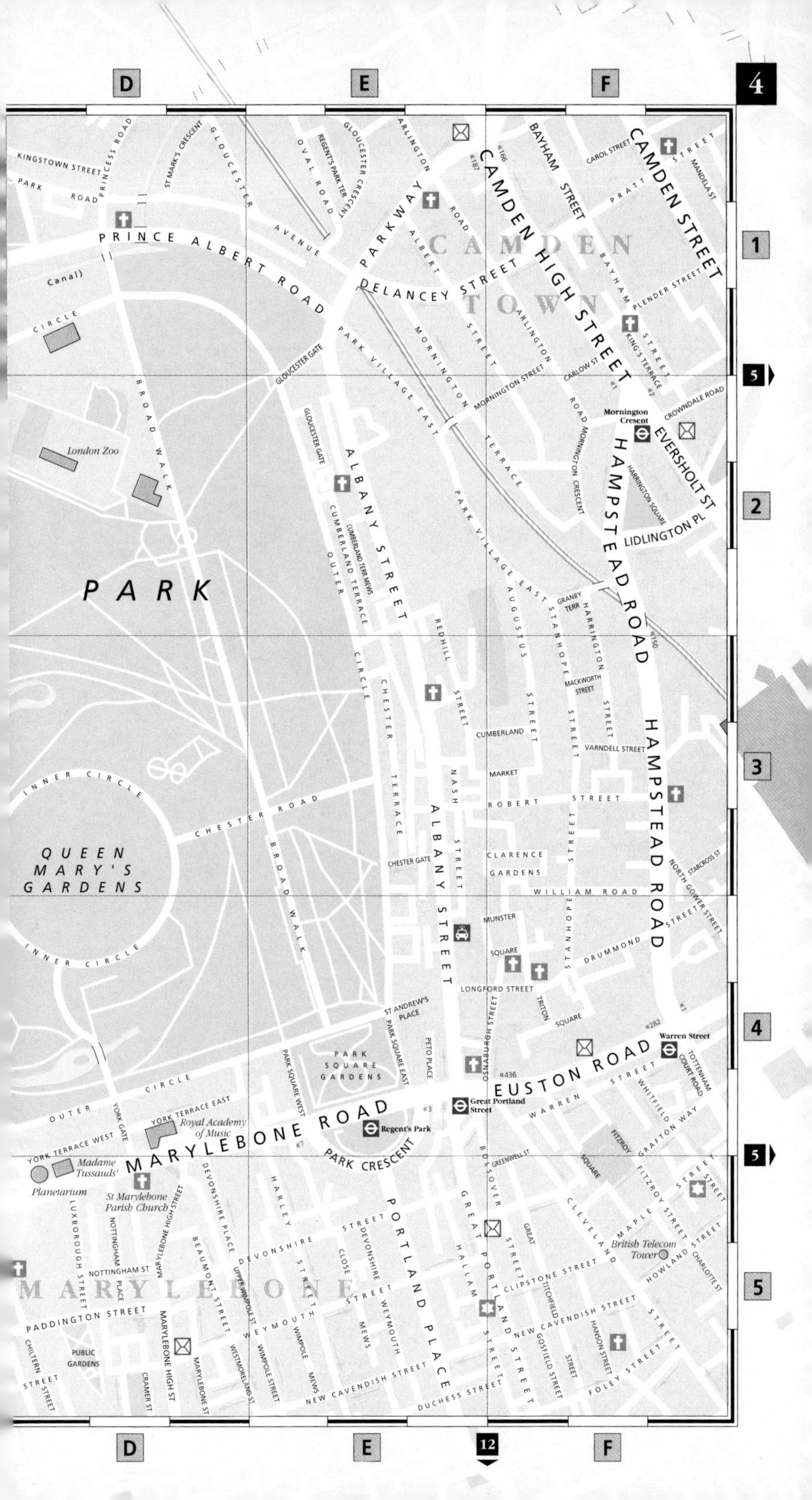
D
E
F
CAMDEN TOWN
CAMDEN HIGH STREET
CAMDEN STREET
PRINCE ALBERT ROAD
PARKWAY
DELANCEY STREET
PARK
London Zoo
QUEEN MARY'S GARDENS
INNER CIRCLE
OUTER CIRCLE
CHESTER ROAD
BROAD WALK
ALBANY STREET
HAMPSTEAD ROAD
Mornington Crescent
EVERSHOLT ST
LIDLINGTON PL
EUSTON ROAD
MARYLEBONE ROAD
Warren Street
Great Portland Street
Regent's Park
Royal Academy of Music
Madame Tussauds'
Planetarium
St Marylebone Parish Church
PARK CRESCENT
PORTLAND PLACE
GREAT PORTLAND STREET
British Telecom Tower
MARYLEBONE
PADDINGTON STREET
NEW CAVENDISH STREET
DUCHESS STREET
FOLEY STREET
1
2
3
4
5
12

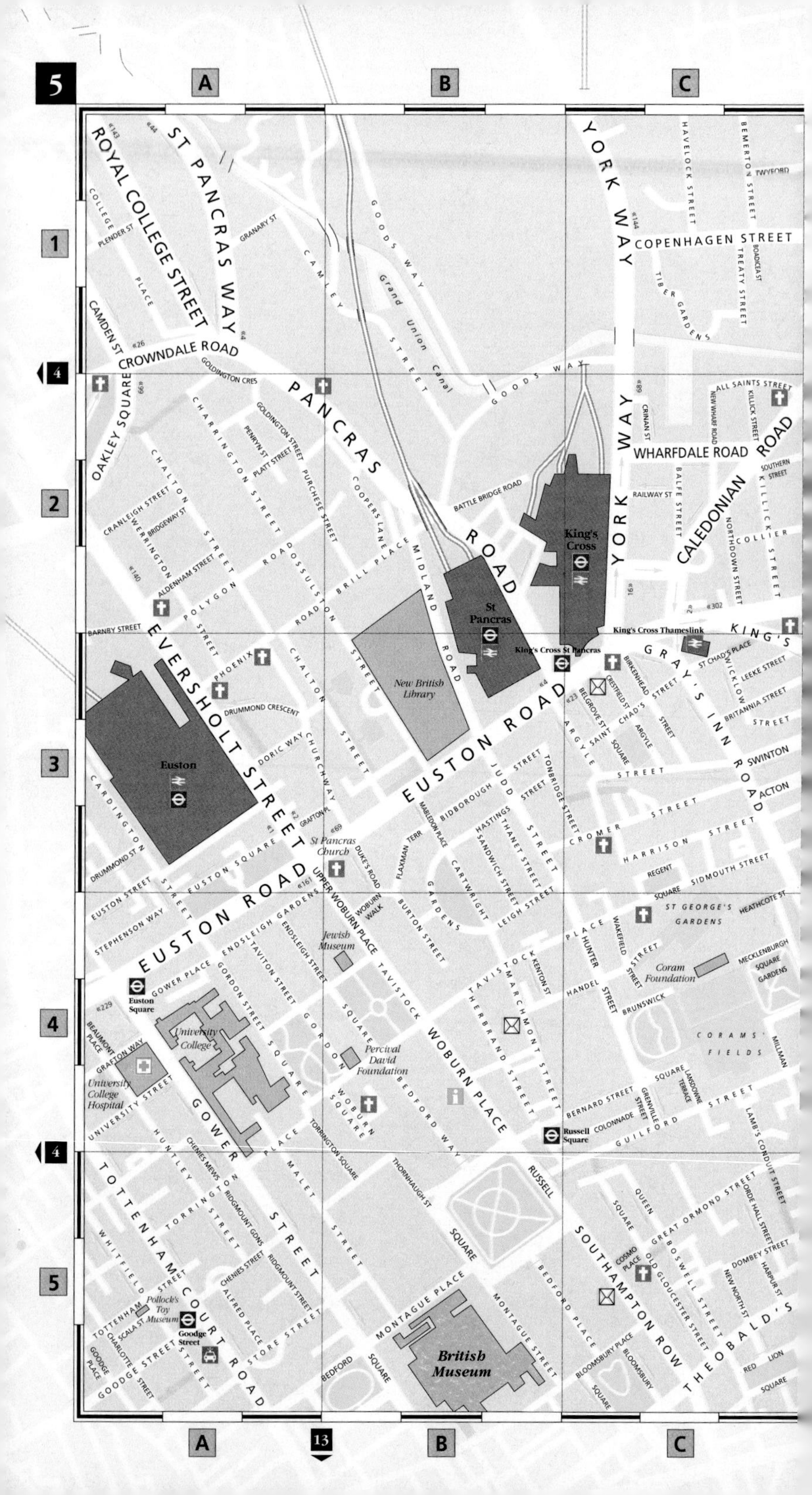
5
A
B
C
1
2
3
4
5
4
4
13
ROYAL COLLEGE STREET
ST PANCRAS WAY
COLLEGE PLACE
PLENDER ST
GRANARY ST
CAMLEY STREET
GOODS WAY
Grand Union Canal
YORK WAY
HAVELOCK STREET
BEMERTON STREET
TWYFORD
COPENHAGEN STREET
TREATY STREET
BOADICEA ST
TIBER GARDENS
CAMDEN ST
CROWNDALE ROAD
GOLDINGTON CRES
OAKLEY SQUARE
PANCRAS ROAD
ALL SAINTS STREET
NEW WHARF ROAD
KILLICK STREET
CRINAN ST
WHARFDALE ROAD
CALEDONIAN ROAD
SOUTHERN STREET
CHARRINGTON STREET
GOLDINGTON STREET
PENRYN ST
PLATT STREET
PURCHESE STREET
COOPERS LANE
BATTLE BRIDGE ROAD
RAILWAY ST
BALFE STREET
NORTHDOWN STREET
COLLIER STREET
CHALTON STREET
CRANLEIGH STREET
BRIDGEWAY ST
WERRINGTON
ALDENHAM STREET
POLYGON ROAD
OSSULSTON STREET
BRILL PLACE
MIDLAND ROAD
King's Cross
St Pancras
King's Cross Thameslink
KING'S CROSS
King's Cross St Pancras
BARNBY STREET
EVERSHOLT STREET
PHOENIX ROAD
DRUMMOND CRESCENT
New British Library
GRAY'S INN ROAD
BIRKENHEAD STREET
ST CHAD'S PLACE
WICKLOW STREET
LEEKE STREET
BRITANNIA STREET
CRESTFIELD ST
BELGROVE ST
ST CHAD'S STREET
ARGYLE SQUARE
ARGYLE STREET
EUSTON ROAD
Euston
DORIC WAY
CHURCHWAY
JUDD STREET
TONBRIDGE STREET
SWINTON STREET
ACTON STREET
CARDINGTON STREET
GRAFTON PL
St Pancras Church
DUKE'S ROAD
MABLEDON PLACE
BIDBOROUGH STREET
HASTINGS STREET
THANET STREET
SANDWICH STREET
CROMER STREET
HARRISON STREET
REGENT SQUARE
SIDMOUTH STREET
DRUMMOND ST
EUSTON SQUARE
FLAXMAN TERR
CARTWRIGHT GARDENS
LEIGH STREET
ST GEORGE'S GARDENS
HEATHCOTE ST
EUSTON STREET
STEPHENSON WAY
ENDSLEIGH GARDENS
UPPER WOBURN PLACE
WOBURN WALK
BURTON STREET
HUNTER STREET
WAKEFIELD STREET
Jewish Museum
ENDSLEIGH STREET
ENDSLEIGH PLACE
TAVITON STREET
TAVISTOCK PLACE
MARCHMONT STREET
KENTON ST
HANDEL STREET
Coram Foundation
MECKLENBURGH SQUARE
GARDENS
Euston Square
GOWER PLACE
GORDON STREET
TAVISTOCK SQUARE
HERBRAND STREET
BRUNSWICK SQUARE
CORAMS' FIELDS
MILLMAN
BEAUMONT PLACE
GRAFTON WAY
University College
Percival David Foundation
GORDON SQUARE
WOBURN PLACE
University College Hospital
UNIVERSITY STREET
WOBURN SQUARE
BEDFORD WAY
BERNARD STREET
GRENVILLE STREET
LANSDOWNE TERRACE
GUILFORD STREET
COLONNADE
Russell Square
GOWER STREET
TORRINGTON SQUARE
TORRINGTON PLACE
THORNHAUGH ST
RUSSELL SQUARE
LAMB'S CONDUIT STREET
TOTTENHAM COURT ROAD
HUNTLEY STREET
CHENIES MEWS
RIDGMOUNT GDNS
MALET STREET
QUEEN SQUARE
GREAT ORMOND STREET
ORDE HALL STREET
WHITFIELD STREET
CHENIES STREET
RIDGMOUNT STREET
SOUTHAMPTON ROW
COSMO PLACE
BOSWELL STREET
OLD GLOUCESTER STREET
DOMBEY STREET
HARPUR ST
NEW NORTH ST
Pollock's Toy Museum
TOTTENHAM STREET
SCALA ST
Goodge Street
ALFRED PLACE
STORE STREET
MONTAGUE PLACE
MONTAGUE STREET
BEDFORD PLACE
THEOBALD'S ROAD
CHARLOTTE STREET
GOODGE PLACE
GOODGE STREET
BEDFORD SQUARE
British Museum
BLOOMSBURY PLACE
BLOOMSBURY SQUARE
RED LION SQUARE

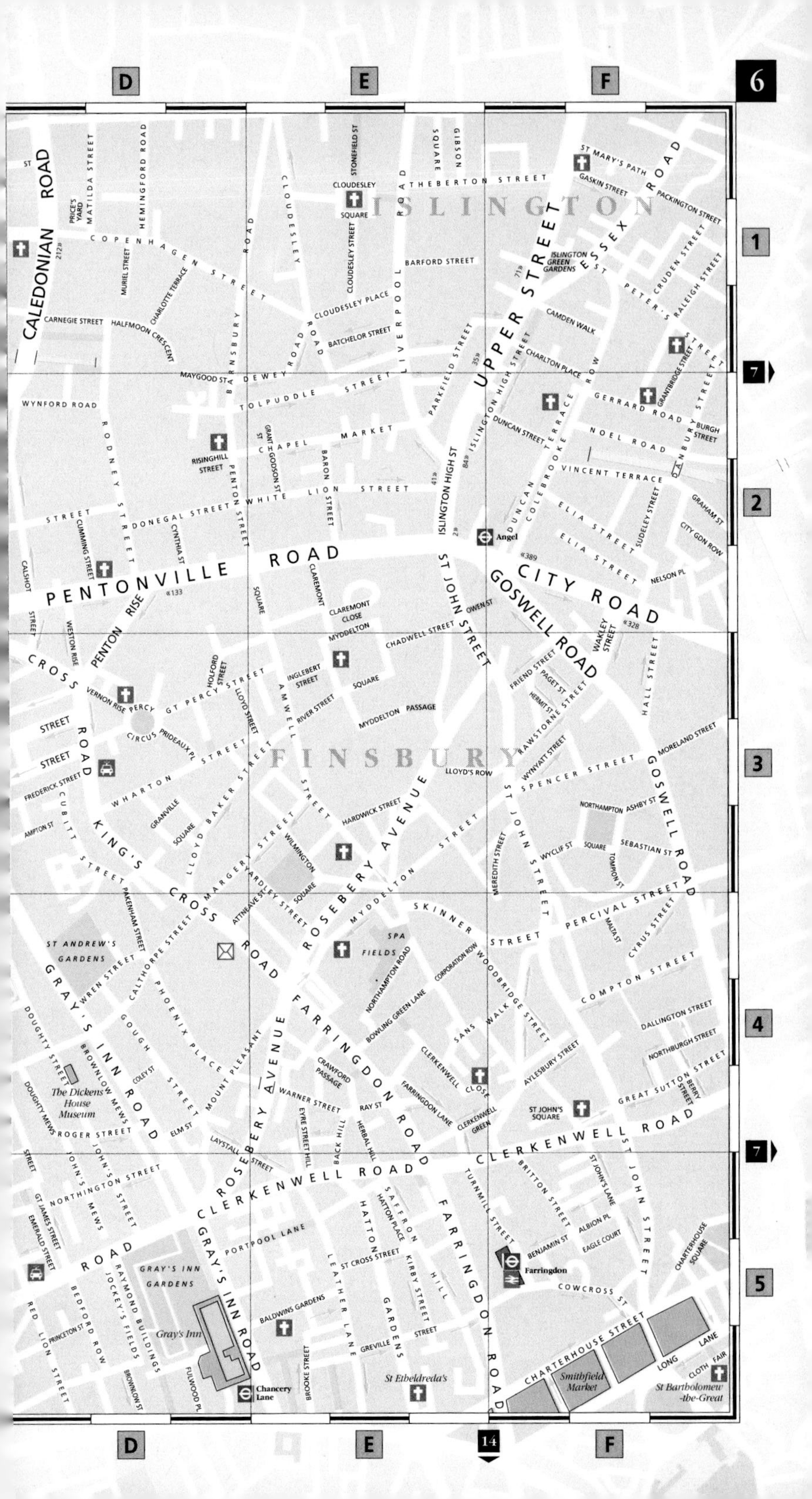

6
D
E
F
1
2
3
4
5
7
14
ISLINGTON
FINSBURY
CALEDONIAN ROAD
PRICE'S YARD
MATILDA STREET
HEMINGFORD ROAD
COPENHAGEN STREET
MURIEL STREET
CHARLOTTE TERRACE
CARNEGIE STREET
HALFMOON CRESCENT
BARNSBURY ROAD
CLOUDESLEY ROAD
CLOUDESLEY SQUARE
STONEFIELD ST
CLOUDESLEY STREET
CLOUDESLEY PLACE
BATCHELOR STREET
LIVERPOOL ROAD
THEBERTON STREET
GIBSON SQUARE
BARFORD STREET
ST MARY'S PATH
GASKIN STREET
PACKINGTON STREET
ESSEX ROAD
UPPER STREET
ISLINGTON GREEN GARDENS
CRUDEN STREET
RALEIGH STREET
PETER'S ST
CAMDEN WALK
CHARLTON PLACE
GRANTBRIDGE STREET
GERRARD ROAD
BURGH STREET
NOEL ROAD
DANBURY STREET
DUNCAN STREET
COLEBROOKE ROW
VINCENT TERRACE
ISLINGTON HIGH STREET
PARKFIELD STREET
MAYGOOD ST
DEWEY ROAD
TOLPUDDLE STREET
WYNFORD ROAD
RODNEY STREET
CHAPEL MARKET
GRANT ST
GODSON ST
BARON STREET
RISINGHILL STREET
PENTON STREET
WHITE LION STREET
DONEGAL STREET
CYNTHIA ST
CUMMING STREET
CALSHOT STREET
PENTONVILLE ROAD
ANGEL
GRAHAM ST
CITY GDN ROW
ELIA STREET
SUDELEY STREET
NELSON PL
CITY ROAD
GOSWELL ROAD
WAKLEY STREET
HALL STREET
ST JOHN STREET
OWEN ST
CLAREMONT SQUARE
CLAREMONT CLOSE
MYDDELTON SQUARE
CHADWELL STREET
PENTON RISE
WESTON RISE
CROSS STREET
VERNON RISE
PERCY CIRCUS
GT PERCY STREET
HOLFORD STREET
LLOYD STREET
INGLEBERT STREET
AMWELL STREET
RIVER STREET
MYDDELTON PASSAGE
FRIEND STREET
PAGET ST
HERMIT ST
RAWSTORNE STREET
PRIDEAUX PL
WHARTON STREET
KING'S CROSS ROAD
FREDERICK STREET
CUBITT STREET
AMPTON ST
GRANVILLE SQUARE
LLOYD BAKER STREET
WYNYATT STREET
LLOYD'S ROW
SPENCER STREET
MORELAND STREET
HARDWICK STREET
ROSEBERY AVENUE
NORTHAMPTON SQUARE
ASHBY ST
SEBASTIAN ST
WYCLIF ST
TOMPION ST
MEREDITH STREET
WILMINGTON SQUARE
MARGERY STREET
YARDLEY STREET
ATTNEAVE ST
MYDDELTON
SKINNER STREET
PERCIVAL STREET
MALTA ST
CYRUS STREET
ST ANDREW'S GARDENS
PAKENHAM STREET
CALTHORPE STREET
WREN STREET
SPA FIELDS
NORTHAMPTON ROAD
CORPORATION ROW
WOODBRIDGE STREET
COMPTON STREET
DALLINGTON STREET
NORTHBURGH STREET
GRAY'S INN ROAD
DOUGHTY STREET
BROWNLOW MEWS
GOUGH STREET
PHOENIX PLACE
MOUNT PLEASANT
FARRINGDON ROAD
BOWLING GREEN LANE
SANS WALK
CLERKENWELL CLOSE
AYLESBURY STREET
GREAT SUTTON STREET
BERRY STREET
COLEY ST
The Dickens House Museum
DOUGHTY MEWS
ROGER STREET
ELM ST
WARNER STREET
CRAWFORD PASSAGE
RAY ST
FARRINGDON LANE
CLERKENWELL GREEN
ST JOHN'S SQUARE
CLERKENWELL ROAD
LAYSTALL STREET
EYRE STREET HILL
BACK HILL
HERBAL HILL
TURNMILL STREET
BRITTON STREET
ST JOHN'S LANE
NORTHINGTON STREET
JOHN'S MEWS
JOHN STREET
GT JAMES STREET
EMERALD STREET
SAFFRON HILL
HATTON PLACE
HATTON GARDEN
PORTPOOL LANE
ST CROSS STREET
KIRBY STREET
ALBION PL
EAGLE COURT
BENJAMIN ST
CHARTERHOUSE SQUARE
Farringdon
COWCROSS ST
GRAY'S INN GARDENS
Gray's Inn
RAYMOND BUILDINGS
JOCKEY'S FIELDS
BEDFORD ROW
PRINCETON ST
RED LION STREET
BALDWINS GARDENS
LEATHER LANE
GREVILLE STREET
CHARTERHOUSE STREET
Smithfield Market
LONG LANE
CLOTH FAIR
St Bartholomew-the-Great
St Etheldreda's
Chancery Lane
BROOKE STREET
FULWOOD PL
BROWNLOW ST

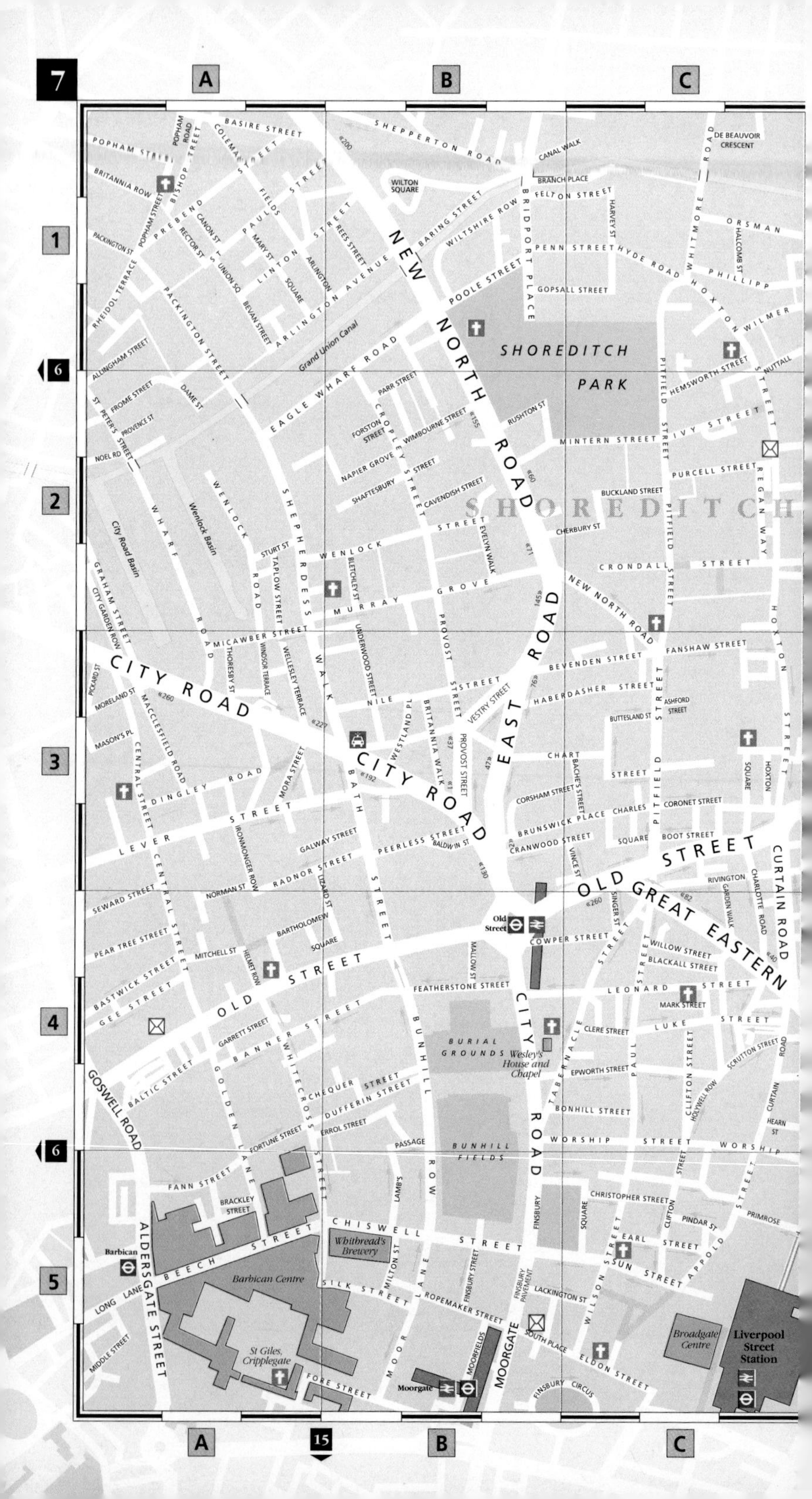
7
A
B
C
1
2
3
4
5
6
6
15
SHOREDITCH
SHOREDITCH PARK
NEW NORTH ROAD
CITY ROAD
EAST ROAD
OLD STREET
GREAT EASTERN STREET
CURTAIN ROAD
GOSWELL ROAD
ALDERSGATE STREET
MOORGATE
BUNHILL ROW
WHITECROSS STREET
GOLDEN LANE
SHEPHERDESS WALK
WENLOCK ROAD
WHARF ROAD
PITFIELD STREET
HOXTON STREET
Grand Union Canal
City Road Basin
Wenlock Basin
BURIAL GROUNDS
Wesley's House and Chapel
BUNHILL FIELDS
Whitbread's Brewery
Barbican Centre
St Giles, Cripplegate
Broadgate Centre
Liverpool Street Station
Old Street
Barbican
Moorgate
CHISWELL STREET
BEECH STREET
LONG LANE
FORE STREET
SILK STREET
ROPEMAKER STREET
FINSBURY SQUARE
FINSBURY PAVEMENT
FINSBURY CIRCUS
WORSHIP STREET
LEONARD STREET
TABERNACLE STREET
WILSON STREET
EARL STREET
SUN STREET
APPOLD STREET
EAGLE WHARF ROAD
ARLINGTON AVENUE
BARING STREET
POOLE STREET
BRIDPORT PLACE
PENN STREET
HYDE ROAD
WHITMORE ROAD
SHEPPERTON ROAD
DE BEAUVOIR CRESCENT
WILTON SQUARE
BASIRE STREET
POPHAM STREET
POPHAM ROAD
BRITANNIA ROW
PACKINGTON STREET
PREBEND STREET
COLEMAN FIELDS
MICAWBER STREET
MURRAY GROVE
NILE STREET
PROVOST STREET
CHART STREET
CHARLES SQUARE
BEVENDEN STREET
HABERDASHER STREET
FANSHAW STREET
CRONDALL STREET
MINTERN STREET
DINGLEY ROAD
LEVER STREET
BATH STREET
CENTRAL STREET
BANNER STREET
FEATHERSTONE STREET
BONHILL STREET
CITY GARDEN ROW
GRAHAM STREET
MACCLESFIELD ROAD

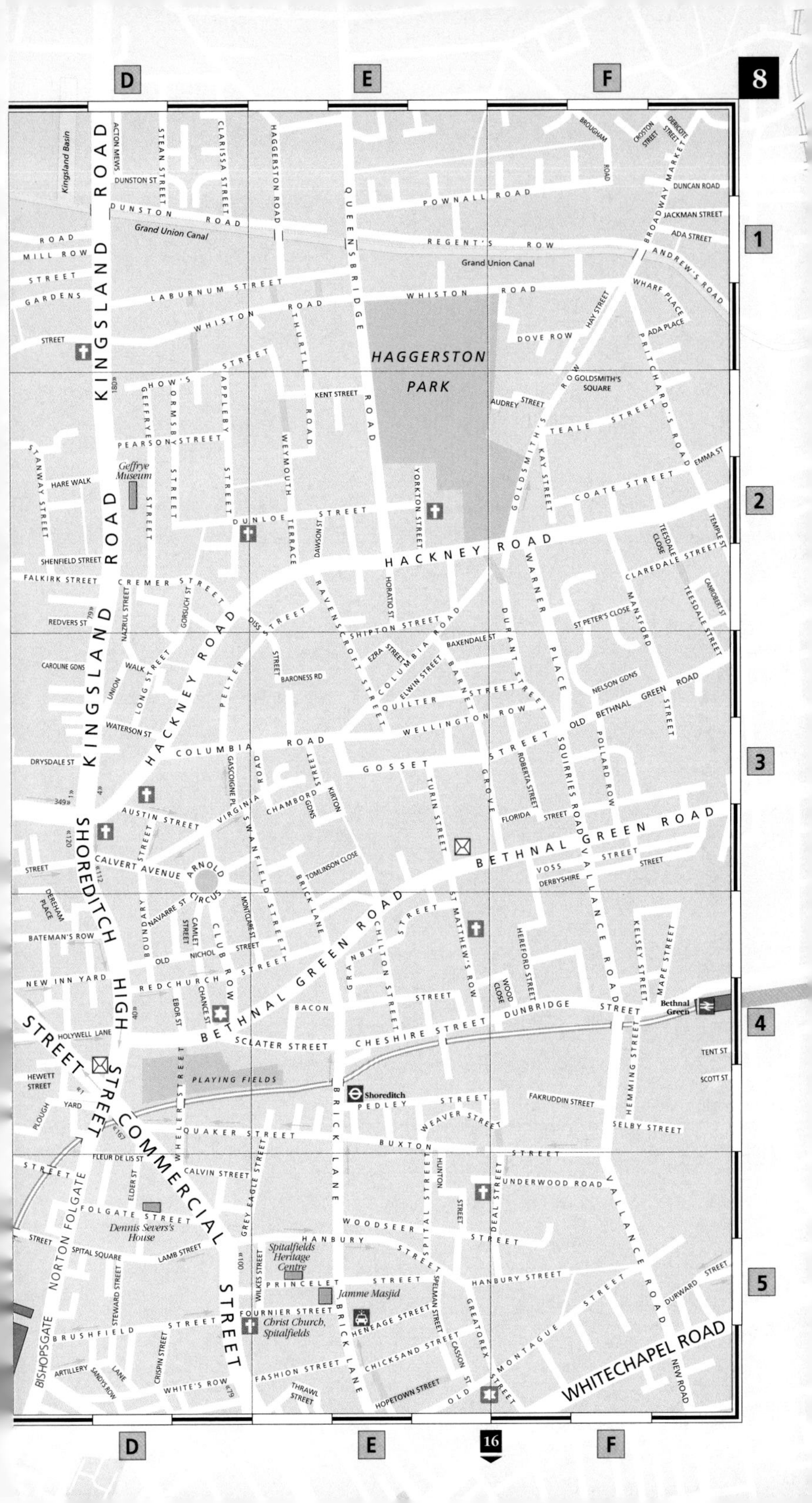

8
D
E
F
1
2
3
4
5
KINGSLAND ROAD
Kingsland Basin
ACTON MEWS
STEAN STREET
CLARISSA STREET
HAGGERSTON ROAD
QUEENSBRIDGE ROAD
DUNSTON ST
DUNSTON ROAD
Grand Union Canal
POWNALL ROAD
REGENT'S ROW
BROUGHAM ROAD
CROSTON STREET
DERICOTE STREET
BROADWAY MARKET
DUNCAN ROAD
JACKMAN STREET
ADA STREET
ANDREW'S ROAD
MILL ROW
GARDENS
LABURNUM STREET
WHISTON ROAD
WHARF PLACE
ADA PLACE
HAY STREET
DOVE ROW
PRITCHARD'S ROAD
THURTLE ROAD
HAGGERSTON PARK
HOW'S STREET
GEFFRYE STREET
ORMSBY STREET
APPLEBY STREET
KENT STREET
WEYMOUTH TERRACE
GOLDSMITH'S ROW
GOLDSMITH'S SQUARE
AUDREY STREET
TEALE STREET
KAY STREET
EMMA ST
PEARSON STREET
Geffrye Museum
STANWAY STREET
HARE WALK
YORKTON STREET
COATE STREET
DUNLOE STREET
DAWSON ST
HACKNEY ROAD
WARNER PLACE
TEESDALE CLOSE
TEMPLE ST
CLAREDALE STREET
SHENFIELD STREET
FALKIRK STREET
CREMER STREET
RAVENSCROFT STREET
HORATIO ST
MANSFORD STREET
TEESDALE STREET
CAMROBERT ST
NAZRUL STREET
GORSUCH ST
DISS STREET
SHIPTON STREET
COLUMBIA ROAD
REDVERS ST
ST PETER'S CLOSE
BAXENDALE ST
DURANT STREET
CAROLINE GDNS
WALK
LONG STREET
PELTER STREET
BARONESS RD
EZRA STREET
ELWIN STREET
BARNET GROVE
NELSON GDNS
UNION
QUILTER STREET
WELLINGTON ROW
OLD BETHNAL GREEN ROAD
WATERSON ST
COLUMBIA ROAD
SQUIRRIES STREET
DRYSDALE ST
GASCOIGNE PL
VIRGINIA ROAD
GOSSET STREET
ROBERTA STREET
POLLARD ROW
CHAMBORD STREET
KIRTON GDNS
TURIN STREET
FLORIDA STREET
AUSTIN STREET
SWANFIELD STREET
BETHNAL GREEN ROAD
SHOREDITCH HIGH STREET
CALVERT AVENUE
ARNOLD CIRCUS
TOMLINSON CLOSE
VOSS STREET
DERBYSHIRE STREET
VALLANCE ROAD
DEREHAM PLACE
BOUNDARY STREET
NAVARRE ST
CAMLET STREET
CLUB ROW
MONTCLARE ST
BRICK LANE
GRANBY STREET
CHILTON STREET
ST MATTHEW'S ROW
HEREFORD STREET
KELSEY STREET
MAPE STREET
BATEMAN'S ROW
OLD NICHOL STREET
NEW INN YARD
REDCHURCH STREET
CHANCE ST
EBOR ST
BACON STREET
WOOD CLOSE
DUNBRIDGE STREET
Bethnal Green
HOLYWELL LANE
SCLATER STREET
CHESHIRE STREET
HEMMING STREET
TENT ST
SCOTT ST
HEWETT STREET
PLAYING FIELDS
WHELER STREET
Shoreditch
PEDLEY STREET
WEAVER STREET
FAKRUDDIN STREET
SELBY STREET
PLOUGH YARD
COMMERCIAL STREET
QUAKER STREET
BUXTON STREET
FLEUR DE LIS ST
CALVIN STREET
GREY EAGLE STREET
SPITAL STREET
HUNTON STREET
DEAL STREET
UNDERWOOD ROAD
NORTON FOLGATE
ELDER ST
FOLGATE STREET
Dennis Severs's House
WOODSEER STREET
SPITAL SQUARE
LAMB STREET
HANBURY STREET
Spitalfields Heritage Centre
PRINCELET STREET
Jamme Masjid
STEWARD STREET
WILKES STREET
FOURNIER STREET
Christ Church, Spitalfields
HENEAGE STREET
SPELMAN STREET
GREATOREX STREET
DURWARD STREET
BISHOPSGATE
BRUSHFIELD STREET
CRISPIN STREET
CHICKSAND STREET
CASSON ST
MONTAGUE STREET
WHITECHAPEL ROAD
NEW ROAD
ARTILLERY
SANDY'S ROW
LANE
WHITE'S ROW
FASHION STREET
THRAWL STREET
HOPETOWN STREET
OLD

16

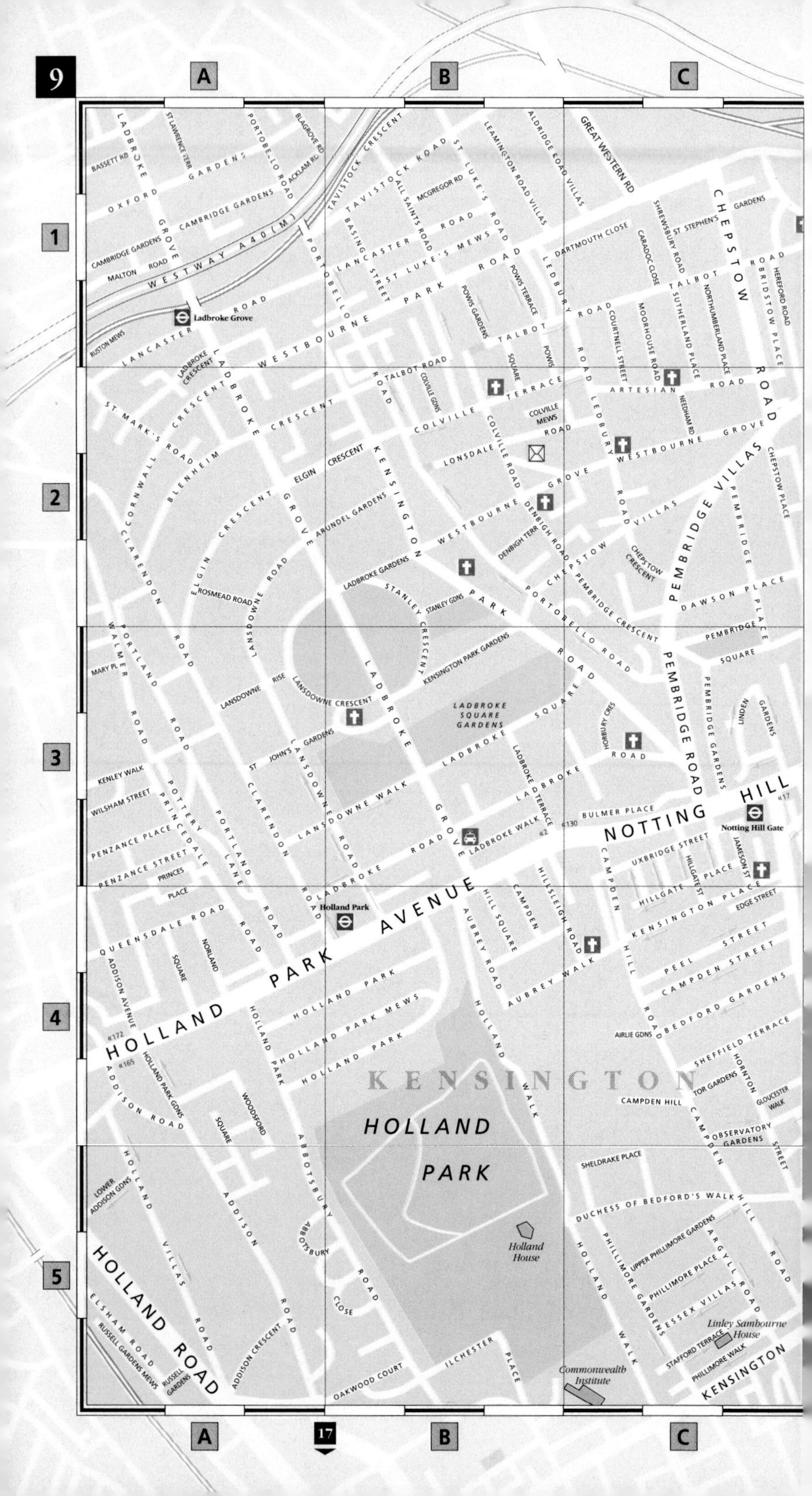
9
A
B
C
1
2
3
4
5
LADBROKE GROVE
ST LAWRENCE TERR
PORTOBELLO ROAD
BLAGROVE RD
ACKLAM RD
BASSETT RD
OXFORD GARDENS
CAMBRIDGE GARDENS
MALTON ROAD
WESTWAY A40(M)
TAVISTOCK CRESCENT
TAVISTOCK ROAD
ALL SAINTS ROAD
McGREGOR RD
ST LUKE'S ROAD
LEAMINGTON ROAD VILLAS
ALDRIDGE ROAD VILLAS
GREAT WESTERN RD
CHEPSTOW ROAD
ST STEPHEN'S GARDENS
SHREWSBURY ROAD
CARADOC CLOSE
DARTMOUTH CLOSE
BASING STREET
LANCASTER ROAD
ST LUKE'S MEWS
POWIS TERRACE
POWIS GARDENS
POWIS SQUARE
LEDBURY ROAD
WESTBOURNE PARK ROAD
TALBOT ROAD
COURTNELL STREET
MOORHOUSE ROAD
SUTHERLAND PLACE
NORTHUMBERLAND PLACE
HEREFORD ROAD
BRIDSTOW PLACE
Ladbroke Grove
RUSTON MEWS
LADBROKE CRESCENT
TALBOT ROAD
COLVILLE GDNS
COLVILLE TERRACE
ARTESIAN ROAD
ST MARK'S ROAD
BLENHEIM CRESCENT
COLVILLE MEWS
LONSDALE ROAD
NEEDHAM RD
WESTBOURNE GROVE
ELGIN CRESCENT
KENSINGTON PARK ROAD
COLVILLE ROAD
PEMBRIDGE VILLAS
CHEPSTOW PLACE
CORNWALL CRESCENT
ARUNDEL GARDENS
DENBIGH ROAD
DENBIGH TERR
CHEPSTOW VILLAS
CHEPSTOW CRESCENT
CLARENDON ROAD
LADBROKE GARDENS
ROSMEAD ROAD
LANSDOWNE ROAD
STANLEY GDNS
STANLEY CRESCENT
PORTOBELLO ROAD
PEMBRIDGE CRESCENT
DAWSON PLACE
PEMBRIDGE PLACE
WALMER ROAD
PORTLAND ROAD
MARY PL
LANSDOWNE RISE
KENSINGTON PARK GARDENS
PEMBRIDGE SQUARE
LANSDOWNE CRESCENT
LADBROKE SQUARE GARDENS
LADBROKE SQUARE
HORBURY CRES
HORBURY ROAD
PEMBRIDGE ROAD
PEMBRIDGE GARDENS
LINDEN GARDENS
ST JOHN'S GARDENS
KENLEY WALK
WILSHAM STREET
POTTERY LANE
PRINCEDALE ROAD
PENZANCE PLACE
PENZANCE STREET
PRINCES PLACE
LANSDOWNE WALK
LADBROKE ROAD
LADBROKE TERRACE
LADBROKE WALK
BULMER PLACE
NOTTING HILL
Notting Hill Gate
CAMPDEN HILL ROAD
UXBRIDGE STREET
HILLGATE ST
JAMESON ST
HILLGATE PLACE
KENSINGTON PLACE
EDGE STREET
QUEENSDALE ROAD
NORLAND SQUARE
Holland Park
HOLLAND PARK AVENUE
HILL SQUARE
CAMPDEN
HILLSLEIGH ROAD
AUBREY ROAD
AUBREY WALK
PEEL STREET
CAMPDEN STREET
BEDFORD GARDENS
ADDISON AVENUE
HOLLAND PARK
HOLLAND PARK MEWS
AIRLIE GDNS
SHEFFIELD TERRACE
HOLLAND WALK
HORNTON STREET
TOR GARDENS
HOLLAND PARK GDNS
ADDISON ROAD
WOODSFORD SQUARE
KENSINGTON
CAMPDEN HILL
GLOUCESTER WALK
HOLLAND PARK
OBSERVATORY GARDENS
ABBOTSBURY ROAD
SHELDRAKE PLACE
LOWER ADDISON GDNS
HOLLAND VILLAS ROAD
DUCHESS OF BEDFORD'S WALK
ABBOTSBURY CLOSE
Holland House
UPPER PHILLIMORE GARDENS
PHILLIMORE GARDENS
PHILLIMORE PLACE
ARGYLL ROAD
ESSEX VILLAS
HOLLAND ROAD
ELSHAM ROAD
RUSSELL GARDENS MEWS
RUSSELL GARDENS
ADDISON CRESCENT
OAKWOOD COURT
ILCHESTER PLACE
Commonwealth Institute
Linley Sambourne House
STAFFORD TERRACE
PHILLIMORE WALK
KENSINGTON
17

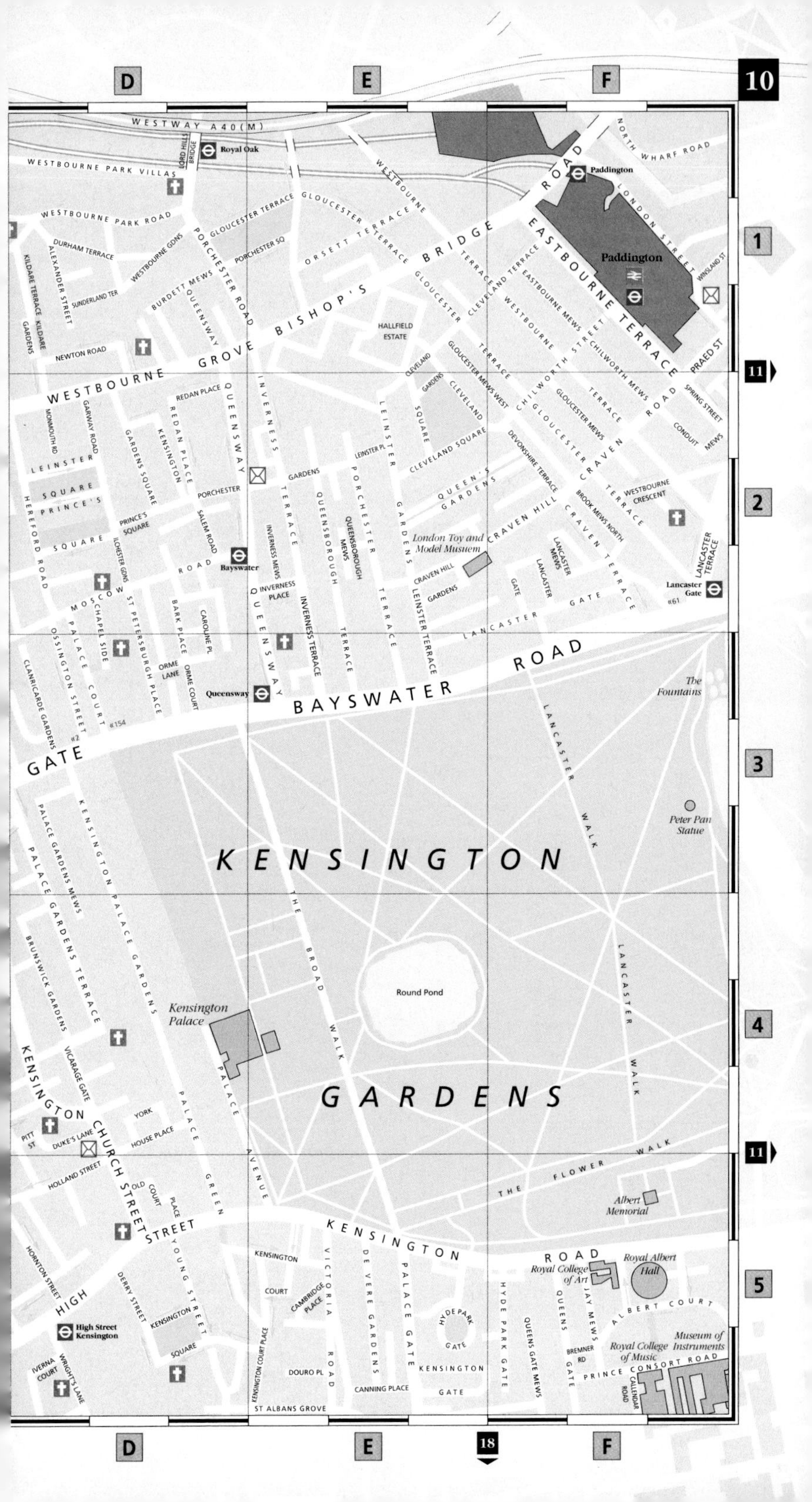

10
D
E
F
WESTWAY A40(M)
Royal Oak
Paddington
NORTH WHARF ROAD
WESTBOURNE PARK VILLAS
WESTBOURNE PARK ROAD
DURHAM TERRACE
ALEXANDER STREET
KILDARE TERRACE
KILDARE GARDENS
SUNDERLAND TER
WESTBOURNE GDNS
PORCHESTER ROAD
GLOUCESTER TERRACE
PORCHESTER SQ
BURDETT MEWS
QUEENSWAY
ORSETT TERRACE
BISHOP'S BRIDGE ROAD
EASTBOURNE TERRACE
LONDON STREET
WINSLAND ST
PRAED ST
HALLFIELD ESTATE
NEWTON ROAD
WESTBOURNE GROVE
REDAN PLACE
INVERNESS TERRACE
CLEVELAND TERRACE
EASTBOURNE MEWS
CHILWORTH STREET
CHILWORTH MEWS
GLOUCESTER MEWS WEST
CLEVELAND SQUARE
LEINSTER SQUARE
PRINCE'S SQUARE
MONMOUTH RD
GARWAY ROAD
GARDENS SQUARE
KENSINGTON GARDENS
PORCHESTER GARDENS
LEINSTER PL
QUEEN'S GARDENS
CRAVEN HILL
CRAVEN ROAD
CRAVEN TERRACE
SPRING STREET
CONDUIT MEWS
WESTBOURNE CRESCENT
BROOK MEWS NORTH
DEVONSHIRE TERRACE
London Toy and Model Museum
HEREFORD ROAD
ILCHESTER GDNS
SALEM ROAD
Bayswater
MOSCOW ROAD
INVERNESS MEWS
QUEENSBOROUGH TERRACE
QUEENSBOROUGH MEWS
LEINSTER TERRACE
CRAVEN HILL GARDENS
LANCASTER MEWS
LANCASTER GATE
Lancaster Gate
LANCASTER TERRACE
«61
CHAPEL SIDE
ST PETERSBURGH PLACE
BARK PLACE
CAROLINE PL
INVERNESS PLACE
OSSINGTON STREET
PALACE COURT
CLANRICARDE GARDENS
ORME LANE
ORME COURT
Queensway
BAYSWATER ROAD
«154
«2
The Fountains
GATE
LANCASTER WALK
Peter Pan Statue
KENSINGTON
PALACE GARDENS MEWS
KENSINGTON PALACE GARDENS
PALACE GARDENS TERRACE
BRUNSWICK GARDENS
THE BROAD WALK
Round Pond
Kensington Palace
GARDENS
VICARAGE GATE
KENSINGTON CHURCH STREET
PITT ST
DUKE'S LANE
YORK HOUSE PLACE
PALACE GREEN
PALACE AVENUE
HOLLAND STREET
OLD COURT PLACE
THE FLOWER WALK
Albert Memorial
KENSINGTON ROAD
KENSINGTON HIGH STREET
HORNTON STREET
DERRY STREET
YOUNG STREET
KENSINGTON COURT
CAMBRIDGE PLACE
VICTORIA ROAD
DE VERE GARDENS
PALACE GATE
HYDE PARK GATE
QUEENS GATE MEWS
QUEENS GATE
JAY MEWS
Royal College of Art
Royal Albert Hall
ALBERT COURT
High Street Kensington
KENSINGTON SQUARE
Royal College of Music
Museum of Instruments
BREMNER RD
PRINCE CONSORT ROAD
CALLENDAR ROAD
IVERNA COURT
WRIGHT'S LANE
KENSINGTON COURT PLACE
DOURO PL
CANNING PLACE
KENSINGTON GATE
ST ALBANS GROVE
1
2
3
4
5
11
18

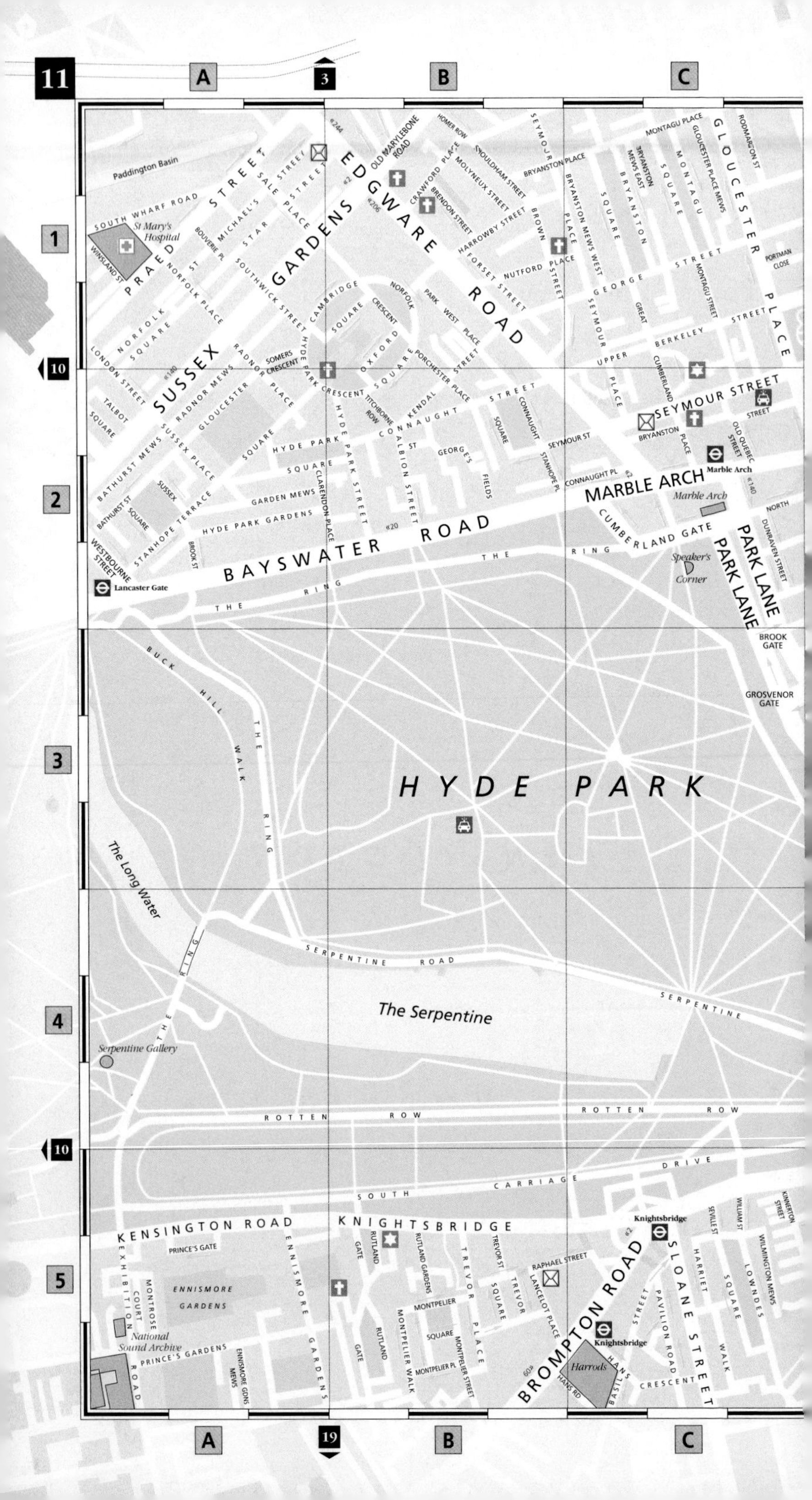

11
A
3
B
C
1
2
3
4
5
10
10
19
Paddington Basin
St Mary's Hospital
SOUTH WHARF ROAD
PRAED STREET
WINSLAND ST
NORFOLK SQUARE
NORFOLK PLACE
LONDON STREET
TALBOT SQUARE
SUSSEX GARDENS
SALE PLACE
STAR STREET
SOUTHWICK STREET
CAMBRIDGE SQUARE
NORFOLK CRESCENT
OXFORD SQUARE
SOMERS CRESCENT
HYDE PARK CRESCENT
RADNOR PLACE
RADNOR MEWS
GLOUCESTER SQUARE
SUSSEX PLACE
BATHURST MEWS
BATHURST ST
SUSSEX SQUARE
STANHOPE TERRACE
HYDE PARK GARDENS
HYDE PARK SQUARE
GARDEN MEWS
CLARENDON PLACE
HYDE PARK STREET
ALBION STREET
CONNAUGHT STREET
CONNAUGHT SQUARE
CONNAUGHT PL
KENDAL STREET
PORCHESTER PLACE
TITCHBORNE ROW
PARK WEST PLACE
EDGWARE ROAD
OLD MARYLEBONE ROAD
CRAWFORD PLACE
BRENDON STREET
HOMER ROW
MOLYNEUX STREET
SHOULDHAM STREET
HARROWBY STREET
FORSET STREET
NUTFORD PLACE
BRYANSTON PLACE
BRYANSTON SQUARE
BRYANSTON MEWS WEST
BRYANSTON MEWS EAST
BRYANSTON STREET
SEYMOUR STREET
SEYMOUR PLACE
SEYMOUR ST
UPPER BERKELEY STREET
GREAT CUMBERLAND PLACE
GEORGE STREET
MONTAGU PLACE
MONTAGU SQUARE
MONTAGU ST
GLOUCESTER PLACE
GLOUCESTER PLACE MEWS
PORTMAN CLOSE
OLD QUEBEC STREET
STANHOPE PL
MARBLE ARCH
Marble Arch
BAYSWATER ROAD
WESTBOURNE STREET
Lancaster Gate
CUMBERLAND GATE
Speaker's Corner
PARK LANE
NORTH
DUNRAVEN STREET
BROOK GATE
GROSVENOR GATE
THE RING
BUCK HILL WALK
THE WALK
HYDE PARK
The Long Water
SERPENTINE ROAD
The Serpentine
Serpentine Gallery
ROTTEN ROW
SOUTH CARRIAGE DRIVE
KENSINGTON ROAD
KNIGHTSBRIDGE
PRINCE'S GATE
ENNISMORE GARDENS
ENNISMORE GDNS MEWS
EXHIBITION ROAD
MONTROSE COURT
National Sound Archive
PRINCE'S GARDENS
RUTLAND GATE
RUTLAND GARDENS
MONTPELIER SQUARE
MONTPELIER WALK
MONTPELIER STREET
MONTPELIER PL
TREVOR PLACE
TREVOR SQUARE
TREVOR ST
RAPHAEL STREET
LANCELOT PLACE
BROMPTON ROAD
Knightsbridge
Harrods
HANS RD
HANS CRESCENT
BASIL STREET
SLOANE STREET
PAVILION ROAD
HARRIET WALK
SEVILLE ST
WILLIAM ST
LOWNDES SQUARE
WILMINGTON MEWS
KINNERTON STREET

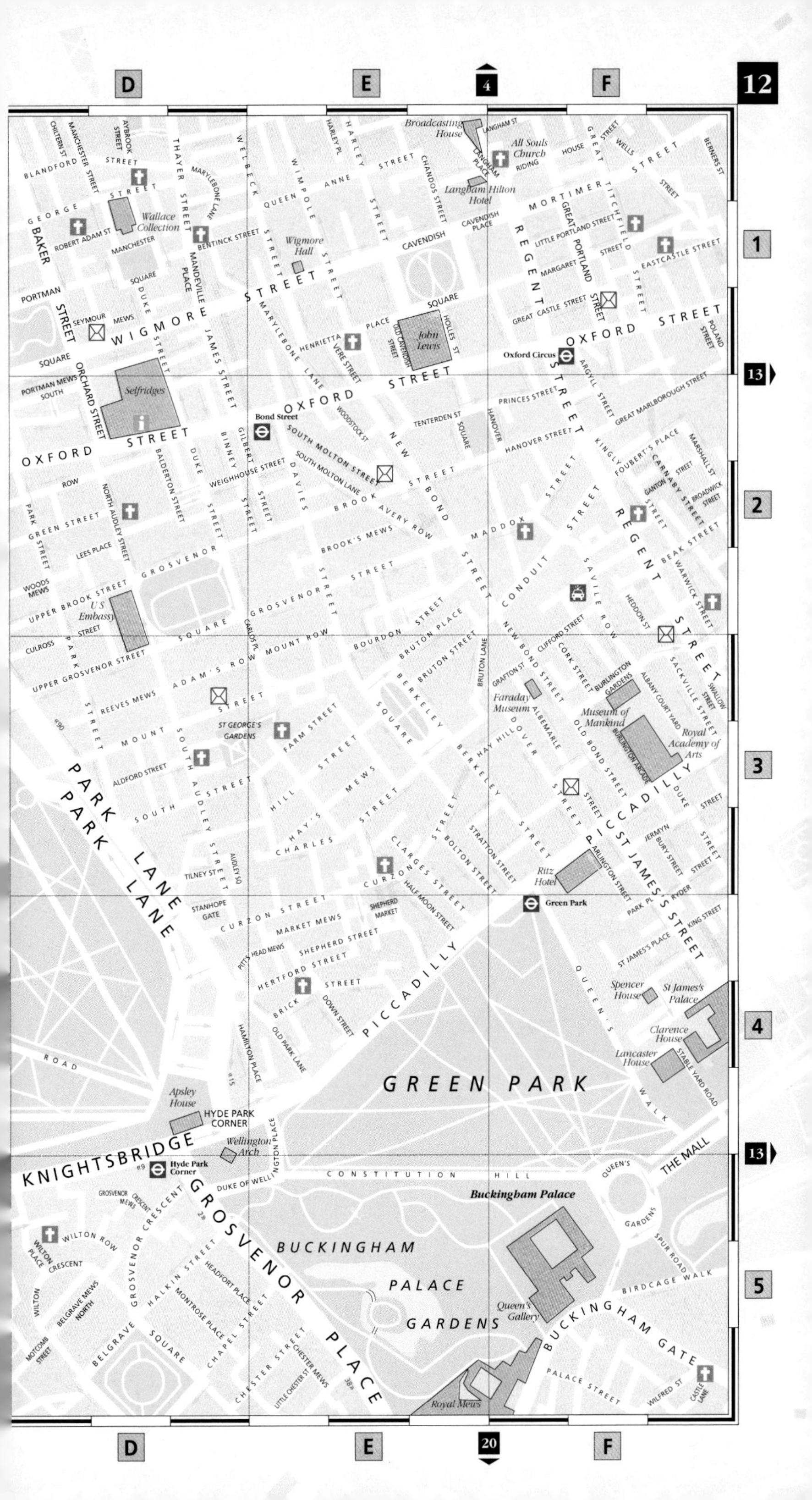
12
D
E
F
4
1
2
3
4
5
13
13
20
Broadcasting House
All Souls Church
Langham Hilton Hotel
Wallace Collection
Wigmore Hall
John Lewis
Oxford Circus
Selfridges
Bond Street
US Embassy
St George's Gardens
Faraday Museum
Museum of Mankind
Royal Academy of Arts
Ritz Hotel
Green Park
Spencer House
St James's Palace
Clarence House
Lancaster House
Apsley House
Hyde Park Corner
Wellington Arch
Buckingham Palace
Queen's Gallery
Royal Mews
OXFORD STREET
WIGMORE STREET
REGENT STREET
PICCADILLY
PARK LANE
GREEN PARK
KNIGHTSBRIDGE
GROSVENOR PLACE
BUCKINGHAM PALACE GARDENS
CONSTITUTION HILL
THE MALL
BUCKINGHAM GATE
BIRDCAGE WALK
ST JAMES'S STREET
NEW BOND STREET
BERKELEY SQUARE
BELGRAVE SQUARE
GROSVENOR SQUARE
CAVENDISH SQUARE
PORTMAN SQUARE
MANCHESTER SQUARE

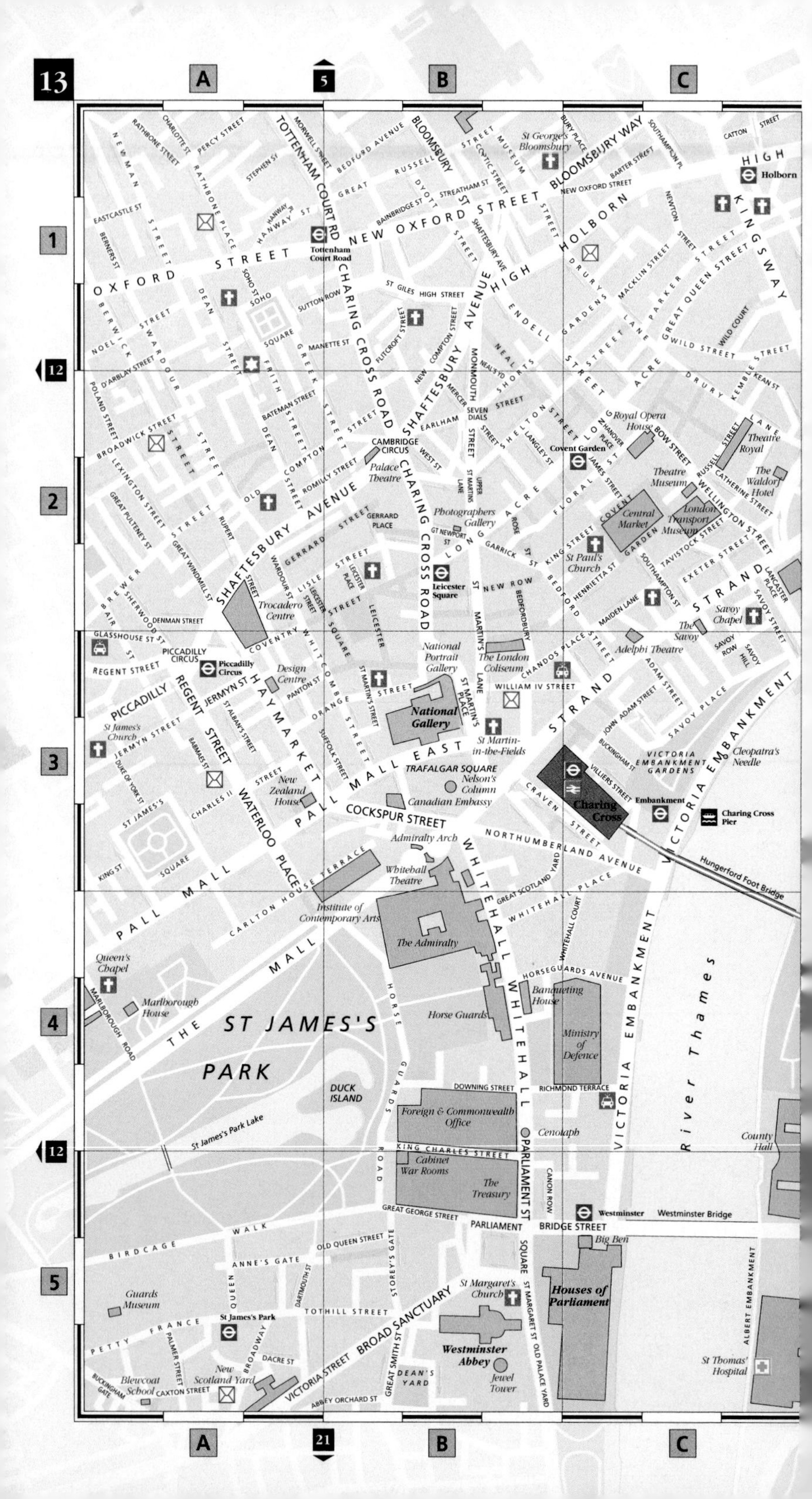
A
5
B
C
1
2
3
4
5
12
12
21
Tottenham Court Road
Holborn
Leicester Square
Piccadilly Circus
Covent Garden
Charing Cross
Embankment
Charing Cross Pier
Westminster
St James's Park
OXFORD STREET
NEW OXFORD STREET
BLOOMSBURY WAY
HIGH HOLBORN
KINGSWAY
TOTTENHAM COURT RD
CHARING CROSS ROAD
SHAFTESBURY AVENUE
ST GILES HIGH STREET
SOHO SQUARE
CAMBRIDGE CIRCUS
SEVEN DIALS
LONG ACRE
DRURY LANE
GREAT QUEEN STREET
WILD STREET
BOW STREET
WELLINGTON STREET
STRAND
LEICESTER SQUARE
PICCADILLY
PICCADILLY CIRCUS
REGENT STREET
JERMYN STREET
HAYMARKET
PALL MALL
PALL MALL EAST
TRAFALGAR SQUARE
COCKSPUR STREET
WATERLOO PLACE
ST JAMES'S SQUARE
NORTHUMBERLAND AVENUE
WHITEHALL
HORSEGUARDS AVENUE
VICTORIA EMBANKMENT
THE MALL
ST JAMES'S PARK
DUCK ISLAND
St James's Park Lake
BIRDCAGE WALK
PARLIAMENT SQUARE
PARLIAMENT ST
BRIDGE STREET
Westminster Bridge
BROAD SANCTUARY
VICTORIA STREET
TOTHILL STREET
PETTY FRANCE
ALBERT EMBANKMENT
River Thames
Hungerford Foot Bridge
St George's Bloomsbury
Royal Opera House
Theatre Royal
The Waldorf Hotel
Theatre Museum
Central Market
London Transport Museum
St Paul's Church
Savoy Chapel
The Savoy
Adelphi Theatre
Palace Theatre
Photographers Gallery
Trocadero Centre
Design Centre
National Portrait Gallery
The London Coliseum
National Gallery
St Martin-in-the-Fields
St James's Church
New Zealand House
Nelson's Column
Canadian Embassy
Admiralty Arch
Whitehall Theatre
Institute of Contemporary Arts
The Admiralty
Cleopatra's Needle
VICTORIA EMBANKMENT GARDENS
Queen's Chapel
Marlborough House
Horse Guards
Banqueting House
Ministry of Defence
Foreign & Commonwealth Office
Cenotaph
County Hall
Cabinet War Rooms
The Treasury
Big Ben
Houses of Parliament
St Margaret's Church
Westminster Abbey
Jewel Tower
Guards Museum
New Scotland Yard
Blewcoat School
St Thomas' Hospital

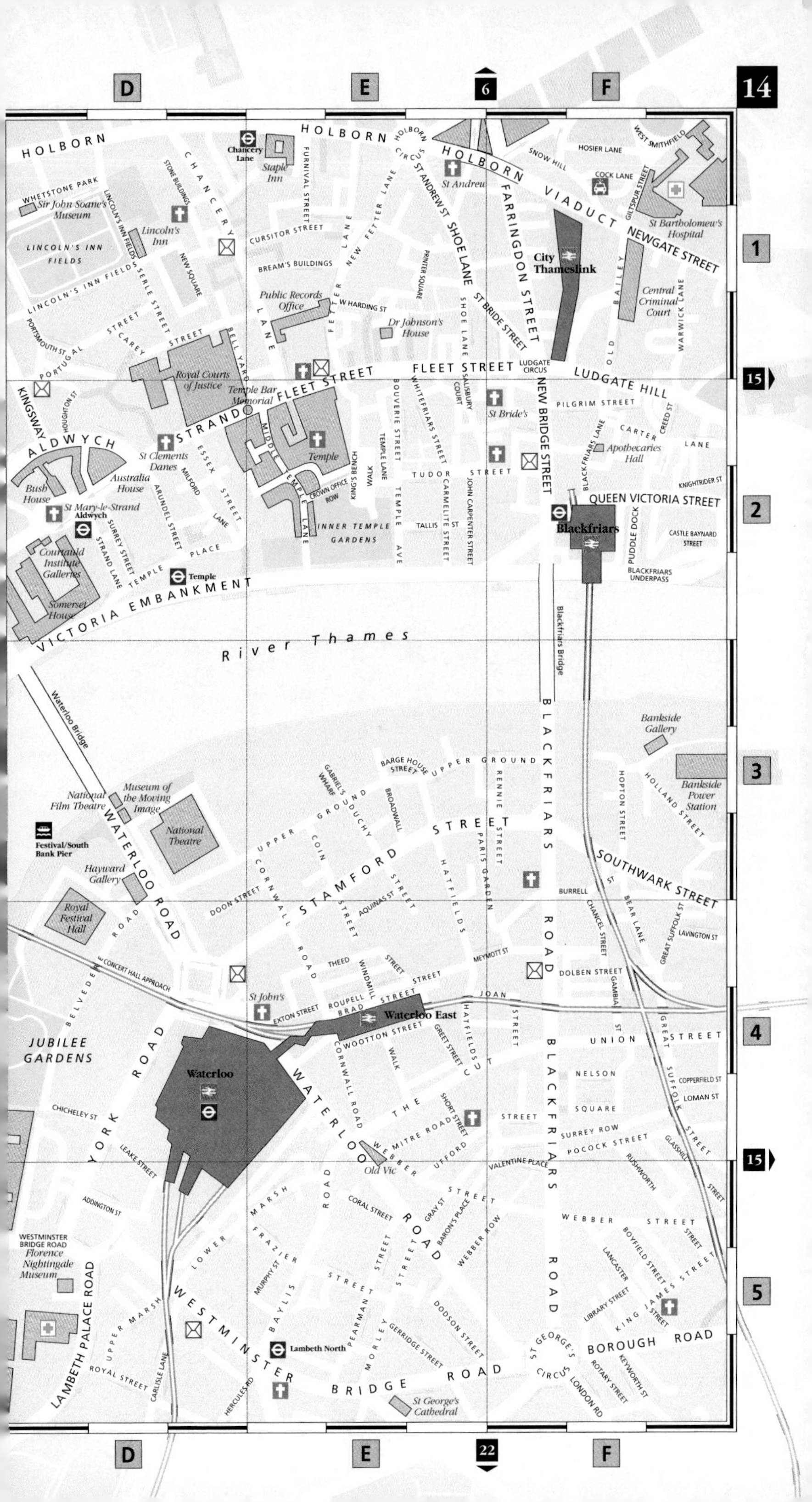

D
E
6
F
14
HOLBORN
Chancery Lane
Staple Inn
HOLBORN
HOLBORN CIRCUS
HOLBORN
SNOW HILL
HOSIER LANE
WEST SMITHFIELD
COCK LANE
GILTSPUR STREET
St Andrew
VIADUCT
St Bartholomew's Hospital
WHETSTONE PARK
Sir John Soane's Museum
CHANCERY
STONE BUILDINGS
FURNIVAL STREET
NEW FETTER LANE
ST ANDREW ST
SHOE LANE
FARRINGDON STREET
NEWGATE STREET
LINCOLN'S INN FIELDS
Lincoln's Inn
CURSITOR STREET
BREAM'S BUILDINGS
PRINTER SQUARE
City Thameslink
1
LINCOLN'S INN FIELDS
SERLE STREET
NEW SQUARE
Public Records Office
W HARDING ST
Dr Johnson's House
ST BRIDE STREET
OLD BAILEY
Central Criminal Court
WARWICK LANE
PORTSMOUTH ST
PORTUGAL
CAREY STREET
BELL YARD
LANE
FETTER
LUDGATE CIRCUS
FLEET STREET
LUDGATE HILL
15
Royal Courts of Justice
Temple Bar Memorial
FLEET STREET
KINGSWAY
HOUGHTON ST
STRAND
BOUVERIE STREET
WHITEFRIARS STREET
SALISBURY COURT
St Bride's
NEW BRIDGE STREET
PILGRIM STREET
CARTER LANE
CREED ST
ALDWYCH
St Clements Danes
ESSEX STREET
MIDDLE TEMPLE LANE
Temple
TEMPLE LANE
TUDOR STREET
BLACKFRIARS LANE
Apothecaries Hall
Australia House
MILFORD LANE
CROWN OFFICE ROW
KING'S BENCH WALK
CARMELITE STREET
JOHN CARPENTER STREET
KNIGHTRIDER ST
Bush House
St Mary-le-Strand
Aldwych
ARUNDEL STREET
QUEEN VICTORIA STREET
2
SURREY STREET
INNER TEMPLE GARDENS
TEMPLE AVE
TALLIS ST
Blackfriars
PUDDLE DOCK
CASTLE BAYNARD STREET
Courtauld Institute Galleries
STRAND LANE
TEMPLE PLACE
Temple
BLACKFRIARS UNDERPASS
VICTORIA EMBANKMENT
Somerset House
Blackfriars Bridge
River Thames
Waterloo Bridge
Bankside Gallery
BARGE HOUSE STREET
UPPER GROUND
RENNIE STREET
HOPTON STREET
HOLLAND STREET
Bankside Power Station
3
GABRIEL'S WHARF
National Film Theatre
Museum of the Moving Image
UPPER GROUND
DUCHY
BROADWALL
STREET
National Theatre
Festival/South Bank Pier
WATERLOO ROAD
COIN
STAMFORD
PARIS GARDEN
BLACKFRIARS ROAD
SOUTHWARK STREET
Hayward Gallery
CORNWALL ROAD
HATFIELDS
BURRELL ST
DOON STREET
AQUINAS ST
CHANCEL STREET
BEAR LANE
GREAT SUFFOLK ST
LAVINGTON ST
Royal Festival Hall
ROAD
STREET
MEYMOTT ST
CONCERT HALL APPROACH
THEED STREET
WINDMILL STREET
DOLBEN STREET
BELVEDERE ROAD
St John's
EXTON STREET
ROUPELL STREET
BRAD STREET
JOAN STREET
GAMBIA ST
Waterloo East
4
JUBILEE GARDENS
WOOTTON STREET
GREET STREET
UNION STREET
YORK ROAD
Waterloo
WALK
NELSON SQUARE
COPPERFIELD ST
LOMAN ST
THE CUT
CHICHELEY ST
SHORT STREET
SURREY ROW
POCOCK STREET
GLASSHILL STREET
MITRE ROAD
LEAKE STREET
WEBBER
Old Vic
UFFORD STREET
VALENTINE PLACE
RUSHWORTH STREET
15
ADDINGTON ST
MARSH
CORAL STREET
GRAY ST
BARON'S PLACE
WEBBER STREET
WEBBER ROW
WESTMINSTER BRIDGE ROAD
Florence Nightingale Museum
LOWER MARSH
FRAZIER ST
BOYFIELD STREET
LANCASTER STREET
LAMBETH PALACE ROAD
MURPHY ST
BAYLIS
STREET
PEARMAN STREET
DODSON STREET
LIBRARY STREET
KING JAMES STREET
5
UPPER MARSH
WESTMINSTER
Lambeth North
MORLEY STREET
GERRIDGE STREET
ST GEORGE'S CIRCUS
BOROUGH ROAD
ROTARY STREET
KEYWORTH ST
ROYAL STREET
CARLISLE LANE
HERCULES RD
BRIDGE ROAD
St George's Cathedral
LONDON RD
D
E
22
F

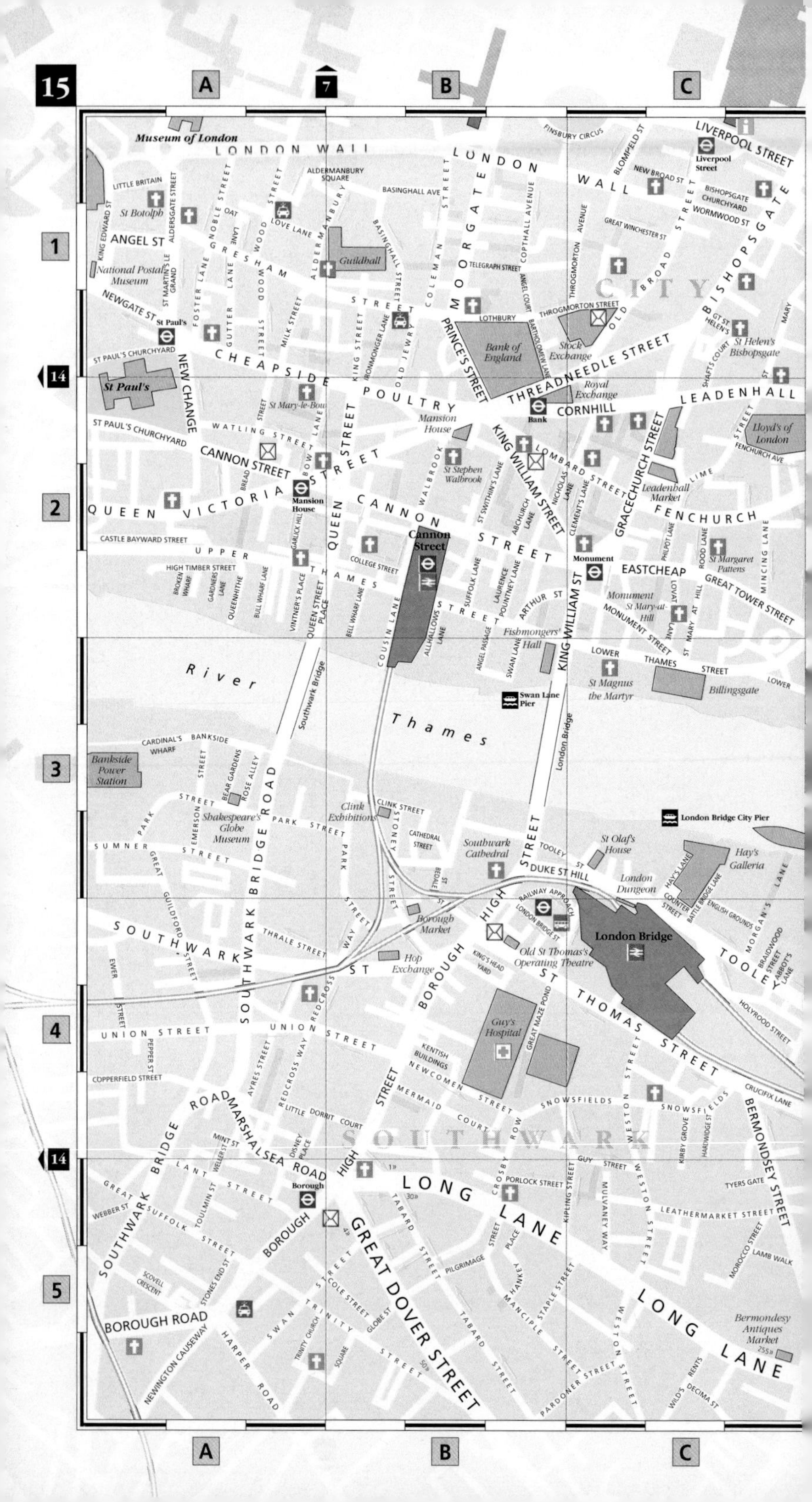

15
A
B
C
7
14
1
2
3
4
5
Museum of London
LONDON WALL
ALDERMANBURY SQUARE
BASINGHALL AVE
FINSBURY CIRCUS
BLOMFIELD ST
LIVERPOOL STREET
Liverpool Street
NEW BROAD ST
BISHOPSGATE CHURCHYARD
WORMWOOD ST
GREAT WINCHESTER ST
BISHOPSGATE
LITTLE BRITAIN
ALDERSGATE STREET
NOBLE STREET
St Botolph
KING EDWARD ST
ANGEL ST
OAT LANE
LOVE LANE
ALDERMANBURY
Guildhall
BASINGHALL STREET
COLEMAN STREET
MOORGATE
COPTHALL AVENUE
THROGMORTON AVENUE
OLD BROAD STREET
National Postal Museum
ST MARTIN'S LE GRAND
FOSTER LANE
GRESHAM STREET
WOOD STREET
TELEGRAPH STREET
ANGEL COURT
CITY
NEWGATE ST
St Paul's
GUTTER LANE
MILK STREET
IRONMONGER LANE
OLD JEWRY
LOTHBURY
BARTHOLOMEW LANE
THROGMORTON STREET
Stock Exchange
GT ST HELEN'S
St Helen's Bishopsgate
ST PAUL'S CHURCHYARD
CHEAPSIDE
KING STREET
PRINCE'S STREET
Bank of England
THREADNEEDLE STREET
SHAFTS COURT
ST MARY AXE
St Paul's
NEW CHANGE
St Mary-le-Bow
POULTRY
Royal Exchange
Bank
CORNHILL
LEADENHALL
Lloyd's of London
FENCHURCH AVE
Mansion House
ST PAUL'S CHURCHYARD
WATLING STREET
BOW LANE
QUEEN STREET
KING WILLIAM STREET
LOMBARD STREET
LIME STREET
GRACECHURCH STREET
Leadenhall Market
CANNON STREET
BREAD STREET
St Stephen Walbrook
WALBROOK
NICHOLAS LANE
QUEEN VICTORIA STREET
Mansion House
CANNON STREET
ST SWITHIN'S LANE
ABCHURCH LANE
CLEMENT'S LANE
FENCHURCH
CASTLE BAYNARD STREET
Cannon Street
GARLICK HILL
COLLEGE STREET
Monument
EASTCHEAP
PHILPOT LANE
ROOD LANE
St Margaret Pattens
MINCING LANE
UPPER THAMES STREET
HIGH TIMBER STREET
BROKEN WHARF
GARDNERS LANE
QUEENHITHE
BULL WHARF LANE
VINTNER'S PLACE
QUEEN STREET PLACE
BELL WHARF LANE
SUFFOLK LANE
LAURENCE POUNTNEY LANE
ARTHUR ST
KING WILLIAM ST
Monument
St Mary-at-Hill
MONUMENT STREET
LOVAT LANE
ST MARY AT HILL
GREAT TOWER STREET
COUSIN LANE
ALLHALLOWS LANE
ANGEL PASSAGE
SWAN LANE
Fishmongers' Hall
LOWER THAMES STREET
St Magnus the Martyr
Billingsgate
River Thames
Southwark Bridge
Swan Lane Pier
London Bridge
CARDINAL'S WHARF
BANKSIDE
Bankside Power Station
BEAR GARDENS
ROSE ALLEY
SOUTHWARK BRIDGE ROAD
Clink Exhibitions
CLINK STREET
London Bridge City Pier
PARK STREET
EMERSON STREET
Shakespeare's Globe Museum
STONEY STREET
CATHEDRAL STREET
Southwark Cathedral
St Olaf's House
Hay's Galleria
HAY'S LANE
SUMNER STREET
GREAT GUILDFORD STREET
TOOLEY ST
DUKE ST HILL
London Dungeon
BEDALE ST
HIGH STREET
RAILWAY APPROACH
LONDON BRIDGE ST
COUNTER STREET
BATTLE BRIDGE LANE
ENGLISH GROUNDS
MORGAN'S LANE
Borough Market
London Bridge
SOUTHWARK STREET
THRALE STREET
KING'S HEAD YARD
Old St Thomas's Operating Theatre
BRAIDWOOD STREET
ABBOT'S LANE
TOOLEY STREET
EWER STREET
Hop Exchange
BOROUGH HIGH STREET
REDCROSS WAY
ST THOMAS STREET
GREAT MAZE POND
Guy's Hospital
HOLYROOD STREET
UNION STREET
PEPPER ST
KENTISH BUILDINGS
NEWCOMEN STREET
COPPERFIELD STREET
AYRES STREET
MERMAID COURT
SNOWSFIELDS
CRUCIFIX LANE
BERMONDSEY STREET
LITTLE DORRIT COURT
ROW
SOUTHWARK
MINT ST
WELLER ST
DISNEY PLACE
MARSHALSEA ROAD
GUY STREET
WESTON STREET
KIRBY GROVE
HARDWIDGE ST
LANT STREET
Borough
LONG LANE
CROSBY ROW
PORLOCK STREET
KIPLING STREET
MUVANEY WAY
TYERS GATE
GREAT SUFFOLK STREET
WEBBER ST
TOULMIN ST
TABARD STREET
LEATHERMARKET STREET
SOUTHWARK BRIDGE ROAD
BOROUGH HIGH STREET
GREAT DOVER STREET
PILGRIMAGE STREET
HANKEY PLACE
MOROCCO STREET
LAMB WALK
SCOVELL CRESCENT
STONES END ST
COLE STREET
MANCIPLE STREET
STAPLE STREET
BOROUGH ROAD
SWAN STREET
TRINITY STREET
GLOBE ST
Bermondsey Antiques Market
NEWINGTON CAUSEWAY
HARPER ROAD
TRINITY CHURCH SQUARE
PARDONER STREET
WILD'S RENTS
DECIMA ST

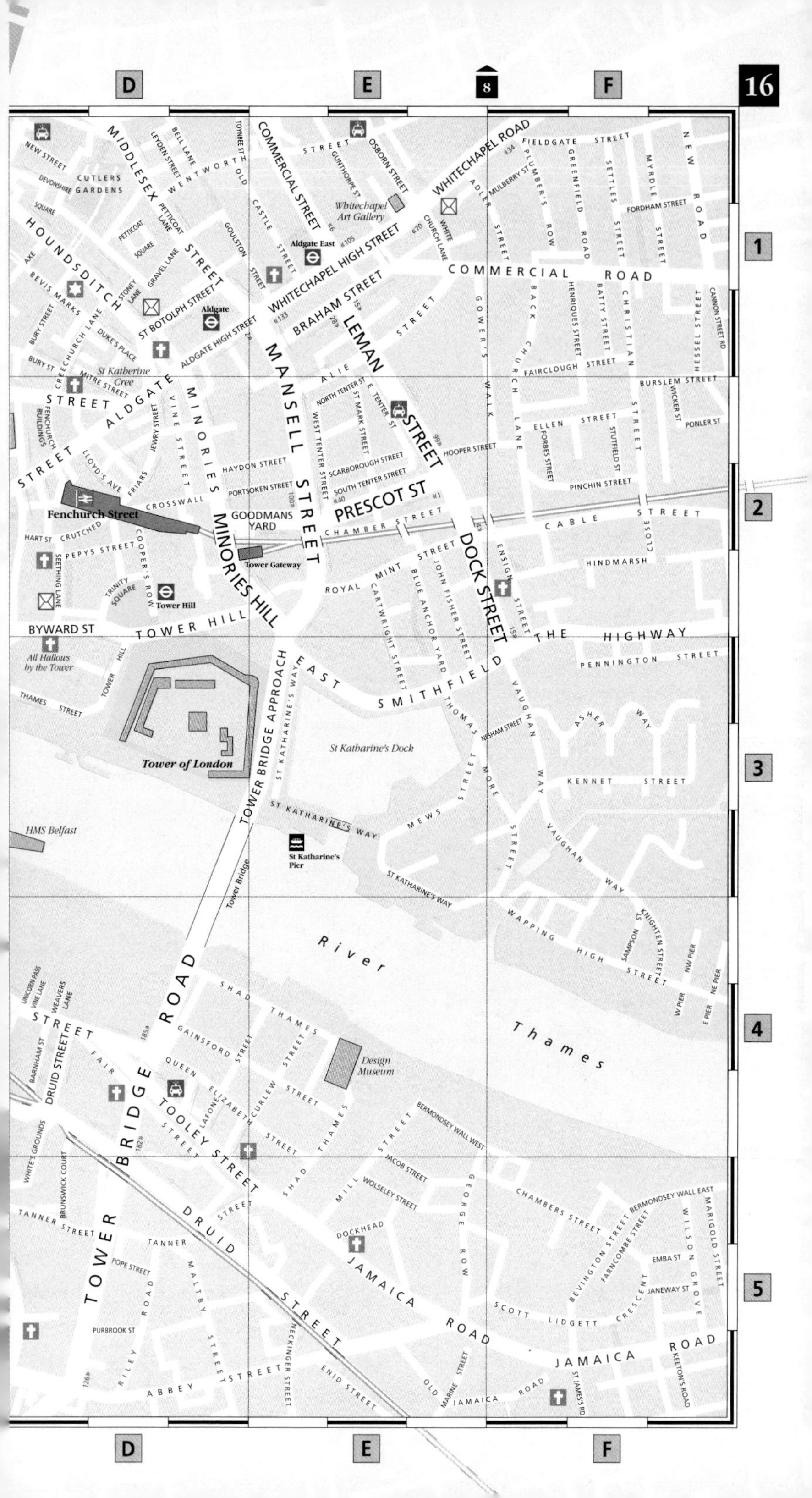
16
D
E
8
F
1
2
3
4
5
NEW STREET
CUTLERS GARDENS
DEVONSHIRE SQUARE
MIDDLESEX STREET
LEYDEN STREET
BELL LANE
WENTWORTH
TOYNBEE ST
OLD CASTLE STREET
COMMERCIAL STREET
GUNTHORPE ST
OSBORN STREET
Whitechapel Art Gallery
WHITECHAPEL ROAD
FIELDGATE STREET
GREENFIELD ROAD
SETTLES STREET
MYRDLE STREET
NEW ROAD
FORDHAM STREET
ADLER STREET
MULBERRY ST
PLUMBER'S ROW
WHITE CHURCH LANE
HOUNDSDITCH
PETTICOAT LANE
PETTICOAT SQUARE
GRAVEL LANE
GOULSTON STREET
Aldgate East
WHITECHAPEL HIGH STREET
COMMERCIAL ROAD
AXE
BEVIS MARKS
STONEY LANE
ST BOTOLPH STREET
Aldgate
BRAHAM STREET
LEMAN STREET
GOWER'S WALK
BACK CHURCH LANE
HENRIQUES STREET
BATTY STREET
CHRISTIAN STREET
HESSEL STREET
CANNON STREET RD
BURY STREET
DUKE'S PLACE
ALDGATE HIGH STREET
CREECHURCH LANE
BURY ST
St Katherine Cree
MITRE STREET
ALDGATE
MINORIES
MANSELL STREET
ALIE
FAIRCLOUGH STREET
BURSLEM STREET
FENCHURCH STREET
FENCHURCH BUILDINGS
JEWRY STREET
VINE STREET
NORTH TENTER ST
E. TENTER ST
ST MARK STREET
WEST TENTER STREET
ELLEN STREET
FORBES STREET
STUTFIELD ST
WICKER ST
PONLER ST
HOOPER STREET
LLOYD'S AVE
FRIARS
HAYDON STREET
SCARBOROUGH STREET
PORTSOKEN STREET
SOUTH TENTER STREET
PINCHIN STREET
Fenchurch Street
CROSSWALL
GOODMANS YARD
PRESCOT ST
CABLE STREET
CHAMBER STREET
HART ST
CRUTCHED
PEPYS STREET
COOPER'S ROW
SEETHING LANE
Tower Gateway
DOCK STREET
CLOSE
HINDMARSH
TRINITY SQUARE
Tower Hill
MINORIES HILL
ROYAL MINT STREET
CARTWRIGHT STREET
BLUE ANCHOR YARD
JOHN FISHER STREET
ENSIGN STREET
BYWARD ST
TOWER HILL
THE HIGHWAY
All Hallows by the Tower
TOWER HILL
EAST SMITHFIELD
PENNINGTON STREET
THAMES STREET
TOWER BRIDGE APPROACH
ST KATHARINE'S WAY
THOMAS MORE STREET
VAUGHAN WAY
NESHAM STREET
ASHER WAY
St Katharine's Dock
Tower of London
KENNET STREET
HMS Belfast
ST KATHARINE'S WAY
MEWS
St Katharine's Pier
Tower Bridge
WAPPING HIGH STREET
SAMPSON ST
KNIGHTEN STREET
NW PIER
NE PIER
W PIER
E PIER
River Thames
UNICORN PASS
VINE LANE
WEAVERS LANE
SHAD THAMES
GAINSFORD STREET
Design Museum
BARNHAM ST
DRUID STREET
FAIR STREET
QUEEN ELIZABETH STREET
LAFONE
CURLEW STREET
TOOLEY STREET
BRIDGE ROAD
BERMONDSEY WALL WEST
JACOB STREET
WOLSELEY STREET
MILL STREET
GEORGE ROW
CHAMBERS STREET
BERMONDSEY WALL EAST
MARIGOLD STREET
WILSON GROVE
WHITE'S GROUNDS
BRUNSWICK COURT
TANNER STREET
TOWER
DRUID STREET
DOCKHEAD
BEVINGTON STREET
FARNCOMBE STREET
EMBA ST
JANEWAY ST
POPE STREET
ROAD
MALTBY STREET
JAMAICA ROAD
SCOTT LIDGETT CRESCENT
PURBROOK ST
RILEY ROAD
NECKINGER STREET
ENID STREET
MARINE STREET
OLD JAMAICA ROAD
ST JAMES'S RD
KEETON'S ROAD
ABBEY STREET

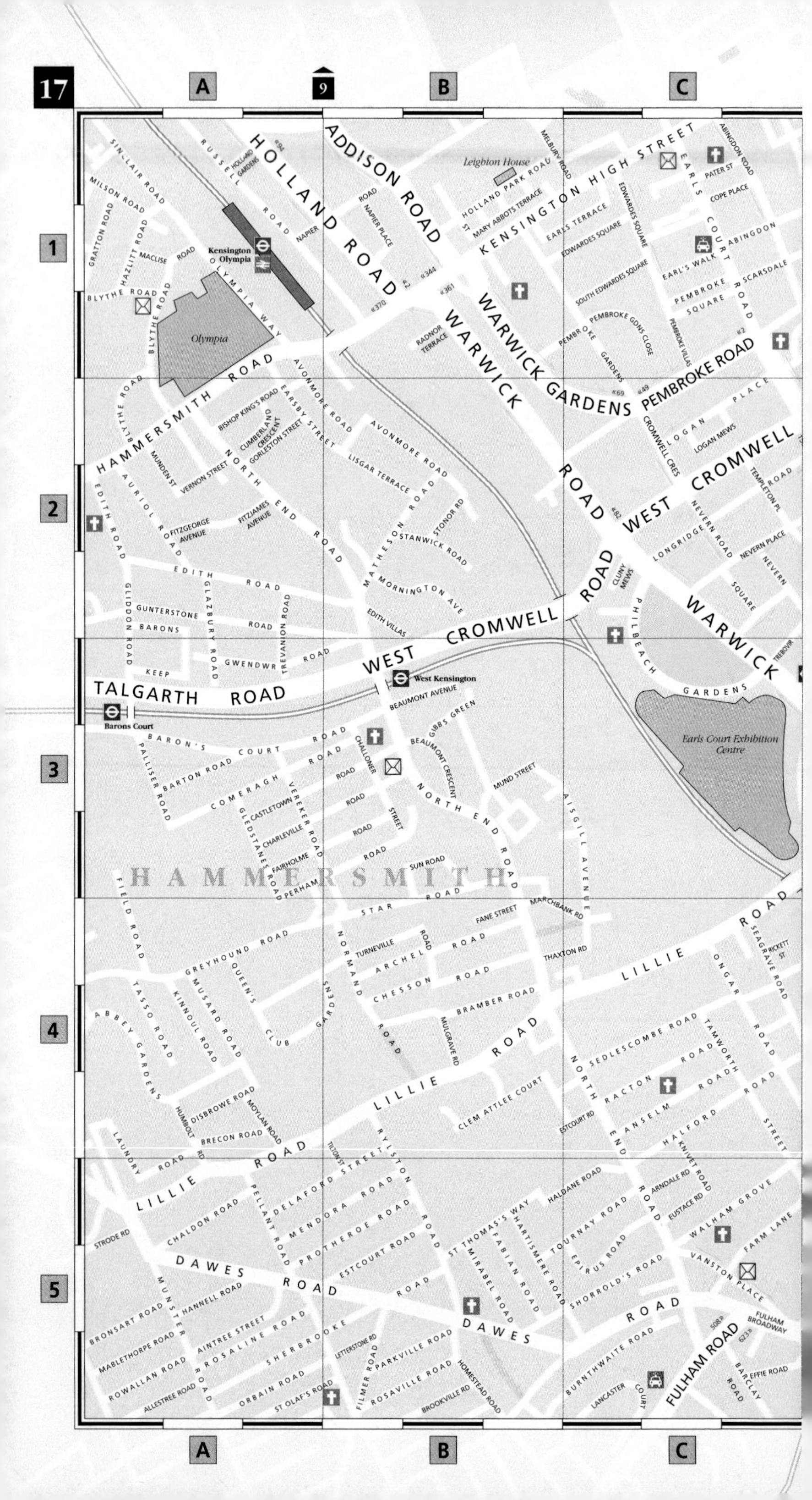
A
9
B
C
1
2
3
4
5
HOLLAND ROAD
ADDISON ROAD
HOLLAND PARK ROAD
Leighton House
KENSINGTON HIGH STREET
ABINGDON ROAD
PATER ST
COPE PLACE
EARLS COURT ROAD
MELBURY ROAD
MARY ABBOTS TERRACE
EARLS TERRACE
EDWARDES SQUARE
SOUTH EDWARDES SQUARE
ABINGDON
SCARSDALE
EARL'S WALK
PEMBROKE SQUARE
PEMBROKE GARDENS
PEMBROKE GDNS CLOSE
PEMBROKE VILLAS
PEMBROKE ROAD
WARWICK GARDENS
WARWICK ROAD
RADNOR TERRACE
RUSSELL ROAD
HOLLAND GARDENS
NAPIER ROAD
NAPIER PLACE
SINCLAIR ROAD
MILSON ROAD
GRATTON ROAD
HAZLITT ROAD
MACLISE ROAD
BLYTHE ROAD
Kensington Olympia
OLYMPIA WAY
Olympia
HAMMERSMITH ROAD
AVONMORE ROAD
EARSBY STREET
BISHOP KING'S ROAD
CUMBERLAND CRESCENT
GORLESTON STREET
LISGAR TERRACE
MATHESON ROAD
STONOR RD
STANWICK ROAD
MORNINGTON AVE
EDITH VILLAS
NORTH END ROAD
MUNDEN ST
VERNON STREET
AURIOL ROAD
FITZGEORGE AVENUE
FITZJAMES AVENUE
EDITH ROAD
GLIDDON ROAD
GUNTERSTONE ROAD
BARONS KEEP
GLAZBURY ROAD
TREVANION ROAD
GWENDWR ROAD
WEST CROMWELL ROAD
CLUNY MEWS
PHILBEACH GARDENS
CROMWELL CRES
LOGAN PLACE
LOGAN MEWS
TEMPLETON PL
NEVERN ROAD
NEVERN PLACE
NEVERN SQUARE
LONGRIDGE ROAD
TREBOVIR
TALGARTH ROAD
Barons Court
West Kensington
BEAUMONT AVENUE
GIBBS GREEN
BEAUMONT CRESCENT
BARON'S COURT ROAD
PALLISER ROAD
BARTON ROAD
COMERAGH ROAD
CHALLONER STREET
CASTLETOWN ROAD
VEREKER ROAD
GLEDSTANES ROAD
CHARLEVILLE ROAD
FAIRHOLME ROAD
PERHAM ROAD
SUN ROAD
MUND STREET
AISGILL AVENUE
Earls Court Exhibition Centre
HAMMERSMITH
FIELD ROAD
STAR ROAD
NORMAND ROAD
FANE STREET
MARCHBANK RD
TURNEVILLE ROAD
ARCHEL ROAD
CHESSON ROAD
THAXTON RD
BRAMBER ROAD
MULGRAVE RD
GREYHOUND ROAD
QUEEN'S CLUB GARDENS
MUSARD ROAD
KINNOUL ROAD
TASSO ROAD
ABBEY GARDENS
LILLIE ROAD
SEAGRAVE ROAD
RICKETT ST
ONGAR ROAD
SEDLESCOMBE ROAD
TAMWORTH ROAD
RACTON ROAD
ANSELM ROAD
HALFORD ROAD
CLEM ATTLEE COURT
ESTCOURT RD
HUMBOLT RD
DISBROWE ROAD
MOYLAN ROAD
BRECON ROAD
LAUNDRY ROAD
TILTON ST
RYLSTON ROAD
DELAFORD STREET
PELLANT ROAD
CHALDON ROAD
MENDORA ROAD
PROTHEROE ROAD
ESTCOURT ROAD
STRODE RD
DAWES ROAD
MUNSTER ROAD
HANNELL ROAD
BRONSART ROAD
MABLETHORPE ROAD
AINTREE STREET
ROSALINE ROAD
ROWALLAN ROAD
ALLESTREE ROAD
ORBAIN ROAD
SHERBROOKE ROAD
ST OLAF'S ROAD
LETTERSTONE RD
FILMER ROAD
PARKVILLE ROAD
ROSAVILLE ROAD
HOMESTEAD ROAD
BROOKVILLE RD
ST THOMAS'S WAY
FABIAN ROAD
MIRABEL ROAD
HARTISMERE ROAD
HALDANE ROAD
TOURNAY ROAD
EPIRUS ROAD
SHORROLD'S ROAD
KNIVET ROAD
ARNDALE RD
EUSTACE RD
WALHAM GROVE
FARM LANE
VANSTON PLACE
FULHAM BROADWAY
FULHAM ROAD
BURNTHWAITE ROAD
LANCASTER COURT
BARCLAY ROAD
EFFIE ROAD
A
B
C

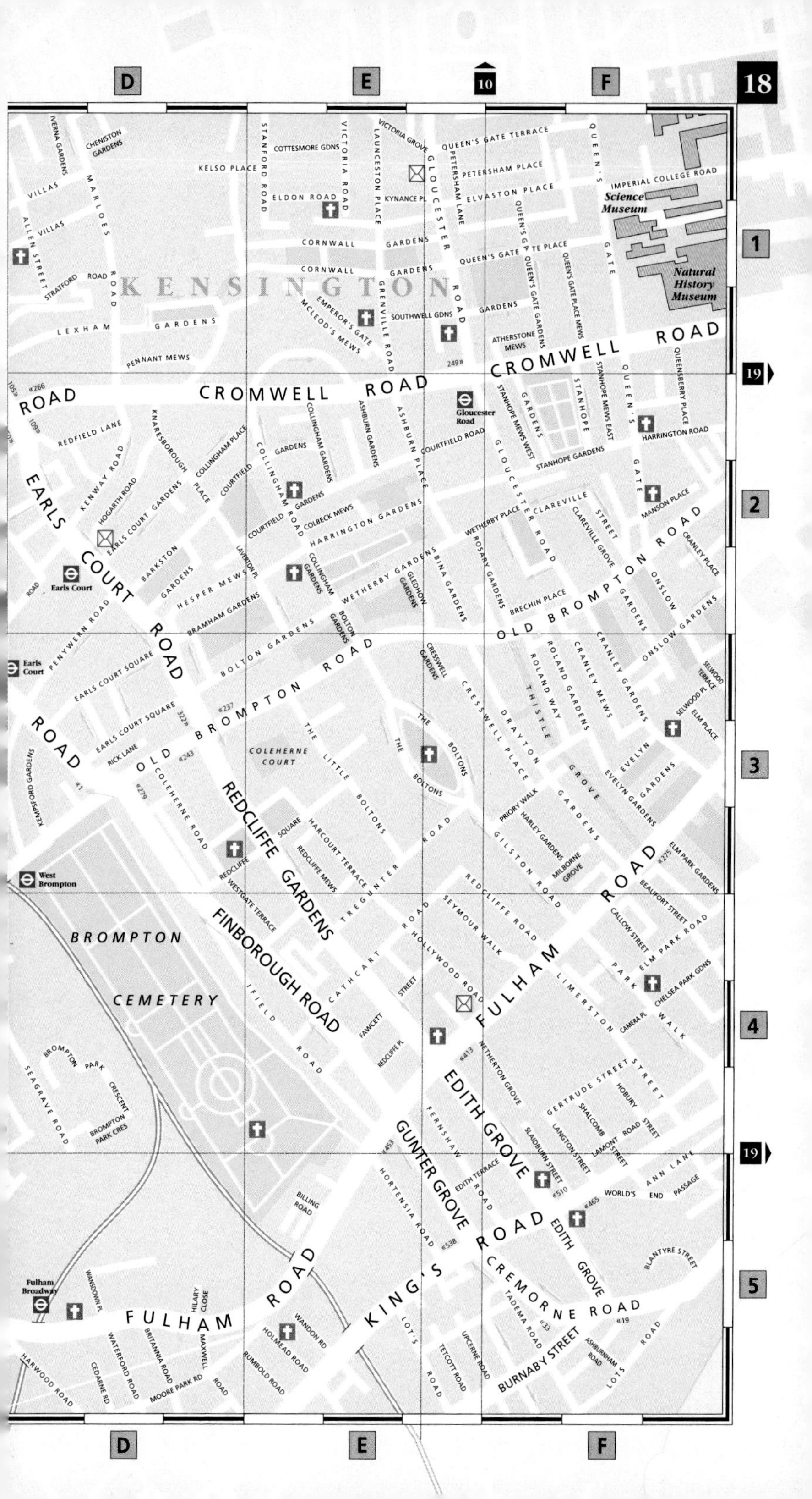

18
D
E
10
F
1
2
3
4
5
19
KENSINGTON
IVERNA GARDENS
CHENISTON GARDENS
STANFORD ROAD
COTTESMORE GDNS
VICTORIA ROAD
LAUNCESTON PLACE
VICTORIA GROVE
GLOUCESTER ROAD
QUEEN'S GATE TERRACE
QUEEN'S GATE
KELSO PLACE
PETERSHAM PLACE
PETERSHAM LANE
IMPERIAL COLLEGE ROAD
Science Museum
Natural History Museum
VILLAS
MARLOES ROAD
ALLEN STREET
ELDON ROAD
KYNANCE PL
ELVASTON PLACE
CORNWALL GARDENS
QUEEN'S GATE PLACE
QUEEN'S GATE GARDENS
QUEEN'S GATE PLACE MEWS
STRATFORD ROAD
LEXHAM GARDENS
EMPEROR'S GATE
MCLEOD'S MEWS
GRENVILLE ROAD
SOUTHWELL GDNS
GARDENS
ATHERSTONE MEWS
PENNANT MEWS
CROMWELL ROAD
STANHOPE MEWS EAST
STANHOPE MEWS WEST
STANHOPE GARDENS
QUEENSBERRY PLACE
HARRINGTON ROAD
Gloucester Road
REDFIELD LANE
KNARESBOROUGH PLACE
COLLINGHAM PLACE
COLLINGHAM GARDENS
COLLINGHAM ROAD
ASHBURN GARDENS
ASHBURN PLACE
COURTFIELD ROAD
COURTFIELD GARDENS
KENWAY ROAD
HOGARTH ROAD
EARLS COURT GARDENS
EARLS COURT ROAD
COLBECK MEWS
HARRINGTON GARDENS
WETHERBY PLACE
CLAREVILLE STREET
CLAREVILLE GROVE
MANSON PLACE
CRANLEY PLACE
ONSLOW GARDENS
Earls Court
BARKSTON GARDENS
HESPER MEWS
LAVERTON PL
WETHERBY GARDENS
GLEDHOW GARDENS
BINA GARDENS
ROSARY GARDENS
BRECHIN PLACE
OLD BROMPTON ROAD
PENYWERN ROAD
BRAMHAM GARDENS
BOLTON GARDENS
BOLTON GARDENS
CRESSWELL GARDENS
CRESSWELL PLACE
ROLAND WAY
ROLAND GARDENS
CRANLEY MEWS
CRANLEY GARDENS
THISTLE GROVE
SELWOOD TERRACE
SELWOOD PL
ELM PLACE
EARLS COURT SQUARE
DRAYTON GARDENS
THE BOLTONS
THE LITTLE BOLTONS
COLEHERNE COURT
COLEHERNE ROAD
EVELYN GARDENS
KEMPSFORD GARDENS
RICK LANE
REDCLIFFE GARDENS
REDCLIFFE SQUARE
HARCOURT TERRACE
REDCLIFFE MEWS
PRIORY WALK
HARLEY GARDENS
GILSTON ROAD
MILBORNE GROVE
ELM PARK GARDENS
West Brompton
WESTGATE TERRACE
TREGUNTER ROAD
REDCLIFFE ROAD
SEYMOUR WALK
BEAUFORT STREET
CALLOW STREET
ELM PARK ROAD
BROMPTON CEMETERY
FINBOROUGH ROAD
CATHCART ROAD
HOLLYWOOD ROAD
FULHAM ROAD
LIMERSTON STREET
PARK WALK
CHELSEA PARK GDNS
CAMERA PL
IFIELD ROAD
FAWCETT STREET
REDCLIFFE PL
NETHERTON GROVE
EDITH GROVE
GERTRUDE STREET
HOBURY STREET
SHALCOMB ROAD
LAMONT ROAD
BROMPTON PARK CRESCENT
BROMPTON PARK CRES
SEAGRAVE ROAD
FERNSHAW ROAD
GUNTER GROVE
SLAIDBURN STREET
LANGTON STREET
WORLD'S END PASSAGE
ANN LANE
EDITH TERRACE
BILLING ROAD
HORTENSIA ROAD
KING'S ROAD
BLANTYRE STREET
Fulham Broadway
WANSDOWN PL
HILARY CLOSE
FULHAM ROAD
WANDON RD
LOT'S ROAD
CREMORNE ROAD
TADEMA ROAD
HOLMEAD ROAD
HARWOOD ROAD
CEDARNE RD
WATERFORD ROAD
BRITANNIA ROAD
MAXWELL ROAD
MOORE PARK RD
RUMBOLD ROAD
TETCOTT ROAD
UPCERNE ROAD
BURNABY STREET
ASHBURNHAM ROAD

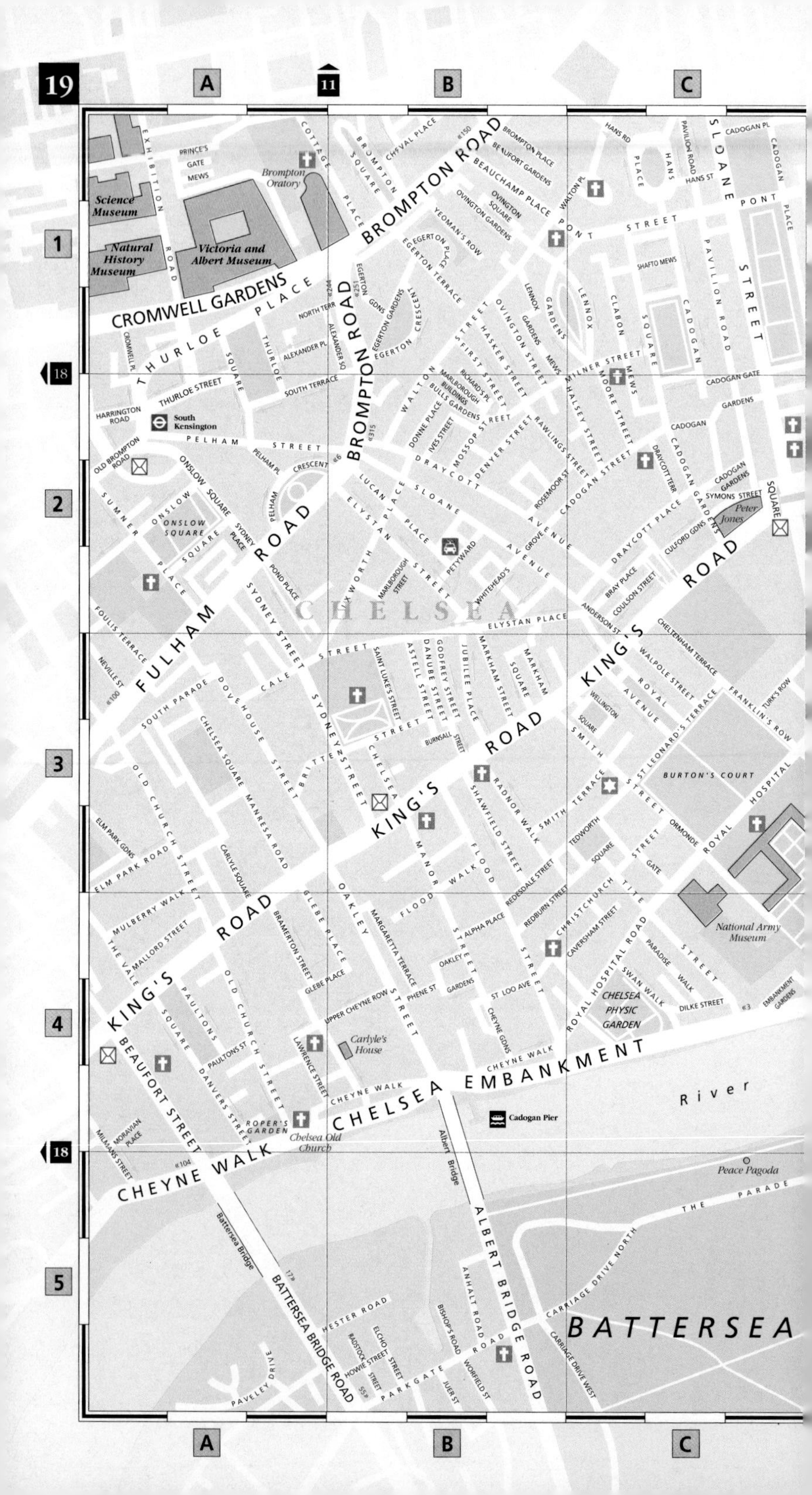
19
A
B
C
11
18
1
2
3
4
5
Science Museum
Natural History Museum
Victoria and Albert Museum
Brompton Oratory
EXHIBITION ROAD
PRINCE'S GATE MEWS
CROMWELL GARDENS
BROMPTON ROAD
THURLOE PLACE
THURLOE SQUARE
THURLOE STREET
CROMWELL PL
ALEXANDER SQ
ALEXANDER PL
NORTH TERR
SOUTH TERRACE
EGERTON GDNS
EGERTON GARDENS
EGERTON CRESCENT
EGERTON TERRACE
EGERTON PLACE
COTTAGE PLACE
BROMPTON SQUARE
CHEVAL PLACE
BROMPTON PLACE
BEAUFORT GARDENS
BEAUCHAMP PLACE
OVINGTON SQUARE
OVINGTON GARDENS
YEOMAN'S ROW
WALTON PL
HANS RD
HANS PLACE
PAVILION ROAD
HANS ST
SLOANE STREET
CADOGAN PL
CADOGAN PLACE
PONT STREET
SHAFTO MEWS
LENNOX GARDENS
LENNOX GARDENS MEWS
CLABON MEWS
CADOGAN SQUARE
MILNER STREET
MOORE STREET
HALSEY STREET
OVINGTON STREET
HASKER STREET
FIRST STREET
WALTON STREET
RICHARD'S PL
MARLBOROUGH BUILDINGS
BULLS GARDENS
DONNE PLACE
IVES STREET
MOSSOP STREET
DENYER STREET
RAWLINGS STREET
CADOGAN STREET
CADOGAN GATE
CADOGAN GARDENS
DRAYCOTT TERR
SYMONS STREET
Peter Jones
SLOANE SQUARE
HARRINGTON ROAD
South Kensington
PELHAM STREET
PELHAM PL
PELHAM CRESCENT
OLD BROMPTON ROAD
ONSLOW SQUARE
ONSLOW GARDENS
SUMNER PLACE
SYDNEY PLACE
POND PLACE
FULHAM ROAD
LUCAN PLACE
ELYSTAN PLACE
ELYSTAN STREET
DRAYCOTT AVENUE
DRAYCOTT PLACE
SLOANE AVENUE
ROSEMOOR ST
GROVE AVENUE
PETYWARD
WHITEHEAD'S GROVE
IXWORTH PLACE
MARLBOROUGH STREET
CHELSEA
BRAY PLACE
COULSON STREET
CULFORD GDNS
ANDERSON ST
KING'S ROAD
CHELTENHAM TERRACE
WALPOLE STREET
FRANKLIN'S ROW
TURK'S ROW
FOULIS TERRACE
NEVILLE ST
SYDNEY STREET
CALE STREET
SAINT LUKE'S STREET
ASTELL STREET
DANUBE STREET
GODFREY STREET
JUBILEE PLACE
MARKHAM STREET
MARKHAM SQUARE
ROYAL AVENUE
WELLINGTON SQUARE
SMITH STREET
ST LEONARD'S TERRACE
BURTON'S COURT
SOUTH PARADE
DOVEHOUSE STREET
CHELSEA SQUARE
BRITTEN STREET
CHELSEA MANOR STREET
BURNSALL STREET
RADNOR WALK
SHAWFIELD STREET
SMITH TERRACE
TEDWORTH SQUARE
ROYAL HOSPITAL ROAD
ORMONDE GATE
OLD CHURCH STREET
MANRESA ROAD
CARLYLE SQUARE
MANOR STREET
FLOOD WALK
FLOOD STREET
REDESDALE STREET
REDBURN STREET
ELM PARK GDNS
ELM PARK ROAD
MULBERRY WALK
MALLORD STREET
THE VALE
BRAMERTON STREET
GLEBE PLACE
OAKLEY STREET
MARGARETTA TERRACE
ALPHA PLACE
OAKLEY GARDENS
CHRISTCHURCH STREET
CAVERSHAM STREET
TITE STREET
PARADISE WALK
SWAN WALK
National Army Museum
PHENE ST
UPPER CHEYNE ROW
ST LOO AVE
CHEYNE GDNS
CHELSEA PHYSIC GARDEN
DILKE STREET
EMBANKMENT GARDENS
PAULTONS SQUARE
PAULTONS ST
DANVERS STREET
BEAUFORT STREET
LAWRENCE STREET
Carlyle's House
CHEYNE WALK
CHELSEA EMBANKMENT
ROPER'S GARDEN
Chelsea Old Church
Cadogan Pier
River
MORAVIAN PLACE
MILMANS STREET
Albert Bridge
Peace Pagoda
THE PARADE
Battersea Bridge
BATTERSEA BRIDGE ROAD
ALBERT BRIDGE ROAD
CARRIAGE DRIVE NORTH
CARRIAGE DRIVE WEST
BATTERSEA
ANHALT ROAD
BISHOP'S ROAD
HESTER ROAD
ELCHO STREET
RADSTOCK STREET
HOWIE STREET
PAVELEY DRIVE
PARKGATE ROAD
JUER ST
WORFIELD ST

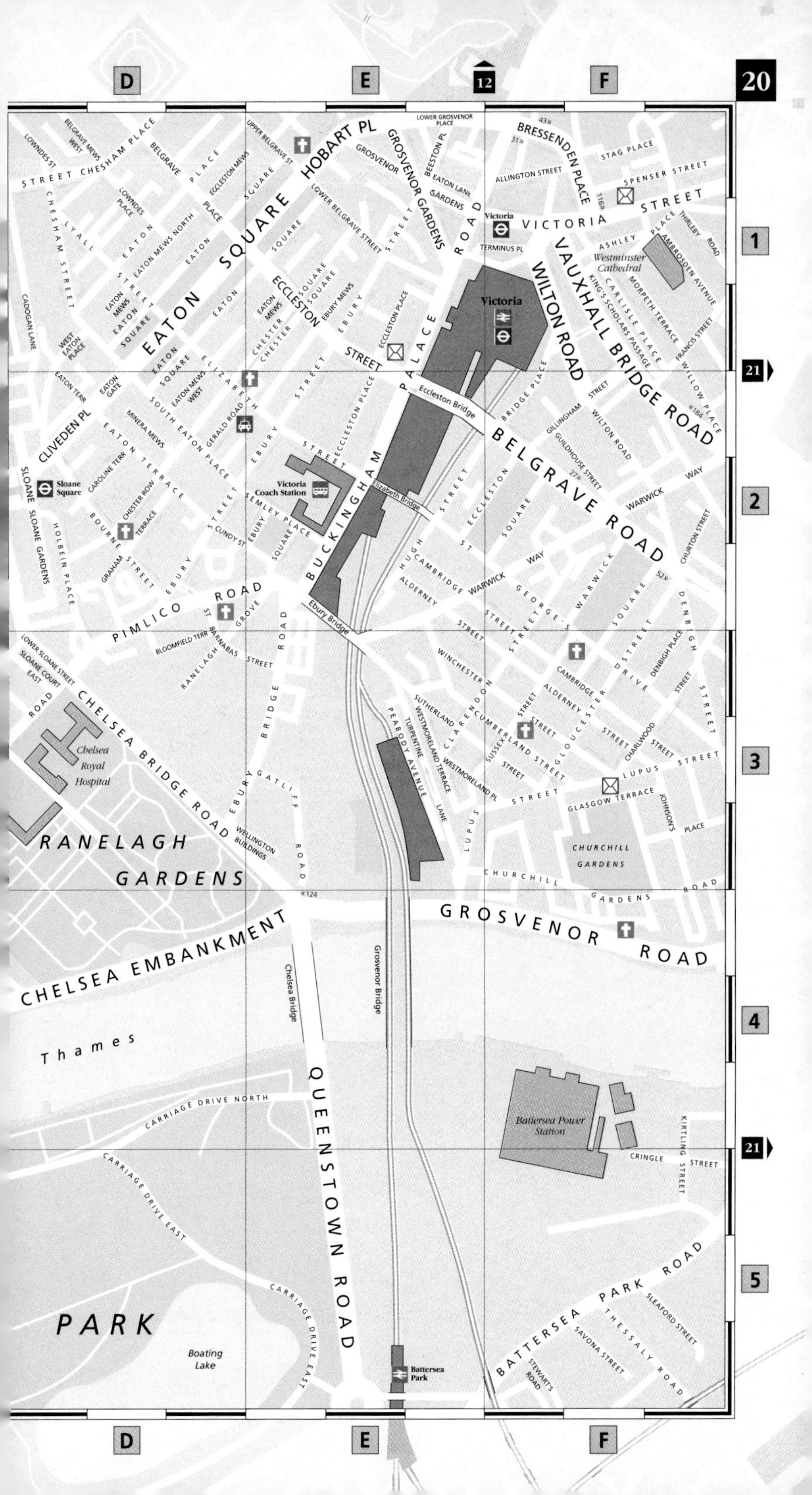
D
E
12
F
1
21
2
3
4
21
5
EATON SQUARE
HOBART PL
GROSVENOR GARDENS
BRESSENDEN PLACE
STAG PLACE
ALLINGTON STREET
SPENSER STREET
VICTORIA STREET
Victoria
TERMINUS PL
Westminster Cathedral
ASHLEY PLACE
AMBROSDEN AVENUE
THIRLEBY ROAD
VAUXHALL BRIDGE ROAD
WILTON ROAD
CARLISLE PLACE
KING'S SCHOLARS PASSAGE
MORPETH TERRACE
FRANCIS STREET
WILLOW PLACE
BELGRAVE ROAD
BUCKINGHAM PALACE ROAD
Eccleston Bridge
Elizabeth Bridge
Ebury Bridge
ECCLESTON STREET
ECCLESTON PLACE
EBURY STREET
EBURY MEWS
CHESTER SQUARE
LOWER BELGRAVE STREET
UPPER BELGRAVE ST
BELGRAVE PLACE
BELGRAVE MEWS WEST
CHESHAM PLACE
CHESHAM STREET
LOWNDES ST
LOWNDES PLACE
LYALL STREET
CADOGAN LANE
WEST EATON PLACE
EATON GATE
EATON TERR
CLIVEDEN PL
SLOANE GARDENS
Sloane Square
HOLBEIN PLACE
CAROLINE TERR
CHESTER ROW
BOURNE STREET
GRAHAM TERRACE
EATON TERRACE
MINERA MEWS
SOUTH EATON PLACE
ELIZABETH STREET
GERALD ROAD
Victoria Coach Station
SEMLEY PLACE
CUNDY ST
EBURY SQUARE
PIMLICO ROAD
GROVE
BLOOMFIELD TERR
ST BARNABAS STREET
RANELAGH GROVE
EBURY BRIDGE ROAD
LOWER SLOANE STREET
SLOANE COURT EAST
CHELSEA BRIDGE ROAD
Chelsea Royal Hospital
RANELAGH GARDENS
GATLIFF ROAD
WELLINGTON BUILDINGS
CHELSEA EMBANKMENT
Chelsea Bridge
Grosvenor Bridge
Thames
QUEENSTOWN ROAD
CARRIAGE DRIVE NORTH
CARRIAGE DRIVE EAST
PARK
Boating Lake
Battersea Park
BATTERSEA PARK ROAD
SAVONA STREET
STEWART'S ROAD
THESSALY ROAD
SLEAFORD STREET
Battersea Power Station
CRINGLE STREET
KIRTLING STREET
GROSVENOR ROAD
CHURCHILL GARDENS
CHURCHILL GARDENS ROAD
GLASGOW TERRACE
LUPUS STREET
JOHNSON'S PLACE
CHARLWOOD STREET
GLOUCESTER STREET
CUMBERLAND STREET
SUSSEX STREET
CLARENDON STREET
WESTMORELAND TERRACE
WESTMORELAND PL
TURPENTINE LANE
PEABODY AVENUE
SUTHERLAND STREET
WINCHESTER STREET
ALDERNEY STREET
CAMBRIDGE STREET
HUGH STREET
WARWICK WAY
ST GEORGE'S DRIVE
WARWICK SQUARE
DENBIGH PLACE
DENBIGH STREET
CHURTON STREET
ECCLESTON SQUARE
GILLINGHAM STREET
GUILDHOUSE STREET
BRIDGE PLACE
BEESTON PL
EATON LANE
LOWER GROSVENOR PLACE
GROSVENOR GARDENS
ECCLESTON MEWS
EATON MEWS NORTH
EATON MEWS WEST
D
E
F

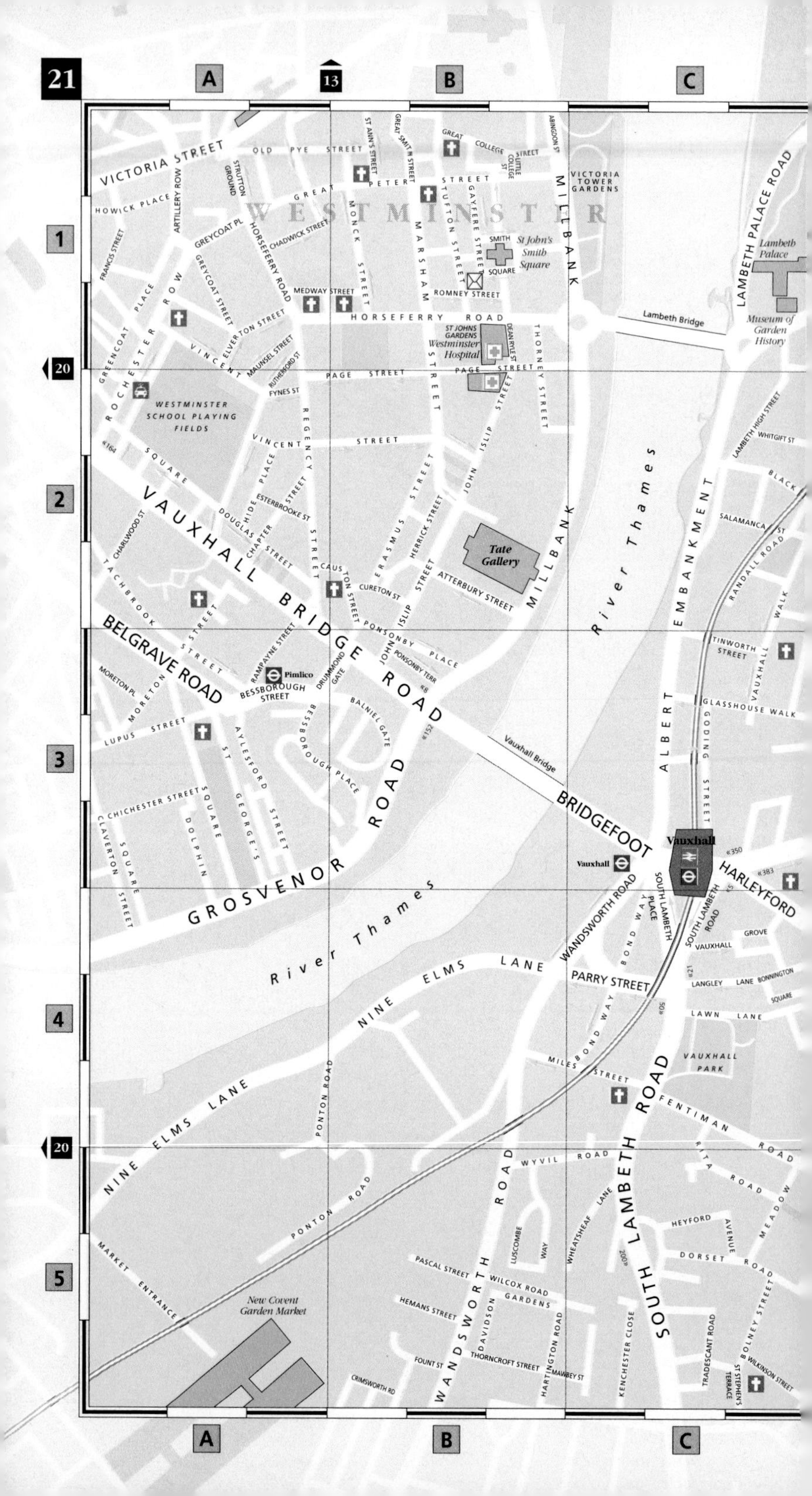
A
13
B
C
1
2
3
4
5
20
20
VICTORIA STREET
OLD PYE STREET
ST ANN'S STREET
GREAT SMITH STREET
GREAT COLLEGE STREET
LITTLE COLLEGE ST
ABINGDON ST
VICTORIA TOWER GARDENS
STRUTTON GROUND
ARTILLERY ROW
HOWICK PLACE
GREAT PETER STREET
TUFTON STREET
GAYFERE STREET
WESTMINSTER
MILLBANK
LAMBETH PALACE ROAD
Lambeth Palace
GREYCOAT PL
GREYCOAT STREET
HORSEFERRY ROAD
CHADWICK STREET
MONCK STREET
MARSHAM STREET
SMITH SQUARE
St John's Smith Square
ROMNEY STREET
FRANCIS STREET
ROCHESTER ROW
MEDWAY STREET
GREENCOAT PLACE
ELVERTON STREET
VINCENT
MAUNSEL STREET
RUTHERFORD ST
ST JOHNS GARDENS
Westminster Hospital
DEAN RYLE ST
THORNEY STREET
Lambeth Bridge
Museum of Garden History
PAGE STREET
FYNES ST
WESTMINSTER SCHOOL PLAYING FIELDS
REGENCY STREET
VINCENT STREET
JOHN ISLIP STREET
VINCENT SQUARE
LAMBETH HIGH STREET
WHITGIFT ST
BLACK
VAUXHALL BRIDGE ROAD
HIDE PLACE
ESTERBROOKE ST
DOUGLAS
CHAPTER STREET
ERASMUS STREET
HERRICK STREET
Tate Gallery
River Thames
ALBERT EMBANKMENT
SALAMANCA ST
RANDALL ROAD
CHARLWOOD ST
TACHBROOK STREET
CAUSTON STREET
CURETON ST
ATTERBURY STREET
ISLIP STREET
WALK
BELGRAVE ROAD
PONSONBY PLACE
PONSONBY TERR
TINWORTH STREET
VAUXHALL
RAMPAYNE STREET
Pimlico
DRUMMOND GATE
MORETON PL
MORETON STREET
BESSBOROUGH STREET
GLASSHOUSE WALK
BALNIEL GATE
LUPUS STREET
AYLESFORD STREET
ST GEORGE'S SQUARE
BESSBOROUGH PLACE
Vauxhall Bridge
GODING STREET
CHICHESTER STREET
DOLPHIN SQUARE
CLAVERTON STREET
GROSVENOR ROAD
BRIDGEFOOT
Vauxhall
HARLEYFORD
WANDSWORTH ROAD
SOUTH LAMBETH PLACE
SOUTH LAMBETH ROAD
BOND WAY
VAUXHALL GROVE
NINE ELMS LANE
PARRY STREET
LANGLEY LANE
BONNINGTON SQUARE
LAWN LANE
VAUXHALL PARK
MILES STREET
PONTON ROAD
FENTIMAN ROAD
WYVIL ROAD
RITA ROAD
MEADOW
HEYFORD AVENUE
WHEATSHEAF LANE
LUSCOMBE WAY
DORSET ROAD
PASCAL STREET
WILCOX ROAD
GARDENS
HEMANS STREET
DAVIDSON
MARKET ENTRANCE
New Covent Garden Market
BOLNEY STREET
TRADESCANT ROAD
KENCHESTER CLOSE
HARTINGTON ROAD
THORNCROFT STREET
MAWBEY ST
FOUNT ST
CRIMSWORTH RD
ST STEPHEN'S TERRACE
WILKINSON STREET

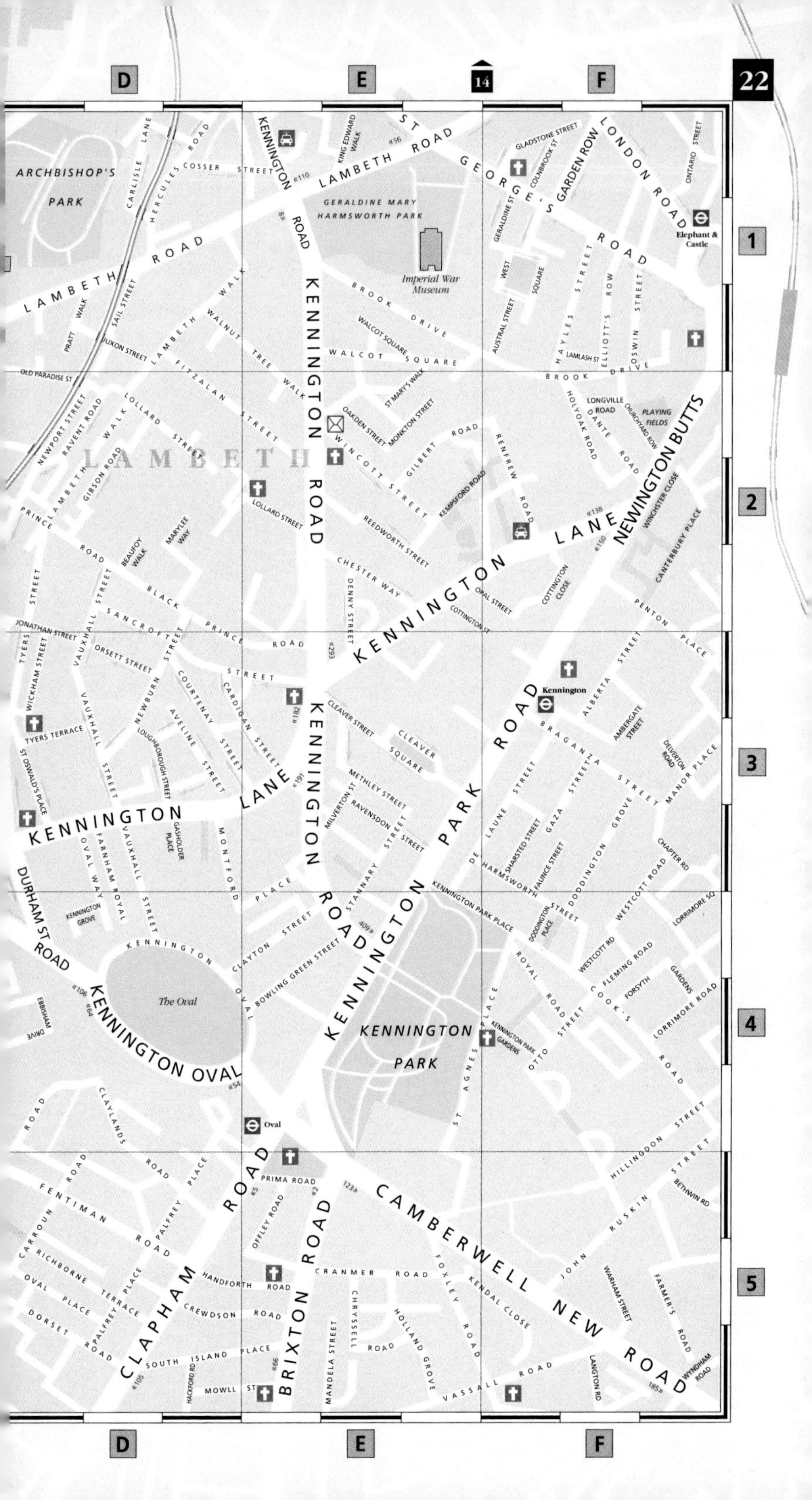
D
E
14
F
1
2
3
4
5
ARCHBISHOP'S PARK
LAMBETH ROAD
KENNINGTON ROAD
GERALDINE MARY HARMSWORTH PARK
Imperial War Museum
ST GEORGE'S ROAD
LONDON ROAD
Elephant & Castle
LAMBETH
KENNINGTON LANE
NEWINGTON BUTTS
KENNINGTON PARK ROAD
Kennington
KENNINGTON
KENNINGTON OVAL
The Oval
Oval
KENNINGTON PARK
CAMBERWELL NEW ROAD
BRIXTON ROAD
CLAPHAM ROAD
BROOK DRIVE
WALCOT SQUARE
BLACK PRINCE ROAD
CLEAVER SQUARE
DURHAM ST
HARLEYFORD ROAD
FENTIMAN ROAD
CRANMER ROAD
VASSALL ROAD
JOHN RUSKIN STREET
HILLINGDON STREET
COOK'S ROAD
LORRIMORE ROAD
PENTON PLACE
BRAGANZA STREET
KENNINGTON PARK PLACE
ST AGNES PLACE
CAMBERWELL NEW ROAD

A
B
C
1
2
3
4
5
WEST FERRY ROAD
MANCHESTER ROAD
EAST FERRY ROAD
FERRY STREET
Island Gardens
SAUNDERS NESS ROAD
ISLAND GARDENS
WYNAN ROAD
POINTERS CLOSE
MIDLAND PLACE
Greenwich Foot Tunnel
River Thames
Greenwich Pier
CRANE STREET
HIGH BRIDGE
HOSKINS STREET
BALLAST
LASSELL
PARK ROW
EASTNEY STREET
OLD WOOLWICH ROAD
Royal Naval College
Gipsy Moth IV
Cutty Sark
GREENWICH CHURCH STREET
KING WILLIAM WALK
ROMNEY ROAD
FEATHERS PLACE
PARK
Queen's House
National Maritime Museum
GREE
THAMES STREET
NORWAY ST
HORSEFERRY PLACE
WELLAND STREET
STOWAGE
CREEK ROAD
BARDSLEY LANE
COPPERAS STREET
THORNHAM ST
HADDO STREET
CLAREMONT STREET
ROAN STREET
RANDALL PLACE
STRAIGHTSMOUTH STREET
NELSON ROAD
St Alfege
STOCKWELL ST
NEVADA ST
GREENWICH
ROAN WAY
TARVES WAY
NORMAN ROAD
Greenwich
GREENWICH HIGH ROAD
BURNEY STREET
Fan Museum
ROYAL HILL
GLOUCESTER CIRCUS
CROOM'S HILL GROVE
CROOM'S HILL
Old Royal Observatory
THE AVENUE
LANGDALE ROAD
CIRCUS STREET
BRAND STREET
PRIOR STREET
GREENWICH SOUTH STREET
ASHBURNHAM PLACE
GEORGE STREET
GEORGETTE PLACE
LUTON PL
DEVONSHIRE DRIVE
ASHBURNHAM GROVE
ROYAL HILL
KING GEORGE STREET
HYDE VALE
CHESTERFIELD WALK
CATHERINE GROVE
EGERTON DRIVE
WINFORTON STREET
DIAMOND TERRACE
GENERAL WOLFE ROAD
GUILDFORD GROVE
BLISSET STREET
MAIDENSTONE HILL
POINT HILL
WEST GROVE
Ranger's House
DUTTON STREET
DABIN CRESCENT
WEST GROVE LANE
BLACKHEATH RD
HOLLYMOUNT CLOSE
CADE ROAD
BLACKHEATH HILL
SHOOTERS HILL ROAD
DITCH ALLEY
LEWISHAM ROAD
JOHN PENN STREET
SPARTA STREET
DARTMOUTH HILL
DARTMOUTH ROW
DARTMOUTH GROVE
HARE AND BILLET ROAD
WHITFIELD ROAD
BECK CLOSE
COLDBATH STREET
BENNETT GROVE
MORDEN STREET
LETHBRIDGE CLOSE
BLISS CRESCENT
ORCHARD HILL
NECTARINE WAY
MORDEN HILL
MORDEN CLOSE
RAVENSBOURNE PLACE
RUSSETT WAY
TYLER ROAD
LEWISHAM HILL
BLACKHEATH RISE
PRINCE'S RISE
ST AUSTELL ROAD
MOUNTS POND ROAD
TERRACE
THE ORCHARD
BROOKMILL ROAD
ELVERSON ROAD
LEATHWELL ROAD
CONINGTON ROAD
ROSEWOOD GARDENS
CONINGTON RD
ELIOT HILL
OAKCROFT ROAD
GRANVILLE PARK
ABERDEEN
PAGODA GARDENS
ELIOT VALE

24
D
E
F
1
2
3
4
5
TRAFALGAR ROAD
WOOLWICH ROAD
Greenwich District Hospital
ROYAL HOSPITAL CEMETERY
Westcombe Park
Maze Hill
PARK
BLACKHEATH
SHOOTERS HILL ROAD
CHARLTON WAY
PELTON ROAD
BELLOT ST
COMMERELL ST
CONLEY STREET
BLACKWALL LANE
ARMITAGE RD
GLENISTER RD
FINGAL STREET
CHILVER ST
DENHAM ST
A102 (M)
QUAY
ENDERBY STREET
BANNING STREET
HADRIAN STREET
CHRISTCHURCH WAY
WHITWORTH ST
CARADOC ST
GIBSON ST
OLD WOOLWICH ROAD
ORLOP STREET
STREET
EARLSWOOD STREET
TYLER STREET
COLOMB STREET
RODMERE STREET
VANBRUGH HILL
ROAD
ANNANDALE ROAD
HALSTOW ROAD
KEMSING ROAD
COMBEDALE ROAD
WESTCOMBE HILL
WESTERDALE ROAD
CHEVENING ROAD
ORMISTON ROAD
WOODLAND GROVE
WALNUT TREE ROAD
CALVERT ROAD
TUSKAR STREET
WOODLANDS PARK ROAD
HUMBER ROAD
MYCENAE ROAD
RUTHIN ROAD
DINSDALE ROAD
RESTELL CLOSE
TOM SMITH CLOSE
VISTA
MAZE HILL
PEACHUM ROAD
COLERAINE ROAD
BEACONSFIELD ROAD
BELFAST GARDENS
ULUNDI ROAD
FOYLE ROAD
WEBB ROAD
BEACONSFIELD CLOSE
INGLESIDE GROVE
LYNDALE CLOSE
WESTCOMBE PARK ROAD
VANBRUGH FIELDS
HARDY ROAD
HIGHMORE ROAD
VANBRUGH PARK ROAD WEST
COMBE AVENUE
VANBRUGH PARK ROAD
WYCHERLEY CLOSE
COMBE MEWS
BROADBRIDGE CLOSE
VANBRUGH PARK
MANDEVILLE CLOSE
HEATH WAY
ST JOHN'S PARK
STRATHEDEN ROAD
BLACKHEATH AVENUE
BOWER AVENUE
VANBRUGH TERRACE
ANGERSTEIN LANE
LANGTON WAY
CHARLES ROAD
DUKE HUMPHREY ROAD
LONG POND ROAD
PRINCE OF WALES ROAD
ST GERMAN'S PLACE
PRINCE CHARLES ROAD
GOFFERS ROAD
MOUNTS POND ROAD
TALBOT PLACE
BLACKHEATH VALE
SOUTH ROW
THE PARAGON
MORDEN ROAD
KIDBROOKE GARDENS
REGENT'S PLACE
HARE AND BILLET ROAD
ORCHARD ROAD
ORCHARD DRIVE
ELIOT PLACE
GROTE'S PLACE
TRANQUIL VALE
ALL SAINTS DRIVE
ROYAL PARADE
MONTPELIER ROW
FALCONWOOD COURT
PARAGON PLACE
POND ROAD
RYCULFF SQUARE
MERRYFIELD
FULTHORP ROAD
MORDEN ROAD MEWS
THE KEEP

Index

A

Abbaye de Westminster 46, 76-79
  architecture 76-79
  cérémonies pascales 56
  chronologie 77
  Guillaume le Conquérant 32
  Johnson, Dr, messe du souvenir 59
  Londres médiéval 18, 19
  Morris Dancing 57
  messes de Noël 59
  Plan du Quartier pas à pas 70
  plan 78-79
  visite guidée 78-79
  voir Eglises 44
Abbey Court Hotel 276, 278
Abbey House Hotel 276, 278
Academy Hotel 277, 284
Accento Italiano 292, 299
Adam, James 38
  Londres georgien 24
  Portland Place 221
Adam, John 119
Adam, Robert 38
Adams, John Quincy 153
  Adelphi 119
Adelphi 119
Adelphi Theatre 116, 327
Admiral's House
  Plan du Quartier pas à pas 226
Admiralty Arch 102
Adoration des Rois Mages, L' (Brueghel) 106
Aéromodélisme, le dimanche de Pâques 56
Aéroports
  Gatwick 357, 359
  London City 357
  Luton 357, 359
  Stansted 357, 359
Africa Centre 333, 335
Alastair Little 293, 297
Alba, The 294, 299
Albany 90
  Plan du Quartier pas à pas 88
Albert Bridge 266
  Plan du Quartier pas à pas 191
Albert Hall
  voir Royal Albert Hall
Albert Memorial 203
Albery Theatre 327
Aldwych Theatre 327
Alfieri, comte Vittorio 97
Alfred the Great 17, 138
Algerian Coffee Stores 316, 317
All England Lawn Tennis and Croquet Club 336, 337
All Hallows by the Tower 153
  vestiges romains 17
All Saints' Church 268
All Souls, Langham Place 47, 221
  voir Eglises 44
Alma Tourist Services 274
Almeida Theatre 328
  danse 332
  snacks 306, 307
Altdorfer, Albrecht,
  L'Adieu du Christ à sa Mère 106
Altro, L' 292, 301
Ambassade des Etats-Unis 353
  promenade à Mayfair 261
Ambassade du Canada 353
Ambassades et consulats 353
Ambassadeurs, Les (Holbein) 104-105, 106
Ambassadors Theatre 327
Amis, Kingsley 228
Amphithéâtre,
  Londres romain 17
Anchor, The 178
  Plan du Quartier pas à pas 174
  promenade sur la Tamise 64
André, Carl
  Equivalent VIII 85
Angel 308, 309
Anglesea Arms 308, 309
Anglo World Travel 274
Anna's Place 294, 300
Annabel's 334, 335
Anne, statue de la reine 80, 148
Annonciation, L' (Lippi) 106
Anta 319
Antiquaires 320-321
  Plan du Quartier pas à pas 89
Anything Left-Handed 316, 317
Apollo Theatre 327
Apothecaries' Hall 152
Appartements 274
Apsley House 87, 97
Arch (Moore) 206
Archer, Thomas 81
Architectural Association 124
Archway Tavern 309
Argent 348-349
  pièces et billets 349
Aria Table Art 319
Arlequin, L' 294, 296
Armes et armures
  Clink Exhibition 177
  Tour de Londres 154-157
Arsenal 336, 337
Arts Theatre Café 306, 307
Artsline 345
Ascension, L' (Donatello) 200
Ashburn Gardens Apartments 274
Ashburnham Centrepiece 200
Ashcroft, Dame Peggy 39
Asprey 320, 321
Assurbanipal, Roi 128
Aster House Hotel 276, 279
Astleys 316, 317
Astons Budget Studios/Luxury Apartments 274
Astoria 333, 335
At Home in Londres 274
Athenaeum Club 92
Athenaeum Hotel 277, 281
Auberge de Provence 292, 296
Audley End, excursion 366
Auerbach, Frank 85
Augusta Princesse, 256
Austen, Jane 39
Australian High Commission 353
Autobus 364-365
  arrêts et lignes 364
  autobus de nuit 365
  liaisons aéroport 356
  plan de la desserte de Londres 358-359
  services d'autocar 355
  visites en bus 344
Autoportrait à l'oreille bandée (Van Gogh) 117
Avion
  agences de voyage 354
  compagnies aériennes 354
  liaisons aériennes 356, 366
  liaisons avec Londres 358-359
Ayrton, Michael,
  Minotaure (bronze) 164

B

Babysitters Unlimited 339
Bacco 292, 299
Bacon, Francis 85
  Three Studies for Figures at the Base of a Crucifixion 83
Baden-Powell, Robert
  Charterhouse 164
  maison de Wimbledon 249
Bahn Thai 293, 304
Baignade à Asnières (Seurat) 104-105, 107
Bains romains 118
Baird, John Logie 109
Baiser, Le (Rodin) 82
Ballet *voir* Danse
Bank of England
  Londres Restauration 24
  plans au Soane's Museum 136
Bank of England Museum 147
  Plan du Quartier pas à pas 145
Banks, Sir Joseph 244
Bankside et Southwark 172-179
  plan du quartier 172-173
  Plan du Quartier pas à pas 174-175
Bankside Gallery 178
Banques 348
Banqueting House 80
  Charles I Commemoration 59
  Londres Restauration 23
  Plan du Quartier pas à pas 71
  promenade sur la Tamise 62
Baptême du Christ (Francesca) 104-105
Bar Italia 306, 307
  Au cœur de Soho 109
Bar Sol Ona 307
Barbican Centre 165
  conservatoire 51
  information 324
  Plan du Quartier pas à pas 163

Barbican Concert Hall 331
jazz 333, 335
musique classique 331
Barbican Theatre 326
Barlow, Francis
Monkeys and Spaniels Playing 84
Barrett, Elizabeth (Browning) 218, 220
Barry, E M
gare et Charing Cross Hotel 119
Royal Opera House 115
Barry, J M,
statue de Peter Pan 206
Barry, Sir Charles 78
Big Ben 71
Palais de Westminster 71, 72-73
Reform Club 25, 92
Royal College of Surgeons 134
Travellers' Club 25, 92
Bars 306-307
voir également Pubs
Basil Street Hotel 276, 280
Bass Clef 333, 355
Bath, excursion 366
Battersea et Chelsea, promenade 266-267
Battersea Park 49, 247
Battersea et Chelsea, promenade 266
parade de Pâques 51, 56
Baylis, Lillian
Old Vic 186
Sadler's Wells Theatre 243
Bazalgette, Sir Joseph 26, 38
BBC 228, 221
Broadcasting House 221
Bush House 118
Savoy Hill 117
Bead Shop, The 316, 317
Beating the Bounds 56
Beating the Retreat 54, 56
adresses 55
Beatles 30
Beaufort Hotel 276, 280
Bechstein Hall
voir Wigmore Hall
Beckman, Max 85
Bedford Chambers 114
Bedford Square 124
Plan du Quartier pas à pas 122
Bedford, Comte de 111
Bedford, statue du *duc de* (Francis Russell) 123
Bedlam
voir Bethlehem Hospital for the Insane
Beefeaters 154
Beetles (Chris), galerie 320, 321
Belfast, HMS 179
promenade sur la Tamise 61, 65
Belgrave Gallery 320, 321
Belgravia 261
Bell Street Market 322
Bell, Vanessa 39, 124
Bellini, Giovanni
Courtauld Gallery 117
Belvedere (tour) 257
Bendicks 316, 317
Bentley, J F 47, 81
Berkeley Hotel 276, 280
Berkeley Square
Londres georgien 25
Bermondsey Antiques Market 179, 322
Bertorelli's 293, 299
Berwick Street, marché de 108, 322
Bethlehem Hospital for the Insane (Bedlam) 186
Bethnal Green Museum of Childhood 43, 244
poupée Shirley Temple 340
Betjeman, Sir John 165, 274
Bettes, John
A Man in a Black Cap 84
Bevis, L Cubitt
statue de Thomas More 190
Bibendum 290, 292, 297
Bicyclettes 360
Bières, types de 289
Big Ben 74
caractéristiques 72
Plan du Quartier pas à pas 71
Bill Bentley's 292, 301
Billingsgate 152
promenade sur la Tamise 64
Bird, Francis,
statue de la reine Anne 148
Birdcage Walk 81, 92
Birley, Oswald
portrait de George VI 29
Black Death
voir Epidémies
Black Friar 308, 309
Black Market 317
Blackfriars Bridge 63
Blackheath 233, 239
modélisme 56
Blackheath et Greenwich 232-239
plan du quartier 232-233
Plan du Quartier pas à pas 234-235
Blake, Peter 196
Toy Shop 85
Blake, William
baptême 90
mariage 249
Satan Smiting Job with Sore Boils 84
Blakes Hotel 276, 279
Blandford Hotel 277, 283
Blewcoat School 81
Blitz (le) 29
Blomfield, Sir Arthur 202
Bloom's 294, 300
Bloomsbury et Fitzrovia 120-131
plan du quartier 120-121
Plan du Quartier pas à pas 122-123
Bloomsbury Square 124
Plan du Quartier pas à pas 123
Blore, Edward 186
Blueprint Café 179
Blunt, Anthony 96
Boadicée 16
statue 71
Boccioni, Umberto 85
Body Shop 318, 318
Boleyn, Anne
Hampton Court 252
Londres Tudor 20
Richmond Park 254
Tour de Londres 155
Bombay Brasserie 292, 303
Bond Street Antiques Centre 320, 321
Bonhams, W and F C, commissaires priseurs 321
Bonington, Richard Parkes 84
Bonnard, Pierre 85
Bonnington Hotel 277, 284
Books Etc 316, 317
Books for a Change 316, 317
Books for Cooks 316, 317
Borderline 333, 335
Borough Market 176
Plan du Quartier pas à pas 174
Borovick's Fabric Shop 108
Bosch, Jérôme
Christ aux outrages 106
Boswell, James 140
Boswells 113
Botticelli, Francesco 106, 117
Boucher, François 107
Bourchier, Elizabeth 168
Bourgeois de Calais, Les (Rodin) 70
Bourgeouis, Sir Francis 249
Bow Street, poste de police 113
Boy and Dolphin (Wynne) 191
Boyd's 292, 297
Brackenbury 306, 307
Brancusi, Constantin 85
Braque, Georges 85
Brass rubbing 340
Brass Rubbing Centre 102
Brawne, Fanny 229
Brentford 269
Brick Lane 170-71, 313
Marché 171, 322
voir Rues commerçantes et marchés 312-313
Brick Lane Beigel Bake 307
Brighton, excursion 366
British Broadcasting Corporation
voir BBC
British Hotel Reservation Centre 273
British Museum and Library 40-41, 42, 126-129
guide 126-127
Plan du Quartier pas à pas 122
Reading Room 129
visite de la collection 128-129
British Rail 366
voir également Chemin de fer
British Tours 344
British Travel Centre 273

Britten, Benjamin 202
Brixton Academy 333, 335
Brixton Market 322
Brixtonian 294, 302
bar 306, 307
Broadcasting House 221
Broadgate Arena 331
Broadgate Centre 169
skating 336, 337
Broadway House 81
Brompton Oratory 44, 47, 202
Plan du Quartier pas à pas 197
Brompton Square 197
Brougham, lord Henry 136
Brown's Hotel 277, 282, 290
thés 306, 307
Brown, Capability
Kew 269
Richmond Park 254
Brown, Charles Armitage 229
Browning, Robert 218, 220
Browns 314, 315
Brueghel, Pieter 117
L'Adoration des Rois Mages 106
Bryanston Court Hotel 277, 283
Buchan's 294, 295
Buckingham, duc de 118
Bull (Stephen) 293, 298
Bull and Bush 308, 309
Bull and Gate 333, 335
Bulls Head 309
BUNAC 352
Bunch of Grapes 308, 309
Bunhill Fields 51, 168
Bunyan, John
tombe 168
Burberry 314, 315
Bureaux de change 348
Burgh House 228
Plan du Quartier pas à pas 227
Burghley Nef 200
Burlington Arcade 91
Plan du Quartier pas à pas 88
Burlington, 3e comte de 256-257
Burne-Jones, Edward
Downshire Hill 229
Kensington Square 215
Leighton House 214
St George et le Dragon 19
Burns, Robert, statue de 118
Burton, Decimus 38, 92
Palm House, Kew 257
Wellington Arch 97
Bush 309
Bush House 118
Bush Theatre 328
Bush, Irving T 118
Butler's Wharf 65
Butler and Wilson 318, 319
Byron Hotel 276, 278
Byron, lord,
habitant d'Albany 90
lieu de baptême 220
Spaniards Inn 231

C

Cabinet War Rooms 75
Plan du Quartier pas à pas 70
Café de Colombia 306, 307
Café de Paris 334, 335
Café de Piaf 333, 335
Café des Amis du Vin 293, 296
Café Fish 293, 301
Café in the Crypt 339
Café la Ville 262
Cakes and Ale Sermon 55
Calabash 293, 302
Cambridge
voir Oxford Boat Race 56, 268
Cambridge Theatre 327
Cambridge, excursion 366
Camden Lock 223, 262
marché 262, 322
Camden Palace 333, 335
Camden Passage 265
marché 243, 322
Camisa Delicatessen 108
Camping, terrains 275
Canada Tower 246
Londres de l'après-guerre 31
panorama 262
Canal Café Theatre 328
Canaletto, Antonio 249
La Cour du tailleur de pierres 107
Canary Wharf 31, 245
Candlewick Green 316, 317
Cannizaro House Hotel 277, 285
Cannon Street Railway Bridge 64
Canonbury 264-265
Canonbury Tower 243
Canova, Antonio
statue de Napoléon 97
Canterbury, archevêque de 186
Canterbury, excursion 366
Canute, Roi 69
Capital Hotel 276, 280
Capon, William
gravure de Fleet Street 139
Caprice, Le 293, 297
Captain Watts 314, 315
Caravaggio 107
Caravela 292, 300
Cardinal's Wharf 178
promenade sur la Tamise 63
Carlton House Terrace 92
Carlyle, Thomas 38, 189
London Library 92
maison 190, 192
Carnaby Street 109
Caro, Anthony
Early One Morning 85
Caroline, Reine 207
Carracci, Annibale 107
Carrington, Dora 124
Cartes de crédit 348
Casale Franco 294, 299
Casson, Sir Hugh 81
Royal College of Art 203
Catherine d'Aragon
Hampton Court 253
vitrail 74
Cavalier riant, Le (Hals) 40, 222
Cavaliers 22
Cave, Edward, *Gentlemen's Magazine* 243
Caxton, William 19, 138
Cecil Court 101
Cecil Sharp House 333, 335
Célébration de l'équinoxe de printemps 56
Cénotaphe 74-75
Plan du Quartier pas à pas 71
Remembrance Sunday 53, 54
Central Club (hostel) 275
Central London Accommodation System and Service 273
Central Park 334, 335
Central YMCA 337
Centrale 306, 307
Centre Point 108
Ceramics Fair 57
Ceremonial Londres 52-55
Cérémonie des clés 53, 54, 55
Cérémonie du couronnement 156
Abbaye de Westminster 77, 79
salve lors du Coronation Day 57
César, Jules 15, 16
Cézanne, Paul 117
Le Jardinier 85
Chambers, William
Osterley Park House 255
Pagode de Kew Gardens 244
Somerset House 117
Chambre des communes
voir Palais de Westminster
Chambre des lords
voir Palais de Westminster
Chancelier de l'Echiquier, résidence de Downing Street 75
Chancery Lane Safe Deposit Company 141
Chapel Road Market 243, 322
Chapel Royal, Hampton Court 252
Chapelles
Chapelle royale, Hampton Court 252
des reines 46, 92
Edward the Confessor 77, 79
Henry VI 79
Henry VII 77
Saint Faith 79
Savoy 117
Sir Thomas Lawrence 192
St Etheldreda 133, 140-141
voir également Eglises et cathédrales
Wesley 168
Chaplin, Charlie 29, 37
exposition au MOMI 184
lieu de naissance 39
statue 100, 103

Chapter House, abbaye de Westminster 77
Charbonnel et Walker 316, 317
Chardin, Jean-Baptiste Siméon 107
Charing Cross 119
Charing Cross Hotel 119
Charing Cross Pier 61, 62
Charing Cross Road 108
  Plan du Quartier pas à pas 100
  shopping 313
Charles (Caroline) 314, 315
Charles Ier
  Banqueting House 80
  chronologie 32
  Commémoration 59
  Guerre civile 22
  Richmond Park 254
Charles II
  Banqueting House 80
  chronologie 23
  Londres Restauration 22-23
  Oak Apple Day 52, 55
  statue 193, 266
  Tour de Londres et 156
Charles, prince de Galles
  mariage à St Paul's 149, 150
  opinions sur l'architecture 31, 107
Charlotte Street 131
Charlotte, statue de la reine 125
Charlton House 246
Charterhouse 164
  Plan Quartier pas à pas 163
Chase Lodge Hotel 277, 285
Chaucer, Geoffrey 19, 39
Chelsea 188-93
  plan du quartier 188-189
  Plan du Quartier pas à pas 190-191
Chelsea Antiques Fair 56, 58
Chelsea et Battersea
  promenade 266-267
Chelsea Farmers' Market 267
Chelsea Flower Show 56
  Oak Apple Day 52, 55
  promenade à Chelsea et Battersea 266-267
Chelsea Harbour 257
Chelsea Old Church 46, 192
  Plan du Quartier pas à pas 190
  promenade à Chelsea et Battersea 267
Chelsea Pensioners 193
  Oak Apple Day 52, 55
Chelsea Physic Garden 50, 193
  Plan du Quartier pas à pas 191
Chelsea Royal Hospital
  voir Royal Hospital
Chelsea Sports Centre 336, 337
Chelsea Town Hall 58
  Plan du Quartier pas à pas 191
Chemin de fer 355
  billets 366
  excursions en dehors de Londres 366
  liaisons aéroports 366
  Model Railway Exhibition 56
  plan des relations 358-359
  Science Museum 209
  Victorian 26-27
  voir également Gares ; Métro
  voir Londres 366
Chequers Thistle Hotel, Gatwick 357
Cherry Orchard 306, 307
Chessington Golf Course 336, 337
Cheyne Walk 192
  Plan du Quartier pas à pas 191
Chiang Mai 293, 304
Chichester, Sir Francis 234, 237
Childminders 339
Chilvers (Peter) Windsurfing Centre 337
Chinatown 99, 108
Chinese New Year 59
Ching Court 112
Chisenhale Dance Space 332
Chiswick House 256-257
  jardin 51
Chopin, Frederick 96
Christ aux outrages (Bosch) 106
Christ Church, Spitalfields 47, 170
Christie's 320, 321
Chronologie des rois et reines 32-33
Church Row, Hampstead 227, 229
Church Street et Bell Street, marchés 322
Church Walk, Kensington 213
Churches, chaussures 315
Churchill, Winston
  Cabinet War Rooms 75
  Entre-deux-guerres 29
  funérailles 150
  mariage 74
  statue 71, 74
Chutney Mary 292, 303
Chutneys 290, 294, 303
Cibo 294, 299
Cimetières 51
  Bunhill Fields 161
  Highgate Cemetery 242
Cinema Bookshop 316, 317
Cinémas 329
  Empire 103
  Everyman 227, 329
  interdictions 329
  London Film Festival 329
  sources d'information 324
  voir également Museum of the Moving Image
Cipriani, Giovanni 96
City 142-159
  plan du quartier 142-143
  Plan du Quartier pas à pas 124-125
City Barge 256
  promenade à Richmond et Kew 269
  pubs 308, 309
City Darts 308, 309
City of London
  Centre d'information 345
  cérémonies 55, 56
  Festival 57, 330
  histoire 18-19
  Lord Mayor's Show 53
  Plan du Quartier pas à pas 144-145
  voir également Livery Companies
City University Accommodation and Conference Service 275
Cityrama 344
Civil War
  voir Guerre civile
Clarence House 96
Claridge's Hotel 277, 282
  bar 306, 307
Clarke's 292, 297
Claudius, Empereur 16
Clean Air Act (1956) 59
Cleopatra's Needle 118
  promenade sur la Tamise 62
Clerkenwell 243
Clink Exhibition 177
  Plan du Quartier pas à pas 174
Clive, Lord Robert (« of India ») 260
Clock Museum 159
Clore Gallery 82, 84
Cloth Fair 165
  Londres Restauration 23
  Plan du Quartier pas à pas 163
Clowns' Service 59
Club Copa 334, 335
Coach et Horses 109
Cock Tavern, petits déjeuners 306, 307
Cockneys, définition 147
Cocteau, Jean, fresques de Notre Dame 101
Coleridge, John Taylor 135
Collcutt, T E 222
College of Arms 144
Collet's International Bookshop 316, 317
Collin House Hotel 276, 281
Collins' Music Hall (site) 265
Columbia Road Market 171, 322
Comedy of Errors (Shakespeare), au Gray's Inn 141
Comedy Store 328
Comedy Theatre 327
Comic Showcase 316, 317
Commonwealth Institute 212, 214
Commonwealth period 22-23
Compagnies d'excursions fluviales 60-61
Compendium 316, 317
Computer Cabs 367
Conan Doyle
  voir Doyle, sir Arthur Conan
Concerts en plein air 331
Concorde Hotel 277, 283
  Tourist Bookings Europoint 273
Connaught Hotel 277, 282
  restaurant 293, 295
Conquête normande 15
Conran Shop 319

Conran, Jasper 314, 315
Conran, Terence 287
Conspiration des Poudres 159, 230
Constable, John 39, 227
A Windmill Among Houses 198
Flatford Mill 84
maison de Charlotte Street 131
maison de Well Walk 228
National Gallery 107
The Haywain 104-105
tombeau 229
Victoria and Albert Museum 198, 201
Constitution (Wellington) Arch 97
Contemporary Applied Arts
décoration intérieure 319
joaillerie 318, 319
Cook, Captain James 25
Cooke (F) et Sons 307
Cooling Gallery 320, 321
Copthorne Tara Hotel 276, 278
Coram (Thomas)
Foundation Museum 125
Corbeaux de la Tour de Londres 154
Cork and Bottle 306, 307
Corot, Jean-Baptiste Camille 107
Cosimo, Piero di 106
Costume
habits de cour à Kensington Palace 42
Museum of London 167
Victoria and Albert Museum 199, 201
victorien 27
Cottman, John Sell 84
Cottons Rhum Shop 294, 303
bar 306, 307
Country Life 306, 307
County Hall 185
Plan du Quartier pas à pas 183
promenade sur la Tamise 62
Court of Chancery 135
Court of St James 91
Courtauld Institute Galleries 41, 43, 117
Courtauld, Stephen 248
Covent Garden
Pancake Races 59
Piazza et Central Market 111, 114
Punch and Judy Festival 58
parade pascale 56
Street Theatre Festival 57
shopping 313
Covent Garden et the Strand 110-119
plan du quartier 110-111
Plan du Quartier pas à pas 112-113
Covent Garden Opera House
voir Royal Opera House
Crafts Council Gallery 42, 243
Craftsmen Potters Association 319
Cranley Hotel 276, 279
Cremorne Pleasure Gardens (site) 257
Crewe House 260
Cricket
au Lord's 242
matchs amicaux 57, 336
Criterion Theatre 327
Crockers 308, 309
promenade de Regent's Canal 262
Crome, John 84
Cromwell, Oliver 22
Apothecaries' Hall 152
Banqueting House 80
Lincoln's Inn 136
mariage à St Giles 168
sépulture familiale 168
Crosby Hall 267
Crown and Goose 308, 309
Cruickshank, George 238
Crystal Palace
concerts de plein air 57
Crystal Palace, Exposition de 1851 26-27, 196
Cuba Libre 333, 335
Cubitt, Thomas 130
Hay's Wharf 177
Cuisine végétarienne 286, 302
Culpeper 318, 319
Culte boudhiste, information 353
Culte catholique, information 353
Cumberland Terrace 223
Custom House 64
Cutty Sark 233, 237
Plan du Quartier pas à pas 234
Czech and Speake 318, 319

D

Daddy Kool 317
Daily Courant, The 139
Daily Herald, The 29
Dali, Salvador 85
Dame debout jouant de l'épinette (Vermeer) 107
Dance Umbrella 332
Dance, George the Elder 146
Dance, George the Younger 256
dans les parcs 51, 57, 331
danse 332
opéra 330
proms 57
rock et pop 333
voir également Salles de Concert, Théâtres
Danse 332
réservation 325
sources d'information 324
Daphne 294, 300
Darwin, Charles 192
Daubigny, Charles-François 107
David (Percival) Foundation of Chinese Art 130
Davies Amphitheatre, site 178
Day Lewis, Daniel 239
de Gaulle, Charles 37
QG de la Seconde Guerre mondiale 92
de Wit's (Peter) 306, 307
Deal's 293, 302
Dean's Yard 74
Plan du Quartier pas à pas 70
Defoe, Daniel 168
Degas, Edgar
Courtauld Galleries 117
Tate Gallery 85
Delacroix, Eugène 107
Dell Café 260, 261
Delmere Hotel 276, 278
Derain, André 85
Desenfans, Noel 249
Design Council 103
Plan du Quartier pas à pas 42, 100
Design Museum 41, 179
promenade sur la Tamise 65
Devereux (Vanessa) Gallery 320, 321
Devis, Arthur
The James Family 84
Devonshire House 260
Diana, princesse de Galles
mariage à St-Paul 149, 150
Dickens, Charles 38
Chelsea 192
église nuptiale 267
Gray's Inn 141
messe du souvenir 57
musée 125
Nicholas Nickleby 125
Oliver Twist 125, 243
Trafalgar Tavern 238
Ye Olde Cheshire Cheese 140
Dillons 316, 317
Disraeli, Benjamin
baptême 140
statue 71
Divertimenti 319
Dobson, Frank 177
Dobson, William
Endymion Porter 84
Docklands 139
Docklands Light Railway 237
Londres de l'après-guerre 31
Docklands Sailing and Watersports Centre 337
Docks et Quais 24
Butler's Wharf 65
Canary Wharf 241
Cardinal's Wharf 178
Chelsea Harbour 257
Gabriel's Wharf 187
Hay's Wharf 177
Southwark 65
St Katharine's Dock 158
voir également au nom propre
Doge Leonardo Loredan (Bellini) 104
Doggett's Coat and Badge
course 55, 57
promenade sur la Tamise 63
pub 187
Doggett, Thomas 187
Doll, Charles 125
Dôme 306, 307

Domesday Book 18
Public Record Office 137
Donatello
L'Ascension 200
Donne, John 39
Lincoln's Inn 136-137
tombeau 151
Dorchester Hotel 277, 282
Dorset Square Hotel 277, 283
Douanes et immigration 352
Double Bass 334, 335
Doubleday, John
statue de Charlie Chaplin 103
Dovehouse Green 267
Dover House 80
Plan du Quartier pas à pas 71
Dover Street Wine Bar 333, 335
Down Mexico Way 293, 302
musique ethnique 333, 335
Downing Street 75
Plan du Quartier pas à pas 70
Downing, Sir George 75
Downshire Hill 229
Doyle, Sir Arthur Conan
créateur de Sherlock Holmes 38
Musée Sherlock Holmes 222
Drake, Sir Francis 21
rapport sur l'invincible Armada 137
Draycott Hotel 276, 280
Drayson Mews 213
Dri'z 334, 335
Druides, célébration de l'équinoxe de printemps 56
Dryden, John
Lamb and Flag 116
Westminster School 74
du Pré, Jacqueline 185
Dubuffet, Jean 85
Duccio di Buoninsegna,
Maesta 106
Duchess Theatre 327
Duffer of St George 314, 315
Duke's House 267
Duke of Edinburgh's Birthday gun salute 57
Duke of York's Theatre 327
Dukes Hotel 277, 282
Dulwich College 249
Dulwich Picture Gallery 43, 246
Durham, Joseph,
statue du prince Albert 203
Durrants Hotel 277, 283
Dvorák, Anton 221

E

Eadfrith, Lindisfarne Gospels 127
Eagle 308, 309
Ealing Tourist Flats 274
East Street Market 322
Ebury Court Hotel 276, 281
Ed's Easy Diner 306, 307
Edward Bates 318, 319
Edward Ier, the Confessor 69
chapelle 77, 79
Charing Cross 119
Tour de Londres 156
Westminster 18
Edward III 74
Edward Lear Hotel 277, 283
Edward the Confessor
voir Edward Ier
Edward V,
Chronique des rois de Paris 32
Edward VI,
chronologie 20
Edward VII
Marlborough House 92
chronologie 27
Edward VIII 29
Egerton House Hotel 276, 280
Eglise baptiste, information 353
Eglise d'Angleterre, information 353
Eglise évangélique, information 353
Eglises et cathédrales 44-45
Abbaye de Westminster 76-79
All Hallows by the Tower 153
All Souls, Langham Place 217
architectes 46-47
Brompton Oratory 202
Chelsea Old Church 192
Christ Church, Spitalfields 161
Holy Trinity, Dalston 59
Holy Trinity, Kensington 197
périodes historiques 46-47
Southwark Cathedral 175
St Alfege 236-237
St Andrew, Holborn 140
St Anne's, Limehouse 246
St Anne's, Soho (tour) 109
St Bartholomew-the-Great 165
St Bartholomew-the-Less 162
St Botolph, Aldersgate 164
St Bride's 139
St Clement Danes 138
St George's, Bloomsbury 124
St Giles, Cripplegate 168
St Helen's Bishopsgate 158
St James's, Piccadilly 47, 90
St James, Garlickhythe 144
St John's, Hampstead 229
St John's, Waterloo Road 187
St Katharine Cree 158
St Luke's 267
St Magnus Martyr 152
St Margaret's 74
St Margaret Pattens 153
St Martin-in-the-Fields 102
St Mary's, Battersea 249
St Mary Abchurch 145
St Mary Woolnoth 145
St Mary, Rotherhithe 246
St Mary-at-Hill 152
St Mary-le-Bow 147
St Mary-le-Strand 118
St Marylebone Parish 220-221
St Nicholas Cole 144
St Pancras 130
St Paul's (cathédrale) 148-151
St Paul's Church 114
St Stephen Walbrook 146
Temple Church 139
voir également au nom propre, et à Chapelles
Westminster Cathedral 81
Eglises normandes 46
Eisenhower, Dwight 36, 92
El Vino's 139
Plan du Quartier pas à pas 135
Electric Cinema 329
Electrum 318, 319
Eléonore de Castille 119
Eleven Cadogan Gardens Hotel 276, 280
Elgin, Marbles 126, 129
Eliot, George (Mary Anne Cross)
dernière demeure 192
tombeau 242
Eliot, T S
lieu de travail 125
maison 192
Elizabeth Hotel 276, 281
Elizabeth Ire 20-21
adoubement de Sir Francis Drake 237
Greenwich Palace 234, 238
portrait par Hilliard 84
Richmond 268
St James's Palace 91
Elizabeth II
adoubement de Sir Francis Chichester 237
chronologie 30
couronnement 79, 156
Palais de Buckingham 95
Elizabeth, reine mère 156
Clarence House 96
Eltenberg Reliquary 199
Eltham Palace 246
Ely House 140-141
Embankment Gardens 118
promenade sur la Tamise 62
Empire Cinema 103
Emporio Armani Express 306, 307
Endymion Porter (Dobson) 84
Enfants 338-341
au restaurant 339
billets familiaux dans les musées 338
conseils pratiques 338
garde 339
hôtels 274
musées 340
musique 331
parcs et jardins 340-341
pubs et boissons 308, 338
shopping 340
théâtres 341
vêtements 314-315
Engels, Friedrich 262
English House, The 292, 295
English National Ballet 332

English National Opera 330
au Coliseum 119
Entre-deux-guerres à Londres 28-29
Epidémies 243
Black Death 18
Londres élisabéthain 20-21
Londres Restauration 22-23
tombeau 168
Epstein, Sir Jacob 39
Chelsea 190
Imperial War Museum 186
Rima 206
Roper's Gardens 267
station de St James's Park 81
Equinox 334, 335
Eros 90
Ethelbert, King 17
Etiquette 345
Etudiants
hébergement 275
informations pratiques 352
Evelyn, John 254
Evening Standard, The 324, 352
Everyman Cinema 329
Plan du Quartier pas à pas 227
snacks 306, 307
Excursions en train 366
Executive Hotel 276, 279
Eyck, Jan van,
Mariage Arnolfini 104-105, 106

F

Faber and Faber 125
Faber,
Father Frederick William 202
Fabriano, Gentile da
Madone 106
Famiglia, La 292, 299
Fantômes, théâtres 328
Fantoni (Tessa) 318, 319
Faraday (Michael) Museum 43, 97
Farlows 92
Farrell, Terry
Ching Court 112
gare de Charing Cross 31, 119
Fatboy's Diner 306, 307
Faulkner's 306, 307
Fawkes, Guy
Conspiration des Poudres 58, 159
chronologie 22
Parliament Hill 230
Femmes, seules en voyage 346
Fenja Hotel 276, 280
Fenton House 229
jardin 50
Plan du Quartier pas à pas 226
Ferry-boats et ports 355
plan des liaisons 358-359
Festival Hall
voir Royal Festival Hall
Festival of Britain
Londres de l'après-guerre 30
South Bank Centre 182
St John's, Waterloo Road 187
Festivals 56-59
Dance 332
International Mime 59
London Film 329
London Music 330
voir également Ceremonial Londres
Fielding Hotel 277, 284
Film
voir Cinémas
Filofax Centre 318, 319
Fine Art Society 320, 321
Fish and chips 288
adresses 306, 307
Fishmongers' Hall 152
promenade sur la Tamise 64
Fitch (Janet) 318, 319
Fitzalwin, Henry 18
Fitzrovia et Bloomsbury 120-131
plan du quartier 120-121
Plan du Quartier pas à pas 122-123
Fitzroy Square 130-131
Fitzroy Square 130-131
Fitzroy Tavern 131
pub 308 309
Five Sumner Place Hotel 276, 279
Flamsteed House 238-239
Flanagan, Barry,
Leaping Hare on Crescent Bell 169
Flask Walk 228
Plan du Quartier pas à pas 227
Flaxman, John 115
Fleet Street 138-139
Plan du Quartier pas à pas 135
Fleming, Ian 192
Floris 318, 319
Flowers East 320, 321
Fogs 59
Foires 57
Foley, John,
statue du Prince Albert 203
Food For Thought 293, 302
Football 336, 337
Finale de la Coupe 56
Forster, E. M. 39
Forte Crest Hotel
Gatwick 357
Heathrow 356
Fortnum and Mason
grand magasin 311
Plan du Quartier pas à pas 88
rayon alimentation 316
thés 306, 307
Fortune Theatre 327
Forty-Seven Park Street Hotel 277, 282
Foster, Norman 90
Founder's Arms 178
Fournier Street 170
Londres georgien 25
Fowke, Francis 203
Fowler, Charles 114
Fox and Anchor 162
Fox, Charles James,
statue 123
Foyle's Bookshop 316, 317
Frames Rickards 344
Frampton, George,
statue de Peter Pan 206
Francesca, Piero della
Baptême du Christ 104-105, 106
Nativité 106
Franklin, Benjamin 165
Frederick, Prince 236
Freemason's Arms 308, 309
French House 308, 309
Au cœur de Soho 109
French Institute 328
Freud's 319
Freud (Sigmund) Museum 42, 242
Freud, Anna 242
Freud, Lucien 85
Freud, Sigmund 38
Fridge 334, 335
Frith, William, Derby Day 84
Fry, Roger 39
atelier Omega 131
Fulham Palace 257
Fumeur 345
Fung Shing 293, 305

G

Gabriel's Wharf 187
marché 313, 323
promenade sur la Tamise 63
Gainsborough, Thomas 38
Tate Gallery 84
Galeries
privées 320-321
voir également Musées et galeries
Galicia 307
Galsworthy, John 226
Gamme d'Amour, La (Watteau) 107
Gandhi, Mohandas (Mahatma) 37, 129
Gardening Club 334, 335
Gare de Charing Cross 119
informations utiles 366
promenade sur la Tamise 62
verrière 31
Gare de Liverpool Street,
informations touristiques 345
Gare de St Pancras 130
Gare de Victoria
informations touristiques 345
Gare de Waterloo 187
Gares 258-259
Charing Cross 119
Docklands Light 31, 237
St Pancras 130
voir également Chemin de fer ; Métro
Waterloo 187
Garnet, Henry 159
Garrick Club 112
Garrick Theatre 327
Garrick, David 231
Gate Theatre 328

Gatwick Airport 357
plan des relations 358-359
Gauguin, Paul
Courtauld Galleries 117
Tate Gallery 85
Gaulle, Charles de 37, 92
Gavroche, Le 293, 296
voir Restaurants 290
Gay's the Word 316, 317
Gay Hussar 293, 300
Geffrye Museum 42, 244
Londres élisabéthain 21
General Sports Information Line 337
George Ier
Londres georgien 24
statue 124
George II 24
George III 137
Kew Palace 243
Londres georgien 24-25
mariage à Queen's Chapel 92
Queen Square 125
George Inn 176
Plan du Quartier pas à pas 174
pub 308, 309
voir Restaurants 291
George IV
chronologie 25
Palais de Buckingham 94
prince-regent 220
George VI
couronne à la Tour de Londres 156
Entre-deux-guerres 29, 30
George VI, portrait de (Birley) 29
Géricault, Théodore
Cheval effrayé par un éclair 107
Gertler, Mark 229
Giacometti, Alberto 85
Gibberd, Sir Frederick 222
Gibbons, Dr William 228
Gibbons, Grinling
All Hallows by the Tower 153
St Alfege Church 237
St James's Piccadilly 90
St Mary Abchurch 145
St Paul's Cathedral 151
St Paul's Church 114
statue de Charles II 193, 266
Tour de Londres 157
Gibbs, James 38
églises 46-47
Orleans House 254
St Martin-in-the-Fields 101
St Mary-le-Strand 118
voir Eglises 44-45
Gielgud, Sir John 39
Gieves and Hawkes 314, 315
Gilbert, Alfred, Eros 90
Gill, Eric
Prospero et Ariel 221
station de St James's Park 81
Westminster Cathedral 47, 81
Gipsy Moth IV 237
Plan du Quartier pas à pas 234
Gladstone, William
maison de Harley Street 221
résident d'Albany 90
statue 134-135
Glasshouse 319
Glebe Place 267
Globe Museum
voir Shakespeare's Globe Museum
Globe Theatre
Shaftesbury Avenue 103, 327
Globe Theatre (reconstruction) 178
Globe Theatre (Shakespeare)
Londres élisabéthain 20
promenade sur la Tamise 64
site aujourd'hui 177
Goddard's Pie and Eel House 234
Goethe Institute 328
Goldsmith's Hall 330
Goldsmith, Oliver 243, 264
Goodhart-Rendel, H S 177
Goodwin's Court 112
Gopal's 293, 303
Gordon Riots 231
Gore Hotel 276, 279
Goring Hotel 276, 281
Gossips 334, 335
Govinda's 306, 307
Gower, John
tombeau 176
Grace Theatre 328
Graham, Kenneth 213
Grand 333, 335
Grand Feu de 1666 15
dans la City 143
Londres Restauration 22-23
Monument 152
maquette au Museum of London 166
reconstruction 46-47, 144
survivants du Moyen Age 19
survivants élizabéthain 21
témoignages de Pepys 153, 166
Grand Union Canal 265
promenade de Richmond et Kew 269
voir également Regent's Canal
Grande Exposition de 1851 26-27, 196
Grande Mosquée 222
Grande-Bretagne, carte 10
Grant, Duncan 39
Bloomsbury Square 124
Gray's Inn 141
jardin 50
Gray's Inn News 316, 317
adresse 353
Great Bed of Ware, The 200
Great Cumberland Place 24
Great Eastern Hotel 277, 285
Great Frog, The 318, 319
Great Stink 26
Greater London Radio 353
Greater London Sports Council 337
Green (Richard) Gallery 320, 321
Green Park 50, 97
promenade à Mayfair 260
voir Parcs et jardins 49
Greene, Graham 90
Greenhouse, The 293, 295
Greenwich
Chemin de fer 366
festival estival 57
promenade sur la Tamise 60, 61
Greenwich et Blackheath 232-239
plan du quartier 232-233
Plan du Quartier pas à pas 234-235
Greenwich Foot Tunnel 237
Plan du Quartier pas à pas 234
Greenwich Market 323
Plan du Quartier pas à pas 234
Greenwich Park 51, 239
voir Parcs et jardins 49
Greenwich Pier 234
Greiflenhagen, Maurice
A London Street Scene 28
Grenadier, The 261
Gresham, Sir Thomas 39
tombeau 158
Royal Exchange 147
Grey, lady Jane 155
Gribble, Herbert 202
Grimaldi, Joseph, jour anniversaire 55
Grosvenor House Hotel 277, 282
Grosvenor Square 24
promenade à Mayfair 261
Grove Lodge 226
Grove, George 202
Guardian, The 324
Guards' Museum 42, 81
Guards Polo Club 337
Guerre Civile
Guards' Museum 81
Londres Restauration 22
Guerres mondiales à Londres 15, 28-29
Guildhall 159
Guildhall Clock Museum 159
Guildhall School of Music 165
Guillaume d'Orange et Mary II
chronologie 23
Hampton Court 250-1
Kensington Palace 206
Gunpowder Plot
voir Conspiration des Poudres
Guy Fawkes Night 58
voir également Fawkes, Guy, Conspiration des Poudres
Gwynne, Nell 39
Theatre Royal 115
tombeau 102

H

Haagen-Dazs 339
Hackett 314, 315
Hackney Empire 328
Haendel, George Frederick
Fenton House 229

manuscrit du Messie 125
St Katharine Cree 158
Haig, Earl, statue 70
Halcyon (restaurant) 292, 297
Halcyon Days 316, 317
Halcyon Hotel 276, 278
Half Moon 309
Halkin Hotel 276, 280
Hall, Sir Benjamin 74
Hals, Frans,
Le Cavalier riant 40, 222
Ham House 248
jardin 50
Londres Restauration 23
Hammersmith Odeon 333, 335
Hamnett (Katherine) 314, 315
Hamnett, Katherine 103
Hampshire Hotel 277, 283
Hampstead 224-231
plan du quartier 224-225
Plan du Quartier pas à pas 226-227
Hampstead Heath 50, 230
aéromodélisme 56
concerts en plein air 57
Plan du Quartier pas à pas 226
voir Parcs et jardins 48
Hampstead Ponds 336, 337
Hampton Court 250-253
chronologie 25
Flower Show 57
jardin 50
Londres élisabéthain 21
visite du palais 252-253
Handicapés 345
hôtels 274
information sur les transports 345
manifestations culturelles 345
spectacles 325
visites guidées 344
Harari and Johns Gallery 320, 321
Hard Rock Café 293, 302
enfants 339
Hardiman, Alfred,
statue de Earl Haig 70
Hardwick, Philip 246
Hardwick, Thomas 220-221
Harley Street 221
Plan du Quartier pas à pas 219
Harley, Robert 217
Harrod's 207
grands magasins 311
promenade à Mayfair 261
rayon alimentation 316
Harrod, Henry Charles 207
Harry's 306, 307
Harvard, John 176
Harvest of the Sea 58
Harvey's (Bellevue Rd) 294, 297
Harvey's Café (Fulham Rd) 292, 298
Harvey Nichols 261
grands magasins 311
Hatchard's 316, 317
Hatfield House, excursion 366
Hatton Garden 141
Hatton, Sir Christopher 141
Hawksmoor, Nicholas 38
Christ Church, Spitalfields 170
St Alfege Church 236-237
St Anne's, Limehouse 246
St George's, Bloomsbury 124
St Mary Woolnoth 145
visite des églises 46-47
voir Eglises 45
Hay's Galleria 177
promenade sur la Tamise 64
Haywain, The (Constable) 104-105
Hayward Gallery 43, 184
Plan du Quartier pas à pas 182
promenade sur la Tamise 62
Hazlitt's Hotel 277, 283
Heal's 319
Heath, Edward 90
Heathrow Airport 345, 356
plan des liaisons 358-359
Heaven 334, 335
Henrietta Maria, reine
Queen's Chapel 92
Queen's House 236
Henry Cole Wing 198, 201
Henry II
Becket 18
chronique royale de Paris 32
Henry III
chronique royale de Paris 32
Henry Sotheran Ltd 320, 321
Henry VI
chapelle 79
jour anniversaire 56
Henry VII
Chapelle, Abbaye de Westminster 77
Richmond 268
Henry VIII
Chelsea 189
chronologie 32
dessin de Holbein 103
Greenwich palace 234, 238
Hampton Court 250-251
Horse Guards 80
Hyde Park 207
Londres Tudor 20
Richmond 248, 268
Royal Armouries 157
registre de baptême 237
St James's Palace 88, 91
St James's Park 92
vitrail du Great Hall, Hampton Court 252
Henslowe, Philip 176
Henson, Jim 229
Hepworth, Dame Barbara 85
Her Majesty's Theatre 327
Herald and Heart Hatters 318, 319
Hess, Rudolph 155
Heure (horloge parlante) 353
Heures d'affluence 344
Highgate 242
Highgate Cemetery 51, 242
Hilaire 292, 298
Hill, Rowland 26
statue 163
Hill, The 50, 231
Hilliard, Nicholas
A Young Man Among Roses 201
portrait d'Elizabeth Ire 84
Hilton International,
Gatwick 357
Hippodrome 334, 335
Plan du Quartier pas à pas 101
HMV records 317
Hobbs 315
Hockney, David 196, 203
Mr et Mrs Clark et Percy 85
Hogarth, William 38
baptême 165
Londres georgien 25
Marble Hill House 255
maison de Chiswick 257
maison de Leicester Square 103
Rake's Progress 136
The Strode Family at Breakfast 84
Thomas Coram Foundation Museum 125
tombeau 102
Hogg (Pam) 314, 315
Holbein, Hans 103
Les Ambassadeurs 104-105, 106
Sloane Square 266
Tate Gallery 84
Holborn et the Inns of Court, 132-141
Plan du Quartier pas à pas 134-135
plan du quartier 132-133
Holborn Viaduct 140
Holden, Charles 81
Holiday Care Service 345
Holiday Inn, Heathrow 356
Holland House 214
auberge de jeunesse 275
Plan du Quartier pas à pas 212
Holland Park 51, 214
Plan du Quartier pas à pas 212
théâtre de plein air Shakespeare 57
voir Parcs et jardins 48
Holland Park et Kensington 210-215
plan du quartier 210-211
Plan du Quartier pas à pas 212-213
Holland Park Lawn Tennis Courts 336, 337
Holland, Henry 90
Holmes (Sherlock) musée 38, 222
Holy Trinity Church, Dalston 59
Holy Trinity Church, Kensington 197
Home Office Building 80
Honest Jon's 317
Hop Exchange 176
Plan du Quartier pas à pas 174
Hope (Emma) 315
Hopkinson, Simon 290
Horaires d'ouverture 344
Horniman (Frederick) Museum 246
Horse Guards 80
Cérémonies 52
Plan du Quartier pas à pas 71

Relève de la Garde 54
Horse of the Year Show 58
Host and Guest Service 274
Hostels 275
Hôtel 167 276, 278-279
Hôtels et hébergement 272-284
aéroports 356, 357
appartements 274
auberges de jeunesse 275
camping 275
faux frais 272-273
guide 276-277
hébergement bon marché 275
liste 278-285
petit déjeuner 273
prix 272
réductions spéciales 274
réservation 273
résidence universitaire 275
restaurants 286
symboles 275
Hounslow Heath Golf 336, 337
Houses of Parliament
voir Palais de Westminster
Howard Hotel 277, 284
Huguenots 160, 243
Hungerford Bridge 62, 182
Hunkin, Tim,
horloge hydraulique 115
Hunt, Leigh
Chelsea 189
Vale of Health 231
Hurlingham Club 337
Hyatt Carlton Hotel 276, 280
Hyde Park 51, 207
Queen's Birthday Salute 56
Royal Salute 52, 54
salut lors du Coronation Day 57
voir également Speakers' Corner
voir Parcs et jardins 49
Hyper Hyper 314, 315

I

ICA
voir Institute of Contemporary Arts
Ideal Homes Exhibition 56
Ikeda 293, 304
Ile des Chiens 234, 237
Immigration
voir Douanes et immigration
Imperial College, University of London
Plan du Quartier pas à pas 197
Summer Accommodation Centre 275
Imperial War Museum 43, 186
voir Musées et galeries 41
Incontro, L' 292, 299
Independent, The 324
Inderwick's 109
Informations pratiques 344-353
ambassades et consulats 353
argent 348-349
douanes et immigration 352
étudiants 352
heures d'affluence 344
horaires d'ouverture 344
journaux 352
lettres et bureaux de poste 351
prises électriques 353
prix d'entrée 345
règles 345
répertoire 352
sécurité 346
services religieux 353
soins médicaux et dentaires 347
téléphones 350-351
télévision et radio 352-353
urgences 347
Ingres, Jean-Auguste-Dominique, Mme Moitessier 107
Inn on the Park Hotel 277, 282
Innes (Malcolm) Gallery 320, 321
Inns of Court
Gray's Inn 141
Inner Temple 139
Lincoln's Inn 136
Middle Temple 139
Inns of Court et Holborn 132-141
plan du quartier 132-133
Plan du Quartier pas à pas 134-135
Institute of Contemporary Arts (ICA) 92
danse 332
ICAfé 306, 307
musique ethnique 333, 335
International Boat Show 59
International Herald Tribune 352
International Mime Festival 59
International Model Railway Exhibition 56
International Youth Hostel Federation 352
Inwood, William et Henry 130
Irving, Henry 39
Irving, Washington 243, 264
Isle of Dogs
voir île des Chiens
Isleworth 268
Islington 243, 265
promenade 264-265
Istanbul Iskembecisi 294, 300
Italian Paper Shop 318, 319
Ivy, The 294, 298

J

Jack Straw's Castle 228
billard 308, 309
Plan du Quartier pas à pas 226
Jack the Ripper pubs 308, 309
Jade Garden 293, 305
Jagger, Mick 103
concert à Hyde Park 207
Jam Records 317
James Ier
chronologie 22
Hyde Park 207
James II 23
James, Henry 36, 192
Jane et Dada 314, 315
Jardinier, Le (Cézanne) 85
Jardins
voir Parcs et jardins
Jasper's Bun in the Oven 269
Jazz Café 333, 335
Jericho Parlour 78
Jermyn Street 89
Jerusalem Chamber 78
Jeux Olympiques (1948) 30
Jewel House 154
Jewel Tower 74
Plan du Quartier pas à pas 70
Joe Allen 293, 302
John, Augustus 39
Fitzroy Tavern 131
John, Elton 103
John, King 18
chronique royale de Paris 32
Johnson (Herbert) 318, 319
Johnson, Dr Samuel
demeure 38, 140
messe du souvenir 55, 59
statue 138
the Anchor 178
Ye Olde Cheshire Cheese 140
Jones (Peter),
grand magasin 311
Jones (Stephen) 318, 319
Jones, Adrian 97
Jones, Christopher, memorial 246
Jones, Inigo 38
Banqueting House 23, 80
Covent Garden Piazza 114
maison d'été de Charleton House 248
Queen's Chapel 92
Queen's House 234, 235
St Paul's Church 114
statue 256-257
visite des églises 46
voir Eglises 44
Jones, Sir Horace
Leadenhall Market 159
Smithfield Market 162, 164
Jonson, Ben 136
Old Mitre Tavern 139
Westminster School 74
Joseph Tricot 314, 315
Journaux 316, 317
Journaux et livres étrangers 316, 317
Journaux étrangers 316, 352
Joyaux de la Couronne 44
Tour de Londres 154, 156
vol 155
Jubilee 31
Jubilee et Apple Market 323
Jubilee Gardens 185
Plan du Quartier pas à pas 183
Jubilee Hall 114
Sports Centre 336, 337
Jubilee Market 113
Junior Gaultier 314, 315

K

Kandinsky, Wassily 85
Cossacks 83
Kauffer, E McKnight 114
Kean, Edmund
Londoniens célèbres 39
promenade de Richmond et Kew 268
Keats, John 38
Apothecaries' Hall 152
Burgh House 228
maison de Hampstead 229
Spaniards Inn 231
Kemp, David
The Navigators 177
Kensal Green Cemetery 51
Kensington Civic Centre 213
Kensington et Holland Park 210-215
plan du quartier 210-211
Plan du Quartier pas à pas 212-213
Kensington Gardens 51, 206-207
voir Parcs et jardins 48
Kensington Market 314, 315
Kensington Palace 194, 206
chronologie 25
collection de costumes 42
jardin 50
Kensington Palace 206
Kensington Palace Gardens 215
Kensington Place 292, 298
Kensington Square 215
Kent et Curwen 314, 315
Kent, William
Chiswick House 257
Horse Guards 80
pavillon d'été de Kensington Gardens 206
Kenwood and Highgate Ponds 336, 337
Kenwood Gardens,
concerts en plein air 57
Kenwood House 230-231
Kenwood House 43, 230-231
jardin 50
Kettners 306, 307
Kew Bridge Steam Museum 43, 256
Kew et Richmond Walk 268-269
promenade sur la Tamise 60
Kew Gardens 51, 256-257
chronologie 24
promenade à Richmond et Kew 269
voir Parcs et jardins 48
Kew Greenhouse 306, 307
Kew Palace 257
promenade à Richmond et Kew 269
Keynes, John Maynard 39
Khun Akorn 292, 304
King's Campus Vacation Bureau 275
King's College,
chambres d'étudiant 275
King's Head 309
pub théâtre 328
King's Head and Eight Bells 308, 309
promenade de Chelsea et Battersea 266
King's Road 192
Plan du Quartier pas à pas 190
promenade de Chelsea et Battersea 267
voir Rues commerçantes et marchés 312
King Street 89
Kingston Lodge Hotel 277, 285
Kirchner, Ernst 85
Kitaj, R B 85
Klimt, Gustav
Hermione Gallia 107
Knights Templar 135, 139
Knightsbridge
Promenade à Mayfair 261
quartier commerçant 312
Knightsbridge et South Kensington 194-209
plan du quartier 194-195
Plan du Quartier pas à pas 196-197
Knightsbridge Green Hotel 276, 280
Kooning, Willem de 85
Kosher Luncheon Club, The 294, 301
Kossoff, Leon 85

L

Lady Chapel 21
Ladycabs 367
Lamb and Flag 116
Plan du Quartier pas à pas 112
pub 308, 309
Lambeth Palace 186
Lancaster House 96
Landvoirr, Edwin 102
Langham Hilton Hotel 277, 284
histoire 221
Lansdowne House 260
Lansdowne House 260
Larkin, William 239
Latchmere 309
Grace Theatre 328
Latimer, Bishop Hugh 20
Lauderdale, duc de 254
Laura Ashley 314, 315
Lawrence, D H
Burgh House 228
Vale of Health 231
Lawrence, Sir Thomas, chapelle 192
Lawrence, T. E. (of Arabia)
buste 151
LCC
voir London County Council
Le Shop 339
Leach, Bernard 200
Leadenhall Market 159, 323
Leaping Hare on Crescent Bell (Flanagan) 169
Leather Lane Market 323
Lefax 318, 319
Legends 334, 335
Léger, Fernand 85
Leicester Square 103
kiosque des théâtres 327
Plan du Quartier pas à pas 100
Leigh, Vivien,
portrait par Angus McBean 41
Leighton House 214
Londres victorien 27
Plan du Quartier pas à pas 212
Leighton, Lord 214
Leith's 292, 298
Lely, Sir Peter 239
Lemonia 294, 300
Leonard de Vinci
cartons 104
Vierge à l'enfant 106
Les Parapluies (Renoir) 107
Les Trois Danseuses (Picasso) 82
Leslie Craze Gallery 318, 319
Leverhulme, lord 231
Lewis (John)
grand magasin 311
Liberty 109,
grand magasin 311
voir Rues commerçantes et marchés 313
Liberty, Arthur Lasenby 109
Librairies 316-317
pour enfants 340
sur Charing Cross Road 108
Lichtenstein, Roy
Whaam ! 83, 85
Lilienthal, Otto 209
Lillian Baylis Studio 332
Lincoln's Inn 136-137
pancake races 59
Plan du Quartier pas à pas 134-135
Lincoln's Inn Fields 50, 137
Plan du Quartier pas à pas 134-135
Lincoln, Abraham, statue 74
Lind, Jenny 36
Lindisfarne Gospels 127
Lindow Man 127, 128
Linley Sambourne House 42, 214
Plan du Quartier pas à pas 213
Lippi, Fra Filippo,
L'Annonciation 106
Little Italy 243
Little Venice 223
promenade de Regent's Canal 262
Livery Companies 55
Apothecaries' Hall 152
Fishmongers' Hall 152
Londres médiéval 18
Skinners' Hall 144
Livingstone, David 197
Lloyd's Insurance 23
Lloyd's of London Building 159
Londres de l'après-guerre 31
Lloyd Webber, Andrew 108
comédies musicales 325
Lobb (John) 315

Londinium 16-17
London Accommodation Centre 273
London Bridge
Grand Feu 22
médiéval 18-19
nouveau 31
Plan du Quartier pas à pas 175
promenade sur la Tamise 64
romain 17
London City Airport 357
London City Ballet 332
London City Pier 64
London Clinic, The 219
London Coliseum 119
danse 332
opéra 330
London Contemporary Dance Theatre 332
London County Council (LCC) 27
County Hall 185
London Dungeon 179
London Film Festival 58, 339
London Futures and Options Exchange 158
London Home to Home 275
London Hostel Association 275
London Jamme Masjid 170
London Library 92
London Opera Festival 330
London Pavilion 90
Plan du Quartier pas à pas 100
London Planetarium
voir Madame Tussauds et le Planetarium
London Plate, The 166
London Regional Transport 360
autobus 364-365
métro 362-363
trains 366
London Silver Vaults 141
Londres georgien 25
London Street Scene, A (Greifflenhagen) 28
London Tourist Board 273, 344
London Toy and Model Museum 43, 257
London Transport Museum 43, 114
Londres victorien 27
Plan du Quartier pas à pas 113
London Transport Sightseeing 344
Londres
aller à 354-359
cérémonies 52-55
d'un coup d'œil 34-51
fêtes et manifestations 56-59
habitants et visiteurs célèbres 36-37
hébergement 272-285
histoire 15-32
Londoniens célèbres 38-39
plan du Centre de Londres 12-13
plan du Grand Londres 11
plan du Quartier pas à pas 66-269
population 10, 15
pour enfants 338-341
Renseignements pratiques 342-367
se nourrir 286-309
shopping 310-323
spectacles 324-337
Top Ten des lieux touristiques 35
Londres à pied 360
Londres à vélo 360
Londres de l'après-guerre 30-31
Londres élisabéthain 20-21
Londres georgien 23-24
Londres médiéval 16-17
Londres Restauration 22-23
Londres romain 16-17
fresques 166
Temple de Mithras 144
Londres Tudor 20-21
Londres victorien 26-27
Long, Richard 85
Longhi, Pietro 107
Lord's Cricket Ground
matchs 336, 337
Musée 242
Lord Mayor's Show 55, 58
voir Cérémonies 53
Lord, Thomas 242
Lorelei 306, 307
Lorrain, Claude (Gellée)
Embarquement de la reine de Saba 107
Louis Phillipe, duc d'Orléans 254
Louis, Morris 85
Louise, princesse, statue 206
Lowndes Hotel 276, 281
Lumiere Cinema 329
Luton Airport 357
plan des liaisons 358-359
Lutyens, sir Edwin, cénotaphe 74-75
Plan du Quartier pas à pas 71
Lyric Theatre 103, 327

M

Maas (Jeremy) and Son 320, 321
Mabledon Court Hotel 277, 284
Mackmurdo, A H 246
Madame Jojo 334, 335
Madame Tussauds
voir Tussauds (Madame) et le planetarium
Madhu's Brilliant 294, 303
Magic Wok 292, 305
Magna Carta 18
Mahler, Gustav 115
Maids of Honour
promenade de Richmond et Kew 269
salon de thé 306, 307
Maison Bertaux 306, 307
Malabar 292, 303
Malevich, Kasimir 85
Mall, The 92
Manchester Square 24
Mandeer 294, 303
Mandela, Nelson, statue 183
Manet, Edouard,
Bar des Folies-Bergère 41, 117
Manolo Blahnik 315
Manquette 318, 319
Mansfield, comte de 230-231
Mansion House 146
Plan du Quartier pas à pas 145
Mantegna, Andrea 106
Triomphe de Jules César 248
Manzi's 293, 301
Marathon de Londres 56
Marble Arch 207
Marble Arch Marriott 277, 283
Marble Hill House 252-253
concerts en plein air 57, 331
Marchés 322-323
Bermondsey Antiques 179
Berwick Street 108
Borough 176
Brick Lane 171
Camden Lock 262
Camden Passage 243
Chapel Market 243
Columbia Road 171
Covent Garden 114
Gabriel's Wharf 187
Greenwich 234
horaires d'ouverture 310
Leadenhall 159
Petticoat Lane 169
Portobello Road 211
Smithfield 164
voir Rues commerçantes et marchés 312-313
voir également au nom propre
Mares and Foals (Stubbs) 83
Mariage Arnolfini (Eyck) 104-105, 106
visite de la National Gallery 106
Marine Ices 307
Marks and Spencer 311
Marlborough House 92
Marlowe, Christopher 39
Marochetti, Carlo,
statue de Richard Cœur de Lion 70
Marquee 333, 335
Martin, Sir Leslie 184-185
Martyrdom of St Stephen, The (West) 146
Marx, Karl
Primrose Hill 262
Reading Room 129
tombeau 242
Mary Ire (Mary Tudor)
Greenwich palace 234, 238
Londres Tudor 20
Smithfield 162
tombeau 79
Mary II
voir Guillaume d'Orange et Mary II
Mary, reine d'Ecosse 159
Marylebone et Regent's Park 216-223
plan du quartier 216-217
Plan du Quartier pas à pas 218-219
Masaccio, Tommaso,
Madone 106
Mash 314, 315

Matcham, Frank 119
Mathaf Gallery 320, 321
Matisse, Henri 85
Matthew, Sir Robert 184-185
Maurice, Bishop 149
Mausole, roi 123, 124
Maximus 334, 335
Mayfair
  promenade 260-261
Mayor Gallery 320, 321
Mazzini, Giuseppe 37
Mazzuoli, Giuseppe 202
McBean, Angus,
  portrait de Vivien Leigh 41
Mean Fiddler 309
  salles de concert 333, 335
Mega Kalamaras 292, 300
Melati 293, 304
Melbury Road 212
Mellitus, Bishop 149
Mellor (David) 319
Mémorials
  Albert Memorial 197
  Cénotaphe 71
  lady Jane Cheyne 192
  lady Nightingale 78
  lord Nelson 151
  Temple Bar 138
  voir également Statues, Monuments
  War Memorial 174
  Wellington Arch 97
Memories of China 292, 305
Messina, Antonello da,
  St Jérôme au travail 106
Météorologie
  périodes d'ensoleillement 57
  précipitations 58
  tableau des températures 59
Métro 360
  abris antiaériens 29
  accès pour handicapés 345
  London Transport Museum 113
  liaisons aéroports 356
  ligne Jubilee 31
  Metroland 28
  tickets 362
  victorien 27
  voir également Chemin de fer
  voyager 362-363
MGM Cinema 329
Michel-Ange,
  Madone à l'enfant 90
Middle Temple 139
  jardin 50
  Londres élisabéthain 21
Middleton, Arthur 316, 317
Mijanou 292, 298
Mildenhall Treasure 127, 128
Mildred's 293, 302
Mill, John Stuart
  Chelsea 192
  Kensington Square 215
Millais, John 214
Millbank 186
Milton, John
  maisons 39
  tombeau 168
Minema 329
Ming 293, 305
Ministry of Defence 62
Ministry of Sound 334, 335
Mithras,
  Pas à pas 144
  Temple du Londres romain 16
Miyama 293, 304
Moke (Johnny) 315
Molton Brown 318, 319
MOMI
  voir Museum of the Moving Image
Mon Plaisir 293, 296
Mondrian, Piet 85
Monet, Claude 117
  Nymphéas 107
  Peupliers au bord de l'Epte 85
Monmouth House 267
Monument 152
  promenade sur la Tamise 64
Monuments
  Charing Cross 119
  Cleopatra's Needle 118
  Jones, Christopher 246
  Marble Arch 195
  Monument 152
  Seven Dials 116
  voir également au nom propre, à Mémorials, et à Statues
  Wombwell, George 242
Moody, F W 196
Moore, Henry
  Arch 206
  autel de St Stephen Walbrook 146
  dessins du Blitz 186
  station de St James's Park 81
  Tate Gallery 85
  Three Standing Figures 266
More, Sir Thomas 39
  Londres élisabéthain 20
  maison de Chelsea 190
  Sloane Square 266
  statue 190
  Tour de Londres 155
Morgan, William de 200
Mornington Hotel 276, 278
Moroni (A) and Son 353
Morris Dancing 57
Morris, William
  Gallery 42, 244
  Linley Sambourne House 214
Mosaïques
  Londres romain 17
Mosquées
  centre d'information 353
  Grande Mosquée de Londres 217, 222
  London Jamme Masjid 161, 170
Mountbatten Hotel 277, 284
Moynihan, Rodrigo,
  portrait de Margaret Thatcher 102
Mr et Mrs Clark et Percy (Hockney) 85
Mulberry Company 318, 319
Mulligan's of Mayfair 293, 298
Munch, Edvard 85
Murder One 316, 317
Murillo, Bartolemé Esteban
  Dulwich 249
  National Gallery 107
Musée de Londres 42, 166-167
  guide 166-167
  Londres romain 17
  Plan du Quartier pas à pas 163
  voir Musées et galeries 41
Musée des Eventails 233, 239
Musée Sherlock Holmes 38, 222
Musées et galeries d'art
  Bank of England Museum 147
  Bankside Gallery 178
  Bethnal Green Museum of Childhood 246
  British Museum and Library 122
  Burgh House 225
  Clink Exhibition 177
  Coram (Thomas) Foundation Museum 125
  Courtauld Institute 117
  Crafts Council Gallery 241
  Design Museum 179
  Dulwich Picture Gallery 241
  enfants 340
  Faraday Museum 97
  Fenton House 225
  Freud Museum 242
  Geffrye Museum 246
  Guards' Museum 81
  Hayward Gallery 184
  Hogarth's House 241
  Horniman Museum 241
  Imperial War Museum 186
  Keats House 225
  Kensington Palace 42
  Kenwood House 43, 225
  Kew Bridge Steam Museum 43, 256
  London Dungeon 173, 179
  London Toy and Model Museum 241
  London Transport Museum 114
  Lord's Cricket Ground 242
  Madame Tussauds 220
  Morris (William) Gallery 246
  Musée des Eventails 239
  Museum of Garden History 185
  Museum of London 163
  Museum of Mankind 91
  Museum of Musical Instruments 202
  Museum of the Moving Image 184
  Musical Museum 255
  National Army Museum 189
  National Gallery 104-107
  National Maritime Museum 236
  National Portrait Gallery 102-103
  National Postal Museum 164

National Sound Archive 202
Natural History Museum 204-205
Nightingale (Florence) Museum 185
North (Marianne) Gallery 244
Planétarium 220
Pollock's Toy Museum 131
Public Record Office 137
Royal Academy of Arts 90
Royal College of Art 196
Saatchi Collection 242
Science Museum 208-209
Serpentine Gallery 206
Shakespeare's Globe Museum 178
Sherlock Holmes Museum 217
Soane (Sir John) Museum 133
St John's Gate 243
Tate Gallery 82-85
Theatre Museum 113
thèmes 42-43
Top Ten de Londres 34-35
Tour de Londres 154-157
Tower Hill Pageant 143, 158
Victoria and Albert Museum 198-201
voir également au nom propre
voir Musées et galeries 40-41
Wallace Collection 217
Whitechapel Gallery 161
Wimbledon Lawn Tennis Museum 241
Museum of Garden History 43, 185
jardin 50
Museum of Mankind 42, 91
Plan du Quartier pas à pas 88
Museum of Musical Instruments 202
Museum of the Moving Image 43, 184
Plan du Quartier pas à pas 182
présentation de film 329
voir Musées et galeries 41
Museum Street Café 294, 298
Music Discount Centre 317
Musical Museum 253
Musique
classique 330-331
contemporaine 330-331
danse 332
en extérieur 331
ethnique 333
jazz 333
opéra 330-331
réservations 325
sources d'information 324
My Fare Lady 367
Myddleton, Sir Hugh
Islington 243
New River 264
statue 265

N

Nag's Head 261
Napoleon, statue 97
Narrow Boat 265
Nash, John 38
All Souls, Langham Place, 221
Carlton House Terrace 92
Clarence House 96
Cumberland Terrace 223
Londres georgien 24
Marble Arch 207
Palais de Buckingham 94
Park Crescent 219
Piccadilly Circus 90
Portland Place 221
Regent's Canal 223
Regent's Park 220
Regent's Place 217
Royal Opera Arcade 92
Theatre Royal, portique de Drury Lane 100
Trafalgar Square 102
United Services Club 92
Nash, Paul
Imperial War Museum 186
London Transport Museum 114
Totes Meer 85
National Army Museum 42, 193
National Art Library 200
National Ballroom Kilburn 333, 335
National Film Theatre 329
National Gallery 106
Plan du Quartier pas à pas 182
National Gallery 43, 104-107
guide 104-105
Plan du Quartier pas à pas 101
voir Musées et galeries 41
National Maritime Museum 43, 236
Plan du Quartier pas à pas 235
National Portrait Gallery 102-103
Plan du Quartier pas à pas 101
voir Musées et galeries 41
National Postal Museum 164
Plan du Quartier pas à pas 163
National Rose Society Annual Show 58
National Sound Archive 202
Plan du Quartier pas à pas 197
National Theatre
voir Royal National Theatre
Natural History Museum 43, 204-205
billet de famille 338
guide 204-205
Plan du Quartier pas à pas 196
voir Musées et galeries 40-41
Navigators, The (Kemp) 177
Navires
Belfast 179
Cutty Sark 237
Gipsy Moth IV 237
Temeraire 246
Navy Day 54, 58
adresses 55
Nazrul 294, 303
Neal's Yard 115
Plan du Quartier pas à pas 112
Neal's Yard Remedies 318, 319
Neal Street 115, 294
Plan du Quartier pas à pas 112
voir Rues commerçantes et marchés 313
Neal Street Restaurant 294, 299
Neal's Thomas 111, 112, 116, 319
Nelson, Lord Horatio
Colonne 101, 102
mémorial à St-Paul 151
National Maritime Museum 236
New Caledonian Market
voir Bermondsey Antiques Market
New End Theatre 227
New London Theatre 327
New River 264
New Row 112
New Scotland Yard 71
New World 293, 305
voir Restaurants et pubs 291
New Year's Eve Celebrations 59
New Zealand High Commission353
Newcomen, Thomas 40
Newman, Barnett 85
Newman, Cardinal John Henry 202
Newton, Adam 248
Newton, Sir Isaac
demeure 103
télescope 23
Newton, William 137
Nicholson, Ben 85
Nico at Ninety 293, 296
Nightingale (Florence) Museum 43, 185
Nightingale, lady, mémorial 78
Nights-clubs, Clubs et musique 333-335
sources d'information 324
Nikita'a 301, 292
Noël
baignade dans la Serpentine 59
illuminations 58
Messes de Noël 59
Norman Shaw Building 71
North, Marianne, Gallery 256
Northumberland, maison des ducs et comte de 255
Nost, John 253
Notre-Dame 101
Nôtre, André Le 239
Notting Hill 215
Notting Hill Carnival 211, 215
London Through the Year 57
reggae 333, 335
Now and Zen 294, 305
Number Sixteen Hotel 276, 279

O

Oak Apple Day 55, 56
adresses 55
cérémonies 52
Objets trouvés 346
Odeon Leicester Square 329
Olaf 17
Old Bailey 138, 147
Old Barracks Yard 261

Old Battersea House 249
Old Billingsgate
voir Billingsgate
Old Curiosity Shop 137
Plan du Quartier pas à pas 134
Old Dairy, The 190
Old Mitre Tavern 139
Old Royal Observatory 238-9
Old St Thomas's Operating Theatre 176-7
Plan du Quartier pas à pas 175
Old Vic 186
Olivier, Lord Laurence 39
au Royal National Theatre 184
One Hundred Club (100) 333, 335
Orangery, The 212
Oranges and Lemons Service 55, 56
Oriental, The 293, 305
Orleans House 248
Orso 293, 299
Orton, Joe 243
Orwell, George
Fitzroy Tavern 131
maison de Canonbury 243, 264
Osteria Antica Bologna 294, 299
Osterley Park House 249
jardin 50
Osterley Park House 255
Où aller à Londres 324
Oval Cricket Ground 336, 337
Overlord Embroidery 168
Oxford Street, shopping 313
Oxford, excursion 366
Oxford/Cambridge Boat Race 56, 268
sports traditionels 227
Oxford/Cambridge, match de rugby 59
Oxo Tower 187
promenade sur la Tamise 63
Oxus Treasure 128

P

Pagodas
Battersea Park 249, 266
Kew Gardens 244
Pagode de la Paix 249, 266
Palace of Westminster
voir palais de Westminster
Palace Theatre 108
Au Cœur de Soho 109
Théâtres du West End 326, 327
Palais de Buckingham 94-95
Relève de la Garde 52, 54
Palais de Justice
voir Royal Courts of Justice, Old Bailey
Palais de Westminster
architecture 72-73
cérémonie du State Opening 53, 54
Plan du Quartier pas à pas 71
Pall Mall 92
Palladio, Andrea 256-257
Palm House, Kew 245
Palmer, Samuel 84
Palmerston, Lord Henry 80
Palookaville 333, 335
Pancake Races 59
Panizzi, Sir Anthony 129
Pankhurst, Emmeline 146
Pantechnicon 261
Pantomimes 326
à l'époque victorienne 26
Paolozzi, Eduardo 203
Paperchase 318
Pâques et vendredi saint
fêtes et célébrations 56
Paradise Club 334, 335
Parcs et jardins 48-51
animaux 51
Battersea Park 266
Blackheath 239
Chelsea Physic Garden 193
concerts 51, 57
enfants 340-341
fleurs 50
Green Park 97
Greenwich 239
Hampstead Heath 230
Hill, The 225
Holland Park 214
Hyde Park 207
Jubilee Gardens 185
Kensington Gardens 206
Kew 244-245
Lincoln's Inn Fields 133, 137
manifestations de plein air 57
Parliament Hill 225
Ranelagh Gardens 266
Regent's Park 217
Richmond Green 268
Richmond Park 254
Roper's Garden 190
Victoria Embankment Gardens 118
visiter 50-51
voir également au nom propre
voir Parcs et jardins 48-49
Paris, Matthew, chronique royale 32
Park Crescent 219
Parkin (Michael) Gallery 320, 321
Parking
Bloomsbury Square 124
généralités 361
Parkwood Hotel 277, 283
Parlement, Guerre civile et 22
Parliament Hill 230
sports 336, 337
terrains 51
Parliament Square 74
Parliament, Houses of
voir palais de Westminster
Parmigianino,
Madone et enfant avec des Saints 106
Parr pot 21
Passeports 352
Past Times 318, 319
Paterson, William 23
Pâtisserie Valerie 306, 307
Au cœur de Soho 109
voir Restaurants et pubs 291
Pavarotti, Luciano 207
Paxton and Whitfield 316, 317
Peace, Burial at Sea (Turner) 82
Peal (N.) 314, 315
flèche 46
Pearly Kings and Queens festival 55, 58
Plan du Quartier pas à pas 101
Pearly Kings and Queens Harvest Festival 55, 58
Peasants Revolt
voir Révolte des Paysans
Peel, Robert 39
Pelham Hotel 276, 279
Pelli, Cesar 31, 246
Pembridge Court Hotel 276, 278
Pencraft 318
Penguin Bookshop 316, 317
Penhaligon's 318, 319
Penn, William
église de baptême 153
Lincoln's Inn 137
Pepys, Samuel
Davies Amphitheatre 178
description du Grand Feu 166
lieu de naissance 39
Londres Restauration 23
Prince Henry's Room 139
Ye Olde Cheshire Cheese 140
Percival (David) Foundation of Chinese Art 130
Persée et Andromède (Titien) 222
Peter Pan, statue 195, 206
Petticoat Lane Market 169, 323
Phillips (S J) 320, 321
Phillips Auctioneers 320, 321
Phillips, C J 103
Phoenix Theatre 327
Photographers' Gallery 116
shopping 320, 321
Physical Energy (Watts) 206
Picasso, Pablo
céramiques au V&A Museum 200
Tate Gallery 85
The Three Dancers 82
Piccadilly Circus 90
Plan du Quartier pas à pas 89
Piccadilly Crafts Market 323
Piccadilly et St James's 86-97
plan du quartier 86-87
Plan du Quartier pas à pas 88-89
Piccadilly Gallery 320, 321
Piccadilly Theatre 327
Pied à Terre shoes 315
Pied-à-Terre 294, 296
Piombo, Sebastiano del,
Résurrection de Lazare 106
Pippa Pop-Ins 339
Pisanello, Antonio 106
Pissaro, Camille 85
Pitshanger Manor Museum 136, 256

Pizza Express 306, 307
jazz 333, 335
Pizza on the Park 333, 335
Place Below, The 294, 302
voir Restaurants et pubs 291
Place Theatre, The 332
Place, la, Hotel 277, 283
Planetarium 220
Plan du Quartier pas à pas 218
Players Theatre 119
Playhouse Theatre 327
Plummers 293, 295
Poets' Corner, Abbaye de Westminster 77, 79
Poissonnerie de L'Avenue 292, 301
Police, informations pratiques 346
Pollo 306, 307
Pollock's Toy Museum 43, 131
Pollock, Jackson 85
Pont de la Tour, le 294, 296
Poons 294, 305
Porchester Centre 336, 337
Portland Place 221
Portland Place 221
Plan du Quartier pas à pas 219
Portland Vase 127, 129
Portman Square 24
Portobello Cycles 360
Portobello Hotel 276, 278
Portobello Road 215
Marché 215, 323
voir Rues commerçantes et marchés 312
Ports, plan des liaisons 358-359
Postal information 351
Pourboires
hôtels 273
restaurants et pubs 287
Poussin, Nicolas
La Ronde de la vie humaine 222
Powerhaus 333, 335
Premier ministre,
demeure de Downing Street 75
Press Association 139
Priestley, J B 228
Primrose Hill
promenade de Regent's Canal 262
Summer Festival 57
Primrose Hill Studios 262
Primrose Lodge 262
Prince Albert pub 309
Prince Charles Cinema 329
Prince Edward Theatre 327
Prince Henry's Room 139
Plan du Quartier pas à pas 135
Prince of Wales Theatre 327
Prince-régent
voir George IV
Princes in the Tower 155, 157
Princess Louise 308, 309
Princess of Wales 262
Prix d'entrée 345
Profumo, John 211
Promenades 258-269
Chelsea et Battersea 266-267
choix 259
Greenwich Foot Tunnel 237
Islington 264-265
London Theatre Walks 328
Mayfair 260-261
promenades guidées 259
Regent's Canal 262-263
Richmond et Kew 268-269
Proms 57, 58
Royal Albert Hall 331
Prospect of Whitby 309
Public Record Office Museum 137
Londres victorien 27
Plan du Quartier pas à pas 135
Pubs 308-309
Anchor 178
bière anglaise 308
boissons à emporter 309
City Barge 256, 269
City Darts 308, 309
Coach and Horses 109
Crockers 262
Doggett's Coat and Badge 181
El Vino's 139
Fitzroy Tavern 131
Fox and Anchor 162
French House 109
George Inn 176
historiques 308
Jack Straw's Castle 225
King's Head and Eight Bells 266
Lamb and Flag 112, 116
manger 308
Nag's Head 261
Narrow Boat 265
noms 309
Old Mitre Tavern 139
Princess of Wales 262
Queens 262
règles et conventions 308
Saracen's Head 162
Spaniards Inn 225, 231
spectacles 309
Trafalgar Tavern 233, 238
voir également au nom propre
Ye Olde Cheshire Cheese 140
Puffin Bookshop 316, 317
Punch and Judy Festival 58
Punks 31
Purcell Room, South Bank Centre 182
Purcell, Henry 158
Puritans 22
Pyx Chamber 79

Q

Quakers (Society of Friends), information 353
Quality Chop House 294, 295
Quant, Mary 103
Queen's Chapel 46, 92
Queen's Club Real Tennis 337
Queen's Gallery 87, 96
Queen's House, Greenwich 236
Plan du Quartier pas à pas 234-235
vue depuis le tunnel piétonnier 237
Queen's House, Tour de Londres 154
Queen's Theatre 327
Queen Anne's Gate 80-81
Queen Elizabeth Hall 330
Plan du Quartier pas à pas 182
Queen Mother's Birthday, salve d'honneur 57
Queen Square 125
Queen's gun salutes
voir Salve à la reine
Queens 262
Queens Ice Skating Club 336, 337
Queensway 32, 215

R

Raab Gallery 320, 321
Rackham, Arthur 262
Radford (D S) 353
Radio 353
Jazz Festival 57
Radio in a Bag (Weil) 198
Radio Taxis 367
Rake's Progress (Hogarth) 136
Rambert Dance 332
Ramses II, statue 128
Ranelagh Gardens 266
Raphaël 249
Ravi Shankar 294, 303
Ray's Jazz 317
Raymond's Revue Bar 108
Reading Room,
British Museum and Library 129
Red or Dead 315
Redfern Gallery 320, 321
Reform Club 25, 92
Regent's Canal 217, 223
promenade 262-263
voir également Grand Union Canal
Regent's Park 220
Plan du Quartier pas à pas 218
promenade de Regent's Canal 262
sports 336, 337
Théâtre de plein air Shakespeare 57
voir Parcs et jardins 49
Regent's Park et Marylebone 216-223
plan du quartier 216-217
Plan du Quartier pas à pas 218-219
Relève de la Garde
adresses 55
Cérémonies 52, 54
Palais de Buckingham 94-95
Rembrandt Hotel 276, 279
Rembrandt van Rijn 230
Jacob III de Gheyn 248, 249
Titus 222
Remembrance Sunday 54, 58
voir Cérémonies 53
Remos, Los 307
Renoir Cinema 329

Renoir, Pierre-Auguste
Courtauld Galleries 117
Les Parapluies 107
Tate Gallery 85
Reserve, la, Hotel 277, 285
Restaurants 286-309
afro-antillais 302-302
americain 302
anglais 295-296
asiatique 304
bars 306-307
café et thé 289, 306
chinois 305
classement par type 295
cuisine internationale 297-298
dans la rue 307
européen 300-301
Fish and chips 288
français 296-297
grec 300
guide 292-294
heures d'ouverture 287
indien 303
italien 298-299
japonais 304-305
mexicain 302
moyen-oriental 300
nourriture britannique traditionelle 288-289
petit déjeuner 288, 306
petits plats et casse-croûte 306-307
poisson et fruits de mer 301
prix et service 287
symboles 287
thé et café 289, 306
végétarien 302
voir Restaurants et pubs 290
Reuters 139
Révolte des Paysans (1381) 19
Jack Straw 228
Wat Tyler 239
Reynolds, Sir Joshua 38
Kenwood House 230
maison de Covent Garden 116
maison de Leicester Square 103
National Gallery 107
Royal Academy of Arts 88
Spaniards Inn 231
Tate Gallery 84
Wallace Collection 222
Richard Ier (Cœur de Lion) statue 70
Richard II, chronique royale de Paris 32
Richard III 157
Richardson, Sir Ralph 39
Richmond 249
excursion fluviale 61
festivals estivals 57
Henry VIII et 32
promenade de Kew 268-269
Richmond Green 268
Richmond House 71
Richmond Park 51, 252
voir Parcs et jardins 48
Richmond Park Rugby 336, 337
Richmond Theatre 268
Richmond, William 150
Ridley Bagel Bakery 307
Ridley Road Market 323
Ridley, évêque Nicholas 20
Rima (Epstein) 206
Ritz Hotel 277, 282
histoire 91
Plan du Quartier pas à pas 88
thés 306, 307
Ritz, Cesar 91
Ritzy Cinema 329
River Café 294, 299
Riverside Studios 332
Riverside Walk Markets 323
Roberts (Patricia) 314, 315
Robey (sir George) 333, 335
Rock Circus 100
Rock Garden 333, 335
Rock Island Diner 306, 307
enfants 339
Rodin, Auguste
Le Baiser 82
Les Bourgeois de Calais (fer) 70
Tate Gallery 85
V&A 200
Roebuck 308, 309
Rogers, Richard
Lloyd's Building 159
Londres de l'après-guerre 30-31
Rois et Reines, chronologie 32-33
Romney, George
Kenwood House 230
Wallace Collection 222
Ronde de la vie humaine, La (Poussin) 222
Ronnie Scott's 333, 335
Au cœur de Soho 109
Roper's Garden
Plan du Quartier pas à pas 190
promenade de Chelsea 267
Rosa, Salvatore 107
Rose Theatre (site) 173, 178
Rosetta Stone 128
Ross Nye 336, 337
Rossetti, Dante Gabriel
maison de Chelsea 189, 190
Rothko, Mark 85
Rothschild, Baron Ferdinand 128
Rotten Row 261
Roubiliac, Louis François 78
Rousseau, Henri,
Orage tropical avec un tigre 107
Roux Brothers 290
Royal Academy of Arts 43, 90
Londres georgien 24
Plan du Quartier pas à pas 88
Somerset House 117
Summer Exhibition 56
voir Musées et galeries 40-41
Royal Academy of Music 218
Royal Air Force,
St Clement Danes 138
Royal Albert Hall 203
Last Night of the Proms 58
Londres victorien 27
musique classique 331
musique populaire 333, 335
Plan du Quartier pas à pas 196
Royal Albert Hall 331
South Bank Centre 330
St John's Smith Square 330, 331
St Martin-in-the-Fields 331
voir également au nom propre, et à Clubs et musique
Wigmore Hall 331
Royal Armouries 157
Royal Ascot 96
Royal Ballet Company 115, 332
Royal Botanic Gardens (Kew) 244-245
Royal College of Art 203
Plan du Quartier pas à pas 196
Royal College of Music 202
Plan du Quartier pas à pas 196
Royal College of Organists 196
Royal College of Surgeons 134
Royal Court Theatre 193
promenade de Chelsea et Battersea 267
Royal Courts of Justice (Law Courts) 138
Plan du Quartier pas à pas 135
Royal Docks Waterski Club 337
Royal Exchange 147
Plan du Quartier pas à pas 145
Royal Festival Hall 184-185
Capital Radio Jazz Festival 57
jazz 333, 335
Londres de l'après-guerre 30
musique classique 330
Plan du Quartier pas à pas 182
Royal Festival Hall 184-185
Royal National Theatre 184
Royal Gallery 73
Royal Geographical Society 197
Royal Horseguards Hotel 276, 281
Royal Horticultural Hall 58
Royal Hospital 193
Royal Institute for International Affairs 92
Royal Institute of British Architects (RIBA) 221
Plan du Quartier pas à pas 219
Royal Mews 96
Royal National Theatre 184, 326
information 324
Londres de l'après-guerre 30
Plan du Quartier pas à pas 182
promenade sur la Tamise 62
Royal Naval College 238
Plan du Quartier pas à pas 235
vue depuis le tunnel piétonnier 237
Royal Opera Arcade 92
Royal Opera Company 115
Royal Opera House 115, 330
Plan du Quartier pas à pas 113

Royal Salutes 54, 57
voir Cérémonies 52
Royal Shakespeare Company 324, 326
Royal Society of Painter-Printmakers 178
Royal Tournament 57
Royal Watercolour Society 178
Royalty Theatre dance 332
RSJ 294, 297
Rubens, Peter Paul
Courtauld Galleries 117
Londres Restauration 23
National Gallery 107
plafond de la Banqueting House 71, 80
Rules 293, 295
Plan du Quartier pas à pas 112
Rush Hour Group (Segal) 169
Russel Hotel 277, 284
architecture 125
Russel Square 125
jardin 50
Plan du Quartier pas à pas 123
Rysbrack, John, statue de George II 235

S

Saatchi (Charles) Collection 242
Sackler Galleries, Royal Academy of Arts 90
Saddlers Sports Centre 336, 337
Sadler's Wells Theatre 243
danse 332
opéra 330
Sadler, Ralph 246
Sainsbury Wing, National Gallery 104
commentaires du prince Charles 107
Salama-Caro Gallery 320, 321
Salisbury, excursion 366
Salisbury, The 308, 309
Salles de concert 330-331
Barbican 331
Broadgate Arena 331
Purcell Room 330
Queen Elizabeth Hall 330
Salles des ventes 320, 321
Salloos 292, 303
Salve à la reine 56, 59
Sambourne (Linley) House 42, 214
Plan du Quartier pas à pas 213
Sambourne, Linley 213, 214
Samson et Dalila (Van Dyck) 43
Sandoe (John) Bookshop 267
Saracen's Head 162
Saracens Rugby 336, 337
Sargent, John Singer 39
Satan Smiting Job with Sore Boils (Blake) 84
Savoy Chapel 117
Savoy Hotel 277, 285
histoire 116-117
petit déjeuner 306, 307
promenade sur la Tamise 62
Scandale 334, 335
Scandic Crown Hotel 276, 281
Science Museum 43, 208-209
billets de famille 338
Plan du Quartier pas à pas 196
voir Musées et Galeries 40-41
Scotch Express 27
Scotch House, The 314, 315
Scotland Yard, New 71
Scott, John 116
Scott, Robert F, 189
Scott, Sir George Gilbert 38, 183
Albert Memorial 203
gare de St Pancras 130
Screen Cinemas 329
Sea Shell 306, 307
voir Restaurants et pubs 290
Seacole, Mary 36
Sécurité, information 346
Segal, George, *Rush Hour Group* 169
Selfridge's
informations touristiques 345
meilleurs grands magasins 311
rayon alimentation 316
Serpentine 207
baignade de Noël 59
promenade à Mayfair 261
sports aquatiques 337
voir Parcs et jardins 49
Serpentine Gallery 206
Service suites 274
Services d'autocar 355
visites 344
Services religieux 353
Seurat, Georges 85
Baignade à Asnières 104-105, 107
Seven Dials 116
Plan du Quartier pas à pas 112
Severini, Gino 85
Severs (Dennis) House 171
Shaftesbury Theatre 327
Shaftesbury, statue du comte de 103
Shakespeare's Globe Museum 174, 178
Plan du Quartier pas à pas 174
Shakespeare, Edmond 176
Shakespeare, William 20-21, 39
chronologie 22
Comedy of Errors 141
Globe Theatre 177
Gray's Inn 141
Middle Temple 139
monument 176
Old Mitre Tavern 139
Old Vic 186
théâtres 57, 326
Twelfth Night 21, 139
Shaw Theatre 332
Shaw, George Bernard
British Library Reading Room 129
demeure 39, 131
Pygmalion 115
Shaw, Norman 38
Albert Hall Mansions 197
Norman Shaw Buildings 71
Shell Building 183
Shell Mex House 62
Shelley, Harriet 206
Shelley, Percy Bysshe
mort de son épouse 206
Spaniards Inn 231
Shelly's 315
Shepherd's Bush Market 323
Shepherd Market 97
promenade à Mayfair 260
Shepherd, Edward
Crewe House 260
Shepherd Market 97
Sheraton Skyline Hotel,
aéroports 356
Heathrow 277, 285
Ship 308, 309
Shopping 310-323
alimentation 316, 317
argenterie 141, 320
art et antiquités 320-321
bijoux 318, 319
cadeaux et souvenirs 318-319
chapeaux et accessoires 318, 319
chaussures 315
décoration intérieure 116, 319
disques 316-317
droits et services 310
exclusivité 316, 317
grands magasins 311
jouets 340
livres et magazines 316, 317
paiement 310
papeterie 318
parfums et articles de toilette 318, 319
pipes 109
plans 112
quand acheter 310
soldes 311
tailles 314
thés et cafés 316, 317
tissus 108
vêtements 314-315
voir également Marchés
voir Rues commerçantes et marchés 312-313
Sibrecht, Jan,
Paysage à l'arc-en-ciel 84
Siddons, Sarah 39
Silent Change, cérémonie 55, 58
Silver Moon 316, 317
Simpson's 293, 295
Singing Tree 316, 317
Sisley, Alfred 85
Sisterwrite 316, 317
Skinners' Hall 144
Sloane Square 193
promenade de Chelsea et Battersea 266, 267
Sloane, Sir Hans
British Museum Library 126
Chelsea Physic Garden 193
Sloane Square 193
statue 191

Smirke, Robert 126, 129
Smith's Galleries 320, 321
Smith (James) and Sons 318, 319
Smith (Paul) 314, 315
Smith, Jack 108
Smithfield et Spitalfields 160-71
plan du quartier 160-161
Plan du Quartier pas à pas 162-163
Smithfield Market 164
Plan du Quartier pas à pas 162
vente aux enchères de la dinde de Noël 59
Smollensky's Balloon 339
Smythson 318, 319
Snowdon, Lord Antony Armstrong-Jones 262
Soane's (Sir John) Museum 42, 136
Londres géorgien 25
Plan du Quartier pas à pas 134
Soane, Sir John 24, 266
Bank of England 136, 147
Pitshanger Manor 136, 256
Society of Apothecaries 193
Society of West End Theatres 324
Sofra 293, 300
Soho Brasserie 292, 298
Soho et Trafalgar Square 98-109
plan du quartier 98-99
plan Au cœur de Soho 109
Plan du Quartier pas à pas 100-101
Soho Square 108
jardin 51
Soins dentaires 347
Soins médicaux et dentaires 347
Solti, Georg 185
Somerset House 117
promenade sur la Tamise 62
Sotheby's Auctioneers 320, 321
South Bank 180-187
plan du quartier 180-181
Plan du Quartier pas à pas 182-183
South Bank Centre
centre d'information 324
Hayward Gallery 184
music 330
promenade sur la Tamise 62
South Kensington et Knightsbridge 194-209
plan du quartier 194-195
Plan du Quartier pas à pas 196-197
Southampton, comte de 124
Southwark Bridge
Plan du Quartier pas à pas 174
promenade sur la Tamise 64
Southwark Cathedral 46, 176
Plan du Quartier pas à pas 175
promenade sur la Tamise 64
voir Eglises 45
Southwark et Bankside 172-179
invasion romaine 15
plan du quartier 172-173
Plan du Quartier pas à pas 174-175
quais 65
Southwark Wharves, promenade sur la Tamise 65
Space Exploration Exhibition 208-209
Spaniards Inn 231
pub 308, 309
Speakers' Corner 49, 207
promenade à Mayfair 261
Special Photographers Company 320, 321
Spectacles 324-337
ballet 332
cinémas 329
clubs 334-335
danse 332
film 329
handicapés 325
jazz 333-335
musique classique 330-331
musique contemporaine 330-331
musique ethnique 333-335
opéra 330-331
plan des théâtres du West End 327
réservations 325
rock et pop 333-335
sources d'information 324
sport 336-337
théâtres 326-8
Spectacles en langues étrangères
cinémas 329
théâtre 328
Spence, Sir Basil
Home Office Building 80
Kensington Civic Centre 213
Spencer House 91
Plan du Quartier pas à pas 88
Spencer, Sir Stanley
Burgh House 228
Downshire Hill 229
Tate Gallery 85
Vale of Health 231
Spink and Son 320, 321
Spitalfields
Heritage Centre 170
Summer Festival 57
Spitalfields et Smithfield 160-71
plan du quartier 160-161
Plan du Quartier pas à pas 162-163
Sports 336-367
match de rugby Oxford/Cambridge 59
Oxford/Cambridge Boat Race 56, 268
parcs 51
Spread Eagle 294, 297
Plan du Quartier pas à pas 234
Sri Siam 293, 304
St Albans, excursion 366
St Alfege 47, 236-237
Plan du Quartier pas à pas 234
St Andrew, Holborn 133, 140
St Anne's Soho, tour 109
St Anne's, Limehouse 47, 244
St Bartholomew's Hospital 162
St Bartholomew-the-Great 46, 165
Plan du Quartier pas à pas 163
St Bartholomew-the-Less 162
St Botolph, Aldersgate 164
St Bride's 46-47, 139
St Clement Danes 47, 138
Oranges and Lemons Service 55, 56
Plan du Quartier pas à pas 135
St Edward's Chapel, Abbaye de Westminster 77
St Edward (roi)
voir Edward Ier
St Etheldreda's Chapel 140-141
St Faith chapel 79
St George's, Bloomsbury 46-47, 124
Plan du Quartier pas à pas 123
St George and the Dragon (Burne-Jones) 19
St Giles, Cripplegate 168
St Helen's Bishopsgate 158
St James's et Piccadilly 86-97
plan du quartier 86-87
Plan du Quartier pas à pas 88-89
St James's Palace 91
Charles Ier Commemoration 59
Plan du Quartier pas à pas 88-89
Relève de la Garde 52
St James's Park 50, 93
concerts en plein air 51, 57
Henry VIII 92
voir Parcs et jardins 49
St James's Square 92
Plan du Quartier pas à pas 89
St James's, Piccadilly 47, 90
Plan du Quartier pas à pas 89
St James Garlickhythe 47
Plan du Quartier pas à pas 144
St John's Gate 243
St John's, Hampstead 229
St John's, Smith Square 81
musique 331
St John's, Waterloo Road 187
St John Ambulance 243
St Katharine's Dock 158
promenade sur la Tamise 65
St Katharine Cree 158
St Luke's 267
St Magnus Martyr 47, 152
St Margaret's 74
Plan du Quartier pas à pas 71
St Margaret Pattens 153
St Martin's Theatre 327
Plan du Quartier pas à pas 112
St Martin-in-the-Fields 47, 102
marché 323
musique 331
voir Eglises 44
St Mary's, Battersea 247
St Mary Abchurch 145
St Mary Spital 160
St Mary Woolnoth 47
voir Eglises 45
Plan du Quartier pas à pas 145
St Mary, Rotherhithe 244

St Mary-at-Hill 152
Harvest of the Sea 58
St Mary-le-Bow 47, 147
Plan du Quartier pas à pas 144
St Mary-le-Strand 47, 118
voir Eglises 45
St Marylebone Parish 220-221
Plan du Quartier pas à pas 218
St Nicholas Cole 144
St Olave's House 177
Plan du Quartier pas à pas 175
promenade sur la Tamise 64
St Pancras Parish 47, 130
St Paul's (cathédrale) 148-51
architecture 148-149
Cakes and Ale Sermon 55
chronologie 149
églises de Wren 47
Grand Feu 22
Londres Restauration 23
messes de Noël 59
panorama sur la rive opposée 178
Plan du Quartier pas à pas 144
visite guidée 150-151
voir Eglises 45
vue sur la Tamise 63
Whispering Gallery 148, 150
St Paul's 46, 114
Plan du Quartier pas à pas 113
voir Eglises 44
St Quentin 292, 297
St Stephen Walbrook 47, 146
Plan du Quartier pas à pas 145
voir Eglises 45
St Thomas's Hospital 185
voir également Old St Thomas's Operating Theatre
STA Travel 352
Stakis London St Ermins Hotel 276, 281
Stamp, Terence 90
Stanford's maps 316, 317
Plan du Quartier pas à pas 112
Stansted Airport 357, 358-359
Staple Inn 141
Grand Feu 21
State Opening of Parliament 54, 58
adresses 55
carosses 96
voir Cérémonies 53
Station de St James's Park 81
Station Tavern 333, 335
Statues
Albert, prince 203
Anne,reine 148
Bedford, duc de (Francis Russell) 123
Boadicea 71
Burns, Robert 118
Carlyle, Thomas 267
Chaplin, Charlie 100, 103
Charles II 193, 266
Charlotte, reine 125
Churchill, Winston 71
Colonne de Nelson 101, 102
Disraeli, Benjamin 71
Fox, Charles James 123
George Ire 124
George II 235
Gladstone, William 134-135
Haig, Earl 70
Hill, Rowland 163
Johnson, Dr Samuel 138
Jones, Inigo 257
Lincoln, Abraham 74
Louise, Princesse 206
Mandela, Nelson 183
More, sir Thomas 190, 267
Myddleton, Sir Hugh 206
Napoléon 97
Palladio, Andrea 257
Peter Pan 195, 206
Ramses II 128
Richard Ier Cœur de Lion' 70
Shaftesbury, Lord 103
Sloane, sir Hans 191
Victoria, reine 206
Wellington, duc de 147
White, sir George Stuart 219
William III 89, 92
Steer, Philip Wilson 38
Stella, Frank 242
Sterling Hotel, Heathrow 356
Stern's 317
Stevenson, Robert Louis 131
Sticky Fingers 213
Stock Exchange 159
création 25
Strachey, Lytton 124
Strand et Covent Garden 110-119
plan du quartier 110-111
Plan du Quartier pas à pas 112-113
Strand on the Green 256, 269
Strand Theatre 327
Straw's (Jack) Castle 228
pub 308, 309
Street Theatre Festival 57
Stringfellows 334, 335
Stuart, James 238
Stubbs, George 84
Mares and Foals 83
Studio Theatre 328
Subterania 333, 335
Sun, The 308, 309
voir Restaurants et pubs 291
Sunshine chart 57
Suntory 293, 304
Suquet, le 292, 301
Sutherland, Graham
Imperial War Museum 186
London Transport Museum 114
Sutton Hoo Ship Treasure 128
Sutton House 21, 244
Swaine Adeney
vêtements 314, 315
spécialiste 318
Swan Lane Pier 64
Sweeny Todds 339
Swiss Cottage Hotel 277, 285
Swiss Cottage Sports Centre 336, 337
Swiss House Hotel 276, 279
Sydney House Hotel 276, 279
Sydney Street 292, 298
Synagogues, information 353
Syon House 249
jardin 51
promenade à Richmond et Kew 269
Syon House 255

T

T T Tsui Gallery of Chinese Art, V&A 199, 201
Tableau d'équivalence 353
Tableau des précipitations 58
Tableau des températures 59
Tableaux de conversion
tailles 314
unités de mesure 353
Tageen 293, 300
Tamise
promenade à Richmond et Kew 268
vue sur Londres 60-65
Tante Claire, la 292, 297
Tate Gallery 43, 82-85
Guide 82-83
visite de la collection 84-85
voir Musées et galeries 41
Tate Gallery Restaurant 292, 295
snacks et repas légers 306, 307
Tate, Henry 82
Tatsuso 294, 305
Tattershall Castle 334, 335
Taxis 367
Tea House 316, 317
Telecom Tower 30, 131
Téléphone
bottin 352
informations pratiques 350-351
Télévision et radio 352-353
voir également BBC
Telford, Thomas 158
Temeraire 246
Temple Bar Memorial 138
Plan du Quartier pas à pas 135
Temple Church 46, 139
Plan du Quartier pas à pas 135
voir Eglises 45
Temple de Mithras 16
Plan du Quartier pas à pas 144
Temple et Inns of Court 139
promenade sur la Tamise 63
Ten Bells 308, 309
Tennyson, Alfred, lord 192
Tenor Clef 333, 335
Tent City 275
Terry, Ellen 39
Thackeray, William 192
Thames
voir Tamise

Thames Barrier 244
Londres de l'après-guerre 31
promenade sur la Tamise 60
Thatcher, baronne Margaret 30
chapelle de mariage 168
portrait 102
Thé 289, 306
Théâtre de plein air 326
Shakespeare Season 57
Theatre Museum 42, 115
Plan du Quartier pas à pas 113
Theatre Royal, Drury Lane 326, 327
histoire 115
Plan du Quartier pas à pas 113
Theatre Royal, Haymarket 326, 327
Londres georgien 25
Plan du Quartier pas à pas 100
Theatre Upstairs 328
Théâtres 326-328
choix des places 328
enfants 341
expérimentaux 328
fantômes 328
Globe, Shaftesbury Avenue 103
Londres élisabéthain 20-21
Lyric 103
New End Theatre 227
Old Vic 191, 186
Palace Theatre 108
pantomime 326
Players Theatre 119
plein air 326
réservations 325
Royal Court 267
Royal National Theatre 182, 184
Royal, Drury Lane 115
Royal, Haymarket 100
Sadler's Wells 243
sources d'information 324
St Martin's Theatre 112
tarifs réduits 328
voir également au nom propre, et à Salles de concert
West End map 327
Whitehall Theatre 80, 327
Thermes romains 16
Thomas à Becket, saint 18
Thomas, Dylan 121, 131
Thomson, James 223
Thornhill, James
fresque de St Paul's 151
Plan du Quartier pas à pas 235
Royal Naval College 238
Thornycroft, Thomas, statue de Boadicea 71
Thrale, Henry 178
Thrale, Mrs Hester 140
Three Standing Figures (Moore) 266
Tiepolo, Giovanni 117
Tijou, Jean
autel de St Alfege 236, 237
écran du chœur de St-Paul 151
Time Out 324
Times, The 324
Tippoo's Tiger 201
Tite, William 147
Titien
Bacchus et Ariane 106
Persée et Andromède 222
Titus (Rembrandt) 222
Tokyo Diner 293, 305
Top Shop 314, 315
Tottenham Hotspur 336, 337
Tottenham pub 308, 309
Toulouse-Lautrec, Henri de
Courtauld Galleries 117
Tate Gallery 85
Tour de Londres 154-157
anniversaire de Henry VI 55
architecture 154-155
Cérémonie des Clés 53, 54
chronologie 155
embarcadère 61
festival de musique 330
Grand Feu 23
joyaux de la Couronne 42
Londres médiéval 19
miniature de 15
promenade sur la Tamise 65
Relève de la Garde 54
salves du Coronation Day 57
salves royales 54, 56
voir Musées et galeries 41
Tour Guides Ltd 344
Tourist Information Centres 345
Tower Bridge 153
promenade sur la Tamise 65
Tower Hill Pageant 158
Tower Records 316, 317
Tower Thistle 277, 285
Town and Country Club 333, 335
Townsend, C H 169
Toys 340
musées 43
Tradescant, John 185
Trafalgar Square 102
messes de Noël 59
Navy Day 54
New Year's Eve Celebrations 59
Plan du Quartier pas à pas 100-101
Trafalgar Square et Soho 98-109
plan du quartier 98-99
Plan du Quartier pas à pas 100-101
Trafalgar Tavern 238
pub 308, 309
Transport 360-6
aérien 354-356
autobus 364-365
autocars 355
automobiles 360
chemin de fer 355, 366
ferry-boats et ports 355, 359
plan des liaisons 358-359
spectacles 325
taxis 367
tickets 360
Transport Museum
voir London Transport Museum
Travel Bookshop 316, 317
Travelcards 360
autobus 364
chemin de fer 355
métro 362
Traveller's cheques 349
Travellers' Club 92
Trax 317
Treasury (Old) 80
Treasury, The 71
Tripscope 345
Trooping the Colour 54, 57
adresses 55
voir Cérémonies 52
Trotters 315
Truefitt and Hill 318, 319
Trumper (George F) 318, 319
Tryon and Morland Gallery 320, 321
Tui 292, 304
Tunnel sous la Manche 11, 355
Turkey auction 59
Turner's 292, 298
Turner, J M W 38
A City on a River at Sunset 84
Chelsea 189, 192
Clore Gallery 84-85
Dido Building Carthage 107
Kenwood House 230
Londoniens célèbres 38
Peace – Burial at Sea 82
St Mary's, Battersea 247
Turning World festival 332
Turnmills 334, 335
Turpin, Dick 231
Tussauds (Madame) et le planetarium 220
Plan du Quartier pas à pas 218
TVA 352
hôtels 272
remboursement 310-311, 352
restaurants 287
Twain, Mark 36, 221
Ye Olde Cheshire Cheese 140
Twelfth Night (Shakespeare) 21
mentions du Great Bed of Ware 200
Temple 139
Twenty-two Jermyn Street Hotel 277, 282
Twickenham Rugby Ground 336, 337
Twining and Co 134
Tyburn Gallows 207
Tyler, Wat 228
Blackheath 239
meurtre au Fishmongers' Hall 152
Smithfield 162
voir également Révolte des Paysans

U

Uccello, Paolo 106
United Services Club 92
Universal Aunts 339
University of London
Imperial College 197
Plan du Quartier pas à pas 122

University of London Union 352
Upper Street Fish Shop 306, 307
Urgences 347

V

Vale of Health 231
Van Dyck, Sir Anthony 107
Lady of the Spencer Family 84
Samson et Dalila 43
van Eyck, Jan,
Mariage Arnolfini 104-105, 106
Van Gogh, Vincent 85
Autoportrait à l'oreille coupée 117
Les Tournesols 107
van Haeften (Johnny) Gallery 320, 321
Varah, Chad 146
VAT, *voir* TVA
Vaudeville Theatre 327
Vaughan Williams, Ralph 202
Velázquez, Diego 107
La Vénus au miroir 104-105
Vendanges 53, 55
Venturi, Robert 107
Vénus au miroir, La (Velázquez) 104-105
Vermeer, Jan 230
Dame debout jouant de l'épinette 107
Veronica's 292, 296
voir Restaurants et pubs 290
Verrio, Antonio 252
Victoria and Albert Museum 198-201
argenterie 25
art 43
Bethnal Green Museum of Childhood 246
billet de famille 338
façade 194
guide des salles 198-199
Londres élisabéthain 21
Londres victorien 27
mobilier et décoration intérieure 42
Plan du Quartier pas à pas 196
visite de la collection 200-201
voir Musées et galeries 40-41
Victoria Embankment Gardens
voir Embankment Gardens
Victoria Monument 92
Victoria, reine 26-27, 32
Albert Memorial 203
Irish State Coach 96
Kensington Palace 206
palais de Buckingham 94
Queensway 215
statue 206
voix enregistrée 202
Vintners' and Distillers' Wine Harvest 55, 58
Virgin 317
Visite organisée 344
en autobus 364-365
promenade 259
promenade sur la Tamise 60-65
promenades guidées 239
sur la Tamise 60-61
Vol 346
Vuillard, Edouard 85

W

Waddington Gallery 320, 321
Wag Club 334, 335
Wagamama 294, 305
Wagner, Richard 36, 115
Waldorf Hotel 277, 284
Mr et Mrs Andrews 107
The Morning Walk 107
Wallace Collection 222
Wallace Collection 43, 222
voir Musées et galeries 40-41
Walters, Ian,
The Struggle is My Life (Mandela) 183
Walthamstow Stadium 336, 337
Walworth, Lord Mayor 152
Wapping 139
War Memorial 174
voir également Cenotaph
Warhol, Andy
Saatchi Collection 242
Tate Gallery 85
Warrington 308, 309
Warwick Castle 262
Washington, George 137
Waterford Wedgwood 319
Waterhouse, Alfred 38
Natural History Museum 204
Waterloo Bridge
Plan du Quartier pas à pas 183
promenade sur la Tamise 62
Waterstone's Booksellers 316, 317
Charing Cross Road 108
Watteau, Antoine 249
La Gamme d'amour 107
Watts, George Frederick
ex-voto à St Botolph 164
Physical Energy 206
Waugh, Evelyn 243, 264
Weavers Arms 333, 335
Webb, Aston 92
Wedgwood, Josiah 319
Weil, Daniel
Radio in a Bag 198
Well Walk 228
Plan du Quartier pas à pas 227
Wellington Arch 97
Wellington Barracks 81
Wellington, Duke (Arthur Wellesley)
Apsley House 38, 97
statue 147
The Grenadier 261
United Services Club 92
Wembley Arena and Stadium
musique 333, 335
sports 336, 337
Wesley, John
chapelle 168
Charterhouse 163
chronologie 24
maison 168
West London Stadium 336, 337
West, Benjamin,
The Martyrdom of St Stephen 146
Westenholz 320, 321
Westminster
ancien plan 15
cité royale 15
histoire médiévale 18-19
Westminster Bridge 18, 62
Westminster Cathedral 47, 81
voir Eglises 44
Westminster et Whitehall 68-85
plan du quartier 68-69
Plan du Quartier pas à pas 70-71
Westminster Hall 19
architecture 72-73
Westminster Palace
voir Palais de Westminster
Westminster Pier 60
Plan du Quartier pas à pas 71
Westminster School 74
Westwood, Vivienne 314, 315
Fashion Designer of the Year 31
Weyden, Rogier van der 106
Whaam ! (Lichtenstein) 83
What's On 324
Wheeler's 293, 301
Au cœur de Soho 109
Whispering Gallery 148, 150
Whistler, James Abbott McNeill 38
Chelsea 189, 190
Whistler, Rex 83
Whistles 314, 315
Whitbread's Brewery 168
White House Hotel 277, 284
White House, The 314, 315
White Lion 308, 309
White, sir George Stuart, statue 219
Whitechapel Art Gallery 169
café 306, 307
Whitehall et Westminster 68-85
plan du quartier 68-69
Plan du Quartier pas à pas 70-71
Whitehall Palace 80
Whitehall Theatre 80, 327
Whitely, William 215
Whites Hotel 276, 278
Whitestone Pond 226
Whitfield, William 71
Whittington, Richard (Dick) 39
Highgate 242
Londres médiéval 18, 19
Wholefood Warehouse 115
Wickham, Geoffrey 261
Wigmore Hall 222
musique classique 331
Wilde, Oscar 39, 221
Wilkie, David
hommage de Turner 82
Tate Gallery 84

Wilkins, William 104
William Ier (le Conquérant) 18
chronologie 32
Tour de Londres 154-155
William III
Hampton Court 252
Kensington Palace 206
statue 89, 92
William IV
Clarence House 96
palais de Buckingham 94
William Jackson Gallery 320, 321
William of Orange
voir Guillaume d'Orange et Mary II
Wilson, Richard
Marble Hill House 255
Tate Gallery 84
Wilton Diptych (artiste inconnu) 106
Wimbledon Lawn Tennis
Championships 57
billets 336
Wimbledon Lawn Tennis Museum
247
Wimbledon Stadium 336, 337
Wimbledon Tennis Club
voir All England Lawn Tennis and
Croquet Club
Wimbledon Windmill Museum 249
Winchester Palace
rosace 19
site du 177
Winchester, évêques de 173
Windermere Hotel 276, 281
Windsor, excursion 366
Woburn Walk 130
Wodka 292, 301
Wolfe, général James 237, 239
Wolsey Lodges 274, 275
Wolsey, Cardinal Thomas 250, 253
Wombwell, George,
mémorial 242
Women's Royal Navy Service 118
Wood (Christopher) Gallery 320, 321
Wood (Henry) Promenade Concerts
57
Last Night 58
voir également Proms
Wood, Sir Henry 262
Woodville House Hotel 276, 281
Woolf, Virginia, home 39, 124
maison de Fitzroy Square 131
Wornum, Grey 219
Wren Coffee House 90
Wren, Christopher 38
Cardinal's Wharf home 178
Christ Church Tower 163
Eglises, 45, 46-47
Flamsteed House 238
Hampton Court 250-253
Marlborough House 92
reconstruction de Londres après le
Grand Feu 144
Royal Hospital 193
Royal Naval College 235, 238
St Andrew, Holborn 140
St Bride's 139
St Clement Danes 138
St James's, Piccadilly 90
St James, Garlickhythe 144
St Katharine Cree 158
St Magnus the Martyr 152
St Margaret Pattens 153
St Mary-at-Hill 152
St Mary-le-Bow 147
St Nicholas Cole 144
St Paul's 148-51
St Stephen Walbrook 146
Temple Bar Memorial 138
tombeau à St Paul's 150
Wyatt, Benjamin
Apsley House 97
Lancaster House 96
Theatre Royal, Drury Lane 115
Wyatt, Philip, 97
Wyman, Bill, Sticky Fingers 213
Wyndham's Theatre 327
Wynne, David, Boy and Dolphin
191

Y

Ye Olde Cheshire Cheese 140
pub 308, 309
Yeats, W. B.
maison de Fitzroy Road 262
maison de Woburn Walk 130
Yellow Jersey Cycles 360
Yevele, Henry 77
YMCA
voir Central YMCA
Young England 314, 315
Young Man Among Roses, A (Hilliard)
201
Youth Hostels Association 275

Z

Zoo de Londres 217, 223
promenade Regent's Canal 262
volière 262

Remerciements

L'éditeur remercie tous ceux qui ont contribué, par leur travail, leur aide et leurs conseils, à la préparation et à la réalisation de ce guide.

AUTEUR
Michael Leapman, né à Londres en 1938, est journaliste professionnel depuis 1958. Après avoir travaillé pour la plupart des grands journaux britanniques, il s'est tourné vers la rédaction de récits et de guides de voyage pour plusieurs publications, parmi lesquelles *The Independent*, *Independent on Sunday*, *The Economist* et *Country Life*. Il a également publié 10 ouvrages, dont *London's River* (1991) et le *Companion Guide to New York* (1983, 1991), pour lequel il a obtenu un prix. En 1989, il édite le *Book of London*.

COLLABORATEURS
Yvonne Deutch, Guy Dimond, George Foster, Iain Gale, Fiona Holman, Phil Harriss, Christopher Middleton, Steven Parissien, Bazyli Solowij, Mark Wareham et Jude Welton.

L'éditeur remercie également les rédacteurs et documentalistes de Websters International Publishers : Sandy Carr, Matthew Barrell, Siobhan Bremner, Serena Cross, Annie Galpin, Miriam Lloyd et Ava-Lee Tanner.

PHOTOGRAHIES D'APPOINT
Max Alexander, Peter Anderson, June Buck, Peter Chadwick, Michael Dent, Philip Dowell, Mike Dunning, Andreas Einsiedel, Steve Gorton, Christi Graham, Alison Harris, Peter Hayman, Stephen Hayward, Roger Hilton, Ed Ironside, Colin Keates, Dave King, Neil Mersh, Nick Nichols, Robert O'Deale Vincent Oliver, John Parker, Tim Ridley, Kim Sayer, Chris Stevens, James Stevenson, James Strachan, Doug Traverso, David Ward, Mathew Ward, Steven Wooster et Nick Wright.

ILLUSTRATIONS D'APPOINT
Ann Child, Tim Hayward, Fiona M. Macpherson, Janos Marffy, David More, Chris D Orr, Richard Phipps, Michelle Ross et John Woodcock.

CARTOGRAPHIE
Advanced Illustration (Cheshire), Contour Publishing (Derby), Euromap Limited (Berkshire). Plan des rues : ERA Maptec Ltd (Dublin), adapté avec l'autorisation de Shobunsha (Japon) pour les plans et les relevés cartographiques.

RECHERCHE CARTOGRAPHIQUE
James Anderson, Roger Bullen, Tony Chambers, Ruth Duxbury, Jason Gough, Ailsa Heritage, Jayne Parsons, Donna Rispoli, Jill Tinsley, Andrew Thompson et Iorwerth Watkins.

DOCUMENTATION
Chris Lascelles, Kathryn Steve.

COLLABORATION ARTISTIQUE ET ÉDITORIALE
Keith Addison, Oliver Bennett, Michelle Clark, Carey Combe, Vanessa Courtier, Lorna Damms, Simon Farbrother, Marcus Hardy, Sasha Heseltine, Stephanie Jackson, Stephen Knowlden, Jeanette Leung, Jane Middleton, Fiona Morgan, Louise Parsons, Leigh Priest, Liz Rowe, Simon Ryder, Anna Streiffert, Andrew Szudek, Diana Vowles et Andy Wilkinson.

AVEC LE CONCOURS DE
Christine Brandt au Kew Gardens, Shelia Brown à la Bank of England, John Cattermole au London Buses Northern, le DK picture department (notamment Jenny Rayner), Pippa Grimes au V & A, Emma Healy au Bethnal Green Museum of Childhood, Alan Hills au British Museum, Emma Hutton et Cooling Brown Partnership, Gavin Morgan au Museum of London, Clare Murphy pour les Historic Royal Palaces, Ali Naqei au Science Museum, Patrizio Semproni, Caroline Shaw au Natural History Museum, Gary Smith à la British Rail, Monica Thurnauer au Tate et Alistair Wardle.

RÉFÉRENCES PHOTOGRAPHIQUES
The London Aerial Photo Library, ainsi que P et P F James.

CRÉDITS PHOTOGRAPHIQUES
L'éditeur remercie les conservateurs et directeurs des musées, institutions et établissements suivants de leur avoir accordé la possibilité de photographier :
All Souls Church, Banqueting House (Crown Copyright par faveur spéciale des Historic

Royal Palaces), Barbican Centre, Burgh House Trust, Cabinet War Rooms, Chapter House (English Heritage), Charlton House, Chelsea Physic Garden, Clink Exhibition, Maritime Trust (Cutty Sark), Design Museum, Gatwick Airport Ltd, Geffrye Museum, Hamleys and Merrythought, Heathrow Airport Ltd, Imperial War Museum, Dr Johnsons House, Keats House (the London Borough of Camden), London Underground Ltd, Madame Tussauds, Old St Thomass Operating Theatre, Patisserie Valerie, Place Below Vegetarian Restaurant, Royal Naval College, St Alfeges, St Bartholomew-the-Great, St Bartholomew-the-Less, St Botolphs Aldersgate, St Jamess, St Johns Smith Square, les recteurs et marguilliers de St Magnus the Martyr, St Mary le Strand, St Marylebone Parish Church, St Pauls Cathedral, le Maître et les Gouverneurs de la Worshipful Company of Skinners, Smollenskys Restaurants, Southbank Centre, le Prévôt et le Chapitre de Southwark Cathedral, HM Tower of London, Wellington Museum, Wesley Chapel, le Doyen et le Chapitre de Westminster, Westminster Cathedral, et Hugh Hales, Directeur général du Whitehall Theatre (du Maybox Theatre group). L'éditeur remercie également les nombreux musées, galeries, églises, restaurants, boutiques, et autres lieux qui ont accepté d'être photographiés, mais qui ne peuvent malheureusement être tous cités individuellement.

h = en haut ; hg = en haut à gauche ; hc = en haut au centre ; hd = en haut à droite ; cgh = au centre gauche en haut ; ch = au centre en haut ; cdh = au centre droit en haut ; cg = au centre à gauche ; c = au centre ; cd = au centre à droite ; cgb = au centre gauche en bas ; cb = au centre en bas ; cdb = au centre droit en bas ; bg = en bas à gauche ; b = en bas ; bc = en bas au centre ; bd = en bas à droite.

Malgré tout le soin que nous avons apporté à dresser la liste des auteurs des photographies publiées dans ce guide, nous demandons à ceux qui auraient été involontairement oubliés ou omis de bien vouloir nous en excuser. Cette erreur serait corrigée à la prochaine édition de l'ouvrage.

Les œuvres d'art ont été reproduites avec la permission des organismes suivants : © ADAGP, Paris et DACS, London 1993 : 83bd, 85c ; © DACS 1993 : 82cd ; © D. HOCKNEY 1970 1 : 85b ; © la famille de ERIC H. KENNINGTON, RA : 151bg ; © ROY LICHTENSTEIN DACS 1993 : 83ch. Les œuvres illustrées aux pages 45c, 206b, 266cb ont été reproduites par faveur spéciale de la HENRY MOORE FOUNDATION.

L'éditeur remercie les photographes, organismes et entreprises suivantes de leur avoir permis de reproduire leurs photographies :

Publié avec l'aimable autorisation de MOHAMED AL FAYED : 310b ; du GOUVERNEUR ET DE LA SOCIÉTÉ DE LA BANK OF ENGLAND : 145hd ; BRIDGEMAN ART LIBRARY, London : 21h, 28h ; British Library, London 14, 19hd, (détail) 21bd, 24cb, (détail) 32hg, 32bg ; par faveur de l'Institute of Directors, London 29cgh ; Guildhall Art Gallery, Corporation of London (détail) 26h ; Guildhall Library, Corporation of London 24bd, 76c ; ML Holmes Jamestown Yorktown Educational Trust, VA (détail) 17bc ; Master and Fellows, Magdalene College, Cambridge (détail) 23cgb ; Marylebone Cricket Club, London 242c ; William Morris Gallery, Walthamstow 19hg, 247hg ; Museum of London 22-23 ; O'Shea Gallery, London (détail) 22cg ; Royal Holloway & Bedford New College 157bg ; Russell Cotes Art Gallery and Museum, Bournemouth 38hd ; Thyssen-Bornemisza Collection, Lugano Casta 253b ; Westminster Abbey, London (détail) 32bc ; White House, Bond Street, London 28cb.

BRITISH AIRWAYS : 354h, 356hg, 359h ; reproduit avec l'autorisation du BRITISH LIBRARY BOARD : 127b ; © THE BRITISH MUSEUM : 16h, 16ch, 17hg, 40h, 91c, 126-127 toutes sauf 126h & 127b, 128-129 toutes les photos.

CAMERA PRESS, London : P. Abbey – LNS 73cb ; Cecil Beaton 79hg ; HRH Prince Andrew 95bg ; Allan Warren 31cb ; COLORIFIC ! : Steve Benbow 55h ; David Levenson 66-67 ; THOMAS CORAM FOUNDATION FOR CHILDREN : 125b ; par autorisation de la CORPORATION OF LONDON : 55c, 146h ; COURTAULD INSTITUTE GALLERIES, LONDON : 41c, 117b.

PERCIVAL DAVID FOUNDATION OF CHINESE ART : 130c ; DEPARTMENT OF TRANSPORT (Crown Copyright) : 361b ; par autorisation des GOUVERNEURS ET DIRECTEURS DE LA DULWICH PICTURE GALLERY : 43bg, 248bg.

ENGLISH HERITAGE : 254b, 256b ; ENGLISH LIFE PUBLICATIONS LTD : 255b ; PHILIP ENTICKNAP : 247hd ; ET ARCHIVE : 19bg, 26c, 26bc, 27bg, 28bd, 29cdh, 29cgb, 33hc, 33cd, 36bg, 185hg ; British Library, London 18cd ; Imperial War Museum, London 30bc ; Museum of London 15b, 27bd, 28bg ; Science Museum, London 27cgh ; Stoke Museum Staffordshire Polytechnic 23bg, 25cg, 33bc ; Victoria and Albert Museum, London 20c, 21bc, 25hd ; MARY EVANS PICTURE LIBRARY : 16bg, 16bd, 17bg, 17bd, 20bg, 22bg, 24h, 25bc, 25bd, 27h, 27cb, 27bc, 30bg, 32bd, 33hg, 33cg, 33bg, 33bd, 36h, 36c, 38hg, 39bg, 72cb, 72b, 90b, 112b, 114b, 116c, 135h, 139t, 155bg, 159h, 162ch, 174ch, 178b, 203b, 212h, 222b.

Par autorisation du FAN MUSEUM (The Helene Alexander Collection) 239b ; FREUD MUSEUM, LONDON : 242h.

THE GORE HOTEL, London : 273.

ROBERT HARDING PICTURE LIBRARY : 31ch, 42c, 52ch, 169hg, 325h, 347cb, 366b ; Philip Craven 206h ; Brian Hawkes 21cgb ; Michael Jenner 21cdh, 238h; 58h, 223h ; HEATHROW AIRPORT LTD : 356hd ; reproduit avec la permision de HER MAJESTYS STATIONARY OFFICE (Crown Copyright) : 156 toutes photos ; JOHN HESELTINE : 12hd, 13hg, 13hd, 13cb, 13bd, 51hd, 63bd, 98, 124b, 132, 142, 172, 216 ; FRIENDS OF HIGHGATE CEMETERY : 37hd, 240, 242b ; HISTORIC ROYAL PALACES (Crown Copyright) : 5h, 35hc, 250251 toutes sauf 250bd, 252-253 toutes sauf 253b ; THE HORNIMAN MUSEUM, London : 248bd ; HOVERSPEED LTD : 359b ; HULTON-DEUTSCH COLLECTION : 24bg, 124hg, 228h.

THE IMAGE BANK, London : Gio Barto 55b ; Derek Berwin 31h, 272h ; Romilly Lockyer 72h, 94bd ; Leo Mason 56h ; Simon Wilkinson 197h ; Terry Williams 139b ; par autorisation de ISIC, UK : 352h.

PETER JACKSON COLLECTION : 24-25.

ROYAL BOTANIC GARDENS, Kew : Andrew McRob 48cg, 56b, 244-245 toutes photos sauf 245t & 245bd.

LEIGHTON HOUSE, ROYAL BOROUGH OF KENSINGTON : 212b ; LITHGE ANGEL MARIONETTE THEATRE : 341hg ; LONDON AMBULANCE SERVICE : 347ch ; LONDON TOY AND MODEL MUSEUM : 257h ; LONDON TRANSPORT MUSEUM : 28ch ; 362-363 tous plans et tickets.

MADAME TUSSAUDS : 218c, 220h ; MANSELL COLLECTION : 19bd, 20h, 20bd, 21bg, 22h, 22cg, 23bd, 27ch, 32hd ; METROPOLITAN POLICE SERVICE : 346h, 347h ; MUSEUM OF LONDON : 16cb, 17hd, 17cb, 18h, 21cdb, 41hc, 166-167 toutes photos.

NATIONAL EXPRESS LTD : 358 ; reproduit par autorisation des CONSERVATEURS, THE NATIONAL GALLERY, London : (détail) 35c, 104-105 toutes sauf 104h, 106107 toutes sauf 107h ; NATIONAL PORTRAIT GALLERY, London : 4h, 41hg, 101cb, (détail) 102b ; NATIONAL POSTAL MUSEUM, London : 26bg, 164h ; par autorisation du CONSERVATEUR DU NATIONAL RAILWAY MUSEUM, York : 28-29 ; NATIONAL SOUND ARCHIVE, London la marque déposée HIS MASTERS VOICE est reproduite avec l'aimable autorisation de EMI RECORDS LIMITED : 197cg ; NATIONAL TRUST PHOTOGRAPHIC LIBRARY : Wendy Aldiss 23ch ; John Bethal 254h, 255h ; Michael Boys 38b ; NATURAL HISTORY MUSEUM, London : 205h ; Derek Adams 204b ; John Downs 204c ; NEW SHAKESPEARE THEATRE CO : 324bg.

PALACE THEATRE ARCHIVE : 108t ; PICTOR INTERNATIONAL, London : 61h ; PIPPA POP-INS CHILDRENS HOTEL, London : 339b.

PITSHANGER MANOR MUSEUM : 256c ; POPPERFOTO : 29hg, 29cdb, 30hg, 30hd, 30c, 33hd, 39bd ; PRESS ASSOCIATION LTD : 29bg, 29bd ; PUBLIC RECORD OFFICE (Crown Copyright) : 18b.

BILL RAFFERTY : 324bd ; REX FEATURES LTD : 53hg ; Peter Brooker 53hd ; Andrew Laenen 54c ; THE RITZ, London : 91h ; ROCK CIRCUS : 100cb ; ROCK ISLAND DINER : 339ch ; ROYAL ACADEMY OF ARTS, London : 90hd ; le CONSEIL DES CONSERVATEURS DES ROYAL ARMOURIES :

41hd, 155hg, 157hg, 157c, 157bd ; Royal Collection, St James's Palace © HM The Queen : 89, 53b, 88h, 93h, 94-95 toutes photos sauf 94bd & 95bg, 96h, 250bd ; Royal College of Music, London : 196c, 202c.

The Savoy Group : 274h, 274b ; Science Museum, London : 208cd, 208b, 209cgh, 209cb ; Science Photo Library : Maptec International Ltd 10b ; Sealink Plc : 355b ; Spencer House Ltd : 88b ; Southbank Press Office : 182bg ; Syndication International : 31bg, 35hd, 52cb, 53c, 58bg, 59h, 136 ; Library of Congress 25bg.

Tate Gallery : 43bd, 82-83 toutes photos sauf 82h & 83h, 84-85 toutes photos.

Par autorisation du Conseil des Conservateurs du Victoria and Albert Museum : 35bd, 40b, 198-199 toutes sauf 198h, 200-201 toutes photos, 246b, 340h.

The Waldorf, London: 272b ; The Wallace Collection, London : 40ch, 222c ; par autorisation des Conservateurs du Wedgwood Museum, Barlaston, Stoke-on-Trent, Staffs, England : 26bd ; Vivienne Westwood : Patrick Fetherstonhaugh 31bd ; The Wimbledon Lawn Tennis Museum : Micky White 249h ; Photo © Woodmansterne : Jeremy Marks 35hg, 149h.

Youth Hostel Association : 275.

Zefa : 10h, 52b, 54bd, 324c ; Bob Croxford 57h ; Clive Sawyer 57b.

Couverture : photographies particulières sauf The Image Bank, London : Romilly Lockyer bg, cdb ; Museum of London : bcr ; Natural History Museum : John Downs cg ; Tate Gallery : bcg ; par autorisation du Conseil des Conservateurs du Victoria and Albert Museum : cgh.

Le métro londonien

- O Stations de correspondance
- ⇌ Correspondance avec le réseau British Rail
- ⇌ Correspondance avec le réseau British Rail à proximité
- ★ Fermé le dimanche
- ★ Fermé le samedi et le dimanche
- ▲ Station desservie par les rames de la Piccadilly Line le matin tôt et le soir tard en semaine, ainsi que le dimanche toute la journée
- † Vérifier les horaires d'ouverture sur les plans affichés
  Certaines stations sont fermées les jours fériés

Informations usagers 0171-222 1234
Renseignements 0171-222-1200